João Ubaldo Ribeiro
Brasilien, Brasilien

Roman

Aus dem brasilianischen Portugiesisch
von Curt Meyer-Clason
und Jacob Deutsch

Suhrkamp Verlag

Die Originalausgabe erschien 1984 unter dem Titel
Viva o Povo Brasileiro
bei Editora Nova Fronteira S/A,
Rio de Janeiro.

Erste Auflage dieser Ausgabe 1994

Druck: Wagner GmbH, Nördlingen
Printed in Germany

Für Manoel Ribeiro, mit Bewunderung

Das Geheimnis der Wahrheit ist folgendes:
Es gibt keine Tatsachen, es gibt nur Geschichten.

I

Niemals indessen wurde die erste Inkarnation des Fähnrichs José Francisco Brandão Galvão richtig festgestellt, der jetzt in der Brise des Walfischkaps steht, kurz bevor die kleinen Stein- und Eisenkugeln ihn an Brust und Kopf treffen, abgeschossen aus den portugiesischen Arkebusen, die sich in Kürze mit der Flut nähern werden. Er wird in der Blüte seiner Jugend sterben, ohne eine Frau erkannt noch irgend etwas Erinnernswertes geleistet zu haben. Sicherlich ruht seine Vorstellungskraft, während er hier die vor seinem Tod wehende Brise genießt, denn er hat nicht genug gelebt, um davon zehren zu können, wie es dagegen bis heute die Hochbetagten in seiner Heimat tun, alle viel zu alt, um auch nur das Geringste noch selbst erleben zu wollen, und nun kauern sie da und phantasieren mit ihren drei Handbreit langen Pfeifen vor sich hin, umringt von den gebannt lauschenden Jüngeren, und lügen das Blaue vom Himmel herunter. Und vielleicht fehlt nur eine Minute, vielleicht weniger, bis die Portugiesen unter der starken Wintersonne in der Baía de Todos os Santos, der Bucht-aller-Heiligen, erscheinen und jene Eisen- und Steinkügelchen über ihn ausschwärmen lassen, die ihn unter großen Schmerzen töten werden: ihm ein Auge durchbohren, ihm die Schädelknochen zertrümmern und ihn in einer Selbstumarmung nach vorne kippen lassen, ohne daß er an seinen Tod auch nur denken kann. Das Bild »Der Fähnrich Brandão Galvão predigt den Möwen« zeigt auf einem durch die Luft segelnden Blättchen das Datum »10. Juni 1822«; auf der einen Seite ist es vom Schnabel einer Möwe gehalten, auf der anderen von der Spitze einer mit den Farben und Wappenzeichen der Freiheit geschmückten Lanze. Schon tödlich getroffen, raffte er sich hoch, mit dem einen über den Bart herabtriefenden Auge, und predigte den Möwen, die eben noch umhergeschwärmt waren, jetzt aber über den Briggs und Walfischbooten des portugiesischen Kommandanten Trinta Diabos kreisten. Er richtete nicht einen, sondern viele berühmte Sätze an sie, mit bebender, aber stentorhafter Stimme, die seither immer in Hörsälen und Klassenzimmern nachgeahmt wird oder sonst bei offiziellen Anlässen, wo es Reden anzuhören gilt. Denn wenn es nach dem portugiesischen

Geschoßhagel dort nur noch Seevögel gab, den Ozean und den Gleichmut der Naturvorgänge, so blieb doch genug, damit sich für alle Zeiten dem Bewußtsein der Menschen die Worte einprägten, die er jetzt ausspricht, obwohl man sie von hier aus nicht hört, selbst aus größerer Nähe nicht, auch sieht man seine Lippen sich nicht bewegen, noch ist in seinem Gesicht mehr wahrzunehmen als der verblüffte Ausdruck dessen, der stirbt und es nicht weiß.

Es sind aber hehre Worte gegen Tyrannei und Unterdrückung, dem Fähnrich vom Tod ins Ohr geblasen, und daher sind sie wahr.

Entgegengesetzte Dinge: Ruhm im Leben und Ruhm im Tode – nur dieser scheint die noch immer sich inkarnierende Seele des Fähnrichs zu verfolgen. Anderenfalls stünde er nicht dort, an diesem Tag und an diesem Ort, da er sich doch zu irgendeiner anderen Stelle in der weiten Buchtgegend hätte begeben können, wo das Volk sich versammelte, um zu trinken und dem Regenten und Unsterblichen Fürsten Dom Pedro zuzujubeln, dem Immerwährenden Verteidiger der südlichen Hemisphäre. Da der Fähnrich, dessen den Möwen mitgeteilte Worte sich ausbreiteten und nun von Mund zu Mund gingen, bereits verstorben war und ein Held, sollte er die feierliche Proklamation nicht hören, die in der Stadt Catu unter großen Festlichkeiten zu vernehmen war, wie er auch verschiedene andere nicht erleben sollte, die einander seit dem ahnungsvollen Tage ablösten, an dem der Senat des Staatsrats von Bahia, vor Groll und Haß kochend, weil der Hof sich mit dem gleichen befremdlichen Gebaren nach Portugal einschiffte, mit dem er angekommen war, die Annahme des Königlichen Erlasses verweigerte, die den Brigadier Inácio Madeira de Melo zum Waffenkommandanten ernannte. Das brasilianische Volk erhob sich gegen die Portugiesen, und wortgewaltige Reden hallten zwischen den Mauern von Kirchen, Apotheken und Salons wider, wo die Verschwörer den Ruhm des Südlichen Amerika prophezeiten, Hort des Glanzes, des Glücks und des Überflusses. Allerwärts wurden neue Helden geweiht, einer an jedem Tag in jedem Dorf, manchmal zwei oder drei, manchmal Dutzende, und die Nachricht von ihren Heldentaten flog so rasch wie die Schwalben, die den Sommer auf der Insel verbringen. So geschah es, als die berühmte Korvette *Regeneração* bedeutende Helden, die wegen Meuterei im Kastell São Jorge in der tyrannischen Hauptstadt gefangengesetzt und mittlerweile amnestiert waren, nach Bahias Hafen zurückbrachte. Vom Dunst der Legende umhüllt, trugen diese Männer des Schicksals alsbald in alle Landstriche den Ruf ihres unvergleichlichen Mutes, die Schönheit jeder ihrer Gesten, die treffsichere Kraft eines jeden ihrer Aussprüche, ihre durch menschliche Schwäche nie gebrochene Charakterfestigkeit. Und José Franciscos Herz konnte nur schneller schlagen, sein Kinn bebte, und es drehte sich ihm der Kopf, als der große Krieger Leutnant João das Botas, Fahrgast der *Regeneração*, bei Sonnenuntergang – und es war, als umschwirrten Trommelwirbel seinen scharlachrot gesäumten Umhang – von Bord stieg, um die Insel heimlich zu besuchen, und mit einigen Männern sprach, die der Apotheker auf dem Walfischkap versammelt hatte. Von ihm vernahm er wütende Anklagen gegen die brasilianischen Abgeordneten, die sich in Lissabon der Amnestie widersetzt hatten. Kaum imstande weiterzuatmen, hörte er, daß Brasilien die Freiheit bedeutete, den Wohlstand, die Gerechtigkeit und die Schönheit, die jene Portugiesen, die alles von uns forderten und nichts als Entgelt gaben, bislang unbilligerweise verwehrt hatten. Er lernte den Namen eines der Abgeordneten mit Verachtung nennen, und später, als er bereits das grüne manschettenbetreßte Wams zur Schau stellte, ein Geschenk der Witwe eines Gefreiten, seiner blinden alten Patin, und schon gewöhnt, beim Anblick der da und dort versammelten Milizsoldaten Herzbeklemmung zu empfinden, sollte der Name jenes Abgeordneten das einzige sein, was er bei den Versammlungen in der Apotheke hervorzubringen vermochte. Die Ansprachen hielten fast immer der Apotheker und sein häufiger Besucher, der hochgemute und geistvolle Redner Sousa Lima, doch die anderen durften das eine oder andere Wort einwerfen, während die großen Revolutionäre Atem holten, und dergestalt über seine Manschetten streichend und den spärlichen Bart vorzeigend, den seine siebzehn Lenze ihm gewährten, brummte der Fähnrich José Francisco Brandão Galvão ungehalten: Gonçalves Ledo, feiger Verräter! Sodann ließ er den unversöhnlichen Blick durch den Raum schweifen, als verfolgte er die Bewegungen einer ängstlichen Fliege, schlug sich mit der geballten Faust aufs Knie, knurrte einen unverständlichen Fluch und kehrte zu seinem unbewegten Schweigen zurück. Obwohl er fast jeden Abend dieselben Worte und Gebärden wiederholte, da es ihm Mühe bereitete, neue Dinge zu lernen, und er vom ABC nur die Anfangsbuchstaben seines Familiennamens kannte, hörten ihm die anderen Verschwörer, wie er mit Wohlgefallen feststellte, stets so zu, als sagte er etwas zuvor nie Vernommenes, höchst Notwendiges, und einige beantworteten sein Brummen mit fast feierlichem Nicken.

Bevor der Tod ihm den Ruhm brachte und ihm die Gabe der schönen Worte verlieh, dachte er vielleicht dann und wann, daß, wäre da nicht sein Tressenwams und das unbestimmte, aber wohlige Erschauern bei Erwähnung des Krieges, sein früheres Leben als junger Fischer und armer Bastard trotz alledem vorzuziehen wäre. Das Fischerhandwerk, wiewohl seiner Natur nach unsicher, war etwas, das ablief wie die Nächte und die Tage, und wenn es auch Aufmerksamkeit und Disziplin erforderte, weckte es doch zugleich ein überwältigendes Gefühl von Freiheit, das der Fähnrich zwar nicht ganz begriff, aber wahrnahm, zumal dann, wenn die Männer nach beendetem Fischzug, während die zu einer zuckenden Silbermasse verwandelten Fische ein schimmerndes Licht über Netze und Kanus warfen, tief aufseufzten und grundlos lachten. Er machte sich keine Vorstellung von dem, was geschehen würde, er schämte sich deshalb, und wenn er den Mut aufbrachte, Fragen zu stellen, verlor er ihn im letzten Augenblick wieder und brummte lediglich von neuem. Er wußte nicht, wo Portugal lag, er wußte nur, daß sein Vater gleich nach seiner Geburt dorthin zurückgekehrt war. Einige Male schlich er nachts davon, um von weitem das portugiesische Kriegsschiff *Dona Maria da Glória* zu erspähen, das wie ein Geisterschiff im Hafen von Porto da Cruz vor Anker lag. Da er keine Feuerwaffe besaß, denn an militärischer Ausrüstung hatte er nur das Wams, umklammerte er mit den Fingern eine dreizackige Harpune, hielt, von der Dunkelheit getarnt, nach dem Schiff Ausschau und fühlte seinen Atem rascher gehen, dachte mit geschlossenen Augen daran, wie er das Schiff entern und die Portugiesen mit seinem Fisch-Spieß töten würde. Er hoffte, das furchterregende Gesicht des Kommandanten Manoel Pereira da Silva zu sehen, der als einer der grausamsten Königstreuen unter all den Bösewichtern galt, die der tyrannische Hof entsandte, doch nie er-

blickte er mehr als den Schatten eines mageren Köters, der am Rand der Reede entlangtrottete, nie hörte er mehr als das gegen den Schiffsrumpf schwappende Wasser, das in der Nacht lauter tönende Geflüster, in dem die nächtlichen Ausflüge der Krabben klangen wie eine Versammlung von Klatschbasen. Von seinen Pflichten als Fähnrich wußte er nichts, auch nicht, was seine Stellung bedeutete, nicht einmal, ob er tatsächlich Fähnrich war. Er vermutete sogar, daß mehr dazu gehörte, Fähnrich zu sein, als einfach mit diesem Titel angeredet zu werden, wie es zum ersten Mal in der Apotheke geschehen war und sich schließlich bei allen Leuten vom Walfischkap einbürgerte.
Hätte er nicht Angst verspürt, sich alleine mit anderen Fähnrichen oder Kommandanten oder Steuermännern oder Hauptleuten oder sonstigen Gestalten strengen Gesichtsausdrucks, gemeißelter Miene und betreßten Wamses zu treffen, hätte er bestimmte Wörter verstanden, deren Laute ihm insgeheim und in einsamer Beklemmung lediglich die wunderlichsten imaginären Gegenstände vorgaukelten, wäre er nicht in allem so ahnungslos gewesen, was ihm wie ein bleierner Kettenhelm auf den Schädel drückte: vielleicht wäre er nach Cachoeira gegangen, wo die Verschwörer sich bereits in eine solche Begeisterung hineingesteigert hatten, daß sie über den Wolken schwebten und sich von neuem Blut durchströmt fühlten, bereit, die Meere zu besprengen und im Schaum mehr Helden zu erzeugen, immer mehr Götter und Göttinnen der Freiheit, wie man sie auf alten Stichen abgebildet sah und in Gedanken als roten Faden einer Ansprache entwarf. Der Paraguassu, der düster, mit trügerischer Sanftmut fast lethargisch durch die Tiefe des Tals dahinfloß, ließ einen, wenn man den Blick bis zu seiner nächsten Biegung schickte, ahnen, daß die zahlreichen Wesen, die darin lebten, sich für den Zusammenstoß rüsteten, und jeden Tag, zu jeder Zeit, stand jemand an seinem Ufer, den Blick auf den Horizont geheftet, und malte sich in Gedanken Schlachtenszenen aus. Doch der Fähnrich erfuhr von solchen und anderen Außerordentlichkeiten nur vom Hörensagen, denn er fürchtete, auf andere Soldaten zu treffen, die ihm Fragen stellen könnten. Was verstand er schon von Kriegswaffen und -listen? An wie vielen Schlachten hatte er denn teilgenommen und wie viele Erinnerungen hatte er zusammengetragen, um sie den Gefährten und der Familie erzählen zu kön-

nen? – Was hält er von den Kämpfen, in die Brasilien verstrickt ist, welche Meinung hat er von unserer Unabhängigkeit, welche großen Kommandanten, kaum haben sie nach bestandenem Waffengang aufgeatmet, haben zu ihm gesagt: »Gebt mir zehn Tapfere wie dich, mein Junge, und der Erdkreis gehört uns«? Wo genau liegt Brasilien, da man doch bloß weiß, daß wir hier in Brasilien sind, doch es ist nicht das ganze Brasilien, und muß der gute Soldat nicht wissen, wo Brasilien liegt? Nein, José Francisco würde das Walfischkap nicht verlassen, nicht nur weil er sich danach nicht sehnte, sondern weil das Schicksal ihm bereits die Krone aus Lorbeer und Dornen ums Haupt geflochten hat, die das Zeichen eines werdenden Helden ist. Dort, auf dem Walfischkap, an dem auf das geflügelte Blättchen des Gemäldes eingezeichneten Datum, setzten die Portugiesen mit Ingrimm und Wut zu ihrem ersten Ansturm gegen die Revolutionäre der Insel Itaparica an. Durch Nachrichten des Portugiesen João de Campos, der bis in alle Ewigkeit beschimpft und verwünscht werden wird, wann immer eine Rede über den Fähnrich Brandão Galvão und seine Möwenhörerschaft geschwungen wird, über die Verschwörung in Kenntnis gesetzt, entsandte der halsstarrige General Madeira, der, allein auf sich gestellt, die Zügel der südlichen Halbkugel straffen mußte, den Kommandanten Trinta Diabos und dessen Brigg-Flotte zum Dorf von Ponta-das-Baleias. Noch lange Zeit nach diesem Angriff, selbst Jahrhunderte später, sollten die Menschen sich bekreuzigen, wenn sie sich an die in ein Meeresungeheuer aus Feuer und Rauch verwandelte *Dona Maria da Glória* erinnerten, an von Briggs zu Wasser gelassene Feluken, die das seichte Wasser mit ihren tödlichen Stacheln gleichenden Rudern überzogen, mit immer näher funkelnden Spitzen von Lanzen und Hellebarden. Wie geschildert, fiel nur der Fähnrich Brandão Galvão, noch bevor die Portugiesen ihren Fuß auf den Sand setzten, war er doch allzu sichtbar, eine jener Gestalten, auf die jeder, der eine jungfräuliche Waffe trägt, unwillkürlich zielt, da seine Wamsmanschetten leuchteten und seine magere Silhouette von den fahlen Planken der Reede deutlich abstach. Niedergestreckt, sobald die erste Feluke Geschosse in alle Richtungen versandte, vermochte er nur noch zu erkennen, daß diese Bisse der plötzlich lebendig gewordenen pfeifenden Luft ihn töteten, und da begann er den Möwen zu predigen. Er sah auch nicht João de Campos mit schwabbeligem Fett in seinen weiten Hosen vor dem ersten Trupp an Land springen und mit dickem, schmierigem Finger auf die Häuser der Verschwörer deuten. Als die Briggs gegen den Wind in die Bucht lavierten, war glücklicherweise nur der Fähnrich auf seinem sich selber zugewiesenen Posten geblieben, denn die anderen, vom Apotheker bis zu den Rednern, von den Milizsoldaten bis zum Pfarrer, von den Matrosen bis zu den Krebsfischern, traten den Rückzug in den bei Amoreiras gelegenen Buschwald an und verhüteten mit ihrer schlauen, unverzüglichen und mutigen Aktion, daß die Kader der Revolution Verluste von unübersehbaren Folgen erlitten. Über die endlose Sandbank wie eine wütende Teufelsschar ausschwärmend, verübten die Portugiesen derartige Grausamkeiten, daß ganze Gedichtbände über sie verfaßt wurden und der Haß der vielen Geschändeten in den Herzen ihrer Nachfahren bis zum heutigen Tage noch nicht ganz zur Ruhe gekommen ist. Die am Strand und in der Festung zurückgebliebene Artillerie wurde gedemütigt, das Pulver genäßt, die Kanonen verstopft, und man ließ sie durch Gras und Dreck rollen. Die Truppen drangen in die Sankt-Lorenz-Kirche ein, rissen den Mantel Unseres-Herrn-von-den-Martern ab, zerstörten den Schrein von Vera Cruz. Und so viele gotteslästerliche Taten wurden begangen, daß Gott, hätte er nicht aus Gerechtigkeitssinn und Neigung schon auf der Seite der Brasilianer gestanden, nun angesichts der Grausamkeit des Feindes für sie eingetreten wäre. Die Apotheke wurde fast völlig zerstört, große Schäden und Verluste waren zu beklagen, doch weil José Francisco auf der Welt nur eine gelähmte Mutter hatte, eine noch ganz kleine Schwester, zwei Hühner, eine dreizackige Harpune und ein Wams mit betreßten Manschetten, verursachte er keine Verluste und war er selbst kein solcher. Im Gegenteil, er vermachte dem Volk seine Worte an die Möwen, als er am Tag seines Wachdienstes an den Küsten des brasilianischsten Landstrichs, den es gibt, von Portugals gott- und erbarmungsloser Kralle auf dem Walfischkap dahingerafft wurde.

Das Verhalten von unvermutet desinkarnierten Seelen, besonders wenn sie blutjung sind, ist so sehr Gegenstand hitziger Auseinandersetzungen und einander geradezu entgegengesetzter Auffassungen geworden, daß zu diesem Thema insgesamt in keinem einzigen Punkt Übereinstimmung erzielt worden ist. In Amoreiras zum Beispiel wird behauptet, die besondere Konstellation der Kardinalpunkte, der Tagundnachtgleichen, der magnetischen Linien, der geistigen Meridiane, der mächtigsten planetarischen Einflüsse, der esoterischen Pole, der alchimistisch-philosophischen Strömungen, der Anziehungskraft des Mondes und der Fix- und Wandelsterne und noch Hunderter von geheimnisvollen Kräften – all das bewirke, daß die Seelen der Toten sich dort weigern, davonzuziehen, vielmehr gehen sie weiterhin frei unter den Lebenden um, greifen in ihren Alltag ein und stellen gelegentlich eine Unzahl von Forderungen. Der Grund dafür – so hieß es – seien die dort hausenden Tupinambás, die mit tausend Indianertücken und -listen die Seelen der Toten festbänden, bis diese die Gefälligkeiten, die sie bei ihrem Tode schuldig geblieben seien, erwiesen oder irgendwelche Streitigkeiten, in die sie verwickelt waren, beglichen hätten. Doch nach den Tupinambás kamen die Portugiesen, die Spanier, die Holländer, sogar Franzosen, und selbst wenn es keine Indios mehr gab, die sie festbinden konnten, blieben die Verstorbenen dennoch da und widersetzten sich den Befehlen der Patres und der hochgeachteten Zauberer, sich zurückzuziehen. Daraufhin kamen die Schwarzen verschiedener afrikanischer Völkerschaften, und gleich woher sie stammten und welche Götter sie mitbrachten, vermochte keiner von ihnen sich je von seinen Toten zu lösen, so daß sie es waren, die sich am leichtesten an diesen Umstand gewöhnten, denn es gab beispielsweise weder Waisen noch Witwer oder Witwen unter ihnen. Die vielen, denen es nicht gelang, das Leben in Gesellschaft einer unendlichen Erinnerung und in Gegenwart von soviel Vergangenheit zu ertragen, übersiedelten in weit von Amoreiras entfernte Orte und aßen nie das geringste, was von dort kam.

Es gibt Stellen im ganzen Hinterland der großen Bucht, wo die jungen desinkarnierten Seelen ohne Ankündigung einem unwillkürlichen Impuls nachgeben und versehentlich in den Bauch einer Ziege oder Stute oder in ein Hühnerei hineinfahren. Sobald sie drinnen sind, können sie nicht wieder hinaus, bis das Tier, in das sie gefahren sind, geboren, aufgezogen, geschlachtet wird oder von selbst stirbt, aus welchem Grunde es Menschen gibt, die auf die Welt kommen und Verhungern dem Genuß von Fleisch bestimmter Tiere vorziehen, und das, weil sie sich bereits einmal oder mehrmals in diesen Tieren verkörpert haben, sie von innen her kennen und daher für immer ihnen anverwandt sind. Wohl ist es möglich, eine derart unglücklich durch Unerfahrenheit verirrte Seele herauszuoperieren, doch dies erfordert übermenschliche Fähigkeiten und eine höchst delikate Konstellation von Tatbeständen, so daß die meisten Familien, die von der Gegenwart einer solchen in einem ihrer Tiere inkarnierten Seele betroffen sind, es vorziehen, sich in ihr Schicksal zu fügen und Nächstenliebe walten zu lassen. In anderen Gegenden fahren Seelen nicht in Tiere, sondern in Bäume, wobei es strittig ist, ob sie dies absichtlich tun, und manche behaupten, die Seele, überwältigt von dem, was sich während ihrer Inkarnation vollzog, und höchst beunruhigt durch die Erfahrung der Unsterblichkeit, ziehe das Leben der Pflanze dem eines Menschen oder Tieres vor. Die Seele lernt nichts, solange sie Seele ist, sie bedarf der Inkarnation, um zu lernen, und es fehlt nicht an Gründen, jene Auffassung zu erhärten, der zufolge sie als Pflanze besser lernt denn als Mensch, zumal als großer, Früchte hervorbringender Baum.

Es läßt sich auch nicht leugnen, daß im ganzen Recôncavo irrende Seelen zu finden sind, und kein Zweifel dürfte bestehen am Zeugnis all derer, die ihnen begegnen und ihnen mit Hilfe von Kerzen, Novenen, Gebeten und Opferungen beistehen. Zahllose irrende Seelen verharren in diesem prekären Zustand auf eine bloß vorübergehende Art und Weise, und tatsächlich irren sie auch nicht umher, sondern ruhen aus, bevor sie zur Sitzstange-der-Seelen aufsteigen, wo sie, früher oder später, ihre Ängste zu überwinden und sich von neuem zu verkörpern haben. Zwingen muß man sie dazu nicht, denn es ist unerträglich, überhaupt nichts zu lernen, und so können bisweilen ganze Scharen von ihnen sich nicht mehr beherrschen und kommen in plötzlichem Sturzflug von der Sitzstange-der-Seelen herabgeschossen, um sich zu verkörpern. Das sind ziemlich verwickelte Ereignisse, die auch die weisesten Männer und Bruderschaften nicht gänzlich zu verstehen vermögen, sicherlich ein Grund dafür, warum so häufig Behauptungen laut werden, wonach Fähn-

rich Brandão Galvão die erste Inkarnation jenes so verwirrten und verängstigten Seelchens gewesen sei, das darauf den heiligen Leib des Helden verließ und, da Seelen leichter sind als Luft und viele nicht richtig fliegen können, ein Weilchen der Willkür des Windes ausgeliefert blieb, der die portugiesische Flotte vorwärts bewegt hatte, und von dort oben, im Lufthauch zwischen der Festung und der Insel-der-Angst hin und her schwankend, blickte es mit großer Liebe, mit Enttäuschung und Hilflosigkeit auf den Leib dort unten, dessen Militärmanschetten das Sonnenlicht spiegelten. Doch zu meinen, der Fähnrich sei die erste Inkarnation jenes Seelchens, das da im jetzt tiefer wehenden Nordostwind treibt, ist eher ein Ausfluß menschlicher Eitelkeit, welche die Welt nach dem Bild ihrer Bedürfnisse zu verändern sucht. Ja, welch größeren Ruhm könnte es für ein Volk geben, als daß dieser beflügelnde und beredte Held die erste Inkarnation eines neuen Seelchens gewesen wäre, einer Seele, die eigens gezeugt wurde, um den Stolz aller zu stärken und die Rassigkeit des Volkes unter Beweis zu stellen?
Doch so geschah es nicht. Es gibt wenig neue Seelen, obgleich alle Tage etliche geschaffen werden in der großen kosmischen Suppe, welche die Planeten und Sternbilder umkreist. Die allerneueste Biologie weiß, daß vor vielen, vielen Millionen Jahren keine Lebewesen existierten, doch die Substanzen, aus denen sie sich heute zusammensetzen, schwammen bereits lose in der uranfänglichen Brühe der Meere, und dann, an einem schönen Sonnentag, traf das Licht einige dieser Substanzen genau in dem Moment, wo das Schaukeln der Wellen sie zueinander führte, mit dem Ergebnis, daß zum ersten Mal etwas Lebendes erschien. Das gleiche, was die Weisen als einfachen Vorgang darlegen, geschieht mit den neuen Seelchen, wenn sie sich in der großen kosmischen Suppe herausbilden. Die kleinen Seelen sind wie bestimmte, gleichfalls von der jüngsten Wissenschaft beschriebene Materieteilchen, die Farbe, Geschmack und Vorlieben besitzen, aber weder Körper noch Gewicht haben. Und doch existieren die kleinen Seelen ebenso wie die Teilchen, wobei alles von der Unmenge von Nichts abhängt, das sich in ihrer Unzusammenstellung verunsammelt, und mit an Sicherheit grenzender Wahrscheinlichkeit von anderen wissenschaftlichen Bedingungen wie Druck, Temperatur und der Gegenwart guter Katalysatoren für

Reaktionen des Nichts mit dem Nichts. So verströmen in den gestirnten Weiten unmeßbare und umfangreiche Nichtmassen von Nichts, augenscheinlich ohne jede ihnen innewohnende Geschwindigkeit, um sich in der Nähe irgendeiner Sitzstange-der-Seelen zu sammeln. Ob das Nichts die Sitzstangen-der-Seelen heimsucht oder die Sitzstangen-der-Seelen das Nichts heimsuchen, ist nicht zu ermitteln. Tatsache ist, daß in der Nachbarschaft einer Sitzstange-der-Seelen schlichtweg nichts geschieht, nichts nach allen Seiten, eine Unendlichkeit von unvorstellbarem Nichts in all seiner Ausdehnungslosigkeit. Nichts und noch mehr Nichts und noch mehr Nichts und noch mehr Nichts häuft sich dort auf bis zu dem Punkt, an dem sich so viel Nichts ansammelt, daß es sich in ein kritisches Nichts verwandelt und auf diese Weise ein Etwas aus diesem Nichts entsteht. Diese plötzliche Nichtform des Nichts ist nichts anderes als eine neue kleine Seele, unerfahren und unschuldig wie alle blutjungen Geschöpfe und gerade dadurch einer Unzahl von Mißgeschicken ausgeliefert, denn das einzige, was sie weiß, ist, daß sie zur Sitzstange-der-Seelen flattern und sich mit den anderen auf die Stange setzen und auf die Stunde warten muß, da sie sich inkarnieren soll, um zu lernen.

Und eigentlich war die kleine Seele, die so lange untröstlich umherirrte, nachdem sie sich gezwungen sah, unreif und wehrlos, wie sie war, den Leib des Fähnrichs Brandão Galvão zu verlassen, ursprünglich keine brasilianische Seele, denn schwerlich sind Seelen dazu prädestiniert, nur in einer bestimmten Nationalität geboren zu werden oder sich an eine solche zu klammern. Im Falle dieser Seele begann alles, wie so viele wichtige Ereignisse, durchs Werk des Zufalls. Wenn die Sitzstange-der-Seelen zufällig voll besetzt ist mit neugeborenen kleinen Seelen, bringt die fieberhafte Unruhe so vieler nach Lehrzeit und Erfüllung ihres Schicksals dürstender junger Wesen den Kosmos ins Zittern und stört ein wenig die makellose Arbeit der Sternuhren und sonstiger Himmelsmechanismen. In diesen Fällen ist es üblich, daß die neuen Seelen in nervösem, zuckendem Schwirrflug – wie durch einen Stein aufgescheuchte Strandvögel – pfeilgeschwind in Richtung auf den Planeten herabstoßen und wie Blitze von einem Punkt zum anderen sprühen, bis sie ein Ei, eine Gebärmutter, ein Samenkorn, etwas Lebendiges zum Beseelen finden.

Und natürlich steigen sie nicht herab, wie Körper es tun, eigentlich steigen sie gar nicht herab, da ihr Flug gleichzeitig senkrecht zu den Ebenen aller drei Dimensionen verläuft, und falls dies nicht verständlich sein sollte, dann deswegen, weil niemand recht was von vierten, fünften und sechsten Dimensionen versteht, die kleinen Seelen eingeschlossen, die solcherart vor ihrer Ankunft nie wissen, wo sie sind. Auch kommt es häufig vor, daß die erste Inkarnation der Seelen nicht in einem Menschen, sondern in einem Tier oder einer Pflanze geschieht, und daher steht zu vermuten, daß diese kleine Seele, lange bevor sie in den enttäuschten Bauch der Mutter des Fähnrichs eintrat, ein Affe oder Papagei irgendwo in den großen Buschwäldern des Recôncavo gewesen war. Da in jener Zeit die meisten Affen und Papageien keine so ernsten Probleme hatten wie heute, ist anzunehmen, daß die kleine Seele versucht hat, wieder in diese Gattung zurückzukehren, daß sie aber trotz der riesigen Angst, die solches in Seelen stets auslöst, der Gelegenheit, sich in einem Menschen zu verkörpern, nicht widerstehen konnte. So geschah es, daß die kleine, zwischen Buschwaldpflanzen und Tieren herumflatternde Seele an einem bestimmten Tag von der Anziehungskraft geradezu aufgesogen wurde, die der Bauch einer Tupinambá auf sie ausübte, in dessen Innern wenige Stunden zuvor eine Empfängnis stattgefunden hatte.

Vielleicht hat hier das Zusammenwirken einzigartiger Umstände begonnen, das aus der Seele des Fähnrichs schließlich eine brasilianische Seele gemacht hat. Geboren wurde sie als Indiomädchen zur Zeit der Ankunft der ersten Weißen, und acht von ihnen schändeten sie und brachten sie um, als sie noch keine zwölf Jahre alt war. Ohne das geringste zu begreifen und kaum aus dem Körper des kleinen Mädchens entwichen, erklomm sie die Sitzstange-der-Seelen, als ein neuer Menschenbauch sie wie ein Strudel verschluckte, und nun wird die kleine Seele wieder und immer wieder als Indio geboren, wie oft, weiß niemand zu sagen, bis zu dem Tag, an dem sie – nach einem Leben als Halbblut zur Zeit der Holländer, in Dickicht und Salzsümpfen versteckt, mit drei oder vier Frauen und vielen Töchtern und hin und wieder Menschenfleisch verzehrend – eine Weile auf der Sitzstange-der-Seelen hocken blieb aus Angst, sich von neuem in einem Mann oder einer Frau zu verkörpern. Und fraglos steht etwas geschrieben, denn diese Seele, im dunklen Raum zwischen den Welten vor Angst und Betrübnis zitternd, tat alles, um in ihrem darauffolgenden Sturzflug die südliche Halbkugel zu umgehen, doch da sie nun gar nichts Brauchbares erlernt hatte und besser Papagei als Mensch zu sein verstand, flatterte sie auf schicksalhafte Weise gerade hierher und landete achtzehn Jahre, zwei Monate und zwanzig Tage vor dem 10. Juni 1822 in den Eingeweiden jener hageren Frau, die sie bald darauf im Körper des künftigen Fähnrichs Brandão Galvão, des Helden der Unabhängigkeit, gebären sollte.

In einem Fähnrich, der, kaum hatte seine kleine Seele von ferne dem schlichten Begräbnis beigewohnt, das sie ihm gaben, schon einen Namen hatte, der überall gerühmt wurde, wo patriotische Revolutionäre versammelt waren, und schon als Vorbild der Tapferkeit und Rednerkunst beschworen wurde, schon Gegenstand begeisterter und packender Vorträge geworden war. Vielleicht hat die kleine Seele ja während ihrer inkarnationslosen Streifzüge durch die Insel allzuviel Zeit in Amoreiras zugebracht, denn Seelen haben kein sonderlich gutes Zeitgefühl. Doch vielleicht war sie in Wahrheit gar nicht verzaubert worden von den Seelenködern, -fallstricken und -beschwörungen, die in der Luft von Amoreiras durcheinanderschwärmen, denn mit zunehmendem Eifer und Interesse suchte sie die Orte auf, wo dem Fähnrich gehuldigt wurde, und erbebte mit nie erlebtem Glücksgefühl, wenn Vortragskünstler Einzelheiten seiner Möwenpredigt dem Volk in symphonischen Alexandrinern nahebrachten, in atemberaubenden Anastrophen, Proparoxytona, die wie Fässer dröhnten, auf die man hämmert, in Metaphern von nie sich auflösenden Konturen, welche die Luft mit gallertartig zitternden Gebilden schmückten. Sie staunte mehr und mehr über sich selbst, hörte so viele Berichte über Wunderwerke, bewirkt von Männern, wie sie selbst einer gewesen war, daß sie an nichts anderes mehr denken konnte. Und so, eine elektrisch blaue, unsichtbare Kugel, in der Schwebe gehalten von den vielen Winden, die das Firmament bevölkern, schob die kleine Seele den Augenblick hinaus – und ersehnte ihn zugleich –, in dem sie sich, überwältigt von verzehrender Leidenschaft, für alle Zeiten in eine brasilianische Seele verwandeln würde, ein Phänomen, das man vielleicht besser versteht, wenn man sich daran erinnert, daß Seelen zwar nichts lernen, jedoch wirr und wahnhaft träumen.

Pirajá, den 8. November 1822

Unter einem Jacabaum mit ausgestreckten, gespreizten Beinen sitzend, ein halbvertrocknetes Maisbrot kauend und dabei riesige Happen von einem Stück gebratener Speckwurst abbeißend, beschloß Perilo Ambrósio Góes Farinha, die beiden Sklaven, die ihm Gesellschaft leisteten, zurechtzuweisen, obwohl sie keinen Fehler begangen hatten und ihn nur mit hungrigen Augen beobachteten. Er war über das Essen erbost. Schon immer, seit seiner Kindheit, war es so gewesen, immer hatte er auf Enttäuschungen, die das Essen betrafen, höchst empfindlich reagiert. Es mochte lediglich enttäuschte Erwartung, es mochte irgend etwas sein, sogar jemand, der einen Bissen vor ihm wegschnappte, auf den er selbst sein Auge geworfen hatte, trotz des vollen Mundes und der wachsamsten Aufmerksamkeit, die er jedem anderen Gericht auf dem Eßtisch schenkte, während er geräuschvoll verschlang, was er in zwei oder drei als Teller dienenden Steingutschüsseln vor sich aufgetürmt hatte. Wie üblich nährte er in der beleidigten und schmerzenden Brust die lastende Einsamkeit des Unrechts und erinnerte sich daran, daß der Vater ihn zum zehnten oder dreißigsten Mal aus dem Dorf und der Fazenda zu verstoßen gedroht hatte, als er ihn eine seiner Schwestern mit einem Bratspieß anfallen sah, weil sie sich als erste eines fernen, aber von ihm begehrten Fleischstückes bemächtigt hatte. Er wußte nicht, wie er das zwischen Maxixe- und Jilófrüchten schimmernde würzige Stück am anderen Tischende erreichen sollte, noch konnte er es mit Geschrei und Drohungen für sich einfordern, weil sein Mund mit Speckstreifen vollgestopft war und von geröstetem Maismehl überquoll und er gleichzeitig fürchten mußte, seiner in den Schüsseln aufgehäuften Bissen, die er mit Schnauben und Seufzen vorauskostete, beraubt zu werden, wenn er sie auch nur für Sekunden aus den Augen ließ. So blieb ihm kein Ausweg, als über den unerträglichen Abgrund zwischen ihm und dem Fleischstück mit dem Blick eines verwundeten Walfischs hinwegzufliegen und, bevor die Schwester hineinbeißen konnte in das, was ihm gehörte, ihre Hand mit dem schwarzfettigen Spieß zu durchbohren. Warum verfolgt man mich? wollte er noch aufgebracht hervorstoßen, aber während man die Schwester mit der vom Spieß durchbohrten Hand ins Haus brachte und die schwarzen Weiber ein ungebührliches Gezeter anstimmten, entriß der Vater zwischen einem Hagel von Ohrfeigen seinen Zähnen den Fleischfetzen, stieß ihn von der Familientafel und erteilte ihm Eßverbot für den Rest des Tages. In dem Zimmer, in das der Vater ihn einschloß, kochte er vor Haß und Groll über und heulte fast die ganze Zeit, in solch abgrundtiefen Schluchzern, daß er meinte, sie würden niemals enden. Zwischen mancherlei rachelüsternen Träumen, aus denen er bisweilen schweißtriefend erwachte, schwor er sich lauthals, die Schwester eines Tages zu einer Hungerkur zu zwingen, während er vor ihr äße, denn nun, da er herb gekränkt worden war, würde es auf der ganzen Erde niemals mehr genügend Fleisch geben, um seinen Hunger nach den seinen verzweifelten Zähnen unrechtmäßig und gewaltsam entrissenen Bissen zu stillen. Ja, aus dem Hause gestoßen, das wurde er, viel später. Aber das bedeutete jetzt nichts mehr und geschah erst, als alle seine anderen Grollgefühle ihm bereits jeden Augenblick des Tages vergifteten.

»Da geben sie mir Wasser zu trinken!« rief er mit schrillerer Stimme als gewöhnlich, wie immer, wenn er sich an Neger wandte. »Wasser! Nicht genug, daß ich diesen Pestfraß kauen muß, soll ich auch noch die Kehle mit Wasser spülen! Los, gib mir die Kalebasse da!«

Feliciano, der jüngere Neger, trat aus der Sonne, wohin sein Herr ihn zusammen mit dem anderen verbannt hatte, und griff langsam nach der Kalebasse, um sie ihm zu reichen.

»Eil dich, Tropf!« schrie Perilo Ambrósio.

Er zog den Korken an der Schnur, die ihn an der dicksten Stelle durchzog, und trank geräuschvoll ein paar Schlucke, ließ dann die Kalebasse sinken und versetzte Felicianos Bein einen Fußtritt, so derb, wie sein gegrätschtes Sitzen es ihm eben erlaubte.

»Machst dies Scheißgesicht sicherlich, weil ich euch beide in die Sonne gestellt habe – und dort lasse ich euch in alle Ewigkeit schmoren, wenn mir danach ist! – Und weil ihr eure Mistschnauzen in die Kalebasse stecken wollt, aus der ich das dreckige Wasser trinken muß, das ihr mir bringt! Warum habt ihr mir diese Drecksbrühe in die Kalebasse gefüllt, was? Antworte, Eselsbraten, Teufelsscheißdreck! Und wenn ich dich in der Sonne lasse, müßtest du mir noch dankbar sein, damit tue ich dir nämlich einen großen Gefallen, denn dein Hirn ist ja daran gewöhnt, in Afrikas Sonne zu braten, und so hast du's grad gemütlich bei uns. Und zieh dein Maul nicht so runter wie ein Schweigemönch, du ausgewachsener Affe, zieh mir überhaupt kein Gesicht, Neger haben keine Seele und haben soviel Recht, ein Gesicht zu ziehen und sich auszudrücken, wie die Schweine und die Hühner! Was du auszudrücken hast, ist der Wille deines Herrn, so wie ihr beide über meinen Schneid und meine Tapferkeit in diesem Kampf gegen die Heerscharen von Madeira zu berichten habt, wie ich das ärgste Los zu erleiden habe, diesen mörderischen Heuschreckenfraß verschlingen muß, dies verpestete Wasser saufen muß in der Gesellschaft von zwei dreckigen stinkenden Negern, die furzen wie besoffene Buschindianer und mir hier meinen Kampfgeist dämpfen, das ist's, was du auszudrükken hast und was ich dir sonst noch befehle!«

Ein Staubwölkchen aufwirbelnd, tauchte ein Reitertrupp auf dem Feldweg auf, der am Buschwaldrand entlangführte. Perilo Ambrósio schreckte auf.

»Los, nun mach schon!« sagte er zu dem Sklaven, der ihm die Hand entgegenstreckte, um ihm aufzuhelfen, was ihm beschwerlich wurde, weil sein Wanst am Boden beharren wollte und er selbst keuchend und mit mühsam gebeugten Knien dahockte. »Was ist los, kannst du kein Gewicht heben? Dann bist du aber nicht nach deiner Mutter geschlagen, die habe ich so oft gevögelt und dabei all meine Pfunde auf sie gewuchtet, und ich kann mich nicht erinnern, daß ich sie dabei erdrückt hätte, und wäre sie inzwischen nicht eine schlaffhäutige Mauleselin und voller Räude, die sie sich bei den Hunden geholt hat, ich wäre noch oft scharf auf ihren schwarzen Hintern. Aber macht nichts«, fügte er mit zotigem Grinsen hinzu und fuhr mit der fetten, behaarten Hand über Felicianos Gesäß, »denn die Ärsche deiner Familie hab ich noch nicht ganz satt, und der Tag wird kommen, an dem ich dich in mein Zimmer rufe, damit du auf alle viere runtergehst und ich dir meine Rute der Länge nach in dein Hintergeschirr schiebe,

denn dafür wirst du recht sein. Aber sind denn das Milizsoldaten, die dahinten ankommen? Sind es die Männer von Madeira auf der Flucht? Sie ziehen eine Kanone, drum brauchen sie so lange, gottlob. Glaubst du, daß sie zu den Unsrigen gehören? Du siehst besser als ich, schau gut hin. Wenn du mich anlügst, wenn du mir sagst, es sind welche von uns, und sie sind's nicht, wird's deine letzte Gaunerei gewesen sein, denn dann ziehe ich dir das Fell ab, bevor sie hier sind. Hörst du, sind das wirklich welche von uns? Wie läuft die Schlacht denn, ich muß auf der Hut sein, also?«
Nicht einmal der Schlachtenlärm drang jetzt zu ihnen wie vorher, obwohl auch da der erwartete Kanonendonner nicht zu hören gewesen war. Perilo Ambrósio, der jenen schlachtenfernen Posten gewählt hatte, um den Tag hinzubringen, denn er wartete nur darauf, daß die Brasilianer siegten, um unverzüglich zu ihnen zu stoßen, fürchtete, die Schlacht sei womöglich noch nicht beendet und er könne gar noch gezwungen werden, daran teilzunehmen. Wenn er wünschte, die Brasilianer möchten obsiegen, so nicht, weil er Brasilianer war – in Wahrheit betrachtete er sich als Portugiesen –, sondern weil er, von zu Hause verstoßen, von den Eltern und der gesamten Verwandtschaft verabscheut, unter der Androhung enterbt zu werden, beschlossen hatte, als Mitkämpfer auf der Seite der Aufständischen Kriegsruhm zu erwerben. Auf diese Weise könnte sein königstreuer Vater, bereits geflohen und aller erdenklichen Verbrechen und Niederträchtigkeiten angeklagt, mit einem brasilianischen Sieg alles verlieren, wobei die rechtmäßig beschlagnahmten Güter auf den ältesten Sohn übergehen würden, der sich so hervorgetan hatte mit seinem Wagemut für die nationale Sache. Perilo Ambrósio hätte seine Familie am liebsten in weite Fernen verbannt gesehen. Vielleicht nach Angola, zwischen Schwarze, die zum Abendessen Menschenfleisch brieten, und Bremsen, die tödliche Krankheiten verbreiteten; er fand sich aber, da dies unmöglich schien, mit der Vorstellung ab, und die konnte ihn Stunden und Stunden beschäftigen, dann wälzte er sich auf dem Bett, wickelte mit leerem Blick eine Haarsträhne um den Finger und sah sich als unumschränkter Herr der Fazenda, der Neger, der Häuser und des ganzen Restes. Was aus der Familie würde, war jetzt unwichtig, die Angelegenheit konnte warten, bis die augenblickliche Lage auf beste Art genutzt wäre.
Es waren Unsrige, darüber bestand kein Zweifel. Etwas, das ließ

sich von hier aus erahnen, war mit den Rädern eines Karrens geschehen, der eine kleine Kanone beförderte. Zwei kastanienbraune Maulesel zerrten an der Karrendeichsel, die sich trotz aller Kraftanstrengung kaum von der Stelle rührte. Fünf oder sechs Reiter trieben ihre Pferde vorwärts und rückwärts wie bei einem Turnier, einige Infanteristen machten sich an dem rechten Rad zu schaffen, Staub, von all den Hufen aufgewirbelt, trübte die ringsum klare Luft, und so wirkte alles gedämpft wie auf einem alten Gemälde, und man hörte das Peitschen und Knallen des Karrenführers sowie die Flüche und Schreie mit einer kurzen Verzögerung.

»Was ziehen die beiden Maulesel da?« fragte Perilo Ambrósio und kniff die Augen zusammen, um die fernen Gestalten deutlicher zu erkennen. »Sie ziehen eine kleine Feldkanone, ein Falkonett, das heißt doch so, oder? Eine Mordsarbeit, sie sollten stehenbleiben und erst mal das Rad in Ordnung bringen, denn eins löst sich gerade, das sieht man ja von hier. Ich glaube, ich muß rüber zu ihnen. Wer von den Regulären hat die vier Litzen und die silbernen oder goldenen Fangschnüre? Einige wedeln ständig mit den Achselklappen auf ihren Schultern und noch anderen Verzierungen. Mal sehen: nach dem Gruppenführer kommt der Korporal, dann haben wir die Fähnriche, und von da aufwärts sind sie alle Hauptmann, Hauptfeldwebel oder Feldmarschall. Hergehört, glaubst du, sie empfangen uns anständig und halten uns für vom Wege abgekommene Freiwillige von Barros Falcão? Wie die Schlacht läuft, das müssen wir erfahren, ganz unbedingt! Denn wenn wir rübergehen und die Sache ist noch nicht vorüber, werden sie uns so gewiß wie der Herr im Himmel dazu auffordern, mit ihnen zu marschieren. Dann erzähle ich ihnen aber eine Handvoll Geschichten, denn die Kriegsberichte bestehen ja aus lauter Lügen und Flunkereien. Schließlich standen wir auf der anderen Seite des Flusses, und da hätte uns der Feind aus dem Hinterhalt überrumpeln können, oder nicht? Aber nein, bei Schlachten läßt man diejenigen, die kampfesmüde sind, nicht beiseite, solange der Kampf noch nicht zu Ende ist. Nein, nein, wenn ich mich mit dem Kommandanten in ein Gespräch verstricke, darf ich keine simplen Gründe anführen, die ich durch nichts beweisen kann. Also gehe ich da nicht unvorbereitet hin. Los doch, Trauertropf, schick dich! Eil dich, Unglücksrabe!«

Kurz darauf, nur in Felicianos Begleitung, begrüßte Perilo Ambrósio einen Leutnant, der beim Anblick der Näherkommenden die Zügel schießen ließ, ihnen entgegengaloppierte und dann jäh inmitten einer rötlichen Staubwolke stehenblieb.

»Schußverletzt?« fragte er, denn sobald er angehalten hatte, bemerkte er, daß Perilo Ambrósio den linken Arm in einer Schlinge trug, blutbefleckt wie seine Jacke und sein Hemd. »Können Sie denn überhaupt noch gehen? Man sieht, Sie verlieren viel Blut.«

»Herr Kommandant, besäße ich zwanzig Schöpfeimer Blut, ich gäbe sie alle zwanzig – und noch mehr – mit Freuden für die Freiheit«, erwiderte Perilo Ambrósio mit der schwachen, stokkenden Stimme quälender Atemnot.

»Aber Sie sind doch Portugiese, oder?«

»Ja, Herr Kommandant, in Portugal erblickte ich das Licht der Welt, unter Portugiesen wuchs ich auf, denn Portugiesen sind mein Vater und meine Mutter, wie gewiß auch Ihre Vorfahren es sind. Aber wenn ich dort das Licht erblickte, so erblickte ich hier in Brasilien das Leben, und wenn mein Sprechen so klingt, wie es klingt, dann weil sie mir dies immer in den Kopf einzuhämmern suchten, sie wollten mich auch zum Studium in ihrem Land zwingen, hätte ich mich nicht mannhaft geweigert, mich unter den Feinden der Freiheit und Unabhängigkeit ausbilden zu lassen. Mein Vater, ja, der verbündet sich unglücklicherweise mit der Sache des Unterdrückers, und das bricht mir das Herz, da ich Brasilianer bin nicht bloß durch meine hiesige Gegenwart, sondern durch das Gefühl, in diesen Landen ebenso heimisch zu sein wie die Vögel und Wälder. Das ist es, warum ich mein Elternhaus verlassen habe, auf Grundbesitz und Erbe verzichtete und herkam, um bis zum letzten Atemzug zu kämpfen, mag ich auch von geringem Nutzen sein. Seit dem Morgengrauen sind wir unterwegs, ohne Rast, um uns den Männern des großen Feldmarschalls Oberst Barros Falcão anzuschließen, und kaum hatten wir die Durchquerung des Flusses gemeistert, als uns eines ihrer Detachements einholte. Ohne den Schneid des Negers Inocêncio, der mit uns marschierte und zwei feindliche Säbelträger attackierte, als ich bereits unter dem Schuß eines uns im Rücken eindeckenden Flintenschützen fiel, stünden wir nicht hier. Dieser Neger Inocêncio, treu und tapfer, hockt dort unter dem

Baum, schwer, vielleicht tödlich verwundet, er kann sich weder bewegen, noch ist er transportfähig. Doch ich bin unentwegt kampfbereit, Herr Kommandant, und warte nur auf den Befehl Euer Gnaden.«

»Nein, mein Braver, mein Kamerad«, sagte der Leutnant mit bewunderndem Blick, den Körper nach vorne geneigt, die Hände auf dem Sattelknauf. »Du mußt unbedingt ausruhen und deine Wunden behandeln. Hier auf dieser Flanke, ein wenig in Richtung Süden, nehmen Madeiras Truppen uns in die Zange, angeblich hat er Verstärkungen von drei- oder viertausend Mann erhalten, vielleicht sogar wesentlich mehr. Aber auch wir haben von allen Seiten Verstärkung aufgenommen und können nicht zulassen, daß unsere guten Kameraden, jene, die kämpfen und ihr Blut für den Aufstand lassen, ohne Schutz und Hilfe zurückbleiben. Die Leute dort sind außer einem alle beritten, es sind aber eigentlich Fußtruppen, Stalljungen, die sich freiwillig haben werben lassen. Einer von ihnen wird euch den Weg zeigen, wo ihr Hilfe finden werdet, und irgendein Linderungsmittel für eure Wunden. Du darfst nicht mehr Blut verlieren, es ist schon genug.«

»Nein, Herr Kommandant, meine Wunden hat schon der Neger dort verbunden, der mich begleitet und dessen Tapferkeit und Hingabe eines wahren Menschen würdig sind, und zwar in solchem Maße, daß ich, sobald die brasilianische Sache triumphiert, wofür Gott Vorsorge treffen wird, beabsichtige, ihm den Freibrief zu schenken, damit er frei werde, wie wir Brasilianer es sein werden, obwohl er der einzige Besitz ist, der mir auf Erden gehört. Ich fürchte, es ist schon zu spät, denn er blutete stark und sein Lebensmut sank schon dahin, als wir ihn verließen, um Hilfe zu suchen, doch die größte Sorge mache ich mir um jenen Neger dort am Fuß des Baums, der sich in Verteidigung seines Vaterlandes und seines Herrn mit so großer Tapferkeit geschlagen hat. Ich für mein Teil komme allein zurecht. Einer jener wackeren Gäule, wollt Ihr ihn mir überlassen, wird für mich ein königlicher Zelter sein, und auf ihm werde ich, selbst in geruhsamem Schritt, sicherlich zu irgendeiner Herberge gelangen, wo man mir Unterschlupf gewähren wird, denn allerwärts besitze ich viele Freunde, und noch unzählbarer sind die großmütigen Herzen.«

Mit kurzem, energischem Kopfnicken sagte der Leutnant, der kaum mehr als zwanzig Jahre sein mochte und sich beim Sprechen bemühte, seine Stimme tiefer klingen zu lassen, als sie wirklich war, in zackigem Ton »Nun gut denn«, und den Dreispitz festhaltend, der recht lose auf seinem Scheitel schwankte, galoppierte er zu seinem Trupp zurück. Nachdem er einen seiner Leute zu Perilo Ambrósio geführt und dort hatte absitzen lassen, übergab er das Pferd und einen Trinkwasserkrug und winkte in der Andeutung eines militärischen Grußes. Mit dem Neger Feliciano, der kopfhängend, aber leichten Schrittes vorausging, ritt Perilo Ambrósio schwankend und gemächlich davon und gelangte fast schon an die Stelle, wo der Weg zu den Buschwäldern abbog und verschwand. Er hielt einen Augenblick an, sah von weitem den Leutnant vor dem Baum, worunter er gelagert hatte, absitzen, einige Schritte machen, sich kurz hinabbeugen, den Hut ziehen und wieder aufsetzen und sich vielleicht auch bekreuzigen – die Entfernung war zu groß, um dessen sicher zu sein. Der Leutnant saß wieder auf und trabte zu seinem in Staub gehüllten Trupp zurück. Perilo Ambrósio stellte mit Befriedigung fest, daß alles bis in die letzte Einzelheit gut verlaufen war, obwohl er schon vorher überzeugt gewesen war, daß der Leutnant Inocêncio tot antreffen würde. Schließlich hatte er, als er ihn mit dem Messer zum Bluten gebracht hatte, um sich mit seinem Blut zu beschmieren und sich so dem Leutnant zu präsentieren, ihm dann doch mehr Messerstiche als geplant versetzt, da Arme und Hände ihm bereits nicht mehr gehorchten, und hatte auf den Neger eingestochen, als wäre er von Zuckungen heimgesucht. Besser, daß er gleich gestorben ist, und es läßt sich auch nicht leugnen, daß er auf die eine oder andere Weise sein Blut für Brasilien vergossen hat, dachte Perilo Ambrósio, machte kehrt und berührte mit seinen Hacken leicht die Weichen des Pferdes, um endlich die Landstraße einzuschlagen.

Cachoeira, den 5. März 1826

Ja, der Kaiser verbrachte hier nicht mehr als ein paar Stunden, und die Erlauchte Kaiserin blieb die ganze Zeit über auf dem Flaggschiff der Flottille, aber dieser Sonntag, dessen Sonne in allen Häusern, Pflanzen und Gewässern erstrahlt, dieser Morgen, an dem die eingeatmete Luft die Menschen fast schweben läßt, die Farben der Kirchstraße und des Stadtplatzes, die Kleider und Sonnenschirme in allen Farbschattierungen, die wie wahnsinnig läutenden Glocken, die Männer, die noch in weißseidenen Kniehosen und Schnallenschuhen ausgehen wie am alten Hof, die Stände und Wimpel des Besuchstages, der Geruch von Eintopf und Koriander und frischem rotem Pfeffer und Fisch und afrikanischem Gebratenem, der stahlblaue Himmel, der die zum Wohlgefallen Seiner Majestät erbauten falschen Festungen rahmt, die am Fluß aufgestapelten Früchte, die schwarzen Männer und Frauen, schimmernd zwischen knallbunten Stoffen und Stimmengewirr, das exotischen Flötentönen gleicht, die in ihren besten Sonntagskleidern zwischen den Bäumen umherrennenden Jungen, die Licht und Hitze spiegelnden Dächer, jemand singt, jemand blickt auf den Fluß, jemand fischt, Türen und Fenster stehen offen, Blumen in hohen, blattförmig verzierten Vasen, all das, hier, vom Domportal aus genossen, nach Beendigung der Messe und zu Beginn des Tages, scheint zu zeigen, daß der Kaiser und Immerwährende Schutzherr von Brasilien dort residiert und dort gerade weilt, um in Kürze aus einem der drei zweistöckigen Häuser zu treten, die ihm als Paläste bestimmt wurden, wobei er der Kaiserin den Arm reicht und – hochgewachsen und schön wie ein Gott – ausgeht, um zwischen den Höflingen und dem Volk zu promenieren, die Sonne zu begrüßen und mit ihrem Glanz zu wetteifern. All das beweist, daß es zu leben lohnt, dachte Perilo Ambrósio, Baron von Pirapuama, der vor dem Hauptportal des Doms stand und sich den Nackenschweiß mit einem englischen Brokattaschentuch abwischte. Er streckte den feisten Wanst vor, schnupperte in die Luft, versicherte sich mit einem Blick, daß die mit einem Paar gutgenährter Schimmelwallache bespannte Kalesche an der von ihm befohlenen Stelle wartete, mit den beiden auf dem Kutschbock thronenden Schwarzen in gleichfalls schwarzer Kleidung und fast bis zu den Ohren reichenden gestärkten Kragen. Er trug sich vage mit dem Gedanken, sie zurechtzuweisen, weil sie den ihnen präzise befohlenen Wartepunkt verlassen und es vorgezogen hatten, sich zum Schutz gegen die Sonne unter einem Mangobaum zu postieren. Doch dann überlegte er sich's anders. Er fühlte sich in gnä-

diger Stimmung, überdies waren so auch die Pferde und die Kalesche, die ihm so viele Unkosten und Ärgernisse verursachten, gegen die Sonnenhitze geschützt. Er wußte, daß er beim Einsteigen in die Kalesche, um zum Herrenhaus der Zuckerplantage zurückzufahren, Lust verspüren würde, an den Kleidern der Neger, auf den Bänken und Überzügen nach Harztropfen vom Mangobaum zu suchen, und wenn er sie fände, würde er womöglich von neuem den Kopf verlieren, wie es ihm immer öfter mit den Schwarzen widerfuhr. Doch daran würde er später denken und sich nicht jetzt darüber ärgern, er war soeben aus der Messe gekommen, hatte wieder einmal ein so reichliches Meßopfer gespendet, daß die Hand des Mesners kaum die Last der Münzen tragen konnte, hatte beim Geklingel im Augenblick der Wandlung gefühlt, wie sich sein Herz zusammenzog und seine Augen feucht wurden, hatte in den Gesichtszügen so vieler, die ihn grüßten, Zuneigung, Bewunderung und Stolz darüber gesehen, daß er sie erkannte, und so beschloß er durch die Domstraße zu schlendern, obwohl er ungern spazierenging und sich vor gewissen Personen ekelte, die ihn fraglos ansprechen und ihn sogar zu berühren versuchen würden. So könnte er die am ersten Sonntag nach dem Besuch des Kaisers mit Fröhlichkeit geschwängerte Luft genießen und sein heute so vollkommenes Glück, sich vor Gott und den Menschen wichtig zu wissen.
Er stopfte das bauschige Taschentuch ungefaltet in die Tasche, rückte den Hut auf dem Kopf zurecht und begann seinen Dickhäutermarsch in Richtung Stadtplatz. Verdammte Spitzenmanschetten, verdammte Frauen, die einen zwangen, den Hut zu ziehen und ständig dieselben Begrüßungsformeln zu murmeln. Der zweite Kutscher, dessen hagerer Adamsapfel zwischen den Kragenspitzen auf und ab sprang, kam von der Kalesche gelaufen und wartete darauf, wie es seine Aufgabe war, ihm beim Einsteigen zu helfen.
»Lesche-hesche?« fragte der Neger.
Er beherrschte noch nicht die Sprache der Weißen, er war ein neuer Neger. Perilo Ambrósio blieb stehen und blickte auf die hochgewachsene, grotesk breitschultrige Gestalt in ihrem schwarzen Rock.
»Lesche?« wiederholte der Schwarze mit blödem Lächeln. »Fahn-fahn? Zuckmühle fahn?«

»'n dreckiger Neger«, sagte Perilo Ambrósio, ohne recht zu wissen, warum.
»Ndregga Negga«, hallte der Schwarze wider. »Ndregga Negga fahn Lesche-Lesche?«
»Nein, ich fahre jetzt nicht in die Zuckermühle«, erwiderte Perilo Ambrósio nach längerem Schweigen, während er den Neger »Lesche-Lesche« wiederholen hörte und sah, wie er mit den Armen Bewegungen vollführte, als ob er mit großer Behutsamkeit ein Bündel trüge. »Fahr zurück und warte dort auf mich. Fahr zurück!«
»Fahrzück«, sprach der Schwarze mit dem gleichen beängstigenden Lächeln.
»Ja, fahr schon.«
Der Schwarze beschloß sein Lächeln so rasch, wie er es begonnen hatte, und machte eine halbe Kehrtwendung, schien unentschlossen, welche Richtung er wählen sollte, bewegte den Oberkörper hin und her und rannte schließlich zur Kalesche zurück.
»Hohlkopf«, entschied Perilo Ambrósio.
Doch das genügte nicht, um ihn zu beruhigen, denn er mußte sich eingestehen, daß er in Gegenwart dieses verblödeten Negers und seines unangenehmen Lächelns mehr als einmal eine Art von Angst empfunden hatte. Vielleicht hatte er ihn zum Kaleschendienst gewählt nicht nur wegen seiner Haltung, seiner Gesundheit und Körperkraft, die ihn zum beneideten, eines Barons würdigen Sklaven machten. Möglicherweise auch, um jene Angst auf die Probe zu stellen, jene unerklärliche und fast körperliche Angst, die ihn stets befiel, wenn er zu ihm sprach. Vielleicht würde er ihn nicht einen dreckigen Neger nennen, wenn der das verstünde. Nein, nein, natürlich würde er ihn so nennen, so weit ging das nun wieder nicht. War es Angst? Wie konnte er Angst haben vor etwas, das ihm gehörte, vor einem Neger unter all den Dutzenden seiner Neger, vor etwas, mit dem er machen konnte, was er wollte? Ja, aber man hat auch Angst vor einem wilden Jungstier, vor irgendeinem Tier, ja vor dem Zuschnappen einer Gans, deren Hals man mit einer einzigen Hand umdrehen kann. Nein, Angst war es nicht, nur eine lästige Empfindung, die jeden beim Sprechen mit einem Schwachsinnigen überkommt, sonst nichts. Wie auch immer, es wäre besser, dieser Neger arbeitete in

seiner Stadtresidenz, trüge die im Haus anfallenden Fässer mit Scheiße zum Strand, pumpte und schleppte Wasser und verrichtete andere schwere Arbeiten, wie sein Körperbau es verlangte. Schön, doch das ist nur lästiger Kram, der einem hochkommt, bloß um einen Tag wie diesen zu verderben, wenn der Stadtplatz mit seinem Sonntagsvölkchen sich einem zur Schau stellt und alle Dinge greifbar nah und für das Verlangen erreichbar sind, und es gibt nichts Berauschenderes, als so recht mit ruhigem Gewissen zu erkennen, wie alles ringsum die eigene Macht spiegelt. Wie auch immer, die so natürliche und prunklose Ankunft eines Barons auf diesem Platz war nichts Alltägliches, hier, wo die Gestalten des Kaisers und seines Gefolges sich noch in der Nähe des luxuriösen Großzeltes zu bewegen schienen, in dem Seine Majestät die Schlüssel der Stadt in Empfang genommen hatte und dem sogar die freigelassenen Mulatten sich nähern durften, um die Stimmen der Hofgesellschaft zu hören, diesen von dem hiesigen so verschiedenen Tonfall, den die feinen Damen und die Herren von Rang nachahmen, einige bis zur Vollkommenheit. Wenn auch der Kaiser, seine Admirale, seine Kriegsschiffe und sein königliches Gepränge nicht länger anwesend waren, so übertrug sich die kaiserliche Aura doch auf die großen Landedelleute, die wie Perilo Ambrósio, selbst wenn sie nicht in Cachoeira geboren waren und es kaum kannten, ihren Ruhm und Besitz über alle Landgebiete der Großen Bucht ausgedehnt hatten. Gehörte seine, Perilos, gestrenge, eindrucksvolle Gestalt nicht ein wenig dem ganzen Volk von Cachoeira? War er nicht auch in gewisser Weise ein Edelmann von Cachoeira, jemand, den das Volk mit Stolz erwähnen konnte gegenüber den Fremden: »Auch wir haben hier unsere noblen Barone«?

Ja, so war es, dachte Perilo Ambrósio. Ich bin ein Baron, sagte er sich. Das brauchte er nicht mehr auf die alte, besessene Art von früher zu wiederholen, als er sich von etwas ganz Abwegigem hatte überzeugen wollen, von etwas, das sein eigener Kopf in den ersten Tagen nach seiner Erhebung in den Adelsstand von sich wies. Ich bin der Baron von Pirapuama, das bin ich. Pirapuama bedeutete in der Sprache der Buschwilden Walfisch. Freilich war das nicht mit der von ihm erwünschten Gewißheit zu bestätigen gewesen, weil es praktisch keine Indios mehr gab und die wenigen lebenden sich entweder in der tiefsten Wildnis versteckten oder ihre Zeit mit Stehlen oder Betteln fürs Trinken zubrachten, sich auf den Gehsteigen herumwälzten und die ihnen von ihrer primitiven Lebensart eingetragenen häßlichen Krankheiten zur Schau stellten. Doch alle in der Großen Bucht und drumherum wußten, daß Pirapuama Walfisch bedeutete, und wenn es nicht so war, würde es von nun an so sein, denn schließlich, hier stand er, der Baron der Walfische, er, der auf der Leidensbahn unzähliger Widerwärtigkeiten im Kampf fürs Vaterland, im Streit gegen Haß und Unverständnis, gezwungen, die eigene Familie zu bekämpfen, heute der höchste unter den Herren des Fischfangs der großen Meerestiere war, die jedes Jahr im Juni ihre Riesenleiber in den grünen Wellen der Bucht-aller-Heiligen prunken ließen. Pirapuama, ein Name, der die nationale Einzigartigkeit bekräftigte, der stolz seine subäquatoriale Herkunft verkündete, untrennbar von jenen Landstrichen und ihren Ureinwohnern, den edlen Wilden von einst.

Wieviel Kämpfe, wie viele Opfer, dachte Perilo Ambrósio, wiederum den Schweiß mit dem wallenden Brokattaschentuch trocknend, dessen Fältchen und Silberfädchen er verwünschte, aber dessen betont beiläufige Zurschaustellung für die Blicke der Vorübergehenden ihn unwiderstehlich dazu trieb, damit ein zweites Mal langsam über den Speck des Doppelkinns zu fahren und nach beendigter Trocknung einen kleinen Kristallflakon aus der Tasche zu ziehen, um dann, den Zeigefinger auf der Öffnung des Fläschchens, das Tuch mit ein paar Tropfen eines Parfüms zu benetzen, so daß alles ringsum duftete und die Gassenjungen erstaunten vor Bewunderung angesichts dieser Essenzen, die einem glitzernden Stein entsprangen und das Weltall durchströmten. Sehr schön, in der Tat hatte die Revolution ihre Helden belohnt. Und in der Tat war es viel leichter gewesen, seine Familie um ihre Besitzungen zu bringen, als er sich vorher vorgestellt hatte. Sogar damals, als der Vater schon gefangen, inhaftiert und des Landesverrats angeklagt war und er den Goldstaub fand, der, wie man munkelte, gesetzwidrig in einem Winkel des Herrenhauses auf der Zuckerplantage vergraben war, und als er den größten Teil des Fundes heimlich behielt und bloß ein Häuflein den Behörden übergab als traurigen Beweis, daß seine Familie wirklich so übel war wie ihr Ruf, wenn nicht noch schlimmer. Beim Aushändigen des Goldes hatte er geweint, nicht aus Bedauern darüber, sondern weil er erkennen mußte, daß er, mochte sein Sohnesherz sich auch aufbäumen im Namen des Vaterlandes und des Volkes, das die Revolution gemacht hatte, nicht das feindselige Verhalten des Vaters verhehlen konnte, das der Mutter, der Schwestern, aller, die in jenem Hause wohnten, aus dem er sich verstoßen gesehen hatte, nur weil er der einzige Brasilianer war. Uneigennützigkeit, die besaß er, er hätte ja alles für sich behalten und den Rest seiner Tage in Frieden zubringen können, unauffällig und mit dem schlichten Behagen dessen, der nach erfüllter Pflicht gegenüber der Nation keinen Anlaß sieht zu feiern, angesichts der übermächtigen Widrigkeiten, die ihn allerwärts geschädigt haben, außer der Genugtuung, als Patriot seine Pflicht getan zu haben. Er wollte nichts, er forderte nichts. Kaum hatten die Wunden des in Pirajá Erschöpften und Ausgebluteten aufgehört, fast seinen ganzen Lebenssaft auszusondern, hatte er immer an vorderster Front gestanden, beratend, Hilfe anbietend, richtungsweisend, auf tausenderlei Arten dienend, bis zu dem ruhmreichen Augenblick, da General Madeira, gescheucht von nächtlichen Schatten und dem Sturm, den ihm die Götter der Neuen Welt sandten, fluchtartig in See stach, zurück nach Portugal.

Ja, die Revolution belohnte ihre Helden, dachte Perilo Ambrósio wieder einmal und erwog den Satz, den er elegant und ausdrucksvoll fand. Einige hatte sie mit wohlverdienten Goldmünzen bezahlt, wie es auf persönliches Geheiß von Lord Cochrane in Itaparica geschah. Noch vor Madeiras Flucht war dort ein gewisser Hauptmann Tristão Pio dos Santos den Berichten zufolge Überbringer von eintausend sogenannten harten Pesos gewesen, die unter die Kommandanten der *25 de Junho*, der *Dona Januária* und der *Vila de São Francisco* verteilt werden sollten, und zwar für zahlreiche auf dem Meer von Bahia vollbrachte verwegene Heldentaten. Was waren tausend harte Pesos, ein eindrucksvoll klingender Betrag, der ganze Sintfluten von Silber- und Goldstücken heraufbeschwor? Keiner aus dem Inselvolk und aus der Buchtgegend wußte es, doch man wußte von diesen und von anderen, vielen anderen großen Belohnungen, so daß, wenn es jetzt Zuckermühlen gab, Rohrpressen, Landgüter, Walölfabriken, Barone, Grafen, Vicomtes, Landadelige, milliardenschwere Personen, auf die das Volk stolz sein konnte, dies vor allem daher kam, daß das Vaterland die zu entschädigen verstanden hatte, die alles hergegeben hatten, die großen Kommandanten, die Hauptleute und Truppenführer, welche auf ihren unermüdlichen Schultern die Last getragen hatten, das Volk zu führen und zum Sieg für Freiheit und Glück zu beflügeln. An jener Giebelfront dort prangt das von Dom Pedro höchstpersönlich entworfene Wappen. An jenem selben Ort hatte er bereits gesehen, wie Dom Manuels aus Ringen geschmiedete Kugel mit dem Wappenschild von Portugal, Brasilien und Algarve vertauscht worden war, das seinerseits am 3. Juli weggemeißelt und mit dem Mörtel überdeckt wurde, der durch Jahrhunderte das Sinnbild der neuen Ära befestigen sollte. Ein gesegnetes und segensreiches Sinnbild, Herold der Flut von Preisen und Belohnungen; es schien die Natur selber aus den Himmeln Vorrechte und reiche Fazendas regnen zu lassen, Medaillen und Ruhegehälter, Titel und Konzessionen, Pfründe und lebenslängliche Ämter, Wohltaten, die üppiger und großherziger waren als selbst die gesegnete Erde, auf der sich jetzt der Mantel der Freiheit entfaltete. Dieselben Männer, die im Krieg befehligt hatten, sollten jetzt im Frieden befehligen – und Perilo Ambrósio dachte mit stolzem Erschauern an seine vielbewunderte Dampfmaschine, seine üppige Produktion von Zucker, Melasse und Branntwein, seine ausgedehnten Landgüter, an seine Obligationen, die er so großzügig gekauft hatte und die ihm bei der Finanzkommission und dem Provisorischen Rat, ohne dessen Unterstützung er sein Baronat vermutlich nicht erhalten hätte, beträchtliches Ansehen eingebracht hatten. Der Fortschritt lag hier, in der Arbeit von Männern wie ihm. Durch ihn fanden die Sklaven, rohe und praktisch nicht mit Vernunft begabte Schwarze, im demütigen Dienst den Weg zur christlichen Erlösung, der ihnen andernfalls niemals offengestanden wäre, an ihm und durch ihn erfüllten sie ihre Aufgaben und empfingen ihre Tageskost, Bekleidung, ein Dach und Arzneien, mehr als die Mehrzahl von ihnen verdiente, bedachte man all die Ärgernisse und Sorgen, die sie ihren Herren aufbürdeten, und die rohe Undankbarkeit, die Negern und Heiden gleichermaßen angeboren war. Und das Volk im allgemeinen, das konnte für viele Fazendas arbeiten, konnte vielerlei Berufe ausüben, konnte verkaufen und essen, was es in den nunmehr befreiten Gewässern zu

fischen gab, konnte, mit einem Wort, sein bisheriges Leben weiterführen, mit dem feinen und erhabenen Unterschied, daß es nicht mehr unter dem niederdrückenden Joch der Portugiesen war, sondern Brasilianern diente, und damit einem Reichtum, der im eigenen Land blieb, in den Händen derer, die ihn zu mehren und Früchte tragen zu lassen verstanden.
Ich werde eine Erfrischung zu mir nehmen, beschloß Perilo Ambrósio, doch noch bevor er zu dem Kiosk gelangen konnte, den sie für das nicht enden wollende Fest errichtet hatten, wurde er von Knicksen und Kratzfüßen umringt, schon bestaunten ihn die Gassenjungen aus der Entfernung und wandten den Blick ab, wenn er sie anblickte. Schönen guten Tag, Herr Baron, wie geht es dem Herrn Baron? Er war zu einem Schluß gekommen, wie man sich dem Pöbel gegenüber verhalten müsse, den kleinen Beamten und Händlern, die ihn mit gereckten Hälsen und feierlichen Mienen umstanden, um seine Ansichten über die Welt und ihren Lauf zu erfahren. Er hatte immer mit Leichtigkeit gesprochen, das war kein Problem, doch es galt, ein paar gezielte Pausen einzulegen, ein paar ausdrucksvolle Gebärden, die Tiefe seines Geistes zu zeigen, aus dem er seine Beobachtungen schöpfte. Er zog das Tuch aus der Tasche, beroch es mit Takt und Würde. Traf es zu, daß Seine Kaiserliche Majestät geneigt war, Cachoeiras Antrag stattzugeben, dem Antrag, vom Dorf zur Stadt erhoben zu werden mit dem unbezwinglichen Namen Petrópolis? Ja, es traf zu, Seine Majestät hatte ihm persönlich gegenüber diese Absicht geäußert, als sie mit ihm in Itaparica geweilt hatte, kurz vor ihrem Besuch in Cachoeira. Übrigens hatte er bei dieser Begegnung die Gelegenheit wahrgenommen, mit Seiner Kaiserlichen Majestät über das von Meister Almerindo Conceição gemalte Bild zu sprechen, welches die Ansprache des Fähnrichs Brandão Galvão an die Möwen an jenem schicksalsreichen und unvergeßlichen 10. Juni festhält. Und merkwürdig, obwohl Seine Majestät bewegt war von der Geschichte des Fähnrichs und sich an den Einzelheiten des Gemäldes interessiert zeigte – das sich übrigens nicht mit wirklicher Kunst vergleichen läßt, wie sie in den fortgeschrittenen Ländern geübt wird, und als wertvolles Dokument angesehen werden sollte, doch nicht als mehr –, zog Seine Majestät es vor, sich ausführlicher über die Erläuterungen des Barons von Pirapuama auszulassen, denen sie

beispielhafte Gelehrtheit zuerkannte. Seine Majestät ist sehr großherzig, sagte der Baron und befahl mit einem Wink, man möge ihm einen Cajá-Saft bringen. War der Baron dazu gekommen, mit der Kaiserin zu plaudern? Ganz beiläufig, nur einige Worte, denn die Hitze hatte ihr ziemlich zugesetzt, und sie verbrachte daher die meiste Zeit in ihren Gemächern, wo die Hofdamen ihr Luft und Kühlung zufächelten. Wie schmeckt der Fruchtsaft? Schmeckt mir gut, schmeckt mir sehr gut, denn nicht nur der Gnädigen Kaiserin macht diese Hundstagesonne zu schaffen.
Normalerweise hätte er darauf gewartet, daß die Kalesche ihn an seinem Wartepunkt abholte, herbeigerufen von einem dienstbeflissenen Schwarm kleiner Jungen, sobald er die Absicht verriet, abzufahren, doch diesmal ging er ihr lieber auf halbem Wege entgegen, die Menge hinter sich, als wäre sie durch ein Gummiband an ihn gefesselt. Er zog ein Wildledersäckchen aus der Tasche, verteilte Münzen an die Gassenjungen, die Alten und die Krüppel, die ihn belagerten. Eine tiefgebeugte, in einen schwarzen Schal gehüllte Alte küßte ihm die Hand, sagte, sie habe seinen Herrn Vater gut gekannt und auch die Senhora, sein Mütterchen, bevor sie nach Portugal vertrieben worden seien. Schon wurde die Alte vom Gerichtsgehilfen Desidério weggeschubst, der beschämt war darüber, daß sie ein für den Baron derart peinliches Thema angeschnitten hatte, als Perilo Ambrósio ihn unterbrach und mit der schlichten Natürlichkeit großer Männer und Helden zu ihm sagte: »Laß sie gewähren, Desidério, denn auch ich, weh mir, vermisse meine Eltern und die Familie, ein viel größerer Reichtum als der, welcher heute auf meinen Schultern lastet.« Die Landschaft wurde zu Eis, alle verstummten. Und Perilo Ambrósio, auf die Unterlippe beißend, sprach exakt die Worte, die er sich so häufig zurechtgelegt hatte:
»Zwischen dem Vaterland und der Familie, meine gute Frau, möge Gott der Herr mir stets die Kraft verleihen, das erste zu wählen, denn das Schicksal eines Volkes wiegt mehr als das Los eines einzelnen.«
Er bemerkte, daß Desidério, hingerissen, mit den Lippen die Worte formte, die er ausgesprochen hatte und die bald darauf unter dem überwältigenden Eindruck ihrer schmerzlichen Offenheit, ihres bitteren Muts von allen wiederholt und kommen-

tiert werden würden. Er klopfte der Alten auf die Schultern, streckte ihr eine Münze hin und schritt bedächtig auf die Kalesche zu, unter dem bedeutsamen Stillschweigen der Leute, die nun über den tiefen Gehalt dessen, was er in so kurzer Rede gesagt hatte, nachdachten. Er stützte sich auf den zweiten Kutscher, ohne sich zu ihm umzudrehen, bestieg die Kalesche, wischte sich ein letztes Mal den Schweiß ab, faltete die Hände über dem Bauch und machte es sich bequem, um auf der Rückfahrt, leise schaukelnd, einzunicken. Im Himmel von Cachoeira, vermischt mit der Leuchtkraft und dem heißen Flimmern des Firmaments, begleitete die kleine Seele des Fähnrichs Brandão Galvão, noch benommen vom Anblick des Kaisers, von den sich überstürzenden großen Ereignissen und von dem herrlichen Gemälde, an das sie bereits andächtig glaubte, die Handlungen des Barons von dort oben und erzitterte in Bewunderung und Ehrfurcht.

2 Vera Cruz auf Itaparica, den 20. Dezember 1647

Der Caboclo Capiroba aß gerne Holländer. Anfangs unterschied er nicht zwischen Holländern und sonstigen Fremden, die er unter günstigen Umständen fand, wohl einfach deshalb, weil er erst in einem bestimmten Alter – vielleicht war er da schon dreißig – begonnen hatte, Menschenfleisch zu essen. Auch hatte er nicht immer inmitten von undurchdringlichstem Gestrüpp und den trügerischsten Mangrovensümpfen gehaust, die einen Menschen bis zu den Weichteilen so lange in Schlick festhalten konnten, bis die Flut ihn zwischen dichten Stechmückenschwärmen und messerscharfen Muscheln langsam erstickte. Vielmehr kam es dazu erst, nachdem er lange ein Schnalzen, Summen und Pfeifen in seinem Kopf vernommen hatte, was nach Ansicht einiger damit zu tun hatte, daß er Sohn einer Indiofrau und eines entflohenen Schwarzen war, den das Dorf aufgenommen hatte und der aus Angst nie das Haus verließ, außer des Nachts, wenn es sein mußte, und so hatte er gewisse Ähnlichkeiten mit Fledermäusen und Nachtschwalben angenommen und konnte bei Tageslicht nicht mehr sehen. Freilich hatte der Caboclo, halb Schwarzer, halb Indio, von Kindheit an einen kleinen Knacks, war doch der Vater die meiste Zeit über ein Nachttier, das mit den Ohren sah und sich vor der Sonne unter den blattreichen Bäumen versteckte. Doch das Schnalzen, Summen und Pfeifen wie auch die große Erhitzung, die ihm den Verstand einäscherte und in ihm die sonderbarsten Verhaltensweisen auslöste, die man je gesehen hat, tauchten zum ersten Mal kurz nach der Ankunft der Patres auf, die mit der Absicht kamen, nicht mehr fortzugehen, und das ganze Dorf und das dazugehörige Land Mission nannten. Nichts geschah unversehens, aber mit jedem neuen Tag im Missionsgebiet sah sich der Caboclo schlimmer vom Schnalzen, Summen und Pfeifen verfolgt, das oft alles zugleich ausbrach wie ein wahres Teufelsorchester, während der Morgenunterweisung oder während der Abendunterweisung oder bei sonst einer Gelegenheit, wo einer der Patres sprach, also fast immer. Bis er, schon verzweifelt, daß er keinen Pater sehen konnte, ohne mit dem Kopf zwischen den Beinen davonstürzen zu müssen, während jenes betäubende Gesumm seinen Denkkasten schier zum Platzen brachte, eines Tages zwei Frauen raubte und ins Dickicht floh, um nie wieder zurückzukehren. Die einen behaupten, er habe weiterhin völlig normal sprechen können, andere, er habe fortan kein Wort mehr gesagt und sei eine Fledermaus geworden wie sein Vater und könne vielleicht sogar mit den schwarzen Schwingen dieser Tiere fliegen – etwas, was dem Vater nie gelungen war, auch nicht an dem Tag, als alle ihn dazu ermutigten, damit er durch die Luft den Portugiesen entkäme, denen die Patres ihn ausgeliefert hatten, da es sich um einen entflohenen Neger handelte, etwas Gesetzwidriges, und in einem Missionsgebiet war nichts Gesetzwidriges gestattet. Und daß der Caboclo Menschen verzehrt und gelegentlich den einen oder anderen im Gehege mästet, ist altbekannt – auch wenn es übrigens rein zufällig begonnen hatte.

Als die Patres ankamen, nahm es mit Wundern, Vorzeichen und Auferstehungen einen lebhaften Aufschwung. Sie errichteten die Kapelle, weihten sie, und am folgenden Tag tat sich die Erde auf, der Reihe nach all diejenigen zu verschlingen, die den Bau als abwegiges Unterfangen erklärt und ihre Mitarbeit an der Errichtung verweigert hatten. Sie stellten die Heiligenbilder an den Altären auf, und lange Zeit schied niemand mehr endgültig dahin, nicht einmal die müden Alten, die nur allzu gern das Zeitliche gesegnet hätten, bis schließlich alle Einspruch zu erheben begannen und im Königreich niemand mehr den Briefen und Chroniken Aufmerksamkeit schenken mochte, in denen die Patres die erwirkten und bezeugten Wunder berichteten. Man bettete einen toten Alten am Fuß des Heiligenbildes auf, und nachdem dieses geschwitzt, geblutet oder ähnlich heftige Anstrengung bezeugt hatte, begann der Verstorbene zum eigenen Verdruß und zum Mißvergnügen seiner Angehörigen unruhig zu werden und kehrte schließlich, äußerst enttäuscht, lebend nach Hause zurück. So läßt sich nicht behaupten, die Patres hätten nur Erfolge erzielt, jedoch erreichten sie genügend Nützliches und Einträgliches, obwohl all das die Leiden des Caboclo Capiroba nur verschlimmerte. Morgens, sobald die Sonne aufging, mußten die Frauen in Reih und Glied antreten, um zur religiösen Unterweisung zu gehen. Nach der Unterweisung der Frauen, die anschließend zusammengepfercht wurden, um spinnen und weben zu lernen für die Herstellung der Tücher, die sie nun um den Leib schlangen, folgte die Unterweisung der Männer, denn man wußte sehr wohl, daß Frauen und Männer verschiedene Unterweisung brauchten. In den Unterweisungsstunden am Morgen wurden verrückte Geschichten erzählt, in denen tote Menschen mit exotischen Namen auftraten. In der Unterweisung am Nachmittag wurde gelegentlich gelehrt, in endlosen Zeichnungen die bislang im Dorf gesprochene Sprache einzufangen, mit dem Erfolg, daß bald darauf die Patres zeigten, wie man diese Sprache richtig zu benutzen habe, wobei sie Fehler und Verstöße berichtigten und große Bestürzung unter den Leuten hervorriefen, von denen einige, von Beschämung gepeinigt, beschlossen, für den Rest ihres Lebens nie mehr ein Wort zu sagen, während andere nur sprachen, um für ihre Unkenntnis der Regeln des schönen Sprechens um Verzeihung zu bitten. Große Aufmerksamkeit wurde vor allem Gut und Böse gezollt, deren Unterschied die Bewohner der Mission nicht verstanden, wenn sie abstrakt erklärt wurden, so daß jeden Tag ein neues Beispiel den Listen zugefügt wurde, die mit Hingabe auswendig zu lernen alle bemüht waren. Ein Tier töten: gehört das auf die Liste des Bösen? Nein. Ja. Nein. Ja, ja. Nein, das hängt von anderen Dingen auf der Liste des Bösen ab und von dem, was auf der Liste des Guten steht. Ja, vielleicht. Nur wenige – und schon gar nicht der Caboclo Capiroba – durften sich rühmen, diese Listen von Grund auf zu kennen, und nur zwei oder drei kannten Varianten davon, die sie auswendig lernten, als wären es Gebete, und bei jeder Wiederholung veränderten sie sich ein wenig und wurden noch geheimnisvoller. Doch die Weisheit dieser Fragen von Gut und Böse wurde allen augenscheinlich bewiesen, wenn sich alles genauso, wie in der Unterweisung vorhergesehen, zutrug. Vor der Zeit der Mission hatte das Dorf aus völlig unwissenden Leuten bestanden, die nicht einmal kleine Listen für Gut und für Böse besaßen und in Wahrheit nicht einmal über richtige Wörter verfügten, um diese beiden so wichtigen Dinge zu bezeichnen. Nach der Errichtung der Mission sah man, daß einige böse und andere gut waren, was man kurz zuvor noch nicht gewußt hatte. Böse Frau will nicht zur Unterweisung gehen, will nackt herumlaufen, will nicht, daß der Pater ihren Sohn beim Kopf faßt und ihm die Stirn mit grünlichem Fett bestreicht und dabei Zauberworte aufsagt, die das Kind vielleicht für immer blöd sein lassen. Pfui, pfui, böse Frau. Gute Frauen sprechen nicht mit böser Frau, böse Frau bleibt allein, Mann von böser Frau auch guter Mann, böse Frau immer mehr allein, bekommt ganz schlimmen Kopf, ist wie verrückt. Immer verrückter, Strafe vom Himmel, weil es böse Frau ist. Böse Männer entlarven sich auch, zahlen am Ende auch dafür. Böser Mann sagt, die Geschichte vom Pater hat weder Hand noch Fuß, alles dummes Zeug, er geht fischen. Und bleibt er auch immer mehr allein, trinkt er Branntwein, niemand redet mit ihm, böser Mann immer schlimmer, schlimmer, schwere Strafe für Bosheit, wird betrunken und ertrinkt, geht an einen Ort, wo Feuer unablässig brennt und den ganzen Tag bösartige Eidechsen angreifen. Schließlich wurde den Leuten erklärt, was Versuchung ist, denn die war früher so bemäntelt, daß niemand sie bemerkte, aber heute wird sie an den unverdächtigsten Orten ertappt, so daß viele junge Leute, wenn sie die Unterweisung verlassen, die ganze Zeit herauszubringen versuchen, ob all das, was geschieht, nicht vielleicht die Versuchung ist, in einer ihrer vielfältigen Verkleidungen, und sie verfallen in große Angst und können nicht mehr schlafen, um sich nur nicht von der Versuchung umgarnen zu lassen.

In diesen langen Rosenkranz von Ereignissen, zwischen der Versuchung, dem Guten, dem Bösen, den Auferstehungen, den Sünden, Strafen, Bußübungen, der Hölle und all den guten Dingen, welche die Patres zusammen mit der Erlösung und der Frohen Botschaft gebracht hatten, mußten die Geschehnisse im Kopf des Caboclo Capiroba früher oder später die Aufmerksamkeit der anderen auf sich lenken, und so geschah es, plötzlich und als großes Spektakel, an dem Tag, da er, nachdem seine Wut nächtens gewachsen war bis hin zum Zähneknirschen und er hin und her gestampft war, als wollte er den Erdboden zusammennähen, fiebrig und mit Schwellungen am ganzen Körper erwachte und Wörter wiederkäute, die er vor langer Zeit gehört hatte, als sein Vater noch die Sprache sprach, mit der er geboren war und die er immer gebraucht hatte, bevor er ein Tier wurde. Glücklicherweise erlebte er inmitten einer Welt, die ihm mit einemmal aus lauter Schatten zu bestehen schien und immer düsterer wurde, Augenblicke der Helligkeit, und dann konnte er sich unterhalten und sogar lachen. Andernfalls hätte ihn wohl das

Schicksal der anderen Männer und Frauen ereilt, die sich als völlig von Dämonen besessen entpuppten und dauernd irgendeinen höllischen, satanischen, infernalischen, beelzebübischen Teufel in Eingeweiden und Geist beherbergten und sich allem widersetzten, was die Patres taten, um sie vor der Verdammnis zu bewahren. Sie waren größtenteils angekettet oder eingekerkert, einige in ihrer Teufelsbesessenheit so trostloser natürlicher Verdammnis anheimgegeben, daß sie, wenn die Patres sie besuchten, um sie mit Weihwasser zu besprengen und ihnen Kreuze vorzuhalten, erstarrte Leichname, Dornenkronen, blutende Herzen und sonstige Sinnbilder des Neuen Lebens, von Schüttelkrämpfen befallen wurden, von Schrecklähmungen, lüsternem Grimassieren und anderen gefürchteten Anzeichen der Besessenheit. Der Caboclo Capiroba indessen erwies sich in den Zwischenpausen seiner immer häufiger auftretenden Kopfqualen als aufgeschlossenes, freundliches und friedfertiges Wesen und rechtfertigte voll und ganz das Vertrauen der Patres, die ihm meistens die Ketten erließen und mit Genugtuung feststellten, daß er sich angesichts von Kreuzen, heiligen Leichnamen, Dornenkronen, blutabsondernden Herzen und ähnlichen Zeichen der Göttlichen Liebe normalerweise nicht in Krämpfen wand.
Ohne Ketten also hörte er, und mit ihm die ganze Gemeinde der Mission, die berühmte Geschichte von den grausamen Leiden und harten Mühen, welche die braven Leute durchstehen mußten, deren Schiff vor der Küste ebendieses Landstrichs vor langer Zeit gekentert war. Niemand erinnerte sich an die Begebenheit, weder aus eigenem Gedächtnis noch vom Hörensagen, doch die Patres logen nicht, folglich war die Geschichte wahr, was unter den Bewohnern der Mission von diesem Tag an unentrinnbares Mißtrauen säte, da jeder vom anderen glaubte, er habe insgeheim an dieser Geschichte teilgehabt. Ja, es war die Prosopopöie jener braven Schiffbrüchigen, die an das Land geschwemmt wurden, als dort viele Heiden im Zustand der Wildheit und ganz ohne Christlichkeit lebten, und besagte Heiden schlachteten die braven Leute zum Fraß, machten jeden Morgen einen von ihnen nach grausamsten Ritualen mit Knüppelschlägen nieder, ohne auf das Flehen der Leidgeprüften zu hören noch auf Weinen und Wehklagen der unglücklichen Geschöpfe zu achten, die an den folgenden Tagen verzehrt werden sollten. Und so gierig mäste-

ten sich die Heiden mit diesem Menschenfleisch und gewöhnten sich so rasch daran, daß es ihnen nicht einmal durch ihr rohes Hirn ging, wenigstens den Priester und heiligen Mann jener unglückseligen Expedition zu verschonen, nicht einmal dann, als er ihnen von der schweren Sünde sprach, die sie begingen, und von der tödlichen Beleidigung, die sie, wenn sie ihn äßen, gegen Gott und seine ganze Herde schleudern würden. Mit einer über seine bleiche Wange rinnenden Träne schloß der gute Pater die Augen vor einem riesengroßen, schreckenerregenden Wilden, der seine Zähne spitz angefeilt hatte, um das unschuldige Fleisch der Gottesleute leichter zerbeißen zu können, und nun einen ungeheuerlichen Tanz aufführte, unterbrochen nur von satanischen Verwünschungen und heidnischen Anrufungen, bevor er seine Keule niedersausen ließ. Und so wurden diese Heiden unwürdig vor Gottes Angesicht und stürzten tief, abgrundtief, von wannen sie vielleicht nie mehr ans Licht würden aufsteigen können. Und anhand dieser und anderer Beispiele und Moralitäten zeigte man ihnen, daß sie keine Menschen mehr essen dürften, eine der schlimmsten Taten unter den allergrößten Sünden, eine niederträchtige Gewohnheit, und die Einwohner der Mission, obgleich sie nie zuvor davon gehört hatten, erzitterten bei der Vorstellung, daß sie derartiger Übeltaten einst fähig gewesen sein sollten, was sie dazu anhielt, für alle Zeiten in Reue Buße zu tun. Und während die meisten nur schwer begreifen konnten, wie sie etwas getan haben sollten, wovon sie nie gewußt, daß sie es getan hatten, verschlimmerte sich im Fall des Caboclo Capiroba das Leiden seines Kopfes, der von einem hitzigen Hagel aus Schnalzen, Summen und Pfeifen bombardiert wurde, dergestalt, daß er an dem frühen Morgen, welcher der Erzählung jener traurigen Historie folgte, zwei Frauen raubte und verschwand. Sechs Tage danach, mutlos und halb verhungert, sah er, während er gerade ein abgemagertes Seidenäffchen briet, um es in Gesellschaft der Frauen zu verzehren, durchs Gebüsch einige aufgescheuchte Vögel flattern. Er spähte aus dem Hinterhalt und erkannte einen der Patres, gewiß dazu entschlossen, ihn aus Liebe gewaltsam aufzuspüren, ihn in Fesseln zu legen und mit Weihwasser zu besprengen, bis daß der böse Geist ihn verließe. Nun packte der Caboclo Capiroba einen Knüppel, den er seit seiner Flucht geschnitzt und geglättet hatte, näherte sich dem Pater von hinten

und schlug ihm den Kopf mit einem sicheren Treffer platt, worauf er sogleich ein Stückchen Fleisch erster Qualität zum Braten in der Holzglut abschnitt. Den Rest dörrte er in schönen, rosafarbenen Scheiben, die er auf einer Stange in die Sonne hängte. Aus den Innereien bereiteten sie Paterklein, Hirnsuppe, gutgepfeffertes Bratbries, Kaldaunen mit Kürbisgemüse, Herzspießchen mit Maniokbrei, Milz in Dendê-Öl; die üppigen Haxen brieten sie mit allen starken Teilen des Bauchfells und aufgeschnittenem Hartriegel, machten Hodenklein auf Holzglut, in Kokosmilch und Papayafrucht eingelegte Nierchen, Leberhäppchen mit Rückenspeck, gutgesalzenes Backenfleisch und Ohren, Kutteln, gut abgelagert, damit sie kräftiger schmecken, und etwas Speckwurst unter Benutzung der in Zitrone gewaschenen Därme, nach dem Rezept, das jener selbe Pater den Frauen der Mission beigebracht hatte, damit sie dergleichen für ihn zubereiteten. Sie verwendeten auch einige Überreste als Köder für Schalentiere und kleine Flußfische, wofür Lunge und Geschlinge sich am besten eignen, wie der Caboclo alsbald entdeckte.
Der Pater indes reichte nicht lange für den Caboclo Capiroba und seine Frauen, aus drei oder vier Gründen: der erste war die Kleinheit des Kadavers und das knotige Fleisch, das sich selbst im Filet teilweise als ekelhaft hart und widerspenstig gegen alle feinere Zubereitungsart erwies. Der zweite war, daß so viel Vorrat in der an schädlichen Dünsten und Fäulniserregern außerordentlich reichen Luft schließlich verdarb, so daß nur das Dörrfleisch und die Speckwurst übrigblieben. Der dritte Grund, der vierte und die anderen, die vielleicht noch aufzuzählen wären, mündeten alle darin, daß sie Gefallen an Menschenfleisch fanden, so daß der Caboclo Capiroba sich mehr und mehr auf die Jagd nach dem einen oder anderen Weißen verlegte, unter denen, die jeden Tag an Quantität und Qualität auf der ganzen Insel zuzunehmen schienen. Im ersten Jahr aß er den Lagerverwalter Nuno Teles Figueiredo und seinen Gehilfen Baltazar Ribeiro, den Pater Serafim de Távora Azevedo, S.J., den Hellebardier Bento Lopes da Quinta, den Stallburschen Jerônimo Costa Peçanha, zwei Schiffsjungen, vier junge Söhne von Gerichtsbeisitzern aus dem Brachland, einige Tagelöhner, den einen oder anderen durchreisenden spanischen Beamten, nichts sonderlich Berühmtes. Im zweiten Jahr raubte er zwei weitere Frauen und

aß Jacob Ferreiro do Monte, Neuchrist, stets erinnert dank des vorzüglichen Huhngeschmacks, vom Besten, was dort je zu kosten war, Gabriel da Piedade, O.S.B., der einen makellosen Räucherschinken lieferte; Luiz Ventura, Diogo Barros, Custódio Rangel da Veiga, Cosme Soares da Costa, Bartolomeu Cançado und Gregório Serrão Beleza, Portugiesen aus der Provinz Minho mit unübertrefflich weißem Fleisch, das in Brühen selten enttäuschte; Jorge Cepròn Nabarro, Biskayer von säuerlich-kräftigem Nachgeschmack, saftigem Mark, üppigen Kaldaunen; Diogo Serrano, seine Gattin Violante, seinen Diener Valentim do Campo und seine anmutigen Töchter Teresa, Maria-do-Socorro und Catarina, eine etwas ungleiche, doch im allgemeinen recht substantielle Speisefolge von verhaltenem Geschmack und leichter Verdaulichkeit; Fradique Padilha von Évora, etwas ältlich und sehnig, doch der beste Speck, den man dort, gut gesalzen, je gegessen hat; Carlos de Tolosa e Braga, aus dem zwei gewichtige Schinken gemacht wurden; sechs Matrosen des Kapitäns Ascenso da Silva Tissão, allesamt mit gar zu zähem Brustfleisch und einer Idee Moschusgeschmack, doch von rühmenswerter Verwertbarkeit in Ragouts und Fleischtopfgerichten; den Zahlmeister Lourenço Rebelo Barreto, unvergessen wegen der nie wieder geschmeckten Beschaffenheit seines Hüftstückes, und viele andere Männer und Frauen. Im dritten Jahr raubte der Caboclo noch zwei Frauen und sah zahlreiche Töchter zur Welt kommen, so daß er angesichts der vielen zu stopfenden Mäuler eine größere Anzahl Weiße erlegen mußte, mit dem Erfolg, daß gelegentlich ein gewisser Nahrungsmangel auftrat. Bis er, lange Zeit danach, während die Sommerfrüchte in Fülle reiften und zu Boden fielen, Insekten schwärmten und Meerbarbenschwärme sich unruhig längs der gesamten Inselküste tummelten, auszog, um ohne große Hoffnung sein Glück zu versuchen, und heimkehrte, einen hochblonden Holländer hinter sich herschleppend, der bereits gevierteilt und ausgenommen war, um unnützes Gewicht auf der Reise bis zur Hütte loszuwerden. Der Flame schmeckte etwas fad, das Fleisch war ein bißchen blaß und süßlich, doch so zart und weich, und es lag so leicht im Magen, die Kinder mochten es so gerne, es eignete sich so vielseitig für jeden kulinarischen Zweck, daß bald alle es jedem anderen Nahrungsmittel vorzogen, auch der Caboclo Capiroba, dessen früher ganz anspruchsloser Gaumen dergestalt an Flamenfleisch Gefallen fand, daß er gelegentlich sogar Brechreiz verspürte, wenn er an gewisse Portugiesen und Spanier dachte, die er früher einmal verspeist hatte, insbesondere Patres und Kronbeamte, die jetzt eine ölige, fast talgige Erinnerung ekliger Ranzigkeit und penetranten Gestanks in ihm hervorriefen. Ein besseres Wildbret als dieses, so blaß und durchscheinend, fest und zart zugleich beim Berühren und Kosten, hart und zugleich geschmeidig, gesund und zugleich schmackhaft, selten und zugleich leicht zu jagen, ein Wildbret wie dieses hatte es nie gegeben und würde es nie mehr geben, so daß es dem Menschen zustand, ohne lang nachzudenken, die Spenden der Natur anzunehmen, denn wie gewonnen, so zerronnen – nicht anders war das Gesetz des Lebens. In jenem Jahr, zu dessen Beginn der Caboclo und seine stetig wachsende Familie den ersten Holländer verspeisten, herrschte Überfluß, so daß es manchmal leichterfiel, den einen oder anderen von ihnen in den Buschwäldern einzufangen, als mit einer Lehmkugel eine Landkrabbe zu treffen. Dennoch, sobald einer jener Maiskolbenköpfe seine goldenen Locken zwischen dem Gestrüpp sehen ließ oder wenn die bedächtig marschierende Gestalt eines von ihnen innehielt, um die Luft wie ein keine Gefahr witternder Hirsch einzusaugen, stieg dem Caboclo das Jagdfieber in die Brust, sein Herz stürmte und sein Mund trocknete aus im Vorgenuß der Pirsch, des Einfangens und Abstechens jenes schönen Tiers, das mit seiner Ausdauer, seiner Listigkeit und Widerstandskraft die Erhabenheit der Jagdkunst aufs edelste unterstrich. Wenn er seine Beute stellte und mit einem möglichst raschen Schlag tötete, wobei er manchmal noch die sinnlosen Laute vernahm, die das Opfer vor dem Empfang des Todesschlags ausstieß, dann blähte sich der Caboclo Capiroba vor Stolz und in Hochachtung vor seiner Jagdbeute und erging sich später beim Abendessen über das ritterliche Verhalten des Wilds und die Ehre, die darin bestand, ein Stück zu kauen und zu schlucken, das vorher dessen Bein, Arm oder Lende gewesen war. Solange sich der Caboclo erinnern konnte, waren diese Neuankömmlinge mit gelbem Haar und einer von den anderen Weißen unterschiedenen Sprache dort in wirrem Kommen und Gehen aufgetaucht, stets im Kampf gegen die bereits Angesiedelten; sie zündeten Pflanzungen an und donnerten aus bauchigen

Schiffen gegen den Strand. Doch nie waren es so viele gewesen wie jetzt, manchmal in hellen Scharen wie rote Ameisen; sie errichteten Palisaden und Grenzzäune, durchschnüffelten die Insel und besetzten die Befestigungen, als hätten sie die Stelle der anderen endgültig eingenommen. Um so besser für die Familie des Caboclo, der nicht wußte, wem er für solchen Überfluß danken sollte, doch sicherlich nicht den Gottheiten und Heilsgestalten, von denen ihnen die Patres der Mission gesprochen hatten, da diese ja den Verzehr von Menschenfleisch so sehr verabscheuten, obwohl sie gerade dies allen durch ihre Erzählungen beigebracht hatten. Hätte die Erfahrung ihn nicht darauf hingewiesen, daß das Bewachen und Mästen von Menschen ein Unternehmen mit zweifelhaftem Ausgang ist, hätte er schon längst einen kleinen Zuchtstall auf der von undurchdringlichen Mangrovesümpfen umgebenen Sandbank errichtet, auf der er nun praktisch die ganze Zeit hauste. Eines Nachts jedenfalls, als pechschwarze Finsternis aufkam und die stickige Luft vor einem Gewitter, gedachte der Caboclo Capiroba – acht Klafter aufgerolltes dünnes Piassavaseil über der Schulter, ein Buschmesser in der Faust, das er einem aufgegessenen Holzfäller abgenommen hatte, ein starkgewirktes Netz über der anderen Schulter und die menschenfällende Keule in der anderen Faust – zwei oder drei lebende, mehr oder minder lebende, Holländer aufzugreifen, sie mitzunehmen und für spätere Schlachtung aufzuziehen. Er fühlte sich alt werden, alle seine Frauen gebaren ihm nur Töchter, das Leben wurde immer schwieriger, und nun wollte er ein paar geruhsame Tage verleben, ohne die beschwerliche Arbeit der Jagd. Er tat einen tiefen Seufzer und begann die Niederung zu durchqueren, wobei er Obacht gab, damit Netz und Seil nicht naß wurden.

Kurz bevor Caboclo Capirobas Netz ihnen über die Köpfe sauste wie Dutzende ineinandergeschlungener Schlangen und Nikolaas Eijkman einen Keulenschlag in den Nacken empfing, der ihn für den Rest seines Daseins schief sein ließ, sprachen er und sein Gefährte Heike Zernike über Religion. Den ganzen Nachmittag hatten sie über das Ufer eines Flüßchens gebeugt dagehockt, einen Schusterkneif in der Faust, ohne einen einzigen der vier oder fünf größeren Fische aufspießen zu können, die sich in die Nähe des Ufergrases gewagt hatten. Zernike, in Angst vor den Donnerschlägen, die er vorausahnte, und hungriger als Eijkman, hielt es für sinnlos, auf die Vorsehung zu bauen. Kauerten sie nicht dort als zwei gute gottesfürchtige Christen und treue Diener tapferer Fürsten und Kapitäne und waren doch verlassen von den Ihrigen, Hunger erduldend, Ängste und wahre Höllenqualen, zwischen spatzengroßen Insekten, nie bezeugten Tieren und Pflanzen mit feindseligem Blattwerk? Ohne alle Hoffnung, ohne Waffen, ohne Freunde, ohne Nahrungsmittel, ohne Aussicht?

»Verfluchte Companie!« wetterte Zernike und hieb den Schusterkneif in die weiche Erde. »Verfluchte Westindische Companie, verfluchter Schkopp, Höllenkommandant, verfluchter Banckert, Scheißadmiral, verflucht sie alle und alles, wofür sie stehen, und tausendmal verflucht ihre Worte und lügnerischen Glaubenssätze und alles übrige, was sie uns eingebrockt haben an Unheil über Unheil! Und schon kommt uns die Nacht wieder über den Hals, wie immer in diesem verpesteten und auf den Kopf gestellten Sommer, und natürlich haben wir wieder nichts zu essen gehabt – als hätten wir, recht bedacht, je etwas zu essen bekommen in diesem Land von vergifteten Birnen und bösartigen Wurzeln und wo du Blut scheißt, wenn du Fleisch gegessen hast, verflucht, verflucht, tausendmal verflucht seien sie alle! Und wenn sie nicht schon Schiffbruch erlitten haben auf dem Wege nach Paranambuco oder wohin sonst sie vor dieser gottverdammten Küste segeln, sollen sie doch irgendwo anders absaufen und soll sie doch dieses Unwetter, das uns gleich auf den Kopf kommen wird, ereilen – und nicht zwei Planken von dieser Vipernflotte, von diesem Skorpionsgeschwader sollen heil bleiben, verflucht, verflucht seien sie in alle Ewigkeit!«

»Du solltest lieber nicht so gotteslästerlich daherreden und nicht solche Abscheulichkeiten über unsere Kommandanten sagen«, erwiderte Eijkman. »Schließlich stehen wir noch im Dienst von Schkopp, und noch sind wir Flamen. Da hat sich wenig geändert in dieser Woche, seit wir uns hierher verirrt haben.«

»Wenig hat sich geändert? Du findest also, daß sich wenig geändert hat, wo wir nichts anderes tun, als vor den Waldwilden fliehen und vor diesen Spaniern, die uns die Köpfe abhacken wollen und den Rest den Hunden zum Fraß vorwerfen, wo wir keine lebendige Seele mehr sehen und langsam dahinsiechen?«

»Es sind keine Spanier, es sind Portugiesen, mir scheint, es sind jetzt größtenteils Portugiesen.«

»Für mich alles der gleiche Zunder, die gleichen blutrünstigen Schweine. Wie kannst du sagen, daß sich nichts geändert hat, wenn wir, wir selbst, im Buschwerk versteckt und wie Aale zitternd, mit ansehen mußten, wie sie Zeeman geköpft haben und Willem Stoffels und den armen Einthoven, der überall und unter jedweder Herrschaft oder Religion in Frieden leben würde, und Peter Onnes, ein lieber Kamerad, der Ärmste, der Unglückliche ...«

»Van der Waals ...«

»Van der Waals! Altersschwach und kraftlos in Armen und Beinen, ein Mann von bestem Schrot und Korn, ein in ganz Randstadt hochgeachteter Patriarch, und sie ... und sie haben ihn auf die Knie gezwungen und haben ihn mit diesen schauerlichen Rundmessern und diesen teuflischen Hellebarden enthauptet! Beernaert, Beernaert haben sie hingeschlachtet, hingeschlachtet wie du's gesehen hast, den Kopf mittendurch gespalten, haben ihn am Wasser liegenlassen, damit die Krebse ihn in Fetzen schneiden! Du sagst also, daß sich nichts geändert hat? Bist wohl verrückt geworden, das ist's, hast den Verstand verloren unter dieser unzumutbaren Sonne, während du diese tödlichen Birnen in dich hineinmampfst, das ist's!«

»Nein, ich sage dir doch nur, daß sich wenig verändert hat, was uns betrifft. Wir bleiben Flamen, wir dienen der Companie und gehören zu dieser Expedition, das ist's, was ich sagen will.«

»Wieso gehören wir dazu, wenn wir hier unserem Schicksal überlassen wurden und Banckert mit all seinen Schiffen in See gestochen ist? Dazugehören – etwa um diesen Höllenwinkel für die Companie einzunehmen und zu halten?«

»Wir sind nicht die einzigen, die hier zurückgelassen wurden. Viele andere sind auch hier, sicherlich wird Verstärkung kommen, um die iberische Flotte zu bekämpfen, die gegen uns eingesetzt wird.«

»Ja, ja! Ja. Verstärkung? Bah! Verstärkung! Jawohl, andere wurden hiergelassen wie Beernaert, der jetzt die Krebse fett macht, wie der alte van der Waals, wie Einthoven und all die anderen,

deren Hälse die Spanier durchgeschnitten oder oben in diesen bösartigen, scheußlichen Bäumen aufgeknüpft haben.«

»Nein, ich bin sicher, daß wir auf einen unserer Trupps stoßen werden, ganz sicher.«

»Aber nur, wenn er auf uns stößt, denn für uns besteht ja keine Hoffnung, hier herauszukommen, wo uns auf der einen Seite diese nackten Wilden auf den Fersen sind, die nur noch schlimmer geworden sind durch die Hexereien, die ihnen die Jesuiten beigebracht haben, und auf der anderen werden wir in die spanischen Spähtrupps hineinlaufen ...«

»Die portugiesischen.«

»Spanische oder portugiesische oder sonstwelche von diesen Barbaren, deren Priester die Menschen wie Bratenten rösten oder ihnen siedendes Öl in die Ohren gießen, diese wüste Rasse mit fettiger Haut und einer Sprache wie die von Hunden und Schweinen!«

»Du redest so, weil du hungrig bist und es nicht fertiggebracht hast, einen Fisch mit deiner Ahle zu harpunieren. Hör zu, was ich dir sage, iß eine von diesen Früchten, die du Birnen nennst, sie werden dir guttun, sie sind gut.«

»Sie brennen mir im Mund! Versengen mir Lippen und Zahnfleisch, ziehen mir die Zunge und die Zähne zusammen, machen mir Koliken, säuern mir den Urin, verfluchtes Stück Hölle, tausendmal verfluchtes! Und den Fisch habe ich nicht mit einer Ahle zu stechen versucht, denn das ist ein Schustermesser, ein Schustermesser, hast du gehört? Ein Schustermesser! Was denkst du, wer du bist, daß du ein Werkzeug schlechtmachst, das dir ebenso nützt wie allen anderen, die nicht Hufeisen tragen statt Schuhe, lieber solltest du reicher Knopf nicht so anmaßend daherkommen!«

»Hör auf, hör auf, hab ich dir nicht gesagt, daß du durchgedreht bist? Es ist keine Ahle, es ist ein Schustermesser, fertig, ich wollte dich nicht beleidigen.«

»Sohn eines Flickschusters bin ich, jawohl, und ich habe das Handwerk von meinem Vater ererbt. Er hatte keinen Palast in Leyden wie dein Vater, auch ist er nicht in Vierspännern gefahren wie du, denn die Mühlenbesitzer wie dein Vater werden am Mehl reich, das jedermann kaufen muß, und die Flickschuster und Schuhmacher sind arme Leute. Doch einer wie der andere

stecken wir hier im gleichen Loch, gleich blöd, weil wir geglaubt haben, wir würden hier Reichtümer erwerben, große Vermögen, riesige Ernten, Berge aus Gold und Spezereien, immerwährendes Glück und Frieden des Geistes, dabei hält uns dies gallengrüne, stinkende Loch hier gefangen, bevölkert von widerwärtigen Wilden, von Schlamm, Moskitos, Ratten und wahnwitzigen Fieberepidemien, dies Land, in dem alles eine Bedrohung ist und man niemals in Ruhe gelassen wird von der Natur und vom Menschen. Dein Palast in Leyden nützt dir jetzt wenig. Du würdest natürlich gerne in deinem weichen Bett liegen, deine heiße Brühe aus roten Rüben und Zwiebeln schlürfen, hättest gerne deine Nachtmütze und dein Nachtlicht, statt dessen steckst du hier, und wenn du eine Fischsuppe willst, mußt du beten, daß dem Messer eines Flickschusters der Fischfang gelingt.«
»Ja, heiße Brühe ... Bist du verheiratet?«
»Nein.«
»Ich auch nicht. Da gibt es aber eine Dame ... Ein Mädchen, oder besser fast ein Mädchen. Kennst du die Häuser am Flußufer, die hohen Häuser? Also, sie wohnt in einem von denen, wo ein Steg über einen schmalen Flußarm zum Haus führt. Sie heißt Geertge, ich habe sie auf einem Erntefest gesehen, habe sogar mit ihrem Vater sprechen können.«
»Und hast dich anheuern lassen, um sie zu vergessen?«
»Nein, nein, natürlich nicht. Ich habe mich anheuern lassen, warum weiß ich nicht. Ich hatte es nicht nötig. Vielleicht wollte ich etwas, was nicht von meinem Vater kam, vielleicht ist es Schicksal, ich weiß nicht. Ich mußte an Leyden denken und an Geertge und an die roten Rüben ... Du hast mich darauf gebracht. Hast du schon mal Pasteten aus Hammelklein gegessen? Erinnerst du dich noch an die hohen Küchenherde, aus denen die Pasteten herauskamen, an diesen Duft nach edlen Kräutern und ehrlichem Weizenteig?«
»Hör auf, du quälst mich. Was für Fische gibt es hier? In so warmen Gewässern kann es keine guten Fische geben, nichts hier taugt etwas und nichts von hier kann man genießen. Es gibt Dinge, die man von hier für den Gebrauch eines guten Christen mitnehmen kann, aber hier leben kann einer nicht, das hier ist eine Welt für verrohte Dienstvölker.«
»Iß von den gelben Birnen«, sagte Eijkman, der schon bereute,

zu dieser Stunde einen so lästigen und unnützen Gesprächsstoff aufgebracht zu haben, und sich gerade anschickte, aufzustehen und eine Cajúfrucht zu pflücken, als der Caboclo Capiroba aus dem Gestrüpp hervorsprang und ihm, die Keule mit der Kraft einer Windmühle flach durch die Luft schwingend, mit einem Hieb das Genick gründlich verrenkte, wonach er das Netz über die beiden warf, es mit der Schlinge zuzog, am Cajúbaum festband und darauf wartete, daß die eine der Jagdbeuten still wurde und zu quieken aufhörte, um ihr nicht auch einen Schlag versetzen zu müssen und dadurch Gefahr zu laufen, daß beide verdarben und Speisen vergeudet würden.

Hütte des Caboclo Capiroba, den 26. Dezember 1647

Der Holländer Siniki war bereit, ein Stückchen des Holländers Akki-man zu essen, nachdem er tagelang in der kleinen Umfriedung getobt und derartig an den Pfählen gerüttelt hatte, daß der Caboclo Capiroba sich widerwillig – denn er hatte Kopf-Kraut geraucht und wollte seelenruhig die Bäume betrachten – gezwungen sah, je einen Finger seiner Hände zu brechen. So verhinderte er auch, daß Siniki, dessen aufgeregtes Gehabe und unaufhörliches Gekreisch ihm allmählich lästig wurden, ein Loch aushob, um die Pfähle zu entfernen, wie er es bereits versucht hatte. Er hätte ihn fesseln können, wußte aber, daß das Anbinden dem Vieh nicht guttat, es verlor dann an Gewicht. Er versuchte ihn im guten davon zu überzeugen, er quälte sein Mastvieh nicht gerne unnötig. Doch dieses hier benahm sich wie ein wild gewordenes Nabelschwein, zeigte unablässig das Gebiß und quiekte seine unverständlichen Laute, so daß der Caboclo keine andere Wahl hatte, als ihm einen Ring durch die Schnauze zu ziehen, damit man's leichter führen konnte, und ihm etliche Stockschläge zu verpassen, aber nicht so stark wie jener Keulenschlag, den er dem Holländer Akki-man versetzt hatte. Dieser war soweit wieder zu sich gekommen, daß er den ganzen Weg vom Flußufer bis zur Hütte stolpernd zurücklegte, doch konnte er nicht mehr aufrecht stehen, und einer seiner Arme zuckte unaufhörlich. Die Frauen und Mädchen zwickten ihn, lobten sein Fleisch und stimmten für sofortige Schlachtung, bevor sein Ge-

wicht zu sehr zurückginge, man sah ihm an, daß er ein krankes Tier war. So lernten sie die Namen der beiden kennen, denn der Holländer, der im Gehege verblieb, schien, als er den anderen von den Frauen zum Schlachtbock gezerrt sah, noch untröstlicher als ein Wal, dem man sein Junges absticht, und schrie »Akki-man, Akki-man!« und hämmerte gegen die Zaunpfähle. Der Caboclo fand den immer wiederkehrenden Gesang spannend, er wurde neugierig, blieb in geringem Abstand vom Zaun stehen und lächelte dem gefangenen Holländer zu.
»Akki-man?« fragte er ihn und deutete belustigt auf den fortgeschleppten Holländer.
Das Gesicht des Gefangenen leuchtete auf. Ob jener Wilde einer von den vielen war, die Schkopp zu Verbündeten der Flamen gemacht hatte? Sicherlich war er das, er hatte ja den Namen seines Gefährten wiedererkannt.
»Eijkman, Akeman«, sagte er, gleichfalls fast lächelnd und bemüht, die Aussprache des Caboclos nachzuahmen.
Über die Neuigkeit entzückt, deutete der Caboclo diesmal auf den Gefangenen: Akki-man? Der Gefangene verneinte, mit beiden Händen abwinkend.
»Zernike, Zernike!« sagte er und klopfte mit dem Zeigefinger auf seine Brust. »Zernike!«
Ah, das waren also verschiedene Dinge, wie kam das? Der Caboclo verglich die beiden mit erfahrenem Auge. Gleiche Größe, gleiche Haare, gleicher Anzug, die gleichen Tierlaute, wahrscheinlich gleicher Geschmack. Man konnte nicht sagen, der eine sei ein Akki-man und der andere ein Siniki, da war kein Unterschied, der zwei Begriffe rechtfertigte. Es waren also Namen, sie hatten Namen. Der Caboclo war stolz auf seine Klugheit. Er deutete auf den, der geschlachtet werden sollte.
»Siniki?« fragte er herzhaft lachend.
Der Holländer winkte wieder mit den Händen ab und stieß den Finger auf seine Brust: Zernike, Zernike!
»Akki-man, Siniki!« sagte der Caboclo triumphierend, nach einer Pause des Nachdenkens.
Der Holländer stimmte zu, senkte und hob den Kopf mit aller Kraft. Der Mischling lachte noch schallender und deutete nun rhythmisch auf den einen und den anderen. Akki-man, Siniki, Akki-man, Siniki, Akki-man-akki-man, Siniki-siniki. Der Hol-

länder lachte auch, die Frauen und die kleinen Mädchen lachten, fast sangen sie ein Lied: Akki-man, Siniki, hum-hum, Siniki, Akki-man, hum-hum, Akki-man-Siniki! Ay, seufzte der Caboclo und wischte sich eine Lachträne aus dem Augenwinkel, ay-ay. Am liebsten hätte er die Litanei von neuem begonnen, er hatte sich sogar einige Variationen ausgedacht, und die festliche Stimmung gefiel ihm, doch schon wurde es spät, und die Welt ist nicht nur für Vergnügungen da. Er wurde ernst und sagte zum Gefangenen »Brrr, Schluß jetzt«, wenngleich ohne große Erwartung, denn er wußte, das Tier war wie die anderen seiner Gattung ein stumpfsinniges Wesen, das nicht die einfachsten Befehle begriff. Resigniert drehte er ihm bei dem neu einsetzenden Gelärm den Rücken zu, zog Akki-man zum Schlachtbock, setzte ihm einen Fuß fest, doch ohne Brutalität ins Gesicht und ließ ihn aus dem Hals in eine Kürbisschale mit dem Saft von Zitronen aus dem Hinterland ausbluten, da er diese Methode dem Zertrümmern des Schädels vorzog, um das Hirn nicht zu zermanschen.

Vu, die älteste Tochter des Caboclo, war befriedigt, als Siniki ein Stückchen von Akki-man aß, übrigens nicht nur ein Stückchen, sondern fast einen hübschen Napf voll von wohlgedörrtem Fleisch mit Kassavebrei. Sie hatte den Holländer leiden mögen, und schon zweimal hatte der Caboclo mitansehen müssen, wie sie mit ihm das tun wollte, was der Caboclo mit den Frauen tat. Der Caboclo wußte, daß das falsch war, daß es der Holländer war, der das tun mußte, was auch er tat, die Frau auf alle viere legen, sie bei ihrem Fett an den Hüften festhalten, etwas Spucke drauf und sich rasch erleichtern, doch er war zu faul, ihr das beizubringen. Er fand, so wie Vu sich in letzter Zeit benahm – sich an glatten Baumstämmen rieb und sich stundenlang im Buschwald verborgen hielt – würde sie sicherlich einen brauchbaren Kniff erfinden, jedenfalls war das nicht sein Problem, er hatte genug eigene Sorgen.

Und wirklich entdeckte sie einen Kniff, denn nachdem der Caboclo dem Holländer zwei Finger gebrochen und ihm einen Ring durch die Nase gezogen hatte, konnte dieser sie nicht mehr von sich stoßen und auch nicht strampeln, sobald sie sich an seine Pluderhosen klammerte und sie herunterzog. Hatte sie ihn schließlich vom Gürtel abwärts entblößt, lag er regungslos da, denn sobald er sie wie vorher abschütteln wollte, quetschte sie ihm die gebrochenen Finger und band den Nasenring an einen kurzen Strick. Und mit großem Eifer, da sie mit dem ganzen technischen Apparat der Pumphosen, Wickel, Leibwäsche, Bänder und all dem Wirbel von Stoffen, der die Lenden des Holländers bedeckte, nicht zurechtkam, schnitt sie, was sie zu fassen bekam, mit dem Messer ab und zerriß den Rest mit den Zähnen. Als sie ihn endlich so zur Schau gestellt sah – die blonden Schamhaarspitzen blinkten in der Sonne, die in Streifen durch die Gitterstäbe fiel –, reckte Vu noch im Knien den Oberkörper, und nun fliegt sie fast fort, mit zitternden Lippen, bebenden Händen, stockendem Atem, heißglühendem Blut und stürmisch klopfendem Herzen, denn zunächst wußte sie nicht, wie sie ihren Körper dem seinen nähern sollte, welcher Teil dazu da ist, welche eigenen Teile sie an den daliegenden nackten Holländer lehnen und pressen sollte, den sie nun mit fast unerträglicher Lust betrachtete, als wäre in einer Linie zwischen ihren Brüsten bis unterhalb des Nabels eine Brücke aus Gänsehaut, Prickeln, Schaudern und Muskelwallungen entstanden. Aber sie wußte es, denn eine zuckende und immer heftigere Wellenbewegung drängte von allen Punkten ihres Leibes in ihre Schenkelmitte, und nun, nachdem sie den Holländer mit gewölbten, sanft zusammengelegten Händen, die sie auf und ab bewegte wie jemand, der so tut, als wolle er Wasser durch die Finger rinnen lassen – nachdem sie ihn so liebkost hatte, setzte sie sich mit einer einzigen Bewegung auf ihn, schrie leicht auf und brach in das schallendste Gelächter aus, dessen sie sich je für fähig gehalten hätte. Von da an betrat sie in schöner Regelmäßigkeit alle Naslang die Umfriedung, drehte den Holländer auf den Rücken und setzte sich auf ihn mit deutlichen Anzeichen der Glückseligkeit, wobei sie manchmal lange die Augen schloß und Oberkörper und Hüften leicht hin und her bewegte, manchmal fast auf und ab sprang wie im Galopp, manchmal einfach, gut eingestöpselt und fest im Sattel, diese oder jene Arbeit verrichtete und sich dabei unterhielt.

Wegen dieses Kommens und Gehens zwischen Hütte und Gehege und all dem, was sie mit dem Holländer trieb, mußte der Caboclo Capiroba, wenn er sah, wie sie strahlend von dort zurückkehrte, von einem Bein aufs andere hüpfte und mit der

Zunge schnalzte, wie immer, wenn sie zufrieden war, daran denken, daß er ähnliches gelegentlich mit seinen Frauen erlebte, von denen besonders eine sich seltsam betrug, wenn sie gevögelt wurde, ins Zittern geriet und Lustgeräusche ausstieß. Wenn dies den Caboclo gelegentlich verärgerte und ihn zwang, der Frau das Maul zu stopfen und ihr ein paar Nackenhiebe zu versetzen, damit sie nicht weiter dieses unziemliche, unzumutbare Verhalten an den Tag legte, verschaffte es ihm doch auch eine geheimnisvolle Befriedigung, so daß er die Frau hinterher gelegentlich fragte: Hast's gehabt? Hab's gehabt, antwortete sie, und er lachte zufrieden – Karrá-karrá-karrá! – und gab ihr einen Klaps auf den Hintern.

»Hast's gehabt?« fragte der Caboclo Vu. »Hast du heute Dings gehabt? Ich seh, du hast heute Dings gehabt, gut, sehr gut.«

Doch sie zeigte ihm nur die leere Kürbisschale, deren Inhalt Siniki aufgegessen hatte. Ah gut, das. Ja, gut, endlich hatte das Tier beschlossen zu essen, was man ihm gab, denn vorher hatte es hartnäckig alles abgelehnt, wenn man ihm Akki-mans mit soviel Köstlichkeiten zubereitetes Fleisch anbot. Der Caboclo beglückwünschte die Tochter zu ihrer Beharrlichkeit, er hatte bis zum Überdruß zugesehen, wie sie versuchte, den Holländer zum Essen, zur Nahrungsaufnahme zu bewegen, damit er nicht so abmagerte, hatte gesehen, wie er alles zurückwies und die Kürbisschalen auf dem Boden umstieß und immer so elend grunzte. Jetzt würde er zumindest einen Teil des seit seiner Ankunft verlorenen Gewichts wieder zulegen und dem Caboclo die Mühe ersparen, schon bald erneut losziehen zu müssen und einen anderen zu töten, sehr gut. Vu verbrachte einen fröhlichen Nachmittag und lehrte am folgenden Tag den Holländer eine neue Kunst, nämlich feine Scheiben von Akki-mans Milz, von Akki-man-Würstchen und -Trockenfleisch zu verzehren, die sie ihm in liebevollen Häppchen in den Mund schob, während sie, ängstlich bemüht, ihm nicht weh zu tun, und sich vergewissernd, daß sie richtig saß und daß alles, was sie von ihm unterbringen konnte, wohl in ihr verstaut war, auf und ab rutschte und dabei mit Zärtlichkeit das Ding da eindringen und wieder herauskommen sah, rein und fast wieder raus, rein und fast wieder raus, bis sie, als alles da unten quatschnaß war und sie stöhnen machte und unbestimmte Gefühle weckte und alles sehr stark und benebelnd nach See und Tang roch – bis sie die Augen verdrehte, den Atem verschluckte und sich auf die Lippen biß, sich das Ding des Holländers tiefer reindrückte, das darauf in ihr drinnen schwach vibrierte, ein sterbendes, schnellatmendes Vögelchen, das in ihr, vermischt mit dem ihren, einen lauwarmen Seim hinterließ, der dann in einem milchigen Bächlein über ihre Schenkel lief und den sie, ohne zu wissen warum und ohne es recht wahrzunehmen über ihre Haut verteilte.

Sie erzählte dem Vater so viel, wie sie konnte, über all diese Angelegenheiten, und der Caboclo fand Gefallen daran, wenn auch nicht allzu großen, daß sich in seiner Aufzucht ein abgerichteter Holländer befand. Ihm schwebte vor, sich viele dressierte Holländer zuzulegen, die ihm getreulich auf seinem Stückchen Land dienten bis zu dem Tag, wo ihr Alter und ihre verminderte Leistungsfähigkeit das Schlachten nahelegten. Doch das waren nur Träume, Dinge, über die man an schläfrigen Nachmittagen sprach, Pläne ohne Zukunft. Und so geschah es, daß noch vor Einfall der Nacht die Portugiesen, mittlerweile von neuem unbeschränkte Herren der Insel, nachdem die Flamen bei der Nachricht vom Heranrücken der Flotte von João IV. geflohen waren, das Meer und die Sandbank darin leichter Hand nahmen, indem sie die Flut ausnutzten und in flachen Kähnen über das schlammige, seichte Wasser ruderten. Der Caboclo hatte sich an die Sicherheit seiner Anhöhe gewöhnt, er hatte Gezeiten und Boote vergessen und ahnte nicht, was die Spürhunde zu bedeuten hatten, welche die Portugiesen jetzt mitführten, lärmende Tiere mit unbestimmbarem Fell und mit Zähnen wie Jaguare, die Angst vor ihnen hatten. Auch war er über die anderen Neuheiten nicht auf dem laufenden, wie etwa die Hakenbüchse, die ein Portugiese aus dem Gürtel riß, um die kleine Rõ, die in Richtung Buschwerk davonrannte, mit einem Schuß in den Rücken niederzustrecken. Er wollte nicht ebenfalls niedergeschossen werden, und so stellte er sich nicht dem Kampf, blieb einfach stehen, blickte seine Hände und Handgelenke an, wie er es häufig tat, wenn er nichts zu tun hatte, sagte kein Wort, als die Portugiesen ihm ein mit einer Kette verbundenes Halsband umlegten, ihn zusammen mit den Frauen und Mädchen in eine Reihe stellten und sie allesamt eilends in die Kähne verfrachteten, um die Flut zu nützen. Als sie in Vera Cruz anlangten, wo die Menge ungeduldig auf den großen menschenfressenden Caboclo wartete, auf den Halsabschneiderriesen, den mit dem Satan im Bunde stehenden Blutsäufer, waren alle der Ansicht, sie sollten auf dem Scheiterhaufen umkommen, er ebenso wie seine Frauen und Töchter. Doch der Mangel an Arbeitskräften als Folge so vieler Kämpfe und Zwistigkeiten, die Witwen ohne jede Stütze, die guten Leute, denen es am Nötigsten mangelte, um ihre Äcker zu bestellen, all das bewirkte, daß die Frauen und Töchter des Caboclo begnadigt und mildtätig als Sklavinnen aufgenommen wurden, einschließlich der vom Holländer geschwängerten Vu. Der Caboclo wurde im Morgengrauen gehenkt, und mit dem gleichen Gesichtsausdruck wie der Fähnrich Brandão Galvão, der seine betreßten Manschetten und seine Hände ansah, die den Feind mit Harpunenstichen töten sollten, blickte er auf seine gefesselten Hände und Handgelenke. Man sandte ihm einen Pater, er widersprach nicht und hörte ausdruckslos den Worten der Zaubersprache zu, die der Priester mit erhobenem rechtem Arm vortrug und die nachgesprochen wurden von einigen in der großen Versammlung, die sich gebildet hatte, um ihn zappeln zu sehen. Sein letzter Gedanke war, den Pater vielleicht aufzuessen, wenn es denn keinen anderen Ausweg gäbe und die Not es geböte, doch er wußte, daß sein Fleisch, das Fleisch all der Leute ringsum, nicht mit dem der Holländer zu vergleichen war. Und während man ihm die Schlinge um den Hals legte, stellte er sich vor, wie schön es gewesen wäre, wenn von Anfang an statt des dort versammelten Fleisches zweiter Garnitur erstklassige Holländer gekommen und auch geblieben wären. So erstklassig, daß Siniki, sobald er ankam, zum Schmied geführt wurde, der ihm den Nasenring abfeilte; zum Barbier, der ihn kurierte und ihm die kleinen Wunden behandelte, die bei im Freien gehaltenem Vieh stets auftreten; in das Haus einer Familie, wo man ihm warmes Wasser gab, christliches Essen und ein reinliches gepolstertes Bett; zum Kriegsrat, der ihn zum ehrenwerten Tod durch Erschießen verurteilte; vor einen Pfosten, an den er gefesselt wurde, wo er ein paar letzte Worte sprach, die niemand verstand, viele schlechtgezielte Schüsse erhielt und eine Weile brauchte, bis er starb. Als seine kleine Seele über das Kap-von-Unserer-Lieben-Frau in Richtung Sitzstange losschoß, war die des Caboclo Capiroba erleichtert, wiewohl noch furchtsam, bereits dort, und sie wollte an jenen wahnwitzigen Ort, wo sie gelebt hatte, nie mehr zurück und war doch tief beunruhigt, weil sie wußte, es gab andere Orte, aber nie erfahren hatte, wo sie lagen.

3 Salvador da Bahia, den 9. Juni 1827

Die Schaluppe schien unterzutauchen, und einen kurzen Augenblick lang waren nur die Sonnenhüte der Frauen über dem Wellenspiel sichtbar. Perilo Ambrósio überlegte, daß die beiden Matrosen, falls das Boot unterginge, die Frauen unmöglich retten könnten mit all ihren Kleidern, Unterröcken, Spitzenröcken, Mantillen, Miedern und zahllosen Aufbauten aus Stoff und Fischbein, vor allem Antônia Vitória nicht, die wie immer am meisten mit Flitterkram und verrückten Schmuckstücken aufgeputzt war. Aber natürlich war die Schaluppe nicht untergegangen und würde auch nicht untergehen, und er mochte das nicht, ganz und gar nicht, er mochte nicht die gräßliche Überfahrt zur Walfängerstation bei kabbeliger See, er mochte nicht die ausgelassene Meute, die Antônia Vitória wie immer zusammengetrommelt hatte, er mochte das schwüle Wetter nicht, bei dem er sich in seinem Gabardinerock wie in einem Warmwasserbad vorkam, er mochte es nicht, in einem Dampfboot zu reisen mit seinem übelriechenden Kessel und seinen lärmenden Negern, er mochte es nicht, mit all den illustren Gästen plaudern zu müssen, die mit ihm auf die Rückfahrt der Schaluppe zum Strand warteten, er haßte den Gedanken, Interesse an den Sankt-Antonius-Feierlichkeiten in der Transiederei heucheln zu müssen, er haßte es, langatmige Erläuterungen über die Walfängerstation wiederholen zu müssen, über die Pflanzungen und die Sklaven, er haßte den Zwang, sich den von Antônia Vitória bei großen Anlässen wie diesem aufgezwungenen Normen, Regeln und Einschränkungen fügen zu müssen, er haßte alles, was an den kommenden Tagen geschehen würde, er haßte Antônia Vitória, Sonntage auf der Insel mit der Familie, unsäglich dämliche Stiefkinder, abscheuliche Verwandte, feine Mahlzeiten und Manieren, Tiere von widerwärtigem Aussehen, Diskussionen über Ackerbau und Preise, Fragen darüber, ob gerade Flut oder Ebbe sei – er hatte Lust, etwas umzubringen. Beim Aufwachen hatte er an einen neuerlichen Gichtanfall gedacht, er hätte sich in Schmerzen winden und losbrüllen können, falls jemand seine Füße berührte, doch selbst wenn Antônia Vitória allein mit ihrem Gefolge auf die Insel führe, um die hirnlosen Gelübde zu erfüllen, die sie jedes Jahr ihrem Lieblingsheiligen gelobte, würde er sie nicht loswerden. Im Gegenteil, zu erwarten war die tägliche Anwesenheit irgendeines Apothekers, der ihm Heilsirupe und Gerstenschleim einflößte, sowie des Wundarztes Justino José mit seinen sinistren Lanzetten, seinen widerwärtigen Blutegeln, seinem Urinbeschnüffeln und Fäkalienherumgestochere, der aussah wie ein Unterweltfährmann, mit seinen düsteren Warnungen, seinem vampirhaften Gelächter. Dazu das Spitzelwesen der Neger und Negerinnen aus dem Sklavenhaus, die sich nicht trauten, gegen seine Anweisungen zu handeln, denn sie sollten ihm alle verbotenen Gerichte und Getränke servieren und jene stinkenden Absude, die er nie trinken würde, in den Nachttopf schütten, doch sobald Antônia Vitória zurückkehrte, erzählten sie ihr alles, was vorgefallen war, trotz seiner Drohungen und wütenden Ausfälle gegen die Negerbande. Antônia Vitória mit ihrer unerschöpflichen Fähigkeit, über Tage, Wochen, Monate oder Jahre hinaus immer das gleiche zu reden, würde ihn noch soweit bringen, sich irgendwo zu vergraben, wo ihre Stimme ihn nicht erreichte, damit er nicht endgültig den Verstand verlor. Auch würde sie sich bei ihrem Vater beschweren. Perilo Ambrósio erinnerte sich voller Bitterkeit daran, daß er diese kalkweiße Witwe geheiratet hatte, die fast so fett war wie er, mit ihrem unverhohlenen Blick, der zänkisch spitzen Nase und schrillen Stimme und ihrem Stolz auf die geschnitzten Elfenbeinstücke, die geradezu angriffslustig einen Teil ihrer oberen Zahnreihe ersetzten, denn durch diese Heirat würde er mit dem Zugang zum Waren- und Handelshaus Soares de Almeida des brasilianischen Portugiesen Afonso Soares Matinho de Almeida, ihres Vaters, Einlaß in die Handelsbranche finden. Doch der Schwiegervater blieb distanziert und mißtrauisch, was Perilo Ambrósio anfangs gequält hatte, ihn nunmehr höchstens störte, denn der Alte versank immer tiefer in Krankheit und Schwäche, und wenn Antônia Vitória eine gute Eigenschaft besaß, so die, ihres alten verwitweten Vaters einzige Tochter zu sein. Die Schaluppe segelte vorbei an den schwarzen Schatten der Unterwasserriffe, von neuem holte der Bug Wasser, und fast geisterhaft tauchte sie zwischen dem Satin und bunten Tüll der weiblichen Gesellschaft wieder auf, legte längsseits des weiter draußen ankernden Schiffes an, und die Neger standen auf, um die Leinen festzumachen.

Perilo Ambrósio, der angeekelt die Worte erriet, die Antônia Vitória den Schiffsjungen zurief, während sie ihre Röcke raffte und mit der anderen Hand an Bord gezogen wurde, wandte den Blick ab und lächelte dem Domherrn Visitator D. Francisco Manoel Araújo Marques zu. Der Domherr gab eine seltsame Antwort: er spitzte die Lippen und neigte brüsk den Kopf. Perilo Ambrósio wußte nicht, was er sagen sollte, er hatte eigentlich keine Lust zu plaudern, und es fiel ihm auch nichts ein.
»Binnen kurzem werden wir da sein«, sagte er schließlich. »Die Damen haben es sich bereits im Schiff bequem gemacht, gleich wird die Schaluppe wieder am Strand sein.«
»Ja, ja, ich sehe das«, sagte der Domherr. Wieder neigte er abrupt den Kopf wie ein Huhn, das etwas unvermutet Aufgescharrtes aus einigem Abstand prüft. Sein schwarzglänzender, mit ellenbreiter Krempe und Samtquasten verzierter Hut bewegte sich, als wollte er davonfliegen, war aber unter dem Kinn durch eine goldgefaßte schwarze Ledertrense festgehalten. Der Domherr schob gewichtig den Hut zurecht wie jemand, der darin eine verzwickte Aufgabe sieht. Er drückte und rückte ihn auf dem Kopf fest, zog die Kinnschlaufe enger, überprüfte die Knoten mit dem Daumen, staubte die Krempe rings um die pilzförmige Kopfbedeckung ab, und nachdem er einen Augenblick verharrt hatte mit dem leeren Blick eines Menschen, der angespannt prüft, ob alles in Ordnung ist, blickte er Perilo Ambrósio an, als warte er auf Zustimmung oder Bewunderung. Eine frische Brise setzte ein, die Fünf-Uhr-Morgen-Geschäftigkeit war schon in vollem Gange, Schaluppen und Kanus, beladen mit Fischen und Früchten, legten an, unter den fernen Mangobäumen des Strandes drängten sich Leute um die anderen Würdenträger. Sie wollten das Dampfschiff sehen, denn dieses war anders als das erste, welches die Bucht vor Jahren durchquert hatte. Es war kleiner, es war nicht mehr wie das erste eine Erscheinung aus der anderen Welt, aber nun, da seine Schaufelräder die hinter den Wolken hervorstrahlende Sonne spiegelten, da sein von einem Eisenring gekrönter langer Schornstein grauen Rauch ausstieß und seine Flanken in gischtenden Strudeln Dampfwirbel und Wassertropfen schnaubten, die im Licht aufglitzerten und es mit einem schillernden Strahlenkranz umgaben, vermochte niemand seine Bewunderung zurückzuhalten. Um so mehr, als der Baron

von Pirapuama, der dort ganz schlicht in Begleitung Seiner Hochwürden stand und nach dem Rechten sah, das Schiff unter großen Kosten und Mühen gemietet hatte, um seine Gattin, die Baronin Dona Antônia Vitória, ihr Gefolge und seine Gäste zum Sankt-Antonius-Fest einladen zu können – und das war nichts Alltägliches und noch weniger für jedermann erreichbar. Nun wollte das Volk auch die Ratsherren sehen, die Professoren der lateinischen Grammatik, den Waisenrichter und andere, die dort beieinanderstanden unter dem wappengeschmückten Baldachin, den der Baron von seinen Negern hatte herbeischleppen und über den Köpfen seiner Gäste aufspannen lassen, während sie alle auf die Einschiffung warteten.

Der Domherr drehte sich zu den Mangobäumen um und deutete mit flacher Hand auf die Gruppe.

»Wäre es nicht geraten, sie zur Eile zu ermahnen?« sagte er mit einiger Ungeduld, die Kopfbewegung wiederholend, die Perilo Ambrósio allmählich irritierte. »Die Schaluppe muß eine weitere Fahrt machen, nicht nur uns zum Schiff bringen, denn für die Neger gibt es soviel Gepäck, Truhen und Kisten an Bord zu schaffen, daß ich fürchte, das drohende Gewitter wird uns noch überraschen, bevor wir in See stechen. Ich möchte den Herrn Baron nicht inkommodieren, versteht sich, ich möchte keinesfalls zudringlich sein.«

»Euer Hochwürden sind keineswegs zudringlich und können es gar nicht sein. Ich werde sie natürlich sofort zur Arbeit rufen, bitte Euer Hochwürden lediglich um die Erlaubnis, bemerken zu dürfen, daß keinerlei Grund zur Befürchtung besteht, ein Unwetter würde uns überraschen, denn wie Sie sehen, setzen bereits die in dieser Jahreszeit üblichen Passatwinde ein, die Sonne kommt heraus, das Meer hier gibt keinen Anlaß zur Besorgnis, und ebensowenig werden wir in See stechen müssen, wie Euer Hochwürden sich auszudrücken belieben. Wir werden an der Insel entlangfahren, innerhalb des Golfes, dessen Umrisse Euer Hochwürden sehen, in gut geschützten Wassern. Wir werden uns auch nicht den Launen des Windes bequemen müssen, der uns gelegentlich zwingt, seitlich auszuweichen und Zickzack zu fahren, wie man hier sagt, und zwar deshalb nicht, weil das Schiff die Strecke kraft seiner Maschinen und Kessel bewältigt.«

Der Domherr machte erneut einen spitzen Mund, und es sah aus, als wolle er so lange mit seinem Kopf klopfen, bis ihm der Hals zerbrach.

»Ja, ich bin völlig im Bilde«, sagte er. »Doch wenn Sie mir den Freimut verzeihen, vielleicht sogar die Derbheit, mit der ich dies dem Herrn Baron sage, so ist das genau der Grund, warum ich ungeduldig erscheine. Diese Dampfmaschinen nämlich ... Sie wissen, daß sie explodieren, das wissen Sie doch, daß ihre Kessel platzen und alles ringsum mit wahnwitziger Gewalt in Splitter und Fetzen verwandeln, das wissen Sie doch, Herr Baron, oder? Ich könnte mir denken, daß wir, wenn wir auf widrige Strömungen stoßen, welche die Mechanismen und Antriebsvorrichtungen des Schiffs über Gebühr beanspruchen, in arge Bedrängnis geraten.«

»Ach, Euer Hochwürden kennen aber nicht die technische Vollkommenheit, welche diese hochmoderne Maschine bereits erreicht hat, vielleicht gleicht sie nicht denen, die Euer Hochwürden schon gesehen haben.«

»Ich habe schon viele Bauarten und Entwürfe gesehen«, sagte der Domherr mit schlecht verhohlener Geringschätzung. Er nahm eine professorale Haltung an, betonte die Wörter fast Silbe für Silbe und unterstrich seine Rede mit zum Kreis gerundetem Daumen und Zeigefinger der rechten Hand. »Diese Maschinen gibt es in England und Frankreich, in ganz Europa, um genau zu sein. Daher kenne ich sie aus der Nähe, da mir schon bevor Seine Heiligkeit diesen Seinen Diener mit dem Kanonikat betraut hat, dessen ich mich demütig würdig zu erweisen suche, die Vorsehung die Gnade erwiesen hat, nicht nur diese Staaten und Königreiche, sondern viele andere zu bereisen. Und fürwahr, ich sage Ihnen, Herr Baron, selbst in diesen fortgeschrittenen Zivilisationen, wo der Geist des Menschen nicht durch eine unzüchtige und verführerische Natur verderbt ist, wo das Bastard- und Mischlingswesen Blut und Temperament nicht verkümmern läßt, kurz, wo also, was hier nie möglich sein wird, eine Kultur und ein Leben gedeihen, die höherer Menschen würdig sind, selbst bei diesen Nationen stellen besagte Maschinen eine gewisse Gefahr dar. Ich bin sicher, daß die Besatzung Ihres Seefahrzeugs wirklich erstklassig ist und daß wir mit aller gehörigen Vorsicht gesteuert werden, doch Sie werden mir zustimmen, daß

es besser ist, bei dem augenblicklich guten Wetter in See zu gehen, als uns einem Unwetter auszusetzen, zumal mit so vielen Schwarzen an Bord.«
Perilo Ambrósio wollte etwas erwidern, öffnete sogar seinen Mund, kam dann jedoch zu dem Schluß, es lohne sich nicht, und winkte einem wenige Meter entfernt stehenden jungen Schwarzen. Er möge zu den werten Ratsherren und sonstigen hochgestellten Persönlichkeiten gehen und, nachdem er ohne zu schreien oder laut zu reden »mit Verlaub« darum gebeten habe, ihnen die Nachricht überbringen, sie möchten sich zum Strand begeben, die Ausfahrt stehe unverzüglich bevor. Der Domherr wirbelte auf dem Absatz herum wie jemand, der eine militärische Kehrtwendung karikiert, und blickte dem Neger nach.
»Dienstpersonal ist für den Bestand von Land und Gesellschaft unentbehrlich«, bemerkte er und faltete die Hände auf dem Rükken. »Darin stimme ich mit allen überein, ohne es würden die Kosten jedes erträgliche Maß übersteigen und so das Bestreben dieser Nation vereiteln, das Land zur Kornkammer der zivilisierten Welt und zum Lieferanten einiger grundlegender Güter zu machen, von denen die Zivilisation abhängt. Doch es gibt Grenzen der Zumutbarkeit im Zusammenleben mit diesen affenartigen, dumpfen Geschöpfen, die auf der Welt sind, damit wir Gott dafür preisen, daß er uns als normale Menschen geschaffen hat, und damit wir unsere Nächstenliebe unter Beweis stellen.«
»Ja, auch mir sind die Neger zuwider. Ich besitze Unmengen von ihnen, weil die Arbeit in Zuckermühle, Fazendas und Walfängerstation viele Arme erfordert. Aber sie bereiten mir so viele Sorgen, so viele Unkosten und Unannehmlichkeiten, daß ich mich manchmal frage, ob ich nicht doch besser ohne sie auskäme.«
»Nein, das glaube ich nicht. Aber daß es hart ist, sie aushalten zu müssen, das weiß ich zur Genüge, es ist der Preis, den wir wie für alles übrige auch bezahlen, was wir in diesem Jammertal ertragen, drum müssen wir uns diese schwere Last so erträglich gestalten wie nur möglich. *Dives placet ubique, pauper ubique jacet*, sagten schon die Alten, nicht wahr? Ah, da kommen sie endlich. Aber welch schauerliche Horde, gibt es denn keine Wache, um die Meute zurückzuhalten, die sie umhechelt wie Schweißhunde die Füchse?«

Nach einem tollen Tanz am Ufer – die schwankende Schaluppe, die wie Ameisen unter den Lasten taumelnden Neger, Ruder, Kisten, Bündel, Schreien, Gelächter und Durcheinander allenthalben – weigerte sich Dom Araújo Marques, wie alle andere in den Armen eines Sklaven an Bord zu gehen, um keine nassen Füße zu bekommen, und so mußte er in einen vom Pfarrhaus ausgeliehenen Stuhl gesetzt und wie ein Heiliger auf seinem Traggestell vom Strand in die Schaluppe befördert werden. An Bord des Dampfers stellte Perilo Ambrósio mit Genugtuung fest, daß die Damen auf dem Promenadendeck des Achterschiffs bequem in ihren Korbsesseln ruhten und die Negermädchen umherscheuchten, um sie mit überflüssigen Aufgaben in Atem zu halten. Sehr gut, so muß es sein, dort sollen sie bleiben, dort wird sie niemand belästigen, sie sollen auch nicht hierherkommen und uns zur Last fallen! Sobald er aufs Oberdeck gelangte, trotz aller ihm die Treppenleiter hinaufhelfenden Hände erschöpft, sah er, wie der Kapitän, dessen sonderbar näselnde Stimme er auf jede Entfernung erkennen würde, den Domherrn und die anderen Geladenen mit Unterstützung des Buchhalters Amleto Ferreira zeremoniell zum Platznehmen einlud. Wie immer in Gegenwart bedeutender Besucher schätzte Perilo Ambrósio es nicht sonderlich – auch wenn dies unvermeidlich war –, daß seine Abhängigkeit von diesem hellhaarigen, schlaksigen und etwas besser als angängig parlierenden Mulatten offenkundig wurde, der nun vor dem Domherrn einen Kratzfuß machte und sich, fast rückwärts gehend, zurückzog. Ich hoffe, der Kapitän wird seine Reden und Erläuterungen nicht wieder herunterleiern, wünschte sich Perilo Ambrósio. Am Heck spielten die drei Stiefkinder, Vasco Miguel, Florbela Maria und Felicidade Maria, Glücksspiele mit den Negermädchen; Antônia Vitória erging sich in Ermahnungen moralisch-beispielhaften Inhalts an alle; Teolina, Amletos Frau, überwachte die Kinder, die mit den Schwarzen spielten. Schwerfällig ging er auf den Stuhl neben dem Domherrn und dem Waisenrichter zu, wobei er an allem Halt suchte, weil er Angst hatte, auf dem leicht schwankenden Schiff auszurutschen, und ließ sich mit einem Seufzer nieder.
Endlich die fröhliche Schiffahrt, die Räder drehten sich anfangs so langsam, daß man es kaum bemerkte, man hörte nur den Lärm aus dem Maschinenhaus, die Kommandoklingelzeichen und die

Rufe der schwarzen Heizer und Maschinisten. Doch bald darauf drehten sie sich etwas rascher, dann eilig wie wasserschaufelnde Entenfüße, ein heiseres Tuten scheuchte die Möwen auf, die leewärts einen Fischschwarm verfolgten, der sanft steigende und sinkende Bug deutete auf die Küstenlinie der Insel. D. Araújo Marques nickte zwei- oder dreimal und schien sogar zu lächeln.

»Macht gute Fahrt«, sagte er. »Ich glaube, die Kessel arbeiten perfekt. Trotz der dauernden Feuchtigkeit der Atmosphäre in dieser Gegend muß man zugeben, daß die Hitze die Einführung des phlogistischen Elements im Brennholz begünstigt.«

Mit zweimaligem begeistertem Händeklatschen und einem vielleicht ein wenig zu lauten Lachen applaudierte Amleto Ferreira dem Domherrn.

»Amleto Ferreira, mein Buchhalter«, meldete sich Perilo Ambrósio eilends zu Wort. »Ein in meinem Hause hochgeschätzter Mann, meine rechte Hand.«

Der Domherr schien ihn nicht zu hören. Jetzt hob sich sein Kopf, statt abrupt abwärts zu nicken, ruckartig immer weiter in die Höhe, bis sein Hals hochgereckt, sein Blick jedoch schräg nach unten gerichtet war und er dadurch so wirkte, als behandelte er, obwohl kleingewachsen, alle von oben herab.

»Fanden Sie spaßig, was ich gesagt habe?« fragte er, die Nase zur Seite und die Pupillen auf den Buchhalter richtend.

»Ja, doch. Euer Hochwürden besitzen viel Witz, ja. Ja doch, haben das nicht alle bemerkt?«

Des Domherrn Kopf, infolge des fehlenden Huts jetzt kleiner geworden, stand still.

»Haben was bemerkt, wenn es gestattet ist?«

»Sie haben bemerkt, daß Euer Hochwürden einen Witz gemacht und die Sachkenntnis der Maschinisten ironisiert haben.«

»Ich habe keineswegs ironisiert.«

»Ah. Gestatten Euer Hochwürden, aber war das nicht ironisch gemeint, als Sie vom Phlogistischen sprachen?«

»Natürlich nicht. Ich habe etwas vollkommen Vernünftiges gesagt, das jeder Dummkopf weiß, nämlich daß das Phlogistische in brennbare Materialien mit größerer Leichtigkeit eindringt, wenn die Atmosphäre lau ist wie hier.«

»Ah, verzeihen Euer Hochwürden. Ich dachte, als Sie vom Phlo-

gistischen sprachen ... Verzeihung, Exzellenz, ein Irrtum meinerseits.«
»Aber was dachten Sie denn?«
»Nein, nichts, ich habe das nicht richtig verstanden.«
»Also, was dachten Sie? Los, Mann, hast du die Sprache verloren?«
Der Domherr, der wie vorher am Strand die Wörter nun Silbe für Silbe betonte, blickte umher, die Hände auf Schulterhöhe erhoben wie auf Abbildungen des Heiligen Herzens.
»Das Phlogistische, ja, erklär mir das Phlogistische«, stimmte er an. »Sicherlich dachtest du, ich erfinde Wörter, ich erlaube mir einen Scherz. Doch nein, mein Lieber, ich habe das Wort nicht erfunden. Der Herr Baron selbst kennt es, alle, die gute Schulen und Gymnasien besucht haben, kennen es.«
»Auch ich kenne es, Exzellenz.«
»Nennen Sie mich Monsenhor, das ist mir lieber. Das ist eine akzeptable Abwandlung des französischen Monseigneur und letztlich dem Titel Exzellenz vorzuziehen, denn Seine Heiligkeit der Papst verleiht ihn nicht jedem. Das hat Seine Heiligkeit mir höchstpersönlich während einer unserer zahlreichen Audienzen in Rom gesagt. Mit Exzellenz wird heutzutage fast jeder angeredet, selbst Eure Exzellenz ...«
In die Runde blickend, sprach er weiter, machte Kunstpausen, ließ den Blick hin und wieder auf dem Gesicht des einen oder anderen Anwesenden ruhen und schloß gelegentlich die Lider, um sich an seinen eigenen Worten zu ergötzen. Als er den letzten Satz gesprochen hatte, tippte er seine gespreizten Fingerspitzen aneinander und gluckste ein Lachen, in das einzustimmen er den Anwesenden sogleich mit dem Blick nahelegte, was auch geschah. Bleich wie ein Votivbild saß Amleto stocksteif auf der Kante der Bank.
»Nun also«, fuhr der Domherr fort. »Ich selbst lenke vom Thema ab. Euer Exzellenz sagten, Sie wüßten, was es mit dem phlogistischen Element auf sich hat, und beurteilten trotzdem eine diesbezüglich völlig zutreffende Bemerkung meinerseits als Spötterei. Folglich, *cetera desiderantur*. Wir müssen sofort etwas an diesem eigenartigen Phänomen aufklären. *Periculum in mora*, haha! Los denn, lüften Sie uns das Geheimnis.«
»Ich dachte, Euer Hochwürden, Monsenhor, als Sie das phlogi-

stische Element erwähnten, wollten Sie scherzhaft auf einen Begriff anspielen, der nach den wenigen Büchern und Informationsquellen, über die ich verfüge, als Teil einer überholten Naturphilosophie betrachtet wird, da man weiß, daß die moderne Wissenschaft von den unbelebten Körpern das Feuer schlicht für das Ergebnis der Verbrennung von Gasen hält, so daß ...«

»Wie hast du gesagt, daß du heißt?«

»Amleto Ferreira, dem Monsenhor zu Diensten.«

»Ist das ein christlicher Name? Amleto, hab ich nie gehört.«

»Er stammt aus einer englischen Sage, soviel ich weiß, aus einem englischen Dichtwerk oder Trauerspiel.«

»Aus einem englischen Trauerspiel, einem Dichtwerk? Das ist aber hochinteressant, hochinteressant! England ist allzu wohlwollend gegenüber den Dichtern und den leichtfertigen Künsten. Besäße es auch Musiker, es wäre verloren. Deine Eltern sind also Leser englischer profaner Bücher, ist das so? Was sind das für Bücher?«

»Ich weiß nicht recht, Monsenhor, mein Vater ist Engländer.«

»Dein Vater ist Engländer? Na sowas, das ist aber hochinteressant! Aber du bist braunhäutig, oder? Die Bestimmungen, die den Mulatten öffentliche Ämter versperrten, sind nicht mehr in Kraft, du kannst unbesorgt reden, denn nachdem du dem Herrn Baron treu gedient hast, wird er dir eine gute Stelle beschaffen, als Gerichtsdiener, wer weiß, als Lasttiertreiber der Gemeinde, damit du im Alter ein sorgenfreies, geruhsames Leben führst, haha! Und wo befindet sich dein englischer Vater, was treibt er?«

»Er lebt in England, seit Jahren haben wir keine Nachrichten mehr von ihm erhalten.«

»In der Gesellschaft deiner Frau Mutter, natürlich. Los, sprich!«

»Nein, Monsenhor, meine Mutter lebt hier in Bahia, durch die Gnade Gottes, sie ist Volksschullehrerin.«

»Gewiß. Eine Freigelassene. Drum. Und dein englischer Herr Vater?«

»Er fuhr zur See, er ging in Bahia an Land.«

»Korsar? Und die Soldaten des Königs haben ihn nicht gehenkt? Haha!«

»Nein, Monsenhor, er fuhr auf einem Handelsschiff.«

»Und dich hat irgendein religiöser Orden für Mulatten aufgezogen? Die haben anscheinend gute Arbeit an dir geleistet, man sieht, du bist gewandt und malträtierst beim Sprechen nicht die Grammatik, wie man es hierzuland oft hören muß. Wirst auch etwas von Buchhaltung verstehen, sonst wärst du nicht Buchhalter des Herrn Barons.«

»Meine Mutter hat mich aufgezogen mit der Hilfe Gottes. In der Stadt, in der ich geboren bin, gibt es öffentlichen Unterricht, ich konnte lernen ...«

»Ja, das sehe ich. Ich sehe, du hast was im Hirn und die natürliche Durchtriebenheit der Mischlinge, die dir sehr nützlich, sehr wertvoll im Leben sein kann. Zumal wenn es dir gelingen sollte, deine Arroganz abzulegen, wie sie so typisch ist für einen, der aus der Gosse aufgestiegen ist, und die doch von so schädlichem Einfluß ist, daß du deine Nase in Angelegenheiten steckst, von denen du rein gar nichts verstehst.«

»Aber, Monsenhor, ich sagte nur ...«

»Schweig! Ich habe schon genug Geduld an dir geübt, und jetzt mache ich keine Scherze mehr, wie ich sie zuvor gemacht habe, ich rede im Ernst. Ich zeige dir die Wahrheit nach sokratischer Manier. Ich weiß, daß du nichts von Philosophie verstehst und daß du, wenn du von Sokrates reden hörst, dir einbildest, es sei von irgendeinem anderen Engländer die Rede, der das Haus deiner Mutter besucht haben mag. Doch das ist unwichtig, ich stelle dir ein paar Fragen und beweise dir sogleich die Fehlerhaftigkeit deiner kindischen Beweisgründe. Herr Buchhalter ... Wie lautet noch mal dein anglikanischer Vorname?«

»Amleto, Amleto Ferreira.«

»Ein merkwürdiger Name für einen Brasilianer, und ein merkwürdiger Name für einen Engländer, das muß ich mir merken, um es am französischen Hof zu erzählen, dort wird man Spaß daran haben. Nun gut, Herr Amulett. Ich frage Sie, und bitte antworten Sie mir mit möglichst wenigen Worten: Warum findet diese berühmte Verbrennung von Gasen nicht statt, sofern nicht eine Flamme an das Holz gelangt oder man es nicht mit einem Feuerzeug in Brand steckt?«

»Es fehlt der Anfangsimpuls der Verbrennung, die Reaktion ...«

»Was ist das für ein Impuls?«

»Der von der bereits brennenden Flamme gegebene Impuls.«

»Und was enthält diese Flamme?«
»Brennbares Material und Gase in Verbrennung.«
»Sehr gut, damit diese Flamme brennt, war es also notwendig, eine weitere an sie zu legen, die sie entzündet, und noch eine, die diese entzündet, und noch eine, die diese wiederum entzündet, und so weiter *ad infinitum*. Und die erste aller Flammen, wie wird sie entstanden sein?«
»Das kann durch mehrere Methoden geschehen, denke ich.«
»Indem man eine Flamme oder irgendein anderes Zündmittel ihr nähert? Wie, wenn keine Flamme vorhanden war, wenn ich nach der ersten frage, der allerersten von allen?«
Schon aufrecht stehend, breitete er die Arme aus, drehte sich langsam und nahm bei jedem Haltepunkt einen Teil der schweigsamen Zuhörer ins Visier, wobei etliche bedächtig mit Kopfnikken zustimmten und über die Unverschämtheit des hellhäutigen Mulatten tuschelten, in dem Wunsch, sich ihrerseits auf die Höhe der gewaltigen Weisheit zu erheben, die mit ihren schwarzen Gewändern und Umhängen über ihnen zu schweben schien.
»Wie denn, wenn keine Flamme vorhanden war, wenn ich nach der ersten frage, der allerersten von allen?« wiederholte der Domherr.
Amleto Ferreira, noch immer in der gleichen Haltung dasitzend, schluckte trocken. Er kam sich töricht vor, er war sicher, daß er kein Wort mehr hervorbringen konnte, er wußte nicht wohin mit seinem Blick, und doch wollte er sprechen. Er kam aber nicht über eine abgebrochene Silbe hinaus, denn schon murmelte die Versammlung ekstatisch vom Triumph Dom Araújo Marques', der bereits zum Gnadenstoß ansetzte.
»Die gottlosen Naturforscher«, sagte er sehr laut, »möchten die Existenz des phlogistischen Elements widerrufen, wie sie die göttliche Existenz selbst widerrufen möchten, das ist für sie eine unvermeidliche Analogie. Doch nein, Herr Buchhalter, die bloße Logik ohne Rückhalt im Glauben demoralisiert sie. Die bloße Logik!«
Der Inselküste nun schon näher, konnten sie einige kleine Buchten unterscheiden, Häuschen, Pflanzungen, lange, gekrümmte Umfriedungen aus Walfischknochen, das eine oder andere bei Ebbe auf Grund gelaufene Kanu. Es war kein besonders schöner

Tag, doch die Schwüle war fast gewichen, die Sonne hatte nur noch einige durchscheinende Wolken zu überwinden, das Heck riß eine fortlaufende Woge auf, die sich in der Ferne verlor. Ein Schwarm fliegender Fische sprang aus dem Wasser wie glitzernde Steinchen, die Kinder jauchzten laut. Perilo Ambrósio erhob sich, faßte den Domherrn am Arm, und beide schritten zur Deckbrüstung.

»In Wahrheit«, sagte Perilo Ambrósio mit weithin ausgestreckter Hand, »gehören diese Ländereien bereits mir, obwohl ich sie hier nur mit Zuckerrohr bepflanze, wie Sie von hier aus sehen können, denn jene helleren Flecken sind Zuckerrohrähren. In der Walfängerstation-zum-Guten-Jesus in Amoreiras, wohin wir unterwegs sind, besitze ich etwa dreitausend, dreitausend und etliche Klafter, von Küste zu Küste, und eine Uferlinie, glaube ich, von mehreren Meilen. Dort haben wir eine wichtige, wenn auch bescheidene Niederlassung. Wir suchen uns mit einem gewissen, wenn auch nicht übertriebenen Komfort zu umgeben, wie Euer Hochwürden sehen werden, eben weil die Wale uns in den letzten Jahren, wegen ungünstiger Mondumläufe, schätze ich, keine guten Fänge beschert haben. Im vergangenen Jahr haben wir nicht mehr als vierzig oder fünfzig weibliche und eine Handvoll männliche Tiere gefangen. Die Steuern und Abgaben sind nach wie vor sehr hoch, man muß Opfer über Opfer bringen.«

»Wie viele Fässer Öl liefert ein Walfisch?« fragte der Domherr, den der vor ihm ausgebreitete Reichtum wiederholt zum Blinzeln brachte.

»Nun«, antwortete Perilo Ambrósio, »das kommt auf ihren Umfang an. Doch im großen und ganzen dreißig bis vierzig Faß und dazu billiges Fleisch, das gedörrt und für etwa zehn Réis das Pfund verkauft wird, an die zwanzig Tonnen Fleisch, vieles davon unbrauchbar, es sei denn für Neger. Bei alldem fallen Arbeit und Unkosten an, die uns die Neger verursachen, die Walfischboote und die Schuppen für die Verarbeitung, die immer Reparaturen benötigen, denn diese afrikanischen Kreaturen gehen so schändlich mit unseren Arbeitsgeräten um, als gehörten sie ihren Feinden und nicht ihren eigenen Herren, die ihren Lebensunterhalt bestreiten. Ich weiß nicht, ob Euer Hochwürden meine Ansicht teilen, aber ich glaube, wenn das dienende Element weiterhin, wie heutzutage üblich, zu nachlässig und ohne die nötige Strenge be-

handelt wird, wenn es weiterhin diese Kreuzungen zwischen den Schwarzen der minderwertigsten Stämme Afrikas gibt, wo bedenkenlose Händler sie zusammentreiben, und heutzutage sind fast alle Händler so, dann weiß ich nicht, was aus dem Reichtum und den Handelserzeugnissen dieses Landes werden soll.«
»Ich teile Ihre Ansicht nicht nur, ich will sie sogar unterstreichen! Das Institut der Sklaverei, das dem erhabenen Stagiriten bereits die weiseste, einsichtsvollste, scharfsinnigste und unwiderlegbarste Verteidigung verdankt, wurzelt sie doch im natürlichen Unterschied von Eigenart und Neigung zwischen den Rassen und Völkern, ist der Kirche nicht fremd, war es nicht und wird es nie sein! Viel eher wird es dieser verderbte Begriff Versklavung sein, der heute von den Verfechtern eines falschen, gefährlichen und vor allem ketzerischen Humanismus in Umlauf gebracht wird. Und zwar so sehr, daß es kaum einen Freidenker mehr gibt, der sich nicht auf die Seite des Sadduzäertums stellt, das offenbar dieses Gespinst aus Vernünftelei gewoben hat. Ich habe große Angst vor alldem, Herr Baron. *O tempora! Spes et fortuna, valete!* Der Zerfall öffentlicher Machtbefugnis, die Schwäche in der Gesinnung von Ehre und Anstand, die Nachgiebigkeit gegenüber der Unverschämtheit der dienenden Klassen, die Aufgabe der elementarsten Grundsätze gesellschaftlicher Hierarchie, die Verwirrung von Werten und Maßstäben und, ja, das Fehlen eines wahrhaften Krieges, der die große Masse des Volkes erziehen und es innerlich stählen könnte, all das, mein lieber Baron, ist für mich Anlaß zu tiefen Befürchtungen und Besorgnissen um ein Land wie dieses, das – in festen Händen und im Bewußtsein der grundlegenden Wahrheiten – der europäischen Zivilisation viel geben könnte, welche hier zu pflanzen die Guten sich mühen und niederzureißen die Schlechten sich beeilen. *Abyssus abyssum invocat*, Herr Baron, ich weiß wirklich nicht, wo das hinführen soll.«
Der Südostwind wehte stärker, die Hutkrempe des Domherrn flatterte wie die Schwingen einer großen Fledermaus. Und er, mit weit geöffneten Augen, die Ellbogen auf die Reling gestützt, redete heftig weiter, während das Schiff, das seine Räder in unterschiedlichem Takt bewegte, auf Amoreiras zusteuerte.

Porto Santo auf Itaparica, den 10. Juni 1821

Zuerst sprach Dadinha ausführlich darüber, wie kühl der Tag war, ja, genauso wie damals vor exakt hundert Jahren, als sie geboren wurde. Sie wußte nicht, ob es auch ein Sonntag gewesen war, man hatte es ihr nicht gesagt, oder wenn man es ihr gesagt hatte, so hatte sie es vergessen. Sie wedelte mit der Hand an ihrem rechten Ohr herum, wie sie es immer tat, wenn sie sich ärgerte, weil sie etwas vergessen hatte. Schließlich bekräftigte sie, es sei fraglos ein Sonntag gewesen, nicht nur weil sie gehört hatte, alle hundert Jahre fielen die Daten auf dieselben Wochentage, sondern auch weil ihre Mutter, nie hatte sie ihren Namen erfahren, jemandem erzählt hatte, an jenem Tag ihrer Geburt sei es sehr kühl gewesen. Da Sonntage immer kühler sind, erklärte sie, muß es ein Sonntag gewesen sein, genau zur Stunde des Vesperläutens. Man widersprach ihr, meinte, der Sonntag sei so heiß oder so kühl wie jeder andere Tag, nur arbeite man da nicht soviel, weshalb der Körper sich eben nicht so stark erhitze. Schön, erwiderte sie, schön, ist das nicht das gleiche? So angenehm kühl, und die Brise wehte zum Fenster herein und ließ die Falbeln ihres weißen Madraskittels flattern, der ihr stufenförmig herabfiel vom Halse wie die Flanken einer Pyramide. Seit langem lief sie nicht mehr herum, denn um sich zu erheben, mußte sie die Hilfe mehrerer Menschen in Anspruch nehmen, und um sich auf den Beinen zu halten, mußte sie gestützt werden. Doch sie sah nicht aus wie hundert, sie schien überhaupt kein Alter zu haben, mehrmals am Tag oder im Verlauf einer einfachen Unterhaltung verjüngte sie sich und alterte wieder. Und sie war überaus majestätisch, wie sie so zwischen bunten Flickenkissen und Schals aus zerfranstem indischem Wollstoff, zwischen Perlen und Muscheln aller Schattierungen um den Hals dasaß, das runde Gesicht von einem blaugrünlichen Turban gerahmt, ringsum der zarte Geruch von Pitangablättern, die sie auf dem Fußboden hatte zerreiben lassen. Im Gegensatz zu den Beinen bewegten sich Arme und Hände lebhaft und verliehen ihren Unterhaltungen mit dem Wiegen der Schultern und gelenkigem Ellbogenspiel einen zusätzlichen Reiz.

»Mir ist heiß«, verkündete sie. »Ist es nicht kühl? Also, mir ist heiß!«

Sie beugte sich seitwärts, drehte den Kopf, als wollte sie das Gesicht verbergen, und dann, zunächst kaum merklich, als steckte sie in einem Erdbeben, schüttelte sie ihren riesigen Leib und bebte im Rhythmus eines lautlosen Gelächters. Die vorher zusammengepreßten Lippen platzten auf, sie beugte sich vornüber, zerrte an den Rüschen ihrer Kittelbluse, verdrehte die Augen und lachte sich die Seele aus dem Leib, wobei sie den Kopf in der zuckenden Masse ihrer Brüste, Arme und Schultern verbarg. Uiui, machte sie, ihre Tränen trocknend, und brach in einen neuen Sturzbach von diesmal sonorem Gelächter aus, in vielfältig modulierte As und Es und Os, ihr Kopf bewegte sich kontrapunktisch zum übrigen Körper. Schon war kein Raum mehr für irgend etwas anderes als dieses Lachen, und alle Anwesenden, Neger, die keine Strafe abzubüßen hatten und den Sonntag genießen durften, Besucher, die von der Walfängerstation-zum-Guten-Jesus hergewandert waren, um die stets entrückte Große Alte Mutter der Welt zu sehen, Leute, die, sooft sie konnten, vor sie hintraten wie vor einen alten Berg, als Zeugin von allem, was je auf Erden geschehen war, sie alle, der gesamte Saal, von den Alten bis zu den Wickelkindern, brachen nun in Gelächter aus, trampelten, schlugen sich auf die Schenkel und hielten ihre Hände vor die aufgerissenen Münder. Niemand hatte den Schrei erwartet, den Dadinha ausstieß.
»Wassis nur?« rief sie. »Wassis nur?«
Ohne daß selbst die Blutsverwandten oder die ihr Nahestehenden den geringsten Übergang oder Ruck bemerkt hatten, war sie nicht mehr lachend vornübergebeugt, sondern saß aufrecht da wie jemand, der eine Kokospalme verschluckt hat, ganz steif, und zog das Gesicht derart zusammen, daß man nur ihre Augen und den Mund sah. Das Lachen verstummte plötzlich wie ein auf Geheiß abgebrochener Trommelwirbel, von ihrem Kinn zogen sich zwei Furchen zu den Mundwinkeln hin, das Gesicht verfiel.
»Nun, nun«, sprach sie. »Die Hundertjahre, das sind meine, wer sterben wird, das bin ich, also, wer das komisch finden kann, das bin ich also nur, ich weiß warum, niemand hier sonst weiß was. Soll jeder zusehn, wie er selbst seine hundert Jahre erreicht und ob er es komisch finden kann, wenn seine Stunde schlägt, nur wer das kann, der hat ein Recht dazu. Wenn ich tot bin, soll's ein

bißchen Weinen geben, so soll das sein, ja, aber ich kann lachen, ja. Gerade jetzt, wo es kühl war, da wollte ich doch den Wind erhitzen, und den hab ich erhitzt, drum hab ich mich über die Hitze beschwert und hab gelacht. Aber nicht nur das ist komisch, nein, auch wenn ein Mensch, der das versteht, genau weiß, was gemeint ist, aber wirklich nur, wenn er das versteht. Wer sterben wird, das bin ich, und wer lachen darf, das bin auch nur ich.«

Sie verzog den Mund, legte die Hände auf die Schenkel, winkelte die Ellbogen ab und schloß die Augen. Als sie wie selbstverständlich gesagt hatte, sie werde an diesem Tag sterben, wie jemand, der einfach bemerkt, es würde nicht regnen, hatten viele gedacht, sie wollte ihnen einmal mehr einen harmlosen Streich spielen, denn bei ihr wußte man nie, wann sie orakelte und wann sie wie ein kleines Mädchen alberte. Aber ihr zu einer Adlermaske zugespitztes Gesicht machte deutlich, daß es sich um keinen Scherz handelte. Als sie zu sprechen begann, sah man, daß sie selbst es war, ernst und spöttisch zugleich, von einer luftigen Schwere und wechselnde, flüchtige Erscheinungen annehmend ganz wie im Traum. Es waren keine Wesenheiten, die durch sie sprachen, zumindest nicht anfangs, als ihre Stimme voller Bögen und Zacken die Stille durchbrach.

»Und jetzt muß ich erzählen, was ich schon dem einen oder dem andern hier erzählt hab, hier ein Stück und da ein Stück«, sagte sie tief atmend und die Augen öffnend. »Darum, damit nicht alles durcheinandergerät und sich nachher keiner mehr richtig erinnert, wenn ich tot bin, darum will ich das Wichtigste erzählen, ich beantworte Fragen, und ich gebe Regeln weiter.«

Nun begriffen sie, daß Dadinha wirklich sterben würde, und gaben sich Mühe, alles zu erfahren, was sie erfahren konnten, um sie in der Stunde des Abschieds nicht zu beschämen, und sie hielt folgende Rede in ihrer C-Dur-, manchmal auch A-Moll-Stimme, mit langen Arpeggios, Dissonanzakkorden, stimmigen Harmonien, wechselnden Takten, überraschenden Ausbrüchen, expressionistischen Tempi, zielsicheren Zwiegesprächen: »Rrrreis! In der Sklavenhütte von der Walfängerstation-zum-Guten-Dschesus bin ich geborn, bin Enkelin von Vu und vom deutschen Caboclo Schiniki, Vu, diese Tochter vom Caboclo Capiroba – rrreis! Proschantan, proschantan, proschotan, prrrpprrrr, raus mit dir, du, wie das schnalzt und summt im Hirn! Arrum, Proschantan, Proschotan, raus mit dir, verfluchtes Klikken im Schädel, Blut-und-Sünd-Worte im Hirnschmalz! Raus mit dir, Caboclos Brummschädel hält's nimmer aus! Weg hier, Schnalzen, Summen, Pfeifen, ah, mich schaudert!«

»Habt Ihr ihn empfangen, ur-ur-alte Große Mutter?«

»Ach was, Mensch! Capiroba großer Caboclo – rrreis! – seit fünfzehn Jahren ist er nicht mehr aufgetaucht, muß in einen neugebornen Leib gefahren sein, und da ist er wider Willen geblieben. Nein, das hier ist allgemeines Empfangen, das ist aus der Vergangenheit, das kommt und geht, also ist die Antwort auf eure Frage ja und nein.«

»Rettet Caboclo Capiroba die Gefangenen?«

»Rrreis! Caboclo steht da an der Tür, mit seinem Buschmesser an der Hüfte und seinen beiden Caboclo-Brüdern, Schiniki und Akki-man, und nie fehlt er im Kampf, und er lebt heute und lebt morgen. Glaub an Gottimhimmel, Allerheiligstejungfrau, Jammertal. Geboren im Jahr 21, so im Siebzehnhundert, meinen Vater hab ich nicht gekannt, ist gestorben bei meiner Geburt, vor meiner Geburt noch, meine Mutter hab ich auch nie gesehn, die Mutter haben sie verkauft, da hat sie mich noch gestillt, und sie ist fort nach Scherigi und ist nie wieder zurück. Als ich geboren werden sollte, da gab es achtzehn verwirrte Seelen in Amoreiras, und die wollten sich alle in mir verkörpern, wo doch der Priester gesagt hat, ich würde nicht durchkommen. Meine Seele, die hat sich nach einem großen, großen Streit verkörpert, und bis heute manchmal streiten die Leute da drüber, und in dem Streit, da war mein Körper wie ein Hurenhaus, von hundert Seelen heimgesucht, von nah und von fern, manchmal waren alle heftig im Kampf. Mein Vater war ein schwarzer Walfänger, hatte helle Augen. Mein großer, großer Bruder, der ist nachts gestorben, bei der Arbeit mit dem Walöl, der Kessel hat sich über ihn ausgeleert, er ist verbrannt vom Öl, er ist schnell gestorben, aber die Neger von der Walölarbeit hatten fast alle manchmal offene Wunden im Fleisch, voll Blasen und Schrunden, und viele wurden blind vom Öl, weil das aus den Kesseln gespritzt hat, wenn sie die Dreifüße umgekippt haben. Ist ja bis heute fast noch so. Meine Großmutter Vu hat nicht gesprochen in Worten, sie hat gesprochen in Schreien. Wo man sie in dies Haus gebracht hat, damit sie hier allen Hausdienst tut, da hat sie geschrien und in der ganzen Küche hat sie gewütet, da konnten sie sie noch so fest im Block einjochen und sie gehörig durchpeitschen, mit all ihren neunschwänzigen Katzen und Nilpferdpeitschen, mit ihren Karbatschen und Gerten und Pferdepeitschen, eingezwängt haben sie sie in den Stehstock, in den Hockstock, in den Kopfüberstock, aber sie hat nur um so wilder um sich geschlagen. In Sackleinen haben sie sie gesteckt, die Brüste haben sie ihr mit einer Nasenklemme fürs Rind festgeklemmt und die Finger in Daumenschrauben gezwängt, sie mußte im Ochsenjoch auf aufgeschütteten Maiskörnern schlafen, am ganzen Leib haben sie ihr das Brandeisen eingedrückt, gedroht haben sie ihr mit allen möglichen Quälereien, es nutzte nichts, sie hat nicht aufgegeben. Wo sie so unbezähmbar war, da haben alle gedacht, die ist vom bösen Feind besessen, und gewartet haben sie, bis sie das Junge kriegte, das wollten sie nicht verlieren, und dann haben sie beschlossen, sie sollte mit dem Kopf nach unten begraben werden, und sie haben ein tiefes Loch gegraben, damit sie ganz wirklich unter der Erde bleibt, und der Pater kam zum Begräbnis, der hat alles mit dem Segen gesegnet, und Weihwasser hat er auf die Grube gespritzt, damit Vu nicht mehr rauskommt und nicht mehr um sich schlägt. Aber Cabocla Vu ist teufelswild, die läßt nicht locker, die verkörpert sich in eine wilde Bananenstaude, wenn's sein muß. Beim Walfang, da gibt's den *cacharréo*, das ist das Männchen, die *madrijo*, das ist das Weibchen, den *baleote*, den Säugling, den *seguilote*, der bleibt bei der Mutter und saugt und frißt schon abwechselnd, und den Halbfisch gibt's, das ist der junge Fisch, der würde noch wachsen, wenn ihn die Harpune nicht trifft. Gesungen wird genau wie heute, Aruê-pã-pã, aruê-pão, mit dem Haken meiner Harpune werd ich den Walfisch fangen, aber damals haben sie schneller gesungen – Aruê-pão-pão-pão-pão. Wenn sie den Wal ausnehmen, beim Fang, da singen sie was andres. Der Pater kommt in vollem Ornat und segnet die Boote, die zum Walfang ausfahren, immer drei, nur manchmal vier, diese Boote waren keine Schaluppen, heute da sind die Walfänger wie Kriegsschiffe. Der Pater segnet die Boote, die sind gut, so gut, so gut ausgerüstet, wo alle Weibchen in diesem Monat hier Junge kriegen in der Gegend. Die *madrijo* verläßt ihren *baleote* nicht, und nicht den *seguilote* nicht, na, und

wenn dann der *baleote* übers Wasser springt und springt und springt, da weiß doch jeder, daß die *madrijo* in der Nähe schwimmt, der *baleote* fängt zu spielen an und springt und hüpft und hüpft über die Wellen gleich wie ein Delphin, aber er ist doch jung, da hat er wenig Verstand, und wenn dann das Boot näher kommt, da schaut er die Leute an, wie wenn er reden wollte mit ihnen, und die stechen einfach mit dem Bootshaken in ihn rein, von ganz nah, weil der *baleote* nichts versteht und Angst hat er keine vor ihnen. Ja, so töten sie den *baleote* mit diesem Bootshaken, das ist eigentlich eine Harpune, nur kleiner, aber mit mehr Zacken und Widerhaken, damit es ärger schmerzt und damit der *baleote* laut heulen muß, wenn er stirbt und an der Bootsflanke festgezurrt ist, und jetzt kommt die Mutter, die das Geschrei und Geheule gehört hat, und jetzt weint sie auch, und dann schießen sie die große Harpune auf sie ab, und sie schwimmt weg, Seemeilen und Seemeilen schwimmt sie, gejagt von den drei Booten, und in der Mitte immer das Boot mit dem festgezurrten Jungen, sie kommt nämlich doch zurück, auch wenn sie schlimm verwundet ist und ganz erschöpft, kommt sie zurück, um ihr Junges zu sehen, und schwimmt wieder weg, und wieder hagelt's lauter Harpunenstiche auf sie und große Haken und Sicheln und eiserne Waffen, und nun weint sie wie ein Mensch und verspritzt Blut in einem hohen roten Wasserstrahl, da wird das Meer ganz rot, und nun stirbt die Mutter mitsamt ihrem Jungen, und sie schleppen sie hintereinandergebunden zur Walfängerstation, ihre Mäuler und Kiefer vertäuen sie mit starken Seilen, damit das Wasser nicht in sie reingeht, und auch nicht die Fische, die gerne durchs Maul bei den Walen reinschwimmen, und die Tiere, die gerne ihr Blut trinken.«
»Welche Tiere soll die, die ihre Regel hat, lieber nicht essen?«
»Gift, nicht essen. Schlangengift, nicht essen und nicht trinken. Verbotene Speisen, nicht essen. Krötenfisch, nicht anrühren, Skorpionfisch, nicht drauftreten. Schmutzwasser, Bilsenkraut, weder weiß noch schwarz, Wasserbrotwurzel, Stechapfel, Loorbeerseidelbast, Kugelfisch, alles, alles, meine Tochter. Rauschrot ... Vorsicht! Nicht in schlechter Gesellschaft essen, aufgepaßt! Nichts essen, was gekocht ist von einem Freund, der einmal Feind war, ganz große Vorsicht! Ah! Ah! Ah! Tuí-tuí-tuí! Heiliger Johannes Calendê kommt, mein Volk, das ist der

Dreiundzwanzigste, mein Kind, vollzieht das Opfer für ihn, mein Kind, Lobara Exu Lonan, komm her, komm her, Alorîê!«

»Habt Ihr sie empfangen, Ur-uralte Mutter?«

»Danguibé, Waldschlange! Hiu-hê, ssssiu! Sankt Lorenz hat denselben Namen wie die Zeit, ist von hier! *Obessém* im Himmel, schön, ganz wunderschön! Avriquiti, ui, ui, ui, ui! Laßt uns mit Dom Pedro unter den Gameleirabaum gehn und die Amelê-Trommel schlagen und unsere Batá-Cotó-Pauke, hoch lebe der König von Bissinien, guter Caboclo Salimon Darissa, aus dem Land von Addis Abobra!«

»Seht Ihr das alles vor Euch?«

»Zum Teil, zum Teil. Aber was ist – wassis-wassis-das, Kleiner? Mmmmmm! Glaub mir, glaub mir nur, es ist so, wie ich sage: Emô-Jubá, Ebô-Coxé, das ist hier alles vermischt, ein richtiges Gemälde! Schaut nur die zwölf Ritterpers von Frankreich an, Leute. Was für ein Prachtprunk! Im Ornat von der Königin von Schaba, im Zeichen von König Salimon, von Davids Schlacht, was für große Wundersamkeit das ist, ganz erstklassig, ah, stimmungsvolle Festlichkeit! Kommt doch rüber, Prinzessin von Guiné, feiert mit uns die Festlichkeit! Und was es alles zu essen gibt, da staunt ihr! Kann ich gar nicht alles erzählen!«

»Rumort da auch der Schmetterling *Curuquerê*?«

»Ach wo. Der kam über den Köpfen von den Patres und über dem, der die Stirn vom tapferen Caboclo Capiroba gesegnet hat – rrreis! Rrrrreis, rrrreis, dort! Als sie ihn geköpft und die Kehle durchgeschnitten haben, ach! Hum-hum, haaan!«

»Habt Ihr ihn empfangen, Große Alte Mutter? Ist er hier?«

»Im Siebzehnhundert, um Siebzig oder Achtzig, wo noch kein Schatten war von alldem hier, nur die Wale und das Volk, die gleichen Leute und nicht die gleichen, da kam Darissa aus Bissinien, der war verrückt, so verrückt, so völlig wahnsinnig. Die Stadt von Bissinien ist Dis-Abobra, er hat aber keinen Abobra-Kürbis mitgebracht, dafür alte Religion, die hat er hier nicht durchsetzen gekonnt. Sein Stamm nennt sich Galinha, er hat aber auch kein Galinha-Huhn mitgebracht und hat nicht gegakkert. Das war, bevor sie die normalen Dschisuitenpater rausgeworfen haben, ich erzähl's euch, hum-hum. Da war der große König Dschosi, der im Königreich gelebt hat, im Pombal, im

Taubenschlag vom Marquis, und der Marquis kam und sagte: Ich will nichts mehr wissen, verstanden, ich will nichts mehr wissen von den Dschisuiten in meinen Ländern, wenn ich hier einen Dschisuiten seh, raus mit ihm, he-he-he-he-he! Sie haben alle zusammengetrieben, haben sie weit, weit fortgeschleppt, haben sie ins Kloster Jiquitaia gesteckt, he-he-he! Unverschämte Dschisuiten, haben sie allesamt in Ketten gelegt, Oberst Gonçalo hat sie zur Bestrafung ins Königreich geschickt, das Schiff hat mehr als hundert Pater geladen gehabt, hi-hi-hi-hi! Bischof Dschosi Boteio, ganz bekümmert war er darüber, hat sich ohne Furcht von seinem Platz als Erzbischof verabschiedet, und dann hat er bei den Nonnen von Itapagipe gelebt, he-he-he-he! Das war nicht der Pater Roma, den sie mit seinen Söhnen getötet haben. Dieser Pater Roma, der kommt ganz viel später in der Geschichte, den haben sie wegen Meuterei am Galgen aufgehängt. Und eine Schmähschrift haben sie ihm ans Kirchenportal genagelt, aber wenn's eine Gotteslästerung war, daß sie einen Pater hängen, das wurde ihnen später vergeben, denn der war ja ein Kinderzeugepater und obendrein ein Meuterer, und eins, zwei, drei, das ist die Geschicht, eine beßre weiß ich nicht, bis mich eine Schlange sticht, he-he-he-he-he, habt ihr ein Pfeifchen da, ein Pfeifchen?«

»Ist die Wurzel von Liebesgras gut?«

»Liebesgras ist gut. Passauf die Heiligkeiten: Alle Heiligen sind gut, alle sehr gut, sehr gut, Sankt Antonius, die heilige Mutter von der Empfängnis, sehr gut, aber vertrau lieber dem Heiligen von deiner Hautfarbe, vergisses nicht, ein gefangner Negersklave, der trägt kein holländisches Leinen und auch keine goldene Kette, passauf alles sowas, passauf. Sankt Salimon der Kämpfer, das Gebet geht so, klatscht die Hand und klatscht die Hand: Hum, bedeck dich, Leib, auf der Hut, Bruder, in Silomons heiliger Bundeslade, hast du's gelernt? Sankt Steffen, Sankt Benedikt Urumilá, die heilige Figenie, erinner dich an andere, gut so. Gegen den bösen Blick, da sprengt man mit kaltem Wasser, da betet man mit rotem Nesselwurz oder mit Besenkraut, das Kreuz machst du, das Kreuz, unentwegt machst du das Kreuz: Gott hat dich gemacht, Gott hat dich zur Welt gebracht, Gott erlöse dich von den Blicken, die dich böse angeblickt haben, mit zwei Augen haben sie dir den bösen Blick gegeben, mit drei Zeichen nehme ich ihn von dir, mit der Macht Gottes, von Junfer Marie und von Dschesus von Nasarett, den sie empfing ohne Makel und ohne Sünde. Wenn Böses im Kopf ist, Sankt Dschannes der Täufer, wenn's in den Augen sitzt, die heilige Luzia, und in den Zähnen, dann die heilige Polônia, wenn's im Leib ist, die drei Personen von der Allerheiligsten Dreieinigkeit, Vater, Sohn, Heiliger Geist, wenn's aus Ehrgeiz war oder aus Groll, aus Haß oder aus Rache gar, dann wird alles im Abgrund vom heiligen Meer verschwinden oder ganz am Ende von der Erde, wo man keinen Hahn krähen und keinen Ochsen brüllen hört, mit der Allmacht Gottes und der Allerheiligsten Dreieinigkeit. Ein Vaterunser, ein Ave-Maria. Duftwasserbad mit Ariaxé-Kraut, misch Raute rein, nimm Malvenrose, Basilienkraut, Besenkraut, nimm Rosmarin, und wenn's trocken ist, stecks an, wie bei Weihrauch, räucher gut durch, und fertig. Bei Kopfschmerz tust du so: Sankt Flavius fragt Sankt Laurius: Wohin gehst du, Laurius? Drauf antwortet ihm Laurius: Ich geh zum Fluß Dschordanius, wo einst lebte Sankt Dschannius, um schönes kaltes Wasser zu holen zum Kurieren von Kopfschmerz, Hirnkrampf und Noralgie, mit Gottes Allmacht und der Junfer Marie. Bespreng ihn mit kaltem Wasser, drei Vaterunser, drei Ave-Maria. Bei Messerstichen halt dich an den heiligen Dschosef. Schlangenbisse – den heiligen Dominikus, auch für Scherereien mit Hunden. Keulenhieb auf den Schädel, Sankt Steffen. Darmverschluß, Blasenkrampf, Sankt Tolentino, wie auch wenn's nicht gebären will, ob Frau oder Tier. Bei unmöglichen Dingen – die heilige Rita; bei Reisen – Sankt Christoffel; bei Steinwurfwunden – Sankt Polinarus; bei Schürfungen – Sankt Bartolomäus; bei Pusteln und Schwären – Sankt Lazorus; für Pfeil- und Speerwunden – Sankt Bastian; fürs Musikspielen – die heilige Zäzilie; bei Seenot – Sankt Klemens; Netzfischerei – Sankt Peter; Angelfischfang – Sankt Zeno; Sichelwunden – Sankt Simon; Ledergerben – Sankt Crispin und Sankt Crispinian; Eiterwunden – die heilige Katrin; Jagen – Sankt Georg; Kindergroßziehen – Sankt Gonzaga; gestohlenes Gut – den heiligen Antonius; hohler Schädel – Sankt Ignazius; Blutvergießen – Sankt Pintalian; Mondsuchtwahnsinn – Sankt Hermes; Kanonen- oder Arkebusenschuß – heilige Barbara, wie auch bei Donnertosen und jeder Detonation; Kneifen in den Eiern – Sankt Nereus, auch wenn man einen Hahn kapaunt; Witzemachen – Sankt Philipp; Brustschmerzen – Sankt Kasimir! Will kein Heiliger zu Hilfe eilen, ruft Sankt Dschudas Thaddäus! Sankt Dschudas Thaddäus ist nämlich nicht der Dschudas von den Dschuden, das ist ein anderer, die Leute meinen aber, es wär derselbe, und dann ist er sehr vergnügt, wenn jemand an ihn denkt und ihn ruft, und er bleibt nie aus, merkt euch das. Der Zauberspruch bei Sodbrennen geht die heilige Iria an, dreimal wiederholt: die heilige Iria hat drei Töchter, die eine spinnt, die andere näht, die dritte heilt Sodbrennen. Maden in der Rinderhaut kann man wegbeten mit den fünf Wunden Unseres Herrn, und das geht so: Böse Made, mit deinem Speisen tust du Gott den Herrn nicht preisen, und der wird dich von hier weisen! Bei Asthma – zermahle vom Krebs die Schalen, oder Seepferdchen gut geröstet und zerstampft, trink sie in Wasser, gut für Husten und Brustpfeifen! Sumpffarn, indische Nelke und Bienenhonig, gut, gut, gut! Aufguß und Umschläge mit Heiligkraut! Zehrwurz! Korallenbaum! Milchwurz! Trag ein Aguiri-Amulett unter der Achsel, wenn du in Kampf ziehst, bereite dich gut vorbereitet vor! Bete das *ê-tutu*-Gebet! Vorsicht, laß dir kein Armband und kein Halsband schenken, rein gar nichts, was dich bindet, laßt euch von niemand übern Kopf streichen, da warn ich euch sehr, Larala-Lerelé! Dreh den Rücken zum Fenster und nicht auf die Haustür aufpassen, nimm kein Essen an, und nicht gleich vertrauensselig, erzähl nichts von dir, wenn du weißt, wer was ist, wirst du wissen, wer du bist, he-he-he, ach mein Gott, was weiß ich ... Passauf mit der Cururu-Kröte, hum-hum! Leih kein Salz am Freitag aus, tauf nicht, schneid dir auch am Freitag die Haare nicht und nicht die Fingernägel. Erster Montag im August kein Fischfang und zur Quelle du nicht mußt! Zähl nicht die Fische gleich beim Fangen, bei Krabben nicht in den Korb reinlangen, zähl nicht die Krebse, die ihr sucht! Wenn einer am Tag von der heiligen Anna heiratet, stirbt ihm die Frau im Kindbett! Halt dich fern vom Eisen und vom Metall in der Stunde, wenn der Donner grollt! Spinnen töten bringt Pech, Spinnen bewahren macht reich! Willst du die Geburt ganz rasch, brenne Zehrwurz ab zur Asch, und bete dann: Wehe, Rauch, über die Erde, damit mein Sohn geboren werde! Schleif kein Messer nicht am Karfreitag! Frau, die Kirchenglocken läutet, die gebiert nicht mehr! Passauf Mut-

ter Catiti, Neumond, passauf! Mutter Catiti im Monat Oktober, was wird da? Gedonnert hat's! Wenn's neun Tage weitergeht, alle Monde der Regen weht! Nordwind bis zum Mittag, Sturm am nächsten Drittag! Zeig, sobald du kannst, der Mutter Catiti den Hintern von deinem Sohn! Bitte Dona Catiti um Geld! Neumond, he-he. Pflanz aber nur bei Vollmond!«
»Werden viele ihren Freibrief kriegen, Große Alte Mutter?«
»Freibrief nur, wenn er wie meiner ist, ich hab den Freibrief gekriegt durch ein Gelübde, was ich einem Heiligen gegeben hab, und meine Beine, die wollten nicht mehr recht, da hab ich fast die ganze Familie vom Baron an der Brust großgezogen, vom Urgroßvater bis zum Urenkel, in der Walfängerstation und in der Zuckermühle. Ein schöner Freibrief, das, die haben mir vier Silbermünzen gegeben, und dann haben sie mich hier unter dies Strohdach gesteckt, und erst wollten sie nicht, daß sonntags einer von den Jungen kam, um Wände zu bauen. Und wenn ich nicht meine Spitzen klöppeln könnte und nicht Helferhilfe hätt, da würd ich Hunger leiden, ich esse ja nicht bloß am Sonntag, nein, wenn Leute herkommen und mich besuchen, nein. Früher, da haben sie bitteres Gift und schwarzen Bodensatz ins Lampenöl gekippt, damit die Schwarzen es nicht auslecken. Aber Hunger habe ich nicht gelitten, immer findet man was zum Essen im Buschwald oder im Sumpf, Reste essen, daran hab ich mich gewöhnt, Reste mag ich lieber als alles, das ist die ehrliche Wahrheit. Der Bissinier, als der kam, da kam er mit viel Prahlerei unter den andern, er war am größten gewachsen. Mit dem sind sie nicht fertig geworden, sie haben ihn gleich am ersten Tag festgebunden, er hat die Stricke durchgenagt und ist weg in die Wälder, ich glaube, er hat den Caboclo Capiroba empfangen – rrrreis! – und dann, wißt ihr, dann hat er ein Quilombo gebaut, für die Neger alle, die weg sind, wißt ihr? Leute hat er mitgeschleppt, Frauen, ein großes Quilombo. Bewaffnete sind gekommen, gejagt haben sie ihn. Er wollte aber nicht gejagt werden, und dann war er umzingelt und dann ist er hier reingestürzt, und Stunden um Stunden hat er ausgehalten im Kampf, und gestorben ist er nur, weil die Hunde ihn gefressen haben. Ich hab ihn gekannt, sie haben ihn auf einer Reise gekauft für fünfundzwanzig Milreis, er hat gemeint, er wär besser als die Weißen, verrückt war der im Hirn, durchgedreht, ganz durchgedreht. Sagt

der, wenn man ihm einen Freibrief gibt, hat er gesagt, den würd er nicht annehmen, er wär nämlich der, der dem Senhor einen Freibrief gibt, völlig verdreht im Kopf, rein fieberwahnsinnig. Der junge Herr Pirilo Ambrósio, ob er einen Freibrief gibt, wenn er Herr sein wird? Eher redet der Fisch Butt noch einmal mit Unserer Lieben Frau. Ich hab ihn selber aufgezogen, ich hab selber Angst vor ihm, auch dort haben alle Leute Angst vor ihm, denn er hat einen bösen Geist. Und jetzt noch was: Wenn's heute Essen gibt, wird's morgen keins geben, dann ist alles aufgegessen, he-he-he! Mein Vater, der hatte keine Kraft mehr fürs Walfischboot, drum mußte er Kotfässer schleppen. Überall ist die Scheiße über den Faßrand gelaufen, und manchmal ist eins geplatzt und hat ihn überschüttet mit Scheiße. Aber an der Last ist er nicht gestorben, und die war weiß Gott schwer, und er war ja alt und vom Kampf mit dem Wal ganz kaputt, aus Scham ist er tot. Die Neger schleppen immer noch Kot, aber viele sterben nicht, he-he-he. Und das mit Freibrief und ohne Freibrief, hi-hi! Der verrückte Bissinier, der hieß Darissa, ich hab ihn gekannt. Caboclo Capiroba – rreis! – hat viele Holländer aufgegessen, erst einen, zwei, und schließlich drei, noch grün, schon reif, mit Maniokbrei, he-he-he-he! Ihr da, wer von euch ißt Holländer? Gelogen, es gibt überall viele Holländer, die Gattung stirbt nicht aus, nein. Ich möchte, daß ihr alle ganz hübsch, ganz geschmückt seid und ganz schön duftet. Wenn die Stunde zum Weinen kommt, zum Weinen. Nämlich darum weil Tränen wie Pisse sind, wie Schweiß oder Menschenkot – das muß der Körper loswerden, versteht ihr? Aber nichts vergessen, proschantá, proschantan, proschotá, ui, ai, halt's gut fest, Kopf, hum, proschantan, proschantan, rrrreeeeis! Nichvergessn, versteht ihr, he-he! Der Schmetterling Curuquerê ist auf der Stirn vom Pater gelandet, bei vielen Leuten landet er auf der Stirn, Vorsicht! Der Zigeuner hat gesprochen!«

»Hat der Zigeuner schön gesprochen, Große Mutter?«

»Hat er, aber nicht alles versteht man, die Sprache von ihm, die ist schlimmer als wie die von Caboclos von draußen oder von ganz früher, verstehmaleiner: preches, leches, mongogreches, caches und die Santa Quisición, el granofício de la mu-erte und die Sanctidá de la desgracia. Und hat noch gesagt, Obacht, wo einer Gewißheit lehrt, das hat er gesagt, das war vor dem Dekret, das, wo bestimmt hat, wer mit einem Zigeuner redet, der kommt an den Galgen, und daß alle aus diesem Land vertrieben werden, aber dieser hier, hat er doch so viel gesprochen, haben sie ihn getötet und verbrannt. Hätten die gewußt, wie ich ihm ganz richtig viel zugehört hab, die hätten mir die Zunge rausgeschnitten, heißes Öl hätten sie mir vielleicht in die Ohren gegossen, wer weiß, das hätten sie, ja, he-he-he. Sie haben sie mir aber nicht rausgeschnitten, das ist gut, und ich hab trotzdem mit dem Zigeuner geredet und bin auch nicht mehr oder auch nicht weniger ungläubig jetzt, das war nur noch im Leben, was ich gelernt hab, ohne es eigentlich zu lernen. Der Zigeuner hat gesagt: Hör mir zu, Negermädchen,

Es sterbe der König von Spanien,
denn die Hölle ist schon da
und der Himmel gar nicht nah;
wer denkt an unsere Seelen,
denn Leben, das ist Stehlen,
wer nur bittet und nichts erschleicht,
damit Rom auch nie erreicht;
an Essen wird's ihm fehlen,
und wird sich redlich quälen,
nur dem wird nichts ermangeln,
der gelernt hat, gut zu rangeln.
Und preches, leches,

mongogreches, so geht das tagelang, und ein guter Rat ist das, auch wenn ich vieles nicht verstehe. Das Schicksal, also das ist nun mal so, wie's ist. Wenn's anders ist, dann ist das auch das Schicksal, es gibt viele, für die ist Schicksal, über das Schicksal zu klagen, da werdet ihr lachen, lacht nur. Hoppla! Wassis nur? Schau dir das an! Hast viele Muschelfische gefischt, was? Gelben Schellfisch, gute Ware. Huuum! Einen Haufen Seenadeln, dassis Turíbio Cafubá war das, glaubst du nicht? Meine Tochter, ich glaub, ich geh schon bald. Rrrrreis!«

»Werdet Ihr beritten gehen, Alte Mutter?«

»Ganz hübsch im Sitzen. Mal sehen, ob ihr schöne Totengesänge singt für mich, ja! Heiligstejungfrau, was für ein Zuckerrohrfeld! So viel Zuckerrohr, lauter Schiffe voll aus Angola haben sie gebracht, und die Neger, die sollten alles pflanzen, mußt du sehen, das. Und sie haben Zuckerrohr gepflanzt, haben Zuckerrohr geschnitten, haben Zuckerrohr gemahlen, und alles aufgerissen haben sie sich am Zuckerrohr, zerfetzt haben sie sich alles, hatten überall Splitter, hi-hi! Und jeden Tag sind neue Negersklaven gekommen und Mädchen von den Azoren zum Heiraten für die Weißen hier, der König hat sie geschickt, was gibt's für schöne Könige, ja, einer prächtiger als der andere. Erst ist Dom Dschoão gestorben, geschmückt mit Silber und Edelsteinen, der hat Goldkäsestaub gegessen, und in Reichtümern hat er sich gewälzt, und viel Mitgefühl mit dem Volk hatte er. Nach diesem König Dom Dschoão, da kam der König Dschosi, und in allen seinen Landen gab es großen Wandel, aber hier, da gab es nichts, oder um die Wahrheit zu sagen, es gab Zuckerrohr und Azorenmädchen. Ja, und was kommt dann, na, eine Königin, die hieß Dona Maria, und allen hat sie große Freude gebracht und große Karawanen hat sie hergeschickt, die sollten das Zuckerrohr holen und die Azorenmädchen bringen, und jeder König und jede Königin, die geboren werden, die sind eine große Hoffnung für den, der nur leidet im Leben, he-he-he-he, Caboclo Capiroba – rrrreis! Ißt du auch Könige, lieber Caboclo, hum, ißt du auch Königinnen? Hum, Himmelherrgott!, wie eklig ti-ti-ti, ti-ti-ti!«

»Ist er zurück, Große Alte Mutter, seht Ihr ihn?«

»Ach Leute, wasseine Frage! König, kannich, kannich schäbig sein als König? Passauf, wollt ihr was sehen, dann passauf: Dieser andre Dom Dschoão von jetzt, der im Königreich hier war und in ein andres fort ist, war das nicht letzten Monat? War das nicht so, so etwa? Also, letzten Monat, da ist er aus einem Königreich in ein anderes Königreich, und jetzt sterb ich hier vor Kummer – he-he-he-he! Ha-ha-ha! Ho-ho-ho! Ach-ach! Laß mich, mein Sohn, ich seh hier die Könige, eine Menge Könige ... Und alle bedeckt ganz mit Gold, alles Gold, alles Gold, he-he! Also, also, geh schon ... Ist ja gut, ist ja richtig ... Der König ist's, der gibt! Gutes Leben den Armen! Wer mir's gegeben hat, das war er! Das Stroh, das mein Dach ist! Ha-ha-ha-ha! Au!«

»Tut's Euch ein bißchen weh, kleine Alte?«

»Rein gar nichts hab ich, keine Sorgen machen, ihr da, jetzt hab ich meine Königsgesellschaft verpaßt, nur wegen euch! Jetzt sind sie weg, jetzt isses zu mühsam, daß sie zurückkommen. Haben

die Vesperglocken schon geläutet? Ich möchte erst gehn, wenn die Vesperglocken klingen, genau wie damals, wo ich gekommen bin. Sehr gut, alles in Ordnung? Sorgt für den Sohn von meiner jüngsten Enkelin, gebt acht auf unser Blut! Ich geh, aber ich bleib noch ein Weilchen in Amoreira! Laßt mir nicht zu, daß sie das Herrchen Pirilo Ambrósio töten. Hast du nichts vergessen, Kleine, sieh nach! Also, nichts vergessen, wie? Hast du die Regenrinne repariert, hast du dem Langfinger Crispin den Fisch bezahlt? Na schön, ich komm mal wieder auf. Hast doch nichts vergessen, Netchinha, paß auf, jawohl! Was macht ihr für Gesichter, wollt ihr nochwas wissen? Jessesmaria, soviel Theater!«
Doch nun begannen die Vesperglocken der Kapelle zu läuten, und Dadinha brach ab, als werde ihre Aufmerksamkeit auf ein anderes Thema gelenkt. Gelassen verschränkte sie die Arme, schloß die Augen, und mit einem Gesicht, als würde sie gleich einem fesselnden Auftritt beiwohnen, starb sie genau so, wie sie es sich vorgenommen hatte.

Walfängerstation-zum-Guten-Jesus, den 9. Juni 1827

Der Sturz von Sankta Bona und Sankt Luzius geschah genau in dem Augenblick, als Antônia Vitória den Mund öffnete, um der Märchenfrau Justina Dickwanst die Unterbrechung der Geschichte anzuordnen, der die Kinder und das schwarze Kindermädchen Honorata lauschten. Das kleine Hausmädchen Martina wollte auf die Fußbank steigen, um die Heiligen der Hauskapelle abzustauben, sie blieb mit dem Pantoffel hängen, die Fußbank kippte, und im Fallen riß sie das heilige Paar mit, das nach einem Purzelbaum auf dem Boden landete. Die Figuren brachen nicht entzwei, schon weil die kleine Negerin, als sie die beiden Heiligen, vereint und zerknirscht, wie sie stets vor dem Schrein gestanden hatten, kopfüber auf die Fliesen segeln sah, ihren Sturz mit verzweifelt ausgebreiteten Armen dämpfte. Es riß nur, in einer kapriziös geschwungenen Linie, der kleine Sokkel, der die Figuren verband, und trennte so die beiden zum ersten Mal seit Menschengedenken. Sehr blau, mit einem runden, karminroten Mündchen, kullerte Sankt Luzius umher und lag

mit dem Bauch nach oben da, sein Blick, der noch eben in ewiger Verzückung auf der heiligen Gefährtin und Gattin geruht hatte, zielte nun in die entgegengesetzte Richtung, nicht, wohin sie gerollt war, sondern das Gesicht in den Winkel zwischen Wand und Boden geschmiegt, dicht neben dem Kanapee, auf dem Justina Dickwanst die folgende Erzählung zu Ende brachte: An einem Ort, den niemand kennt, an der See oder im Buschwald, auf einer Insel oder auf dem Festland, lebte einst ein kleiner Pfarrer. Es war einmal die Gemeinde dieses Pfarrers, es war einmal seine Kirche, es war einmal das Volk, das auf diesem Flecken wohnte, und sie waren alle sehr fromm und gingen in die Kirche und lebten gottgefällig. Vor der Messe konnte der Pfarrer nicht ausruhen, weil die Betschwestern zur Beichte kamen. Nach der Messe konnte er nicht ausruhen, weil die Betschwestern zur Beichte kamen, und der Pfarrer tat nichts anderes, als dem Seelenheil dieses gar frommen Völkchens zu Diensten zu sein. Da überlegte und überlegte er und kam zu einem Ergebnis: er schrieb eine lange Liste auf, und diese Liste wollte er während der Messe vorlesen. Mitten in der Messe nahm der Pfarrer also sein Blatt und las, wie ihr jetzt hört: Meine lieben frommen Frauen, ihr Leute dieser Gemeinde, ich werde langsam alt und müde und habe weder Zeit noch Kraft für so viele Beichten jeden Tag. Daher wollen wir künftig folgender Anordnung gehorchen, die ich sehr gut durchdacht und sehr gut niedergeschrieben und sehr gut überlegt habe: Am Sonntag nehme ich den Faulenzerinnen die Beichte ab und denen, die sich nicht waschen wollen; am Montag denen, die stehlen und Lügen erzählen; am Dienstag denen, die trinken; am Mittwoch denen, die den Gatten betrügen oder in wilder Ehe leben; am Donnerstag den nörglerischen Müttern und den Schwatzbasen; am Freitag den Hexen, den Zauberinnen und Unruhestifterinnen; am Samstag den Giermäulern und Neidzwicken. –
Als der Pfarrer seine Ansprache beendet hatte, sagte zunächst niemand ein Wort, aber alle blickten einander ganz komisch an, und von jenem Tag an gab es keine Betschwester mehr, die in dieser Gemeinde zur Beichte gehen wollte, und der Pfarrer ruhte nach Herzenslust aus bei seinem guten Meßwein – und wenn er nicht gestorben ist, dann lebt er heute noch.
»Sá Justina, still, kein einziges Wort mehr!« trompetete von der

Türe her Antônia Vitória, aber kaum schickte sie sich mit erhobenen Händen zu einer neuen Rede an, wie sie es seit ihrer Ankunft überall und stets im ganzen Haus zu tun pflegte, schrie das kleine Hausmädchen auf, die Figuren trudelten durch den Raum, Justina riß die Augen auf, und Bona und Luzius purzelten über den Fußboden. »Jesus, Unsere Liebe Frau, große heilige Rita des Unmöglichen, mein himmlischer Pate Sankt Antonius, seht, wie das unheilvollste aller Verhängnisse auf uns hereinbricht! Ach, mein süßer heiliger Sankt Luzius, meine heilig heilige Bona, mir zur Hochzeit geschenkt von meinen Eltern, was hast du nur angestellt, du unglückselige Person, da liegen meine kleinen Heiligen in Scherben, ach, seht nur, wie weit auseinander sie gestürzt sind und wie der Sockel in hundert Stücke zerborsten ist, und dich zerreiße ich in mehr als hundert, du böses, täppisches Negergesicht, du Schlampe, du du, Teufelsdreck, Aasgeier, saudumme tolpatschige Negerin, zwei linke Hände hast du, alles mußt du mit Gewalt anfassen, Christus, vergib mir, wenn ich den Schrein ausgerechnet von so einem dämlichen Negermädchen hab abstauben lassen, sie taugt ja nicht einmal dazu, einen Nachttopf auszuwaschen, Gott verzeih' mir, ja, daß ich dich nicht in Scheiben schneide, und geh da weg mit deinen Pfoten! Scher dich mit deinen blöden Stampfern fort von hier, wo du schon genug ruiniert hast, und wer weiß, was du mit deinem Unverstand noch alles hast verkommen lassen! Ach mein Gott, ich hoffe nur, daß nicht noch mehr Unglücksstürme auf dieses Haus und unsere Fazenda hereinbrechen, denn wenn der Höllenfeind hinter den tolpatschigen Pfoten von dieser nichtsnutzigen Negerin steckt, dann waren es nicht unsere Hände! Nun gut, wenn du ausführlich und aus gutem Grund flennen willst, dann sollst du auch wissen, warum. Geh raus in die Küche und erklär deiner Mutter, daß der Sklave, den ich freilassen und auszahlen wollte wie dem heiligen Antonius versprochen, als hätte ich ihn gekauft und nicht bloß freigelassen, und dem ich ein Stück Land, Holz und Stroh schenken wollte, daß dieser Sklave sie sein sollte, sag ihr also, daß ich es mir anders überlegt habe, daß es nicht mehr sie sein kann, nicht etwa, weil sie etwas angerichtet hat, denn das hat sie nicht, nur, daß sie stinkt wie ein Bock, wie alle von ihrer Rasse, sag ihr drum, daß ich nicht sie nach den Feierlichkeiten freilassen werde, und zwar nicht weil sie etwas angestellt hätte, sondern weil die kleine, verrottete Negerin, die sie in die Welt gesetzt hat, es sich hat einfallen lassen, die heiligen Gatten zu Staub zu zermalmen, die immer über dem Glück dieses Hauses gewacht haben – sag ihr also, Unglückskrähe, daß ich aus Frömmigkeit nicht mehr sie freilasse, sondern, ja, eine andere, oder einen anderen, den ich auswählen werde. Und vergiß auch nicht, ihr von deiner Schuld zu erzählen, weshalb ich so handeln muß, denn es ist gegen meinen Willen, deine Mutter zu bestrafen, ich kann nur eine so gotteslästerliche Tat wie diese nicht ungesühnt lassen, ein so böses Vorzeichen, wie du es jetzt über dieses Haus gebracht hast! Und sag ihr auch, daß ich dich jetzt nur nicht auspeitschen lasse und dich nicht in Scheiben schneide, wie es recht wäre, weil du ihre Tochter bist und ich das ihr zuliebe nicht tue. Los, mach schon, geh, geh und erzähl ihr alles, lauf, geh, scher dich, geh, geh und vergiß nicht ein Wort, verfluchtes Negerding, denn später werde ich deine Mutter fragen, ob du ihr alles so gesagt hast, geh! Und komm mir nicht in die Nähe, denn ich will mir meine Hände nicht an deiner widerlichen Visage beschmutzen, ach mein Gott, heilige Katharina, heilige Margerita, heilige Agatha, mein Sankt Josef Calasans von der Ewigen Entsagung, steht mir bei in dieser Seelennot, da der Kopf mir schwer wird und das Ungemach mich niederdrückt! Geh schon! Du bringst mich um, du bringst mich um, jawohl! Und mich bekümmert der... Geh! Geh, bevor ich dich eigenhändig erwürge, geh! Und du, Negerin Honorata, du läßt es zu, daß diese abscheuliche Hexe herkommt gegen gute Kost und zusätzliche Kupferstücke, die sie dem Haushalt entwendet und den spendierfreudigen Taschen des Barons, um uns Histörchen zu erzählen ohne Sinn und Verstand, und damit die Kinder Widerwärtigkeiten und Beleidigungen anhören müssen, die aus ihrem Munde kommen! Ich habe dir schon gesagt, daß du solche Geschichten nicht erzählen sollst. Ich habe dir doch schon gesagt, du sollst die Großmut dieses Hauses nicht dazu mißbrauchen, um die Ohren der Kinder mit Geschichten von tiefer Moral und höchster Gemeinheit vollzustopfen! Von welcher losen Verbindung ist denn in dieser Erzählung die Rede? Schweig, ich lasse demjenigen ein heißes Ei in den Mund stecken, dem zuerst ein solches Wort oder solch schmutziger Schund über die Lippen kommt wie du ihn eben vor den Kindern dahergestottert hast!

Maul zu! Ach, Herr der Schutzlosen, ich weiß, wir schulden Euch als Sünder Buße für Eure Barmherzigkeit, aber, ach, wie müssen die leiden, welche aus Europa kommen und hier leben wollen, an einem so wilden, ungesunden, undankbaren Ort, wo man bei lauter Anstrengungen und Mühen ohne Lohn und Anerkennung soviel Entbehrungen und Ängste erdulden muß, zusammengepfercht mit so rohem Volk, wie es ein Christ sich nie hätte vorstellen können, ich weiß wohl, wie die heiligen, katholischen Männer unter den Mauren gelitten haben, aber weh mir, um ein Leben so voller Erniedrigungen auszuhalten, fehlt mir die Kraft der Heiligen! Wußtest du übrigens, daß du es warst, Honorata, der ich den gleichen Freibrief hatte geben wollen wie der Negerin Constantina, der Mutter dieser Schl..., deren Namen ich nicht über die Lippen bringe, wußtest du, daß du es warst? Ich weiß wohl, daß du nur Stroh im Kopf hast und dümmer bist als eine Mücke und daß dir jeder Hauch Charakter fehlt, aber wie dem auch sei, ich würde dir diese üblen Charakterzüge vergeben – was ich nicht verzeihen kann, ist Ungehorsam! Ungehorsam! Ungehorsam! Muß ich es denn durch alle Ewigkeit hindurch vergeblich zum Himmel emporbrüllen, daß ich für die Speisen, die wir euch geben, für das Dach, das wir euch leihen, für die Drangsale und Qualen, die wir aufgrund eures unnützen Wesens bitter erdulden, daß ich für all das als Entgelt nur Gehorsam fordere? Gehorsam! Ihn Hunden und Hornochsen abzuverlangen ist nicht zuviel, doch daß ihr es begreift, scheint für eure Rasse ohne Verstand und Empfindung zuviel verlangt! Gehorsam! Gehorsam, der nicht in deinen mit nichts als Kehricht gefüllten Schädel hinein wollte, als du mit der unerträglichsten Unverschämtheit, mit der ärgsten Gemeinheit zugelassen hast, daß diese braunhäutige Hexe diese gotteslästerliche Geschichte erzählt, wofür der Himmel uns mit dem Zerschmettern meiner kleinen Heiligen bestraft, ach meine kleinen Heiligen, ach, welche Schwäche fällt mich an, wie viele Leiden soll ich noch ertragen, Sankta Luzia, laß nicht zu, daß das Licht meiner Augen erlöscht, bevor ich für die Buße so vieler Sünden einen Weg finde, sie gehen zwar nicht auf mein Konto, denn Gott kennt das fromme Leben, das ich führe, aber durch mein Dazutun muß Abhilfe geschaffen werden. Ach Sankt Antonius von Lissabon, mein Patenheiliger, du konntest nicht verzeihen, daß ich nicht zu allen Dreizehntageandachten zu deinen Ehren gekommen bin, wie sonst jedes Jahr, du weißt aber, daß nicht ich über mein Leben verfüge, sondern mein Herr Gemahl, der Baron, der nur diesmal mein Kommen genehmigt hat, und auch das nur nach langem Flehen, du weißt es, denn dir entgeht nichts, mein Patenheiliger! Also, undankbare Negerin, für die der Name Honorata schlecht paßt, schlag dir aus dem Kopf, daß du freikommst, denn daß ich deinen Ungehorsam und das Böse, das du unter den Kindern angerichtet hast, die dich so gern haben, die armen Kleinen, vergessen würde, das darf nicht sein. Meine Allerheiligste Mutter, *mater dolorosa*, steh mir bei in dieser Stunde der Not, schmerzensreiche all-liebende Mutter! Rühr dich nicht, rühr dich nicht, Negerin, bleib, wo du bist, denn ich weiß nicht, ob man die Heiligen anfassen darf, ehe der Priester kommt, was soll aus mir werden, wo ist Bruder Hilário, ich werde ohnmächtig, o mein Gott, ich habe keine Kraft mehr, ach, soviel Kummer...«

Als Bruder Hilário endlich eintraf, nachdem man ihn schlummernd angetroffen hatte, als er von übervollen Speisekammern träumte, und ein Speichelfaden über sein auf den Bauch hängendes Kinn hinabrann, und die weiten Bögen seines Schnarchens den Takt seines Schlafes angaben, – kam er angelaufen, so rasch ihn seine kurzen Schrittchen trugen, wobei seine Bastsandalen über den Boden schlurften durch all die verschlungenen Korridore, die gespenstisch verziert waren mit Nischen, Büffets, Dreifußbecken, Silberschränken und vielen anderen Gegenständen –, lehnte Antônia Vitória bereits auf ihrem reichgepolsterten Diwan ihr Gesicht zu dem Fächer gewandt, mit dem Teolina sie kühlte. Der Mönch ließ die Äuglein durch den Salon schweifen, blickte auf die beiden herabgestürzten Figuren, sah die erstarrten Negerinnen am Verandaportal stehen und die Kinder mit steifem Rükken auf dem Kanapee sitzen.

»Ach, mein guter Pater, Ratgeber und Seelsorger!« seufzte die Baronin und richtete sich ein wenig auf, um sogleich wieder mit geschlossenen Augen und wogender Brust in die Kissen zu sinken.

»Hat man ihr ein Essigfläschen zum Riechen gegeben?« fragte der Mönch, und als man ihm dies beteuerte und auch, daß man ihr ein Salzkorn unter die Zunge gelegt habe, und nun seien ihre vorher vor Kälte zitternden Hände schon wieder schön warm, gab er ihnen mit einem Zeichen zu verstehen, sie sollten sich zurückziehen und ihn mit der Frau Baronin allein lassen, bis sie gerufen würden. »Ruhig, ruhig, alles ist gut, ist schon gut, es ist alles vorbei.«

Antônia Vitória öffnete mühsam die Augen. Sie wandte sich an den Mönch, der jetzt auf der beim Unglück umgestürzten Fußbank saß, die er neben den Diwan gestellt hatte. Ja, wußte der gute Mönch denn nicht, was sie gelitten, was sie litt und noch leiden mußte, da das schwere Los, welches das Schicksal auf sie herabgesandt hatte, nie von ihr weichen würde? Denn war sie nicht soeben noch fast an der Schwelle des Todes gestanden, als sie diesen Raum betreten hatte, um fortzufahren in der unaufhörlichen Plackerei, die ein Haus voller illustrer Besucher bedeutet, Besucher, die ein ausgesuchtes Mittagessen verlangten und eine noch feinere Abendmahlzeit, Aufmerksamkeiten, die man vom Adel erwartet, und da hatte ihr solches Ungemach widerfahren müssen? Genügte es nicht, daß der fast bis zur Mittagsstunde verspätete Imbiß ihr so viele Ängste beschert hatte, zumal der Herr Domherr die Fischsuppe nicht angerührt und anscheinend nicht einmal an den Weinen Gefallen gefunden hatte? Reichte es nicht, daß der Baron, ihr Herr Gemahl, ihr vor allen Gästen barsch bedeutet hatte, das Roastbeef unterscheide sich kaum von der Negerkost, worauf er es fast vollständig verschlungen hatte? Eine Mißheirat, das war es, was ihre Ehe war, wenn sie auch nur dem Mönch, ihrem Ratgeber, Freund und Seelsorger, ein so schreckliches Geständnis anvertrauen konnte, das ihr schwer über die glühenden Lippen kam und ihr Schwindel verursachte. Wären da nicht ihre lieben Eltern, nicht ihre Kindchen, die der Baron mit solcher Gleichgültigkeit behandelte, und wäre nicht der gute Frater zugegen, sie brächte vielleicht keinen Mut mehr auf, weiterzuleben. Und nun, sähe er denn nicht vor seinen eigenen Augen, in unschöner Weise am Boden zerschmettert, die beiden Heiligen, von deren Segen der Frieden des Hauses und ihrer Ehe abhinge? Die beiden kleinen Heiligen, zersplittert in tausend Stücke?

»Sie sind doch gar nicht zersplittert, nur der Sockel ist entzweigegangen, und die beiden Teile können leicht geleimt werden. Man läßt einen Kleister aus feinem Mehl mit Eiweiß kochen, und das Stück wird fester halten als vor dem Bruch.«

»Glauben Euer Hochwürden? Und glaubt Ihr nicht, daß eine Strafe über das Haus kommt?«
»Ich glaube, daß die Heiligen wie neu sein werden und daß uns keinerlei Strafe droht.«
»Werden Euer Hochwürden den Leim segnen, werdet Ihr ihn segnen?«
»Ich segne ihn, ich segne ihn, Frau Baronin nehme es sich nicht so zu Herzen.«
»Ah, wie dankbar bin ich Euer Hochwürden! Aber glaubt Ihr nicht, daß das eine Strafe war, weil die Märchenfrau, Vergebung für das Wort, diese dreckige Märchenfrau den Kindern eine anstößige Geschichte erzählt hat, welche die Steine zum Erröten brachte, dazu eine Gotteslästerung, weil sie gegen einen Priester gerichtet war?«
»Nein, eine Strafe glaube ich nicht, vielleicht eine Warnung, vielleicht.«
»Warnung! Wink! Damit so etwas aufhört! Damit unsere Frömmigkeit auf die Probe gestellt werde! Folglich muß ich selbst sie bestrafen! Angesichts so schwerer Beleidigungen habe ich als Strafe nicht mehr und nicht weniger vor, als das Gelübde zu widerrufen, das ich für die Gesundheit meines lieben Vaters abgelegt habe, nämlich die Negerin Constantina freizulassen.«
»Das Gelübde widerrufen?«
»Nein, um des gekreuzigten Jesu Christi willen, tausendmal nein! Ich lasse nur eine andere an ihrer Stelle frei, denn ich muß ihre Tochter bestrafen, die naseweise, kleine Negerin, die den Heiligen das angetan hat.«
»Die ist wohl bestraft.«
»Wirklich? Und wie, wenn ich die kleine Negerin direkt bestrafte, die mir soviel Aufruhr verursacht hat, und die Negerin Honorata und auch diese krumme, scheußliche Menschenfresserin, die Geschichten erzählt?«
»Justina Dickwanst?«
»Ja, was für ein entsetzlicher Name, obwohl sie ihn verdient.«
»Aber sie ist doch freigelassen, oder nicht?«
»Und wenn alle Milizen des Kaiserreichs herkämen, die Männer aller Waffengattungen, alle Inspektoren und Militärrichter der Krone, sie werden der Baronin von Pirapuama nicht eine alte Braunhäutige wegnehmen, oder sonst irgend etwas!«

»Natürlich nicht.«
»Kann ich sie dann nicht nach meinem Belieben bestrafen? Hat sie mich nicht beleidigt, hat sie nicht aufs Ungeheuerlichste einen Gottesmann beleidigt, hat sie nicht mit der Unschuld der Kinder und mit Honoratas Dummheit schändlich Mißbrauch getrieben im Austausch gegen das Essen, das sie sich immer aus der Küche holt, und dazu die Kupferstücke, die ich ihr nie versagt habe?«
»Vielleicht werden Sie, wenn ich das bemerken darf, in der Kirchenlehre keine Unterstützung finden.«
»Ich soll keine Unterstützung finden, wie? Wer will meine Handlungsweise mißbilligen?«
»Hmm ... Der heilige Hieronymus, der heilige Hieronymus, *Sum cuique tribuere* ... Ja ... *Sum cuique tribuere, ibis, redibis, qui ... quod.*«
»Hat das der heilige Doktor gesagt, in so kostbarem Latein, das meine geringe Bildung mich nicht verstehen läßt? Und sind diese heiligen Gebote anwendbar auf meinen Fall hier?«
»Wenn ich mich richtig erinnere.«
»Ah, Ihr erinnert Euch immer richtig, gesegneter Priester, die Weisheit von Euer Hochwürden ist nicht von dieser Welt, und wenn ich sie höre, scheinen mir alle Wege klar und alle Dinge richtig. Was rät die gute Lehre in diesen Fällen?«
»Eine Bußübung. Eine Bußübung, die sie über das begangene Böse aufklärt und den Augen des Herrn ihre Reue bezeugt.«
»Dazu rät der heilige Hieronymus?«
»Und Sankt Anselm. Sankt Anselm ...«
»Sankt Anselm! Ich werde ihnen also eine Bußübung auferlegen. Ach, mein guter Priester, mir von der Vorsehung gesandt ... Soll ich auch den Kindern eine Bußübung auferlegen?«
»Vielleicht nicht Felicidade Maria, die noch zu klein ist, sie kann noch kaum ein halbes Gebet nachsprechen.«
»Die Kinder, das werden wir sehen, jedenfalls werden den jungen Mädchen zwei oder drei Rosenkränze auf Knien und ein wenig Abstinenz nicht übel bekommen. Und um ihrer eigenen Tugend willen werde ich sie nie mehr Honoratas Betreuung überlassen! Honorata! Ich werde sie alle bestrafen, außer Constantina, der ich die Freilassung schon entzogen habe, und ich will nicht, daß sie für die Sünden der Tochter bezahlt. Schon fühle ich mich bei Kräften, warum komme ich nicht selber darauf, wenn

Hochwürden es aussprechen, erscheint es mir so einleuchtend? Werden Euer Hochwürden auch wirklich den Leim für meine kleinen Heiligen segnen? Werdet Ihr mir helfen, die Bußübungen anzuordnen? Welchen Kasteiungen unterwerfen sich bußfertige Fratres?«

Geräuschvoll in einen Nachttopf aus Porzellan urinierend, empfand Perilo Ambrósio tiefes Behagen. Wenn er nicht die Augen schloß, um seiner Entleerung zu lauschen, so deshalb, weil er auch den Schaum genießen wollte, in dem das Licht der Öllampe nun weißgolden glitzerte. Und dort unten, den Hals angestrengt emporgereckt, konnte Antônia Vitória, obwohl sie sich nach allen Seiten wegbog, nicht verhindern, daß der unerbittliche Strahl seiner endlosen Pisserei ihr Gesicht traf. Und nicht nur auf Antônia Vitória pißte er, er pißte auf alles, er spürte, er konnte pissen auf alles, was er wollte, er konnte alles tun, was er wollte. Der enorme Nachttopf mit seinem wie riesige Lilienblätter graziös gekrümmten Rand, mit seinen Filigransäumen und seinem gleichsam geflügelten Aussehen, mit seinen Flußuferszenen, die in feiner Linienführung und eindrucksvollen Farben auf Boden und Innenrand gemalt waren, zitterte wie eine beregnete Sonne, und Perilo Ambrósio hätte am liebsten immer so weiter gepißt. Aber er hörte doch auf und blieb lange mit herabhängenden Armen stehen, das Kinn auf der Brust, das Rückgrat gekrümmt, noch einen Tropfen herauslockend und noch einen Tropfen, einen letzten Tropfen, der sich zitternd zu einem Stalaktit verdickte, bevor er nach kurzem Zögern niedertropfte. So wie er war, unbedeckt und noch tröpfelnd, ging er zum Fenster. Die Kröten waren nicht zu sehen, nicht einmal das Meer und die Bäume, alles war von dichter Finsternis eingehüllt. Manches Mal hatte er Angst vor dergleichen Dunkelheiten verspürt, doch jetzt hatte er überhaupt keine Angst. Den Bauch gegen den Fenstersims gelehnt, ließ er seine Hände sinken, um sich zu befingern, und fühlte alsbald, daß da unten alles anschwoll. Heute wurde es nicht mehr so hart wie früher, wenn schon der bloße Gedanke an einen seiner Neger oder eine seiner Negerinnen es dazu gebracht hatte, losspritzen zu wollen, angespannt und schmerzend, als wolle es sich von seinem Körper lösen. Manchmal wurde es nicht einmal ganz hart, aber er war stolz auf das dicke, plumpe Ding, über das er sanft die Finger gleiten ließ. Er wog die Eier in einer Hand, und mit dem Anflug eines Lächelns und einem Gesichtsausdruck, den er vor niemandem auf dieser Welt, nicht einmal vor dem Spiegel, zeigen würde, begann er am Fenster zu masturbieren und konnte kaum den Wunsch zurückhalten, zu schreien und zu brüllen, denn er masturbierte für all das, was grenzenlos sein war, für die Neger, die Negerinnen, die anderen Menschen, die Welt, das Dampfschiff, die Bäume, die Dunkelheit, die Tiere und das ganze Land der Fazenda.

Ja, nackt wie er war, konnte er hinausspazieren, eine Eichel wie der Kopf eines unbezwingbaren Widders, und alle würden sie betrachten und verehren und begehren um der Gnade willen, sie berühren und küssen zu dürfen. Er stellte sich vor, wie er freundlich herablassend in seiner Macht die Köpfe der ihn Umgebenden zu seinen Lenden hinabzog, um so Segen und Glück auszuteilen. Und wie er schließlich die kleine Negerin Vevé packte und sie wortlos aufs Bett warf, ihre Beine auseinanderschob und ihr unmißverständlich zu verstehen gab, daß sie sich nicht rühren dürfe, wie er Spucke auf diesem Kopf aus geschwollenem, wildgewordenem Fleisch verrieb, sie mit einem einzigen Ruck entjungferte, darauf wartete, daß sie vor Schmerzen winselte, um ihre Bewegungen mit einer lähmenden Umarmung zu vereiteln, wie er jedes Aufplatzen von Haut oder Knirschen von Knorpeln spürte, vorausahnte, ob sie glatt oder eng war, und ihre Knie hochriß, ihr alles mit einem rüden Stoß, der sie fast ans Kopfende des Bettes schleuderte, hineinstopfte, und nachdem er in sie eingedrungen war, bis ihre Knochen gegen seine Fettpolster drückten, mit kurzen Degenstößen nachstieß, als wollte er sie durchbohren, sie aufspießen, sie gänzlich durchrammen, damit sie stürbe mit zerfetzten Eingeweiden, stürbe genau in dem Augenblick, in dem er, fast ohne daß sonst noch irgendeine Bewegung erforderlich wäre, in ihr seinen Orgasmus erlebte, er, der Herrscher, der absolute Herr über alles, um danach aufzustehen und Blut und Schleim an ihrem Hemd abzuwischen. Noch war das nicht geschehen, es würde aber geschehen, er hatte angeordnet, daß alles getan würde, damit er die kleine Negerin Vevé bekäme, er wollte nur nicht, daß man es ihr sagte, weil immer Gefahr bestand, daß Antônia Vitória es erführe, hauptsächlich aber, weil er nicht auf das Vergnügen verzichten wollte, plötzlich vor der kleinen Negerin zu erscheinen und wortlos die Kleider abzulegen, um sich an der Angst oder dem Entsetzen in ihrem Gesicht zu weiden, wenn sie aus seiner offenen Hose das Werkzeug ihrer Unterwerfung herausquellen sähe. Sie war fast fortgerannt, als sie das erste Mal die für eine Negerin auffallend hellen, weitaufgerissenen und scheuen Augen auf ihn heftete. Er hatte den Verwalter Almério gerufen und ihn gefragt, wer das sei. Enkelin von Dadinha. Ja, sehr gut, ich will sie vögeln, ist sie Jungfrau? Sie ist Jungfrau, sie will um Erlaubnis bitten, den Harpunier Custódio zu heiraten, sie warten nur den Namenstag vom Heiligen Antonius ab, um mit der Frau Baronin zu sprechen. Das ist ja noch viel besser, jetzt will ich sie erst recht vögeln, nachdem ich das weiß. Du weißt, wie du vorgehen mußt, du weißt es doch, mach mir keine Eseleien. Wollen Sie, daß ich die kleine Negerin heute hole, jetzt gleich? Nein, später, ich sag dir Bescheid.

Später, später, wiederholte Perilo Ambrósio mit geschlossenen Augen und rieb mit seinem Pinsel an der Wand. Erst jetzt ließen die Wolken der stockdunklen Nacht einige Sterne aufblinken. Dort am nördlichen Himmel, hinter dem berühmten, von den einen als »Schwan«, von anderen als »Königsversammlung« gesehenen Sternbild erinnerte sich die kleine Seele des Fähnrichs von neuem an das Licht seiner Heimat, und von neuem zitterte sie vor Stolz. Und da Seelen ohne Körperhülle nicht in der Zeit leben und für sie alles Gegenwart, Vergangenheit und Zukunft sein kann, weilte er im gleichen Augenblick über den Undinen, die zu dieser Stunde der Fluten nächtliche Arbeit verrichteten und an den Strand der Walfängerstation-zum-Guten-Jesus wogten. Als nächtliche Gebilde von ganz anderen Formen als bei hellem Sonnenlicht, ließen Häuser und Bäume nur ein kleines, leuchtendes Auge in dem Fenster erblicken, an dem Perilo Ambrósio nun ruckartig Sperma an die Wand spritzte, wobei er immer wieder in die Knie ging. Die kleine Seele gewahrte dies und alles übrige der Nacht mit der schon gewohnten Liebe und gewann, ohne zu wissen, warum, die Gewißheit, daß sie es sein würde, die eines Tages das Geschöpf des Perilo Ambrósio, Baron von Pirapuama, Held der Unabhängigkeit, Baumeister der schönsten und machtvollsten Nation der Welt, Quelle des

Wohlwollens, des Wohlstandes und Friedens, beseelen würde. War dies doch ihr ruhmvolles Schicksal, das begonnen hatte als sie noch im tapferen Leib des Fähnrichs Brandão Galvão wohnte, dann niedergestreckt wurde bei der Verteidigung des Landes und der Freiheit in der unvergleichlichen Brise des Walfischkaps. Und sie beging den Tag, wie kleine Seelen es bei diesen Epiphanien tun, indem sie längs der Ränder des Tierkreises die Luft mit Linien und Funken markieren, fast ganz zwischen zwei Sternen verschwinden und dann wiederkommen und so rasch, daß es niemand sieht, aufscheinen, bald auf der Stirn des Sternbildes vom geflügelten Pferd, bald sich hindurchschlängeln durch die vielen, das Firmament schmückenden Himmelskronen, die zu dieser Jahreszeit wieder zu ihrer funkelnden Ordnung finden und glauben machen, daß alles sich ändert und dennoch bleibt und alles bleibt und sich dennoch ändert, wie es dem Leben nottut. Hocherfreut war die kleine Seele, in einen glücklichen Funken verwandelt und allem fern, was nicht jene Freude war, und so sah sie zu ihrem Glück nicht, daß Perilo Ambrósio dort am Fenster, schief und außer Atem, den Kopf in die Dunkelheit draußen tauchte und, ohne daß irgend etwas seinen Geist beschäftigte, im Gesicht soviel gleichgültige Bosheit hatte, soviel Roheit und eine solche Gefühlsleere, daß sein Geifer, wäre er herabgetropft, die Kletterpflanzen hätte abtöten müssen, und er hatte nur einen einzigen Wunsch, daß alles für ihn dasein müsse, ein Wunsch, der sich kaum vom Tod unterscheiden läßt. Kein Mensch sah dieses so böse Gesicht, noch konnte es irgend jemand sehen, kein Mensch dachte daran, noch konnte irgend jemand daran denken – und Perilo Ambrósio wischte sich den Schweiß mit den Hemdzipfeln ab und erinnerte sich mit Genugtuung daran, daß auch er niemanden mochte.

4 Zuckermühle-vom-Jaburú-Reiher, den 26. Februar 1809

Als Vevé geboren werden sollte, dachte Roxinha, sie schwitze zu stark zwischen den Beinen. Natürlich mußte sie schwitzen, denn die Hitze, die vom Küchenherd ausging, in den sie Holzscheite schob und auf dem sie Tontröge balancierte, verwandelte alles in einen Backofen. Auch wehte kein Lüftchen durch die Kronen der Carambola-Bäume und der Cajúbäume, nicht einmal die Härchen des jungen Zuckerrohrs rührten sich, und in den Buschwäldern war tiefe Stille, nur dann und wann das Zilpen eines Tiziu, das Gurren einer Schuppentaube, das Gesumse von Käferflügeln, ein Knacken von Zweigen, aufplatzenden Samenkapseln, das gedämpfte Zischen, das die Stille in solchen Stunden ausfüllt. Und unter dieser stickig-schwülen Decke, die alles umhüllte, erwartete sie, rund und schwer wie sie war, gezwungen, alle Augenblicke stehenzubleiben, um tief Luft zu holen, daß Schweißströme ihr über den Leib rännen, doch trotzdem fuhr sie sich mit der Hand zwischen die Schenkel, um zu sehen, was dort geschah. Sie wußte, daß das Kind jeden Augenblick zur Welt kommen mußte, durfte aber auch am Sonntag ihren Küchendienst nicht vernachlässigen, überdies hatte sie bereits sechs Geburten und drei Fehlgeburten hinter sich, wobei alle sechs Säuglinge sofort nach dem Abstillen verkauft und die drei Föten mit dem Abfall in die Flut geworfen worden waren, und so ärgerte sie sich ein wenig, schon wieder gebären zu müssen, und wurde ungeduldig bei dem Gedanken, von neuem ein Kind an der Brust hängen zu haben, ein Kind, das wie immer nicht ihr gehören würde. Sie beroch ihre Hand, spürte den Gestank des Fruchtwassers, griff erneut nach unten und berührte den Kopf von Vevé, die herausdrängte, als stoße sie jemand von drinnen. Ohne es zu merken, hielt sie noch immer das Holzscheit fest in der linken Hand, versuchte loszurennen, mit der freien Hand den Kopf der Kleinen zurückhaltend, konnte jedoch mit ihren weit gegrätschten Beinen nur wenige Schritte tun und plumpste gleich hinter der Türschwelle aufs Gesäß, während die Tochter ihr aus dem Schoß zu gleiten begann. Sie lehnte sich an die Mauer, das eine Knie angewinkelt,

und brauchte fast nicht zu pressen, da das Kind selbst sich herauswand und bereits losschreien wollte.
Bald darauf kam Dadinha und half den anderen, den Nabel abzubinden und die Nachgeburt allen Vorschriften gemäß zu begraben, und sagte, sie wäre mit allem hochzufrieden. Erstens war die Kleine an einem Sonntag geboren wie sie, das war eine gute Sache. Zweitens trug sie ein Mal, das dem ihres Vaters glich, es war das erste Kind ihres Sohnes Turíbio, das mit diesem Mal geboren wurde. Und dazu an einem Sonntag, gut, sehr, sehr gut war das. Den Flecken auf der Stirn, der ein bißchen heller war als die Haut, konnte man deutlich erkennen, knapp über dem rechten Auge, fast so wie beim Vater. Dieses Zeichen, erzählte Dadinha noch einmal, stammte von der Cabocla Vu, und oft war es bei ihr rot entbrannt, wenn sie wieder einmal kämpfte. Aber nie hatte es bei Turíbio Cafubá gebrannt, hihihi, lachte sie. Sie spuckte ein Klümpchen Kautabak aus, mit dem sie ihre Zähne putzte, und betrachtete es prüfend. O ja, o ja, fuhr sie geheimnisvoll fort, diese Enkelin wird was zuwege bringen, hum-hum. Dieses Zeichen, das bedeutet, alles geht weiter und wird durch sie weitergehen. Als man sie fragte, ob sie das für eine niedergeschriebene Wahrheit halten könnten, ihr offenbart von den Gottheiten oder geweissagt aus Muscheln und Perlen, erwiderte sie, das sei eher etwas, was sie wünschte, als etwas, was sie wüßte. Aber das wäre kein Unterschied, sie wäre jetzt zu faul, das zu erklären.
»Den Namen, den man ihr geben wird, weiß ich nicht, wenn es eine Frau ist, wird nicht lange gesucht, und Frauen bekommen kein Brandzeichen oder sonst was«, sagte Dadinha und legte die Hände auf die Hüften wie immer, wenn sie eine ihrer Reden ankündigte. »Übrigens, da ist was, das ich sagen sollte, auch wenn ich weiß, daß es euch, wie alles andere, was ich sage, zum einen Ohr reingeht und zum anderen raus, ich sage es trotzdem: Wenn sie euch sagen: ›Nhô Felisberto Góes Farinha ist ein sehr gütiger Herr‹, dann sollt ihr sagen: ›Ja, ja‹. Und wenn sie sagen: ›Nhá Ambrosina Góes Farinha ist eine sehr gütige Dame‹, dann sagt ›Ja, ja‹. Aber denkt daran, wenn ihr nichts sagt, daß sie gütig sind, weil sie die schwarzen Frauen nicht brandmarken, nur mit den Männern tun sie das. Haha! Ich finde euch alle sehr komisch, sehr komisch, ich finde fast alles sehr komisch. Also gut. Also, ich weiß nicht, wie die Weißen sie nennen, aber den Namen, den

sie hier hat, den weiß ich, nämlich: Daê. Daê. Vielleicht auch Naê. Und durchkommen wird sie, das sieht man, sehr gut sieht man das.«
Und all das erzählten sie Turíbio Cafubá, der zu tanzen begann, sobald er die Nachricht hörte, noch bevor er aus dem Kanu gesprungen war, in dem er einen Binsenkorb mit allen möglichen Fischen, mit Caranhas, Pampos, Sambulhos und kleinerem Fischzeug brachte, die er seit drei Uhr früh mit dem Dreizack harpuniert oder mit dem Wurfnetz gefangen hatte.
»Daê-ê!« schrie er, um die Tochter zu begrüßen, als wäre sie die Wolken, die über dem Strand dahinzogen. »Und das Zeichen trägt sie auf der Stirn, was?«
Er stieg aus dem Kanu, den Korb auf dem Kopf balancierend, und machte ein paar Tanzschritte im Wasser, das ihm bis zu den Knien reichte. Also im Freien ist sie geboren, was? Ah, das ist ja so gut! Er war ein Glückskerl, nicht? Eigentlich hatte er kastriert werden sollen, blieb aber heil, immer auf Messers Schneide bis zum letzten Augenblick. Eigentlich sollte er verkauft werden, aber dann blieb er auf der Zuckerplantage der Familie, deren Zeichen man ihm auf die Brust brannte, gütige und wohltätige Leute, die den Neger gut behandelten und nur leichte Strafen anwandten. Eigentlich konnte er es kaum mehr mit den Frauen, sechzig Jahre hatte er wohl auf dem Buckel, aber jedes Jahr machte er Roxinha, die zweiundzwanzig war und nicht zu ihm paßte, ein Kind, und an die fünfzehn hatte er anderen Frauen gemacht, die mußten jetzt irgendwo in der Gegend groß geworden sein, hum-hum, na, was sagt ihr jetzt? Ein Glückskerl, jawohl, da hatte er erstklassigen Fisch, der gehörte nur ihm, den brauchte er nicht abzuliefern. Ließ der Senhor ihn denn nicht einfach fischen, wenn es in der Kalkbrennerei keine Arbeit gab oder sonst etwas zu tun, war doch so, oder? Und den Fisch wollte Nhô nicht selber haben, oder? Hahaha! Das hier ist Turíbio Cafubá, mein Freund, so genannt, weil sein Schwarz vom Staub und vom Kalkbrennen fast weiß geworden ist, fast ist er blind geworden, fast ist er innerlich ganz kaputt, aber nur fast, der Glückspilz! Und wurde nicht Daê an einem Sonntag geboren, damit er den ganzen Tag tanzen konnte, getrieben von dem Geist, der aus dem Lande Dahomé kam, oder war es Mahomé –? Daê-Naê-ê! Was den Fisch anging, er brauchte nur ein paar da-

von, um für Roxinha eine Kräftigungsbrühe zu kochen, um ein paar zu braten, dazu eine Suppe mit Maniokbrei und mit Quiabogemüse, Gurken, Kürbis und Erdbananen – jawohl, mein Herr! –, Essen für alle! Holt euch die Fische, rasch, sucht aus, nehmt sie mit!
In die Sklavenhütte trat Turíbio nach vielem Herumschwänzeln, Hin- und Hertanzen, anzüglichem Gelächter, Verneigungen nach links und rechts und einigen Liedern, deren Worte er kaum mehr verstand, die er aber auf die Art der Alten, von denen er sie gelernt hatte, wiederholte. Cafubá-ê! Na, was sagt ihr da? Wie ist das? Das also ist passiert, was sagt ihr, guter Freund? Hast's gesehen, Kleine, mach dich mal fertig, ich will dir auch eins verpassen, und zwar zackzack! Will noch eine von euch ein Balg? Olerê, dann überlaßt das mir! Bei mir geht das ohne Gefackel, gleich richtig und fest rein, zupp! – da kriegst du einen Sohn!
Mit gespreizten Beinen auf einem Hocker sitzend und sich vor Lachen schüttelnd, sagte Dadinha, sie hätten ihn wohl als Kind mit Schweinsfischhirn gefüttert, daß er so außer Rand und Band geriet, wo er schon so alt war und immer noch ohne Grütze im Kopf. Doch er machte sich nichts daraus, hüpfte zweimal in die Luft und fiel dann auf ein Knie vor der Kleinen, die still und zusammengerollt auf einer Matte lag.
»Naê-ê!« schrie er. »Kleine Königin von Aiocá! Und das Mal!«
»Und so ein Unsinn, was er da redet!« rügte Dadinha.
Doch wieder machte er sich nichts daraus, und als gäbe es jetzt viel mehr Musik als nur den Laut seiner auf den Boden hämmernden Fersen, den Widerhall seiner in tausend Rhythmen klatschenden Hände, sein Zungenschnalzen und Lippenschmatzen und die kehligen Melodien, die gleich Baßflötensolos aus seinem Mund kamen, straffte er die vor Anspannung und Schweiß glänzenden Muskeln und tanzte. Viele unter ihnen konnten tanzen und wurden bewundert, wenn sie an den Festen, an denen sie Musik machen durften, die Augen verdrehten und wie behext auf dem gestampften Lehmboden herumsprangen, in der Luft schwebten und es fertigbrachten, daß ihre Körper vieles waren zu gleicher Zeit, wenn sie Feuer in die Herzen der anderen trugen und in solchen Stunden Gottheiten wurden. Aber nie hatte man einen Tanz wie den von Turíbio Cafubá gesehen, der

sein Töchterchen feierte, denn er wurde durchsichtig und gleich darauf pechschwarz, und dann war er an allen Ecken und Enden zugleich, manchmal innehaltend und wie ein Zikadenflügel zitternd, manchmal sich in so viele Formen auflösend, daß die Versammelten nicht wußten, an welche sie glauben sollten, und alle aus seiner Gestalt herauswachsenden Rhythmen waren mit einem Mal Rhythmen von etwas, das sich innerlich in jedem von ihnen abspielte, pulsierendes Blut, gestreckte Finger, heftiges Atmen, alles, was in einem Leib geschehen mag, alles, wozu der Geist sich ergibt. Niemand wußte, wie lange Turíbios Tanz dauerte, auch er nicht, dessen Gesicht jetzt seinem Körper weit voraus segelte, genau wie die Galionsfigur eines Kriegskanus, während er sich bückte und die *araçanga* packte, den Knüppel, mit dem er die großen Fische tötete, sobald er sie an Bord zog, und der nun auf zwei unabhängig voneinander tanzenden Beinen daherkam, von denen ein jedes dem eigenen Rhythmus folgte und sich auf eigene Weise bewegte, in dem großen Kriegstanz seiner Nation. Mit hervorquellenden Augen, das Kinn vorgestreckt, hielt er kurz inne, doch im gleichen Augenblick hörten alle die wirbelnden Trommeln eines Orchesters vor der Schlacht, und er, niemand würde je wieder dieses Bild vergessen, tanzte zu Ehren der Tochter wie die stolzesten Krieger, von denen sie je gehört hatten, mit einem Stolz, den jede Gebärde spiegelte, jedes Aufstampfen seiner Füße, jeder nach oben gerichtete Blick, die erhobenen Schultern, die Schritte vorwärts, das Schwenken seiner Arme und Hände, alles, womit Stolz sich ausdrücken läßt.
»Aaaah!« schrie er von neuem und ließ die unsichtbaren Trommeln vor dem Kind verstummen, den Mund weit geöffnet, den rechten Arm erhoben und von der *araçanga* verlängert. »Ará umbó! Ará umbó, schaut, wer gekommen ist! Sie lebe hoch! Also dann, mein Fischermädchen, wann wirst du mit deinem Vater fischen gehen?«
Dadinhas Lächeln verschwand fast vollständig von ihrem Gesicht, und sie sagte zu ihm, es wäre ja gut, er sollte nur tanzen und feiern, sich aber keinen Phantastereien hingeben, denn Phantastereien führten zu nichts. Von seinen Kindern, mehr als zwanzig oder so, wäre keines je, weder so noch so, zu Hause geblieben. Und selbst wenn, so hätte es nicht ihm, sondern dem Herrn gehört, er sollte aufhören, solch sinnloses Zeug zu reden,

sollte die Fische reinbringen, damit sie ausgenommen würden, und Roxinha und das Kind ausruhen lassen. Doch er fand sich nicht damit ab, und als wäre es Nacht und als gäbe es die Zeit nicht, erzählte er ein Märchen. Es war einmal, sagte er, ein kalkbekleckster Negersklave, der hatte mehr als zwanzig Kinder gezeugt, aber keins von ihnen kannte er, denn alle wurden ihm gleich weggenommen. Eines schönen Sonntags, als dieser kalkbekleckste Negersklave gerade seine Angelleinen aufrollte, sein Wurfnetz zusammenlegte, all seine Geräte einsammelte, da kommen sie zum Strand und erzählen ihm, eine Tochter mit dem Stern auf der Stirn wär ihm geboren mit einem Namen, den die Große Alte Mutter Dadinha gleich als Daê entdeckt hatte, oder vielleicht auch Naê. Und dieser kalkbekleckste Neger steigt aus dem Kanu, und als er so in die Luft schaut, fliegt dort der große Geist der Tänze, der aus dem Land Dahomé, oder auch Mahomé gekommen ist, und dieser Geist packt den kalkbekleckstеn Neger und flüstert ihm zwischen einem Tanz und dem nächsten folgende andere Geschichte ins Ohr: Ah, mein alter kalkbekleckster Neger und Fischfänger, du sollst wissen, auf dieses Kind mußt du gut aufpassen, verstehst du? Gut, denn das Mädchen wird geboren, lernt laufen und geht jeden Tag mit dem Vater zur Arbeit in die Kalkbrennerei und alle Arbeiten im Kalkbrennen lernt sie. Und weil der Herr sehr gütig ist, darf sie auch mit dem Vater fischen gehen, und der Vater mit aller väterlichen Geduld lehrt sie die Geduld des Fischers mit all ihren Geheimnissen, und davon gibt es viele, und eins geht ins andere und das macht das nächste auf und das wieder das nächste und so lernt der Fischer nie aus, aber er lernt mehr als der, der nicht fischt. Wer fischt, weiß viele Dinge, Dinge, die man nicht erzählen kann, man muß fischen, um sie zu verstehen. Schön, also dieser schwarze, kalkbekleckste Neger reicht der Tochter die Hand, und lange reden sie, und da zeigt sich, daß der Vater viel klüger ist und auch sonst überhaupt viel mehr ist als alle anderen Väter, denn das muß jeder Vater sein, und noch viel mehr der Vater, der Sklave ist und der darum jedes bißchen Stolz braucht, was er nur erwischen kann. Was vom Leben zu erhoffen ist, das lehrt dieser Vater nicht, denn das weiß er nicht, aber er erklärt ihr alle Lianen zum Flechten von Netzen und Körben, die besondere Art, wie jeder Fisch von all den Fischen im Meer anbeißt, alle Markierungen über Wasser und alle Windarten, all die Dinge, die er allein gelernt hat in der Zwiesprache mit den Gezeiten. Am Tag des heiligen Franz Xaver wird dieser alte kalkbekleckste Negervater um Erlaubnis bitten, sich den Makrelenfischern anzuschließen. Der Fischereiaufseher antwortet ihm: Gut denn, sollen er und die Tochter sich den Netzfliegen zugesellen, das sind die Neger, die helfen, wenn das Netz mit seinen hüpfenden Fischen auf den Strand gezogen wird, Netzfliegen, weil sie aus der Entfernung aussehen wie die Fliegen, die über die Fische schwärmen. Aber die Kleine macht sich nichts draus, Netzfliege zu sein, auch nicht der alte Vater, und sie lernt bei diesem Fischen so viel, daß sie von der Netzfliege zur Netzknüpferin aufsteigt, von der Netzknüpferin zur Strandmeisterin oder vielleicht auch zur Bootsfrau. Und dann werden dieser Vater und seine Tochter, weil in der Zeit immer eine andere Zeit ist, für immer glücklich leben, das ist's, was ich euch sagen will. Dort stehen sie nun am Meeresufer, Hand in Hand, der Vater, der bloß redet und redet, und sie, die wie alle Töchter ihren Vater dennoch mag und nicht zuläßt, daß man schlecht vom Vater redet, und sie hat Geduld mit dem Vater und bereitet ihm weiche Speisen zu, sobald er keine Zähne mehr hat, und hält ihn bei der Hand, wenn seine Beine nicht mehr wollen, und beschreibt ihm die Welt ringsum, wenn er selbst nicht mehr sehen kann, und hört ihm zu, wenn sonst niemand mehr zuhört, und mag den Vater auch gerade so, so wird es sein, so wird es sein, und wenn jemandem die Geschichte nicht gefallen hat, dann deshalb, weil er keine Tochter hat, gleich, ob mit oder ohne Stern auf der Stirn.

Dadinha weinte nie, und aus diesem Grund weinte sie auch jetzt nicht, doch mitten in der Brust war ihr beklommen. Vielleicht fühlte sie ein kleines Glück, denn der Vater sah dem Kind eine Zukunft voraus, und auch sie sah das, aber anders, und weil es keine zwei Zukünfte geben konnte, war eine von ihnen verkehrt. Sie blickte den Sohn an, der von den Schweißtropfen wie mit Perlen verziert schien, empfand Mitleid mit ihm und war stolz auf ihn, sie fand ihn schön in seiner Unvernunft und seinem Delirium voller Zungen und Gottheiten, aber sie konnte nur seufzen. Einfach, weil sie schon wußte – aber noch zu niemand davon gesprochen hatte, weil sie nicht als alte Schwarzseherin gelten wollte – daß Nhô Felisberto bald zwei oder drei weiße

Handlanger schicken würde, die würden Turíbio holen, ihn durchpeitschen und nachts im Streckstock stehen lassen, weil er den Fisch weggegeben hatte, ohne vorher mit Nhá oder mit Nhô zu sprechen. Nur so, um kein schlechtes Beispiel durchgehen zu lassen, so war das immer, so sicher, wie es morgen hell wird. Und so kam es auch gleich darauf, und als die Lederpeitsche auf ihn niedersauste, stöhnte Turíbio nur, weil er nicht noch mehr geprügelt werden wollte, denn er war ziemlich müde. Er wollte bald schlafen, und er wußte, wie man es anstellen muß, daß es nicht zu schlimm wird mit den Handgelenken über dem Kopf gefesselt, und wie man aufpassen muß, daß man mit den Beinen beim Schlafen nicht einknickt, damit man nicht mit fast abgerissenen Händen erwachte. Eine leichte Strafe, sie nahmen ihm nicht das Vorrecht zu fischen, das sind gute Christen, gute Menschen sind das, die wissen, was sonst niemand weiß oder sich vorstellt, es war nur, weil er die Erlaubnis zur Verteilung des Fischs hätte einholen müssen, denn es reichte nicht, daß er wußte, sie würden ihm eine Erlaubnis sicherlich geben, nein, er mußte dennoch fragen, dergleichen darf man nicht durchlassen, wo käme man sonst hin? Ja, so ist es, dachte Turíbio, als er merkte, wie ihm Blut über den zerschundenen Rücken rann, und als er den nassen Kopf schüttelte, nachdem sie zwei Eimer Meerwasser über ihn geschüttet hatten, genau so ist es. Und er war sogar zufrieden, rückte sich zum Schlafen zurecht, wie ihn die Erfahrung dies gelehrt hatte, fand, er habe alles, was eintreten würde, gut vorausgesehen und schlief, von den künftigen Geschehnissen träumend ein. Dadinha, die Augen in der Dunkelheit weit geöffnet, dachte, sicherlich würde sie nichts von dem erleben, was mit der Kleinen geschehen würde, denn sie selbst würde im Alter von hundert Jahren sterben, sie hatte es immer gewußt. Doch diese jüngste Tochter ihres jüngsten, nachgeborenen Sohnes hatte ein starkes Schicksal, das ließ sich in der lastenden Finsternis der Sklavenhütte ahnen, nicht weit von der Baracke, in der Turíbio Cafubá, festgeschnürt und mit brennendem Rücken, lächelte und sogar im Schlaf mit sich einig war, daß er ein Mann mit Glück war.

Walfängerstation-zum-Guten-Jesus, den 11. Juni 1827

»Steu'mann!«

Amleto Ferreira zuckte zusammen. Er wußte zwar, daß zu dieser Stunde die Walboote schon bemannt werden mußten, denn es tagte bereits und es gab Menschen, die sogar fast ohne Licht, wie jetzt, in der Ferne die Dunstwolken erkennen konnten, die von den warmen Fontänen der Walfische herrührten, kurz bevor die Sonne sich über die Wasser der großen Bucht ergoß. Es war Zeit, an die Arbeit zu gehen, die Besatzungen schickten sich an, die Boote loszumachen. Dennoch erschrak er, vielleicht weil der Wind plötzlich gedreht hatte oder weil er zerstreut gewesen war und sich mit einem Mal so klein vorkam zwischen den Schiffen, die auf dem Strand mit Schlagseite in ihren Halterungen lagen. Die nackten Spanten glichen Rippen halbverschlungener Tiere, die Entenmuscheln bedeckten die Rümpfe mit einer weißlichen, von Pupillen gesprenkelten Masse, die Gabelstützen waren in den Sand gerammte Waffen, der Wind, der sich durch die Löcher im Holzwerk stahl, ein Vorbote von Gespenstern.

»Proviantmeister!«

Durch die nackten Holzbalken der Dory *Nossa Senhora da Penha*, einst glorreich geschmückt bei Meeresprozessionen und jetzt nur mehr ein von Wasserbohrasseln und kleinen Krebsen bevölkertes Gerippe, sah er am anderen Ende des Strandes die Silhouette des Strandmeisters, der die Besatzung zusammentrommelte. Der Proviantmeister, ein klapperdürrer Neger, der lief, als habe er Mühe, die Füße zu heben, kam auf dem Cajúbaumweg aus dem Buschwald heraus, zwei Eisenkessel und einen Armvoll Holzscheite schleppend. Er stellte alles auf dem Boden ab, als er beim Meister anlangte, stopfte das Holzbündel in einen der Kessel und nahm eine fast militärisch stramme Haltung ein. Zehn oder zwölf Gestalten waren zu sehen, die sechs Schiffsjungen mit ihren blauen Leinenmützen, der Steuermann, der Harpunenwart, der Taucher, der Proviantmeister und der Strandmeister, stocksteif wie ein Standbild.

»Balê balê balê ajô balê!« schien der Strandmeister mit erhobenem Arm zum Steuermann zu sagen. »Harpuner! Harpunierer!«

Der Steuermann lief zum Fischschuppen, verschwand in der

Dunkelheit und kehrte in Begleitung von zwei weiteren Negern zurück, einem Mann und einer Frau. Am schlapprandigen Strohhut und an der Statur erkannte Amleto den schwarzen Harpunier Custódio, die Frau aber konnte er nicht erkennen. Der Strandmeister winkte nochmals mit dem Arm und sagte noch andere Dinge in der Sprache der Schwarzen. Amleto fühlte sich mit einemmal gereizt.

»Teufel noch eins!« brummte er und tat den ersten Schritt, um quer durch den offenliegenden Bauch der *Nossa Senhora da Penha* zu gehen, statt wie sonst darum herumzulaufen.

»Ich hab's ihnen doch schon gesagt, oder hab ich's ihnen etwa nicht gesagt? Und ob ich das habe! Diese Negerbande hört nie richtig zu, nie hört sie zu!«

Ihm machte es Spaß, die Bohrasseln zu verscheuchen, die kleinen Winkerkrabben, die weißen Krabben und all das andere Viehzeug, das die toten Balken des Bootes, wenn er es durchquerte, in etwas wimmelnd Lebendiges verwandelte, aus Löchern und Ritzen auftauchte und wieder darin verschwand und jeden Augenblick die Oberfläche veränderte. Er war um vier Uhr in der Frühe, nur aus Vorsicht hierhergekommen, nur, weil er alle Punkte, zu denen die Gäste geführt werden sollten, ein letztes Mal aufsuchen wollte, denn er würde es sein, der auf eine müde, gebieterische Geste des Herrn Baron hin zu erklären hätte, wie die Walfängerstation, die Zuckermühle, die Pflanzungen und alles übrige funktionierte, worüber sich der die Visite vornehmende Domherr oder irgendein anderer Gast zu unterrichten wünschten. Er hatte ein paar kurze Redewendungen und Bemerkungen einstudiert und hoffte, sich mit der ihm eigenen Leichtigkeit an alles zu erinnern, was er aus den empfohlenen Handbüchern der Grammatik und Rhetorik gelernt hatte, aus muffigen Schwarten, zu deren Studium er sich endlose Nächte hindurch mit schweißperlender Stirn und durchwalktem Geist gezwungen hatte, aus Unterhaltungen und Ansprachen, denen er angestrengte Aufmerksamkeit gezollt hatte, aus den lateinischen Maximen mit ihren plump und wuchernd verzierten Initialen, die er, in Nachahmung der Aussprache des Pfarrers von Sankt-Antonius-Jenseits-Des-Karmel, auswendig gelernt hatte. Er würde ein paar geschickte Wendungen einflechten, würde klangvolle Wörter verwenden, wie jene, die er begierig sammelte, um

sie in ein Notizbüchlein einzutragen und tagsüber mit lauter Stimme zu wiederholen. Nichts weiter ist diese Scholle einst gewesen, Senhor Monsenhor, als ödes, unbestelltes Brachland, bevor die Kühnheit des Herrn Baron von Pirapuama sich dort hervorgetan, *cum dilectione hominum et odio vitiorum*, in den erleuchteten Worten jenes Mannes, der vielleicht der erhabenste unter den Heiligen Lateinischen Doctores gewesen sein dürfte. Und drunten, am Gestade dieses Rinnsals, liegt ... Doch nun, in dem Augenblick, da er blumige und sinnreiche Sprüche ersann, die seine Fähigkeit unter Beweis stellen, das auf der Reise geschehene Unglück in Vergessenheit geraten lassen und seine bislang fast unangefochtene gesellschaftliche Stellung rechtfertigen sollten, bewirkte die Redeweise jener schwarzen Walfischer, der Klang ihrer Wörter, die sich eher wie Geräusche von Bäumen und Tieren anhörten, die Geschmeidigkeit des Harpuniers, die tänzerischen Bewegungen der anderen Schwarzen, all das bewirkte, er begriff nicht genau warum, daß er Kälte im Gesicht spürte und heftiges Herzpochen, und seine Kehle sich vor Wut zusammenschnürte, während er, vor sich einen Fächer hastig tippelnder kleiner Krebse, auf dem weichen Sand kräftig auf die Gruppe zuschritt. Was war das nur, was ging hier vor?
Der Meister, der wie alle anderen verstummt war, sobald Amletos Gegenwart fühlbar wurde, machte ein verblüfftes Gesicht. Sie bereiteten die Ausfahrt vor, sie rüsteten das Walboot aus, es sollte als letztes ausfahren, die anderen waren schon in See gegangen – ja, was ging hier vor?
»Das lasse ich nicht zu!« schrie Amleto. »Ich lasse das nicht zu!«
Seine Halsadern waren geschwollen, beim Sprechen stellte er sich auf die Fußspitzen, ließ sich bei jedem Ausruf zurücksinken und er fuchtelte herum, mit dem Finger auf die Schwarzen deutend. Der Proviantmeister, mit weitgeöffneten Nasenflügeln, hervorquellenden Augen und vorstehenden, schadhaften Zähnen, kollerte wie ein Truthahn, wechselte mit übertriebenem Getue das Standbein, verdrehte die Augen und zog geräuschvoll die Nase hoch. Amleto lief auf ihn zu, blieb tänzelnd stehen, und obwohl er den Hals wegen der Größe des Schwarzen nach oben recken mußte, fixierte er ihn herrisch mit den Augen. Der Schwarze blickte mehrmals eindringlich zurück, wandte das Ge-

sicht ab, richtete dann wieder den Blick auf ihn, zog ein weinerliches Gesicht, und als es aussah, als würden sich alle seine Gesichtsfalten zu einem Heulen verzerren, kollerte er von neuem, streckte die Zunge heraus, zog sie geräuschvoll zurück und nahm Haltung an.

»Na? Na?« schrie Amleto dem Meister entgegen. »Was soll das heißen? Wie?«

»Der ist nicht mehr richtig im Kopf«, erklärte der Meister, und der Proviantmeister schüttelte lächelnd den Kopf.

»Weiß er nicht, daß ich ihn auspeitschen lassen kann, weil er sich schlimmer aufführt als ein Tier?«

»Er peitscht sich selber aus. Er mag das.«

Für den Proviantmeister war dies das Stichwort, er stand nur noch auf einem Bein, verbeugte sich wie ein Stelzvogel zum Kessel nieder, in dem er das Brennholz verwahrt hatte, packte eine lange Gerte, und unter zischenden, pfeifenden Ui-uis, begann er sich zu züchtigen, zunächst wahllos, dann in synkopiertem Rhythmus, den er durch kleine Sprünge zum Takt ergänzte.

»Aufhören!« schrie Amleto, doch der Proviantmeister lächelte feierlich, die Iris im Weiß seiner hervorspringenden Augen war nur noch ein schwarzes Pünktchen, er machte einen tiefen Bückling, wobei er mit den Fingerspitzen über den Boden strich, und schlug sich die Rute mit solcher Gewalt auf den Rücken, daß, als er den Arm wieder nach vorne streckte, ein blutiger Sprühregen im Bogen durch die Luft fiel und mit einigen Tröpfchen auf den Kneifer, den Amleto zitternd vor seinem Gesicht festhielt. »Aufhören, aufhören!«

»Der versteht die Sprache von den Weißen nicht richtig«, erklärte der Meister, während sich der Proviantmeister in einem durch Pausen unterbrochenen Tanz den ganzen Strand entlang geißelte, Ui und Au schrie und die Schläge mit einem unsichtbaren Gefährten teilte.

»Wie oft muß man euch sagen, daß ihr die christliche Sprache gebraucht und nicht dieses Tierkauderwelsch, das kein Mensch versteht und verboten gehört?«

»Ja, aber er versteht das nicht.«

»Ist er nicht hier geboren?«

»Doch, doch, er ist hier geboren. Aber er versteht fast nichts, was man sagt, er versteht überhaupt nichts, er ist nicht richtig im Kopf.«

Der Proviantmeister hörte so plötzlich mit dem Springen und Sichauspeitschen auf, wie er begonnen hatte, stand mit schlaffen Armen da, und ohne daß sein Körper mit dem geringsten Anzeichen verriet, was da vor sich ging, brach er in Schluchzen und Weinen aus, unterbrochen von kurzem Grinsen und vom Gelecke, mit dem er die ihm in den Mund rinnenden Tränen auffing. Und obwohl er reglos dastand, beobachtete er hartnäckig Amletos kleine Gestalt, wohin sie auch ging.

»So! Er hat also aufgehört!« sagte Amleto. »Und was nun?«

»Nicht, weil Sie es befohlen haben. Er ist nicht richtig im ...«, begann der Meister wieder zu erklären, doch der Proviantmeister kollerte von neuem los, noch lauter als zuvor.

»Er meint wohl, er ist ein Truthahn?«

»Niemand weiß es, und er sagt es nicht. Er...«

»Ich will nichts mehr wissen. Sag ihm, er soll aufhören. Wie kann man einen solchen Kindskopf zu einer verantwortungsvollen Arbeit wie dieser mitnehmen?«

»Er ist ein guter Proviantmeister, er faßt überall mit an und kocht gutes Essen. Und wenn er nicht als Proviantmeister arbeiten würde, dann würde er überhaupt nichts anderes machen, keiner könnte ihn dazu zwingen, er sorgt nämlich nur für den Proviant.«

Der Schwarze blickte jetzt zu Amleto, als sähe er ihn zum ersten Mal, wechselte ständig seine Haltung wie jemand, der etwas gründlich bedenkt, schloß ein Auge, neigte den Kopf und schnalzte mit der Zunge.

»Schön, worauf wartet ihr? Habe ich dir nicht schon gesagt, du sollst dafür sorgen, daß er aufhört? Mach weiter mit deiner Arbeit, es wird schon hell, wir sind spät dran!«

Der Meister zögerte. War der Herr Aufseher nicht atemlos und zornzitternd angelaufen gekommen, als er ihn die Sprache der Schwarzen reden hörte? Was nun? Der Proviantmeister verstand doch nur die Sprache der Schwarzen, für ihn gab es kein anderes Verständigungsmittel. Amleto, die Hände in den Hüften, die Ellbogen nach hinten gestemmt, wußte nicht, wie er sich am besten verhalten sollte, schließlich wirbelte er herum und warf den Kopf zurück.

»Also gut, sprich mit ihm in dieser Tiersprache. Los jetzt, beeilt euch, hier wird ja ganz schlecht gearbeitet, wirklich sehr schlecht.«
Der Meister sang die seltsamen Silben, und Amleto hätte sich am liebsten die Ohren verstopft und laut geschrien, um sie nicht hören zu müssen, und sofort packte der Proviantmeister seine Kessel, sein Brennholz und sein übriges Gerät und rannte zur Mole, wo das vertäute Walboot im Rhythmus der Wellen seine Halteleinen lockerte und straffte. Die anderen, den Blick auf Amleto gerichtet, blieben, wo sie standen.
»Los, los jetzt! Was für eine Bande von Schlappschwänzen, so ein blödes, faules Gesindel, los!«
Er folgte den Negern, die sich jetzt auf der Mole drängten, bevor sie aufs Walboot sprangen, und maß seine Schritte, um weder zu eilig noch zu langsam zu gehen. Er schritt über die Planken der Anlegestelle, ohne über deren Ränder zu sehen, er ging möglichst in der Mitte, damit seine Angst, ins Wasser zu fallen, nicht allzu sichtbar würde. An Bord des Walboots, eines schlanken, vierzig Fuß langen Fahrzeugs mit zwei gleichen Enden, denn die Arbeit darauf erfordert, daß Heck und Bug äußerlich identisch gebaut sind, nahm die Besatzung ihre Plätze ein, und von oben sah es aus wie eine genau abgestimmte ausgewogene Ballettszene. Als stünde er auf Festland und nicht auf einem kiellosen Rumpf, der manchmal nur deshalb nicht zu kentern schien, weil er festgemacht lag, band ein Neger ein Stück Werg an jede Ruderdolle und balancierte dabei über Bord mit nur einem Fuß auf dem Holz. Auf der Großmastbank beobachtete der Seemeister die Bewegungen der anderen und glättete die Leinen, das heruntergelassene Unterliek und die Riemen um die Spiere aus Biribaholz, die gleich darauf am Mast hochgehen würden, er kontrollierte das Zählen und Verstauen der Harpunen in den Lanzenbehältern, billigte mit Blicken die gewohnten Handgriffe des Proviantmeisters, der den Sand in die Kiste füllte, die als Herd diente, die Kürbisschale zum Messen des Maniokmehls säuberte und die Kessel und die zum Fischfang mitgebrachten Angelhaken verstaute. Der Harpunier hatte sich achtern auf die Rückbank nahe dem Gangspill gesetzt und schlug mit der Hand auf das angekohlte Holz, über das die Harpunenleine gespult wurde. Dann, als alle fertig waren, sprang ein Bootsmann auf die

Mole, um die Leinen loszumachen und wollte wieder zurück an Bord. Doch er blieb vor Amleto stehen, blickte ihn und dann den Meister an, der drunten nicht zu wissen schien, was er tun sollte. Amleto, der zum ersten Mal die Ausfahrt eines Walboots miterlebte, das, voll gerüstet und bemannt, lossegelte, um die großen Tiere zu töten, die mit einem Schwanzhieb ein Haus niederreißen konnten, spürte verwundert Neid auf diese Schwarzen, die sich vor seinen Augen zu seinem großen Mißfallen in Expeditionskrieger verwandelten, einfache Sklaven, jedoch mit Kräften und Fähigkeiten die ihm nicht vergönnt waren, und im letzten Augenblick meinte er, etwas sagen, irgendeinen Befehl erteilen, irgendeine unerläßliche Anweisung geben zu müssen, um ihnen zu zeigen, wer sie in Wirklichkeit waren.
»Achtung«, bellte er, und die ganze Mannschaft gehorchte. »Achtung!«
Da Amleto gegen die Sonne stand, die nun über der Bucht aufstieg, wölbte der Meister eine Hand über die Stirn und wartete. Er wartete lange, das erste Morgenlicht zerfloß und färbte das Wasser fuchsrot und golden, die Wolkenfetzen lösten sich auf, die Vögel flatterten nun geschäftig herum, die Wellen schwappten regelmäßig wie eine Uhr. Amleto holte tief Luft. Was würden sie schon verstehen, wenn er ihnen etwas sagte, was kannten sie schon außer ihrer Arbeit?
»Also denn«, sagte er schließlich. »An die Arbeit!«
Doch irgendwie bemerkte er, daß er hier weder nützlich war noch es je sein würde, daß nichts geschehen war, was er ohne zu lügen erzählen könnte, daß die Luft in Schwingungen geriet, als die Riemen eingezogen wurden wie die Beine eines Einsiedlerkrebses und das Walboot *Liberdade* die schmale Hafeneinfahrt munter wie ein Ziegenbock überwand, das viereckige, lohfarbene Segel setzte, nach Backbord änderte und Fahrt machte, um geradewegs auf das Herz der Bucht zuzusteuern, wo man nun schon die Umrisse der Wale ausmachen konnte, die sich wie kleine, küstensäumende Vulkane bewegten.
Ich werde während der Visite von dieser Ausfahrt sprechen, beschloß Amleto und überlegte, ob er in seinem Heft nicht Verse von Vergil über in See stechende Helden notiert habe. Würde er sie vor sieben Uhr auswendig lernen können, wenn die Tour begann? Ja, und tatsächlich entsann er sich ihrer noch undeutlich,

hatte er doch den Ortspfarrer gebeten, sie nach einer Predigt bei der Seefahrer-Messe aufschreiben zu dürfen. Ja, er erinnerte sich gut daran: Ich habe eine solche Beschwörungskraft in diesen Versen verspürt, Hochwürden, daß ich um Ihre Erlaubnis bitten möchte, sie zu meiner Erbauung abschreiben zu dürfen. *Stabant orantes primi transmittere cursum, tendeban* ... wie ging das noch? Und auf französisch, nichts auf französisch? Nein, er hatte nie jemand Französisch sprechen hören, er hatte nur eine sehr nebulöse Ahnung von der Aussprache der Wörter. Nein, Lateinisch. Das Lateinische war schließlich ... *Stabant orantes*! Und er war so sehr in seine Übung vertieft, daß er schon fast an den Molen vorbei war, als er den Kopf hob und das schwarze Mädchen an den Strand kommen sah, das vorhin in Gesellschaft des Harpuniers aus dem Fischschuppen getreten war. Sie mußte jung sein, ihre Taille war schlank, die Hüften üppig und wohlgerundet, die Beine lang – wie wohl die Brüste waren? Amleto fühlte eine hitzige Unruhe, sein Mund schmeckte salzig, seine Lendengegend knisterte schier, er wollte ihre Brüste sehen, konnte sie sehen, sie fassen, mit ihnen machen, was er wollte!

»Pst!« rief er und rannte den Rest der Mole, ohne es zu merken. »Pst! Du da!«

Das erste, was er wahrnahm, als sie sich umdrehte, war ihr Haar. Es war anders als die Haare der meisten Neger, es war weder kraus noch glatt, es fiel um Hals und Schultern wie ein samtiger Schal. Das Gesicht, ja, das Gesicht war sehr anmutig, die Augen groß und mit langen Wimpern, die Nase mit schön modellierten Flügeln, Mund und Kinn ausgeprägt, aber nicht abweisend, ein seltsames Mal auf der Stirn. Und die Brüste, von denen Amleto nicht den Blick wenden konnte, hoben den groben Leinenkittel, wie zwei Tiere unter dem Stoff.

»Wer bist du, wie heißt du?«

»Venância.«

»Ach, ich weiß, hab dich hier schon einmal vor langer Zeit gesehen, beim Fischen mit diesem schwarzen Wirrkopf, wie hieß er noch?«

»Turíbio, Turíbio Cafubá, mein Vater.«

»Dein Vater? Was ist aus ihm geworden?«

»Er ist vor Jahren gestorben.«

»Und deine Mutter, hast du eine Mutter?«
»Meine Mutter haben sie als Köchin weggeholt.«
Obgleich sie ein strenges Gesicht machte und fast störrisch geradeaus blickte, erregte ihre dunkle, weibliche Stimme Amleto noch stärker, ihn übermannte fast die Begierde, sie zu berühren, und er trat näher auf sie zu, sie verharrte reglos, ohne ihren Gesichtsausdruck zu verändern.
»Ich will deine Brüste sehen.«
Sie sagte nichts, blieb nur stehen, wo sie war. Mit unerträglicher Gier hob er ihren Kittel, sah zitternd, wie zuerst ihr Bauch und ihr Nabel zum Vorschein kamen, fast zerreißt es ihn, als zunächst die linke, dann die rechte Brust, durch sein Zerren ins Wippen geraten, sich in zarten Kurven hochrecken, die Brustwarzen leicht aufwärts deuten, die Mulde dazwischen von heimlichem Flaum bedeckt. Amleto keuchte, hätte schreien wollen, weil sie so nahe, so sichtbar, so berührbar, vor ihm standen – wie ausdrücken, was man fühlt?
»Ich will sie anfassen«, sagte er, und sie antwortete nicht.
Langsam zunächst, dann, als wollte er sie in einen Brotteig verwandeln oder die Finger mit ihnen verschmelzen, knetete er die Brüste mit geschlossenen Augen, beugte sich vor und lutschte an der einen wie der anderen mit aller Kraft, nahm so viel davon auf, wie er konnte.
»Fühlst du nichts?« stieß er hervor, ihre beiden Brustwarzen mit Daumen und Zeigefingern zwickend.
Er packte sie bei den Schultern und stieß sie zurück, ihr Kittel schob sich in unzähligen Falten über die entblößten Brüste hinauf. Er fühlte, daß er bleich und krebsrot zugleich war, und er schwitzte im Gesicht und an den Beinen, als er mit ausgebreiteter Hand auf seinen geschwollenen Hosenschlitz deutete. Sie verfolgte seine Geste mit den Augen, verzog jedoch keine Miene.
»Siehst du? Siehst du? Siehst, wie mir wird, wegen dir?«
Wiederum sagte sie nichts, und er ergriff ihre schlaffe Hand, strich damit über seinen Hosenschlitz und wollte gerade »Drück ihn, drück ihn!« rufen, als sich sein Hodensack in einem Krampf zusammenzog, und ohne sein Stöhnen unterdrücken zu können, ließ er seine Hände über ihre Arme abwärts gleiten und schüttelte sich, schon am Boden, fast liegend, im Orgasmus, während seine zuckenden Beine erst langsam zur Ruhe kamen.

»Kann ich gehen«, fragte sie, dieselbe Gleichmut in der Stimme wie in ihrem Gesicht.
Er war unfähig zu antworten, schämte sich hochzublicken und winkte eilends ab, bevor er sich aufraffte und seine Kleidung ordnete. Sie zog den Kittel über ihre Brüste herab, und mit einem kurzen Ruck bedeckte sie auch ihren Bauch, kehrte ihm den Rücken zu und ging ohne Hast weg, auf den Cajúbaumweg zu. Hastig schob Amleto ein Taschentuch in seine Hose, musterte seinen Aufzug und fand, daß ausreichend Zeit war, um nach Hause zu gehen und die Unterhose zu wechseln.

Viele Dinge auf dieser Welt lassen sich nicht beschreiben, wie diejenigen wissen, die von der Feder leben, die sich schinden zwischen Wörterbüchern und andrer Leute Büchern, auf der Suche nach dem richtigen Wort, dem gewandteren Satz für möglicherweise besonders gelungene Seiten Prosa, die dank einer wunderbaren Fügung der Handlung vielleicht ihre Leser fesseln, sie in ihrer Arbeit beflügeln und das geringe Entgelt erhöhen. Sie nehmen ihre Zuflucht zu Vergleichen, sie erfinden Metaphern, fabrizieren Eigenschaftswörter, doch alles klingt schließlich fad, welk, das Wunderbare, Überraschende verblaßt, es verliert Leben und Größe, weil das gute, das auch noch so gute Wort das eine nicht zu ersetzen vermag, nämlich Zeuge des Unbeschreiblichen zu sein. In den tausend Verwicklungen der Handlung, den Widrigkeiten von Liebschaften, Greueltaten an Unschuldigen, herzzerreißenden, ausweglosen Konflikten, Schicksalsschlägen, ingeniösen Zufällen, gut ausgedachten Überraschungen, Ekstasen der Leidenschaft und allem anderem, was echter Roman- und Novellenstoff ist, in alldem ziehen sie sich recht und schlecht aus der Affäre, entsprechend ihrer handwerklichen Geschicklichkeit, da diese Verwicklungen und Ränkespiele ja seit Menschengedenken die gleichen sind. Doch wie einen Geruch beschreiben? Nein, nicht einen Geruch, sondern diesen verhängnisvollen Qualm, diesen in den Höllenschlünden hergestellten Pesthauch, diese Ausdünstung von Fäulnis, von Ranzigkeit, von Gangrän, von widerwärtiger Pfuhlbeize, diesen über alles Vorstellbare hinaus stinkenden Verwesungsgeruch, jetzt, wo sich der Wind dort einen Weg bahnt, wo sich über dem Kada-

ver des letzten Walfisches Aasgeierwolken sammeln und wo die Trankessel sagenhaft stinkende Rauchwirbel ausstoßen. Die zweiundsiebenzig genau bestimmbaren Gestänke, die jenem Dichter in der Stadt Köln zugesetzt haben? Den Geruch des berühmten, zweihundert Jahre alten Eis? Den Kloaken des Augiasstalls unter der lotrechten Sonne?
Dies alles, dazu der Hecht von sechshundert Dämonen, hüllt jetzt offenbar die düster und gemessen daherkommende Prozession ein, die eben um die Ecke des langen Pfades biegt, der sich vom Herrenhaus hinabwindet und die jetzt den parallel zum Strand verlaufenden Feldweg einschlägt. Vornan, in zwei gleichen Sänften, ländlich wie es ländlichen Geräten geziemt, doch deshalb nicht weniger bequem für Traggäste wie für schwarze Träger, kommen der Besuchende Domherr und der Baron von Pirapuama. Früher hatten diese Sänften nur vier Griffe für zwei Negerträger oder auch für vier, wenn sie jeweils nur einen Griff hielten, wobei die eine Tragart wie die andere gleich unbequem für alle war, vor allem bei langen Ausflügen in unebenem Gelände. Daher bestellte der Herr Baron bei seinem Tischlermeister Sänften aus solidem Holz, mit vorne und hinten verdoppeltem Gestänge, so daß vier Neger ohne Zusammenstöße und Behinderung diese unter Verwendung ihrer acht Arme befördern konnten. Und so kommen denn auch Domherr und Baron im Gleichschritt ihrer Träger daher, umgeben vom Gefolge der übrigen Gäste, die zu Fuß gehen, in gebührendem Abstand Amleto, der in Rednerstil und -pose die Stationen des Weges erläutert. Schon sehen die Kesselneger sie in der Ferne näher kommen, als der Domherr die Arme hebt und der Festzug stehenbleibt.
»Abstellen, abstellen!« befahl der Baron, sobald die Neger angehalten hatten. »Fühlen Monsignore sich unwohl?«
Nein, Monsignore fühlten sich nicht unwohl. Oder vielleicht doch, bei näherem Hinsehen. Was für ein entsetzlicher Geruch war das, der da zunehmend stärker und aufdringlicher, vermischt mit gleichfalls mephitischen, giftgelben Nebelschwaden, herandrang? Er hatte Berichte gehört und gelesen vom Leiden der Kaplane, die aus Priesterpflicht gezwungen waren, Kriegsopfern die Sterbesakramente zu erteilen, und hatte häufig Albträume gehabt, in denen ihm der unvorstellbare Pestgestank der

Schlachtfelder zugesetzt hatte, doch nichts von dem, was er geträumt oder gar je gerochen haben mochte, konnte sich mit diesem teuflischen Aasgeruch messen. Nun verstand er, warum der Herr Baron so beredt die Lage seines Herrenhauses gerühmt hatte, das gegen den Wind und in sicherer Entfernung von der Quelle dieses unbeschreiblichen Stinkgeifers lag. Ob das in dieser Niederlassung immer so sei?

»Nun«, meinte der Baron, »sie sind fast damit fertig eine *madrijo* zu zerlegen. Was auf meinen Wunsch gestern nicht mehr zustande kam, weil Sonntag war, Tag des heiligen Antonius und Besuchstag Euer Hochwürden. Man mag noch so behutsam vorgehen, diese Tiere sind wahre Berge, und das Abspecken nimmt nie ein Ende. Aber wir können uns nicht leisten, nicht allen Tran zu verwerten, die Fänge sind wenig ergiebig gewesen, und der Ölertrag war in letzter Zeit geringer, als wir erhofft hatten. Hätten Euer Hochwürden Lust, dem Zerlegen eines Wals in unserem Betrieb beizuwohnen? Sie würden Zeuge, wieviel Sorgfalt, Unkosten und Mühen uns die Herstellung des Öls kostet, ohne welches man in diesen und vielen anderen Gegenden wohl kaum mit einigem Anstand leben könnte. Und Sie würden, wenn Euer Hochwürden mir gestatten, etwas sehen, was es in Rom nicht zu sehen gibt.«

»Einen dieser Walfische? *In acto moriendi*?«

»Nein, schon tot und ein für allemal tot. Sie kommen bereits tot an, längs der Bordwand der Walboote vertäut.«

»Das ist schon besser. Aber wenn der Herr Baron mir gestatten, wie stellt man es an, diesen Geruch zu ertragen, der schon auf diese Entfernung mit solcher Macht herüberdringt?«

»Nach einiger Zeit gewöhnt sich die Nase daran, es ist, als würde sie taub und unempfindlich dagegen.«

»Und der Rauch?«

»Je näher wir kommen, desto weniger macht er uns zu schaffen, der Wind treibt ihn aufwärts, in jene Richtung dort. Unglücklicherweise darf ich den Leuten nicht befehlen aufzuhören, denn sonst würde alles Fleisch sowie der Speck, den sie gerade auskochen, verderben. Manchmal bedarf es mehr als eines Tages und einer Nacht, bis ein ganzer Wal, wenn er fett ist, ausgewertet ist. Wir haben zweiunddreißig Kessel, eine Kapazität von etwa fünfzehn Tonnen, doch manchmal bewältigen wir bei einem Fang nicht die ganze Arbeit, selbst wenn die Neger nur zur Mittagszeit pausieren und die Nacht durchmachen.«

»Wie viele Neger arbeiten dort?«

Perilo Ambrósio blickte zu Amleto, der angeregt aufsprang, um zu antworten. Es gebe keine feststehende Anzahl, erklärte er, das hänge von der Menge der Arbeit und der Eile eines Auftrages ab, wie zum Beispiel umgehend ein im Hafen von Bahia liegendes Handelsschiff mit Öl für Europa zu beladen. Bei derartigen Gelegenheiten verdoppele oder verdreifache sich die Anzahl der Neger für das Zerlegen, was nicht einfach sei, denn die Aufgabe erfordere Geschick und Erfahrung. Jedenfalls verfüge man über mehrere Vorarbeiter und Schlachtergesellen, die das hauptsächliche Zerteilen besorgen, während andere den Walspeck fertigstellen, eine weniger schwierige Sache, man braucht nur etwa zwei Pfund schwere Speckstücke zuzurichten für die Beförderung in die Transiederei. Auch das Transieden sei einfache Arbeit, wenngleich erschwert durch den Rauch, die Hitze und die Unachtsamkeit, infolge deren die Neger sich mitunter durch das Spritzen kochenden Fetts Brandwunden zuzögen, vorwiegend Kinder beiderlei Geschlechts, aus denen die Mehrzahl der Siedereiarbeiter bestehe, die für das Herbeibringen und In-die-Kessel-Werfen des Specks da seien. Dem Herrn Baron, so vertieft in die hohen Gedanken und Geschäfte zum Wohl des Vaterlandes, daß sie ihm den Schlaf raubten, sei ein kleiner Lapsus unterlaufen, denn er selbst habe nämlich schon vor zwei Jahren die Kessel von zweiunddreißig auf vierzig erhöhen lassen. Nun brauchten nur noch einige Reparaturen an dem System der zum Schornstein führenden Schächte und Röhren vorgenommen zu werden, um die Leistung zu erhöhen, damit der Rauch aller Kessel entweichen könne, und deshalb, Euer Hochwürden mögen verzeihen, falle der Rauch jetzt gelegentlich noch auf sie herab, statt, wie es sein sollte, durch den Schornstein nach oben zu entweichen. Doch bringe der Qualm, so paradox das zunächst klingen möge, auch Vorteile. Er habe nämlich die Wirkung, die Anzahl der Fliegen- und Schmeißfliegenschwärme zu begrenzen, die hier gewöhnlich Netzfliegen genannt wurden, Insekten von unüberbietbarer Unverschämtheit, die trotz das Qualms häufig in so großen Schwärmen auftraten, daß sie den schwarzen Transchneidern und -siedern das Aussehen von Lampen gaben, die

im Winter von unzähligen Faltern und Flügelameisen umschwärmt werden. Auch die Aasgeier begünstige der Rauch nicht, obwohl diese widerwärtigen Tiere Erfindungsgabe, Klugheit und Wagemut an den Tag legten, da sie unter dem Qualm hindurch auf die Installationen zuflogen, sich auf den natürlichen Zugängen näherten, sogar durch den Schlamm stapften und sich gelegentlich mit den Negern um den Besitz von Fleischfetzen und Speckschwarten der Walfische schlugen. Doch wünschte Monsenhor vielleicht ein parfümiertes Taschentuch unter die Nase zu halten, damit er und der Herr Baron näher an die Fabrik herantreten konnten, ohne Schaden zu nehmen?
»Wenn das möglich wäre ...«
Amleto wandte sich an die beiden Neger, die vor der Sänfte des Domherrn standen, er wählte den kurzen Dicken, hieß ihn zum Herrenhaus laufen und parfümierte Taschentücher holen. Der Neger rannte rascher los, als sein Gewicht hätte vermuten lassen, und der Domherr lachte.
»Eine kuriose Wahl, dies. Will man einen schnellen Boten, wäre da der Magere nicht geeigneter?«
»Der Neger Sabino ist zwar fett, aber einer der flinksten, die wir haben, ich glaube, er kommt aus einem Teil Afrikas, wo die Neger Schnelläufer und Waldläufer sind. Und dieser andere hier spricht nicht.«
»Ah, ist er stumm?«
Amleto wollte antworten, zögerte mit seiner Erläuterung und blickte verlegen zum Baron hinüber. Doch der Herr Baron in seiner Sänfte, die Hand um einen Träger des Baldachins zur Faust geschlossen, war keineswegs um Worte verlegen. Im Gegenteil, er setzte heftiger als beabsichtigt zu sprechen an, als wolle er eine empörte Erläuterung abgeben und sich dabei von etwas befreien, was seine Brust beklemmte.
»Er ist nicht stumm!« sagte er und blickte den Schwarzen starr an. »Er ist treulos! Dieser Schwarze genoß großes Vertrauen im Haus meines Vaters und in meinem eigenen, er stand sogar mit mir in den Kämpfen von Pirajá und an anderen Fronten, an denen ich im Unabhängigkeitskrieg teilgenommen habe. Im Gegensatz zu dem anderen Neger, der mich begleitete und der tapfer kämpfend fiel – ich will hier nicht eine Geschichte wiederholen, die bereits alle kennen und deren ich mich nicht rühmen will,

da ich nur meine vaterländische Pflicht erfüllt habe –, im Gegensatz zum anderen hat sich dieser als verächtliche Memme erwiesen. Doch würde ich dieses Verhalten den naturgegebenen Mängeln dieser Rasse zurechnen, was ich stets tue, hätte er nicht nach der Rückkehr in unser Haus so viele ehrenrührige Lügen erzählt, daß er heute nicht mehr lebte, wäre ich ein weniger gutherziger Herr, so groß waren seine Frechheit, seine Gemeinheit, ja seine Schändlichkeit. Doch wie üblich von Barmherzigkeit geleitet, habe ich ihn nur nach Maßgabe seines Vergehens bestraft, eines unter vielen, und hab ihn für immer davon befreit. Er wird nie mehr lügen, von dieser Sünde wird er freigesprochen werden können, wenn er mich auch dazu gezwungen hat, den natürlichen Widerwillen zu überwinden, den ich gegen Bestrafungen empfinde, welche ich nur anwende, wenn sie mir keine andere Wahl lassen, mir wahrhaftig keine andere Wahl lassen!«
»Welche Strafe wurde ihm auferlegt?«
»Ich ließ ihm die Zunge abschneiden, ganz einfach, gerade soviel, daß er weiterhin das Essen essen kann, das er unverdientermaßen von mir bekommt, und daß man sich nicht die endlosen Lügenmärchen anhören muß, die er, könnte er nur, fraglos weitererzählen würde.«
Der Domherr blickte den Neger Feliciano interessiert an.
»Sie haben ihm die Zunge abgeschnitten, wie?«
»*Audi, vide, tace*«, sagte Amleto.
»Ja, ganz zweifellos. Ist das hier Sitte, gibt es viele so wie ihn?«
»Nein«, erklärte der Baron. »Ich habe mir sagen lassen, daß es im Innern der Provinz, wo das Leben rauher und tatkräftiges Vorgehen nötiger ist, sogar in einigen Zuckermühlen am Rand des Golfs, Herren gibt, die sehr streng gegen die Schwarzen vorgehen. Hier nicht, hier lassen wir nur die wirklich unerläßliche Disziplin walten. Da es recht schwierig ist, aus diesen Gebieten zu fliehen, versteigt sich keiner je zu dem Versuch, und Euer Hochwürden werden hier kaum einen Neger mit abgehacktem Fuß finden, was die Strafe ist für rückfällige Flüchtlinge. Es gibt auch wenige Kastrierte, höchstens zwei oder drei unter den Älteren.«
»Auf den Fazendas meines Bruders, der Vieh züchtet, läßt er die mit Hausarbeit und leichteren Diensten beschäftigten Neger kastrieren. Und er erzählt mir, daß er auf diese Weise gute Ergeb-

nisse erzielt, sie würden ruhiger und friedlicher und kommen ihrer Arbeit williger nach.«

»Ich bezweifle nicht, daß es so ist, denn die Zweckmäßigkeiten wechseln von Ort zu Ort. Hier kastrieren wir nicht mehr, schon weil . . .«

»Aber ich bitte doch, Herr Baron, sprechen Sie sich aus, ich weiß, was Sie sagen wollen. Da auf die schwarzen Kinder für die Arbeit hier nicht verzichtet werden kann, muß dafür gesorgt werden, daß die Neger sich fortpflanzen. Genau wie in den Minen, denn dort gibt es immer Stollen und Schächte, wo die Felsen einen ausgewachsenen Körper nicht hindurchlassen.«

»Sehr richtig. Und nicht nur deshalb, wir meinen, es ist ohnehin eine unnötige Mühe. Manche sterben sogar, wenn wir sie mit dem Messer kastrieren, und bei der Erledigung mit der Keule schaffen wir uns oftmals noch größere Kopfschmerzen. Es kommt vor, daß ein Neger auf diese Weise untauglich für die Arbeit wird, das Schadensrisiko insgesamt ist groß, obwohl wir durchaus über gute Schweinekastrierer mit Erfahrung im Kapaunen von Negern verfügen. Auch brandmarke ich sie nicht mehr, wie es zur Zeit meines Vaters üblich war, der die Männer und die Hausmädchen meiner verstorbenen Großmutter brandmarkte, die letzteren mit dem Monogramm, das sie selbst für ihre persönliche Habe entworfen hatte. Heute ist das überflüssig, denn die Neger finden nirgends eine Bleibe, und sobald sie unsere Hilfe entbehren, müssen sie elendig eingehen, wie es mit so vielen streunenden Freigelassenen geschieht, die nur Schaden anrichten.«

»Ja, schon kann man keinen Schritt mehr durch die Straßen der Städte tun, ohne daß eine Horde dieses Gesindels die Fußgänger belästigt und alles ringsum verpestet.«

»So ist es! Aber wo bleibt die staatliche Autorität, wo die Einsicht in das Wohl aller, wenn man nicht einmal sagen darf, dieses lungernde Pack müsse schleunigst zur Zwangsarbeit an öffentlichen Bauten oder sonst welchen Unternehmungen eingesetzt werden, wo sie noch zu etwas nütze wären, ohne daß diejenigen die Stimme erheben, die glauben, ein Reich könne mit Glacéhandschuhen und mildtätigen Werken zum Blühen gebracht werden? Heute sehen wir, daß es sich eher auszahlt, ein Strolch ohne jede Beschäftigung zu sein als ein nützliches Individuum,

und ohne daß solche Leute im geringsten ahnen, was vor sich geht, werden obendrein Männer wie ich geschmäht, die, während man das Scherbengericht über sie fällt, die Last der Nation auf ihren Schultern tragen. Was würden die ohne Produktion anstellen? Würden sie von Tischreden leben und die Tränen trinken, die sie über die Unbeschäftigten und Unnützen vergießen? Diese aber sind die ersten, die ihnen in den Rücken fallen, sobald die Krise, wie bereits jetzt, ihren Höhepunkt erreicht durch Anarchie und sträfliche Mißachtung strenger Verhaltensregeln! Ich spreche aufrichtig zu Euer Hochwürden, wenn ich sage, daß ich als Brasilianer, Patriot und gottesfürchtiger Mann nicht umhin kann, noch Hoffnungen zu nähren, auch wenn ich sie nur durch meinen eigenen Glauben rechtfertigen kann. Andernfalls fürchte ich, Monsignore, fürchte ich wahrhaftig für die Zukunft Brasiliens.«
Der Domherr machte seinen spitzen Mund, wiegte zustimmend den Kopf und seufzte, als habe er den Versuch, der Vernunft Gehör zu verschaffen, bereits aufgegeben. Zerstreut ließ er sich aus über die von Nordamerika gefundene Lösung – ein wenig zivilisiertes Land zwar, doch mit charaktervollen Bürgern, die entschlossen genug waren, es von den Schwarzen und freigelassenen Mischlingen zu säubern –, denn dort läßt man es nicht wie hier einreißen, daß man den Braunen und Braunroten ein Zusammenleben mit den Weißen gestattet, als seien sie Weiße – sie hatten die Frage gelöst, indem sie ihnen einen eigenen Staat irgendwo an der Pfefferküste, nahe der Grenze zu Guinea, einräumten, wo sie ungehindert ihr animalisches Dasein fristen können, ohne jemanden zu belästigen. Darin folgten die Amerikaner übrigens dem Beispiel ihrer englischen Vorfahren, die schon seit langem das gleiche in Sierra Leone gemacht hatten, fügte er hinzu, seufzte abermals und prophezeite Nordamerika eine strahlende Zukunft, sofern man sie mit der Brasiliens vergleichen wolle, wenn man auch nicht wissen könne, ob die Menschen englischer Zunge fortgeschrittener seien, weil sie derartige Ideen praktizierten, oder ob sie derartige Ideen praktizierten, weil sie fortgeschrittener seien, denn letztendlich lasse sich das eine kaum vom andern unterscheiden. *Parvis componere magna?* fragte er achselzuckend, während der Neger Sabino mit zwei großen weißen Taschentüchern und einem Fläschchen indischen

Vetiveröls zurückkehrte, das die Frau Baronin wärmstens zum Fernhalten schlechter Gerüche empfahl. Der Baron befeuchtete ein Taschentuch mit dem Öl, schwenkte es ein wenig, damit der überstarke Duft ihn nicht betäubte, band es über Mund und Nase und bat den Domherrn, er möge es ihm nachtun. Auch etliche im Gefolge nahmen die angebotene Essenz dankbar entgegen, um ihre eigenen Taschentücher damit zu besprengen, die Schwarzen hoben die Sänften, der nunmehr maskierte und aromatisierte Festzug setzte seinen Weg längs des Strandes fort. Bald standen sie vor der offenen Großbaracke, die Rauch ausspuckte aus allen Öffnungen, durch die ein paar mit dem Auskochen beschäftigte Jungen und zwei oder drei Mädchen aus und ein gingen. Ein wenig weiter weg, hinter dem zweiten Schuppen, wie verkrümmte Obelisken die Rippen eines Wals inmitten von Aasgeiertrupps. Dem Meer gegenüber, auf den kleinen sanften Hügeln, die sich in Stufen über die Inselküste erhoben, wiegte sich das Zuckerrohrfeld in der Brise, die Halme schwankten auf und ab, und es war unklar, ob das Wispern, das die Luft modulierte, von dem Wind herrührte, den die noch feinen Halme des Zuckerrohrs siebten, oder von den nimmermüden Flügeln der Geier und Fliegen.

»Nichts weiter ist diese Scholle einst gewesen, Senhor Monsenhor, als ödes, unbestelltes Brachland, bepflanzt nur durch das natürliche Wirken des Schöpfers, nie von der Hand des zivilisierten Menschen bestellt ...«, begann Amleto seine Rede, das Taschentuch vom Mund hebend, damit alle seine schönen Worte ungehindert losflattern konnten.

Schöne Worte, die unter dem großen Laubengang aus säuselnden Grenadille- und Maracujá-Ranken, zwischen denen sich hier und dort lilafarbene Blüten zeigten, inmitten von Vogelzwitschern und Meeresplätschern, in nichts den auf der großen Tafel in Majolikaschalen aufgetürmten Früchten, Süßspeisen und Backwaren nachstanden, die dem weißen Tischtuch mit vielerlei farbigen Tupfern ein Muster aufsetzten. Und gleichermaßen vorzüglich waren seine Worte, vielleicht mehr noch als das. Sie waren sogar greifbarer als die Früchte und Speisen, interpunktiert vom allgemeinen Kauen schweben sie dann und

wann länger im Raum wie diese Guaven in purpurfarbenem Saft, diese Blätterteigschnitten, deren Lagen man bewundert, bevor man hineinbeißt, diese Eierfäden, deren zarte Ranken die Erinnerung umschlingen, dieses Kuskus aus saurem Maniokmehl, das sich langsam in Kokosmilch auflöst, diese Ananasse, Granatäpfel, und Sapotillapflaumen, diese Flaschenbaumfrüchte, diese roten und gelben Rosenäpfel und Mangofrüchte, diese Zimtäpfel, Jabuticabas, Cajús, Carambolafrüchte und Pitangabeeren, diese Ingáfrüchte, diese Jambolane und Papayas, dieses in den Gläsern schillernde Erfrischungsgetränk. Und nun war es der Domherr, der schöne Worte aussprach, den Laubendachschatten damit üppig verzierte und ihnen allen Gelegenheit gab, ihre doch gar zu seltenen und flüchtigen Begegnungen mit Kultur, Zivilisation und Wahrheit zu erneuern.
»Luigi Capponi«, sagte der Domherr. »Sie kennen ihn zweifelsohne dem Namen nach.«
Aber sicher! Der große Luigi Capponi! Der Latinist Luigi Capponi oder der Physiologe und Chirurg Luigi Capponi? Der hieß vielleicht, wenn das Gedächtnis nicht trügt, eher Caroni, Caloni ... Luigi Capponi, aber ja, jetzt fällt er uns wieder ein, ohne jede Frage! Sehr richtig, ein vorzüglicher Einfall, Luigi Capponi!
»Luigi Capponi«, sagte der Domherr von neuem, die Fingerspitzen aufeinanderlegend und die Augen schließend. »Der große Heiligen-Bildner, der in Rom durch seine reine Kunst berühmt wurde, so erhaben und ganz im Einklang mit den besten Glaubensvorschriften.«
Die besten Glaubensvorschriften! Luigi Capponi, ja! Der heilige Ambrosius mit seinem Bienenkorb voller honigtragender Bienen? Der heilige Hieronymus mit dem Löwen am Eingang seines Gehäuses? Der heilige Theodorus mit seinem Schild, seiner Rüstung und seinem Kriegsgeschirr? Die heilige Anna und der heilige Joachim, die das Sakrament der Ehe empfangen?
»Luigi Capponi«, wiederholte der Domherr nach langer Pause, in der er sich an allem ringsum und insbesondere an sich selbst zu ergötzen schien. »Der überragende Meisterbildhauer der Kirche des heiligen Gregorius in Rom! Der große Sankt Gregorius, Sankt Gregorius Magnus, Sankt Gregorius der dreißig Messen, Sankt Gregorius, der dem flammenspeienden Rachen des Fege-

feuers sogar die Seele des von so vielen Sünden verhärteten Kaisers Trajan entriß, Sankt Gregorius, der dem Vernehmen und der Darstellung nach Inhalt und Sprachstil seiner unerschrockenen Predigten vom Heiligen Geist höchstpersönlich empfing, dieser Sankt Gregorius, dieser Sankt Gregorius, dieser Capponi! Dieser Capponi!«

Abermals legte er eine Pause ein und schloß von neuem die Augen. Der Meister der Grammatik Emílio Viana griff an den hohen Kragen, der ihm das Kinn stützte, und nickte. Bruder Hilário wiederholte ehrerbietig: »Sankt Gregorius, Sankt Gregorius Magnus.« Dieser Capponi! Der Waisenrichter Manoel Boaventura Bandeira wurde noch ernster als sonst, runzelte die Stirn und verzog den Mund. Capponi, sehr richtig, die Kirche des heiligen Gregorius in Rom, dieser Capponi!

Der Domherr lachte plötzlich auf.

»Aber was sage ich?« sprach er, nachdem er sein von leichten Schlägen aufs Knie unterbrochenes Gelächter beendet hatte. »Ich befinde mich hier in der Gesellschaft illustrer Personen, Männer von höchstem Rang, und genieße die unvergleichliche, unüberbietbare Gastfreundschaft des Herrn Baron von Pirapuama, den ich, wenn ich ihn bereits seines Rufes wegen bewundert habe, heute seiner Werke wegen noch mehr bewundere, und da stehe ich hier und rede so, daß man mich für verrückt halten könnte. In der Tat, welcher Sinn liegt darin, daß ich Reminiszenzen über Capponi, Sankt Gregorius, Rom spinne ... Glauben Sie mir, ich hatte nicht die Absicht, mich hervorzutun, hier, unter gebildeten, kenntnisreichen Männern, gar Lektionen zu erteilen, auch verleitet mich nicht die Eitelkeit, wie Sie wohl wissen. Aber ... aber – wie soll ich sagen? – wir sind auf den Gipfel dieses so lieblichen Hügels gelangt, nach einer höchst anstrengenden Reise durch die Verarbeitungsstätten mit ihrem, ihrem ... ihrem außerordentlichen Geruch, und dann ... dann die Kapelle der Sklaven, und nun sitzen wir hier, und ich rede von Capponi. Und wissen die Herren, wer mir jetzt gerade in den Sinn kommt? Tiepolo! Ja, Tiepolo!«

Er konnte ein krampfhaftes Lachen nicht mehr unterdrücken und hielt im Sprechen inne, um loszuprusten, wobei er zwischendurch den Eindruck machte, als wollte er plötzlich ernst werden, nur um sich von neuem vor Lachen zu krümmen. Die anderen tauschten zunächst zögernde Blicke, ermutigten sich sodann gegenseitig und lachten mit, und schließlich lachten auch die schwarzen Männer und Frauen, das Laubendach geriet vor lauter Fröhlichkeit in Bewegung. Der Domherr trocknete einige Tränen, seufzte und begann erneut zu sprechen, nicht ohne einige Mühe.

»Ich hoffe, man möge mir verzeihen, doch vielleicht verstehen Sie mich besser, wenn wir einige Überlegungen austauschen, Überlegungen, die, dessen bin ich sicher, bereits das Denken der Anwesenden beschäftigt haben oder unablässig beschäftigen. Es ist gewissermaßen unabweisbar, ja unerläßlich, geradezu unvermeidbar, einfach folgerichtig, daß sie dem zivilisierten Geist durch den Kopf gehen, ihm, der all dem Ungewohnten, das die europäische Erfahrung in der Neuen Welt vorfindet, ratlos gegenübersteht. Ich sprach von Tiepolo, von Capponi – und Sie werden fragen: warum? Ich werde Ihnen antworten. Ich beantworte diese Ihre Frage mit einer anderen Frage, obwohl ich, hahah, kein Jesuit bin. Ich antworte rhetorisch nach Art der Meister der Antike, ich verwende in gewisser Weise die zu Recht gerühmte Mäeutik, wenn Sie mich recht verstehen.«

»Die sokratische Weise«, unterbrach Amleto.

»Genau das«, sagte der Domherr mit spitzem Lächeln. »Ich sehe jetzt, daß ich mich vor einigen Tagen im Irrtum befand, als ich deine Kenntnisse nicht gebührend zu schätzen wußte. Vom Mulatten, könnte man sagen, hast du nur das Aussehen, und auch das nicht sehr ausgeprägt, zu deinem guten Glück. *Gnothi te auton*, weißt du, was das heißen soll?«

»Nein, nein.«

»Auch das ist sokratisch, ist platonisch. Es will heißen: ›Erkenne dich selbst‹ ... *nosce te ipsum*, ein höchst weiser Rat. Mit einem Wort: Erblicke dich im Spiegel, schau dich gut an, und so weiter. Begreifst du? Ich muß zugeben, und dazu beglückwünsche ich dich, daß mich die Art, wie du dich bei der Führung unseres Ausfluges betragen hast, angenehm überrascht hat, du sprichst gut, du kannst lesen. Würdest du folglich gerne an meiner Stelle sprechen, etwas sagen, was ich sagen wollte, über das dich auslassen, worüber ich mich auslassen wollte? Dein Vater kommt, wie du erzählst, aus einem Volk, das sich rühmt, geistig das Kind des ausschweifenden Königs Heinrich zu sein, man darf also einiges von dir erwarten, wie, was!«

»Nein, verzeihen mir Euer Hochwürden, es war nur ein Ausruf, der mir aus Begeisterung entschlüpfte, so ein Ausbruch des Entzückens ...«

»Mischlinge sind sehr begeisterungsfähig, diese und auch andere Eigenschaften, die häufig die Faulheit, die ihren Ruf prägt, überlagern, kann man ihnen nicht absprechen. In der Tat möchte ich behaupten, daß die Rassenvermischung einer der wahren Hebel ist, den Fortschritt in diesem Land anzuheben, denn der Geist des Europäers erträgt schwerlich die Verrenkungen, die nottun zum Verständnis dieser so ganz außerhalb der menschlichen Erfahrung und Berufung liegenden Lebensumstände. Brasilien kann in Wahrheit kein Volk in sich selbst sein, erst müssen die zivilisatorischen Kräfte durch eine Klasse zur Wirksamkeit kommen, in diesem Fall durch die Klasse der Mischlinge, welche die rohe Naivität der Neger mit einem guten Schuß Intelligenz der Weißen verbindet. Die Gesellschaftsschichten der griechischen Polis bieten kostbare Lehrstücke, die sich durchaus auf moderne Erfordernisse anwenden lassen. Allein die Muße, das *otium cum dignitate*, brachte das griechische Denken zur Blüte, denn alles übrige besorgten die Sklaven. Doch waren es Sklaven gebildeter, intelligenter Rassen, Weiße aus Kleinasien, manchmal sogar Griechen. Die Umstände waren andere, ganz andere. Die Herausforderungen, die sich vor uns auftürmen, sind ungeheuerlich, sind gewaltig, sind unermeßlich, sind unerhört. Und mit welchem dienstbaren Element können wir rechnen? Mit den Negern, mit der zurückgebliebensten Rasse auf dem Antlitz dieser Erde, den degenerierten Nachfahren der hamitischen Geschlechter, deren Wildheit nicht einmal die unbezwingliche Hand der Christenheit niederzukämpfen oder wenigstens zu mildern vermochte. In gewisser Weise zeigt sich hierin der Finger der Vorsehung, obwohl er zunächst nicht zu gewahren ist. Denn der Wildheit dieses Landes läßt sich nur durch ebensolche Wildheit der Neger begegnen – und darin sind sie unübertrefflich, denn sie kommen aus einem noch feindseligeren Land, als diesem, einem von Gefahren, Malaria und schädlichen Tieren heimgesuchten Land. Wenn wir keine intelligenten Sklaven besitzen, denen wir gar die Erziehung der Jugend anvertrauen könnten, wie die Hellenen es taten, so besitzen wir dafür robuste Sklaven, die imstande sind, unter guter, beharrlicher, striktester Führung die von unserer Landwirtschaft und unseren Fabriken geforderten Arbeiten zu bewältigen. Damit bleibt uns nur die Frage, wer die unmittelbare Beaufsichtigung der Sklaven übernehmen, wer die Aufgaben der Vermittlung besorgen soll, jene Aufgaben, die zwar keine höhere Intelligenz erfordern – sondern im Gegenteil diese Art Intelligenz eher durch ihre Eintönigkeit verkümmern lassen, durch mangelnde Erfindungsgabe und das Fehlen des Erhabenen und des Transzendenten, Kennzeichen wahrhaften Denkens und höheren Geistes –, die ohnehin von der Beschränktheit der Neger nicht verstanden werden können. Hier paßt nun der Anteil der Mischlinge wie maßgeschneidert zu dem vollkommen gegliederten, gesellschaftlichen Aufbau, welcher Aufbau einzig und allein diesem Land eine *élite* verleihen könnte, wie die Franzosen sagen, die *crème de la crème*, eine Aristokratie, die wie die griechische imstande wäre, eine Kultur der Auserlesenen wachsen und gedeihen zu lassen. Ich sehe nicht einmal, und auch darin tritt zutage, was unsere besondere Fortüne, unsere einzige Fortüne sein könnte, die Notwendigkeit von Gesetzen, welche die Rassenvermischung bremsen sollten, denn je stärker unsere Aristokratie mit ihrem europäischen Geistesfundament sich festigt, Wurzeln schlägt, ihre Traditionen nährt, ihre Herkunft bekräftigt, in der Reinheit der Rasse, der Wesensart und im Festhalten an den höchsten Werten, desto eher werden die gesellschaftlichen Wirkungskräfte von selbst eine derartige Entwicklung zu verhindern wissen. Der natürliche Widerwillen des Zivilisierten bei der Berührung mit dem Neger oder Mischling und die Kultivierung dieses guten Instinktes werden in reiner Unmittelbarkeit, und ohne daß mehr nötig wäre als eine Regierung mit Verantwortungsbewußtsein vor der Geschichte, die Dinge so lenken, wie es ihrem von den richtigen Impulsen der Geschichte diktierten normalen Gang entspricht. So sehe ich die Rolle der Mischlinge, eine wichtige, äußerst wichtige Rolle, und ich glaube nicht, daß ich dich nicht mag, ich mag dich wohl, nur finde ich an dir eine kleine Prise Anmaßung, ein Laster, das ich meiner konstitutionellen Veranlagung gemäß bekämpfe. Glaub mir, haha, es gibt auf der Erde und im Himmel einen Platz für dich. *Deinen* Platz natürlich, wenn du mich richtig verstehst, haha. Doch sieh, sieh, wohin du mich gebracht hast, daß ich den Faden verliere, genau wie neulich, als du darauf bestanden hast, Themen der Naturphilosophie mit mir zu diskutieren, jetzt hast du das gleiche zuwege gebracht ... Ich sprach davon, daß ... ich wollte eben sagen ... Du siehst, so bringst du es fertig, daß ich als Schwätzer dastehe, während eine der von mir am meisten gehegten Tugenden ist, eher zuzuhören als zu reden, mehr zu lauschen als zu sprechen. Ich hatte von euch hören wollen, ohne meinerseits so viel zu reden. Aber herausgefordert ... wo war ich doch stehengeblieben?«

Ja, was war es doch gleich? Wie leicht ihm das Wort ging, welche befeuerte Wortfülle, welch treffsicheres, scharfsinniges Denken, welch verfeinerter Freimut, welche Kenntnis des Lebens und der Geschichte! Wann werden wir Staatsmänner von solcher Statur bekommen? Wie einleuchtend alles von ihm Gesagte klingt, wie sich seine Gedanken artikulieren, wie folgerichtig seine Überlegungen sind. Er sprach von Catoni, Capponi, von Sankt Gregorius ... Er lachte viel, Hochwürden lachten von Herzen, alle hatten mitgelacht, erinnern Sie sich? Und welche Schlichtheit ihm eignet, einem Mann in solcher Stellung, von solchem Format, von solcher Bedeutung! Und dieser sein Esprit, diese Bonmots, dieser Witz und diese Scherzhaftigkeit – »ich bin kein Jesuit«, hatte er gesagt.

»Ja!« strahlte der Domherr, der mit gesenkten Augen und im Schoß gefalteten Händen bescheiden die Anerkennung seiner Gaben genossen hatte, die rundum in seiner Zuhörerschaft lebhaft aufflackerte. »Ja! Ich sprach davon, daß ich kein Jesuit bin, denn die *Societas Jesu* steht in dem Ruf, folgendermaßen vorzugehen: Eine Frage parieren sie gleich mit einer Gegenfrage. Man erkennt an diesem nicht selten recht enervierenden Vorgehen die ehemaligen Schüler ihrer Gymnasien und Kollegien. Doch ich war dabei, das gleiche zu tun wie sie, denn schließlich sind die Jesuiten nicht dumm, und auch ich werde nicht sein wie die Dummen des Horaz, die, um ein Laster zu vermeiden, *vitia in contraria currunt*, dem entgegengesetzten Laster verfallen. Nein. Wenn der allzu eifrige Verfolg dieses dialektischen Lasters es ermüdend, gar hassenswert macht, so hat sein gelegentlicher Gebrauch doch seinen Charme und Nutzen. Ja, die Frage, die ich dir stellen wollte, hat im Grund mit dem zu tun, was ich soeben gesagt habe. Denn ich wollte dich schlicht und einfach fragen: Was tut der Herr Baron hier? Was tut er? Was ist seine Mission? Ich will dir, *data venia*, antworten. In Wahrheit unterdrückt er hier seine eigenen natürlichen Neigungen, die eines höheren Menschen, und kämpft unter der Last all der Unzulänglichkeiten dieses Landes gegen die schier entmutigenden Schwierigkeiten seiner Umgebung und der hier herrschenden Lebensbedingungen. Seht doch, wie er uns aufwartet, mit welcher Vornehmheit, mit welchem Feinsinn, mit welchem Zartgefühl. Und hier, in dieser kurzen Atempause, unter diesem milden Schatten, *sub tegmine fagi*, ist man versucht zu sagen, wir befänden uns in einer österreichischen Hainlandschaft. Aber mitnichten. Der Herr Baron, bereits ein Held infolge vieler Titel und ein größerer Held noch, wenn man an den unaufhörlichen Krieg denkt, den er hier führt, weiß, daß wir uns nicht dort befinden. Ihr werdet sehen, es gibt noch mehr Gründe als die schon angeführten dafür, daß der nationale Aufbau sich in dem von mir geschilderten Rahmen, aus den von mir geschilderten Beweggründen vollzieht. Ich habe von Hainen gesprochen. Gibt es hier Haine? Oder ist ein so süßes Wort nicht eher eine ahnenalte Reminiszenz, die in unseren Herzen fortdauert, denn unsere Rasse wurde nicht dafür geschaffen, hier zu wohnen, und lebt doch hier in einem Akt der Hinopferung für Christentum und Zivilisation, als Missionare, als wahre Missionare, die wir sind? Es ist unerläßlich, daß Christentum und Zivilisation hierherkommen, wir sind ihr Bollwerk, ihre Verfechter in vorderster Front, ihre allerübelst gemarterten Soldaten. Doch das soll nicht bedeuten, daß wir uns von der schwächenden, entkräftenden, degenerierenden und abgeschiedenen Welt hier, in der zu leben wir gezwungen sind, verderben lassen, daß wir vergessen, wer wir wirklich sind, ganz im Gegenteil, denn wenn dergleichen geschähe, würde unser Hiersein seinen Sinn verlieren, und wir wären keine getreuen Vertreter mehr dessen, was wir vertreten müssen und was zu unserer Wesensart selbst gehört. Würden wir uns derart verändern, wir wären nicht mehr jene Abgesandten – Missionare, ich bestehe darauf – des Christentums und der Zivilisation, die ich erwähnt habe. Uns gebührt es, zu bewahren, zu beschützen, aufrechtzuerhalten. Und zu bewahren heißt nicht allein, die Erinnerung daran, wer wir sind, wachzuhalten, sondern die Lebensbedingungen für uns zu schaffen, auf die wir ein Anrecht haben und ohne die wir zugrunde gehen müßten. Ich fragte: Ist das hier ein Hain? Es ist kein Hain. Jetzt sieht es so gefällig aus, wir wissen aber, daß es hier keine Haine gibt, auch kann es keinen bukolischen Frieden geben unter giftigen Tieren, Schlangen, Pflanzen, die alle möglichen Krankheiten verursachen, unter unmäßigen Sturzregen, unerträglicher Hitze und unablässiger Beeinträchtigung der Gesundheit, in einem Klima, dessen Feuchtigkeit die pestbringenden Miasmen und Pneumata dergestalt fördert, daß man sich wundert, daß es nicht mehr Seuchen gibt. Es gibt keine Jahreszeiten, es regnet oder es regnet nicht. Es gibt keine Früchte – und ich weiß, wie sehr sich der Herr Baron, dieser ganz hervorragende Mann, bemüht, hier neue Kulturen anzupflanzen, doch die guten, früchtetragenden Bäume gedeihen hier nicht, sie ertragen die Überfülle an Bodensäften, die gnadenlose Sonne und andere Umstände einfach nicht. Es gibt lediglich diese hier vor unseren Augen, und zum größten Teil schaden sie auch nicht, sofern sie selten und mit Vorsicht genossen werden. Doch sobald ihr Verzehr zur Gewohnheit wird, wissen wir sehr gut, daß unsere organischen Apparate ihnen nicht gewachsen sind, ihren kaustischen Säften und Principia, die in ihnen allen überreichlich vorhanden sind und die das Gleichgewicht der vier klassischen Kategorien des Galen zerstören, aus keinem andern Grund, als daß sie in diesem Boden wachsen und wuchern, der sich nur für bestimmte Nutzungsweisen eignet. Wo sind die Herbstkirschen, wo die duftgeschwängerten Pfirsiche, wo der kerngesunde Apfel, die zartschmeckenden Birnen, die allerlieblichsten Pflaumen? Wo ist die leuchtende Fröhlichkeit des Frühlings, die Abfolge der Jahreszeiten, Jahr für Jahr, die den Menschen stets die Hand des Schöpfers in Erinnerung bringt und ihn zu neuen Eroberungen anregt? Wo sind die Weinstöcke, die Reben, wo die beflügelten Geister des Weins, die aus jenen ihre geheimnisvollen Principia ableiten? Nein, meine Herren, es ist so, wie ich Ihnen sage, und Sie wissen es selbst sehr wohl: Entweder wir halten fest am aristokratischen Urmuster und seiner Organisationsform, die darzulegen ich mir erlaubt habe, oder wir sind schicksalshaft dazu verurteilt, die Herrscher eines schwachen Volkes zu sein und uns von all dem, was wir verabscheuen sollten, selbst verseuchen zu lassen. Ich habe vorhin gelacht, sprach von Kunstwerken, von ihren hochberühmten Urhebern. Was tut der Herr Baron hier? fragte ich. Nun, er bemüht sich, Kultur und Zivilisation hierherzubringen, doch ich fürchte, beweisen zu können, daß ohne den Rückgriff auf eine umfassende Politik für die Nation, im angesprochenen allgemeinen Rahmen und in vielen damit zusammenhängenden Details, seine geduldigen und verdienstvollen Bemühungen möglicherweise ein dem beabsichtigten entgegengesetztes Ergebnis zeitigen könnten. Halten Sie mich bitte nicht für unverschämt, sondern für einen guten Freund. Denn in allen Unterhaltungen, mit denen der Herr Baron mich entzückt und innerlich bereichert hat, ahnten wir, spürten, fühlten, sahen, begriffen, entdeckten, erkannten, ermittelten, mit einem Wort, gewahrten wir die vollkommenste Ähnlichkeit, ich möchte sagen, Verschwisterung unserer Denkungsart, er möge mich Lügen strafen, wenn ich gegen die Wahrheit fehle. Daher spreche ich nicht aus Unverschämtheit, sondern aus großer Freundschaft und uneigennützigem Interesse, drängt sich doch das Nachdenken über unseren Zustand immer eindringlicher auf. Was haben wir in der Sklavenkapelle gesehen, worin der Baron großzügig den Freigelassenen und Mischlingen gestattet hat, sich in Künsten zu betätigen, zu denen sie kaum befähigt sind, der Kunst einer höheren Zivilisation, die weißes Haar hat, wie der Großmeister der Paränese sagte? Wir haben viele Dinge gesehen, welche alle bekräftigen, was ich sage. Wir haben Visionen gehabt und Wunder gesehen, deren Darstellung im Widerspruch zu allen bewährten Regeln der künstlerischen Komposition steht. In allem und jedem, Kredenzen, Wandleuchtern, Seraphen, Gesimsen, Palmzweigen, Fackelhältern, Schnitzwerk, in allem und jedem zeigte sich die grobe Manier einer unkundigen, unausgebildeten Hand. Wir haben Mulatten als Heilige gesehen! Beleidigende Darstellungen von Kirchenvätern, deren Aussehen Leuten glich, die sich durch Getrommle und Grunzen ausdrücken, unfähig, sich ein so edles und vollkommenes Werkzeug wie die portugiesische Sprache anzueignen, zu deren Niedergang sie an jedem verstreichenden Tag auf das Schrecklichste beitragen, bis zu jenem Tiefpunkt, wo einem die Ohren schmerzen und der Geist angesichts solch törichten und primitiven Kauderwelschs Qualen leidet! Sie wissen sehr wohl, daß die Griechen die Barbaren Barbaren nannten in Nachahmung des Tatarengestammels dieser vandalischen und verbrecherischen Völker. Denn alles, was sie stammelten, klang wie ba-ba-ba – vergebt mir, wenn ich ein Lachen nicht unterdrücken kann. *Ubicumque lingua romana, ibi Roma!* Seht, was vor unseren Augen geschieht. Die Sprache, man entwürdigt, man verunstaltet sie. Was die Moral angeht – wir wissen darum, und wie wir darum wissen! –, so würde selbst der Teufel erbleichen, wenn er alles erführe, was jene tun und praktizieren, die wir heute Volk nennen, ja, die wir uns nicht entblöden brasilianisches Volk zu nennen, so als wäre es Athenern möglich gewesen, Heloten und Sklaven Athener zu nennen, als entstünde der Geist Attikas dadurch, daß man dieselbe Luft atmet und am selben Ort wohnt, statt durch Geburt, Abstammung und gute, der eigenen Rasse gemäße, pädagogische Bildung. Mit dem, was ich jetzt sagen werde, möchte ich keineswegs auf den hier anwesenden Bruder Hilário anspielen, dessen Redlichkeit, ich weiß es, über jeden Verdacht erhaben ist, doch er selbst wird bestätigen, daß sogar die Klöster und Bruderschaften sich infolge des verderblichen Einflusses der Umwelt in wahre Brutstätten des Frevels und des Verbrechens verwandelt haben, so daß, nachdem Dutzende und Aberdutzende von Fratres mit gestohlenem Gold und Edelgestein Schmuggelhandel getrieben, die Beamten der Krone gezwungen waren, die Niederlassung dieser Orden im Gebiet der Minen zu verbieten. Würde denn der hochwürdige Schutzpatron dieser Kapelle, einer der heiligsten unter allen großen Heiligen, nicht erbeben, sähe er, wohin der Mangel an nationaler Entschlossenheit und eine Regierung, die nicht auf den philosophischen Grundlagen fußte, wie ich sie hier gestreift habe, dieses Land führen können, für das wir verantwortlich sind, für das einzig und allein wir die Verantwortung tragen, wir, die wir die größte Last auf den Schultern tragen, denn uns beobachtet und überwacht die Geschichte – dieses Land führen können, sagte ich, daß es sich in ein derart häßliches Beispiel des Verfalls von Zivilisation, Kultur und menschlichem Geist verkehrt, daß vielleicht nicht einmal das unendliche göttliche Erbarmen mehr Gründe findet, uns von unserer sträflichen Sorglosigkeit und in vielen Fällen sogar von unserer niedrigen Feigheit freizusprechen? Würde denn dieser große Heilige nicht erbeben? Eine Arbeitsmoral, die unter allen ernsthaften Menschen Ärgernis erregen müßte, erlaubt dem dienstbaren Element schon seit langem den Müßiggang, ist seit langem äußerst locker und abwegig. Wenn wir von Anfang an nicht imstande waren, nach der richtigen Arbeitshierarchie aufgebaute Zünfte aufrechtzuerhalten – ja, denn wir befinden uns in einem Land, wo der Geselle Meister und der Lehrling Geselle ist –, so ist tagtäglich zu sehen, wie Ordnung und Tradition vergewaltigt werden mit Folgen, die, Gott stehe uns bei, sich als so fürchterlich erweisen können, daß sie kaum noch abzuschätzen sind. Hat etwa eine Zunft jene Arbeiten in der Kapelle mit ihrem Namen beglaubigt? Nein. Sie sind signiert mit den Namen der Schwarzen und Mischlinge, welche sie verfertigt haben. *Qui pinxit*? Daß ich nicht lache! *Pinxit* ein beliebiger Bomfim, ein beliebiger Conceição, ein beliebiger Anunciação, ein beliebiger Amor Divino! Individuelle Urheberschaft gehört nun wirklich zu großer Kunst und nicht zu dieser grotesken Äfferei, die sich heute über die ganze Nation ausbreitet, deren Lenker einsehen müssen, daß wir entweder die Zügel jetzt, in diesem Augenblick, in die Hand nehmen oder dazu niemals mehr imstand sein werden! Doch nein, so etwas geschieht einfach, eine sogenannte Französische Mission kommt hierher, um unschicklicherweise die Schönen Künste unters Volk zu bringen, als hätten wir hier ein dem französischen ebenbürtiges Volk und nicht eine Sippschaft von Liederjanen, Schmarotzern, erzrüden Knechten, ein blitzhäßliches Volk, übelriechend, schlecht erzogen, lärmend, tölpelhaft, faul, träge und lügenhaft, wie Sie alle nur zu gut wissen, denn wir – *mea culpa, nostra culpa*! – haben ja die ganze Zeit mit ihm zu tun, zu unserem großen Leidwesen und uns zur Buße. Sollen wir die Arme verschränken? Sollen wir alldem unter einem verhängnisvollen Baldachin der Gleichgültigkeit zuschauen? Sollen wir unser dienstbares Element besser behandeln, als man es in zivilisierten Ländern behandelt? Sollen wir zulassen, daß die Erziehung für alle Klassen gleich ist und damit die allerwärts so trostlos zur Schau gestellte Entartung fortgeführt und vertieft wird? Perlen vor die Säue? Ich frage euch: Perlen vor die Säue? Wahre Erziehung trifft die notwendige Unterscheidung zwischen den verschiedenen Menschenklassen. Die schlimmsten Schäden sind schon dabei, zu keimen, um später zum Ausbruch zu kommen. Wo ist der für die Organisation des dienstbaren Elements und des vermittelnden Elements unentbehrliche Oberaufseher, ohne den die Aristokratie des Landes sich nicht der Aufgabe widmen kann, hier eine wahrhafte Kultur, eine wahrhafte Zivilisation zu errichten? Wo wird das künftige Schicksal unserer Nation geschmiedet? Unsere Last wiegt schwer, unser Pfad ist dornig, mehr denn je *ad augusta per angusta*! Das ist die Kunst und das Wesen unserer Politik, der Politik, die wir nur auf Kosten unseres eigenen Überlebens und all dessen, was wir wertschätzen, lieben und vertreten, außer acht lassen können. Die Kunst der Politik ist nichts anderes als dies: sie ist die Kunst der Bewahrung des Guten und der Ausrottung des Bösen. Bedenken Sie meine Worte, meine Herren. Wir können nicht umhin, die Wunden, so schmerzlich das auch sein mag, vom Eiter zu befreien. Ich hege trotz allem Glaube und Zuversicht in die Zukunft, denn, gelobt sei Gott, Männer wie der Herr Baron zieren noch unser öffentliches Leben, unseren Handel, unsere Industrie und unsere Regierung, und sie werden nicht erlauben, nicht zugeben, nicht zustimmen, nein, nicht zulassen, daß die Sonne der Wahrheit von der finsteren Wolke der Unwissenheit und der Verantwortungslosigkeit verdüstert werde!«

Das ganze Laubendach in seiner Länge hielt inne, sogar die Blätter hörten einen Augenblick zu rauschen auf, das Licht wurde gläsern, als vermöchte es nicht ganz die Dichte des Schweigens zu durchbrechen, alle brauchten eine Weile, bis sie sich wieder regen konnten, und schienen erst langsam zu erwachen.

Aus fernen Welten auftauchend blickten einige umher wie jemand, der glaubt, etwas sagen zu müssen, und nicht weiß, was. In der Tiefe des grünen Tunnels, über dem Kopf des Domherrn, sahen zwei Negerinnen – sie preßten insgeheim ihre Amulette – den Falter Curuquerê herbeischwirren, als wollte er sich auf ihm niederlassen, um dann zu verschwinden. Perilo Ambrósio, der sich erhob und dem Domherrn mitteilte, wie bedauerlich es doch sei, daß die beflügeltste und bedeutendste Rede, die er je vernommen habe, in diesen Einöden verlorengehe, fühlte bitteres Wasser im Mund zusammenlaufen und mußte wiederum an die Negerin Vevé denken, wie er die ganze Zeit an sie gedacht hatte.

Wer kommt denn da entlanggeschlendert, leicht und locker, voller Schwung? Wenn das nicht Nego Leléu ist, geschniegelt, gebügelt, mit breitkrempigem Hut aus weichem Leder, langer schmucker Jacke, die Hose mit Falte und Pfiff, die Krawatte ein breiter Streifen, das große gebauschte Schnupftuch, im feinsten Batisthemd, aus bestem Tuch die Unterhosen, ein Paar glänzende Schnürschuhe von den Fingern baumelnd, die Kniestrümpfe mit flockseidenen Sockenhaltern über die Schulter geworfen – und die schlimmsten Absichten! Ein Ketzer wie der Beelzebub, was hatte der mit seinem Engelsgesicht zu suchen beim Fest des Heiligen, anderthalb Meilen war der gereist, den ganzen Weg vom Strand von Cachaprego und Berlinque, von so vielen, vielen Stränden längs der ganzen Insel? Und dann so adrett, gefällig und hübsch anzusehen, bezaubernd charmant, die Schuhe in der Hand, damit sie unterwegs nicht naß oder schmutzig werden – nach Maß geschusterte Halbstiefel aus der Stadt Bahia, der letzte Schick, für jeden Fuß einzeln angefertigt, keine Flickschusterei. Wer seinen hoheitsvollen Gang und seine fesche Kleidung sah, der konnte ihn für einen mächtig reichen, schwarzen Sklavenhändler halten, der herkam, um seine allerbeste Ware anzubieten, ein Sultan von Ceuta, ein König in großer Mission, ein höheres Wesen aus der Welt von Reichtum und Eleganz. Aber nein, es war Nego Leléu, mit Unschuldsmiene, und plante die Späße, die man von ihm hören wollte, denn auf Geschäftsreise war er, und ein guter Geschäftsmann tut immer, was man von ihm erwartet. Die Späße durfte er nicht verändern, die Kinder verlangten immer die gleichen und ungeduldig wurden sie, wenn er sie nicht einen um den anderen vorführte. Der Kürbisbackenspaß: Wie ein Affe kauernd, die Hände fast über dem Erdboden schlurrend, bläht er die Backen zu einem unmöglichen Umfang auf, drückt die Augen aus ihren Höhlen, schüttelt den Kopf und läßt langsam die Luft heraus, und die Backen flattern wie ein Wimpel im Wind. Der Lachanfallspaß: Er beginnt eine Geschichte in verquerer Sprache zu erzählen, und plötzlich bekommt er einen rasenden Lachanfall – prustend und hustend und sich auf die Brust schlagend und fast erstickend –, er versucht zu seiner Geschichte zurückzukehren, sagt noch ein paar unverständliche Wörter, lacht wieder los, bis er auf der Erde rollt, tränen- und schweißüberströmt. Der Spaß vom alten, uralten Afrikaner: Er packt einen dürren Stock, wirft ein paar Fetzen über, zieht die Lippen über die Zähne, um zahnlos auszusehen, und kann kaum mehr gehen, mauschelt eine erfundene Afrikanersprache und tanzt einen Stolpertanz, bei dem er jeden Augenblick hinzuschlagen droht, doch bevor er den Erdboden berührt, prallt er von etwas Unsichtbarem ab und schnellt wieder senkrecht hoch, als wäre er aus Gummi. Und viele andere Späße, Liedchen und Faxen durchs ganze Haus, sogar Dreistigkeiten nahm er sich heraus, wenn er glaubte, sie sich leisten zu können, nannte Onkel den Baron und Tante die Baronin, die Kinder Vettern und Amleto einen Verwandten von der schwarzen Seite der Familie her, hohoho! Und machte er nicht auch das Pferdchen für sie, hü-hott, ließ sich Sporenhiebe vom kleinen Vasco Miguel verabreichen, lud sich die Kleinste auf den Buckel, pfiff auf der Bambuspfeife, beantwortete dutzende Male dieselben Fragen? Aber das ist harte Arbeit! Alles, was man auf dieser Welt erringt, das erringt man durch Arbeit, und wer schwarz ist, der erringt weniger mit viel mehr Arbeit, drum mußt du ganz viel arbeiten und alle möglichen Arbeiten tun und die ganze Zeit arbeiten und ohne Ablenkung arbeiten und immer Angst haben, jemand nimmt dir das Ergebnis von deiner Arbeit weg. Ob Nego Leléu arbeitet? Und wie er arbeitet, der Nego Leléu! Nego Leléu war laut Testament eines Portugiesen aus Salinas da Margarida freigelassen, aber man wollte ihn nicht freilassen, sie guckten auf das Papier und lasen Lügen vor, die nicht drauf standen. Und tat Nego Leléu, als wenn nichts wäre? Ihr dürft mir's glauben! Er sagte, er wollte gar nicht fort von der Fazenda, denn alles, was er vom Leben wollte, wäre Freund und Diener von Iaiá Iaiazinha, seiner Herrin, zu sein, und wenn sie ihn freiließen, würde er grad dort bleiben – wo sollte er denn hin, du lieber Himmel? Kriegte seinen Freilassungsbrief dann an Weihnachten, bekam auch einen Streifen Land, düngte es gut, pflanzte schönes fettes Gemüse, das gedieh, daß es fast platzte, baute eine Verkaufsbude auf dem Markt, eröffnete einen Gemüsestand, verkaufte und verkaufte, kurbelte allenthalben eine Unmenge von Geschäften an, in Salinas, in Cachoeira, in Maragogipe, in Vera Cruz, in Ponta-das-Baleias, in Nazaré-das-Farinhas, kaufte einen Esel, kaufte einen Karren, verlieh Geld gegen Zinsen, vergrub eine Schachtel mit Silbermünzen an einem bestimmten, nur ihm bekannten Ort. Iaiazinha starb, und da fand man, der Streifen Land wäre zu groß für ihn, man nahm ihm den Acker wieder weg. Ließ Nego Leléu sich entmutigen? Nieundnimmer! Er hatte Geld auf die Seite gelegt, hatte schwarze und braune Frauen aufgetrieben für so manch einen, er hatte manchen Gefallen erwiesen, er hütete Geheimnisse, hatte Geschenke verteilt. Und bildete sich zum Schneidergesellen aus, was sage ich euch! Schneidergeselle, eine sichere Schere, meisterliche Nadel, unfehlbarer Heftstich! Und wie viele Freigelassene, die nicht wußten, wohin, Männer und Frauen ohne Haus noch Herd, der reine Abfall, Straßengesindel, die hatte er aufgenommen, hatte ihnen Unterschlupf und Kost gewährt, und nun arbeiteten sie für ihn? Wenn ihr nicht arbeiten wollt, bitte schön, alle Welt arbeitet, könnt hingehen, wo ihr hergekommen seid. Und so war er denn Besitzer eines Geschäfts geworden, das Uniformen für die Provinzbeamten herstellt, die Neger schnitten zu, die Negerinnen nähten, alle fett und wohlgenährt, fragen Sie irgendeinen von ihnen, ob er fort und auf die Straße zurück will. Wer was will, muß arbeiten, nur so kommt man zu etwas im Leben. Er hat lesen und rechnen gelernt, mein Freund, was glauben Sie denn? Er lernte das ganze ABC in vier oder fünf Tagen, er schlief mit der Lehrerin, die braun und alt und fast taub war, tat sich mit ihr zusammen, kam so zu Behausung, Essen und frischer Wäsche, achtete die Alte stets, erlaubte sich nie Gemeinheiten mit ihr, leistete ihr guten Ehemannsdienst dreimal die Woche, wenn nicht öfters, stellte weitere Negerinnen ein, stellte eine Spitzenklöpplerin ein, ließ Süßigkeiten und Näharbeiten und Stickereien auswärts herstellen, kaufte ein Boot, machte einen Fischladen auf, sparte nach Kräften und vergrub noch mehr Geld im Hinterhof. Die Alte starb, er trug tiefe Trauer, lief betrübter umher als vorgeschrieben, ließ mehr als eine Messe lesen, richtete auf dem Friedhof eine Nische ein, weinte ausgiebig fast einmal täglich ein ganzes Jahr hindurch, schloß die Schule, eröffnete seinen Laden für Konfektionsbekleidung, ließ die Negerinnen und Neger dort arbeiten, alle bekamen gut zu essen, mit Anrecht auf Stoffreste, jeden zweiten Sonntag frei und konnten kündigen, wann sie wollten. Er wurde Freund vom Oberst, der bei ihm Uniformen hübsch billig kauft, um sie schön teuer an die Verwalter weiterzuverkaufen und den Gewinn mit ihm mehr oder minder gerecht

zu teilen, besorgte dem Oberst ein Lustdämchen, besorgte ein sicheres Vögelnest. Machte ein Hurenhaus auf, ernannte eine Madame, richtete alles ein, die Mädchen behandelt er gut, schlägt sie kaum. Ob er Sklaven kauft? Das kommt zu teuer. Und wo hat man schon einen schwarzen Sklavenhalter gesehen und überdies einen armen Schwarzen, einen bescheidenen Schwarzen, der immer auf die Hilfe der Weißen angewiesen ist, dieser Hilfe immer bedarf – hier dieser Anzug, mit ein bißchen Geduld und Spucke hat er sich fast von selbst aus ein paar Stoffresten seiner weißen Beschützer geschneidert – Gott sei Dank gibt es Menschen auf dieser Welt wie meinen Onkel, meine Tante, meine Patin, gesegnet seien sie! Und Sklaven, das kommt zu teuer, alles kommt sehr teuer, und übrigens, abgerissene Schwarze und Braune, die nicht wissen wohin, fallen einem praktisch gratis ins Haus, verstehen Sie?
Und kommt nicht deshalb, immer auf der Suche nach dem einen oder anderen Gehilfen, nach einer Hand hier und einer Hand dort, Nego Leléu mit einem Betbrudergesicht, das man gesehen haben muß, zur Walfängerstation-zum-Guten-Jesus? Nicht vielleicht deshalb, weil er weiß, daß die Senhora Dona Baronin wieder einen Sklaven freizulassen versprochen hat, und weil dieser Sklave vielleicht einen guten Handwerker abgibt und zu Leléu kommen will? Natürlich ist es so. Er kennt ein paar von denen, die in Frage kämen: die Negerin Esmeralda, noch prima für all die vielen, die Fettpolster mögen, auch geeignet als Leckerbissenköchin; die Negerin Constantina, alt, aber noch sehr gut dabei, eine Köchin von allererster Klasse; Neger Lírio, ein kräftiger Tischler; Neger Feliciano mit der abgeschnittenen Zunge, der wäre gut als Puffverwalter und für andere verantwortungsvolle Dienste; die Negerin Martina, Wespentaille, runder Hintern, kleine Brüste – da zahlt jeder gerne was; Bratfisch, so genannt, weil ihm eines Tages ein Kessel kochender Waltran über den Rücken lief, guter Bootsmeister und Fischmeister, obwohl er wegen seiner Narbe einen Arm nicht mehr bewegen kann; die Negerin Inácia, riesengroß, Füße groß, Mund groß, Hüften groß, für alle Arbeiten im Haushalt und auch für den, der massige Negerinnen schätzt; die Negerin Benta, Näherin, Stickerin und Spinnerin. Und so weiter und so fort, klar? Selbst wenn Nego Leléu jetzt niemanden mitnimmt, gute Freundschaften

muß man pflegen, dann und wann muß man erscheinen und seine Dienste anbieten, Komplimente machen, ausgiebig bewundern, danken für das Getane und das nicht Getane, das Gegebene und das nicht Gegebene – das ist alles Arbeit! Und war es etwa keine Arbeit, noch mehr Gebete auswendig zu lernen, Gesänge und Responsorien für den guten heiligen Antonius, um als Vorsänger bei den Dreizehn- und Neuntagegebeten mitzuwirken, und die Gebete zum Einfangen von einem Mann, die er den jungen Frauen beibrachte, dazu all die Wahrsagungen mit ihren schwierigen Versen? Aber klar war das Arbeit, oder etwa nicht? Schon deshalb – wie jetzt Nego Leléu denkt, während er den Sand von den Füßen wischt, bevor er die Schuhe anzieht und heraufsteigt, um sich anzukündigen –, weil er weder an Heilige noch an sonst was glaubt, er glaubt nur an die Arbeit, wer glauben will, der lege sich hin mit offenem Mund und starre in den Himmel und warte auf seinen Heiligen. Kommt der Aasgeier geflogen und – zack! – scheißt ihm von oben in den Mund, so kann man nicht leben. Er räusperte sich, setzte ein anderes Gesicht auf, wischte sich den Schweiß von der Stirn, zupfte seine Kleider zurecht, atmete tief ein, und nun sperrte Nego Leléu, schon ein anderer, den Mund zu einem heiseren Lachen auf und tänzelte den Weg hinauf. O heiliger Sankt Antonius, gepriesen sollst du sein, schenk mir doch einen Ehemann, den zweiten find ich allein – sang er, verdoppelte seine Hüpfer und schaute dabei, ob ihm von der Veranda des Herrenhauses schon jemand bewundernd zusah.

5 Walfängerstation-zum-Guten-Jesus, den 12. Juni 1827

Wale, die großen und die kleinen, aus all den vielen Familien und Arten, die jedes Jahr hier vorüberziehen und gejagt werden, begatten sich nicht wie Fische. Die Fische, so wenig man von ihrem Liebesleben sieht in den stillstehenden Wassern einer Flußmündung, in einer Grotte, in einem Fischteich, in einem Klippenloch, bespritzen sich im Wasser, viele tanzen, einige wenige drängen die Weibchen in einen Winkel, aber sie berühren sich nicht, sie erkennen sich nicht, sie bekommen Junge wie Sandkörner und fressen sie gelegentlich ohne Gemütsbewegung auf. Nicht aber der Wal, der erst einmal singt und pfeift, wenn er sich verliebt, die Wellen hoch- und niedersteigt, als wolle er allein das ganze Meer aufwühlen. Dann kommt ein klagender Ton mitten in seinen Gesang, unaufhörlich läßt er seine Liebesseufzer hören, das ist die allnächtliche Musik dieser Jahreszeit. Aus der Höhe und Ferne sieht man auf der Wasseroberfläche einen Wal aufblitzen, doch dann ist es nicht einer, es sind zwei. Sie kommen so dicht und im Gleichklang daher, daß sie wie ein einziges Tier erscheinen, bis der Wal aus Zappeligkeit und um seine Tatkraft zu beweisen, den an das Weibchen gelehnten Kopf wegzieht, dröhnend mit dem Schwanz schlägt, aus dem Wasser hervorbricht und auffliegt, einen schwebenden See rings um den Rumpf bildet, der jetzt eine Sekunde die Lüfte durchsegelt, sich biegt, um den Sprung noch länger hinzustrecken, und einen tosenden Brecher hochschleudernd an ihre Seite zurückfällt, in die gleiche Lage, in der sie zuvor schwammen und nun wieder weiterschwimmen, und die Sonne spiegelt sich auf ihren bläulichen Häuten. Da ihre Fontänen an kälteren Tagen zu kondensierenden Wasserdampfsäulen werden, die gegen das Licht wie Regenbogenräder wirken, meint das Volk, die Walfischbräute fertigen derart ihre Hochzeitskränze und verkünden so den anderen ihre Vermählung. Und plötzlich singen er und sie gemeinsam, schlagen Kapriolen auf der Gischt, zappeln mit hochgewandtem Bauch, wälzen sich, verschwinden, tauchen erneut auf, verschwinden wieder, schießen, sich wälzend und einander umarmend, in die Tiefe, und dort drunten lieben sie sich so heftig, daß sie nicht mehr an sich halten können. Dicht ihm zugewandt bestaunt die Walin den großen farbigen Pfeiler, der wie ein Maibaum aus seinen Bauchfalten aufragt, die Falten des Weibchens erblühen in pulsierendem Rot, Purpur, Weiß und Violett, und so – ein Meerbeben, das die Wellen aufwühlt, ein Felsbuckel, der mitten in der Bucht auftaucht, ein Wasserkamm, der tausendfach flimmert – brechen sie diesmal gemeinsam aus der Tiefe des Meeres empor, Gesicht an Gesicht geschmiegt und umschlungen, ihre Lieder verwandelt zu Aufschrei und Gelächter und ihre Dampfkränze zitternd von neuen Tropfen.

Und dieses Fest zieht sich manchmal über Tage hin, wenn die Walboote sie nicht verfolgen, und sie schwimmen die ganze lange Inselküste entlang, wie Vevé es froh und neugierig schon so oft erlebt hatte, wonach sie hinterher träumte, Custódio und sie seien zwei Riesenfische, die sich mitten im Ozean den Hof machten. Und sie hätten auch sehr wohl wie diese Fische sein und nackt im Seichtwasser der flachen Sandbänke spielen können, hätten auch ihre Kränze flechten, sich frei im Wasser und außerhalb lieben können in den Nächten, in denen die Wellen stärker phosphoreszieren und, wo sie aufbranden, wie flüssiges Licht sind. Und wenn sie die Wale beim Liebesspiel sah oder den hochgewachsenen, muskulösen Custódio anblickte, seine starken Beine unter der tropfnassen Hose sah, den gewölbten, wohlgeformten Hintern, alle die Rundungen, die sie kannte und nicht kannte, da hatte sie ihren Körper erzittern gefühlt wie die Haut eines fliegenverscheuchenden Pferdes und hatte sich lange Zeit, manchmal die ganze Nacht, wenn sie sich auf ihrer Matte wälzte, ausgemalt, wie sie zu ihm hinschlich, ihn schlafend überraschte und Dinge mit ihm trieb – was für Dinge, wußte sie nicht, doch sie wußte, daß sie mit der Hand über seine Haut und nicht über seine Kleider streichen, daß sie ihn entdecken und enthüllen wollte und daß sie, wenn sie so phantasierte, sich wünschte, er möge nicht gleich bei ihrer Ankunft aufwachen; sie wollte ihn nicht wie ein Standbild, sie wollte ihn warm und voller Leben, sie wollte sehen, ob seine von ihren Fingerspitzen berührte Haut erschauerte, sie wollte aber nicht, daß er sofort aufwachte; sie wollte ihn lieber ein Weilchen genießen, so hilflos und wunderschön wie ein Kind läge er da, sie wollte ihn anschauen und nur mit sich selbst die laue Nähe feiern, die ihren Pulsschlag erhöhte, und wenn er erwachte, würde er sie bereits entspannt und still vorfinden, und sie wußte, daß sie dann feucht zwischen den Beinen sein würde und sie ihm öffnen würde, damit er mit Sanftheit in sie eindringen könnte, denn das würde er, mit behutsam liebender Kraft, mit dem Wunsch, in den Himmel aufzusteigen, der sie beide überwältigen würde, so eins geworden wie die großen Fische, die sich gleichfalls zusammen in den Raum aufschwingen.

Ach ja, dachte sie, ihr Gesicht brannte und keine Feuchtigkeit zwischen den Beinen, sondern trocken war sie, glühend und verwüstet, kein Grund zu Stolz und Befriedigung, sondern zu Schamgefühl, Ekel und Verzweiflung – und nichts, nichts, nichts, denn auf der Welt gab es nur nichts, nichts, nichts, und der Brechreiz, der ihr den Bauch zusammenzog und ihr den von Krämpfen zuckenden Magen bis in die Kehle hochstieß, und der Haß, der ihren Kopf mit blindmachenden Schmerzen dröhnen ließ, und die Gewißheit, daß nichts, nichts, nichts sie je reinigen würde, kein Wasser, kein Blut, kein Sandpapier, über den ganzen Leib geschmirgelt, nichts, überhaupt gar nichts! Was war sie denn? Dies hier, nur dies Ding hier, dieser Sack, dieses Bündel, dieser Putzlumpen, dieser Haufen Dreck und sonst nichts, denn sie konnte nicht einmal weinen, obwohl ihr so sehr danach war. Und sie konnte sich auch nicht regen, noch einen Laut ausstoßen, als sei ihr Hals, den der Baron mit nur einer Hand gepreßt hatte, für immer steif und starr, und wollte kaum die Luft durchlassen, und sie, gelähmt, stumm, ein toter, hart gewordener Fisch. Was nun? Aufstehen, ihren Leib wieder aufrichten, der immer noch so zusammengekrümmt dalag, wie als er sie aufs Bett gestoßen und sich mit den Fetzen abgewischt hatte, in die er ihren weißen Kittel zerrissen hatte, in einer der vielen Stellungen, in die er sie mit Gewalt gedreht und wieder gedreht und wie ein Huhn, das gerupft wird, zur Schau gestellt hatte? Mit der Hand über das von so vielen Ohrfeigen und Stößen geschwollene Gesicht streichen, das mit Speichel vermischte, aus ihrem Zahnfleisch rinnende Blut abwischen, ja, ihre Lippen wieder gerade richten, die sie schlaff herabhängen fühlte – nie mehr derselbe Mund, nichts mehr dasselbe, nichts, nichts! –, was sollte sie tun? Nichts tun, nichts sein, und sie bemerkte, daß sie nicht einmal das leiseste Geräusch hören konnte, keine Blätter im Wind, keine Tierlaute, nicht einmal Menschenstimmen, nichts. Die Augen bewegen, das konnte sie jedoch, und so sah sie die Tür, die er beim Fortgehen nicht hinter sich geschlossen hatte, sah die Heiligenbildchen an der Wand, sah den Tragkorb des Verwalters Almério mit einem Stück schmutziger Wäsche, das unter dem schlecht verschlossenen Deckel hervorhing, den Glasschrank mit den bunten Gläschen und die Nippsachen in den Vitrinen, das halb kippbare, halb seitlich zu öffnende Fenster, die Streifen, die das Sonnenlicht durch die Spalten im Holz sandte, den feinen Staub, der fast kokett auf den schmalen Lichtbalken über dem Fliesenboden schwebte, den durch die Tür wie fahlgelber Dunst hereinwehenden frischen Kokosölgeruch, das Bett mit seiner durchwühlten Strohmatratze, der Steinkrug mit dem Stachelkranz getrockneter Maßliebchen am Fuß des Bildes Unserer-Lieben-Frau-von-der-Zuflucht, den emaillierten Wasserkrug in der weißen, blaugerahmten Waschschüssel, eine Kerze mit schwarzem Docht, die in einem Talgklumpen auf dem Fensterbrett stand, einen zweispundigen Trinkwasserkrug mit gemalten Reliefarabesken, ein Lämpchen, das fast von seinem Haken fiel, mit einem im Öl am Fuß des Dochts ertrunkenen Käferchen, das fast gänzlich mit Staub und dürrem Laub bedeckte Glasdach dort droben, die zu Boden gefallene, schmutzige Lederpeitsche, den Nachttopf, in den der Baron, zu ihr gewandt, vor dem Fortgehen stehend hineingepißt hatte, den hölzernen Kleiderhaken mit zwei übereinandergestülpten Hüten, alles viel zu reglos, viel zu lastend, viel zu still. Alles vollkommen gleichgültig wie die Welt, über deren Existenz sie sich jetzt nicht sicher war, zumindest nicht in der bisherigen Form, oder vielleicht hatte sie nie existiert. Ganz kurz kam ihr ein Gedanke, an den sie sich gleich darauf wie an etwas Vergangenes erinnerte, der Gedanke nämlich, daß all das ein Albtraum gewesen war, ähnlich einem der vielen schon erlebten, einer jener Albträume, aus denen man schweißgebadet und angstvoll erwacht, dem Himmel dankend, daß es nur ein Traum gewesen ist. Sich regen, von neuem sich zu bewegen und zu gehen versuchen? Wozu, wie und was? Und ganz langsam wurde sie sich bewußt, daß sie sich mit den Fingern über den Mund fuhr, daß die andere Hand sich hob und das wirr um den Hals hängende Haar faßte, daß ihre Knie sich zueinander bogen, und sie hörte die Geräusche, die ihre Bewegungen auf dem Bett verursachten. Alle Laute kehrten wieder, und das Matratzenstroh dröhnte fast, als ihre Beine sich rührten, der Brechreiz zog ihr von neuem den Magen zusammen, der widerliche Geruch des halbverfaulten und verschimmelten Strohs durchdrang die Kammer, ihr ganzer Körper verkrampfte sich, mit ausgestreckten Armen, gespanntem Rücken, unaufhörlich zitterndem Kopf erbrach sie, ihre Gedärme, ihre Blase gaben nach, und sie saß in all dem, was aus ihr geflossen war, und sie wünschte, es wäre noch mehr und sie wäre nichts, nichts, nichts, und brach endlich in Tränen aus. Lange weinte sie in dieser Stellung, weinte aus vielen Gründen, manchmal über alles zusammen, manchmal über eins nach dem andern, sie war wütend, daß sie Mitleid mit sich empfand, besonders war sie wütend, daß sie Scham empfand, warum sollte sie denn Scham empfinden, wenn sie nichts getan hatte? Doch ihr Schamgefühl wurde immer stärker und ihre Wut über dieses Schamgefühl, von dem sie wußte, daß es nicht ihres sein konnte, und doch war es das, ja, das war es, das war es doch! Denn auch das Schamgefühl, das seines hätte sein müssen, hatte er ihr eingeflößt, für ihn war es ein Triumph gewesen, erhobenen Hauptes war er aus dem Zimmer stolziert; sogar unter den Negern würden sich, wenn sie die Sache erführen, welche finden, die sie verlachen und schmähen würden, und es überkam sie ein so starkes Schamgefühl, daß sie das Nachdenken kaum mehr ertragen konnte. Schmutzig, ganz schmutzig, schmutzig in jeder Hinsicht, schmerzend, so schmerzend, daß sie sich selbst umarmte, allein, so allein, so rettungslos allein, ganz benommen. Erst hatte ihre Haut gekribbelt, sie bekam eine Gänsehaut und glaubte, ihr ganzer Körper juckte und juckte überall und sie würde ohnmächtig, doch sie schlief nur ein. Und ohne nachzudenken oder zu bemerken, was sie tat, stand sie auf, begann die Kammer aufzuräumen, legte Leintuch und Decke zu einem Bündel zusammen, brachte die Matratze auf der Pritsche in Ordnung, riß ein Stück von ihrem Rock ab, um sich damit zu säubern, verschnürte das Bündel, packte es mit einer Hand und verdeckte das Loch im Kittel, aus dem eine Brust hervorschaute, blickte umher, stieß die Tür mit einer Schulter auf und trat hinaus.

Am Ende des Gangs, in Stiefeln, Sporen und Lederwams, erschien der Verwalter Almério wie ein Schatten gegen das Licht.

Er blieb stehen, kam auf sie zu, die dem Klirren und Funkeln der Sporen mit ihrem gesenkten Blick folgte. Er blieb unmittelbar vor ihr stehen.

»Ist er fertig damit?« fragte er, ein schiefes Lächeln verbog seinen Schnurrbart.

Sie antwortete nicht, versuchte, sich an ihm vorbeizudrücken, doch der Verwalter hielt sie am Kragen fest.

»Laß das, bockige Negermädchen kann ich nicht leiden! Ist er fertig damit?«

»Ich trage Ihre Bettwäsche zum Waschen, ich wasche sie, bügle sie und bringe sie Ihnen dann zurück.«

Er ließ sie nicht los, packte sie noch fester am Kittelkragen und begann mit ihr zu reden, so als parodiere er einen väterlichen Tonfall, den Blick auf ihre Augen geheftet.

»Schau, ich habe immer zu allen Negern gesagt, zu allen kleinen Negerinnen wie dir, das einzige, was man lernen muß, ist Gehorsam. Ich mag euch alle, ich behandle euch alle gut, aber Gehorsam geht über alles. Das hast du doch schon aus meinem Mund gehört, oder nicht?«

Weil sie stumm blieb und den Kopf senken wollte, drückte er ihr das Kinn nach oben.

»Also? Du hast das doch schon aus meinem Mund gehört, oder?«

»Ja.«

»Also, ha also! Und nun? Ist er fertig damit? Nun? Ist er? Ist er fertig damit?«

»Ja.«

»Aha, sehr gut. Alles gut gelaufen? Los, antworte! Alles gut gelaufen?«

»Ja.«

Er musterte sie vom Kopf bis zu den Füßen, sein Blick blieb auf ihrer zerrissenen Wäsche haften, musterte die Schwellungen in ihrem Gesicht.

»Ja, in Ordnung«, sagte er schließlich. »So ist es eben, diese Dinge sind so, da gibt's nichts zu flennen. Es gibt nichts, was ein paar Kompressen nicht kurieren könnten«, fügte er hinzu, trat zur Seite und gab ihr einen Klaps auf den Hintern.

Ein blitzblank reiner Tag, dieser Dienstag, der Vorabend des Sankt-Antonius-Festes, dieser Dienstag, an dem Perilo Ambrósio die Negerin Daê, eher bekannt als Venância, vergewaltigte. Wirklich reingewaschen, denn es hatte bis in den frühen Morgen geregnet, schwerer Regen, ein Guß wie die sommerlichen Wolkenbrüche, keiner dieser eisigen Sprühregen, die nie aufhören wollen und die Leute im Juni und Juli bis auf die Knochen durchnässen, häufig noch im August andauern, ungezählte Male auch bis in den September hineinreichen, wobei ja die ersten Regengüsse vom April an fallen, Tausende von Regenfällen. Und diese Insel, das sagten schon die Urväter, ist wahrhaftig der Pißpott des Himmels, ein Ort, den die Wolken sich gerne aussuchen, um sich darüber zusammenzuballen, bevor sie weiterziehen. Seit Montag gegen elf Uhr nachts prasselte ein Platzregen nieder, prasselte ein zweiter, prasselte noch einer, Regen, wie er im Buch steht, einer, der Überschwemmungen verursacht, einer, der einen so gemeinen, feuchten Erdgeruch aufsteigen läßt, daß viele Leute regelrecht verwirrt sind, daß die Lehmesser es nicht mehr aushalten und die Zähne sogar in feuchte Dachziegel und Topfscherben schlagen. Doch dann klart es jäh auf, der Himmel erscheint in zartestem Blau, die Sonne erwärmt sich, ohne ganz so heiß zu werden wie im Februar, und der Tag bricht so blitzblank und reingewaschen an, wie jedermann ihn kennt, Erde und Sand vom Regen festgeklopft, das Blattwerk schimmernd, die Luft ätherklar, allerlei Neues in jedem Winkel, ein großes Tiergewimmel und eine gewisse, unerklärliche Fröhlichkeit und der Glaube, daß, so reingewaschen, so leuchtend, das Weltall nicht gleichgültig, sondern gnädig ist. Ein emporgewandtes Gesicht, eine aufwärts gerichtete Nase, ein zuversichtliches Kinn – Nuancen nur, und doch leicht zu bemerken, zum Beispiel in der Physiognomie der Frau Baronin, wenn sie auf zwei langen Bänken auf der Veranda des Herrenhauses eine etwas nervöse Gruppe von Schwarzen Platz nehmen heißt, um sie über das ihrem heiligen Schutzpatron Antonius gemachte Gelübde zu unterrichten. Man hatte ihr den Tragsessel mit Samtkissen gebracht, man hatte den Thron aus Mirueira-Holz gebracht, mit seinen majestätischen Ausmaßen, den zwei Stufen und der von einem feingeschnitzten Löwen gekrönten Lehne, man hatte die französische Ottomane gebracht, doch sie blieb lieber stehen, denn neben den üppigen

Gebärden, mit denen sie ihre Worte unterstrich, mußte sie auch auf und ab gehen, um ausdrucksvolle Pausen und Kehrtwendungen zu machen. Sie hatte ihre Juwelen angelegt – nicht viele, nur ein paar, denn sie wußte, wie eine Baronin vor ihren Negern erscheinen muß, wenngleich sie dem Diadem nicht hatte widerstehen können, ein übrigens bescheidenes Stückchen, das so gut zum Kopfputz einer Adeligen paßte, für diese Neger eine Prinzessin, eine Königin, warum nicht? Sie hatte ein Fläschchen Parfum unter ihrem Dekolleté versprüht, hatte ihren mit Gold- und Silberborten bestickten Damastschal umgelegt, hatte befohlen, das Schreibtischchen mit dem Elfenbeintintenfaß und der goldenen, eine Gänsefeder nachahmenden Feder solle aufgestellt werden, hatte den Kindern ausrichten lassen, sie sollten aufhören, auf ihrer Spieldose zu dudeln – da der Baron nur Walzen mit leichter Musik gekauft hatte, und am Vorabend des Sankt-Antonius-Festes hört man keine leichte Musik –, sie hatte lange Zeit in Schweigen vor ihrer Hörerschaft von schwarzen Männern und Frauen verweilt, die gefalteten Hände wie beim Beten am Mund, sie hatte in dieser Haltung mehrmals den Vorbau durchquert. Die Negerin Esmeralda, ganz in Weiß und nach frischer Stärke riechend, folgte den Bewegungen der Frau Baronin gebannt, riß die Augen weit auf und machte alle Augenblicke eine beifällige Gebärde. Nego Bratfisch mit dem infolge seiner Narbe etwas krummen Rumpf konnte nicht aufhören, auf seinem Zahnfleisch zu kauen, und blickte nervös nach allen Seiten, aus Furcht, man könne ihn zurechtweisen. Nego Lírio saß da mit um den Stock verschränkten Armen, die weißen Stoppeln seines Dreitagebartes wirkten in seinem glatten Gesicht wie aufgeklebt. Die Negerin Inácia hatte ihren Rosenkranz mitgebracht, mit stumm sich bewegenden Lippen täuschte sie Beten vor und klimperte die Rosenkranzperlen herunter mit Fingern, so groß wie das Gesicht des Nego Jeba, der leicht zitterte und sich wie Zuflucht suchend an sie gelehnt hatte. Nego Leléu, den Hut sorgsam gegen den Bauch gepreßt, setzte sich nicht zu den anderen, sondern blieb an einem der Pfeiler an der letzten Treppenstufe stehen, die Hand auf der großen, steinernen Schmuckvase, doch bemüht, sich nirgends anzulehnen, weil die Frau Baronin jeden zurechtwies, der sich im Stehen auf irgendeinen Gegenstand stützte, dergleichen zeugte von angeborener Indolenz, die sie nicht zulassen konnte und die sie ihrer Erklärung zufolge mit tiefer Scham erfüllte. Er brauchte sich nicht neben die anderen hinzusetzen, er war kein Hausneger, war ein urkundlich freigelassener Mann, er stand hier als Freund der Familie, der beifällig nickte, wenn die Frau Baronin ihn nach dem einen oder anderen Satz anblickte, hatte er doch bereits zwei- oder dreimal solchen Feierlichkeiten beigewohnt und wußte, wie er aufzutreten hatte, bis hin zum präzisen Gesichtsausdruck – gerunzelte Brauen, Blick ins Unendliche gerichtet, nach unten gezogene Lippen, ein gelegentliches Wechseln des Standbeins –, das hatte er durch Beobachtungen, wie die Weißen bedeutenden Reden lauschten, gelernt. Und während er darauf wartete, daß die Frau Baronin zu sprechen begann, nutzte er die Zeit, um die anwesenden Neger abzuschätzen, er fühlte gelinden Unmut, fand ihre Anzahl zu klein, nur wenige ließ er gelten – Nego Jeba, zum Beispiel, würde er nicht nehmen, nicht einmal geschenkt.

Auf der Ottomane hinter dem Tischchen, die Fußknöchel unter dem weiten Skapulier verschränkt, begann Bruder Hilário mit den Beinen hin und her zu zappeln und blickte zu Teolina hinüber, die überaus züchtig mit gesenktem Blick am anderen Ende der Veranda saß. Die Frau Baronin tat die Hände auseinander, straffte den Hals wie jemand, der einen Gedankengang beendet hat, schritt zum Tischchen, schlug in gemessenem Takt darauf und musterte die Gruppe.

»Sind alle aus dem kleinen Sklavenhaus hier, wie ich befohlen habe?« fragte sie und lächelte nur mit dem Mund.

Die Gruppe geriet in zapplige Unruhe, Nego Leléu trat auf den anderen Fuß. Die Frau Baronin blickte zu Teolina und seufzte.

»Warum, meine liebe Freundin, begegnet uns auf jede Frage, die wir an diese Leute stellen, jede Frage, die nicht die Pflichten der Küche und Wirtschaft betrifft, die einfachen Aufgaben, die sie schlecht erfüllen, warum dieses ... dieses Zappeln, dieses Sichwinden, als wären ihre Zungen gebunden? Flöße ich ihnen etwa Angst ein? Ach, nur wenige von ihnen wissen, was auf dieser Welt wirklich angst machen sollte, nur wenige wissen es! Aber hat man so was schon gesehen? Sie gleichen alle einem Hund, der was ausgefressen hat!«

»Alle aus der kleinen Sklavenhütte sind hier, ich habe sie ge-

zählt«, sagte Teolina. »Nur eine fehlt, Venância. Man hat mir gesagt, es geht ihr sehr schlecht.«
»So, es geht ihr schlecht? Es muß ihr wirklich sehr schlecht gehen, daß sie dem Ruf ihrer Herrin nicht folgt!«
Wieder rührten sich die Schwarzen, Nego Jeba schmiegte sich dicht an Inácia. Die Frau Baronin drehte sich auf dem Absatz herum, streckte den Arm in seine Richtung aus.
»Du!« sagte sie gebieterisch. »Du, sag mir, was ist das für ein Übel, an dem das Negermädchen Venância leidet.«
»Hm!« machte Nego Jeba, die Lippen weit vorschiebend, fast, als wollte er weinen. »Hm!«
»Los, sprich, dir hat man doch nicht die Zunge abgeschnitten, wie?«
Nego Jeba blickte Feliciano an, er wirkte noch kleiner, als er schon war.
»Nein, Iaiá, nein, Senhora, Iaiá.«
»Also?«
»Ich weiß nicht recht, ein Übel hat sie befallen. Ein Übel, einfach so.«
Die Baronin forschte mit dem Blick in den anderen Gesichtern.
»Ja, aber was für ein Übel ist das?«
»Es war ein großes Übel, das über sie gekommen ist«, erläuterte Esmeralda. »Ein großes Übel! Darf ich reden?«
Die Frau Baronin seufzte abermals.
»Dann rede ich. Ich glaube, es ist ... ich glaube, sie hat die Unpäßlichkeit.«
Die anderen Neger wurden unruhig, die Frau Baronin spürte, wie sie rot geworden war, Teolina senkte von neuem das Gesicht.
»Aber ...«, sagte die Frau Baronin etwas ratlos.
»Meine Frau Patin, wenn Sie gestatten?« fragte Nego Leléu, seinen Hut mit beiden Händen festhaltend und einen halben Schritt nach vorne tretend. »Sie ist nicht so, wie Esmeralda gesagt hat. Ich hab sie gesehen, sie ist krank, sie hat eine Kolik, eine Blutung, ein Übel hat sie befallen, aber es geht vorüber. Sie hat einen Tee getrunken, hat ein Zunzo-Kräuterbad genommen, hat Kompressen aufgelegt, ihr Fieber ist fast vorüber, es ist ihr nur noch schwindelig.«

»Ich kenne diese Art Schwindelanfälle«, spottete die Frau Baronin. »Diesen Leuten ist nicht zu helfen. Schön, schlimm genug für sie. Da sie nun einmal nicht hier ist, verpaßt sie nicht nur die Gelegenheit, sich ein wenig zu erbauen, sondern ganz gewiß auch die, berücksichtigt zu werden, denn noch habe ich nichts beschlossen, und wäre ein Gelübde nicht ein heiliger und unverletzlicher Akt, ich hätte schon lange diesen Einfall aufgegeben, der mir nur Verdruß und Kopfschmerzen bereitet hat.«
Gut denn, doch jetzt war es an der Zeit, jene Frage zu entscheiden, die ihre Frömmigkeit und ihre Liebe zu guten Werken ihr auferlegten, so schwer sie ihr auch fielen. Was für stumpfsinnige Gesichter, mein Gott im Himmel, was für häßliche Gesichtszüge, sie sitzen da wie Brüllaffen auf ihren Baumästen. Die Frau Baronin ließ erkennen, wie resigniert sie war, sie sinnierte ein Weilchen und schritt vor der Gruppe auf und ab. Wer von euch kann mir sagen, welches die drei Gestalten der Allerheiligsten Dreifaltigkeit sind? Los, das habe ich doch Senhora Dona Teolina euch alle zu wiederholten Malen lehren hören, sie hat es aus dem Gebetbuch mit wünschenswerter Klarheit vorgelesen, drei sind es, das ist doch nun wirklich einfach. Du, Inácia, wieso betest du mit solcher Inbrunst, weißt du die Antwort? Die Jungfrau Maria? Die heilige Muttergottes, Gestalt der Allerheiligsten Dreifaltigkeit? Aber wo sind wir denn hier, so viel Unwissenheit schreit zum Himmel, so viele vernagelte Köpfe! Und so viel Faulheit! Immerhin übersteigt die große Wahrheit der heiligen Mutter Kirche keinesfalls den Verstand von Negern und Buschwilden! Weiß denn der Neger Leovigildo, der dort sitzt, nicht die Antwort?
»Vater, Sohn und Heiliger Geist«, sagte Leléu und bekreuzigte sich mit aufwärts gewandten Augen.
Vater, Sohn und Heiliger Geist! Die Frau Baronin preßte die Hände in den Schoß, rief in Schweigen die Heiligen um Entsagung und Geduld an. Alle Neger waren im heiligen Läuterungswasser gebadet worden, wie die Tradition des Hauses es gebot, aber waren sie mehr als getaufte Tiere? Wie heute das Offizium der Vigilie zelebrieren, den jährlichen Bittsegen empfangen, so ehrwürdige und hohe Liturgien unter Beteiligung eines so ahnungslosen Volkes durchführen? Welche Schande machten sie ihr, wie mußte sie sich ihretwegen schämen! Also gut, was ist die

Taufe, was ist das heilige Sakrament der Taufe? Ist es nur das Weihwasser, sind es nur die heiligen Öle? Aber natürlich ist es auch das Salz, aber natürlich habe ich nicht danach gefragt! Was ist die Taufe, muß man denn alles unentwegt erklären, alles wieder und wieder und noch einmal, bis zum Tag des Jüngsten Gerichts? Was ist die Erbsünde? Was die Beichte? Das Sakrament der Firmung, die Hostie, die Eucharistie? Die Exkommunikation? Nichts, nichts, nichts? Wer weiß wenigstens die Worte des Ave-Maria? Bruder Hilário, gütiger und erleuchteter Knecht Gottes, wie, frage ich, die Nacht dieser durch Unwissenheit und mangelndes Verständnis fast verlorenen Seelen erleuchten? Wie Nächstenliebe üben, ohne daß der, welcher sie empfängt, die unendliche Güte Gottes preisen kann? Würden die heiligen Kirchenlehrer ein solches Verhalten nicht mißbilligen?
Bruder Hilário erhob sich und stand eine Weile mit gesenktem Kopf da, ohne zu sprechen, das Licht reflektierte auf seiner Tonsur. Teolina gab den Negern ein Zeichen, sie möchten es ihr nachtun, erhob sich gleichfalls, drückte das Gebetbuch mit seinen blauen Lesezeichen an die Brust, wartete, daß der Frater begänne, und bekreuzigte sich bedächtig. Der Frater sagte, die Frau Baronin würde ganz zu Recht den Wunsch hegen, die Geister dieses einfachen Volkes zu erhellen, doch für alles auf dieser Welt gebe es eine Grenze, sogar für die Kraft und die Reichweite der guten Werke. Drum gezieme es dem guten Christen, entsagend die Last zu tragen, die ihm der Umgang mit einem derart ungebildeten Volk von so dürftiger Menschlichkeit auferlegt. Nein, Frau Baronin von Pirapuama, die heiligen Kirchenlehrer würden nicht widersprechen, eher würden sie Ihre Mutlosigkeit begreifen, Ihre Enttäuschung und Ihren Unmut, doch gleichermaßen würden sie Ihre Verdienste hervorheben, welche unter den Scheffel zu stellen Ihre Bescheidenheit bemüht ist, welche der Ruhm aber durch alle Lande verbreitet. Und sie, die hier Versammelten, mögen ihre Gedanken dem Herrn zuwenden. Sie mögen in aufrichtiger Gewissensprüfung zu ergründen suchen, ob nicht ihre Sünden und Vergehen sie wenig würdig erwiesen für die Gnade, die ihnen aus der mildtätigen Hand der Frau Baronin zukommen sollte. Er wolle ihnen noch einmal die Legende vom heiligen Negrinho erzählen – der Herrgott, Jesus in seiner Güte konnte selbst aus Negern Heilige machen, für Ihn

war nichts unmöglich –, jenem Sklaven levantinischer Christen, der viele Male die Gnade der Freilassung zurückgewiesen hatte, die ihm sein Herr erwies, weil er ihrer nicht würdig zu sein glaubte. Sie möchten doch dieses Vorbild wohl bedenken, möchten die Bemühungen und die Hingabe ihrer Herrin erkennen, die nun bereit sei, einen von ihnen freizulassen, obwohl sie darauf kein Anrecht hätten, zumal angesichts der von ihnen zur Schau gestellten, geringen Frömmigkeit.

Die Augen der Frau Baronin und von Teolina trübten sich unter so vielen Tränen, die von der leidenschaftlichen Stimme des Fraters aufgerufenen Bilder verwirrten sie derart und entrückten sie in so ferne Höhen, daß sie beide nicht sahen, wie das Negerkerlchen Nicodemo Nego Leléu am Ärmel zupfte und ihm eine Botschaft des Herrn Baron zuflüsterte. Leléu zögerte eine Weile – und wenn es der Frau Baronin nicht paßte? Doch statt zu beharren, machte Nicodemo kehrt, zog eine Schnute und lief zurück, wie er gekommen war. Lausiger, durchtriebener, schamloser kleiner Neger, das hieß also, sofern Leléu nicht sofort losging, würde er was erleben, und wie! Er rannte hinter Nicodemo die Treppe hinunter und zog ihn am Hosenboden. Was war mit dem Herrn Baron, warum ließ er ihn so hastig rufen? Psst! Nicodemo wußte es nicht und wollte es auch nicht wissen, er kannte nur die Nachricht. Leléu trat ihm mit dem Fuß leicht gegen die Hinterbacken, hob die Hand, um ihn ins Gesicht zu schlagen. Nicodemo wollte sich losreißen, wehrte sich, Leléu versetzte ihm noch einen Fußtritt in den Hintern. Versuch nicht, mich reinzulegen, raus mit der Sprache! Schön, der Baron war heute in der Tat ein bißchen unbeherrscht, ein bißchen aufgebracht, blieb keine Minute still, fuhr sich ständig mit der Hand durchs Haar, trommelte auf die Möbel und auf die Beine, kaute an seinen Fingernägeln, spielte sich ziemlich auf. Und dann hatte er gefragt: Ist Nego Leléu gekommen? Und als man ihm sagte, ja, machte er Psst! zu ihm, Nicodemo, der gerade vorbeiging und einen großen Korb mit zwei Büscheln Dendê-Nüssen auf dem Kopf trug, jedes Büschel riesig, schwer genug, daß es ihn in den weichen Regenschlamm drückte, verstehst du, er machte also Psst! und sagte: Laß den Scheißdreck da stehen, stell ihn auf den Boden, los! Und befahl: Lauf ums Haus rum, renn auf die Küchenveranda, hol mir den Nego Leléu, sag diesem Schwindler, ich muß mit ihm sprechen, ruf mir diesen ordinären Neger, sag, ich befehle es. Leléu runzelte die Stirn, verpaßte dem Kleinen eine Kopfnuß, bloß weil er die Worte des Barons so genüßlich wiederholt hatte, entließ ihn mit einem Puff. Was hatte das zu bedeuten? Der Baron war also aufgebracht, war mit den Nerven herunter? Leléu blieb fast stehen, machte zwei oder drei ganz langsame Schritte und wagte ein vorsichtiges Lächeln. Na was wohl, ist doch klar, mehr als klar, sonnenklar! Das schwarze Mädchen Daê, die Negerin Venância, Dadinhas Enkelin, der's heute gar nicht gutging, die halb tot in der großen Sklavenhütte lag, halb verblutet, ziemlich zittrig am ganzen Leib, weil der Herr Baron Perilo Ambrósio bei ihr gewesen war! Dieses schwarze Mädchen, das nicht auf der Küchenveranda saß, das sich Kompressen auflegte, hatte Anfälle verschiedenster Arten, einen Heulanfall, Fieberanfall, Zitteranfall, doch das geht vorüber, geht bestimmt vorüber! Leléu beschleunigte wieder seinen Schritt, mußte sich beherrschen, um nicht loszuhüpfen, fuhr sich mit der Hand über den Mund, um das Lächeln fortzuwischen, schlug mit den Flügeln wie ein Hahn und marschierte auf das Kabinett des Barons los.

»Hast du die Negerin gesehen?« fragte der Baron, sobald der andere eingetreten war und kaum Zeit gefunden hatte, seinen Hut zu ziehen.

»Die Negerin Vevé, Ioiô, die in der kleinen Sklavenhütte war und heute in der großen Sklavenhütte ist?«

»Von welcher Elendsnegerin werde ich wohl sonst reden? Du weißt sehr wohl, was passiert ist, komm mir nicht mit deinen Hanswurstereien, dazu fehlt mir die Geduld. Sag mir, hat die Frau Baronin schon den Freizulassenden ausgewählt?«

»Nein, Ioiô, Bruder Pater Hilário spricht noch, er hat noch nicht mal mit der Beterei begonnen.«

»Du nimmst also diese Negerin mit, wie?«

»Aber Iaiá Baronin hat doch gesagt ...«

»Ich habe dich nicht gefragt, was die Frau Baronin gesagt hat, ich habe dich gefragt, ob du diese Negerin mitnimmst.«

»Ja, natürlich, ja, gleich nehme ich sie mit!«

»Für alles übrige sorge ich. Geh, lauf zu, ruf mir Almério, sag ihm, er soll kommen, und zwar plötzlich.«

Und als Antônia Vitória, wie zu erwarten war, fast zur Mittagessenszeit ins Kabinett hereinplatzte, händeringend in ihrer Marterpein, mit geröteter Nase, geschwollenen Augen und Schluchzstimme, Teolina, das Gebetbuch umklammernd, zwei Schritte hinter ihr, beschloß Perilo Ambrósio, rasch begreifend, daß alles geregelt war, diesmal nicht die alljährliche Litanei anzuhören. Er glaubte, seinen Drang loszubrüllen beherrschen zu können, er würde sich dazu herablassen, seine Gründe kurz zu erläutern, doch für mehr würde er keine Geduld aufbringen. Antônia Vitória begann ihr Lamento – »ich weiß, man wird sagen, es kommt von der Schwachheit und Unentschlossenheit der Töchter Evas, diese ...« –, doch er hob die Hand mit der ganzen Ruhe, die er aufzubringen vermochte, damit sie verstumme und höre, was er zu sagen hatte. Er wisse sehr gut um die Mühen und Sorgen, die ihr die Ausübung von so viel Nächstenliebe auflud, um die Leiden, die sie durchmache mit der Qual der Wahl, unter Negern, die alle solche Fürsorge nicht verdienten, einen auszusuchen, dem sie die Freiheit schenke, womit sie sich auch nur Unannehmlichkeiten einhandle, und nicht die Genugtuung über eine gute Tat. Drum habe er für sie die Wahl getroffen, die teilweise, das erkenne er an, diktiert sei von praktischen Geboten: die Finanzlage seiner Unternehmungen stehe nicht zum besten, die Zeiten seien schwierig. Daher sehe er nichts Unrechtes und auch keinen Widerspruch zu dem ihrem Schutzpatron gemachten Gelübde, den Freibrief einer jungen, aber schwächlichen Negerin zu gewähren, die bereits an Fieber, Brechreiz und Schwächeanfällen leide und die, man konnte nie wissen, ihre Krankheit vielleicht auf andere Neger übertragen und dadurch unabsehbare Verluste anrichten würde. Sie möge sich beruhigen, möge zu ihren häuslichen, heute besonders dringlichen Angelegenheiten zurückkehren, sie möge nicht mehr weinen noch bekümmert sein, er habe bereits alles für sie entschieden. Er würde die Negerin Venância freilassen, der Neger Leovigildo werde sie mitnehmen und ihr eine Beschäftigung und eine Bleibe beschaffen, all das werde er persönlich mit ihm ausmachen, er würde ihr mit etwas Geld aushelfen, alles sei geregelt und vorbereitet, er hoffe, der Braten käme heute nicht so schlecht zubereitet auf den Tisch wie bei dem vergangenen Mittagessen. Antônia Vitória antwortete nicht, obwohl sie den Mund bereits geöffnet hatte. Sie schien auf ihn zugehen zu wollen, verzichtete noch vor dem ersten

Schritt darauf, deutete ein tränenreiches, halbherziges Lächeln an, beschrieb eine Art altmodischen Knicks, ihre rechte Hand zupfte knapp am Besatz ihres Rocks, um ihn etwas zu lüpfen, sie warf den Kopf nach hinten in nicht ganz überzeugendem Stolz und verließ den Raum, vielleicht etwas zu langsam. Perilo Ambrósio, genau gegenüber der Flurtür, blickte den beiden Frauen nach. Alles verlief viel glimpflicher, als er gedacht hatte, ein bißchen Standhaftigkeit hatte genügt. Er ging bis zur anderen Tür, machte zwei Schritte nach draußen, nahm befriedigt wahr, wie klar der Tag war, wie hell, wie reingewaschen, und wie ein Tag wie dieser den Menschen doch ein so tiefes Gefühl des Friedens schenken kann.

Tuntum-Lichtung, den 14. Juni 1827

Jemand, der es nicht wußte, jemand von außerhalb, mochte meinen, sie seien dieselben. Sie waren es aber nicht. Und zwar nicht wegen des fahlen Lichts der Strohfackeln, die irrende Schatten auf Gesichter und Büsche warfen, nicht wegen der schementanzenden Nacht um sie her, nicht wegen der Kleider. Im Gegenteil, die Kleider waren dieselben, die sie beim Fest des heiligen Antonius getragen hatten, um den Besuchern und dem aus den Nachbardörfern herbeigeeilten Volk Tänze der Schwarzen vorzuführen. Auch von anderen Orten waren dazu Schwarze gekommen, um an den Tänzen und Schaukämpfen teilzunehmen, Tänzer und Musiker, bekannt im ganzen Recôncavo und in vielen anderen Teilen von Bahia, durch die sie gereist waren oder wo man sie vom Hörensagen kannte – Nego Nofre-mit-der-Schalmei, Nego Júlio Samongo-mit-der-Wirbeltrommel-und-der-zweiköpfigen-Klapper, Nego Lálio-mit-der-Kaffernhandtrommel-und-der-Schlachtenmaultrommel, Nego Miruca-mit-dem-eckigen-und-dem-runden-Tamburin, der kleinen Gitarre, der großen Gitarre, dem Horn und den Kastagnetten, die jungen Tänzerinnen aus Guinea mit ihren auf einer Seite hochgerafften Röcken, damit man ihre von Bändchen und Duftkräuterzöpfchen umwundenen Knöchel sehen konnte, sogar viele, die Prügel bezogen hatten, weil sie bei ihren Zeremonien heimlich Trommeltänze und Paukenfelltänze aufgeführt hatten und sogar

Nego Leléu, buntscheckig von gelber und roter Tonerde, mit gepudertem Haar und Hemdrock mit farbenfrohen Schlitzärmeln. Doch der Domherr wollte keiner dieser Darbietungen beiwohnen, weil das Dröhnen der Trommeln, Pauken, Glöckchen und Rasseln ihm Kopfschmerzen verursachte, und er fragte, wie man ein derartiges Getöse, ein derart betäubendes Höllenspektakel überhaupt aushalten könne, und das nach den lichten Höhen, zu denen das Harmonium in der Kapelle sie emporgeführt hatte. Er verabschiedete sich von seinem Gefolge mit einem knappen, fast abwehrenden Winken, und bestieg seine Sänfte, um zum Herrenhaus zurückgebracht zu werden. Perilo Ambrósio, dem das Ganze gleichfalls lästig war, war froh, in die Kühle der Veranden zurückkehren zu können, fernab vom lärmenden Trubel und Geruch der Schwarzen, fern von dem Unbehagen, das ihm diese Töne bereiteten, diese Farben, diese Körperbewegungen. Viele aus der Besuchergruppe jedoch beschlossen zu bleiben, zwischen Schüsseln voll Maisbrei, Maiskorn in Kokosmilch mit Zimt, Tabletts mit Maiskuchenscheiben, Reiskuchen, Maisbällchen in Bananenblättern, gekochtem Mais und Süßigkeiten aus Milch und Eiern, trockenen Kuchenschnitten, Sandkuchenschnitten, Klößchen und Brei aus Maniokfeinmehl, aus Mais und Tapioca, Steingutschüsseln mit gekochten Erdnüssen, Erdnußkrokant, Karamelbonbons, Sirup, Maismehlnapfkuchen, Chico-Felipe-Kuchen und Maisküchlein mit zu dicker Kruste und vielem anderen, was die Frau Baronin hatte zubereiten lassen, damit das Volk am Tag ihres Festes nach Herzenslust schmausen könne. Und weil sie ein insgeheimes, tiefes Vergnügen verspürte beim Betrachten der Menschenmenge, der Männer, Frauen, Kinder, der alten Leute, Mischlinge, Neger, Beamten, Arbeiter, all jener Leute, für die sie die Frau Baronin war und die sich aus den großen Kesseln mit Mehlbrei, an den Bergen aus Kuskus gütlich taten, die wie berauscht wurden vom vielen Essen, die in den Backentaschen, den Händen, den Hüten und Kleidertaschen Essen mitnahmen – ein so großes Vergnügen, daß sie manchmal unkontrolliert und fast haltlos in Lachen ausbrach –, weil sie dieses Vergnügen vorausgeahnt hatte, widerstrebte es ihr, ihren Mann zu begleiten. Dennoch konnte sie nicht umhin, ihm zu folgen, und so erlebte sie die Szene nicht mehr, als die Neger nun am äußersten Ende des Platzes einen

Kreis bildeten, halb versteckt von der sie umgebenden Menge und den Mauleseln, die an den Pfosten des Wetterdachs angebunden waren, worunter sie sich versammelten und von wo dann und wann ein körperloses Schreien oder Lachen herübertönte, halb verschleiert auch vom Sonnenlicht, das jeden blendete, der sie von weitem erspähen wollte.
Als wären sie nicht auf ihren eigenen Füßen dorthin gelangt, sondern plötzlich an der Ecke des Platzes aus dem Boden gewachsen, legten die Neger los, Ai-ê-Schreie fuhren durch die Kronen der Mangobäume, unterbrochen von metallischem Klirren und von unverständlichen Ankündigungen – und schon kommt dort dies schillernde Gewoge aus bunten Stoffen und schwarzer Haut, Holzsohlen klacken auf dem Kopfsteinpflaster im rasenden Rhythmus der Schlegel auf den Holzrahmen der Trommeln. Sie bildeten einen Kreis, öffneten ihn, schlossen ihn, die Frauenstimmen stiegen über alles Singen und Trommeln hinaus, der Kreis dehnte sich aus wie ein abhaspelnder Faden, die Trommelschlegel steigerten das Tempo und steigerten es noch über die Steigerung hinaus, der Kreis verwandelte sich in eine Schulter-an-Schuler-Reihe, und dort kamen sie Seite an Seite heranmarschiert, die Rümpfe schwankten, die Füße machten Kurzschritte zum dröhnend markierten Takt der großen Pauke, die Trommelwirbel hielten nach jeweils ein paar Takten abrupt inne und machten dann weiter, nachdem nur die Füße, die einen schlurrend, die anderen trampelnd, den Rhythmus fortgesetzt hatten. Ein paar weiße Kinder rissen sich von der Hand der Erwachsenen los, um mitzutanzen, je mehr das Hetzen der Trommelschlegel, der helle Klang der Agogôs, das Geschüttel der Rasseln, die Harmonien von Hörnern und Gitarren über den Rhythmen der Schlaginstrumente den Platz in Besitz nahmen und die schwarze Reihe wie eine tanzende Schlange näher kam. Doch bald fingen die Großen die Kinder wieder ein, sie durften nur noch mit den Füßen strampeln, auf der Balustrade des Kirchhofs oder in den Fenstern des Geräteschuppens hockend, während sie entzückt die Gesichter der Neger betrachteten, die dort auf nie geahnte Weise umhersprangen. Nego Leléu blieb stehen, hüpfte in die Höhe und sagte die auswendig gelernten Worte auf, nach denen er der Edle-vom-Großen-Horn-Afrikas war, hier gelandet nach Reisen von über sechzehnhundert Tagen jeweils,

auf Schiffen, die über vierhundert Klafter maßen, mit seinen vierzigtausend schneeweißen Pferden, seinen achtzig holländischen Kapitänen, seinen achthundert Bräuten, seinen vielen und weit über zwölftausend Soldaten, und nun wolle er seine Neger dieser großen Bevölkerung hier vorstellen. Den Stock, den er immer verwendete bei der eigenen Verwandlung in den alten Afrikaner, in der Luft schwenkend, deutete er auf einen Neger da, auf einen anderen dort, und sie vollführten magische Pirouetten, sie boten Buschmesserkämpfe dar, die jungen Negerinnen lösten sich eine nach der anderen aus der Reihe und glitten flatternd über den Platz wie Sumpfvögel, die über eine Wasserfläche streifen, die Köpfe aufwärts gewandt, die Füße ungestüm auf den Boden hämmernd, scheinbar ohne ihn dabei zu berühren. Nego Leléu zeigte den Backenspaß vor, führte die Szene mit dem ennuyierten portugiesischen Adligen vor, der seine Sklaven an den Pranger stellen läßt, deutete einen Kampf mit Kopfstößen an – her mit dir, puff-puff, dir will ich eine puffen! –, tanzte den Papa-João-Tanz, wobei er den Mund mit Dendê-Mehl füllte, um es den anderen Schwarzen ins Gesicht zu blasen, und behielt das Kommando über das ganze Tanzvergnügen, bis der Herr Baron den Botenjungen Nicodemo schickte mit dem Befehl, Schluß zu machen. Sie sollten essen und danach schlafen gehen, damit sie morgen ihrer Arbeit nachgehen könnten. Nego Leléu, der kaum mehr auf sein Tun achtete, sah Nicodemo um die Ecke des Terreiros biegen, lauschte der Botschaft, mit ans Ohr gelegter Hand, ohne sein Geschlenker zu unterbrechen, doch sehr aufmerksam, pfiff auf zwei Fingern, um die Musiker zum Verstummen zu bringen, zog seinen Kaftan über den Kopf und stand in kurzer Hose und Hemd da wie die anderen, fuhr sich mit dem zerknüllten Kleidungsstück übers Gesicht, um den mit Farbstaub vermischten Schweiß abzuwischen, hob die Arme und befahl das Ende des Tanzvergnügens.

Nein, es waren nicht mehr dieselben, diese Schwarzen, die zuvor auf dem Kapellenplatz herumgetollt waren und die sich später in kleinen Gruppen über die Lichtung verstreut hatten. Sie waren Zauberer, *das* waren sie, Hexenmeister der Nacht, Schwarzkünstler, wie es sonst keine gab, bewandert in den Geheimnissen des Großen Kristalls, der Macht über die Seelen und der unter schlimmsten Bedingungen aus Afrika herübergebrachten Gottheiten, die hier kaum überleben konnten, es waren Menschen, die es verstanden, aus Buschpflanzen die schrecklichsten Giftmischungen und die unwiderstehlichsten Liebestränke zu brauen, die Geister auf alle Arten der Hexenbeschwörung zu bändigen und zu binden, die Zukunft aus allen möglichen Vorzeichen herauszulesen, die Zauberseite aller Dinge zu erkennen. Nicht alle waren gleich, denn die einen glaubten mehr an dies, die anderen mehr an jenes. Die einen zum Beispiel hielten den großen Feigenbaum, der die Lichtung beherrschte, für heilig und behandelten ihre Trommeln wie Götter, denen sie wie den Göttern der Luft, der Wälder und der Gewässer Speisen und Getränke darboten. Sie waren die Mehrheit, doch manche unter ihnen gesellten sich oft zu denen, die andere Kräfte anriefen. Sie versuchten nämlich an alles nur Mögliche zu glauben, denn sie mußten alle Manen und geheimen Kräfte beschwören, um einige Schlachten zu gewinnen, da den Krieg zu gewinnen über die Kräfte ihrer Gottheiten zu gehen schien, sie, die gezwungen waren, im verborgenen und getarnt zu leben, unter falschen Namen und alle Augenblicke verleugnet, ohne die ihnen gebührenden Huldigungen zu empfangen, ohne irgend etwas, was ihnen helfen könnte, aus dieser Lichtung ein für allemal auszubrechen, ihre Gefangenschaft und Erniedrigung hinter sich zu lassen, um sich frei unter ihrem Volk zu bewegen.

Ja, sie waren wirklich nicht mehr dieselben, diese Neger, sie hatten nicht mehr dieselben auf dem Fest zur Schau gestellten munteren Gesichter, hier gehörten sie niemandem, während sie dort immer jemandem gehören würden. Zumindest hatten sie heute ihre Trommeln schlagen können, da der Baron, die Baronin und ihre Gäste fortgegangen waren. Der Verwalter Almério, ein Mulatte mit großer Verwandtschaft unter den Sklaven, hatte Angst vor ihren Zauberkünsten, er wußte, daß die Götter seiner Verwandten ihn als halben Schwarzen überall erreichen würden, wie auch die Geister ihrer Toten, wenn richtig gerufen. Infolgedessen näherte er sich nachts nie der Lichtung und ließ auch tagsüber das Kruzifix auf seiner Brust deutlich sehen und bekreuzigte sich, bevor er jenes kreisförmige Terrain betrat, wo man, ganz gleich, in welche Richtung man blickte, den Rücken immer etwas zuwandte, dem man ihn nicht zuwenden durfte. Selbst wenn er sich von der spöttischen Miene eines

Negers oder von der zwischen den Zähnen gemurmelten Litanei einer Negerin herausgefordert fühlte, tat er am Tag nach einem Fest auf der Lichtung stets so, als hätte er die Trommeln oder den Sprechgesang nicht gehört, als erfüllte der Wind in stürmischen Nächten wie dieser nicht die ganze Walfängerstation mit jenem Geräusch, das wie etwas Lebendiges die ganze Nacht hindurch ausgeharrt hatte. Als er eines frühen Morgens vor seiner Tür einen Haufen gelber Speisen und geopferter Tiere aufgeschichtet fand, und eine Spur mit blutbesprengtem Maniokmehl zur Schwelle führte, verließ er das Haus durch das Fenster, ging schlotternd zur Arbeit, und obwohl er an dem Tag weidlich auf die Sklaven eingeschlagen hatte, vermochte er seine Angst nicht zu verbergen und stolperte auf dem Rückweg nach Hause über eine Wurzel, fiel, brach sich einen Zahn aus, verrenkte sich einen Kiefer und konnte tagelang kaum sprechen und essen. Die sieben folgenden Nächte schlief er nicht bei sich zu Haus, zwang die Frauen, die Beschwörungsformeln kannten, und auch die, die keine kannten, die Schwelle und sein Schlafzimmer mit einem Kreuz zu segnen und die Geister zu vertreiben, und dann und wann besprengte er auch jetzt noch den Fußboden mit Weihwasser, bevor er den ersten Schritt ins Freie tat. Amleto, der mit Teolina im Gästehaus geblieben war, hatte Almério gerufen und ihm gesagt, er solle die Schwarzen zu anständigem Verhalten ermahnen, er solle streng sein und nicht das geringste Vergehen durchgehen lassen, denn seine Verantwortlichkeit als Vertrauensmann sei noch größer als die des Herrn jener Besitzungen. Aber er wußte auch, daß die Trommeln schlagen würden, wie immer in der Abwesenheit des Barons, und obwohl sein Blut kochte und er so wütend war, daß er am liebsten alles um sich herum verprügelt hätte, brachte er doch nicht den Mut auf, die Tür mit einem Leuchter in der Hand zu öffnen und jener von Drohungen und unbekannten Ereignissen verpesteten Finsternis entgegenzutreten. So lag er auf hohem Kopfkissen in seinem Bett neben Teolina, eine Häkelmütze über seinen Scheitel gespannt, um das Haar zu glätten, die Augen weit geöffnet, das Nachthemd bis zum Hals zugeknöpft, die Zähne fest aufeinandergebissen, preßte seine Schenkel mit den Handflächen und dachte wieder einmal, wie anders eines Tages alles sein würde, so ganz anders. Eines Tages werde ich Herr sein, dachte er, wohl wissend, daß er

nur mühsam würde einschlafen können, nicht nur wegen des fernen Trommeldröhnens, das in Kürze durch die Bäume herüberdringen würde.
Auch das Orchester der Neger war jetzt ein anderes. Es waren keine Tamburine mehr, sondern lederbezogene Ilus mit Holzklöppeln, die wie ein bewaffneter Wachposten angeordnet waren; nicht mehr die Weißblechrasseln waren es, sondern die mit Perlen und Bändern verzierten Amelês; die Kürbistrommel hieß Agüê, die Schnarre Adjá, und der Hornklang wurde jetzt ersetzt durch die Afofié-Flöte; und die Pauke hieß Rum und die Großpauke Batacotô, von kriegerischem Ruhm, und noch all die anderen Instrumente, an die sie sich von ihren Ursprungsländern oder von den älteren Leuten her erinnerten, um sie hier nachbilden zu können, denn sie stammten aus sehr vielen, früher getrennten Nationen und mußten jetzt die Körper, die Sprachen und die Glaubensrichtungen vereinigen. Nego Lírio, hier Alibá und Obá-Xoró und, je nach Tag, Ort und Person, auch mit anderen Namen benannt, machte ein Zeichen, hob die Stimme, sang mit ausdruckslosem Gesicht, die halbgeschlossenen Augen zur Erde gerichtet, einige kurze Verse und wiederholte sie in immer höheren Tönen. Von der dunklen Seite der Lichtung erwiderte eine Frauenstimme den Kehrreim, bald folgten andere Frauen ihrem Beispiel, das Orchester schlug den ersten Takt, die Büsche veränderten ihre Farbe und Wesenheit, und die Frauen tauchten aus ihnen hervor, um in der Helligkeit der Fackeln zu tanzen. Und schon wurde überall auf der Lichtung, wo die Schwarzen tanzten, sangen, plauderten oder nur auf und ab gingen, alles lebendig, und alles war möglich.
Da dies die Stunde war, in der man an nichts zweifeln konnte, wollte Nego Leléu, der an nichts glaubte, aber in aller Natürlichkeit fühlte, daß die Luft dort anders roch, unbedingt zur Stelle sein. Am nächsten Morgen in aller Frühe würde er mit der Negerin Vevé fortgehen, die übrigens dort war, und auf die er ein Auge haben mußte. Er stand am Fuß einer Kokospalme außerhalb der Lichtung und wartete geduldig darauf, daß sich seine Augen an die trotz der Fackeln dort herrschende tiefere Dunkelheit gewöhnten. Genau auf der anderen Seite, von wo die Musik kam, da saß, wie er wußte, Nego Lírio auf seinem Holz-und-Lederstuhl und gab die Einsätze zu den Gesängen, führte den

Vorsitz des Festes und empfing den Besuch seiner Gottheiten. In irgendeinem Winkel, vielleicht dort, wo sich zwei zur Lichtung führende Schneisen kreuzten, mußte die Negerin Inácia sein, die die Caboclos rief, und die Verwandten von Dadinha, die sich mit ihren Ahnen unterhielten. In einer anderen Ecke wahrsagte Sá Justina und beantwortete jede Frage über Vergangenheit, Gegenwart oder Zukunft mit einem tiefen Blick ins Wasser, in den Kristall, in den Mond oder in die Sterne. In vielen anderen Winkeln drängten sich Menschen um jemanden oder scharten sich um eine Darbietung von Neuigkeiten. Aber die Negerin Vevé ist Dadinhas Verwandte, sie kennt alle Caboclos, sie kann nur dort sein, denkt Nego Leléu, während er über den gefurchten Stamm der Kokospalme streicht und den Blick schärft, der sich schon daran gewöhnt hat, von der Schwärze des Buschwaldes zum Flammenschein der Fackeln überzuwechseln. Ah, da sind sie ja, wie wimmelnde Beutelratten, gebückt, als müßten sie unter einem ganz niedrigen Bogen hindurch, dort schlüpft die Negerin Inácia mit gerafftem Rock und fast vornüberkippend in den Busch und bahnt sich einen Weg durchs Gestrüpp, Nego Jeba mit weißem Käppchen, die Negerin Martina, die Negerin Honorata, Feliciano mit seinem Zungenstumpf, Nego Budião-von-der-Kalesche in voller Größe, die ganze Horde, die Leléu von seinem Standort aus nicht recht unterscheiden konnte, die er aber an irgendeiner Eigenart erkannte, und er wußte, daß sie zu dieser Stunde beieinander sein mußten. Und Vevé, hier mit dem Namen Naê, wo steckte sie? Leléu wollte schon unruhig werden und Pläne für den nächsten Tag schmieden, als er an der gleichen Stelle wie die anderen die Gestalten vom Harpunier Custódio und von Vevé erspähte, sie leicht gebückt, aber mit sicherem Schritt, und er hielt ihre Taille umschlungen. Ah, also dort, dachte Leléu und erinnerte sich daran, daß er die Stelle kannte, eine Kreuzung schmaler Buschpfade, wo, wenn der Mond im Zenit stand, das Licht wie eine umgedrehte Brandfackel niederfiel, weil die ringsum dicht zusammengedrängten hohen Bäume hier eine Öffnung in ihren Kronen ließen. Und dort trug das von vielen Füßen niedergetrampelte Gras schwarze Narben und versengte Stellen, weil dort ständig Kerzen angezündet und Hände gerieben wurden. Er würde ihnen nicht nachgehen, sondern einen großen Bogen um sie herum machen und bei ihnen auftauchen, kurz nachdem sie dort angekommen wären und sich gelagert hätten, vielleicht war es so besser. Er schlug beidseits die Hutkrempe nieder, blickte nach links und nach rechts und ging rasch den Pfad zurück, bis er den Abkürzungsweg zur Kreuzung einschlagen konnte. Und wie er angenommen hatte, kam er in eben dem Augenblick an, als Inácia, den Rocksaum in der Kniekehle festhaltend, sich genau dort, wo die beiden Pfade ein Kreuz bildeten, niederkauerte und den anderen durch Zeichen Anweisungen gab. Inácia hatte getrunken, etwas, was Dadinha nie tat, doch niemand achtete darauf, wie auch niemand auf die in grüne Tabakblätter gerollte Zigarre achtgab, auf der sie kaute und die sie so gut wie nie anzündete, auch nicht auf die Püffe, die sie während ihrer langen Unterhaltungen und Streitgespräche mit den Caboclos dem einen oder anderen versetzte. Nego Leléu war fast auf die Wegkreuzung gestolpert, erschrak, konnte sich aber gerade noch unter ein paar Äste ducken, während Inácia mit nuschelnder Stimme alle zu Eile und Zügigkeit mahnte und erklärte, in dieser Nacht gebe es viel zu tun, alle Caboclos würden da sein, vielleicht sogar Caboclo Capiroba, sie roch da so etwas, so etwas, etwas Neues.

»Riechst mich wohl, kleine Nácia, was?« schrie Nego Leléu aus dem Busch und sprang mit einem Satz herbei, um genau vor ihr mit gespreizten Beinen zu Boden zu fallen.

Die anderen erschraken zwar und erstarrten angesichts der Erscheinung, aber Inácia ließ sich nicht aus der Ruhe bringen und wartete sogar eine Weile, bis sie die Augen hob, denn sie hatte gerade gesprochen, während sie den Erdboden mit einem Zweig aufscharrte.

»Also du bist's, was, Kleiner«, sagte sie. Sie rollte die blutunterlaufenen Augen Leléu entgegen, verzog den Mund zu einem zweideutigen Lächeln. »Schau einer her, schau einer an, bist also in deinem Alter plötzlich ein Frosch geworden, um den Leuten ins Gesicht zu springen, und glaubst, mit solchen Faxen kannst du verblüffen, du hast wohl nichts Besseres zu tun, kleiner Dingsda? Hat er Angst, das Bübchen?«

Sie lud ihn mit einer Geste ein und drehte dabei den Hals wie ein Leguan.

»Setz dich«, forderte sie ihn auf. »Nimmst Daê mit, was? Setz dich, ruh deinen Hintern aus. Nimmst also Daê mit? Na gut,

nimmsiemit. Aber vorher, da guckstu dich lieber nochmal n' bißchen um, kostet ja nix. Wie? Setz dich da hin.«
Leléu verlor die Fassung, er wollte nicht sehen, ob die anderen lachten.
»Du hast mich gesehn«, sagte er.
»Hab dich hiergesehn, hab dich dagesehn!« Inácia lachte höchst belustigt und fiel auf die Seite, als hätte man sie geschubst. »Was bistu aufgeblasen, Junge, was bistu aufgeblasn, hab dich hiergesehn, hab dich dagesehn, hab ich gesehn, wie du was ausheckst, dich kenn' ich schon lange, Junge, so lange, nich von heute, nich von gestern, machstu mir nichts vor, hué-hué-hué!«
»Inácia ...«, sagte Leléu, ohne recht zu wissen, wie er sich Achtung verschaffen sollte und ob Inácia im Augenblick überhaupt Inácia war.
»Schau dich und guck und sieh dich richtich an und in dich rein, begreif dich mal, und glaub doch nich, du wärst der Größte, tarantará!« schrie Inácia, stand auf und sprach in ihrer Caboclosprache dicht vor seinem Gesicht weiter, und er beugte den Kopf zurück. »Taratará, torotoró, tiritiri! Passauf! Setzich!«
Er setzte sich widerstrebend, ging in die Hocke und richtete sich wieder auf, aber sie deutete beharrlich mit dem Arm nach unten, und schließlich kauerte er sich nieder. Ihr starrer, betrunkener Blick, den sie eine ganze Weile auf ihn richtete, war ihm lästig, aber er wollte den Blick lieber nicht abwenden, und schaute sie fest an. Und da kam der Anflug eines Lächelns auf ihr Gesicht, sie sah ihn belustigt liebevoll an und war nun ganz liebenswürdig zu ihm.
»Ja, ja, ja«, sagte sie und wiegte den Kopf wie jemand, der einem Geheimnis lauscht. Dann erklärte sie Leléu, sie wäre sicher, daß in dieser Nacht allerhand los sein würde und daß man vielleicht bislang nie gesehene Ereignisse erwarten könnte, und kaum hatte sie ihren Kreis aus Perlen um sich zurechtgelegt, die Kerze angezündet, ihre Hand muschelförmig über die Braue gelegt und ihre Gebete begonnen, da brach sie in ein kräftiges Lachen aus, das ihren Körper in kurzen Stößen erbeben ließ, erhob sich so rasch, daß niemand es recht bemerkte, lief hastig zum Rand des Dikkichts, lachte von neuem kehlig und stieß die Arme empor.
»Reis!« schrie sie. »Rrrrreis! Haha! Reisch! Haha!«
Vielleicht war er glücklich, aber er war auch höchst erregt, dieser

Caboclo, der da so eilig heranbrauste. Und er wollte nicht durch große Muscheln sprechen, wollte keine Fragen beantworten – eigentlich wußte man überhaupt nicht recht, was er wollte, denn man hätte meinen können, er sei nur gekommen, um zu den Klängen von Nego Lírios Leuten zu tanzen, er tat so, als wollte er unbedingt dorthin, blieb aber auf halbem Weg stehen.

»Wo gibts denn sowas?« sagte Honorata. »Wer ist das wohl?«

Nego Jeba ging auf ihn zu, zog mit graziösem Schnörkel seine Kappe, tänzelte vor ihm herum, verneigte sich tief vor ihm und versuchte zu palavern, doch der Caboclo versetzte ihm einen Stoß und stolzierte großspurig zur Wegkreuzung zurück, wo er sich vor Leléu aufpflanzte, der wieder aufgestanden war.

»Sett dik!« befahl er ihm barsch, auf das Gras des Kreuzwegs deutend.

»Siniki!« Honorata erkannte ihn. »So was! O Wanderer des Waldes, Krieger der Meere, König aller Messer und Spieße, reis! Rrreisch!«

Siniki freute sich über die Begrüßung, vergaß Nego Leléu für einen Augenblick und beschrieb eine anmutige Verbeugung vor Honorata, wie jemand, der in einem Menuett innehält. Doch sogleich deutete er mit brummiger Miene auf Leléu.

»Hoond!« schrie er mit zitternd gerecktem Zeigefinger. »Hoond!«

»Hund«, übersetzte Honorata. »Jawohl, Hund.«

Siniki war an Honoratas Vermittlung nicht interessiert, er wollte selber mit Leléu sprechen.

»Hoond!« wiederholte er, drehte sich zu Leléu um und legte fast sein Gesicht an seines. »Hoond! Sett dik, Meinher! Sett dik, Minher!«

Leléu trat zwei Schritte zurück und überlegte, ob er Inácia ein Bein stellen sollte. Er hatte keine Angst, sie aber wurde immer größer und führte sich immer bedrohlicher auf, vielleicht wollte sie ihn schlagen bei diesem Durcheinander sonderbarer Wörter, die sie ihm zuschrie. Dabei schien sie tatsächlich nicht mehr Inácia, Augen, Stimme und Gebaren waren völlig anders. Er lehnte sich ein bißchen zur Seite, um ihr wenn nötig ein Bein stellen zu können, und hob die rechte Ferse vom Boden.

»Sett dik, sett dik«, rief Honorata dazwischen. »Meinher bedeutet ›mein Herr‹ in seiner Sprache. Er will, daß du dich setzt, er will mit dir sprechen.«
»Er will mit mir sprechen? Was hat er mir denn zu sagen?«
»Er ist hier, weil er mit seiner Ururenkelin reden will«, erklärte Honorata, mit dem Kinn auf Vevé deutend.
Siniki stand mit verschränkten Armen da, die Augen auf Leléu geheftet, als wartete er auf die Wirkung dieser Erklärungen. Leléu kam es so vor, als habe er einen kalten Schauer im Bauch verspürt, er warf sich aber in die Brust und legte die geballten Fäuste an die Hüften.
»Er nennt mich also Hund?«
»Hoond«, bestätigte Honorata. »Die verstorbene Dadinha war...«
»Hoond! Hoond!« platzte Siniki wieder heraus.
Nego Leléu zuckte etwas zusammen, merkte, wie seine Schläfen pochten und seine Beinmuskeln sich verhärteten.
»Kein Hoond!« verteidigte er sich schief und herausfordernd, um seine Kampfbereitschaft zu zeigen. »Ich bin kein Hoond, nein, nenn mich nicht Hoond, nein! Hoond nicht!«
»Wer denn dann?« fragte Honorata.
»Weiß ich doch nich!« schrie Leléu energisch. »Weiß ich doch nich, komm ich doch nich und schimpf ich doch die andern nich Hoond, hab ich überhaupt nichts getan, nicht ich, nein!«
Siniki zögerte, er schien etwas beschwichtigt, ging mit langen Schritten auf und ab, legte die Hand ans Kinn, machte wiederholt »hm-hm«, kehrte zu Leléu zurück.
»Jaa«, sagte er. »Jaa. Ik weit. Ik weit, ik weit, ik weit. Sett dik, Meinher, willtje niet sitten?«
Nego Leléu kauerte sich neben Siniki nieder, der ihm in der Sprache des holländischen Caboclos die lange Familiengeschichte erzählte, von Enkeln, Urenkeln und der Ururenkelin, Tochter von Turíbio Cafubá – Vanderdicken, Vanderlei, Vanderlagen, Swaarte Volk in Pein! Vú-Frau, Cabocla, veel Pein, veel, veel Pein, gefreten van de Termieten, levvend begraven, kopp naar onder, niet te geloven! Caboclo Siniki wischte sich eine Träne ab, zog Leléu an sich heran, denn er wollte ihm leise anvertrauen, was er zu sagen hatte, statt so laut zu sprechen, daß alle es hören konnten. Lieber Minher, groter swaarter Leléu, Siniki wirdir

was anvertraun, ganz anvertraun! – sagte er, und Leléu sollte nicht vergessen, die von ihrem Vater ererbte Keule der Kleinen mitzunehmen. Denn vieles, sehr vieles würde geschehen und er, Leléu, sollte nie glauben, er könnte sich vorstellen, was geschehen würde, oh nein, er wäre zwar schlau, aber schlauer wäre das Leben. Und dann – »kom hier, kom hier, Siniki hat veel, veel Vertraun in liebn Swaarten Leléu, mein Jong, hör zu, passop, Minher, mein Jong, pas wohl op« – Daê hatte ein Kind im Bauch, vom Baron reingepflanzt, das war die reine Wahrheit!
Leléu suchte Inácias Blick, doch sie hielt ihn weiter bei der Schulter geklammert, ihren mit gewölbter Hand bedeckten Mund an seinem Ohr.
»Inácia ...«, begann er.
»Hm?« machte sie und hörte auf zu flüstern. »Mein Peerd, mein Peerd!«
»Er meint, Inácia ist sein Medium, sein Pferd«, sagte Honorata.
»Das ist nicht Inácia, das ist er. Siniki ist das, siehstu das denn nich?«
Leléu seufzte fast.
»Na gut, na gut«, sagte er und drehte sich wieder zu Inácia um.
»Das heißt also, daß Naê ...«
»Psst!« Inácia öffnete weit die Augen, legte den Zeigefinger auf die Lippen und stand ganz plötzlich auf. »Psst! Ganz still! Vorlauter swaarter Babbelaar, Quasselmaul! Psst!« Und bevor er eine Bewegung machen konnte, versetzte sie ihm einen heftigen Stoß, und er fiel mit dem Rücken auf die Erde.
»Wenn er geflüstert hat, dann wars ein Geheimnis, war das!« sagte Honorata.
»Hau ab, Honorata«, erwiderte Leléu, schlug sich mit der Hand auf den Ärmel, um die hängengebliebene Erde abzuschütteln, und setzte zum Sprung auf Inácia an.
Aber es kam nicht dazu, denn in diesem Augenblick geschah etwas, niemand wußte genau, was es war, aber es schien die Zeit anzuhalten, vielleicht kurz, vielleicht sehr lang, manche glaubten, es habe geblitzt, obwohl die Nacht sternenklar war. Siniki, der erst heisere Kehllaute ausstieß, dann rasend auf den Buschwald zu davonwirbelte, verschwand in der Dunkelheit, und man hörte nur noch ein gelegentliches Kikeriki, das eine oder andere Blöken, man wußte auch, daß dieser Caboclo Siniki häu-

fig ohne jeden Grund gern Stimmen von Gehegetieren nachahmte. Leléu rannte ihm nicht nach, ja, es war der einzige, der sich während dieser ganzen unmeßbaren Zeit gerührt hatte. Vielleicht, weil die kleine Seele, die es schon seit Stunden hierherzog, allzu nahe herangekommen war und nun so blitzartig, daß nicht einmal die kleinen Seelen es beschreiben könnten, in einen Wirbel geriet und sich plötzlich – mit erloschenen Erinnerungen und schlafendem Bewußtsein – in dem kleinen Ei wiederfand, das noch nicht einmal durch Vevés Unterleib zu seinem Nest gerollt war. Und wenn die kleine Seele kaum etwas außer der ohnmächtigen Angst fühlte, die die Inkarnation mit sich bringt, und sich nicht einmal mehr daran erinnert, wie sie träumerisch in der Inselbrise geschwebt hatte, so fühlte Vevé sie noch viel weniger, als sie in diesem Augenblick etwas stärker einatmete, wie es jedes befruchtete weibliche Wesen in dem Augenblick tut, in dem ein Geist sein kleines Ei besetzt.

Daher konnte niemand genau antworten, als Inácia aus dem Buschwald zerzaust zurückkehrte, die Fingerknöchel aufgeschürft, ihre Kleider an zwei oder drei Stellen aufgerissen, die mächtige Brust keuchend und wogend, und fragte, wieviel Zeit seit ihrem Verschwinden vergangen sei. Sie beklagte sich bitter über jenen Caboclo Siniki, der sie wieder einmal ins Dickicht getrieben hatte, gegen Astwerk und Krüppelgesträuch anrennend ohne Rücksicht auf Brennesseln, messerscharfe Gräser, Stechbüsche, auf nichts, gegen jeden Pfosten oder Zaunpfahl anstürmend, der ihm im Weg stand und den er mit bloßen Händen derart hastig niederriß, als ginge die Welt unter, und der sie wieder einmal in solchem Zustand zurückließ, oh, wie wünschte sie, nie und nimmermehr das Pferd irgendeines Caboclos zu sein. Das jedoch, wußten alle, war ein vergeblicher Wunsch, denn sobald sie sich hergerichtet und etwas Wasser getrunken, die Augen ausgespült und einen Schal um den Kopf gewunden hatte, gerieten ihre Schultern von neuem ins Schütteln, ihr Hals warf sich zurück, und – Rrreisch! – fast bis zum Tagesanbruch war es ein Kommen und Gehen von Caboclos, Freunden und Verwandten, Getuschel, Unterhaltungen, Befragungen, Umarmungen und Ratschlägen, die ganze von Erscheinungen und Zauberhandlungen erleuchtete Nacht hindurch.

Gutshaus, Walfängerstation-zum-Guten-Jesus, den 15. Juni 1827

Es ist möglich, daß so viel in die Atmosphäre geschleuderte Theurgie, so viele dort auftretende Gespenster, so viele merkwürdige Ereignisse – die bewegte Nacht, die Inácia vorausgefühlt hatte – den zweiten Kutscher der großen Kalesche, Nego Budião, veranlaßten, sich in dieser Nacht mit den Waldgeistern zu beraten. Er war immer mit den anderen zur Lichtung gegangen, hatte aber dort nicht teilgenommen, sondern stets nur geholfen, hauptsächlich Feliciano, dessen Gebärdensprache er so gut verstand, als sei sie gesprochen. Gerade durch ihn hatten sie in allen Einzelheiten von Inocêncios Tod auf dem Schlachtfeld von Pirajá erfahren, wo der Baron sich mit dessen gestohlenem Blut Kriegsruhm erschlichen hatte, sie hörten auch, wie Feliciano die Zunge herausgeschnitten worden war, obwohl er geweint und bei allen weißen Heiligen geschworen hatte, daß er, wenn sie ihn verschonten, nie ein Sterbenswörtchen über die Angelegenheit verlauten ließe. Aber es half nichts – erzählte Feliciano Budião mit zitternden Armen und tränennassen Augen –, denn sie haben mich auf beiden Seiten an den Backen gezogen, bis ich den Mund aufmachte, da haben sie mir die Zunge mit einer Kneifzange rausgezerrt und sie mir tief mit einem Metzgermesser abgeschnitten und den Stumpf haben sie mit einem glühenden Eisen ausgebrannt. Nicht nur das Sprechen – erzählte Feliciano unter kehligem Geröchel – wird unmöglich ohne die Zunge, du kannst auch nicht richtig kauen, du schluckst nicht und spuckst nicht, du fühlst die Zähne nicht, du spürst keinen Geschmack, du kannst den Sabber nicht halten, und manchmal mitten in der Nacht, da ist es, als wäre die Zunge an ihren Platz zurückgekehrt, sie juckt und will sich regen, man kann sie aber nicht kratzen und auch nicht bewegen, weil sie nicht da ist, es ist wie verhext.

Seit dem ersten Mal, als Budião den in der Lichtung Versammelten Felicianos Gebärden übersetzt hatte und allen bei seiner Geschichte die Haare zu Berge standen, wiederholte er stets seinen Fluch gegen den Baron, und zwar sollte der Baron einen schmerzhaften, beengten Tod sterben, und seine Sünden würde er, ohne sie bekennen zu können, wohlverwahrt mit in seine

Hölle nehmen. Dann schlug er Budião auf die Schulter, tat, als ziehe er etwas aus dem Mund und schleudere es zu Boden, und Budião wußte Bescheid: er wollte seinen Fluch von neuem bekräftigen. Obwohl Budião ihn auswendig wußte, wartete er stets darauf, daß jedes Wort, dem Feliciano mit grollendem Gesicht und haßgeröteter Stirn lauschte, mit Gesten von ihm dargestellt wurde.

Über solche Hilfeleistungen und die Wiederholung des Fluches, jedesmal, wenn Feliciano darum bat, ging Nego Budião jedoch nie hinaus, und so waren sie überrascht, als sie sein Fehlen längst vor dem Ende der Nacht feststellten. Anfangs glaubte man, er sei zu Nego Lírios Leuten rübergegangen oder habe beschlossen, den Prophezeiungen von Justina Fettwanst zu lauschen, doch als sie im Morgengrauen fortgingen, war er noch nicht zurück. Die von soviel Schufterei ganz benommene Inácia sagte »Er kommt zurück, er kommt zurück«, doch das war nicht mehr als eine natürliche Vermutung. Wo sollte er schließlich hin und warum nicht zurückkehren? Außer daß die Schlange ihn biß, die Bestie ihn fraß, die Erde ihn verschlang.

Jedoch weder Schlange noch Bestie, noch Erde, denn wer kommt dort aus dem Maisfeld heraus wenn nicht er, zwischen den Maniokgräben, die Küken aufscheuchend und durch die Zweige raschelnd, in der Hand ein Bündel Blätter und etliche Büschel Kräuter, Hose und Hemd von Tau benäßt und von Kletten verklebt. Bei Tagesanbruch band Feliciano gerade die Füße eines Hähnchens zusammen, um es zu kapaunen, zwei kleine Mädchen warfen den Hühnern Reste von geschälten Taschenkrebsen vor, schon verdunstete der Tau im Gemüsegarten und auf den breitblättrigen Pflanzen, und da kommt Nego Budião daher mit seinen noch weiter als sonst aufgerissenen Irrsinnsaugen und seinem auf und ab steigenden Adamsapfel. Er wollte nicht gesehen werden, blieb an der Ecke des Mehlhauses stehen und gab Feliciano ein Zeichen. Er wollte in Heimlichkeit reden, er war ungeduldig. Feliciano löste dem Hähnchen die Beine wieder, schubste es auf den Hof zurück und rannte zum Mehlhaus beim Wasserbananengebüsch. Wozu die Aufregung, was ist denn geschehen? Ziemlich außer Atem, wußte Budião nicht, wo beginnen, deutete mit seiner Faust voller Blätter hinter sich. Hast du ein Gespenst gesehen? Ja, antwortete er, ja. Und die

Geschichte sprudelte aus ihm hervor: in diesen Pflanzen stecke der Fluch. Nicht eigentlich der Fluch, denn der sei ja in Felicianos Kopf, sondern die Kraft des Fluchs. Mensch, hatte er sich gestern nacht nicht plötzlich mitten im Busch gefunden, ohne sich dessen bewußt zu werden, als ob eine Stimme ihn geleitet und eine Hand ihn geführt hätte, und hatte er nicht diese Blätter gepflückt, die er in der Hand hielt, und hatten nicht genau diese Blätter die Kraft des Fluchs, ganz wirklich? Und war er nicht, ohne sich dessen bewußt zu werden, zielsicher durch die Wildnis zurückgekehrt und konnte jetzt, wenn man ihn fragte, wo er denn gewesen sei, nichts sagen, weil er sich an nichts, nicht das geringste erinnerte? Diese Blätter zerreibt man zu Pulver, aus diesen hier macht man einen Aufguß! Feliciano breitete die Hände aus, zog eine verständnislose Grimasse. Nego Budião schwenkte ärgerlich die Blätter, hüpfte fast vor Ungeduld. Ja, erinnerte sich Feliciano denn nicht an seinen eigenen Fluch, den Fluch, den Budião für ihn so oft und so oft wiederholt hatte? Feliciano machte Ja, ein zögerndes Ja, und Budião mit seinem wunderlichen Lächeln: Na, und? Und wird nicht durch diese Blätter und durch all das, was man mir so gut beigebracht hat, der Baron einen schmerzhaften, beengten Tod sterben, ohne seine Sünden bekennen zu können?

6 Salvador da Bahia, den 23. August 1827

Es war über einen Monat her, daß der Baron erkrankt war, und seit fast einem Monat hatte Amleto Ferreira, genötigt durch die Umstände und das wachsende Vertrauen, das seine Kompetenz und die Hingabe an die Arbeit ihm zusicherten, die Leitung des Büros auf dem Jesus-Platz übernommen. Das bedeutete, daß er alle Geschäfte des Barons führte, sogar die persönlichsten, da Perilo Ambrósio infolge seiner Krankheit zwischen cholerischen Schlagflußanfällen, bei denen er wüst zu fluchen begann und Porzellan gegen die Wand schleuderte, und Zuständen tiefster Schwermut schwankte, während deren er kaum sprach und die meiste Zeit mit auf den Bauch gesunkenem Kinn am großen Fenster saß und unablässig auf seiner Zunge herumlutschte. Wenn er sich anfangs noch mit ungeduldiger Aufmerksamkeit die peinlich genauen Zahlenreihen anhörte, die Amleto jeden Tag um drei Uhr nachmittags im Kabinett des Herrenhauses von Bângala herunterleierte, wobei er mit Kontobüchern, vergilbenden Papierrollen, Wechseln und Stempelmarken hantierte, so wurde er der Berichte doch rasch überdrüssig und empfing manchmal nicht einmal den Buchhalter, der dann die Nachmittage mit Tee nebst Sandkuchen und dem Anhören der zahlreichen Kümmernisse und Unannehmlichkeiten beschloß, die die Baronin unaufhörlich heimsuchten und die an diesen schwarzen Augusttagen, Monat des Verdrusses, in der nagenden Krankheit gipfelten, die sie der liebevollen Gemeinschaft mit ihrem Perilo Ambrósio zu berauben drohte, der wohl den einen oder anderen Fehler haben mochte, jedoch ein guter Mann war. Mußte das perfide Schicksal ihr immer eine Prüfung nach der anderen aufbürden, immer einen neuen Stachel in ihrer Stirn, eine neue Wunde in ihrer Brust? War es nicht genug, daß ihr lieber, guter Vater nicht einmal mehr gehen und selbst die Menschen in seiner nächsten Umgebung nicht mehr erkennen konnte? Sollte sie nie mehr die Gesundheit auf dem rosigen Antlitz des Barons prangen sehen – ach, nicht einmal die Nachrichten aus Politik und Finanzwelt interessierten ihn mehr, er fühlte, daß das Leben ihn floh, jeden Tag mehr, was für Sünden, was für Sünden sind das, die man mit soviel Leiden be-

zahlt, ob Gott seine besten Söhne nicht übertrieben strengen Prüfungen unterzieht?
Niemand wußte, was des Barons Leiden verursacht hatte, das der Wundarzt Justino José als einen durch hartnäckige Nervenschwäche verschlimmerten Blutandrang in den Eingeweiden beschrieb. Der Wundarzt hatte die Angewohnheit, die Unterlippe zu bewegen, als ob er damit Luft einschlürfte, jedesmal, wenn er sich gezwungen sah, den Ernst einer Lage zuzugeben, und infolgedessen verbrachte er einen großen Teil seiner Besuche damit, mit den Lippen zu flappen, von einer Zimmerseite zur anderen zu stapfen und mit den Fingern knackend seine Diagnose zu wiederholen. Er war kein guter Patient, der Baron, denn obwohl die geplante Behandlung ein 26maliges Lanzettenschneiden vorschrieb und ein Aderlassen mit Schröpfköpfen und Blutegeln so häufig, wie es die Notwendigkeit der Entstauung erforderte, schäumte der Baron bereits beim dritten Lanzettenschnitt vor Wut und warf unter lästerlichen Flüchen und Püffen alle aus seinem Zimmer, so daß die Gegenwart von Frauen während der Arztvisiten fortan untersagt werden mußte. Auf diese Weise verschlimmerte sich die Krankheit naturgemäß, nun litt der Baron an äußerst schmerzhaftem Urinverhalten und totaler Verstopfung, was ihn jede Nacht in klägliche Heulserenaden stürzte, während er, von zwei Negern unter den Schultern gefaßt, hosenlos und mit aufgekrempeltem Nachthemd über einem von einem dritten Neger gehaltenen Nachttopf vergebens seinen in einen Feuerball verwandelten Bauch auspreßte und in jedermann endlos erscheinenden Abständen Tröpfchen rötlichen brennenden Urins sickern ließ. Es gab nichts, was an pharmakologischen Künsten und Wissenschaften nicht an ihm ausprobiert wurde, von Absuden und Heilkräuteressenzen, empfohlen von der Weisheit der Alten, bis hin zu kochendheißen Breiumschlägen, Klistieren, Fußbädern, Brechmitteln, Sitzbädern, Blähungen, Purgiermitteln, Warmwasserwaschungen, Pflastern, Beschwörungen, alles, was es gab, ja sogar die Blutegel und Lanzetten in Stunden, wo der Baron, elend und unfähig, dem Ansturm des Wundarztes Widerstand zu leisten, sich wie ein Gummibaum anzapfen ließ. Doch vielleicht, weil man allzu lange versäumt hatte, dem Kranken mit dem richtigen Beistand guter Medizin zu Hilfe zu eilen, gewährten ihm selbst diese Maßnahmen keine

Erleichterung, zumal einige der durch Lanzettenstiche geöffneten Wunden abszediert hatten und keinerlei Medikamente gefunden worden waren, um die vergiftende Wirkung der Abszesse zu bekämpfen, die alle Augenblicke als neue Fisteln im geschwächten Körper des Kranken aufbrachen. Nun kam zu dem Leiden durch die verstopften Abführkanäle noch der höllische Juckreiz von vielen der verletzten Stellen hinzu, verschmiert von Wundsalben, Heilsalben, Salbölen, Wundmitteln, Pasten und Pulvern, die seine Bettwäsche in eine Art fettigen Morast verwandelten und das Schlafzimmer mit unglaublichen Gerüchen füllten. Schlimmer noch, wenn eines der Hausmittel, die er nun unterschiedslos und ohne nach deren Wirkung zu fragen einnahm, zufällig anschlug und er nicht darauf wartete, daß die Schwarzen auf seinen Ruf herbeieilten. Aus Angst, er könnte in Erwartung der Bettpfannen und Nachttöpfe den richtigen Augenblick womöglich verpassen und seine Gedärme und die Blase könnten sich wieder verkrampfen, machte er drauflos, wo und wie er sich gerade befand. Und weil oftmals eine reichliche, unkontrollierbare Kaskade abging, traf man ihn fast immer bei halb beendeter Verrichtung an, umgeben von einer wäßrigen Pfütze undefinierbarer Farbe, von Furzgeknatter und einer Aura fast greifbaren Gestanks, in dessen Mittelpunkt sein glückseliger Gesichtsausdruck über seine Entleerung an den Torso einer schwachsinnigen Statue gemahnte.
Trotz allem wurden solche Gelegenheiten regelmäßig gefeiert, das Kräutertränklein, das den Erguß bewirkt hatte, wurde gesegnet, Kerzen wurden entzündet und der Beginn der Genesung verkündet. Doch wenn gleich nach den ersten, darauffolgenden Stunden ein wankender, geschwächter Perilo Ambrósio, neue Verklemmungen aller seiner Körperausgänge befürchtend, zu Euphorbiumtee-Diät überging, wurde er alsbald von Hunger überwältigt und von der grollenden Einsicht, daß die anderen nach Herzenslust weiteraßen, und obwohl die schwarzen Köchinnen ihn davon abzuhalten versuchten, stopfte er sich mit allem voll, was er auf marodierenden Expeditionen zum Küchenherd und zu den Speisekammern ergattern konnte. Anfangs steckte er sich die Finger in den Rachen, um jedesmal zu erbrechen, wenn er sich den Wanst vollgeschlagen hatte, doch danach überlud er sich den Magen endgültig, um in einen Schlaf voller

Albträume zu fallen, aus dem er stöhnend, heulend und zu neuem Elend aufwachte. Wenn er dann auf die zuvor wunderwirkende Arznei zurückgriff, half sie nicht mehr, wie sehr sie sie auch mit Gebeten und Gelübden unterstützten, wie liebe-, ja hingebungsvoll auch das Dienstmädchen Emerênciana, besser bekannt als Merinha, ihm den Becher, der die Rettung enthalten mochte, mit unendlicher Geduld Schluck für Schluck an die Lippen setzte. Doch alles war bald darauf wieder ganz wie zuvor, und die Hausflure des Herrenhauses erzitterten wiederum mitten in der Nacht, erleuchtet von flackernden Öllämpchen und heimgesucht von nervösem Geflüster, und der Baron jaulte vor Schmerz bei all dem, was da vergebens nach außen drängte und ihn blähte. Und wiederum fürchtete man für sein Leben, versank er doch in lange Schwächeperioden, mitunter lag er tagelang zusammengeschrumpelt da wie eine überreife Frucht, ohne auch nur einen Protest andeuten zu können, als der hinsichtlich der Genesung nun schon skeptische Wundarzt sich zu einer heroischen Behandlung entschloß und ihn zusätzlich vierzehnmal mit der Lanzette aufstach, wonach er den Angehörigen das entnommene schwarze Blut zeigte, um ihnen den ernsten Zustand des Patienten zu beweisen. Er verschrieb auch noch ein anerkanntes blähungsbekämpfendes Rezept aus Kassiamark, empfahl, dem Baron bei Hungergefühl Tee aus Engelsfrucht und Sennesblättern zu geben, so wie man einem Beduinen Wasser gibt, und erklärte, wenn der Baron sich erbreche und in Konvulsionen winde, sobald man ihm Einläufe ins Gedärm spritze, sei das eine Reaktion, die die anhaltende Lebenskraft seines Organismus verrate, er verbot dem Kranken jedwede Kost, welche die von festgehaltenem Fäkalstoff bereits gänzlich farcierten Därme weiter aufblähen könnte, beugte sich über ein liniertes Blatt, auf dem er die Bauchhöhlenorgane und ihre diversen Körpersäfte, die sympathischen und die antipathischen, beschrieb, wobei er aufzählte, was in der Natur solche Antipathien und Sympathien ausglich, von deren Gleichgewicht die Gesundung des Barons abhänge, er ermahnte alle gestreng zur Einhaltung seiner dergestalt eingehend dargelegten und festgehaltenen Bestimmungen, und während sich Schweiß und Wissenschaft auf seiner feuchten Stirn verschwisterten, bekräftigte er aufstehend, die Krankheit sei eingekreist, so eingekreist, wie man eine Krankheit nur einkreisen könne, kein Kapitel der Naturphilosophie, der Anatomie und der Iatrochemie, das hier nicht wohlüberlegt aufgeschlagen und angewandt worden sei, so daß es nur mehr auf eine gute Antwort der gegen den Tod in allen seinen möglichen Formen mobilisierten Eingeweide des Barons ankomme. Und wenn der Herr Baron schon seit geraumer Zeit kein Auge mehr auf seine Geschäfte werfen könne und sein Aufenthalt in Salvador da Bahia nicht vonnöten sei, möge er doch eine Luftveränderung versuchen, vielleicht eine Wasserkur auf der Insel Itaparica, vielleicht werde er angesichts der veränderten ätherischen Principia der ihn umgebenden Atmosphäre genesen. In seinem Bett zur Mole befördert, von dort mit allem Komfort auf ein Schiff überführt, würde er in geruhsamer Reise in der Walfängerstation-zum-Guten-Jesus anlangen und sich dort sicherlich besser fühlen. Und so wurde beschlossen, daß der Baron am Freitag, dem 24., Tag des heiligen Bartholomäus, einen unbefristeten Kuraufenthalt in Itaparica antreten werde.

Amleto sah auf die Uhr, hielt einen Augenblick inne beim Beobachten des Hemmungsrades, dessen Zähne hinter der Glasscheibe und dem von Emailminiaturen verzierten Pendel zu sehen waren. Es war bereits sieben Uhr, denn der lange Zeiger hatte die zweite I der mit exotischen Serifen verzierten XII im Scheitel des Zifferblatts überschritten. Er wußte, daß der Stundenschlag kurz nach der Zeigerstellung einsetzte, ungeduldig wartete er auf den Augenblick, in dem das Rad auf einen etwas stärkeren Widerstand als gewöhnlich stoßen würde, sich mit einem kleinen Ruck weiterdrehen und den Mechanismus des Gongs in Bewegung setzen würde. Der Bürodienst begann offiziell um sieben, doch er war stolz darauf, stets um sechs Uhr dreißig, ja schon um sechs Uhr zur Stelle zu sein, wenn er die Zeit berechnete, in der er, den Zwicker auf- und absetzend, über den Platz und durch das Maciel-Viertel spazierte und die Umgebung und die Umherstehenden musterte, als taxierte er unentwegt ihren Wert. Dann und wann stellte er den einen oder anderen Neger zur Rede, fragte ihn nach seinem Besitzer, wollte wissen, ob er einen Ausweis dabeihabe, ob er sich hier aufhalten und zu dieser Stunde herumstreunen dürfe. Er besprach die Angelegenheit mit anderen Passanten, beklagte die Malaise, in welche die Nation mit zunehmendem Müßiggang und dem daraus folgenden Verfall der Sitten gesunken sei, und fand immer den einen oder anderen Weg, um ganz beiläufig die hochbedeutenden Geschäfte in die Unterhaltung einfließen zu lassen, die seiner Entscheidung harrten. Geschäfte des Herrn Baron von Pirapuama, erläuterte er und setzte dabei eine gleichgültige Miene auf. Neuerdings jedoch unterhielt er sich nicht mehr so eifrig, er fand es sogar töricht, sich um das Bekanntwerden seiner Stellung und Tätigkeit derart bemüht zu haben. Ja, Torheit, ein völlig überflüssiges Unterfangen, ein schädliches Unterfangen sogar in jeder Hinsicht. Er erreichte weiterhin den Platz gegen sechs, wanderte weiterhin durch die umliegenden Gassen mit einem Gesichtsausdruck, als wäre er ständig indigniert, wurde jedoch allmählich distanzierter und einsilbiger, geizte sogar mit den bisher überschwenglich verteilten Begrüßungen der Leute von Stand, denen er hier regelmäßig begegnete. Die Neger ihrerseits kannten ihn schon, fürchteten seine gierige Ausforscherei und versteckten sich während seines steifnackigen Rundgangs mit Zylinder, Metallknauf-Spazierstock und wohlgebügeltem schwarzem Rock. Pünktlich um halb sieben, sobald die Glocken der Franziskanerkirche des Dritten Ordens läuteten, zog er aus der Tasche recht feierlich den großen Schlüssel der unteren Tür und stieß sie auf, bis beide Flügel an die Wände der Vorhalle stießen. Geschickt wußte er mit dem verwickelten System der Sperrbalken und Holzriegel der Flurtür umzugehen, er trat ein, legte von neuem die Sperrbalken vor und stieg gleich rechter Hand die Holz- und Eisentreppe zum oberen Stockwerk. Dort mußte der freigelassene Schwarze João Benigno, der in einem im Hinterhof gelegenen Schuppen wohnte, inzwischen mit dem Putzen fertig sein und ihn an der Vorzimmertür erwarten. Manchmal nahm er sich Freiheiten heraus, wollte etwa eine Unterhaltung über die Mäuse anfangen, die die ganze Nacht herumgetrippelt seien, als gehörte ihnen das Ganze. Amleto hörte ihn selten an, fast immer bedeutete er ihm mit mürrischer Miene, er solle den Mund halten, und beschwerte sich über den am Vortag auf dem Schreibtisch vorgefundenen Staub, bemängelte den Schmutz, den er auf dem Gehweg nahe dem Eingang angetroffen hatte, weigerte sich, Erklärungen anzuhören, und nachdem er

João Benigno eingeschärft hatte, er dürfe nicht von der unteren Tür weichen und sie auch Fremden ohne vorherige Anfrage nicht öffnen, schloß er sich in dem schmalen Arbeitsraum ein. Zunächst lief er einmal durch den Raum, dicht vorbei an Wänden und Schränken, eine Art ritueller Inspektionsgang, auf dem er in Wirklichkeit nichts sah, obwohl er da und dort stehenblieb, die Hand über ein Bündel verschnürter Papiere gleiten ließ, ausgiebig an einem großen Tintenfaß schnüffelte wie jemand, der in der Küche an den Töpfen schnuppert. Er trat zum Fenster, zupfte die Gardinen gerade, verlor die Zeit, die notwendig war, um die Fransen des Türvorhangs zu entwirren, als seien sie eine Pferdemähne, und heftete ein Weilchen den Blick auf das Volk dort drunten um den Springbrunnen. Hier stand sein Schreibtisch, unter der Helligkeit des Fensters, ein frisches Windchen drang durch die Jalousien, die Papiere lagen in ordentlichen Stapeln, der kleeblattförmige Gläserständer aus getriebenem Silber stand vor dem blaßblauen, englischen Porzellanwasserkrug, die gerade ausgerichteten Kontobücher, zwischen zwei senkrechte Fußgestelle aus Marmorlöwen gezwängt, waren sorgfältig sortiert. In dieser ersten, einsamen morgendlichen halben Stunde, hinter verschlossenen Türen und frei, jede Rolle seiner Wahl zu verkörpern, da er sein einziger Zeuge war, verliehen ihm all diese Dinge ein Gefühl der Sicherheit und Ruhe, eine unsagbare, aber greifbare Genugtuung, eine Art fröhlicher Behaglichkeit voller unbestimmt glückhafter Aussichten. Auf die Rückenlehne seines Stuhls gestützt, genoß er in solchen Augenblicken dies ihn wie ein warmes Bad umhüllende Gefühl, und er unterließ es nie, einige Schritte zu tun und die Tür zum Arbeitszimmer des Barons zu öffnen. Sein Blick blieb besonders an dem hohen geschnitzten Hartholztisch, dem mit Goldsamt gepolsterten Sessel mit seinen weinroten Rücken- und Armlehnen, den üppig gerahmten Porträts an den Wänden haften, in einer fast vollständigen Dunkelheit, nur gemildert durch das aus der halbgeöffneten Vorraumtür dringende, matte Licht. Erst dann setzte er sich an den Schreibtisch, beleckte den Zeigefinger und den Daumen der rechten Hand und entnahm dem kleinen Stapel zu seiner Rechten mit großer Sorgfalt, um ihn nicht zu zerknittern, einen Bogen Kanzleipapier, faltete ihn in der Mitte und schrieb – einen Schnörkel durch die Luft ziehend, bevor er die Feder aufs Papier drückte – oben hin: TAGESPLAN. Für gewöhnlich waren es nicht mehr als zehn oder zwölf Angelegenheiten, einige vom Vortag übertragen und von der Liste abgeschrieben, die er vor dem Platznehmen aus der Hosentasche gezogen und in kleinste Schnitzel zerrissen hatte, damit kein neugieriges Auge etwas von dem Geschriebenen erhaschen konnte. Für den größten Teil des Tagesplans mußte er Papiere und Dokumente vergleichen, er tat das gemächlich, wobei er das eine oder andere Bündel wiederholt von vorne bis hinten durchging, um sich zu versichern, daß auch alles nach Wunsch verlief. Etwa zehn Minuten vor sieben Uhr war er damit fertig, er strahlte vor Befriedigung, wünschte sich, er hätte einen gediegenen Embonpoint, auf dem er seine Finger verschränken und die Daumen umeinander kreisen lassen könnte. Manchmal wanderte er im Vorzimmer auf und ab, manchmal redete er zu sich selbst, manchmal ordnete er sämtliche Gegenstände auf dem Schreibtisch mit so viel Genauigkeit, daß er ein Auge schloß, um sich der Exaktheit ihrer Anordnung zu vergewissern, gelegentlich heftete er den Blick auf das Uhrwerk.

Das Hemmungsrad hakte ein, stockte in derselben Lage länger als erwartet, tat einen plötzlichen Ruck, das Schlagwerk summte, und die sieben Glockenschläge begannen zu ertönen. Amleto zählte sie mit Vergnügen und stand beim sechsten auf, um den Riegel vor der Vordertür seines Büros zurückzuschieben. Er öffnete sie, und vor ihm stand Horácio Bonfim, der Schreiber, ein Mulatte mittleren Alters, Pferdegebiß, gebückt, unterwürfig und dienstbeflissen, doch immer mit einem Schuß Unverschämtheit in seinem Benehmen – etwas, was sich nicht genau bestimmen ließ, aber jedermann in seiner Gesellschaft Unbehagen einflößte –, und hängte den Hut an einen Haken des Kleiderständers und den Stock an einen anderen. Er hielt inne, als er die Tür aufgehen hörte, und schaute Amleto etwas schief an, den Stock noch erhoben. Machte eine sonderbare Verbeugung, bei der er Amleto immer noch nicht direkt ansah, und lächelte.

»Ich hörte die Uhr schon im Gang schlagen«, sagte er. »Ich wußte daher, daß Euer Gnaden die Tür just in dieser Sekunde öffnen würden. Auf Euer Gnaden ist Verlaß! Einen schönen guten Tag zuallererst, einen schönen guten Tag! Jawohl, auf Euer

Gnaden ist stets Verlaß, ich wünschte, der Bruder Glöckner hätte einen so gutgehenden Chronometer im Kopf!«
Er wußte, daß Amleto gerne wegen seiner methodischen Gewohnheiten gelobt wurde und sprach wie einer, der wirklich zu gefallen hofft, obwohl seine mangelnde Aufrichtigkeit, womöglich absichtlich, durchklang. Amleto lächelte. Ihm entging nicht, daß Horácio seine Geringschätzung in diesem Redefluß schlecht verbarg, doch auch so stellte er mit andauerndem Vergnügen fest, daß ihn dieser unangenehme Mensch, dem nicht zu trauen war und der ihn offensichtlich verachtete, nur in solch hinterlistiger, mit Kratzfüßen gepolsterter und mit Bewunderung getarnter Art und Weise angehen konnte. Er erwiderte sein »Guten Tag«, unterbrach ein neues Kompliment, diesmal über den Schnitt seines Rocks, um ihm ein Papier zu überreichen.
»Diese Leute wollen mich heute sprechen«, erklärte er. »Ich muß sie alle sehen. Heute haben wir einen besonders arbeitsreichen Tag vor uns, überdies reist morgen der Herr Baron zur Walfängerstation, wir müssen dafür sorgen, daß alles zur richtigen Zeit und Stunde arrangiert ist. Und sag Benigno, daß er den Herrn Kapitän Martinez, sobald er kommt, heraufführt und hereinläßt. Und wenn mein Schwager Emídio Reis kommt, soll er auch sofort hereingeführt werden, es sei denn, daß der Herr Kapitän Martinez noch da ist, doch laß meinen Schwager keinesfalls fortgehen, ohne daß er mit mir gesprochen hat. Es werden auch einige Neger kommen, sie wollen wie immer Vergünstigungen, doch die können warten, bis ich sie rufe.«
Horácio nahm das Papier entgegen, setzte sich die Brille auf, las die Namen hastig vor sich hin brummelnd, lobte Amletos Schönschrift – o ja, Senhor, o ja, Senhor! –, und er möge alles seiner sorgfältigen Obhut überlassen.
»Ja«, sagte Amleto. »Und wenn du hereinkommen möchtest, klopfe einmal an und warte, ich öffne selbst. Du brauchst nicht hartnäckig zu klopfen, ich höre das erste Klopfen sehr wohl. Wenn ich einmal länger brauche, so weil es Angelegenheiten und Transaktionen gibt, die sich in bestimmten Augenblicken nicht unterbrechen lassen, Geschäfte und Verschwiegenheit, das bedeutet ein und dasselbe.«
»Ganz sicher doch!«
Horácio sprach mit unerträglicher Ironie in der Stimme, so daß

Amleto erst etwas sagen wollte, aus dem Ausruf jedoch genügend Zweideutigkeit heraushörte und es ihm deshalb nicht ratsam erschien, etwas zu entgegnen und sich damit etwas anmerken zu lassen.
»Sehr gut«, sagte er, die Hand auf der Klinke. »Sehr gut.«
»Sehr gut«, hallte Horácio wider.
Er würde immer das letzte Wort haben, dachte Amleto, als er in sein Büro trat und den Riegel vorschob. Doch ihm genügte schon die wie jeden Tag nahende Ängstlichkeit, um sein fast vollständiges Glücksgefühl zu schmälern. Er überflog die Liste des Tagesplans, hatte Mühe, sie ruhig durchzulesen, tadelte sich dafür, zwang sich zu erneutem Durchlesen, diesmal bedächtig und eingehend, obgleich ihn das große Anstrengung kostete. Die Schwierigkeiten, die ihn die Ausführung bestimmter Punkte kosten mochten, nagten an ihm, er malte sich in allen Einzelheiten aus, wieviel Schlimmes oder sogar Skandalöses und Schändliches geschehen könnte, falls irgend etwas schiefginge, er malte sich Verrat aus, unglückliche Umstände, niederschmetternde Zufälle. Und es beunruhigte ihn auch, die Dinge nicht in der Ordnung seines Tagesplans erledigen zu können. Die Nummer 8 vor der Nummer 2 auszustreichen, schien ihm beispielsweise unannehmbar, und zwar so sehr, daß, wenn solche Umkehrungen sich wiederholten, die Neuschrift der Liste unvermeidlich wurde, mit berichtigter Reihenfolge, und es gab Tage, wo er dies häufig tun mußte und dabei einen dumpfen Haß wiederkäute gegen jedermann, der die angemessene Abfolge der Ereignisse durcheinanderbrachte. Folglich stand er, als er die Tür öffnete, um Horácios Klopfen, das immer lauter war als nötig, zu antworten, ziemlich zornig der gedrungenen, erregten Gestalt seines Schwagers Emídio Reis gegenüber. Zugleich fühlte er auch Erleichterung darüber, daß sein Schwager die Verabredung eingehalten hatte, doch er war eigentlich Tagesplan Nummer 6, irgendwie ging es nicht an, mit ihm noch vor dem Kapitän zu verhandeln. Ihm gefiel das nicht, und er beschloß, den Tagesplan neu zu schreiben.
»Ist es nicht zu früh?« sagte er, ohne vor der halbgeöffneten Tür den Weg frei zu machen.
»Das habe ich ihm auch gesagt«, warf Horácio ein. »Ich habe auch bemerkt, daß Euer Gnaden zuerst den Besuch des Herrn

Kapitän Martinez erwarten. Aber da der Herr Kapitän Kommandant Martinez noch nicht gekommen ist und da Euer Gnaden auch gesagt haben, daß ...«
»Schon recht!« unterbrach Amleto und stieß die Tür mürrisch auf, um den Schwager eintreten zu lassen.
Er schob den Riegel vor, prüfte dessen Haltbarkeit und drehte sich nach Emídio um, der bereits auf dem vor dem Schreibtisch stehenden Stuhl saß. Er blieb einige Schritte vor ihm stehen und blickte ihn mißbilligend an. Erst jetzt bemerkte er, daß er in Hemdsärmeln gekommen war und ein Hemdzipfel aus der hochtaillierten Hose heraussah, lose Hosenträger, nachlässige Krawatte und ein lasch unter dem Nabel geknoteter Lederriemen. Und statt Schuhe trug er Holzpantinen. Und auf dem Kopf das gleiche lächerliche Hütchen, das Amleto schon so oft als gaunerhaft gerügt hatte, ohne daß Emídio es wenigstens unter seinem Dach abgenommen hätte.
»Warum mußt du in solchem Landstreicheraufzug herumlaufen? Schau, würde der Neger João Benigno dich nicht kennen, er würde dich nicht hereinlassen, er hat Anweisung, nur anständig gekleidete Leute hereinzulassen, das hier ist kein Marktplatz, du solltest dich wirklich schämen, wie willst du im Leben vorwärtskommen, wenn du in Pantinen und mit heraushängenden Hemdzipfeln herumläufst? Und noch dazu mit diesem unsäglichen Hütchen, das du nicht einmal ziehst, wenn du ein fremdes Haus betrittst!«
Emídio setzte eine übertrieben entsagungsvolle Miene auf, zog den Hut, fuhr mit der Hand über das Haar und steckte sich ohne große Überzeugung das Hemd in die Hose.
»Ach, du mußt entschuldigen, das macht diese ganze Schufterei! Du meinst wohl, es macht keine Arbeit, diesen Lagerschuppen zu verwalten? Du glaubst wohl, ich brauche nur zu tun wie du, einer der hinterm Schreibtisch hockt, irgendwelche Zahlen kritzelt und Befehle erteilt im Namen vom Herrn Baron von Pirapuama? Weißt du, wie lange ich schon auf den Beinen bin und Ware staple, mich mit Schuldnern und diebischen Angestellten herumschlage, ohne Atempause und nicht mal Zeit zum Waschen oder Rasieren habe ich. Ich habe keine Zeit für Firlefanz – entweder das eine oder das andere.«
»Du solltest besser sagen, das eine hat nichts mit dem anderen zu

tun. Viel Arbeit ist keine Entschuldigung für Schlendrian. Und im übrigen wird immer deutlicher, daß du mit der Zeit, über die du verfügst, nicht richtig umgehen kannst. Ich habe dich gegen neun erwartet, wie vereinbart, und nicht zu dieser frühen Stunde. Du meinst vielleicht, daß ich nicht arbeite, aber machst du dir klar, daß du mir mein gesamtes Tagesprogramm über den Haufen wirfst? Jede Minute hier ist kostbar, sogar die Zeit, die ich damit verbringe, dir die Grundgesetze des Handels beizubringen, die du freilich trotz aller meiner Bemühungen nie lernen wirst, obwohl du behauptest, daß du arbeitest und ich nicht. Warum mußtest du ausgerechnet jetzt kommen, wo du gut und gern zwischen deinen Weinschläuchen und Speckseiten hättest bleiben können, und genau zur vereinbarten Stunde hättest erscheinen können?«

»Das wär mir nur recht gewesen, kannst du mir glauben. Doch nicht ich setze den Zeitplan des Finanzamts fest und auch nicht den der Zollbeamten und all der Leute, die den Lagerschuppen wie die Schmeißfliegen heimsuchen. Und heute kriegen wir Besuch vom Kontrollbeamten der Handelsvereinigung, der wollte gestern über die Stempelmarken und die Konnossements von fast allen Waren Auskunft, die du mir von der Walfängerstation geschickt hast. Ich habe ihm gesagt, wir hätten bereits alles mit dem Herrn Zollinspektor und dem Herrn Registrator geregelt ...«

»Um Himmels willen, du hast doch nicht etwa zu verstehen gegeben, daß wir dem Inspektor Lebensmittel zukommen lassen oder daß wir dem Registrator eine Leibrente zahlen, um Gottes willen nochmal! Denn wenn das eines Tages jemand erfährt, was dort vorgeht, ist ›Ungnade‹ noch ein schwaches Wort für das, was uns blühen kann. Und ganz besonders dir, laß dir das gesagt sein, damit du nicht glaubst, daß nicht auch du bis zum Hals in der Sache steckst.«

»Ich weiß, ich weiß, du brauchst mich nicht daran zu erinnern. Ich bin auch nicht so hirnverbrannt, das dem Mann vom Handelsamt aufzubinden.«

»Aber du redest mir zuviel. Ich habe dir schon oft gesagt, daß du beispielsweise die Waren nicht erwähnen sollst, die wir von der Walfängerstation abziehen.«

»Die wir aus der Walfängerstation klauen! Bah! Wer hört uns

denn hier zu? Du und deine Manie mit feinen Wörtern, die machen sich in meinem Mund schlecht.«

»So was darf man nicht einmal im Scherz sagen, so was darf man nicht einmal denken! Ich verbiete dir, so zu reden, zu deinem eigenen Besten! Dies ist jetzt das letze Mal, daß du so redest! Wenn du nicht ein wenig Verstand annimmst, kann ich nicht länger mit dir zusammenarbeiten, und ich werde mich gezwungen sehen, dies deiner Schwester mitzuteilen, die übrigens nicht sonderlich zufrieden mit dir ist.«

»Wieso ist Teolina nicht zufrieden mit mir, was habe ich getan?«

»Es ist nicht, was du getan hast, es ist die Art, wie du bist, dein Verhalten, dein Benehmen.«

»Aber ich arbeite doch wie ein Hund, ich ...«

»Aber deine Unbesonnenheit, dein unbekümmertes Daherreden. Das soll jetzt das letzte Mal sein: wenn du von der Ware aus der Walfängerstation sprichst, nenne sie schlicht Sonderware, das genügt. Quetsch dir das in deinen Schädel, verdammt nochmal! Sonderware!«

»Schon gut. Dann haben wir also keine Lieferscheine für die Sonderware, weil sie weder der Herr Inspektor noch der Herr Registrator geliefert haben.«

»Doch, natürlich. Ich habe sie hier. Aber das sind andere, das sind andere! Die, die er will, das sind andere, die haben wir nicht.«

»Ja, was meinst du, soll ich ihm auch Geld anbieten? Vergiß nicht, an der Sonderware machen wir immer einen guten Schnitt, sie kostet uns nichts, und wir verkaufen sie für den Preis, den wir verlangen.«

»Nein, nein, nicht so rasch. Schlafende Hunde soll man nicht wecken. Warte, bis er was sagt, wenn er Geld will, kannst du sicher sein, daß er die Initiative ergreift, irgendwas sagt wie ›Wir können da einen Ausweg finden‹, ›Vielleicht läßt sich da was machen‹ oder dergleichen. Aber auch dann bietest du nichts an, er soll mit mir sprechen, mit deinem Schwager, älter als du und dein Beschützer, ich betreue deine Rechnungsbücher und so weiter. Das ist keine Aufgabe für dich, ich werde selbst mit ihm sprechen.«

»Und was sage ich ihm, wie soll ich ihm erklären, daß die Lieferscheine fehlen?«

»Sehr einfach. Sag ihm, es handelt sich in der Tat um Ware vom Herrn Baron, die nicht zum Verkauf steht, sondern nur auf Lager liegt, zum späteren Versand an eine seiner Besitzungen.«
»Aber...«
»Überlaß alles andere mir. Wenn er die Information bestätigt haben will, muß er zu mir kommen, heute bin ich die Stimme des Barons. Und ich werde zu handeln wissen, es gibt viele mögliche Lösungen, viele Wege, dergleichen kommt bei Geschäften vor, es gibt schon gangbare Wege. Früher oder später wird diese Überprüfung ohnehin kommen, also ist es besser, sie kommt gleich, dann sind wir bald ein Problem los. Es ist nicht nötig, die Angelegenheit wiederzukäuen, ich habe hier Wichtigeres zu erledigen. Wie ich vielleicht schon gesagt habe, fährt der Herr Baron, dem der Arzt einen Luft- und Wasserwechsel verordnet hat, morgen zur Walfängerstation. Sag mal, wie ist es im Lager mit Apothekerartikeln bestellt?«
»Voll. Sogar Leinenbandagen haben wir, etwa achthundert Ellen. Gehört das denn nicht zur Sonderware, die mit der letzten Sendung gekommen ist?«
»Doch, natürlich. Als ich diese Artikel ins Lager hinübergeschickt habe, konnte ich nicht wissen, daß ich sie noch einmal brauchen würde, jetzt, wo der Herr Baron krank ist und auf die Insel fährt. Lassen wir die Neger einmal beiseite, denn um die braucht man sich wirklich nicht so stark zu kümmern, vielleicht verbrennen sie sich dann nicht so oft in der Siederei, vielleicht lassen sich viele nur deshalb verbrennen, weil sie wissen, daß sie behandelt werden, ein Bett bekommen, Arzneien und Arbeitsurlaub. Viele gute und anständige Leute wären froh, wenn sie solche Vergünstigungen hätten.«
»Sollen wir also die Apothekerartikel zurückschicken?«
»Wenn ich dir sage, du bist ein Dummkopf und hast lauter Mist im Kopf statt Grips, glaubst du mir ja nicht. Was meinst du denn, warum wir uns soviel Arbeit mit dem Lager machen, und die ganze Plackerei ist nur ärger, weil du es leitest und mich wegen jeder Lappalie hier belästigst, all das etwa nur, damit wir unsere Ware umsonst abgeben? Was verlangst du für die Elle Leinenstoff?«
»Vierhundert Réis.«
»Ist das der Preis, den man hier in der Gegend dafür verlangt?«

»Hier verlangt man noch etwas weniger, es hängt von der Menge ab.«
»Schön, die Walfängerstation kauft dir all deinen Verbandstoff ab, aber verlange vierhundertundfünf oder -sechs die Elle. Und da wir alle anderen Artikel auch kaufen werden, setze für sie etwa dieselben Preise an, von den Einmachtöpfen bis zur Gerste, verstehst du? Ein bis zwei Réis fürs Hundert, diese kleinen Zuschläge scheinen niedrig, schlagen aber zum Schluß mächtig zu Buch. Zum Glück habe ich die Liste der Artikel hier, denn ich habe sie ja selbst für den Herrn Baron eingekauft.«
Er fuhr mit dem Daumen über die Blattränder eines der Stapel und zog zwei Blätter vorsichtig heraus, um die übrigen nicht zu verschieben.
»Hier haben wir es. Arzneien habe ich für dreihundertzwanzig Milreis gekauft, habe für zweihundertzwanzig ins Lager abgezweigt, ich kaufe dir dieselben zweihundertzwanzig für zweihundertdreißig zurück. Essig habe ich zweihundert Viertel gekauft, habe dir hundertfünfzig zum Verkauf zu zweihundertdreißig das Viertel überlassen, kaufe dir alles zu zweihundertvierzig zurück. Gerste ...«
So konzentrierte er sich geraume Zeit und ließ dann und wann die Hand auf der ins Tintenfaß getauchten Schreibfeder ruhen. Emídio, vielleicht schwindelig von der Geschwindigkeit des Ganzen, wollte etwas sagen, hob einen Finger. Ohne die Augen vom Papier zu heben, auf dem er die Waren auflistete und alles berechnete, kam Amleto ihm zuvor und brachte ihn mit einem Psst zum Schweigen.
»So, das hätten wir!« rief er nach Beendigung der Arbeit. »Sieh, hier ist die gesamte Warenliste mit Preisen und Mengen. Das wirst du der Walfängerstation durch meine Vermittlung verkaufen. Ich schreibe dir gleich eine Quittung über den Gesamtbetrag aus, die du mir im Namen des Lagers unterschreibst. Und sobald du kannst, spätestens um Mittag, läßt du die Ware zur Walfängerstation auf dem Saveiro *Lidador* verladen, er hat am Conceição- Pier festgemacht.«
Minuten später, während er die Quittung über eine Reihe von Stempelmarken unterschrieb, unterbrach Emídio seine angestrengte Arbeit und drehte sich nach Amleto um, der ihm über die Schultern zusah.

»Du zahlst also gleich?« fragte er. »Mit diesem Geld kann ich allerlei Verbesserungen im Schuppen vornehmen und dann kann ich endlich lauter kleine Dinge anpacken, die ich vor mir herschiebe.«

»Der Schuppen braucht jetzt keine Verbesserungen, Verbesserung braucht unser Leben. Nein, ich werde dir das Geld nicht jetzt auszahlen, übrigens habe ich gar nicht vor, dieses Geld dem Lager zu überweisen.«

»Aber hast du die Ware denn nicht im Namen vom Herrn Baron gekauft, und gehört das Geld nicht ihm und dem Lager? Ich verstehe nicht wie ...«

»Du verstehst nichts, nie verstehst du etwas. Das Lager steht glänzend da, jetzt brauchen wir dort kein Geld, diese Ware hat uns nichts gekostet, sie hat keine Spesen verursacht. Daher muß dieses Geld auf andere Weise verwendet werden, zu unseren Gunsten.«

»Auf welche andere Weise?«

»Wenn du nicht das einfachste, das elementarste Handelsgeschäft verstehst, wie willst du etwas von großen Geschäftsabschlüssen verstehen? Das erledige ich, keine Sorge. Wenn ich dich von deinem Stückchen Acker und von der Hacke weggeholt habe, um dir die Leitung von ein paar Geschäften zu übertragen, habe ich natürlich nicht erwartet, daß du ein Gespür für höhere Finanzen mitbringst. Los, du kannst gehn, es ist alles geregelt, was stehst du hier herum, stehst wie ein Mondkalb da, mach den Mund zu, Mann! Geh, los, zieh ab! Oder hast du nichts zu tun? Worauf wartest du?«

»Soll ich also den Buchprüfer zu dir schicken?«

»Schick ihn her. Los, geh jetzt, Gott mit dir, geh.«

Und sobald er die Tür hinter sich geschlossen hatte und sie dabei Horácio fast ins Gesicht geknallt hätte, rannte er zum Schreibtisch und zog die Kombinationsschubladen mit zitternden Händen auf. Die drittoberste bis zur Mitte, die vierte bis zum Ende, jetzt die erste bis zum Ende, die zweite bis zur Hälfte. Das geschnitzte Holzkästchen, das Teil der Vorderseite des Möbels schien, lockerte sich, Amleto drehte mit einem kleinen Ruck die offene Seite zu sich hin und zog daraus ein Kästchen aus Eisen und Bronze hervor. Er holte einen Schlüssel aus der ersten Schublade, einen anderen aus der inneren Rocktasche. Er schien am Rand der Verzweiflung, als er trotz Grimassen und Schweißausbrüchen den zweiten Schlüssel nicht im Schloß umzudrehen vermochte. Eine Sekunde hielt er inne, fächelte sich mit den Händen Luft zu, wischte sich die Stirn, wagte einen neuen Versuch, und diesmal drehte sich der Schlüssel geschmeidig, das Schloß sprang auf, das Kästchen öffnete sich und ließ etliche neue Banknoten von zehn und fünfzig Milreis, die zusammengepreßt darin lagen, halb hervorquellen. Amleto hob den Deckel vollständig, ein Windhauch raschelte durch die Geldscheine. Er besah sich die von Emídio hinterlassene Quittung, legte sie unter die Kassette und zählte die größeren Scheine. Er fürchtete, daß sogar die Fünfziger-Noten seine Tasche zu stark aufbauschen könnten, durchwühlte die Kassette, zog vom Boden ein Bündel von Fünfhundert- und Tausend-Milreis-Noten, löste die Banderole, beroch die Scheine mit zwei oder drei tiefen Atemzügen und legte leise zählend die auf der Quittung stehende Summe beiseite. Er zögerte, welche Tasche er verwenden sollte, beschloß alles in vier Teile aufzuteilen, zwei für die Hosentasche und zwei für die inneren Rocktaschen. Jetzt mußte er die Kassette schließen und sie wieder in ihr Fach stellen, doch abermals hielt er inne und betrachtete das übriggebliebene Geld. Am Ende schloß er es fast widerwillig ein und führte die Geheimprozedur rückwärts durch. Das Möbelstück zeigte wieder seine solide, festgefügte Vorderseite, die kleinen Schubladen kehrten in ihre gewohnte Lage zurück, die runden schwarzen Knäufe schimmerten wie lebendige Äuglein. Er setzte sich an den Schreibtisch, betastete die weichen Ausbuchtungen der Banknoten in seiner Kleidung, und saß lange so zurückgelehnt reglos da, seine Gedanken in die Ferne und sein Blick ins Künftige schweifend.

Walfängerstation-zum-Guten-Jesus, den 24. August 1827

Auf der Hintertreppe des Gutshauses hockend, bezweifelten Budião und Feliciano, daß Merinha mit dem Gefolge des Barons käme. Die Küchennegerinnen der Walfängerstation waren andere als die der Stadtwohnung, und wenn auch einige, wie etwa Merinha, gelegentlich als Begleitung mitkamen, blieben sie doch meistens zurück, je nach Laune der Frau Baronin, die umschlagen konnte wie der Wind. Dem Sieg schon so nahe, denn sie meinten, die Gifte erreichten zu diesem Zeitpunkt bereits den Höhepunkt ihrer beharrlichen Wirkungskraft, fürchteten sie, dieser sichere Sieg könnte ihnen noch in letzter Minute entfliehen, gab es doch in der Walfängerstation niemand, der die Aufgabe von Merinha übernehmen konnte, die sie mit solcher Tüchtigkeit bewältigte, daß die Nachrichten vom Leiden des Barons mehrmals in der Woche zur Walfängerstation gelangten, wobei viele davon seinen Zustand als hoffnungslos vermeldeten, einige ihn bereits als toten Mann ausgaben, was hinterher wieder dementiert wurde. Um so schlimmer, sagte Budião und schlug sich erbittert auf die Beine, da Meister Júlio Dandão auch keine Antwort gewußt hatte, als er ihn über Merinha befragt hatte. Aber, gab Feliciano zu bedenken, dem der Kummer über seine Sprechunfähigkeit Tränen in die Augen trieb, der große Júlio Dandão hatte sich doch so sonderbar verhalten, vielleicht hätte der einen Vorschlag? Wieso sollten sie nach einem so hoffnungsvollen Auftakt unterliegen, nach derart erfolgreicher Ausführung eines Plans, auf die sie viele Jahre vergeblich gewartet hatten, immer nur auf die Gerechtigkeit des Schicksals bauend, eine Gerechtigkeit, über deren Existenz nie Gewißheit bestand? Oh, vielleicht, ach, ich weiß nicht, erwiderte Budião und stand auf, um ein paar Schritte zu gehen. Wer konnte mit Sicherheit etwas über diesen Júlio Dandão aussagen, wer konnte in diesem mit Fallen gespickten Leben überhaupt auf jemanden bauen? Ich weiß nicht, ich glaube nicht, sagte er, auf die Stengel der Bananenstauden einhämmernd.

Und es konnte in der Tat keinen geheimnisvolleren Schwarzen als diesen Júlio Dandão geben, Bootsführer des Saveiros *Lidador*, bei dem alles nach Geheimnis oder Verstellung aussah. Er liebte Schaffelle, lief ständig mit einem auf dem Rücken umher und rollte sich in ein zweites ein, wenn er sich in der Kajüte seines Segelkahns zum Schlafen einigelte. Er sprach kaum ein Wort, aber nicht, weil er die Sprache nicht konnte, die konnte er sehr wohl, wer weiß, vielleicht war er gar nicht in Afrika geboren, wer weiß, er sagte es nicht und wurde auch nicht danach gefragt. Schwarz, sehr schwarz, pechschwarz sogar, einer von denen, deren Schwärze den Blick verwirrt und die Züge im Halbdunkel verschwimmen läßt, die Nase ein dicker Knorren, der ihm mitten aus dem Schnurrbart wuchs, der bis zum Kinn hinunter wucherte, unter einem rußfarbenen Napfhut, festgehalten von einem Kinnriemen aus geflochtenem, schwarzem Ziegenleder. Wenn Regen fiel oder die Kälte der Jahresmitte nahte, zog er, wie alle Leute vom Meer, eine kurze Filzjacke an und stülpte eine dicke Kapuze auf den Kopf, und dies alles über den weiten Kleidungsstücken, die er ohnehin am Körper trug, und so wirkte er noch größer und massiger. Nachts erkannte man nur seinen riesigen Umriß, und im flüchtigen Schein eines Petroleumlämpchens blitzten manchmal das Weiß seiner Augen und der große, weiße Zahnstocher auf, den er nie aus dem Mundwinkel nahm. Sein Name Dandão war der gleiche, den man den finstersten Nachtmahren gab, und man wußte genau, daß er sich noch kein einziges Mal im Leben bekreuzigt und noch vor keinem Kreuz verbeugt hatte, nicht einmal aus Heuchelei. Einsilbig, verkniffene Augen, verkrampfter Mund, große, hervorstehende Zähne, hohe Backenknochen, karges Lächeln, vielleicht war er ein Jeje-Neger, ein grimmiger Mina-Neger, so einer, der niemandem traut, stur wie ein Pferd, stiernackig, langarmig, immer bereit, dem Erstbesten einen Tritt in den Hintern zu geben. Er konnte auch ein Aschanti sein, wer weiß, oder auch ein reisfressender Haussa, ein Fong-Neger, ein Barbiba- oder Somba-Neger aus dem Benin-Grenzland zwischen Dahomey und dem Sudan, aus irgendeinem Gebiet des großen Königs Abomey, der mörderische Frauenbataillone aufs Schlachtfeld schickte. Er aß kein Schweinefleisch und mochte Hunde nicht, auf der Straße blickte er die Frauen weder an, noch sprach er mit ihnen, er war sicherlich ein Muslim-Neger von rätselhafter Geistesverfassung, ebenso verschlüsselt wie seine Schilder und Papiere, die mit geschlängelten Schriftzeichen, Blättern und Sicheln bemalt waren und die als ebenso mächtig galten wie das Gift der Oleanderpflanze. Seinen Namen veränderte er dem Vernehmen nach gelegentlich in Vodunô, er stand mit den Schlangen im Bund – vielleicht durch Vermittlung der berühmten Schlange Dang, der Schlangen Dang-Bê, Dangue, Obessém und Oxumaré-vom-Regenbogen? Das konnte wohl sein, es konnte auch vieles andere sein und auch nichts von alledem.

Aus diesen Gründen war Budião höchst überrascht, als Júlio Dandão ihm aus heiterem Himmel ein Zeichen gab, während sein Saveiro dabei war, am Kai der Walfängerstation anzulegen, gerade gestern. Die Gaffel war noch nicht heruntergeholt und festgezurrt, und die Schiffsjungen konnten den an Land wartenden Negern die Halteleinen noch nicht zuwerfen, als Júlio Dandão, die eine Hand auf dem Steuerbordbelegnagel, während die andere eine am Fockmast verhakte Leine lösen half, den Blick hob und Budião sah, wie er die Hand von der Leine nahm und sie mit der Innenfläche hochhielt wie jemand, der um etwas Geduld bittet. Was mochte er wollen? Budião wußte von niemandem persönlich, der mit Bootsführer Júlio Dandão gesprochen hatte, der, wenn er da war, nie seinen Saveiro verließ, die ganze Zeit an Deck blieb, die Herdglut fächelte, um Fisch zu braten oder zu räuchern, oder unablässig in den Luken und Backskisten kramte. Was mochte es sein? dachte Budião, während der Saveiro mit niedergelassenen Segeln die Mole entlangglitt, anlegte und sich wie ein großer zahmer Fisch festmachen ließ.

Trotz des Zeichens konnte Budião nicht warten, weil Almério schon gesehen hatte, daß das Schiff voll beladen war, und den Negern zuschrie, sie sollten sich sputen, die ganze Ladung müsse zum Lagerschuppen befördert werden. Dandão zog ein Bündel Papiere aus seiner Ledertasche, und als er es Almério über die Bootsreling hinweg aushändigte, sah er Budião neben dem Verwalter stehen, sagte aber nichts. Budião fand nur, mit der Art, wie er den Kopf kaum merklich senkte und hob, bestätigte er wohl das von fern gegebene Zeichen, Budião solle in seiner Arbeit weitermachen, bei erster Gelegenheit würde man sich dann sprechen.

Schon war es nicht mehr so hell wie zur Stunde, als Budião zum Anlegeplatz gegangen war, nicht nur weil das Entladen Zeit kostete, sondern auch weil sich im Nordwesten schwarze Wolken zusammengeballt hatten und die bereits untergehende Sonne verdunkelten. Was für eine Hitze, dachte er, die Vögel waren ganz still, die Fledermäuse flogen niedrig, Kakerlaken und Fliegen suchten Schutz in den Häusern, Ungeziefer klebte den Menschen auf der Haut. Doch bald würde sicherlich ein frischer Nordostwind die Wolken irgendwohin verscheuchen, überdies war sein Hitzegefühl fraglos eine Folge der ganzen Schufterei, denn Almério hatte beschlossen – vielleicht mangels

Beschäftigung, vielleicht weil er niemanden anbrüllen konnte –, im Lager allerlei Extraarbeiten anzuordnen.
Schon von der Mole aus konnte Budião Júlio Dandãos Schaffell sich in der Dunkelheit der Kajüte wie ein Gespenst in einer Grotte regen sehen. Er trat näher, das Fell bewegte sich schwerfällig, Dandão tauchte so langsam aus der Kajüte auf, als würde er nie den ganzen Körper bis ans Licht bringen. Der Herdrauch, der durch die wie schmale Matten dicht an dicht aufgespießten Fischchen drang, ringelte sich um seine Beine, stieg an seiner Stirn hoch und umwölkte seinen Kopf. Budião blieb einen Moment stehen, fand, er sei wirklich eine Erscheinung, sein Albtraumname sei berechtigt. Doch brauchte man keine Angst vor ihm zu haben, schließlich war er nur ein Mann, zwar ein Freigelassener, aber dennoch genauso ein Schwarzer wie er selbst. Er nahm seinen Gang über die Mole wieder auf, gelangte zur Bordwand des in der Ebbe fast trockenliegenden Saveiros und setzte zum Sprung an, als Dandão plötzlich vor ihm stand und ihm mit ausgestreckter Hand an Bord half.
Lange blieben sie schweigend vor der Kapitänskombüse hokken, der Geruch der geräucherten Xangós zog fett durch die stille, jetzt vielleicht noch heißere Luft. Dandão streckte den Arm aus und griff nach einer kleinen, mit Maniokmehl und sonnengedörrten, grauen Lammfleischstücken gefüllten Steingutschüssel. Er hielt sie Budião hin und ließ seinen Arm ausgestreckt, bis er sah, daß der andere nicht essen wollte. Er bückte sich über den Räucherdreifuß und nahm einen Spieß, zeigte ihn Budião.
»Hm?« bot er ihn an. »Hm?«
Budião, der das Fleisch nicht berührt hatte, weil er das Angebot nicht begriffen hatte, so beschäftigt war er mit anderen Gedanken und mit diesem Zauberschiff, das er nie betreten hatte, schreckte hoch, nahm den Spieß, riß fünf Xangós mit den Zähnen ab und gab ihn zurück. Auch Dandão biß ein paar Fischchen herunter, wieder verstummten sie und kauten schweigend. Doch Budião, schon weniger unter dem Bann, wollte wissen, um was es in dieser unerwarteten Unterhaltung eigentlich gehen solle. Er legte sich die Frage im Kopf zurecht, war mehrmals drauf und dran, zu reden, und gab es jedesmal auf – wäre das nicht eine Unhöflichkeit, vor dem Hausherrn zu sprechen?

Doch er brauchte sich keine weiteren Gedanken zu machen, denn nachdem Dandão eine Handvoll Maniokmehl in den Mund geschaufelt und sich den Schnauzbart mit dem Handrücken abgewischt hatte, rückte er näher und begann zu reden.

»Der Baron, dein Herr, kommt morgen«, sagte er mit klarer Stimme, nicht mit dem heiseren Brummen, das Budião erwartet hatte.

»Er kommt morgen? Also morgen kommt er? Ist er schon geheilt, und kommt morgen?«

»Nein, nicht weil er geheilt ist, weil er schlimmer dran ist. Er kommt wegen dem Luftwechsel. Geht ihm ganz schlecht, er wird sterben.«

Budião erschrak und fühlte sein Gesicht heiß werden. Warum hatte Dandão so gesprochen, so verschwörerisch? Was für eine Falle war das, was für ein Geheimnis? Er biß die Zähne zusammen, machte eine ernste Miene, er würde nichts zugeben.

»Ach, der arme Baron, unser guter lieber Herr soll sterben?«

Dandão blickte ihn lange an, mit sonderbar belustigtem Gesichtsausdruck, er schien lächeln zu wollen. Er legte ihm die Hand auf die Schulter und drückte sie.

»Brauchst nichts zu sagen«, sagte er. »Ich weiß.«

»Weißt was? Ich weiß von nichts. Du hast mich hergerufen, du wolltest mit mir sprechen.«

Ohne sich ganz aufzurichten, im Schlenkergang eines Affen, trottete Dandão zur Kajüte, griff nach einem schmutzigen Sack, zog zwei Bündel Kräuter heraus und versuchte sie Budião zu reichen, der sie nur ansah.

»Was ist das?« fragte er, die Arme verschränkend.

»Nimm. Nimm schon, es sind die selben, die du gesammelt hast, die wirst du jetzt nicht mehr sammeln können. Nimm, vielleicht brauchst du sie.«

»Ich weiß nicht, wovon du redest. Ich soll sie wozu brauchen?«

»Wenn Emerenciana nicht kommt, wenn sie nicht die Blätter bringt, was dann?«

Budião wurde verwirrt, er konnte nicht entscheiden, was er tun, was er sagen sollte.

»Übrigens ist heute zufällig der Vorabend vom Heiligen-Bartholomäus-Tag«, fuhr Dandão fort und legte die beiden Kräuterbün-

del vor Budião nieder. »Morgen ist Heiliger-Bartholomäus-Tag, und an diesem Tag kommt der Baron, ein gutes Zeichen.«
Budiãos Blicke wanderten zwischen den Kräuterbündeln und Dandãos unbewegtem Gesicht hin und her.
»Ich selber kümmere mich nicht um diese Sachen, nicht so sehr«, sagte Dandão. »Aber weißt du, dieser Heilige, das ist der gute Gott Oxumaré, und dieser Gott nimmt nur Tiere an, denen vorher die Zunge herausgeschnitten wird. Er nimmt sie nur mit rausgeschnittener Zunge an.«
Budião riß die Augen auf.
»Nur mit rausgeschnittener Zunge«, wiederholte Dandão.
Aber was denn, was sollte das alles? Was wußte er, wer hatte ihm das alles erzählt, wie konnte er von Feliciano wissen, daß er jetzt auf herausgeschnittene Zungen anspielte? Wer hatte ihm das erzählt, was für einen Unsinn hatte Merinha sich da ausgedacht, dieses hirnlose Etwas?
»Sie ist weder hirnlos noch ein Etwas. Sie wußte, daß sie es mir erzählen konnte, sie wußte, daß sie es mir erzählen mußte.«
»Wozu? Und warum, ohne mir was zu sagen...«
»Warum, das ist nicht richtig. Ich will auch, daß er stirbt.«
»Hat der Baron dir was Schlimmes getan?«
»Mir selbst nicht, nein. Hier, nimm die Kräuter, tu deine Arbeit.«
»Aber wie? Wie soll ich das machen?«
»Ich weiß, daß es schwierig ist, besonders wenn Merinha nicht mitkommt im Gefolge vom Baron.«
»Sie kommt nicht mit? Weißt du, ob sie kommt?«
»Nein, ich weiß es nicht. Ich weiß es nicht. Schon möglich, daß sie kommt, möglich ist das immer.«
»Und wenn sie nicht kommt?«
»Willst du aufgeben, jetzt, wo es fast soweit ist?«
»Nein, darum gehts ja nicht, aber ich kann nicht.«
»Oh doch, das kannst du, mußt das einfach können.«
»Aber wie denn? Genau das weiß ich nicht. Du hast leicht reden, aber wie?«
»Du mußt einfach«, antwortete Dandão mit großer Bestimmtheit und stand auf, als wolle er Budião verabschieden. »Nimm deine Blätter mit, steck die zwei Bündel unters Hemd, stopf sie unter das Gürtelband.«

Ohne ein weiteres Wort ging er in seine Höhle, rollte sich drinnen zusammen, wickelte sich in das große Schaffell, das ihn erwartete, und war im Dunkeln bald nicht mehr zu erkennen. Budião blieb, wo er war, blinzelte angestrengt zur Kajüte.

»Los, geh«, sagte von drinnen eine körperlose Stimme. »Bald gibt's ein Gewitter.«

Kaum setzte er auf dem Rückweg zum Schuppen den Fuß auf den Strand, spürte Budião die ersten dicken Regentropfen herunterfallen. Im Nordwesten, genau dort, wo die Wolken sich zusammengeballt hatten, türmte sich eine undurchdringlich schwarze Masse auf. Zunächst fernes Grummeln, dann brach immer näher der Gewittersturm los, überzog den Himmel mit Wetterleuchten und ließ die Erde erbeben. Wie ein gezacktes Messer zuckte ein Blitz inmitten der Wolkenballung auf, zögerte, bevor er losfuhr, und durchschnitt plötzlich die ganze Strecke von der Wolkenbank bis zum Strand mit einem nie gehörten Donnerschlag, das Firmament selbst schien einzustürzen, ein Himmel aus schwerem Metall und kolossalen Steinen. Budião duckte sich unter das Schuppendach, war geblendet, als der Blitz ins Meer tauchte, nach dieser Explosion von Licht nicht wiederkehrte und nur die dichte Finsternis und das unsichtbare Prasseln des Regens zurückließ, der ihn, obwohl von den Dachschindeln aufgefangen, dennoch bespritzte, als wollte er zeigen, er wisse genau, wo er war.

An all das erinnerte er sich jetzt in Felicianos Gesellschaft, überzeugt, daß etwas Ungewöhnliches geschah, etwas, das man nicht anrühren, das man nicht begreifen konnte. Jedenfalls war der Baron noch nicht angekommen, es war noch zu früh, man konnte erst wissen, ob er wirklich kam, wenn die Sonne schon hoch am Himmel stand, nicht zu dieser frühen Morgenstunde, da der Boden noch schlammig und gezeichnet war von dem langen Nachtregen, der die Kürbis- und Wassermelonenstengel niedergedrückt und sogar einige kleine Bäume entwurzelt hatte. Die Blätterbündel, zwischen Jamswurzel- und Bananenblätter gepreßt, damit sie nicht naß würden, waren im Hohlraum eines Embaúba-Baums nahe der Lichtung versteckt, wo niemand sie suchen und die dort hausenden schwarzen gefährlichen Ameisen herausfordern würde. Und Merinha, Merinha würde sicherlich kommen, bestimmt würde sie kommen. Aber Budião wieder-

holte sich das ohne viel Zuversicht, und Feliciano wollte nicht mit ihm zum Anlegeplatz gehen und auf das Boot warten, das den Baron bringen sollte. Er hatte seine Arbeit beim Gutshaus zu verrichten, mußte Hahnenfußgras jäten, das dort jeden Tag von neuem zwischen den Beeten emporwucherte, da waren die Setzbeete mit Blumenkohl, Weißkohl und Paprikaschoten, die Süßkartoffelsetzlinge, die Obstbäume, die Esel und Maulesel, das Maniokfeld, er konnte nicht weg, es war sein Schicksal, was nicht geht, das geht nicht – und schließlich hatte der Baron schon einiges gelitten, man hatte schon so eine Genugtuung gehabt, das war die reine Wahrheit. Budião wußte jedoch, daß Feliciano log, daß er nur seine Angst verbarg, Merinha könnte nicht kommen, und dann wäre alles vergebens, und er würde sofort die Flinte ins Korn werfen, wie das seine Art und Gewohnheit war.
Die Smacke *Flor dos Mares* hatte wegen der Ebbe bereits weiter draußen Anker geworfen, die erste Überfahrt des Bootes war beendet, und Budião, der unruhig auf und ab gehen mußte und sich dabei ständig den Nacken knetete, konnte dort draußen außer der Baronin keine Frauengestalt erkennen. Auf der ersten Überfahrt stiegen nur der Steuermann und zwei Ruderer an Land, die Instruktionen mitbrachten, wie der Herr Baron zu empfangen war. Man solle das Haus lüften, die Bettwäsche wechseln, frisches Wasser in die Krüge füllen, den Negerinnen sagen, sie dürften nicht den geringsten Lärm machen, vier untersetzte Neger anmustern, um ein gutes Bett zum Strand zu tragen, damit der Herr Baron darin vom Schiff zum Herrenhaus befördert werde.
»Nego Budião!« rief Almério. »Komm her, los, ich habe Arbeit für dich!«
»Ich trage gerade Brennholz zur Böttcherei«, sagte Budião, wohl wissend, daß er so nicht antworten durfte.
Almério gefiel die Antwort in der Tat nicht, er lief zu ihm und wedelte ihm mit der kleinen Peitsche vor der Nase herum.
»Hab ich dich etwas gefragt? Hab ich dich etwas gefragt, du schwarzer Esel? Hab ich dich etwas gefragt, du schwarzer Gauner?«
»Nein, Iô. Aber Böttchermeister Zé Pinto hat mir gesagt, heute müßte ich den ganzen Tag Brennholz karren, sonst könnte er nicht die Reifen für die neuen Fässer fertigmachen, sonst könnte

er nicht kalfatern, er würde sonst nicht mal mit den beiden Bottichen zurande kommen.«
»Und seit wann nimmst du Befehle von Zé Pinto entgegen? Wer gibt hier Befehle aus? Los, sag mir, wer gibt hier Befehle aus?«
»Senhor? Nhô Meister Verwalter Almério.«
»Also, du abgefeimter Hohlkopf, verkommener, verschlampter Neger, schwarzes Dreckstück, also?«
»Ja, Nhô.«
»Ruf mir Sabino, ruf mir Jacinto Curió, Roque Quebra-Ferro, ruf mir Silvério oder Dionísio, ruf Astério, los, bring mir fünf robuste Neger her, und dann holt ihr im Herrenhaus ein Bett, das hier auf die Ankunft des Herrn Barons warten soll, damit er in sein Schlafzimmer transportiert werden kann. Los, geh schon! Geh, und hinterher meldest du dich bei mir, damit ich dir sage, was du als Entgelt für deine Unverschämtheit kriegst, ich werd dir schon zeigen, wie die Sklavenbande bei mir behandelt wird.«
Der Baron wurde gleich nach der Baronin an Land getragen, die vor lauter Aufregung ihren Rocksaum naß machte, während sie in alle Richtungen nervöse Anweisungen austeilte. Was treibt ihr denn da, seht ihr nicht, daß ihr ihm so das Genick brecht, daß ihr ihn so endgültig umbringt? Was macht ihr denn jetzt schon wieder, Herrgott, und zu alledem bringt ihr mir auch noch diese unbrauchbare Pritsche, wollt ihr darauf etwa euer aller Herrn und Meister transportieren? Wenn es schon keine Dankbarkeit gibt, so doch wenigstens etwas Verstand und Sorgfalt! Langsam, er wird gleich aus dem Bett fallen, aber was macht ihr denn, langsam, langsam, langsam! Nein, das kann ich nicht mitansehen, wirklich nicht, ach mein Gott, der Du das alles aus Deiner Höhe mit Deinen gnädigen Augen betrachtest, hab Mitleid mit Deiner Tochter, deren Seele schon vergeht vor soviel Leiden, ach der Arme, der Ärmste, Vorsicht, Vorsicht!«
Doch der Baron bewegte nur die hervorquellenden Augen und sabbelte leicht mit halbgeöffnetem Mund und schlaffen Lippen. Auf eine liebevolle Frage der Baronin – Schatz, sag mir, ob du etwas brauchst, geht's dir besser, mein Schatz? –, nur geflüstert, damit die Bediensteten nicht Zeuge von soviel Vertraulichkeit würden, wobei sie dem Kranken die eine Hand auf die Brust und die andere auf die Stirn legte, verharrte der Herr Baron im glei-

chen leeren Gesichtsausdruck, gab keinen Ton von sich, nur seine Unterlippe zitterte matt, dann hing sie von neuem herab.
»Nach Hause, nach Hause!« kommandierte die Baronin und erinnerte sich an das Bild von Stärke und Entsagung, das ihr Vater beim Tod ihrer Mutter abgegeben hatte, entschlossen, dies Bild nun selbst zu verkörpern.
Sie reckte den Kopf, ordnete mit der Hand ihr unter dem Hut hervorquellendes Haar, preßte die Lippen zusammen, drückte die Brust heraus, und nach einer winzigen Pause, wie um die letzten Kraftreserven zu mobilisieren, fuchtelte sie energisch herum. Los, los! Die Neger stemmten das riesige Zedernholzbett hoch und marschierten los, sie schwankten wie eine Schildkröte beim Laichen über den Strand und hügelan zum Herrenhaus, und Budião dachte nun, er hätte nicht versuchen sollen, sich vor dieser Arbeit zu drücken, das würde ihm jetzt vielleicht eine Prügelstrafe eintragen. Und nicht einmal hier, in der Nähe der geankerten Smacke, hatte er Merinha sehen können.
Jetzt war er sicher, daß sie nicht mitgekommen war, denn entgegen Almérios Anweisung, er solle sich gleich nach dem Transport des Barons bei ihm melden, war er zum Strand zurückgekehrt und hatte darauf gewartet, daß alle an Land gingen, angefangen beim Wundarzt Justino José, ganz in Schwarz und hartnäckig an einem schwarzen Köfferchen klebend, bis zu den Negerinnen und der Besatzung. Fast hätte er einen von ihnen gefragt, ob nicht auch ein fröhliches, schwarzes Dienstmädchen mitgekommen sei, mit schimmernden Zähnen, rundem Gesicht und lächelnden Augen, mit rundlichen Armen und übermütigen Bewegungen, eine, die alles drollig fand, die sich immer mit Duftgras parfümierte, deren Gang immer wie ein Tanzen war, eine die, egal wie lange sie in der Küche zwischen lauter fettigen Kochtöpfen schuftete, immer frisch und duftend von dort herauskam? Unwillkürlich mußte er jetzt – obwohl es nicht der rechte Augenblick war – daran denken, wie er sich ihr das erste Mal genähert hatte, wie er nur von weitem einen Lufthauch aus ihrer Richtung gewittert und einfach – seine Nase gekräuselt, kurz geschnüffelt, kühn die Nasenflügel geweitet, die Schultern und das Kinn gehoben hatte –, und dann hatte sie ihn nachts empfangen, als wäre es immer so gewesen und müßte immer so sein, ihr Schoß schien immer schon dagewesen zu sein, ein schö-

nes Nest, genau richtig, wie gemacht für ihn, ein Unterschlupf, nicht wahr? Was mag man denn bei einer Frau? Schwer zu sagen, da gibt's welche, die mögen solche mit langem Indiohaar, andere mögen solche mit breiten Hüften, wieder andere Frauen mit einem gewissen Gang, oder Mädchen mit herausfordernden Gesichtszügen, oder verschämte, einsilbige Geschöpfe, die morgens so säuerlich aufwachen, daß man ihnen ansieht, noch eine Weile, und die sind imstande, einen Mann im Bett umzubringen, andere mögen welche, die nur gehorchen, und so weiter und so fort. So ist das nun mal, für jeden gibt es eine, auch wenn er sie vielleicht nie findet. Also, er wußte ja auch nicht, aber was an dieser Merinha besonders war, das wußte er, vielleicht ihr besonderes Lächeln, vielleicht ihre besondere Art, plötzlich still zu sein, vielleicht waren es diese besonderen Härchen auf ihren Armen, die konnte man auch in den geheimsten Winkeln ihrer Schenkel erraten, vielleicht ihr fröhlich lachendes Gesicht, auch wenn es ganz schlimm kam – irgend was, irgend was, also, das unwiderstehlich war, so daß es ihn dauernd nach ihr verlangte, etwas, was man nicht verstehen konnte – wo steckte Merinha nur, die süße Vergifterin des Barons, seine Merinha? Die Merinha, die kein Wort gesagt hatte, als er sie bat, sie sollte die Kräuter und Blätter verwenden, die sie einfach genommen hatte und zugestimmt hatte: diese hier als Pulver, diese hier aufgekocht. Verdammtnochmal, verdammte Scheiße, Hurenscheiße, dachte Budião und merkte, daß er mehr daran litt, Merinha nicht zu sehen, als darunter, daß sie nicht da war, bei dieser fehlgeschlagenen Mission, und ein bißchen schämte er sich.
Vielleicht spürte er deshalb eine gewisse Schwäche, als er zu Zé Pinto ging, dem braunen Böttchermeister mit der sanften Redeweise, der ganz versunken war inmitten seiner Masse von Schlegeln und Stechbeiteln, der Schleifsteine mit verschiedenstem Geäder, seiner Krummäxte und Dübel zum Festklemmen von Faßreifen, seiner Drechsel, Pechsorten und Teerarten, seiner Meere von Leinenwerg, seiner Widerlager, Beißzangen und Kernbohrer, seines Ambosses, seiner tausend Küferwerkstücke, und ihn bat, er möge ihm doch die Geschichte mit dem Brennholz bestätigen. Er wollte keine Prügel beziehen, am wenigsten an einem ohnehin so nervenzerrüttenden Tag wie diesem, und er war sicher, daß Almério ihn auspeitschen lassen würde. Er hatte

den Bettransport des Barons umgangen, nicht wegen seines Gewichts, sondern wegen des Barons selbst, darum hatte er diese Geschichte erfunden und damit Almérios Zorn herausgefordert, er schien einen jener Tage zu haben, wo er noch vor dem Waschen und Frühstücken einen Schwarzen nach dem anderen durchpeitschte. Da-da-da-da, trällerte Zé Pinto, wie immer, wenn er jemanden beruhigen wollte, selbst wenn es keinerlei Grund zum Beruhigen gab. Da-da-da-da, komm, quäl dich nicht, sagte Zé Pinto und wollte ihm einreden, Almério habe zuviel zu tun mit den Anweisungen der Baronin, um noch an so was Läppisches zu denken, als sein Blick hinter Budião wanderte und er stillvergnügt lächelte.

»Wir bekommen Besuch«, sagte er mit dem Kinn auf die Werkstattür deutend.

Budião drehte sich um, sah einen Umriß gegen das Licht in der Tür und traute seinen Augen nicht.

»Ich bin auf der *Lidador* gekommen«, sagte die Gestalt, und der Stimme nach, die ihm so sehr gefehlt hatte, war Budião sicher, daß dort wirklich Merinha stand, hergekommen, um mit ihm zu sprechen.

Nazaré-das-Farinhas, den 29. Juli 1827

Also, es ist zum Schwanzausreißen. Da hechtet einer vom Walfischkap nach Salinas, nach Cairu und Encarnação, und an jedem Ort gibts Sachen zu erledigen, die sind noch verzwickter und vermurkster als am vorigen, eine Pest, besorgt sich ein Jammerbild von Pachtboot, teurer als ein weißer Weiberhintern im Kongo, und schippert los. Mutá, Matarandiba, Jiribatuba, Mündung vom Jaguaripe, Maragogipinho, alles ein mordsmäßiger Ärger. Dann kommt der Teil über Land, auf dem gottverdammten Rücken von einem Eselsviech, das diese Karre mit dem ganzen Scheiß hinter sich her kleppert, durch ein Gestrüpp, das vom Teufel selbst erfunden sein muß, Mückenschwärme zum Pustelkriegen, ein Fraß, schlimmer als für Sklaven, eine einzige Qual von A bis Z. Und kommt hier an und findet noch mehr vermasselte Geschäfte, lauter neue Forderungen, noch mehr Leute, die wollen alle mit Nichtstun Geld verdienen, noch mehr Leute, die wollen alle ihre Schulden nicht berappen, noch mehr Verdruß. Und zu allem Überfluß noch das hier! Ist das denn möglich, sowas von Pech, sieht ja aus, wie wenn das extra gemacht wär, nur damit es rückwärts geht, heiligemaria.

»Verdammte Unzucht!« knurrte Nego Leléu. »So gehts nicht weiter!«

Er stand auf, um seiner Ungeduld Luft zu machen, konnte aber in dem winzigen Hinterraum seiner Gemüsebaracke nicht auf und ab gehen. Stieß einen Hocker um, stellte ihn wieder hin und rammte ihn mit allen Beinen in den Erdboden. Also dann, als erste kommt die kleine Vevé, die sich immer so aufgeblasen hat, als wär sie was, als wär sie eine echte Gräfin – also bitte, was ist sie denn andres als die erbärmliche Tochter von Cafubá, eine Dreckssklavin mehr, mir macht sie doch nichts vor. Also, da kommt als erste die kleine Vevé und behauptet, der Herr Doktor Notar und Stadtkämmerer, der hätte gesagt, sie wird zurückgegeben. Was heißt hier, wird zurückgegeben, hast du etwa nicht getan, was der Herr von dir wollte? Ach, ich weiß nicht, ich bin diese zwei Tage dort geblieben, dann ist er gekommen und hat mich zurückgeschickt, hat gesagt, später kommt er her.

»Und das sagst du mir nackt ins Gesicht? Weißt du nicht, was das bedeutet?« hatte Nego Leléu geschrien. »Du behauptest, er hätte dich einfach so zurückgeschickt? Was bist du doch für ein schamloses kleines Negerbiest! Was hast du denn gemacht, was hast du denn da bloß gemacht? Und wie seh ich denn jetzt aus, was soll ich denn jetzt sagen?«

Sie hatte nicht geantwortet, war den ganzen Tag stumm geblieben.

Antworten hätte auch nichts genutzt, denn sie wußte ja auch gar nichts. Nego Leléu, der wußte Bescheid. Er wußte, daß der Herr Doktor Notar João Manoel Augusto Dantas eine junge Negerin erwartet hatte, eine mit so rundlichem Fleisch, aber nicht fett, die sollte die Hausarbeit in Aratuípe übernehmen, den Obstgarten bewässern, die Hühner sollte sie versorgen und den Herrn Doktor empfangen, ohne die Vorrechte von einer festen Mätresse, aber immerhin regelmäßig und ohne viel Ansprüche. So ein friedliches Leben, darum beten viele Mädchen hier zu Gott und bekommen es nicht. Also hatte Leléu gedacht: Ich schnapp mir diese kleine Vevé, bringe sie dem Herrn Doktor, und der hört auf mit dem Meckern an mir und mit dem Schnüffeln in meinen Rechnungsbüchern und daß er mir immer mit dem Karzer droht, nur weil ich Geld gegen ein bißchen Zinsen ausleih, aufhört er, daß er immer hinter mir her ist. Prima, das hätten wir, alles geregelt – und jetzt das! Ob der Mann keinen Gefallen an ihr gefunden hat? Aber natürlich hatte sie ihm gefallen, wo sie doch genau das ist, was er sich gewünscht hatte, nur noch besser, sie hatte noch alle Zähne, das hatte er ja gar nicht verlangt, sie war sauber und adrett, was er auch nicht verlangt hatte, und wohlgerundete Beine und einen festen Hintern hatte sie, wie er es verlangt hatte. Darum ging's also nicht, die Sache war – natürlich, aber klar, ich hack mir einen Arm ab, wenn das nicht stimmt! –, die ist da angekommen und hat den Mann nicht an sich rangelassen, dieses ordinäre, elende Negerweibsstück, zu nichts taugt sie, genau darum hat der Baron sie umsonst hergegeben!

»Aber das laß ich mir nicht länger gefallen, nein«, grollte Nego Leléu und stand wieder auf. »Die tut ihrn Dienst und wenn ich der nachhelfen muß mit Stockschlägen, die kennt mich noch nicht!«

Er verließ die Baracke und rief den Negerjungen Salustiano, der Kürbisse schnitt.

»Mach gut die Ohren auf«, sagte Leléu, »du gehst mir jetzt ins Fischhaus, sag dem Mina-Mané, er soll mir die kleine Negerin, die ich mitgebracht hab, loseisen und herschicken, ohne ein Wort zu ihr, verstanden, los!«

Doch bevor Salustiano sich die Hände an einem Fetzen abwischen und losziehen konnte, tauchte beim Lagerschuppen am Flußufer Doktor Pedro Manoel Augusto auf.

»Laß mal«, befahl Leléu Salustiano. »Du gehst später, sag dir noch Bescheid.«

Vielleicht spiel ich lieber den Ahnungslosen, dachte er, während Doktor Pedro Manoel Augusto, die Äuglein hinter den Brillengläsern zusammenkneifend, mit Trippelschritten daherkam, ein wenig behindert durch einen beträchtlichen Bauch auf einem Paar dünner Beinchen, die Augen mit der Hand gegen die Sonne schützte und ihn schließlich vor der Barackentür entdeckte. Er winkte erleichtert, ah, wie gut!, und nahm seinen Weg wieder auf. Leléu wollte ihm entgegengehen, doch er machte ein Zeichen: nein, nein, wir besprechen uns dort drinnen, dort in der Baracke.

»Uff!« sagte er, als er eingetreten war und sich auf einen Hocker gesetzt hatte. »Was für eine schauerliche Hitze! Um diese Jahreszeit müßte es eigentlich kühler sein, aber in diesem Jahr ist der Sommer anscheinend schon gekommen. Jawohl, was für eine Hitze!«

Er lockerte den Kragen, pustete etwas Luft unter sein Hemd und zog ein Taschentuch hervor, um sich den Schweiß abzuwischen.

»Soll ich dem kleinen Salu sagen, daß er Euer Exzellenz ein bißchen Wind zufächelt?«

Pedro Manoel Augusto zögerte, dann nickte er.

»Schön, aber nur ein klein wenig.«

Er verharrte mit geschlossenen Augen, während Salustiano den Strohfächer vor seiner Stirn schwenkte.

»Ah, das tut gut! Hier, hier ein wenig, fächle hier. Ah!«

Leléu wartete, daß der andere die Unterhaltung begänne, denn er wußte, daß er nicht vor dem Jungen reden wollte.

»Kannst gehen«, sagte Pedro Manoel Augusto zu dem Jungen. »Genug, du kannst gehen.«

Der Junge ging hinaus, und Pedro Manoel Augusto blickte Leléu an wie einer, der sich seine Worte im Kopf zurechtlegt.

»Schön«, begann er. »Die Kleine, die du mir da geschickt hast ...«

»Hab ich schon gehört, Ioiô, bin ganz empört«, fiel Leléu ein, anders als er sich vorgenommen hatte, denn er hielt es für angebrachter, sich gleich zu verteidigen und ohne Umschweife auf den wunden Punkt zu kommen.

»Nicht sorgen, nein, werd mich kümmern und sie ...«

»Nein, nein, nein«, sagte Pedro Manoel Augusto und fuchtelte mit den Händen. »Nein, du weißt ja nicht.«

»Habt Ihr das Lauseding nicht zurückgeschickt, Senhor?«

»Doch, das habe ich, aber sie hat nichts getan. Es ist nicht wegen ihr.«

»Hat sie Euch nicht bedienen gewollt?«

»Nein, sie hat nichts getan, auch ich habe übrigens nichts getan. Halt endlich den Mund und laß dieses blöde Grimassieren sein und hör mir zu, ich habe nicht viel Zeit.«

»Ach, Herr Doktor Stadtsekretär Notar Iô Pedro Augusto, wie gut weiß ich, daß Ihr ein heißblütiger Mann seid, ein Mann, der gar nichts durchgehen läßt! Also hab ich mir, als ich gesehen hab, wie die kleine Negerin zurück ist, hab ich gedacht: Sobald der Herr Doktor sie gesehen hat, wollte er sie doch haben, aber sie muß sich ganz ungehörig benommen haben, hab ich mir sofort Sorgen gemacht.«

Befriedigt hörte Pedro Manoel Augusto die Anspielung auf sein ungestümes Temperament, er lächelte, und eine Hand wanderte zerstreut zwischen die Beine.

»Freilich«, sagte er mit erinnerungsverlorenem Gesichtsausdruck. »Freilich, aber ein Mann muß in diesem Leben an andere Dinge denken, das Leben besteht nicht nur aus diesen Dingen.«

»Wie recht doch der Herr Doktor Notar hat, das Leben besteht nicht nur aus diesen Dingen, wie treffend Ihr das sagt!«

»Sehr richtig. Weißt du, welchen Tag wir heute haben?«

»Welcher Tag heute ist? Ja, Sonntag. Aber ich arbeite nicht, der Verkaufsstand ist ja geschlossen, ich kenn doch die Verordnung, glauben Herr Doktor bloß nicht ...«

»Nein, davon spreche ich nicht. Weißt du, wer der Heilige des Tages ist?«

»Der Heilige des Tages? Der Heilige des Tages? Ist heute ein heiliger Tag? Der Heilige des Tages ...«

»Du weißt es nicht. Der Heilige von heute ist eine Heilige, die heilige Martha.«

»Die heilige Martha ... Eine große Heilige ist das, kenn ich gut, ich hab schon viel von ihr gehört. Die heilige Martha, alle Welt hat schon von ihr gehört, eine hochberühmte Heilige, die große heilige Martha. Sehr richtig, der 29. Juli, heilige Martha, eine Heilige von hohem Rang, eine schöne Heilige. Also, mein lieber guter Herr ist der heiligen Martha ergeben, das ist aber schön, da gratulier ich, der heiligen Martha ergeben ...«

»Nein, nicht ich bin ihr ergeben, meine Gattin ist es, Dona Marta de Betânia.«

»Die liebe gute Frau Doktorin Notarin, was Ihr nicht sagt, nicht! Eine schöne Verehrung ist das, eine feine Verehrung! Die heilige Martha ...«

»Laß den Quatsch, du schwarzer Heuchler, du wußtest nicht

einmal, daß sie die Heilige des Tages ist, Schluß mit dem Getue.«
»Wieso weiß ich nicht? Wieso weiß ich nicht? Heilige Martha, große heilige Martha«, rezitierte Leléu.

Große heilige Martha,
die den provenzalischen Drachen bezwang,
gezähmt nahm sie ihn mit, und Magdalena, die half,
daß die Männer ihn töten, und noch zum Beweis,
daß der Herrgott lebt, in Sardinia, es galt.
Schwester von Lazarus, aus Bethania, man weiß, ein schönes Land,
wo sie Christus bediente,
an ihrem Tisch, und er sich beschwert hat,
daß so viel Beachtung Martha ihm schenkte,
die all ihren Dienst auf den Herrn nur lenkte,
Maria voll Ungeduld, sah das nicht gern,
nicht Maria, Mutter Gottes, doch Maria von Bethania,
ihre Schwester, jedoch von so ganz andrer Art,
die eine betrachtend, die andere kochend,
doch Jesus, der wußte, daß unter den Schwestern
die eine betrachtet, die andere kocht,
denn jeder folgt seiner Berufung.
Heilige Martha, sie trägt die Bohnenschüssel,
führt den Besen und schwenkt das Staubtuch,
verwahrt die Schlüssel des Heims, in dem
sie rastlos schafft und Schutzpatronin ist
der Hausfrauen und Stubenmädchen,
von allen, die arbeiten, und nimmer endet die Arbeit,
von allen, die den Boden schrubben, den alle beschmutzen,
die stumm sich bescheiden, zufrieden
bemerken, daß niemand ihrer gedenkt,
aber bissig würde man ihrer gedenken,
wären all diese Dinge nicht besorgt,
vollkommen besorgt und alle an ihrem Platz,
denn das ist der heiligen Martha Sendung,
fegen, Herd und Backofen heizen und
nähen, saubermachen, Ordnung schaffen
und dieser großen, großen heiligen Martha

gedenkt nun keiner; doch nicht gedenkend
gedenkt man dessen, was nicht man bedacht,
und denkt an jenen, der kein Gedenken sich wünschte,
es sei denn durchs Gedenken der guten heiligen Martha,
deren nur gedenkt, wer nie Gedenken erfuhr.

Pedro Manoel Augusto lächelte, und Leléu breitete die Arme aus wie ein Zirkusartist, wenn der seine Nummer beendet hat.

»Ja, du weißt ja etwas von ihr, das muß man dir lassen«, sagte Pedro Augusto. »Trotz dieser holprigen Krüppelverschen kann man sehen, daß sie dir etwas beigebracht haben. Du bist ..., bist gar nicht so übel, Leovigildo.«

»Man hat mir nichts beigebracht, Senhor, ich habe es selber gelernt, ich lerne immer von den besten Leuten und den großen wie Euch.«

»Sehr gut denn, wenn du soviel über die heilige Martha weißt, brauch ich dir nicht viel zu erklären. Die Senhora Dona Marta, meine Gattin, hat diesen Namen bekommen, weil sie an diesem Tag geboren wurde, also heute Geburtstag feiert.«

»Ah, Ioiô, wäre es denn ganz verwegen, wenn ich ihr einen Korb mit frischen Früchten schicken würde? Hab ich nicht viel, um sie zu beehren, aber meine gute Absicht, wenn die ...«

»Nein, das wird ihr gefallen, du kannst ihn schicken, später, da schickst du einen hin.«

»Dank ich vielmals, Ioiô.«

»Ja, also denn, heute morgen vor der Messe hat Senhora Dona Marta mir lange vom Leben ihrer heiligen Schutzpatronin gesprochen und mich gebeten, ihr als Geschenk dasjenige zu überreichen, was für sie das höchste Geschenk überhaupt ist, nämlich ein Leben ohne Sünde.«

»Nichts einfacher als das! Was soll denn die Sünde von Ioiô sein, Ioiô begeht keine Sünden!«

»Da irrst du dich, ich habe welche, und es sind ihrer nicht wenige. Aber ich habe das feierliche Gelübde abgelegt, dem Begehren meiner Gattin nachzukommen, sie hat recht. Sie weiß, daß ich hin und wieder... Du weißt, was ich sagen will, du selber hast meinen Ruf als Frauenheld erwähnt.«

»Jessesallerheiligstejungfrau, Ioiô, Ihr braucht nichts zu erklären! Also hier in Nazaré, da sagt das Volk ... Hi-hi!«

»Laß die Späße, da wird stark übertrieben. Aber tatsächlich denke ich manchmal, in mir steckt ein maßloser männlicher Trieb, eine solche Naturkraft... Ach, lassen wir das, es geht dich nichts an und auch sonst niemanden. Die Wahrheit ist, daß ich ein Gelübde getan habe, ich habe es freien Willens getan und beabsichtige, es zu erfüllen.«
»Ach, und ich hab dem Herrn Doktor Notar so gern diesen kleinen Gefallen tun gewollt, hab mir solche Mühe gegeben, hab mich so angestrengt, so ganz besonders ausgesucht... Hat sie denn dem Herrn Doktor nicht gefallen, hat er nicht gefunden, daß sie ganz tadellos ist?«
Pedro Augusto biß sich auf die Lippen, befühlte abermals seinen Hodensack.
»Ach, sprich mir nicht davon. Aber Gelübde ist Gelübde, ich werde mich fortan anstrengen müssen, ein Leben ohne Sünde zu führen, ein sauberes Leben.«
»Ja, Gelübde ist Gelübde, der Herr Doktor hat ganz recht.«
»Und daraus folgt, wenn ich die Negerin nicht angenommen habe und sie auch nicht mehr annehmen werde, ist unsere Abmachung null und nichtig, ich habe also nichts bekommen dafür, daß ich alle deine Übertretungen übersehen habe, und es lohnt sich für mich nicht mehr, das Risiko einzugehen.«
Leléu legte beide Hände auf die Stirn.
»Aber das kann der Herr Doktor mir doch nicht antun, soll das heißen, daß ich schnurstracks ins Armenhaus muß?«
»Es gibt Gesetze, daran kann ich nicht rütteln«, sagte Pedro Augusto unerbittlich.
Aber er stand nicht auf, um zu gehen, sondern blieb, als sei die Unterhaltung nicht beendet, und Leléu verstand.
»Aber Ioiô, all die Bußstrafen, muß ich die alle bezahlen, muß ich jetzt die neuen Erlaubnisscheine bezahlen, die Sonderabgabe...«
»Was willst du von mir? Ich kann da nichts tun, das sind die Gesetze, die Erlasse, die Stadtverordnungen, die Verfügungen...«
Doch er stand nicht auf, ging nicht fort, rührte sich nicht, Leléu schickte fast ein Stoßgebet, um die richtige Karte auszuspielen.
»Ioiô könnte doch versuchen, einen kleinen Ausweg könnet Ihr

doch finden, oder? Das Gelübde, das war doch nur für die Sündlosigkeit, aber das will doch nicht heißen, daß man einem armen Mann in seiner Not nicht helfen kann, wo er doch am Hunger sterben wird, wenn er so viel bezahlen muß.«

»Langsam, langsam, Leovigildo, das stimmt nicht ganz, allein was du gegen Zinsen verliehen hast, allein das, was bekannt ist ...«

»Aber Ioiô, Ioiozinho, was ist schon dieses verflixte Geld, ich bitt Euch, bitt ich, eine Handvoll Münzen, ein paar Kupferstücke, und von allen Leuten werd ich geprellt, das Volk hier zahlt keinem, wenn der Herr Doktor nur wüßte, was ich alles durchmachen muß!«

»Ist recht, aber ich kann dennoch nichts tun. Wenn du Handel treiben willst, treib ihn im Rahmen des Gesetzes.«

Doch er ging nicht fort, stand nicht auf, blieb weiter sitzen. Nego Leléu sagte sich, jetzt oder nie, er durfte die Sache nicht vermasseln.

»Aber Herr Doktor, kann ich bei so einem Riesenbetrag nicht ein klitzekleinen Abschlag kriegen?«

»Schön, vielleicht schon. Ich will dir sagen, was du machst. Du kommst morgen in mein Büro. Dort ist die Gesamtsumme dieser Schulden aufnotiert. Du machst folgendes: Du zahlst mir die Hälfte dessen, was du schuldest, und ich werde die Geldbußen und diese anderen Dinge vergessen. Aber du zahlst mir bar, verstanden, keine Schuldscheine, keine Wechsel.«

»Aber Ioiô, Ioiozinho, die Hälfte? So viel? Kann es nicht etwas weniger sein?«

Pedro Augusto wurde gereizt und setzte eine strenge Miene auf.

»Neger Leovigildo, ich bin ein ernsthafter Mensch, ich habe Verantwortungsgefühl, mit mir ist nicht zu spaßen! Ich bringe es fertig und halbiere deine Schuld, und da kommst du mit diesem ordinären Vorschlag und willst mich übers Ohr hauen! Wenn dir's nicht recht ist, bitte schön, dann geh und feilsche mit dem Finanzamt!«

»Aber, Herr Doktor, um Gottes willen, hab ich doch nur so gemeint, küß ich Eure Hände, Herr Doktor, Unsere-Liebe-Frau-von-der-Zuflucht wird dem Herrn Doktor für diesen Liebesdienst helfen, die heilige Martha sieht vom Himmel herab ge-

wiß Ihre Güte! Morgen in aller Frühe bring ich das Geld, bestimmt, gleich morgen früh!«
Pedro Augusto stand auf, um zu gehen. Schon fast zur Tür hinaus, erinnerte er Leléu an den Korb Früchte für die Senhora Dona Marta, bemerkte, es sei doch wohl nicht zuviel erwartet, diese Gefälligkeit wenigstens jede Woche einmal zu erweisen, und vielleicht ein Fischchen dazu, wie? Leléu pflichtete bei, schickte sich an, dem Besucher die Hand zu küssen, doch der ließ es nicht zu und schritt nach einem liebenswürdigen Abschiedswinken mit dem sicheren Gang eines Menschen, der sündenfrei lebt, die Straße hinunter. Leléu blickte ihm nach, bis er hinter dem Schuppen verschwunden war, verfluchte Pleite, so ein Elend, verdammte Pest und Unzucht! Und wenn das ordinäre Negerweibsstück noch dazu schwanger wäre, wie Inácia behauptet hatte? Als er die Kleine gefragt hatte, worauf sie sich verstünde, hatte sie geantwortet: fischen. Also sowas, verdammter Mist, Pest und Pocken, verfickt nochmal, fischen: Er sah die auf einem Hocker gestapelten Schuldscheine, fischte sich den obersten, las ihn langsam. Verfallen vor ich weiß nicht wie vielen Tagen. Ah, wenn der Hundsbastard nicht zahlt, dachte Leléu, werde ich dem Pater verraten, daß er hinter der Kirche mit den kleinen Negerinnen von der Pfarrei Unzucht treibt, genau das werde ich ihm sagen. Er hieb auf den Hocker ein und hätte gern noch mehr Schimpfwörter gewußt. Und diese aasige Unglücksratte, die ihm nichts eingebracht hat, aber fischen kann sie! Verdammte Unzucht!

7 Walfängerstation-zum-Guten-Jesus, den 7. September 1827

Júlio Dandão sah aus, als wollte er Budião umbringen. Und er wollte es tatsächlich, denn er zerrte einen großen Haken aus der Kombüse des Saveiros hervor und fuchtelte damit wütend vor Budião herum, als könnte er kaum noch an sich halten.

»Wem man die Zunge hätte abschneiden sollen, das bist du.«

Budião sagte nichts, was sollte er auch sagen. Schaute auch nicht zu Merinha hin, die ihn auch nicht ansah. Feliciano, der allerhand Rachengeräusche von sich gab, fragte dasselbe, was er schon seit Tagen fragte:

»Aber warum hast du das nur getan, wie bist du nur auf die Idee gekommen?«

»Ach«, antwortete Budião und wußte nicht, wohin er blicken sollte.

»Ich habs doch schon gesagt, ich weiß nicht, es kam so über mich.«

Es war über ihn gekommen, es mochte kurz nach, kurz vor Mitternacht gewesen sein, als er vor dem Schlafzimmer des Barons Wache stand. Dem es übrigens, seit er an Land gegangen war, ständig schlechter ging, dem Vernehmen nach hatte er von Bruder Hilário bereits die Letzte Ölung empfangen, und niemand erwartete, daß er je wieder sprechen oder irgend etwas begreifen würde. Zu dieser Stunde glaubte Budião ein Stöhnen im Zimmer gehört zu haben und trat ein. Beim Eintreten sah er auch ohne Kerze oder Lampe, er hatte keine mitnehmen dürfen, im Licht des Mondes, das durch den Vorhangspalt fiel, ganz deutlich, daß die Augen des Barons geöffnet waren. Offen und lebendig, nicht wie vorher wild verdreht. Budião war sich sicher, daß er sehen und hören, vielleicht sogar sprechen konnte. Er trat ans Bett und füsterte:

»Habt Ihr gerufen, Ioiô?«

Perilo Ambrósio konnte den Kopf wenden, blickte ihn an.

»Habt Ihr gerufen, Ioiô?«

Perilo Ambrósio riß die Augen auf, sein Mund bewegte sich schwach, er stammelte ein paar unverständliche Laute.

»Ja, Ioiô?«

Doch dann brachte der Baron keinen Ton mehr heraus, und da überkam es Budião einfach. Er ging mit seinem Gesicht ganz nahe an das des Barons heran.
»Hört Nhô mich, ja, Nhô? Ich muß Ioiozinho ein Geheimnis verraten.«
Er konnte nicht laut sprechen, er mußte flüstern, war sich aber sicher, daß der Baron alles hörte, alles verstehen konnte und Angst hatte! Budião verzog die Lippen, streckte die Zunge heraus, blähte die Nüstern, schnitt seine häßliche Grimasse, rückte noch näher, der Baron verging vor Angst.
»Satan!« preßte Budião heraus. »Du wirst sterben! Ja, sterben wirst du, Teufelsbraten!«
Der Baron erschauderte, versuchte vergebens, sich von ihm wegzudrehen, wollte die Augen schließen und konnte nicht.
»Jetzt hast du Angst, du Schurke, du Höllenbraten, du! Das kriegst du für alles Böse, was du getan hast, für die Zungen, die du abgeschnitten hast, für Inocêncios Tod, für deine ganze Verderbtheit und für das, was du bist. Und ich erzähl dir noch mehr, hörst du, du Bastard, du elender Sack, wer dich getötet hat, das bin ich, es war dieser Nego hier, der dich getötet hat! Aaa, du wirst sterrrbeeen, du wirst sterrrrrbeeen!«
Er konnte kaum aufhören, dachte, er werde den Baron auf der Stelle umbringen, ging dann aber schließlich zurück zur Tür und bereute auch schon – er schwor, schwor bei allem, er habe sofort bereut, es sei einfach so über ihn gekommen. Und wenn der Baron sich wieder erholen sollte, wie es noch am Sankt-Bartholomäus-Tag tatsächlich geschah, wo er redete, Befehle erteilte, einen Haufen Dinge tat? Was für ein Leben blühte ihnen nach dieser irrsinnigen Unvorsichtigkeit, nach diesem hirnverbrannten Wahnsinn, diesem Verräterakt, was für ein Leben! Jedesmal, wenn einer von ihnen gerufen wurde, blieb einem jetzt das Herz stehen, da war man sicher, daß es der Baron war, der einen aus Rache herzitierte – und was für eine Rache würde das sein! Jeden Tag das durchzumachen, verstohlene Fragen an die Hausnegerinnen – hat der Baron gesprochen, hat er etwas gesagt? Und diese endlosen Augenblicke, wo nur der Wundarzt dort drinnen war, manchmal auch der Priester und die Baronin, wie konnte man wissen, ob der Baron reden oder irgendeine Andeutung machen würde? Was für eine unerträgliche Qual, jedem Blick

mißtraute man, jeder Geste, allem ringsum. Und wie lange noch, bis in welche Ewigkeit sollten sie das alles ertragen und immer darauf wartend, daß der Baron endlich sterben würde? Oder nicht sterben würde, niemand konnte garantieren, daß er sterben würde, denn obwohl Merinha, die am Tag nach der Ankunft des Barons auf Befehl der Baronin geholt worden war, die ihre Arbeit schätzte, ihm weiter sorgfältig die Kräuter verabreichte, konnte niemand auch nur im geringsten sicher sein, immerhin kämpften die gesammelten Kräfte der Medizin gegen sie, und nichts auf der Welt ist ganz und gar sicher. Sie waren schuldig, sie waren Verschwörer, sie würden eines langsamen und qualvollen Todes sterben.

Budião wiederholte, er habe niemandes Namen sonst erwähnt, er habe bloß gesagt, daß er verantwortlich sei für die Todesqual des Barons, weil er nicht anders konnte, er hatte keinen Augenblick nachgedacht. Und selbst wenn sie ihn festnähmen und ihn der schlimmsten Folter unterwürfen, er würde nichts verraten, sondern stumm sterben, er hatte keine Angst vor Schmerz.

»Quatsch«, sagte Júlio Dandão grollend. »Jeder redet, so was gibt's gar nicht. Überall, in jedem Krieg, da gehört einer, der so was tut wie du, an den Galgen, ohne langes Fackeln an den Galgen.«

»Aber das ist doch kein Krieg hier«, erwiderte Budião. »Und ich ...«

»Das ist Krieg hier«, sagte Dandão. »Es ist Krieg, und ich sage dir eines: Wenn der Baron dich erwischt und dich nicht sofort umbringt, dann bringe ich dich um. Und zwar lasse ich dich ausbluten, genau wie Inocêncio. Warum bringst du dich nicht gleich selber um? Die Ehre verlangt, daß du dich umbringst.«

Schon brach der Tag an, bald würde es hell sein. Dandão stand auf, zog die Zipfel des Schaffells über seine Brust, ging langsam zum Oberdeck und verschwand darin. Budião stand auch auf, senkte den Kopf und hämmerte mit der Faust auf die Reling.

»Ich weiß nicht«, sagte er zu Merinha, die jetzt neben ihm war. »Weiß ich nicht, warum er sich so aufregt, weiß ich nicht, was er damit zu tun hat. Wenn einer Grund hat, böse zu sein, dann Feliciano, es war doch sein Fluch zuerst, und dann haben wir uns zusammengetan, wir wollten das tun, dieser Júlio Dandão hat mit der Sache überhaupt nichts zu tun. Und dann hätt ich genauso Grund, böse zu sein, weil noch einer geredet hat, denn du selbst hast es ihm gesagt, nur so hat er es erfahren.«

Merinha erzählte ihm nun die ganze Geschichte dieses Geheimnisses, das vor allem darin bestand, daß der Neger Inocêncio Júlio Dandãos Sohn war, ein heimlicher Sohn, von dem niemand wußte, der aber von seinem Vater wußte. Als Inocêncio noch unter der Herrschaft des alten Farinha, Vater des Barons, lebte, hatte Dandão den Sohn immer auf die eine oder andere Weise unterstützen und ihm Kenntnis von seinem Volk und von seiner Familie geben können, und dieser Júlio Dandão war unter den Leuten seines Volks sehr angesehen und Inocêncio sein einziger Sohn. Nachdem der alte Farinha Inocêncio an Perilo Ambrósio verschenkt hatte, konnte Dandão ihn nicht mehr sehen, wußte aber durch zwei oder drei Schwarze, die sein Geheimnis teilten, immer, wo er war. Auch legte dieser Júlio Dandão Geld, das er verdiente, zur Seite und auch das, was andere stifteten, um Inocêncios Freibrief zu kaufen – und so erfuhr er, daß der Junge in Pirajá gestorben war, in einem Kriegsdienst, der ihm zu nichts diente, denn der Krieg war von seinen Herren gegen seine Herren geführt worden. Er verfiel in eine unvorstellbar tiefe Traurigkeit, fast schien es, als würde er sich nie mehr erheben, nie mehr sprechen oder an irgend etwas Anteil nehmen. Und bald erfuhr er durch einen der Neger, der Felicianos Geschichte in der Lichtung mitangehört hatte, wie sein Sohn wirklich gestorben war. Ein Sohn – erklärte Merinha – darf nicht vor dem Vater sterben, es gibt keinen Vater, der nicht auf immer verrückt wird, wenn ihm ein Sohn wegstirbt, weil das gegen das Gesetz der Natur ist und der schlimmste Fluch überhaupt. Und wer den Tod des Sohnes verursacht hat, der ist der schlimmste Feind des Vaters, denn sein Schatten wird ihn immer verfolgen, denn er hat ihm diese schlimmste aller Kränkungen angetan, und dieser Mensch sieht niemals mehr etwas anderes vor sich als den Tod.

Sie erzählte weiter, sie sei Dandãos Nichte und sei oft bei ihm gewesen, wenn er heimlich weinte, es gebe keinen vertrauenswürdigeren Menschen auf der Welt, keinen, der mehr verdiente zu wissen, was vorging, und mehr Recht darauf hatte, aufgebracht zu sein über die Gefahr, daß der Baron siegen könnte – vielleicht ein für allemal siegen, indem er ihn tötete, nachdem er

seinen Sohn getötet hatte, ihn zu jemandem machen würde, der nie existiert hat.
Budião ließ den Kopf noch tiefer hängen, dachte ans Sterben, Dandão hatte recht, als er ihm gesagt hatte, die Ehre verlange, daß er sich selber umbrächte. Aber er fand nicht einmal Zeit, Merinhas Trostworte anzuhören, weil in der Helligkeit der rasch am Himmel aufsteigenden Sonne der Verwalter Almério oben auf dem Weg zum Herrenhaus sichtbar wurde. Budião sprang auf, obwohl Almério nicht zu ihnen herunter schaute und noch weit weg war.
»Du bist weg, holst Eier im Gutshaus, ich habe mich vor der Arbeit im Meer gewaschen, Feliciano war mit dabei«, sagte Budião rasch, und alle verließen das Boot, ohne mit Dandão zu sprechen.
Aber sie waren nicht lange am Strand entlanggegangen, als Almério sie sah und ihnen befahl stehenzubleiben. Er kam langsam auf sie zu, gemessenen Schritts, und schlug dabei im Takt mit der Peitsche auf seinen Schenkel. Nahe bei ihnen, nahm er Budião aufs Korn.
»Du, du dreckiger Neger, dich mach ich heute fertig, heute mach ich dich fertig.«
Budião schluckte Speichel, sein Adamsapfel ging auf und ab. Almério sah die anderen an.
»Alle ins Herrenhaus, marsch!«
»Hat Ioiô Baron uns gerufen?«
»Halt's Maul!« schrie Almério und blickte wieder starr Budião an. »Gut, sehr gut, heute kriege ich dich, heute habe ich noch meinen Spaß an dir, hast es lange genug getrieben!«
Er zeigte auf den Saveiro, fragte, ob Júlio Dandão noch an Bord sei.
»Dann geh hin und sage ihm, er sollte besser auch kommen.«
Fast wie ein Leichenzug und in völliger Stummheit gelangten die fünf auf dem oberen Weg zum Herrenhaus. Zu mutlos, sich nach Júlio Dandão umzusehen, dessen Wut ihm den Rücken durchbohrte und die Luft ringsum anheizte, geriet Budião zunächst in Panik, hätte sich sogar am liebsten ins Meer gestürzt, als wäre er imstande, bis nach Afrika oder bis zu irgendeinem anderen Land zu schwimmen, doch dann verwandelte sich seine Panik in eine kalte Angst, eisige Stellen überall am Körper, seine Glieder be-

nommen, der Mund trocken, der Magen in Krämpfen. Und dort war die große Veranda, voll von Leuten, fast alle Neger von der Walfängerstation da, viele Weiße, eine getuschelte Unterhaltung in den Ecken, aller Augen auf die Ankommenden gerichtet. Budião fühlte die forschenden Blicke bis ins Mark, leckte sich die Lippen, beschloß den Kopf hoch zu halten. Dandão zog den Hut, blickte fest geradeaus und rührte sich nicht. Feliciano verbarg sich in einer Gruppe weiter unten, Merinha gesellte sich zu den Hausnegerinnen, die dicht gedrängt vor der verschlossenen Schlafzimmertür des Barons versammelt waren. Almério verschwand irgendwo im Haus, die Zeit stand still, länger als Budião es je erlebt hatte, sein Mund dörrte so aus, daß er zu erstikken glaubte. Ohne darauf zu achten, was er tat, ging er quer über die Veranda zum großen Fenster, das jetzt offenstand. Er trat näher, sah hinein und begriff erst jetzt, daß Almérios Wut sich auf die ihm schon vor einiger Zeit versprochene Tracht Prügel bezog, daß sie es war und nicht der Baron, der nun endlich ausgestreckt dalag, steif, tot.

Einen schöneren Tod als den des Barons hatte es noch nie gegeben und würde es niemals geben. Im Gedächtnis des Recôncavo wimmelte es von schönen Leichen, von all den vielen heiligen Männern und Frauen, die auf erbauliche Weise der Sense des Großen Schnitters entgegengetreten waren und so den nachfolgenden Geschlechtern unvergeßliche Vorbilder für würdiges Sterben vermacht hatten. Keine einzige illustre Familie, die sich nicht wohlgefällig an verschiedene schöne Todesfälle erinnert, welche sie in ihrer thanatologischen Sammlung hütet, sei es dank dahingehauchter letzter Worte, sei es dank des Schleiers aus Sanftheit und Frieden, der just den Augenblick des Heimgangs umhüllte, sei es dank des Stoizismus des Dahinscheidenden, sei es dank einer zauberhaften Landschaft oder ganz besonderer Umstände, die ein plötzliches Verscheiden begleiteten, sei es dank der tiefen Betrübnis des Volkes während der Trauerzeremonie – all das bedeutet, daß es in Fragen des Ablebens auf der Welt keinen stolzeren Platz gibt.

Seit der Ankunft des Barons in der Walfängerstation bis zu seiner Reise ohne Wiederkehr verbanden sich alle Einzelheiten harmonisch zu einem Gebilde von unübertrefflicher Schönheit. Man hätte sagen können, das Ende sei nahe gerückt, doch dem war nicht so. Obwohl er sich von seinem Lager, auf dem er seine letzte Stunde läuten hören sollte, nie mehr erhob, gab es Stunden, sogar Tage, wo diejenigen, die ihm beistanden, ermuntert durch das eine oder andere Anzeichen von Besserung, neue Hoffnung schöpften. Das geschah sogar am Sankt-Bartholomäus-Tag gegen neun Uhr abends, als der Neger Rafael Arcanjo, der als Wärter vor der Krankenzimmertür schlief, durch einen kräftig klingenden, deutlichen Ruf erwachte, der nur aus einer gesunden Brust kommen konnte.

»Du Hurensohn von einem Neger, komm her!« brüllte Perilo Ambrósio, und Rafael Arcanjo sprang erschrocken auf, denn der Baron war den ganzen Nachmittag stumm darniedergelegen, die Augen trübe und ausdruckslos, der Mund schlaff, die Arme kraftlos, alles schien das Ende anzukündigen, während in den Gängen die Klagen der Baronin und ihrer Negerinnen widerhallten, das Gewimmer der Kinder und die erstickten Seufzer von Menschen, die einen Todesfall erwarten.

»Bringt man Bratfleisch im Bräter zum Braten?« wandte sich der Baron weiter an Rafael Arcanjo und wiederholte die Frage beharrlich, wobei er den Sklaven »Herr Intendant« nannte und ihn schließlich bat, ihm sein Ohr an den Mund zu legen, er habe dem Herrn Intendanten eine wichtige Mitteilung zu machen. Sobald der Neger, beeindruckt von dem respektvollen Ton, mit dem er behandelt wurde, einem Ton, wie er ihn nie von irgend jemandem gehört hatte, seinen Kopf an den Mund des Barons legte, packte der ihn im Genick und grub ihm die Zähne so fest ins Ohr, wie er nur konnte. Der Neger mochte noch so zappeln und strampeln, er konnte sich weder vom Biß noch vom Griff um den Hals befreien, so daß bald das ganze Haus von seinen entsetzten Schreien erwachte und die beiden noch in ihrer stürmischen Umschlingung angetroffen wurden, wobei der Baron nur knurrend die Fragen beantwortete und Rafael Arcanjo wie ein Schwein quiekte, das geschlachtet wird. Die Baronin befahl dem Neger zu schweigen, schließlich sehe man, daß der Biß so schlimm nicht sein könne, und sie brauche Ruhe, um mit dem Baron reden zu können, obgleich dieser sich weigerte, das Ohr des Negers freizugeben, und der Wundarzt sich gezwungen sah, ihn mit Hilfe zweier Neger an Armen und Schultern festzuhalten, damit

er Rafael endlich losließ, der auf die Tür zusprang, die Hand auf dem Ohr, während ein Faden Blut über seine Backe rann.
»Wie ich Ihnen sage, Herr Intendant«, rief Perilo Ambrósio angeregt aus. »Ich sage es immer und immer wieder!«
Angespornt von der ihn durchströmenden Energie, schloß er in dieser Nacht kein Auge mehr. Er ließ sich Kissen in den Rücken stopfen, setzte sich im Bett auf, prüfte unter besorgten Ausrufen die Kontobücher der Walfängerstation, beschwerte sich, daß Amleto nicht da sei, versicherte, er werde ihn bei erster Gelegenheit entlassen und erzählte lange Geschichten von Reisen und Kriegen. Frühmorgens wollte er Kuskus essen, doch als der Arzt abriet, war er sofort einverstanden.
»Also dann eine Schweinshaxe, eine schöne kalte Schweinshaxe mit Bohnen und Brathuhn«, schlug er vor.
Justino José gab zu bedenken, daß die Verfassung seiner Eingeweide noch größter Fürsorge bedürfe, und nichts spreche für derart schwere Speisen, er möge sich mit kleinen Tees und Toasts begnügen wie bisher. Er klagte nicht; trotz eines Fiebers, das auch das allerstrengste heiße Kopfbad nicht zu lindern vermochte, schlief er vor der Mittagsstunde ruhig ein. Antônia Vitória und Teolina entzündeten Kerzen auf dem Hausaltar und Bruder Hilário erhielt Anweisung, zehn Messen als Danksagung zu zelebrieren, sobald die Genesung sich festige. Sogar die Furunkel schienen zurückzugehen, dank der stark austrocknenden Wirkung von frischem Kaffeepulver, mit dem man sie bestrich, ein Hausmittelchen zwar, aber doch nicht verworfen von der Wissenschaft des Arztes, der die Vernünftigkeit vieler volkstümlicher Heilpraktiken immer hervorhob, so daß er jetzt selbst beschlossen hatte, sein Lanzettenschneiden auf höchstens acht- oder neunmal pro Woche zu beschränken.
Keiner konnte ahnen, daß durch das heimtückische Werk der Parzen die Krankheit in ihrer Hartnäckigkeit keineswegs nachgelassen hatte, sie war nur in schlauer Verstellung zur Latenz übergegangen, bereit, jeden Augenblick mit aller Macht von neuem loszuschlagen. Am Tag, der demjenigen folgte, den man später als einen Abschiedsbesuch der Gesundheit ansehen mußte, erwachte der Baron wieder mit großen Schmerzen, und obgleich der Arzt sich in der Mobilisierung aller nur erdenklichen Hilfsmittel selbst überbot, ließ sich nicht verhindern, daß

von Stund an der Patient nur noch in wenigen Augenblicken des Tages bei Bewußtsein war und es an manchen Tagen überhaupt nicht mehr erlangte. Selbst wenn er bei Bewußtsein war, war sein Sprechen durch eine derart massive Glossitis beeinträchtigt, daß seine Zunge kaum mehr Platz im Mund fand, und seine Versuche, sich mit Gesten auszudrücken, von den unkontrollierten Bewegungen seiner Hände gestört wurden, die nun unablässig zitterten, die Finger zuckten einzeln und schienen beständig auf der Suche nach unsichtbaren Wanzen in den Laken. Er konnte nun weder Licht noch Lärm ertragen, er winselte sogar angesichts der schwachen Kerzenflammen, mit denen man das Zimmer zu beleuchten suchte, das eingeschlossen lag in der schwülen Finsternis der Portieren. In den letzten Tagen konnte er die Kiefer weder zum Sprechen noch zum Essen bewegen, so daß das Kinn steif wurde, der Unterkiefer hervorstand und die Lippen sich aufwärts verzogen zu einem versteinerten Lächeln. Auch Nacken und Schultern verhärteten sich, so stark war die Gewalt seiner Eingeweidestauung, die ihn in ihren eisernen Krallen hatte, eine unausdenkliche, unverdiente Kakothanasie für jemanden, den die Geschichte später als Zentauren von Pirajá, als Helden der Unabhängigkeit und Märtyrer der Wirtschaft feiern sollte. Immerhin sorgte die beim Eingriff ins menschliche Geschick stets gerechte Vorsehung dafür, daß durch einen einzigartigen Zufall, einen geheimen Plan vielmehr, alles ins Lot kam: daß des Barons Hinscheiden just an dem Tage geschah, an dem genau fünf Jahre zuvor der unvergessene Schrei zum Himmel gestiegen war, der dem brasilianischen Volk den Weg zur Freiheit bahnen sollte. Denn an diesem siebten September, einem windigen, düsteren Freitag, keuchte er zweimal tief, wobei seine Brust sich hob, und fiel tot zurück. Es war nicht einmal nötig, ihm ein parfümiertes Tuch ums Kinn zu binden, denn sein Gesicht, in das für immer ein höhnisches Lächeln eingegraben war, zeigte weiter seinen steinernen Ausdruck. Unglücklicherweise war sich niemand über seine allerletzten Worte im klaren, aber Bruder Hilário, der bis zum Verlöschen bei ihm geweilt hatte, notierte jene, welche der Baron – ein echtes Wunder bei jemandem, der nicht mehr sprechen oder auch nur sehen konnte – in der Düsternis des Schlafzimmers wenige Minuten vor seinem Ende gemurmelt hatte: »Vaterland, Ehrbarkeit, Kampf, Selbst-

verleugnung. Werde ich Gott und Brasilien gut gedient haben?«
An seinem feierlich im Mittelschiff der Hauptkirche aufgebahrten massigen Leichnam, den weithin duftende Engelwurzblüten einrahmten, zog langsam und trauernd ein Pilgerzug vorbei, von den Negern seines Hausstands bis zu Männern von Rang, von den höchsten bis zu den bescheidensten, alle hielten einen Augenblick am Rande des majestätischen, silber- und bronzebeschlagenen Sarges inne, eingedenk der Tatsache, daß dies kein gewöhnlicher Tag sei. In einer von ausholenden Gebärden unterstrichenen kurzen Ansprache legte Major Lindolfo Pereira Neves, der noch als Leutnant in Pirajá dem blutüberströmten Baron zu Hilfe geeilt war, Zeugnis ab vom ritterlichen Mut dieser nur von des Todes Pranke gefällten Stütze des Vaterlands, der in den Herzen der Brasilianer jedoch diamantenklar weiterleben würde. Er erzählte, wie der Baron, kaum von seinen Wunden genesen und, noch geschwächt vom knappen und bangen Triumph über den Tod, sogleich den härtesten Aufgaben entgegengeeilt sei, mit Rat und Ermahnung zur Hand, mit kühler Überlegung und, wenn nötig, auch Tadel, so daß man nicht zu denken wage, wie Brasilien ohne Männer seines Kalibers seine Freiheit gegen Madeiras Raserei behauptet hätte. Der Grammatikprofessor Joviniano de Melo Fraga fügte in einer nicht eben kurzen, von einem Akrostichon aus Zehnsilbern mit strenger Zäsur beschlossenen Rede ein Loblied auf die bürgerlichen und persönlichen Tugenden des Verblichenen an, dessen Antlitz nun das sanfte, heitere Aussehen dessen trage, der in der Gewißheit ruhe, sein Leben einem erhabenen Dienst gewidmet zu haben. Noch vieles wurde gesprochen und geschrieben und wird über den Baron geschrieben werden, über seine Taten, sein Martyrium und seinen dornenreichen Aufstieg zum Ruhm, und so endete das große Leichenbegängnis, die Totenmesse wurde vom Bischof zelebriert, die Baronin lag wegen acht aufeinanderfolgender Ohnmachtsanfälle darnieder, das Begräbnis fand in der Hauptkirche statt, Perilo Ambrósio ist nur mehr ein Schatten, am dunklen Ufer des Styx.

Große Sklavenhütte, Walfängerstation-zum-Guten-Jesus, den 9. September 1827

Was für eine verrückte Situation, Herr des Himmels, der Schwarzen von Nhô Baron Perilo Ambrósio von Pirapuama, alle Welt möchte sich ausschütten vor Lachen, muß aber ein langes Gesicht machen wie einer, der Vater, Mutter, Bruder verloren hatte, die jüngsten, bereits vernaschbaren Schwägerinnen und den letzten Viertelliter Schnaps. Als wäre es eine umgekehrte Freudenfeier, eine Fröhlichkeit im tristen Gewand der Verzagtheit, eine nur im Kopf spielende Musik. Und da diese Fröhlichkeit auf keinen Fall zur Schau gestellt werden durfte, bestand ein Teil des Festes darin, die Äußerungen des Schmerzes zu übertreiben, die Trauer, den Kummer und die Verlorenheit, und fast alle amüsierten sich wie auf einem Maskenball. Immer sind da einige, die das Spiel übertreiben, wie dieser fröhliche Kasper, die junge Esmeralda, die mit tränenblindem Gesicht das Herrenhaus betritt und auf dem Rückweg in die Sklavenhütte ihre Lust zu singen kaum beherrschen kann. Sie hat aus einem Maiskolben, aus etwas Sackleinen und Werg ein Puppenmännchen gemacht, hat ihm ein Hütchen aufgesetzt ähnlich dem, das der Baron in der Walfängerstation getragen hatte, und unterhält sich mit ihm.
»Na, wie gehts, wie stehts bei dir da drüben, Ioiozinho?«
»Au, was für eine verflucht heiße kleine Hölle, au, au, au!« antwortet das Puppenmännchen.
»Wo brennts dich denn, Ioiozinho?«
»Es brennt mich an meinem Hintern, au, es brennt mich an meinem süßen, fetten Arsch!«
Aber obwohl es Sonntag war und viele nach der Messe keine Arbeiten zu verrichten hatten und auf dem Vorplatz miteinander schwatzen oder sich ohne Aufsicht nach Belieben beschäftigen konnten, war es nicht klug von Esmeralda, sich so weit vorzuwagen, schon weil das durch ihr Puppenspiel hervorgerufene Gelächter draußen von jemandem gehört werden konnte, der so wenige Tage nach dem Tod des Barons ungern Gelächter hörte.
»Schmeiß die Puppe lieber weg, tu sie weg«, riet Inácia. »Hör lieber auf mit dem Spaß, das kann nur Ärger bringen.«

»Ach warum, Inácia; machst du denn die Totenzeremonie, das Axexé für unsern lieben, lieben Nhozinho, verrichtest du die notwendigen Handlungen für den Verstorbenen? Natürlich nicht. Dann laß es doch mich machen! Larô-ié!«
»Was soll das heißen, Kleine, damit wird nicht gescherzt, laß den Quatsch!«
»Ich glaube, Vater Lírio wird einen Teufelszauber mit Exu machen, für den hier«, sagte Esmeralda, die Puppe schüttelnd.
»Also warum nicht Exu begrüßen, es ist doch fast seine Zeit ist es doch, fast Mittag, ist es also Larô-iê!«
Ja, es war fast die Stunde Exus, der Gottheit, die alles ißt, doch trotz Esmeraldas Grußwort ist er dort nicht zu sehen. Statt dessen erschien Júlio Dandão in Budiãos und Felicianos Begleitung, vom Strand her kommend. Dandão hörte Esmeraldas Gelächter, trat näher, sah die Puppe.
»Sag ihr lieber, sie soll damit aufhören«, sagte er leise zu Budião.
»Warum sagst du ihr das nicht selbst?« erwiderte Budião, der das Puppenmännchen sehr drollig fand.
»Ich kann nicht einfach mit ihr reden, vielleicht ist sie die Frau von jemand, Tochter von jemand, Mutter von jemand.«
»Ach, laß sie, es ist doch nur, daß alle so glücklich sind, und zeigen dürfen sie es nicht, und ab und an müssen sie es einfach zeigen.«
Dandão mißfiel Budiãos Antwort, er blickte umher wie jemand, der schweigend darum bittet, daß jemand eingreife.
»Esmeralda, jetzt ist Schluß damit, ja?« rief Inácia streng.
Esmeralda verbarg das Puppenmännchen unter ihrem Rock und blickte verschämt.
»Verbrenn die Puppe lieber, los, verbrenn die Schweinerei.«
Sie ging fort, um die Puppe zu verbrennen, nicht ohne sie vorher in einem Mörser zerstampft zu haben. Budião ärgerte sich etwas über Júlio Dandão. Schließlich war ihnen der Plan doch gelungen, sie sollten zufrieden sein, warum dann dieses Totensonntagsgesicht, fehlte ihm etwa der Baron?
»Ich bin nicht zufrieden«, sagte Dandão sehr ernst. »Darum will ich, daß wir heute reden. Kommt Lírio?«
»Lírio nicht. Aber Zé Pinto kommt.«
»Gut, daß Zé Pinto kommt. Es ist gut, daß wir noch einen freige-

lassenen Neger dabei haben. Aber warum kommt Lírio nicht?«
»Er hat gesagt, er will nichts wissen von solchen Gesprächen, will er nicht.«
»Aber woher will er denn wissen, was ich bereden will? Ich habe es ja nicht mal dir erzählt.«
»Ich weiß, aber er sagt, er weiß ganz genau, was wir bereden wollen, und er will nichts damit zu tun haben.«
Dandão biß sich auf den Schnurrbart, hielt inne, um nachzudenken, brummte »in Ordnung« und fragte, wo sie reden würden.
»Genau hier«, sagte Budião. »Warum soll es nicht hier sein? Wir können in ein Haus gehen und uns hinsetzen.«
»Da müßte ich schon hirnverbrannt sein. Kommen in den Fischschuppen Leute?«
»Dauernd.«
»Wohin kommen keine Leute?«
»Überall tauchen Leute auf, es gibt keine Stelle, wo niemand hinkommt.«
Feliciano zupfte Budião am Ärmel und vollführte eine kurze Pantomime.
»Was sagt er?« fragte Dandão Budião.
»Er hat gesagt, im Gutshaus ist bestimmt niemand, das Mehlhaus ist leer und heute ist es geschlossen.«
»Das Mehlhaus? Im Mehlhaus, ja, das wär gut, da hat er recht.«
»Gut, also, gehen wir.«
»Nein, es ist nicht gut, wenn wir vier zusammen gehen. Ich gehe voraus, dann kommt Feliciano, du und Zé Pinto, ihr kommt nach. Geh gleich zu ihm, los.«
Budião fand das Ganze viel zu verzwickt, auch Dandãos Art ärgerte ihn, der redete wie ein Verwalter, der Befehle erteilt. Auch wenn er älter war und dazu noch Merinhas Onkel, stand ihm dergleichen nicht zu. Hatte er nicht schon genug an Almério, der ihn nur deshalb nicht ausgepeitscht hatte, weil während der ersten sieben Trauertage niemand ausgepeitscht werden darf?
Das ging ihm durch den Kopf und er war schon fast entschlossen, beim nächsten Mal würde er Einspruch erheben, als er mit Zé Pinto vor dem Mehlhaus ankam. Vor der Tür blieb er stehen,

von drinnen war nichts zu hören. Er blickte umher, nur die Gemüseäcker waren zu sehen, die Trockenschuppen, pickende Hühner, zu hören war nur das Summen der Libellen, das Plätschern des Baches hinter dem Bananengebüsch. Er schob den Holzriegel zurück, stieß langsam die Tür auf, konnte zunächst nicht deutlich sehen trotz des Lichts, das durch die Spalte zwischen Wänden und Dach drang. Geruch nach frischem Maniokmehl, nach überreifen Maniokwurzeln, nach fermentierter Maniokmaische. Budião holte tief Luft, er hatte die Gerüche des Mehlhauses immer gemocht, er mochte sogar den warmen Dunsthauch von der letzten Glut unter der Herdasche. Er kniff die Augen zusammen, sah Feliciano dastehen wie ein Storch, die Sohle des rechten Fußes gegen den linken Schenkel gedrückt, die Hand am Griff der kleinen Presse. Vor ihm, neben der Mühle kauernd, Júlio Dandão, sein Gesicht war zwischen Hut und Schaffell, das ihm bis zum Hals reichte, nur zu ahnen. Er winkte, sie sollten sich setzen, denn erst wollte er seine Pfeife anzünden und einige Züge tun. Er öffnete seinen Ranzen, zog einen handgroßen Pfeifenkopf hervor, ein Säckchen mit einem Stück Rolltabak und ein langes Bambusrohr, das er in den Pfeifenkopf steckte. Er füllte ihn mit Tabak bis zum Rand und ließ ein paar Schnitzel durch die Fingerspitzen gleiten, erhob sich, trat zu einem der Öfen, rührte die Glut in der Asche auf, fand ein großes Stück, blies die Asche weg und brachte es zu seinem Platz, wobei er es im Gehen von einer Hand in die andere warf.
Keiner der anderen drei hatte jemals eine Pfeife wie diese gesehen, sie wußten nicht einmal recht, wie man den Tabakrauch eigentlich trinkt, wenn sie auch von vielen Leuten gehört hatten, Weißen wie Schwarzen, die gerne Rauch schlürften. So etwas erlebte man nicht häufig, und sie verhielten sich die ganze Zeit über still, als Dandão das Glutstück auf den Pfeifenkopf legte, die Hände darüber breitete, als wolle er sie zudecken, wiederholt am Rohrende zog, und bald darauf hinter einer scharfriechenden, bläulichen Rauchwolke verschwand, die aus seinen Mundwinkeln und seiner Nase hervorquoll, vielleicht aus allen Löchern seines Kopfes. Wie eine Dampfmaschine verharrte er in geballter Reglosigkeit und stieß lange Rauchwolken aus, dann und wann spuckte er kräftig aus, ohne den Kopf zu bewegen. Jetzt wurde sein Gesicht halb sichtbar, sie sahen seine blutunter-

laufenen, halbgeschlossenen Augen, mit seinen Gedanken war er anderswo.

Bis er endlich zu sprechen begann, wobei er auch da seine Pfeife nicht aus der Hand legte, sie dann und wann an den Mund führte, die Glut mit kurzen, energischen Zügen belebte und von neuem in blaues Gewölk gehüllt war. Er war anders als sonst, nicht nur durch den Rauch, sondern auch, weil er sich weniger grob benahm, freundlicher redete, in einem kameradschaftlichen Tonfall. Doch auch so war er kein gewöhnlicher Mensch wie die anderen, auch so blieb er geheimnisvoll, aber es war, als könnten sie an dem Geheimnis teilhaben, vielleicht nicht jetzt, vielleicht nie, aber vielleicht doch. Zuerst erwähnte er Nego Lírio, der nicht gekommen war, weil er nichts von dieser Art Gesprächen hielt.

»Mag sein, daß er in seine Tritonshörner hineingeschaut hat und daraus hat er erraten, was ich bereden würde«, sagte er, während ein spöttisches Lachen seinen Schnurrbart verzog. »Warum schaut er dann nicht in seine Muscheln, um alles zu sehen, was man nicht weiß, alles aus Vergangenheit und Gegenwart und Zukunft, um dem Volk zu sagen, was zu tun ist, das ihn so feierlich begrüßt, wenn es ihm begegnet, das in die Knie sinkt und den Boden mit den Schultern berührt?«

Niemand antwortete, und als hätte er das erwartet, erklärte Dandão, daß man ein Volk und einen einzelnen Menschen an seinen Grußformen erkennt und daß man nichts von einem Volk erwarten dürfte, das, selbst Sklave, einem anderen Sklaven durch Kniefall huldigt, indem es sich niederwirft wie einer, der seinen Kopf und seinen Rücken als Stufe anbietet oder als Fußmatte. Grüßen, sagte er, das ist notwendig, drum gibt es keine Leute, die nicht grüßen, denn das bedeutet, daß wir nicht verrückt sind, weil wir wissen, wir leben nicht allein auf dieser Welt, sondern mitten unter den anderen, und können nur dank der anderen sein, was wir sind, andernfalls sind wir nicht. Es bedeutet auch, daß jeder andere weiß, daß er existiert, denn wenn niemand niemanden grüßen würde, würden alle denken, sie existierten gar nicht. Und es zeigt auch, daß wir keine Dummköpfe sind, denn es gibt eine eigene Art, jede Kategorie von Mensch zu begrüßen – Kinder, Jugendliche, Ältere, jüngere Frauen, verheiratete Frauen, ältere Frauen, den Vater von einem Freund, einen nahen

Verwandten, einen fernen Verwandten, einen vom selben Handwerk, einen Fremden und so weiter – und man beweist, daß man kein Dummkopf ist, durch die genaue Kenntnis all dieser Dinge. Und Grüßen bedeutet noch viel mehr, denn dadurch können wir zeigen, was wir denken, was wir nicht denken, was wir hinnehmen, was wir nicht hinnehmen, was wir achten, was wir nicht achten, wir brauchen es nur richtig zu machen oder nur zu übersehen, wenn andre Leute grüßen oder wir weisen ihr Grüßen zurück.

So, fuhr Júlio Dandão fort, offenbart sich dieser Lírio wahrhaft als König der Sklaven, als Sklavenkönig mit seinen Grußformen, die zu nichts nütze sind, es sei denn, um zu bekräftigen, daß sie alle Sklaven sind. Und wer zuläßt, daß man vor ihm einen Kniefall macht, der wird natürlich auch vor einem anderen einen Kniefall machen. Und das ist das, was Lírio auf ewig erhalten will, denn er hat Angst, darüber zu sprechen, lieber verbeugt er sich vor seinen weißen Herren, solange nur seine schwarzen Untergebenen sich weiterhin vor ihm verbeugen.

»Unser Gruß«, schrie er plötzlich, hob die geballte Faust und stieß damit in die Luft, »lautet so: Brasilien dem Volk!«

Jetzt wißt ihr, sagte er wieder so ruhig, wie er begonnen hatte, was die wahre Natur von diesem Nego Lírio ist. Ah, wäre alles doch so, wie es sein sollte! Aber es ist nicht so, nichts ist, wie es sein sollte. Was sein sollte, ist für Herren und Sklaven nicht dasselbe. Denn wir sind wir und nicht sie, erklärte er, darum darf das, was für uns sein sollte, nicht dasselbe sein wie für sie, und darum liegt es an uns, das zu sein, was wir nach unserer Meinung sein sollten, denn nur wir denken, daß wir das sein sollten, was wir sein wollen. Und mit einem fast glücklichen Grinsen bemerkte er, zur Zeit seiner Vorfahren habe man niederträchtige Leute getötet, damit sie Botschaften in die andere Welt überbrächten. Hatte jemand daran gedacht, durch den Baron eine Botschaft zu übersenden? Man hätte seinen Tod besser nützen können.

Zé Pinto schien Angst vor dergleichen zu bekommen, doch Dandão wandte sich zu ihm und sagte, als beschriebe er ein alltägliches Ereignis, natürlich hätten sie den Baron umgebracht. Nicht nur den Baron hätten sie umgebracht, sie würden noch viel mehr Barone umbringen und noch andere erstaunliche Dinge von gleicher Bedeutung tun. Und sie sollten eines beachten: Es handele sich nicht einfach um Rache, es ginge viel, viel weiter. Wenn diese Landbesitzer sterben, dann würden zwei Dinge geschehen. Erstens: Die Ländereien würden unter Erben aufgeteilt und sich in kleinere Parzellen aufsplittern, und dadurch könnten sie nicht mehr den Reichtum der Vorfahren aufrechterhalten und darum würden alle Großgrundbesitzer geschwächt, außerdem würde es zu Streit kommen, durch die Habgier der Erben. Zweitens: Diese Großgrundbesitzer, die würden schon durch ihre umfangreichen Sklavenkäufe ständig unter Schulden und Hypotheken leiden, immer mehr würden sie sich durch Schuldverschreibungen und Wechsel in Schulden stürzen, mehr als der Ertrag aus ihren Ländereien und Gütern wert war, und ihre Gläubiger, von denen viele mit diesen Ländereien nichts zu tun hätten, würden sich den Besitz aneignen, einige die Maschinen, andere die Häuser, wieder andere die Neger, und dadurch würden die Besitzverhältnisse ganz unübersichtlich, und die Produktion würde erschwert. Jeder tote Reiche bedeutet zehn lebendige Arme, fügte er in einem Ton hinzu, als ob er das schon oft gesagt hätte, und unter zehn Armen sind neun schwarz und der zehnte steckt auch mit drin, sei es durch das Blut, sei es durch das Leben, das er führt.

Budião fühlte sich so benommen, daß er glaubte, es käme vom Pfeifenrauch. Er blickte auf die zwei Gefährten, beide wirkten ebenfalls benommen. Zé Pinto schüttelte ungläubig den Kopf, Feliciano, aufgekratzt und unruhig, ahmte die von Dandão vorgeführte Begrüßung nach. Budião wandte sich zu Dandão um, irritiert von der Ruhe, mit der dieser solche schrecklichen und schwierigen Dinge vorgebracht hatte, und sagte schließlich, er hätte das Ganze nicht so recht verstanden.

»Hast du's verstanden, Zé Pinto?« fragte er.

»Da-da-da-da«, erwiderte Zé Pinto mit gesenktem Blick.

»Du wirst es verstehen«, sagte Júlio Dandão. »Ich werde euch ein Geheimnis verraten. Ich werde euch mehr als ein Geheimnis verraten, Geheimnisse, die ich für mich allein bewahrt habe, die ich jetzt aber mit anderen teilen muß. Alle, die vor mir von diesen Geheimnissen wußten, sind gestorben oder verschwunden, nur ich bin am Leben geblieben mit dem Auftrag, sie zu bewahren. Aber ein Geheimnis, das nur einer allein kennt, hat keinen

Wert, es bringt nur deinen Kopf ganz durcheinander und macht dich schließlich verrückt. Also ist die Stunde gekommen, daß wir diese Geheimnisse teilen, es ist die einzige Art und Weise, daß diese Geheimnisse erhalten bleiben. Aber sie sind nicht nur zum Zeigen da, sondern um getan zu werden.«

Er ließ seinen Blick über die drei Männer wandern, im Mund die Pfeife, an der er so heftig saugte, bis die Backen ganz hohl waren und im Mund fast aneinanderstießen und der Rauch in immer dickeren Schwaden sein Gesicht umhüllte.

»Sehr gut«, sagte er, während sein Gesicht im Gewölk langsam wieder Gestalt annahm. »Wir wollen uns diese Geheimnisse jetzt ansehen, bleibt alle, wo ihr seid.«

Er griff hinter sich und packte einen großen braunen Leinensack, der unbemerkt von ihnen in einem Winkel gelegen hatte, zog ihn zu sich heran, löste das Band und öffnete ihn, spähte einen Augenblick hinein, zog mit beiden Händen einen kleinen Korb aus Holz und Metall heraus, hielt den Beutel mit dem Fuß fest, um den Korb leichter herauszubekommen, und hob ihn den anderen vors Gesicht. Er schien schwer zu sein, denn sogar seine Arme, dick wie ein Papayabaum beim ersten Früchtetragen, zitterten beim Hochstemmen. Er stellte ihn vor sie hin, nahm seinen Hut ab, suchte darin herum, fand schließlich ein Stück zickzackförmiges Eisen und führte es erregt nacheinander in die acht seitlichen Schlitze des Korbes ein, gab einen gedämpften Singsang von sich und murmelte wie einer, der zwischen den Zähnen rechnet, schlug drei- oder viermal auf die Ecken, und der Deckel hob sich wie ein langsam aus dem Wasser aufsteigender Fisch, und das leise Knirschen der Scharniere klang inmitten dieser Totenstille sehr laut. Dandão blickte in den Korb hinein, legte die Hand auf den Deckel und machte ihn fast wieder zu.

»Diese Geheimnisse«, sagte er, ohne die Hand vom Deckel zu nehmen, »sind Teil einer großen Erkenntnis, einer Erkenntnis, die noch nicht vollständig ist, schon deshalb nicht, weil keine Erkenntnis je vollständig sein kann, das gehört dazu, daß man sich immer wünscht, sie möge vollständig sein. Und es gehört auch dazu – weil sie ein Geheimnis ist und nur für bestimmte Menschen zugänglich –, daß jeder einzelne, der von ihr weiß, für ihre Vollständigkeit arbeitet. Wenn alle daran arbeiten, Generation für Generation, wird diese Erkenntnis siegen.«

Budião, Feliciano und Zé Pinto verstanden noch immer nicht ganz, wovon er sprach, verspürten aber gar nicht den Wunsch, Fragen zu stellen, als seien sie sicher, sie würden es am Ende doch noch verstehen. Schon deshalb, weil Dandão, während er zwischen seinen Rauchschwaden redete, größer, immer größer wurde, noch viel höher als das Haus, worin er war, er nahm alle Farben und Ausdrucksarten an, er wurde sogar durchsichtig, er wurde feucht wie eine Frau zwischen den Beinen und wissend wie eine Baumwurzel, wurde zu einer ganzen Landschaft. Und nun löste er mit einemmal den Deckel, der weit geöffnet schwankte, bis er stillstand, und er begann Geheimnisse hervorzuzaubern, ein Geheimnis nach dem anderen, jedes bedeutender als das vorherige, und es gibt Menschen, die versichern, daß damals die Geister unzähliger Dinge ihre Freiheit erlangten, Seinsarten, wirkende Atemhauche, Papiere, die man, wollte man nicht erblinden, nicht mit beiden Augen ansehen durfte, ätherische Einflüsse, Wahrheiten hinter Gehörtem, unabweisbare Anregungen, Wirklichkeiten so klar wie das Gebot zu leben und Kinder großzuziehen. Zugleich war alles wohlklingend und so melodisch, daß sonst nichts im Mehlhaus zu hören war, und manche sagen, dort, in jener Stunde, sei eine geheime Bruderschaft gegründet worden, die den Namen Bruderschaft des brasilianischen Volkes erhielt, und andere meinen, es sei nichts geschehen, nie sei etwas geschehen, und nie habe es dieses Mehlhaus auf dieser Zuckerplantage dieses Barons auf dieser Walfängerstation je gegeben, jedesmal stellte sich all das bei Nachforschungen nur noch labyrinthischer dar. Während Júlio Dandão nach und nach den Korb durchsuchte nach allem, was er vorzeigen wollte, und das eine zur Schau stellt, das andere erläutert, begründet sich vielleicht diese Bruderschaft, vielleicht auch nicht, vielleicht wurde sie für immer gegründet und bleibt für immer bestehen, vielleicht ist auch alles Lüge, vielleicht ist die Wahrheit höchst offenkundig und gerade deshalb unsichtbar, aber man weiß es nicht, denn diese Bruderschaft, obwohl sie tötet und stirbt, spricht nicht.

Verachtungslächeln war bleich, die Stimme versagte ihm, seine Hände waren verkrampft, die Augen aufgerissen. Und Zé Libério stand ihm in nichts nach, nur hatte er nicht die Geduld sitzen zu bleiben, und während der andere redete, wanderte er unruhig von einem Ende des Trockenschuppens zum anderen, um dann und wann Nego Leléu anzublicken wie einer, der Erklärungen für etwas ganz Unhaltbares hört. Doch Leléu, der anfangs bloß mit den Fingernägeln auf den Tisch getrommelt hatte, hörte sich jetzt die Anklagen mit unbeweglichem Gesicht an, mit verschränkten Armen und mit einer gewissermaßen höflichen Aufmerksamkeit. Er würde nur nicht zulassen, daß Verachtungslächeln ihn mit Schimpfnamen bewarf, in welchem Fall er vielleicht seine zwischen den Knien ruhende Keule packen würde, doch Verachtungslächeln hatte seine Rede gut vorbereitet, und ihm lag mehr daran, zu zeigen, daß er recht hatte, als Beschimpfungen von sich zu geben, zumindest vorläufig. Er erinnerte daran, daß Leléu als erster die Fischhamsterer versammelt hatte, um Kauf- und Verkaufspreise festzusetzen und die Einigkeit zu erzielen, die eine gute Handelspraxis ausmacht, ganz besonders in diesem beschissenen Geschäft, wo selbst der Regen und der Mond schon etwas ausmachten, in diesem Armeleutehandel, wo jedermann mitreden und jeder von der Obrigkeit Verordnungen machen zu müssen glaubte. Also war Leléus Verhalten in den letzten Tagen, wenn er großkotzig zwischen den Fischkörben herumstolziert war und Preise nach Lust und Laune bekanntgegeben hatte, nichts anderes als erstklassige Schurkerei. Wenn er einen bereits ausgehandelten Korb sah, bedachte er den mündlich ausgehandelten Preis mit lauter Hohn und Spott, nannte den Fischer backpfeifenblöd, bot ein paar lumpige Réis mehr und schleppte alles mit. Kam er früh, spielte er sich auf, wie man es auf dem Conceição-Markt noch nie erlebt hatte, seit die Welt besteht, ging zu den am Ankerpflug vertäuten Kanus, um groß zu verkünden, als wäre er der unumstrittene König des Meeres mit allen seinen Fischen, er überbiete jedes schon gemachte oder noch kommende Gebot, weshalb es ganz überflüssig sei, die Fische in die Großmarkthalle zu schleppen, man solle alles gleich zu einem seiner vier Verkaufsstände befördern. Wenn ein Fischer zögerte oder eine Abmachung oder die Freundschaft mit einem anderen Fischhändler erwähnte, schmähte er ihn zunächst, dann drohte er, schließlich hinterging er das Vertrauen der Kollegen, verpetzte die Aufkäufer, die ausgehöhlte Gewichtssteine benutzten, um mengenmäßig einen kleinen Schnitt zu machen, er sagte Bankrotte und Betrügereien voraus, prahlte wild herum, brüstete sich mit seiner finanziellen Machtstellung und überrumpelte schließlich alle mit seiner Unverschämtheit, Anmaßung und Unverfrorenheit. Wenn er wie die anderen gegen vier, fünf Uhr auf dem Markt eintraf, brachte er alles, was im Verlauf langer Jahre mit nichts als Verdruß und Widrigkeiten so mühsam organisiert worden war, völlig durcheinander. Denn der Fisch, wie jedermann weiß, wird zum vereinbarten Tagespreis verkauft, und der wird ganz unauffällig festgesetzt, höflich und diskret, alles wohlgeordnet, innerhalb eines Rahmens von Anstand, der im seriösen Geschäftsleben herrschen muß, so daß man, wenn man nicht vom Fach ist, dabeistehen und noch so genau zusehen kann und doch von den Vorgängen rein gar nichts begreift. Nego Leléu verhielt sich allerdings ganz anders, denn er platzte mitten in fremde Gespräche hinein, verlachte lauthals Vereinbarungen, stichelte gegen die, die an andere und nicht an ihn verkauften, und intrigierte herum, daß andere Aufkäufer auf ihrem Fisch sitzenblieben, entweder weil er angeblich Fischvergiftung hervorrief, alt und zweitklassig war oder weil er mit den eigenen Preisen so herunterging, daß niemand mithalten konnte, ohne sich zu ruinieren. Wie verhielt sich die Genossenschaft der Fischhändler Unsere-Liebe-Frau-von-der-Unablässigen-Hilfe, die Leléu selbst erfunden und aus der Taufe gehoben hatte? Die Genossenschaft besaß keinen Sitz, kein Anschlagbrett, kein Statut, sie besaß nichts, aber es gab sie, und das erwies sich daran, daß, nachdem man sich versammelt hatte, um den Anteil eines jeden, den Preis einer jeden Fisch- und Schalentiersorte festzusetzen und die Zahlungsbedingungen bekanntzugeben, ein Käufer allein alle anderen vertreten konnte, ein Käufer, der ohne lange Diskussion oder Widerrede ein einziges Angebot machte, und wem es nicht paßte, der sollte seinen Fisch selber verkaufen, und bekanntlich: Wer den Fisch im Meere fängt, nicht an einen Marktstand denkt, weswegen der Fischer das Nachsehen hatte. Jetzt war es anders, jetzt ließ Leléu immer mehr Fisch einsalzen, endlose Reihen von Fischen und Krebsen dörrten

in der Sonne, und es hieß, er besitze geradezu Fundgruben von Muscheln und Schalentieren, die, in schlamm- und meerwassergefüllten Trögen konserviert, auf Käufer warteten.
Also, sagte Verachtungslächeln, zitternd wie Schildkrötenfleisch, das hört jetzt auf, so kann das nicht weitergehen, das ist Mißbrauch, mehr als Mißbrauch, was dachte sich Leléu eigentlich, dachte er, alle würden mit verschränkten Armen zusehen, und diese Ungeheuerlichkeit würde so weitergehen? Zé Libério, zu dem Verachtungslächeln sich immer aufgeregter nach Beistand umblickte, stemmte die Hände in die Hüften, ging auf Leléu zu und pflanzte sich stillschweigend vor ihm auf. Und Leléu überlegte sogar, ob er ihnen nicht erzählen sollte, wie beschissen er alles fand, wie er explodieren könnte, ja schier verrückt werden, wie er sich allein vorkam im Kampf gegen die ganze Welt und wie er immer mehr darauf gekommen war, daß jeder für sich allein kämpft, und davon war er noch überzeugter als schon bisher. Doktor Pedro Manoel Augusto zum Beispiel, drüben in Nazaré, der war zurückgekehrt nach all dem Rummel mit der heiligen Martha und Dona Marta de Betânia und ich weiß nicht was noch, um Leléu zu fragen, ob er nicht für sein Haus in Aratuípe eine junge Schwarze hätte mit wohlgerundeten Beinen und einem strammen Hintern, die fleißig und willig wäre und nicht so düster und nicht so nach Neger stänke.
»Aber Herr Doktor Notar Pedro Manoel Augusto, habt Ihr mir nicht selber gesagt, daß Ihr von diesen Dingen nichts mehr wissen wollt? Habt Ihr nicht die Kleine, die ich Euch besorgt habe, zurückgeschickt, etwas vom Feinsten, direkt aus der Aufzucht vom Herrn Baron von Pirapuama, berühmt für seine Sorgfalt in der Negerzucht?«
»Ja, das habe ich gesagt«, hatte Pedro Manoel Augusto geantwortet. »Ich habe sie zurückgeschickt. Aber jetzt habe ich es mir anders überlegt, ein Mann kann sich nicht an die Gelübde einer Frau binden lassen, ein Mann muß sich selber treu sein, und so habe ich meine Meinung geändert.«
»Der Mann muß wem oder was treu sein, mein Ioiozinho?«
»Sich selber treu. Davon verstehst du nichts, das sind Dinge der Moralphilosophie, das liegt dir so fern wie Intelligenz den Würmern. Was ist aus der Kleinen geworden, du hast sie doch nicht fortgeschickt, oder?«

»Und das Gelübde, mein Ioiozinho Doktor Pedro Manoel Augusto, das Gelübde an die heilige Martha?«
»Das braucht dich nicht zu interessieren, damit hast du nichts zu schaffen, sei bloß nicht vorlaut, das Gelübde besteht zwischen der Heiligen und mir, misch dich da nicht ein. Also, wo ist die Kleine?«
»Aber Herr Doktor Pedro Manoel Augusto, Euer Exzellenz haben doch alles Geld erhalten, habe ich Euer Exzellenz nicht gebracht, was Ihr verlangt habt? Haben wir nicht alles geregelt?«
»Ah, da tue ich dir also einen Gefallen, einen sehr großen Gefallen, ich erlasse dir Bußzahlungen und Knast, ich mache allerlei Ausnahmen für dich, und wenn ich dich um einen Gefallen bitte, verwehrst du ihn mir?«
»Aber Herr Doktor Notar Vorsteher Pedro Manoel Augusto, diese Zahlungen, waren die nicht, weil Eure Exzellenz die Kleine nicht annehmen wollten? War es nicht entweder das eine für das andere? Ioiô, Ihr habt nicht gesagt ...«
»Mein Vater sagt immer sehr richtig, man soll Leuten wie dir keinen Gefallen und keine Freundlichkeit erweisen, denn sie verstehen es nicht, und die Tugend der Dankbarkeit ist ihnen unbekannt! So also antwortest du mir, du durchtriebener Neger, mit Haarspaltereien und Hinhalteversuchen? Du glaubst wohl, die Bagatelle, die halbe Kupfermünze, die du mir statt deiner verbrecherischen Schulden gezahlt hast, habe irgendwelchen Wert für mich? Was glaubst du, wer du bist, wer glaubst du, wer ich bin? Ich hatte gedacht, an dem Gefallen, den ich dir getan habe, würdest du sehen, daß du in mir einen Freund und Beschützer haben könntest. Aber offensichtlich ist das nicht der Fall, du weißt eine Sache nicht zu schätzen, ich sehe, ich werfe Perlen vor die Säue, wie man sagt. Geschieht mir ganz recht, wo ich geglaubt habe, von Negern die gleiche Behandlung wie von Weißen erwarten zu dürfen, du bist einen Dreck wert, du bist ein Abgrund von Undank und Dummheit. Also schön denn, so verlierst du eben einen Freund und Beschützer, jetzt will ich mal sehen, wie du dich mit deinem Schleichhandel und deinen Gaunerpraktiken aus der Schlinge ziehst. Man könnte glauben, du hättest mir den Gefallen getan und die Schulden und die Bußzahlungen verziehen, nicht ich dir, das ist komisch, wirklich sehr komisch, ich würde

es nicht glauben, wenn einer mir das erzählte. Geschieht mir recht, geschieht mir recht!«
Leléu verzog düster das Gesicht. Der verdammte Kerl wollte zuerst das Geld kassieren und nachher die Kleine haben, womöglich hatte es nie irgendein Gelübde gegenüber irgendeiner heiligen Martha gegeben, dieser Bastard! In Ordnung, dachte Leléu, der war also schlau gewesen und er selbst der Dussel, daß er nicht an alles gedacht hatte und so blöd gewesen war, Vevé in Nazaré zu lassen, statt sie gleich fortzuschicken, um zu sehen, ob sie nicht für was anderes zu gebrauchen wäre. Je länger man lebt, desto mehr lernt man, so läuft das eben, und wenn du schwarz bist, mußt du noch gerissener sein, viel gerissener – man hats doch gesehen, in dieser Welt voller Gauner zu leben und zu allem Überfluß noch schwarz zu sein, das ist kein Spaß, wie? Leléu dachte an seine eigenen Überzeugungen und machte sich Vorwürfe, daß er sie für einen Augenblick so restlos vergessen hatte und vor Pedro Manoel Augusto nicht auf der Hut gewesen war. Also gut, wenn das das Spiel war, da konnte er mithalten. Er fiel vor dem Notar auf die Knie.
»Ach, Ioiozinho, bei der Liebe zu Eurer guten Frau Mutter, Euer Exzellenz, um der Wunden Christi willen, sagen Euer Exzellenz doch so etwas nicht, tun Sie mir doch so ein Elend nicht an, Euer Exzellenz, ich bin schwarz, aber verlassen kann man sich doch auf mich, Ioiozinho! Ich habe nur so gefragt, einfach so, ich habe nur gedacht, das Gelübde … Aber recht habt Ihr, Exzellenz Doktor Ioiozinho, ein Mann muß sich selber treu sein, Gott segne Euer Exzellenz für soviel Intelligenz, Ioiozinho, glaubt Ihr nicht, daß ich nicht alles wegen der Freundschaft und wegen der Protektion tun würde. Der heilige Lorenz bewahre mich davor, daß ich die Freundschaft von Ioiô Ioiozinho nicht verliere, was soll mir schon so eine ganz gewöhnliche kleine Negerin ausmachen, hat doch keinen Wert nicht, oder? Wenn ich bloß mehr hätte, dann könnte ich Ioiozinho mehr davon zur Verfügung stellen, um Himmels willen, Herr Doktor Pedro Manoel Augusto, Ihr werdet doch nicht etwas anderes glauben!«
Noch widerstand der Notar leidlich, verharrte in leisem Groll, doch diesmal gelang es Leléu, ihm die Hand zu küssen, zwei dicke Tränen aus seinen Augenwinkeln zu drücken, als der Notar endlich nachgab. Schön denn, diesmal wollte er es durchge-

hen lassen, aber Leléu sollte seine Lektion lernen und zusehen, daß er ihm nicht noch mehr Ärger einbrockte. Wann könnte er die Negerin sehen? Ach, hätte Leléu das gewußt, dann wäre sie schon hier, bereit für alles und jedes, aber sie war es nicht, sie war mit zwei anderen Frauen fortgegangen, um ihnen beim Krabbensammeln zu helfen – ach übrigens, ob der Herr Doktor gerne Aratús mochte, die roten Landkrabben? Er hatte gerade eine erstklassige Sendung erhalten! Aber der Herr Doktor wollte von Aratús nichts wissen. Jetzt, wo ihm die Übergabe des Mädchens gesichert schien, geriet er in Wallung, stand auf, wurde ganz fickrig, rieb sich die Hände, ein nervöses kleines Lächeln zuckte immer wieder in seinem Mundwinkel wie das Blinken eines Leuchtkäfers. Was er tun würde, war folgendes. Sehr gut, er würde folgendes tun, folgendes. Morgen würde er unfehlbar im alten Magazin sein, hinter den Piassavefaserballen, die eine natürliche Mauer bildeten. Leléu sollte die Kleine frühmorgens dorthin schicken, er würde sie dort treffen – er rieb sich die Hände und hüpfte einmal kurz –, um zu sehen, wie die Dinge liefen, hinterher würde er mit Leléu sprechen.

»Das ist gut überlegt, wirklich sehr gut!« sagte Leléu alle Augenblicke voller Bewunderung. »Sehr gescheit, wirklich!«

»Noch heute werde ich der Senhora Dona Marta, meiner Frau Gemahlin, sagen, daß ich morgen in aller Frühe reisen werde, vor Tagesanbruch. Auf diese Weise kann ich den ganzen Tag ungestört im alten Magazin verbringen.«

»Wie klug das überlegt ist! Teufel auch! Da bewundere ich einfach die studierten Leute, ich könnte mir sowas einfach nicht so gut ausdenken, das Studium ist eben doch etwas Großes, gelobt sei Gott, möchte Ioiozinho, daß ich auch etwas zu essen schicke? Vielleicht bekommen Ioiozinho Hunger, bei diesen Dingen ...«

Pedro Manoel Augusto lachte und hielt die Hand vor den Mund. Ja, er sollte durch die Negerin einen Proviantkorb mitschicken, nichts Schweres freilich, einen leichten Imbiß, ein paar kleine Süßigkeiten wären auch nicht übel.

»Ioiozinho dürfen es getrost mir überlassen, ich schicke einen feinsortierten Mundvorrat, Euer Exzellenz sollen sehen, aber, mit Verlaub, was für ein verflixter Kerl Ihr doch seid, was so ein Kopf, sowas von gutem Einfall!«

Indessen, sobald Pedro Manoel Augusto zum zehnten Mal alle Einzelheiten vereinbart hatte, von der Ankunftsstunde bis zum Zeichen, mit dem er sein Dortsein anzeigen würde – ein unaufdringliches rotes Taschentüchlein, dessen Zipfel aus einer Ecke des großen Magazinfensters hängen werde –, und abgezogen war, die Hände reibend, als wollte er sie zusammenschweißen, verzog Leléu grimmig das Gesicht und rannte zur Hütte hinter dem Fischschuppen. Er rief Vevé, und in einem Tonfall, in dem er noch nie zu ihr gesprochen hatte, bat er sie inständig, den ganzen Tag in der Hütte zu bleiben, zu ihrem eigenen Vorteil, und unter keinen Umständen fortzugehen. Er öffnete eine verrostete Truhe und warf bunte Tücher heraus, bemalte Holzstücke, Rasseln, Pfeifen, Hörner, Puppen, Räder, Tonrinder und allerhand Spielzeug und strahlte, als er eine luftgefüllte Kuhblase fand. Er packte den Hampelmann und einen Brummkreisel mit blauen und roten Pünktchen, und wickelte alles zusammen mit der Blase in einen alten Fetzen.
»Später erkläre ich dir das, bleib nur da«, sagte er zu Vevé und vergaß nicht, die Tür sorgfältig zu verschließen.
Er traf den kleinen Salustiano im Gemüseladen, wie erwartet, und rief ihn heraus. Er würde doch den jungen José Vicente kennen, Sohn vom Herrn Doktor Notar Pedro Manoel Augusto, oder nicht? Ob sie nicht manchmal zusammen spielten? Doch, das taten sie. Und Quelé, Salus jüngerer Bruder, wo steckte der? Er hatte etwas für die beiden, etwas sehr Wichtiges, keine Frage, es war eine höchst verantwortungsvolle Aufgabe. Konnte Quelé nachmittags hiersein? Ja, das konnte er, und als die Sonne schon unterging, redete Leléu mit den beiden im Flüsterton. Hört ihr beiden auch gut zu? Also dann, bis morgen früh ...
Und am nächsten Tag in aller Frühe waren Salustiano und Quelé zur Stelle, den Kreisel und den Hampelmann in den Hosentaschen, die Blase in ihren Händen wie eine Zauberkugel auf- und niedersteigend, vor dem Wetterdach, unter dem José Vicente tatenlos dastand und ein Dienstmädchen bequengelte, ihm noch einmal dieselbe Geschichte zu erzählen. Und das Dienstmädchen wollte gerade wie immer sagen, daß einem davon, tagsüber Geschichten zu erzählen, ein Schwanz wächst, als José Vicente die Blase sah und auf die Straße rannte. Das Dienstmädchen zuckte mit den Achseln, besser, er spielte dort draußen, als hier

herumzuhocken und immer noch mehr zu wollen. Es verging nicht viel Zeit, und Quelé schimpfte über die Enge der Gasse, voller Furchen, hier konnte man nicht richtig spielen. Warum gingen sie nicht auf die untere Wiese neben dem alten Magazin? José Vicente sah nach, ob das Dienstmädchen sie beobachtete, nein. Dona Marta mochte es nicht, daß er in der Nähe des alten Magazins spielte, sie meinte, dort gäbe es Schlangen. Aber nur ein Stündchen wäre doch nicht schlimm, oder? Er zögerte, Quelé bestand darauf. Wenn sie nicht mitkämen, würde er eben allein gehen, würde die Blase mitnehmen und den Hampelmann mitnehmen, und er würde ihm auch nicht die anderen Spielsachen zeigen, die er versteckt hatte. Salu erhob Einwände, er könnte nicht mit, sein Meister Leovigildo mochte es gar nicht, wenn er sich zu weit entfernte. Gut, dann geh ich –, sagte Quelé, packte die Blase, und José Vicente rannte hinterher; Salu kehrte in den Gemüseladen zurück.

Von weitem schon sah Quelé den roten Tuchzipfel aus der Fensterecke flattern. Es war also alles in Ordnung; er brauchte nur bei erster Gelegenheit die Blase über den Bretterzaun des Magazins zu werfen, wie Leléu ihm gesagt hatte. Schon war sie drüben, vom starken Wind getrieben, der die hohen Gräser des nahen Sumpfgeländes niederbog.

»Verflixt!« sagte Quelé. »Jetzt hab ich diese Blase verloren, die meine Patin so schön mit Schnur umwickelt hat!«

»Spring rüber und hol sie«, sagte José Vicente.

Quelé schätzte die Höhe des Zauns ab und verzog den Mund nach unten. Wer konnte denn so hoch klettern? Dazu brauchte man schon eine Leiter.

»Vielleicht ist ja die Tür offen«, sagte José Vicente.

»Sieh doch mal, ob die große Tür offen ist, dann können wir durch das Magazin in den Hof.«

»Ich nicht. Wenn ich da reingehe, dann sagen die, ich wäre ein Negerdieb, nein, ich nicht.«

José Vicente rannte zur Tür und drückte dagegen. Sie klemmte etwas, schien sich aber doch zu öffnen. Er drückte von neuem, schon zwang er einen Spalt auf, durch den er schlüpfen konnte, als jemand von innen die Tür ganz öffnete.

»Vater!« schrie José Vicente. »Vater!«

Die entsetzte Gestalt Pedro Manoel Augustos stand im Eingang.

Mit einem Lächeln war er zur Tür geeilt, jetzt brachte er kein Wort heraus, während José Vicente, ohne auch nur einen Blick auf Quelé zu werfen, zurückschoß nach Hause, aus Angst, wegen Spielens an einem verbotenen Ort Prügel zu beziehen.
»José Vicente, komm zurück!« rief Pedro Manoel Augusto, doch zu spät, die kleine Gestalt des Sohnes war schon hinter den Oiticiabäumen verschwunden.
Aus ist es, dachte der Notar, aus ist es. Jetzt wird dieses Teufelsbiest nach Hause flitzen und seiner Mutter verraten, der Vater ist gar nicht auf Reisen, sondern versteckt sich im alten Magazin wie eine Lagerratte. Doch gerade als er sich eine übereilte Ausrede ausdenken wollte, tauchte Vevé an der Kirche auf, einen mit Früchten, Pasteten und Erfrischungsgetränken gefüllten Weidenkorb in den Händen balancierend. Er winkte aufgeregt mit beiden Händen, sie dachte, sie sollte sich beeilen, und rannte den Weg herunter, ohne zu begreifen, wieso er, je schneller sie rannte, desto eifriger gestikulierte.
»Ach, zum Henker!« sagte er, als sie, noch keuchend von ihrem Wettlauf, vor der Schuppentür stehenblieb. »Ja, hast du denn meine Zeichen nicht gesehen? Was treibst du hier, siehst du nicht, daß du nicht hier sein darfst?«
»Aber hing das rote Taschentuch nicht aus dem Fenster? Sollte ich nicht kommen, sobald das rote Tuch aus dem Fenster hängt?«
»Nein! Ja! Ja, solltest du! Ja, sicher! Aber jetzt nicht mehr!«
Und er hastete heimwärts, ohne noch ein Wort an sie zu richten, und sie blieb mit einem flüchtigen Lächeln stehen, während er so rasch davonrannte, wie es seine dünnen, den Schmerbauch balancierenden Beinchen erlaubten – Katastrophe, was für eine Katastrophe, mein Gott, was für eine Katastrophe! Und später, als Senhora Dona Marta de Betânia trotz der Proteste ihres Gemahls eine Untersuchung im Magazin anstellte, fand sie Vevé, mit gesenktem Blick, die nur verschreckt zu ihren Fragen schwieg, genau wie mit Leléu vereinbart. Dona Marta öffnete den Korb, stülpte ihn um und schüttete alles auf den Boden, wollte etwas sagen, ohne genau zu wissen, was, stattdessen schnaubte sie geräuschvoll, biß sich auf die Lippen und marschierte böse nach Hause zurück; das lange Gesicht Pedro Manoels, der mit weinerlicher Miene auf den Fingernägeln kaute, übersah sie.

Obwohl Leléu so ungefähr mitbekam, was Verachtungslächeln noch vorbrachte, dachte er mit Genugtuung an den schönen Erfolg seines Unternehmens: der Hammel von Notar hatte nicht umsonst schnabuliert, was ihm nicht zustand. Er empfand sogar so etwas wie Freundschaft für Vevé, doch sogleich verdüsterte sich alles von neuem: war dieser elende Wurm nicht tatsächlich gestopft, wurde ihr Bauch nicht schon dick, selbst unter dem weiten Rock, den er ihr gegeben hatte, damit kein Getuschel entstünde, bevor er nicht entschieden hatte, was zu tun sei? Die Negerin Inácia hatte also recht, Vevé mußte ungefähr seit dem Sankt-Antonius-Tag schwanger sein, mittlerweile also im dritten Monat. Sie war zu nichts mehr nütze, was zum Teufel sollte er jetzt mit diesem gottverdammten schwarzen Ding, sie hatte sich stopfen lassen, und wenn das Balg dreimal vom Baron stammte, einem Baron, der tot war und begraben, es war zum Haareraufen! Hätte er doch bloß den Notar seinen Riemen in sie reinschieben lassen, dann hätte man's immer noch so hindrehen können, daß das Kind von ihm wäre, er war ja fast so weiß wie der Baron. Alles verquer, alles daneben, überall Schwindler, Schinder, Ausbeuter, Neider, ein einziger Sauladen, was für ein grausamer Kampf, zum Haareausraufen! Ein Mann muß sich selbst treu bleiben, erinnerte sich Leléu giftig, bei mir haben sie Schulden und zahlen nicht, mich hintergehen sie, mich wollen sie nur schädigen, mich nehmen sie in die Zange, mich lassen sie warten, mir neiden sie jedes bißchen, das ich hab, von allen krieg ich nur lauter gottverdammte Scheiße!
»Ihr seid beide im Irrtum«, sagte er zu Verachtungslächeln, noch ruhiger, als er es einstudiert hatte. »Ich weiß gar nicht, worüber ihr redet, ich verstehe nichts.«
Verachtungslächeln bemühte sich, die erhobene Hand mit dem gereckten Zeigefinger ruhig zu halten.
»Leléu«, sagte er mit erstickter Stimme. »Du bist nicht der einzige, der schlau ist, nicht der einzige, der keine Angst hat, der bereit ist zu kämpfen.«
Leléu griff nach seiner Keule, packte sie fest.
»Ich hab die Keule fest in der Hand«, sagte er. »Und du, du hast schon lauter Lügen verzapft, du hast mir gedroht, du hast meine Geduld ganz schön angestrengt, und du auch, Zé Libé-

rio, wenn ihr beide in der Klemme wart, dann seid ihr angekommen und habt euch bei mir Geld geliehen.«
»Mit Zinsen.«
»Klar! Klar mit Zinsen. Ich werd doch nicht von Sonnenaufgang bis Sonnenuntergang schuften, von Mond zu Mond, und dann mein Geld verschenken. Du irrst dich, ihr beide irrt euch, wenn ihr glaubt, ihr kriegt alles umsonst. Nichts kriegt man umsonst, und wenn ich was besitz, dann deshalb, weil ich mir alles erarbeitet hab und jeden Tag von neuem erarbeiten muß. Seid nicht neidisch auf die anderen, packt zu und arbeitet lieber so wie ich!«
»Hier arbeiten alle, lenk bloß nicht ab mit deinem Geschwätz.«
»Ich hab meine Keule parat und hätt nicht übel Lust, sie auch zu benutzen, und das ist kein Scherz!«
»Überleg dir das lieber noch mal, Leléu.«
»Raus! Raus mit euch beiden! Raus, sonst muß ich nachhelfen!«
Also gut, warum nicht, dachte er, nachdem die beiden gegangen waren, und beschloß, sich einen Augenblick eine kleine Schwäche zu leisten.
»Ja, ich werd mir einen Augenblick die kleine Schwäche leisten«, sagte er laut und fischte eine verstaubte Flasche Schnaps aus einem unter trockenen Bananenblättern vergrabenen Korb. Er hob die Flasche gegen das Licht, schüttelte sie, wischte den Staub mit einem Lappen ab, zog den Korken mit den Zähnen heraus, füllte zwei Becher, leerte einen nach dem anderen, war sofort betrunken und trat benommen auf die Straße. Wer ihn nicht kannte, hätte vermutlich nicht bemerkt, daß er beschwipst war, aber man konnte es an seinem trotz des geschlossenen Mundes hängenden Unterkiefer erkennen und an der aggressiven Art, wie er jedermann schief ansah. Auch sprach er laut, wenn er trank, so laut, daß seine Stimme, selbst wenn er zu flüstern versuchte, über den ganzen Markt hallte und diejenigen weckte, die die ganze Nacht durchgearbeitet und gegen sechs Uhr morgens erst eine Mahlzeit eingenommen hatten.
Er kam aus der Tür herausgeplatzt, die Sonne stach ihm ins Gesicht, er zog den Schlapphut in die Stirn. Leckte sich die Lippen, spuckte seitwärts aus, rieb sich die Hände an den Hosenbeinen

ab – was er im nüchternen Zustand nie tat, um sie nicht zu beschmutzen –, dachte plötzlich an seine Keule, lief zurück, um sie zu holen, tauchte von neuem auf und schien ein anderer Mann.

»An die Arbeit, Leléu«, sagte er, prüfte die Umgebung mit zuversichtlichem Blick und ging auf die Stelle zu, wo die Fischer bereits ihre Tageskörbe aufreihten. Er wußte, daß er betrunken war, er hatte sich absichtlich betrunken, er genoß dieses Gefühl der Verrücktheit, obwohl er das Trinken ablehnte und wußte, daß er es am nächsten Tag bereuen würde. Aber er sprach nie darüber, nie würde er zugeben, daß er betrunken und verrückt gewesen war; sobald jemand darauf zu sprechen kam, lenkte er sofort ab, und wenn er allein war, schauderte er bloß bei der Erinnerung an eine begangene Eselei und bekam eine Gänsehaut, und diese Gänsehaut und dieses Schaudern genügten, um alle Schandtaten fortzutreiben und nicht mehr daran zu denken. Er marschierte auf die Körbe zu, und der erste, den er sah, war der von zwei mageren Mulatten, Ratz und Beutelratz genannt, Brüder von Vaters und von Mutters Seite, die auch zum Fischen betrunken ausfuhren und beide mit je zwei Frauen, zwei Schwiegermüttern, vier Schwägern, sechs Schwägerinnen und drei Neffen in den Höhlen der gewaltigen Felsmauer des Conceiçao-Hügels hausten, gemeinsam mit den Fledermäusen, wie viele meinten, engen Verwandten, oder Beköstigung bei Familienfesten, wie andere glaubten. Keiner von beiden verstand zu fischen, oder wenn sie es konnten, so waren sie doch immer zu besoffen, um den Fisch auch gut einzuholen, so daß Leléu schon im voraus wußte, was sie in ihren Körben anzubieten hatten, und daß sie ihren Fang zu jedem Preis losschlagen würden. Er trat an den Korb heran und fand sich bestätigt: ein wirrer Haufen kleiner Tintenfische, drittklassige Taschenkrebse, grätenreiche Rotlinge, mickrige Schnappbarsche, winzige Bastardmakrelen, gewöhnliche Stachelmakrelen und Sardinen, zwei oder drei Silberfische, vier oder fünf Carapaus, ein bemerkenswert schäbiger Cavaco, der als Prachtstück ausgestellt wurde, sechs Korufische, die bei Licht besehen nichts weiter als Seenadeln waren, noch minderwertiger als unbrauchbare Ware.

»Was verlangst du für diese noblen Früchte des Meeres, mein lieber Beutelratz, wieviel fordert mein blonder Edelratz?« sagte Leléu mit einem Kratzfuß und schwungvoller Geste.

Beutelratz lachte befremdet.
»Einen Cruzado für alles«, sagte er und hob den Arm, um einen etwaigen Stockschlag Leléus zu parieren.
»Mein guter Mann, mein großer brasilianischer Fischersmann, Euergnaden bieten mir eine solche Delikatessensammlung an, etwas für Könige und Königinnen auf diesem Markt, und Euergnaden verlangen einen Cruzado dafür, für so ein wundervolles Bankett?« legte Leléu los. »Hier nimm sechs Cruzados für diesen kostbaren Korb, bring ihn meinen Negersklaven.«
Er kam sich unglaublich komisch vor, bog sich vor Lachen, und während er noch gebückt vorwärts stolperte, fiel sein Blick auf die Guaraiúbas des Nego Lodé, auf deren Schuppen noch Meeresglanz schimmerte und deren bläuliche Rücken funkelten. Er blieb stehen, wirbelte auf den Hacken herum. Oi, oi, oi, das ist ja unerhört!
»Meister Lodegário«, deklamierte er, seinen Riesenhut als Begrüßung für die Fische übers Pflaster ziehend, »gestatten mir Euer Exzellenz, daß ich Eurer Exzellenz meine ergebensten Komplimente erweise, ja, Senhor, Gott sei gepriesen, gelobt sei der Höchste, was für hübsche Guaraiúbas!«
Lodé lächelte, wechselte das Standbein, betrachtete seine Fische mit Befriedigung.
»Gut, sehr gut, gut-gut-gut«, sagte Leléu. »Schicken Sie sie mir zu, ich lege auf diese Guaraiúbas allergrößten Wert, ich werde eine davon sogar vergolden lassen.«
»Die sind aber schon versprochen«, antwortete Lodé mit leichtem Widerwillen. »Ich hab nur noch die kleinen Stinte hier.«
Er zeigte den Korb mit den Stinten.
»Ausgezeichnet«, erklärte Leléu. »Dann nehm ich diese Scheißanchovis noch dazu.«
»Die Guaraiúbas sind versprochen.«
»An wen?«
»An Verachtungslächeln.«
»Dann hast du sie einem Armenhäusler versprochen.«
»Er war früher da.«
»Hast sie einem Armenhäusler versprochen. Arme Leute sind ein Elend, die nutzen niemand! Darum halt ich mir arme Leute vom Hals, sie dort und ich hier, höchstens ein Winken von ferne und ein paar Almosen. Armut steckt an, laß dir das gesagt sein!

Gib mir diese Guaraiúbas, Mann, sei doch nicht blöd, jeden Preis, den dieser Habenichts, wie heißt er noch, dieser Verblödungslächeln, dir zahlt, zahl ich dir doppelt, gib schon her, sei kein Rindvieh.«
Die Hände in die Hüften gestemmt, den Kopf hoch, ein Auge wegen der Sonne zugekniffen, sah er zu, wie Lodé die beiden Körbe zu seinen Ständen schleppte. Er bemerkte es nicht einmal, als drei Neger hinter ihm auftauchten und einer von ihnen ihm die Keule zu entreißen versuchte. Doch da er seine Keule immer fest im Griff hatte, drehte er sich um, ohne sie loszulassen. Der, welcher ihm die Keule hatte entwenden wollen, lächelte, blieb verlegen vor ihm stehen, und die beiden anderen hielten sich ein paar Schritte zurück.
»Was soll das?« fragte Leléu, sah ihn schräg an und spreizte die Beine, um festeren Stand zu haben. »Kannst wohl keinen Prügel sehen, mußt gleich zupacken, wie?«
»Verachtungslächeln hat uns geschickt.«
»Ah, jetzt erkenn ich die Herren, aber freilich kenn ich die Herren, sie sind allesamt Lohnneger von diesem, wie heißt er noch, diesem kleinen Verarschungsläppchen. Da schau mal her, dieser schamlose Mulatte, statt eine Hacke zu ergreifen, um wenigstens einmal im Leben etwas zu arbeiten, hält er sich drei Lohnneger, genauso schamlos wie er, die Scheiße schleppen für zwei Zwanziger, Unkraut mit den Fingern jäten für eine Blechmünze den Tag, elendes Pack von Hungerleidern, mieses Gesocks!«
Er trat ein wenig zurück, wußte, daß er sie beleidigt hatte, und wollte sie noch mehr treffen.
»Der Kaffee, den man im Haus von diesem, wie heißt er noch, Verpachtungshintern, zu trinken kriegt, ist kalt. Seine Frau hält sich nicht sauber. Er bringt nie was nach Haus, er schläft auf dem Erdboden, er ist so elend dran, daß er nicht mal ein Bett besitzt. Er säuft und spielt und ist verkehrt rum. Noch im Schlaf lügt er!«
Niemand sah, wer zum ersten Schlag ausholte, aber Leléu wußte, daß es zu einer Keilerei kommen würde, daher wechselte er, sobald sich einer von ihnen bewegte, die Keule von einer Hand in die andere, so rasch, daß niemand es sah, und schlug den vorderen mit zwei Hieben in die Rippen nieder. Aber sie waren

bärenstark, und obgleich Leléu sich in einen Wetterfahnenkreisel verwandelt hatte und Rochenschwanzschwinger, Beinscherenrammer und Hammerschläge mit solcher Geschwindigkeit verteilte, daß man förmlich den davon verursachten Luftsog spürte, mußte auch er Treffer einstecken und wurde mit schmerzhaften Beulen übersät. Es läßt sich kaum behaupten, daß er die Schlacht verlor, man könnte sogar fast sagen, er gewann sie, denn schließlich machten sich die drei aus dem Staub, zwei von ihnen davonhumpelnd und der dritte mit blutverklebtem Haar. Doch zurück in seiner Baracke, wo er seine Schürfwunden mit Arnika behandelte und Kompressen auf seine Beulen legte, fand Leléu, er werde alt. Er wußte nicht, wie viele Jahre er auf dem Buckel hatte, jedenfalls fühlte er, daß er alt wurde. Sein Kopfhaar zwar nicht, aber der schüttere Bart, der ihm ums Kinn wuchs, schien jeden Tag grauer werden zu wollen. Auch mochte er sich nicht mehr bücken, selbst wenn es sein mußte, er fühlte seine Gelenke nicht mehr so geschmeidig wie früher, das Fleisch unter seinem Arm, um die Achselhöhle, war etwas schlaff, wenn er Kleingedrucktes lesen wollte, mußte er es weiter von sich halten, ja, er wurde alt, fast wäre er mit den dreien nicht fertig geworden, Kerle, die einem, der sich in jeglicher Schlägerei zu behaupten verstand, in früheren Zeiten keine Mühe gemacht hätten. Von jetzt an mußte er eine Waffe bei sich tragen, das war nun unerläßlich, etwas noch außer der Keule. Er wühlte in einer Schublade, holte einen kleinen Hohlzylinder aus Segeltuch hervor, an einem Ende verschlossen, am anderen offen, mit dem Saum nach außen, etwas über eine Handbreit lang und einen halben Zoll im Durchmeser. Er krempelte die Rolle auf und musterte den innen verwahrten Rochensporn. Behutsam, da die Verletzung eines Rochensporns bekanntlich nie vernarbt, untersuchte er die Spitze und die Widerhaken, sie waren steinhart und zugespitzt, als hätte ein Nadelmacher sie aus Edelstahl geschmiedet. Er zog die Stoffhülle zurück, der Sporn war wieder in seiner Scheide, sein tödlicher Stachel verborgen dicht unterhalb der Öffnung, nur eine kleine Stoffrolle, die man wie ein Taschentuch auf die Straße mitnehmen konnte. Und er würde nur diese kleine schlaffe Rolle in der Hand behalten, nachdem er den Sporn in irgendeinen Bauch gestoßen hatte: dort würde er bleiben und wäre wegen der Widerhaken nicht mehr herauszuziehen, nach außen würde es nur ein bißchen bluten, aber drinnen würde es alles zerstören. Und Leléu, der war ohne jede Waffe. Nur diese unschuldige Stoffrolle, harmlos wie eine geschälte Banane. Er steckte den geladenen Zylinder in die Tasche, überlegte, ob er noch etwas trinken sollte, griff schon nach einem der Becher, hielt dann aber inne. Plötzlich wollte er nur schlafen und mußte daran denken, daß am nächsten Tag in der Basilika die Siebentagemesse für den Baron war, und er würde teilnehmen, aus dem Hintergrund zwar, aber er würde teilnehmen. Schläfenzerreißende Kopfschmerzen, saurer Brechreiz, zahllose ungelöste Probleme. Und wie viele Dummheiten hatte er sich geleistet? Und was zum Teufel sollte er mit dem Mulattenbalg anstellen, das Vevé in sieben Monaten zur Welt bringen würde, das hatte ihm noch gefehlt, ein Kind im Haus. Schön, er würde das Kleine jemandem zum Aufziehen geben, das dürfte nicht allzu schwierig sein, vor allem nicht, wenn es nach dem Vater schlug, dann würde es ein hellhäutiges Mulattenbalg werden, mehr oder weniger brünett, mit fast glattem Haar. Aber was für ein Leben, worum muß man sich nicht noch alles kümmern! Schön, so ist es eben, seufzte Leléu, nickte ein und beschloß, morgen seinen schwarzen Anzug anzuziehen, um schluchzende Tränen zu vergießen, sobald die Baronin ihn am Kirchenportal sah.

8 Salvador da Bahia, den 17. März 1839

Es hatte die ganze Woche geregnet, und der neue Tag dämmerte ebenso häßlich herauf wie die vorhergegangenen. Gegen fünf Uhr, bevor er sich die übliche halbe Stunde im Kabinett einschließen, vor einer Emailschüssel und einem Krug mit lavendelhaltigem Wasser die Zähne putzen und den Kopf waschen würde, der die Nacht unter einer dicken Schicht Aloegallert und einer dichtanliegenden Kapuze zum Haareglätten verbracht hatte, öffnete Amleto Ferreira einen Fensterspalt und musterte mißmutig seinen Garten. Ohnehin fast immer tief verschattet unter dem dichtwuchernden Laubwerk der Bäume, das sich über ein undurchdringliches Gewirr aus Blättern und Zweigen der niedriger wachsenden Pflanzen wölbte, war der Garten noch dunkler als sonst, ein triefender Wald, dicke Regentropfen platschten ins Wasser der kleinen Becken, wo sogar die Bachblumen, die Santa-Luzia-Kräuter, die Teichdamen, die Victoria regia, die wie Anakondaknäuel verschlungenen Jipioca-Lianen und anderes Pflanzenwerk vor Nässe trieften, ertrunken in der unentrinnbaren Feuchtigkeit, die alles glitschig und schlammig durchweichte. Von den Bohnen der Ingabäume fielen dicke Tropfen auf die widerhallenden Blätter der Zierbüsche, der Krokusse und Begonien, und ihr unablässiges Hämmern prägte dem Tag eine Art eintöniger Verzweiflung auf, einem Tag, der ein Festtag sein sollte, und nur die Tausendschönchen, die Moosrosen, die Algen, die Brillantinen und sonstigen Pflanzen, die in schlammiger Dunkelheit gedeihen, schienen nicht von Mehltau befallen und traurig wie die anderen Pflanzen. Eine durchweichte und glanzlose Welt, in der die Färbung des Blattwerks an Begräbnisschmuck erinnerte, eine Welt, die Amleto doppelten Groll einflößte. Er beschloß hinauszugehen, um zu sehen, was das Wetter versprach, obwohl er nicht an ein Aufklaren glaubte. Er wickelte sich in einen Morgenrock, schlang um den Hals einen gehäkelten Schal, setzte eine Schlafmütze auf, um sich nicht zu erkälten, öffnete die Hintertür seines Kabinetts, stakste vorsichtig die beiden Treppenabsätze hinab, um ja nicht auszurutschen, betrat genießerisch den Teppich aus Gras- und Kriechpflanzen, fühlte, wie die Füße einsanken in der durchweichten Erde. Es regnete nicht mehr, nur die Bäume tropften noch, manchmal, wenn ein Windstoß die Kronen schüttelte, wie ein Regenschauer. Amleto spürte einen Kälteschauer, fürchtete sich zu erkälten, stapfte aber dennoch zu dem eisernen Tor, das auf das Stadtviertel Rosário ging, um den Horizont deutlicher sehen und die Wetterlage besser abschätzen zu können. Er liebte seinen Garten, empfand eine unerklärliche Befriedigung, wenn er stundenlang vor den Pflanzen saß, die Augen auf sie geheftet, als erhoffte er sich, sie wachsen und blühen zu sehen. Er mochte es auch, daß er so schattig war, denn Sonne auf der Haut galt ihm als ein persönlich gegen ihn gerichteter Angriff mit dem Ziel, seine Haut wie schon einmal erbarmungslos zu bräunen und wieder einen Mulatten aus ihm zu machen. Er empfand Zärtlichkeit für seine Pflanzen, er wanderte durch die Kastanienallee und schenkte allen Stämmen seine Aufmerksamkeit, er hob den Blick zu den pastellfarbenen Orchideen, die aussahen, als hätten sie sich gerade auf den Ästen der größeren Bäume niedergelassen, leicht und fragil wie Papiervögel, zu den Farnkräutern und Greisenhaaren, zu den großen, von Kletterpflanzen umrankten Steinvasen, den Standbildern der Jahreszeiten – hier der Sommer, so seltsam, eine griechisch zarte Form, sanft gerundeter Busen, geschwungene Hüften, edle, friedvolle Züge, zwischen den aufgewölbten Wurzeln der hohen Akazie, ob der Sommer eine Frau war und der Frühling ein gezierter Ephebe, wie man jetzt sah, ganz marmorbleich gegen das feuerrot getupfte Grün der Bromelien? –, er ging weiter zu den Säulen im römischen Stil, die in der Mitte schräg abgeschnitten waren wie bei antiken Tempeln auf alten Stahlstichen, dann zum Treibgut auf den Teichen, tote Blätter, Insekten und welke Blumen, die sich wie zu einem Ornament an die Ränder schmiegten, eine Zikade zirpte wild drauflos. Er blieb stehen, um die am furchigen Mauerkalk klebenden Kletterpflanzen zu betrachten, er glättete ein paar Blätter, befühlte mit den Fingerspitzen das Spiralwerk der Ranken und kam schließlich an das Tor. Zu beiden Seiten hingen die Wolken noch immer dicht geballt herab, der Wind hatte aufgehört, die Luft war drückend geworden. Amleto schauerte von neuem, machte eine Kehrtwendung, zurück ins Haus, wo er sich sofort ins Kabinett einschloß.

Er erlebte eine Überraschung, als er später beim Betreten des

Wohnzimmers durch die auf die Hauptveranda geöffneten Fenster sah, daß die Sonne durchgekommen war, auf den nassen Pflanzen funkelte ein gleißendes Licht. Er lief hinaus auf die Veranda und legte die Hände auf die Balustrade. Nur ein schwindender Wolkenkranz säumte den Himmel, dessen Blau so hell war, als hätte der Regen es reingewaschen. Er lächelte und schlug befriedigt auf die Balustrade. Drinnen war er mißmutig gewesen, betrübt über all die Unbill, mit der das Leben ihm aufwartete. Die Taufe von Patrício Macário Nobre dos Reis Ferreira-Dutton, seinem siebten Kind – drei waren gestorben –, würde also zumindest vor dem Hintergrund eines schönen Tages stattfinden. Und auch eines schönen Festes. Schon konnte er den Geruch der in den Öfen backenden Kekse riechen, er wußte, daß Teig angerührt, Eierweincreme geschlagen, daß alle möglichen Gerichte gekocht wurden. Dieses Fest, ebenso wie sein schönes Haus mit all seiner Behaglichkeit, konnte man ihm nicht nehmen, niemand konnte behaupten, das stehe ihm nicht zu. Wenn er nun darüber nachdachte, wie er soviel Geld verdient hatte, gab er vor sich selbst nur vage und immer zögernder zu, daß er die Mittel und Einkünfte des Barons nach und nach abgezweigt und sich durch jede erdenkliche Transaktion oder Machenschaft alles angeeignet hatte, dessen er habhaft werden konnte. Nein, so war es nun nicht gewesen, er mußte damit aufhören, so übertrieben streng mit sich umzugehen, damit legte er ja geradezu einen Hang zum Märtyrertum an den Tag. Und seine im Dienst des Barons eingesetzte kaufmännische Spürnase, die endlosen Schwierigkeiten, mit denen er hatte kämpfen müssen, die für schier unüberwindliche Probleme ersonnenen, heroischen Lösungen? Und das Blut, jawohl all das Blut und der Schweiß, die er für den Baron hingegeben hatte? Und die gesicherte Position, die er der heute zugegebenermaßen etwas verarmten Baronin verschafft hatte, die aber in aller Würde lebte, noch immer im selben Haus von Bângala, in all ihren Bedürfnissen und denen ihrer Kinder hilfsbereit von ihm unterstützt? Zwar standen ihr nicht mehr so viele Neger zur Verfügung, wohl wahr, nur drei Negerinnen und zwei Neger, aber die harten Zeiten und die Gefahren, die überall die Geschäfte des Barons umlauerten, ließen eine Beschränkung der schwarzen Dienerschaft auf ein Mindestmaß ratsam erscheinen. Was sollte er tun? Der Walfang wurde von Jahr zu Jahr schlechter, er gehörte immer mehr der Vergangenheit an, vom Fortschritt begraben, und der Verkauf der Walfängerstation-zum-Guten-Jesus war so gesehen ein ausgezeichnetes Geschäft gewesen, trotz des scheinbar niedrigen Preises. Der Baronin freilich hatte er nicht erzählt, daß er selber in heimlichem Zusammenschluß mit zwei französischen Kaufleuten die Walfängerstation gekauft hatte und sie jetzt mit beträchtlichem Gewinn abstoßen würde. Schließlich war es ein Verkauf wie jeder andere gewesen, und auf welche Weise hätte man angesichts der Landwirtschafts- und Handelskrise, welche den Geschäften des Barons so schwer zusetzten, dem beängstigend anwachsenden Kostenaufwand sonst begegnen wollen? Einige Freunde der Baronin hatten sogar darin übereingestimmt, es sei ein gutes Geschäft gewesen, so auch der studierte Jurist und Bakkalaureus Noêmio Pontes de Oliveira, heute Rechtsberater Amletos, nachdem sie die Inventur der Habschaften des Barons in engster Zusammenarbeit durchgeführt hatten – eine übrigens enttäuschende Inventur angesichts all der Schulden, Verbindlichkeiten und ausstehenden Forderungen, und ohne den Einsatz Amletos, der die Führung übernommen und viele Monate ohne jedes Entgelt gearbeitet hatte, hätte die Baronin samt ihren Kindern womöglich einem recht traurigen Schicksal entgegensehen müssen. Sie hatte natürlich etwas vom Vater geerbt, doch dessen Geschäfte waren schon lange zurückgegangen, nicht nur wegen seiner Krankheit, sondern auch wegen einiger Überfälle von Buschräubern, radikalen Elementen, welche die Portugiesen sogar tätlich angriffen und ihre Besitzungen verwüsteten. Durch einen juristischen Kunstgriff, den er zusammen mit Dr. Noêmio mühsam ausgeknobelt hatte, um die Interessen der Baronin vor der Gewinngier der portugiesischen Erben ihres Vaters zu schützen, gelang es ihm, den größten Teil des Besitzes geschickt zu verkaufen, bevor Dritte seiner habhaft werden konnten – zu sicherlich nicht gerade üppigen Preisen, doch die Umstände der Transaktion erforderten Entschlußkraft, und im nachhinein kritisieren ist leicht. Gar nicht zu sprechen von den kostspieligen und äußerst heiklen Unterhandlungen, die notwendig waren, um das Verständnis und die Unterstützung der Beisitzer und Steuerprüfer des Finanzamts, der Handelskammer und der richterlichen Gewalt zu gewinnen, achtunggebietender, weltläufiger Männer, die man nicht leichtfertig angehen durfte. Jetzt befanden sich Handelshaus und Warenlager sowie die anderen Geschäfte im Besitz Dritter, denn nachdem Amleto sie zusammen mit Noêmio durch Vermittlung seines Schwagers Emídio Reis gekauft hatte, hielt er es für ratsamer, sie weiterzuverkaufen, statt sie zu verwalten, und sei es durch einen Strohmann. Die vom Alten hinterlassenen Häuser brachten nach wie vor Rendite ein, wie auch andere Besitzungen, freilich nur Kleckerkram, ein paar Münzen, die er zur Begleichung der Unkosten der Baronin verwendete, und der Himmel war Zeuge, wie oft er etwas aus eigener Tasche beisteuerte, damit es für sie reichte. Die Zuckermühlen wiederum gingen gar nicht gut, die Probleme mit dem Zucker wurden von Tag zu Tag schwieriger. In Erwartung besserer Zeiten rettete man sich mit der bescheidenen Erzeugung von Zuckerrohrschnaps, was den Aufwand kaum lohnte.

Nun ja, dachte Amleto und verließ die Veranda, um zu frühstükken, in Wahrheit habe ich ein ruhiges Gewissen, nie habe ich jemandem ein Leid angetan, ich bin ein hilfsbereiter Mensch.

Aus diesem Grund empörte es ihn auch, daß er nicht riskieren konnte, die Aufmerksamkeit böser Zungen und Neider durch Ausgaben auf sich zu ziehen, die seiner gesellschaftlichen Stellung angemessen gewesen wären, jene wären nämlich imstande, der Baronin falsche Andeutungen und sogar Verleumdungen einzuflüstern. Obwohl doch alle wußten – und alle wußten es, da er selbst es erzählt hatte, wenn es auch nicht stimmte, doch das wußten sie nicht –, daß Teolina ein Vermögen von ihrem portugiesischen Großonkel aus Trás-Os-Montes geerbt hatte. Und trotzdem redete man, wurde getuschelt. Was für rauhe Wege er gehen mußte, Hindernisse über Hindernisse, wie viele unvermutete Klippen er umschiffen mußte! Kümmerte man sich um eine Sache, tauchte schon eine andere auf, man löste ein Problem, gleich darauf meldete sich ein neues. Wie hatte er doch seine Zeit verloren mit den elenden Lateinbüchern, mit Zitaten und auswendig gelernten Phrasen, ein mühseliger Pfad, der nirgendwohin führte außer zu einer Armut, die durch den Neid von Ignoranten, ob sie nun arm waren oder reich, nur noch schlimmer wurde. Jetzt, da er den richtigen Weg gefunden, da er sein Vermögen mit den Fingernägeln zusammengekratzt hatte, mußte er sich auch noch dem Problem seiner äußerlichen Rassenzugehörigkeit stellen, der Zurückweisung durch hochrangige Personen, den von Krämerseelen aufgezwungenen Beschränkungen – was so weit ging, daß die Tauffeier Patrício Macários, die zu einer der prunkvollsten Bahias hätte werden können, nun aus reiner Vorsicht als ein intimes Fest für die nächsten Verwandten und Freunde geplant war. Und die Ironie war: Er konnte nicht verhindern, daß das Glück ihn anhauchte, daß die Vorsehung ihm die Hand reichte und das Schicksal ihm seine Arbeits- und Lernfähigkeit lohnte. Er hatte Ländereien im Sertão erworben, billig, fast umsonst, wegen der Trockenperiode von 1835, jetzt hieß es, die Viehzucht würde einen dort über Nacht steinreich machen. Er hatte auf der durch Emídio in São Félix erworbenen Fazenda Tabak gepflanzt, und schon häuften sich die Gewinne aus den mit den Deutschen angebahnten Geschäften. Auf den vom Baron ungenutzten Landflächen ließ er Hartholz schlagen und konnte kaum Schritt halten mit den eingehenden Bestellungen. Er hatte vorausgesehen, daß dank der in der Stadt aus dem Boden schießenden Neubauten die Nachfrage nach Kalk zunehmen werde, und hatte daher die großen Ablagerungen von Kalkstein im seichten Meer an der dem Walfischkap gegenüberliegenden Küste abstecken lassen, und nun schaufelten seine Neger, bis zum Hals im Wasser stehend, Tonnen von Muschelkalk in die Leichter, die ihre Ladung zum Kalkwerk von Porto Santo brachten. Und selbst der gelöschte Kalk fand noch Verwendung, zum Beispiel auf den Kokospflanzungen, wie er selbst eine in Condé besaß, wo er in Kürze Öl, Seife und Hartfett herstellen und außerdem Kokosfasern an englische Importeure verkaufen würde.

»Ach!« rief er unwillig aus. »Das wird schon werden, es muß einfach, das Leben kann nicht aus lauter Opfern bestehen!«

Heißhungrig dachte er an das erste Frühstück. Es war schwergefallen, die Küchennegerinnen und selbst Teolina an diese Mahlzeit zu gewöhnen, die er für sich forderte, aber doch niemandem aufzwang. Allerdings zeigte er häufig seinen Unwillen darüber, daß es ihm seine Frau und seine Kinder nicht nachtaten, zumindest seine Älteste, Carlota Borroméia Martinha Nobre dos Reis Ferreira-Dutton, die er wie eine Engländerin erziehen ließ und die dennoch seine Frühstücksmahlzeit mit gegrillten Nierchen, geräucherten Heringen, Rosinenpudding, weichen Brötchen,

Tee und Toast mit Orangengelee nicht guthieß. Sie war so weiß, so germanisch ausgefallen, mit ihrer durchsichtigen Gesichtshaut, ihrem hellen, feinsträhnigen Haar, ihrer schlanken, zerbrechlichen Gestalt, wie es einer jungen Lady vom Hof von St. James gebührte, und sie war im ganzen so gefügig, doch gegen diese seine Gewohnheit wehrte sie sich, sie ekelte sich, schlüpfte unbemerkt in die Küche und erbat sich von den Negerinnen Maisbrot, Kuskus, Maniokbrei, säuerliche Maniokküchlein und Milchkaffee. Eines Tages jedoch würde sie es lernen müssen, schließlich war das mit ihrer Herkunft keine Erfindung, es handelte sich um eine richtige Engländerin, eine Dutton. Mit Vergnügen erinnerte er sich an den Tag, da der Hilfspater des Generalvikars ihn im Kontor aufsuchte und unter der Soutane nervös die auf so schwierigen Umwegen erlangte falsche Geburtsurkunde hervorzog.
»Hier ist sie, Euer Exzellenz!« hatte das Paterchen gesagt, einer jener Alten, die bei bestem Willen nicht lachen können und nur eine schwächliche, zuckende Grimasse ziehen mit zitternden Lippen, als hätten diese Angst, sich länger als eine Sekunde zu trennen.
»Hochwürden!« hatte Amleto geantwortet, der Minuten vorher an der Spitze des Tagesplans nachgelesen hatte: »Taufschein Dutton«. Er nahm das Blatt entgegen und riß es am Rand etwas ein, so gierig entfaltete er es, und las mit lauter Stimme: »Amleto Henrique Nobre Ferreira-Dutton! Ferreira-Dutton! Finden Euer Hochwürden nicht, daß es gut klingt, vorzüglich klingt?«
Der Pater antwortete nicht, versuchte von neuem zu lächeln und betupfte mit dem rechten Ärmelsaum behutsam seine Lippen, um die Speichelfädchen abzuwischen, die unablässig aus seinen Mundwinkeln rannen. Doch er merkte, daß der Augenblick eine weniger lustlose Bemerkung erforderte.
»Ja, ja, es hat einen schönen Klang, Ferreira-Dupont!«
»Nein, nein: Ferreira-Dutton. Dutton, Dutton, das ist ein englischer Name, verstehen Sie? Von meinem Vater John Dutton, John Malcolm Dutton.«
»Ach ja, Euer Exzellenz mögen mir verzeihen, ich hatte geglaubt, es handle sich um einen französischen Nachnamen.«
»Nein, nein, um einen englischen. Mein Vater war Engländer,

ich glaube sogar, ein entfernter Verwandter jener Duttons, die noch heute hier Geschäftsverbindungen unterhalten. Und meine Mutter war eine portugiesische Ferreira, von den Ferreiras aus Viana do Castelo.«

»Aus Viana do Castelo?«

»Ja, ja. Stammen Euer Hochwürden auch von dorther?«

»Nein, nein, ich bin aus dem Ribatejo.«

»Aus dem Ribatejo? Das ist weit weg, sehr weit weg.«

»Eben. Also, wenn ich recht verstehe, hießen Euer Exzellenz vor dieser Berichtigung nur Amleto Ferreira.«

»Ja, eben widrige Zeitläufte, religiöse Streitigkeiten aus der Zeit von König João, vielleicht Nachlässigkeit der Taufpaten, die napoleonischen Kriege ... Es waren wirre Zeiten, die Dinge waren damals noch nicht so vollendet geregelt, wie sie es heute sind.«

»Ja, eben.«

»Aber die Berichtigung ist notwendig, seit langem war sie notwendig, und dank des Verständnisses Euer Hochwürden und des erlauchten Herrn Generalvikars ... Euer Hochwürden verstehen, vor allem galt es, die Wahrheit der Tatsachen wiederherzustellen, das historische Erbe meiner Familie – schließlich verliert sich unser Geschlecht in der Tiefe der Zeiten, sowohl in England wie auch in Portugal –, das sich so gut im Namen spiegelt. Und zweitens pflege ich dem Namen große Bedeutung beizumessen, besondere Wichtigkeit. Man darf einen Namen nicht nach Lust und Laune, aufs Geratewohl wählen. Mein Name zum Beispiel ist Amleto, von meiner Mutter gewählt als Huldigung für meinen Vater; Henrique gehört zur alten Tradition von Englands Königshäusern – Henrique, Jorge, Carlos, Guilherme, Eduardo und so fort. Nobre, weil dies stets der dritte Nachname meiner portugiesischen Familie gewesen ist, und schließlich Ferreira-Dutton, was nur der korrekte Name der Familie ist, Ergebnis einer angloportugiesischen Verbindung.«

»Ja, eben.«

»Im Falle meiner Kinder, die ich gleichfalls dank des Verständnisses, das mir seitens der Kirche stets zuteil wurde, schon mit ihren richtigen Namen taufen lassen konnte ...« – von neuem las er die Urkunde und küßte sie – »Ja, meine Kinder haben keine beliebig gewählten Namen. *Nomen est omen*, stimmen Euer Hochwürden mir da nicht zu?«

»Ja, eben, in gewisser Weise ...«
»Die ersten Namen meiner Kinder sind die von zwei Heiligen: dem ihres Geburtstages und dem ihres Tauftages. So im Falle von Carlota Borroméia Martinha Nobre dos Reis Ferreira-Dutton, die am 4. November geboren, folglich am Tag des heiligen Carlo Borromeo, und am 11. getauft wurde, am Tag des heiligen Martin. Und nach diesem Gesichtspunkt wurden auch alle anderen getauft, so Clemente André am 23., ebenfalls November Bonifácio Odulfo, und nicht anders die drei Engelchen, die nun in Jesus ruhn, und zwar alle mit dem Namen Reis, der von meiner Mutter, aus der Familie Reis aus Trás-os-Montes, stammt, so aus unvordenklicher Zeit genannt, weil sie stets in königlichen Diensten gestanden hatten.«
»Eben. Sehr richtig, eben.«
Amleto bemerkte, daß der Pater es wohl eilig hatte, er hatte sogar jenes knappe Lächeln bei der Ankündigung eines jeden neuen Namens eingestellt. Ja, klar. Er hatte den Umschlag schon vorbereitet, brauchte ihn nur aus der Schublade zu holen, in der er seit dem Vortag gelegen hatte. Er betastete ihn längs der Ränder und überreichte ihn dem Pater.
»Gestatten Euer Exzellenz?« sagte der Pater, öffnete den Umschlag und zählte die Banknoten, ohne auf eine Antwort zu warten.
»Aber selbstverständlich. Ein bescheidener Obolus für das Gemeindewerk, ein Beitrag, der von Herzen kommt ...«
»Eben«, sagte der Pater und hatte das Zählen des Geldes beendet. »Eben, wenn Euer Exzellenz mich nun entschuldigen wollen ...«
Ja, sie lag im Kassenschrank, wohl verwahrt, jene Urkunde, schließlich und endlich lief alles nach Wunsch. Wozu also sich aufregen? Gewiß wartet das Leben auf Schritt und Tritt mit Unannehmlichkeiten auf, aber man muß sie auch vergessen können, zumal an einem Tag wie diesem. War die Sonne nicht schon herausgekommen, war nicht schon alles vorbereitet, vom frisch polierten Taufbecken bis zum häuslichen Blumenschmuck, den schimmernd weißen Tischtüchern, lag nicht schon Festfreude in der Luft? Zu dieser Stunde brutzelten die blutigen Nierchen auf dem Bratblech, der Wasserkessel summte lieblich auf der Glut, der Pudding, kalt, wie er ihn mochte, erwartete ihn in einer zar-

ten Porzellanterrine, voller Rosinen, die von den Negerinnen Stück für Stück entkernt worden waren. Er trat durch die große Anrichte ein, der Tisch war gedeckt, das Dienstmädchen Luzia ließ die Augen über das Ganze gleiten, um zu sehen, ob auch alles seine Richtigkeit hatte.
»Heute möchte ich die Nieren ziemlich kurz gebraten«, sagte er und setzte sich, nachdem er die Rosen der in der Tischmitte stehenden Vase berochen hatte.
»Nhô, jawohl«, sagte Luzia und lief hinaus, wobei sie die Füße etwas nachschleifte.
Ein Hörnchen beknabbernd, dachte Amleto, das Tablett mit den Nieren käme, als er von der Küche her Schritte hinter sich hörte. Voll Vorfreude drehte er sich um und machte sofort ein finsteres Gesicht.
»Was suchst du denn hier? Ausgerechnet heute? Habe ich dir nicht gesagt, du sollst nur herkommen, wenn ich dich rufe? Was willst du jetzt, hast du nicht alles bekommen, was du brauchst?«
Eine kleine, dunkle Mulattin, das Haar mit zwei Knochenkämmen auf dem Hinterkopf hochgesteckt, hielt inne, schien in die Küche zurückkehren zu wollen, blieb aber schließlich vor ihm stehen, die Hände über der Brust verkrampft.
»Ich wollte hier nicht stören«, sagte sie. »Du kannst ganz beruhigt sein.«
Amleto stand auf und schien seine Ungeduld kaum unterdrükken zu können; er bedeckte die Augen mit den Händen, verharrte lange so.
»Dona Jesuína«, sagte er in einem Ton, als würde er gezwungen, etwas sehr Unangenehmes zu wiederholen. »Dona Jesuína, was wollen Sie, Dona Jesuína? Was soll ich noch sagen, was soll ich noch reden, was soll ich noch geben?«
»Du nennst mich Dona Jesuína, dabei sind wir doch allein.«
»Natürlich nenne ich dich Dona Jesuína, aber natürlich mußte ich mich erst daran gewöhnen, natürlich doch!«
»Du hast aber gesagt, du würdest mich nur so nennen, wenn Leute in der Nähe sind.«
»Ist ja recht, ist ja recht, das habe ich gesagt. Aber was ist unrecht daran, wenn ich dich achtungsvoll Dona Jesuína nenne, du bist doch Dona Jesuína, heißt du nicht Jesuína?«

»Jesuína bin ich, ich bin aber auch deine Mutter.«
Amleto stockte, verdrehte die Augen, hob die ausgebreiteten Hände, klopfte mit dem Fuß auf den Boden. Hatte irgend jemand das vergessen? Wie viele Söhne von bescheidener Geburt wie er oder solche von hoher Geburt, ja höchster Geburt, taten für ihre Mütter, was er tat? Hatte sie ein Haus? Ja. Hatte sie Dienstboten? Ja. Hatte sie reichlich zu essen, vom Besten, vom Teuersten? Ja. Hatte sie einen Gärtner, der ihre Beete jätete, jetzt, wo sie sich nicht mehr bücken konnte? Ja. Hatte sie alles, wonach sie seufzte, was sie erträumte, was sie begehrte? Ja, sie hatte alles. Genügte ihr nicht ein Billett, eine mündliche Nachricht – bitte durch Boten zwanzig Strang Zwirn, einen Korb Obst, hundert Pfund Gemüse, zehn Pfund Fleisch, zehn Pfund Fisch, vier fette Hühner, oder was es auch sei! –, damit alles sofort expediert wurde? Worüber beklagte sie sich dann, was trieb sie nun, war es denn möglich, daß sie nie zufrieden war? Wenn sie ihre Schule weiterführte, so weil sie es wollte, und übrigens ließ er es sich einiges kosten. Er ließ Schiefertafeln für diese erbärmlichen, nichtsnutzigen Schulkinder kaufen, mehr Nahrungsmittel als für ein ganzes Bataillon beschaffen – offenbar nur, damit die Senhora Dona Jesuína angelaufen kam und so tat, als wäre sie die gute Mutter eines mißratenen Sohnes? Also wirklich, lassen wir doch die Kirche im Dorf!
Dona Jesuína schien etwas zu bereuen, ja vielleicht alles. Sie schien den Tränen nahe, sie streckte die Arme nach dem Sohn aus, bat unter Schluchzen, er möge ihr verzeihen, daß sie gekommen war, um ihn zu sehen, aus lauter Liebe, aus lauter Stolz und Bewunderung, die er in ihr wachrief. Hätte sie gewußt, daß ihr Herzenssohn, in ärmlicher Wiege geboren, Mulatte und Bankert, solche Höhen erklimmen würde, ein hochbedeutender Mann, sie wäre vor Glück gestorben, noch ehe sie ihn hätte aufziehen können. Er solle nicht böse sein auf sie, das waren nur Schwächen eines Mutterherzens – wie sollte sie jemals die Hingabe und Aufmerksamkeit vergessen, die ihr Sohn ihr zukommen ließ, all die Fürsorge, damit es ihr an nichts ermangle? Nein, sie war nicht undankbar, es schmerzte sie nur so tief – obwohl sie die Gründe völlig verstand –, daß sie es nicht, wie sie gewünscht hätte, allen sagen durfte, daß der große Kaufmann und hochgeachtete Bürger Amleto Ferreira ihr Sohn war, ihr eigener Sohn,

von ihr zur Welt gebracht, gestillt, gesäubert, gepflegt, erduldet und erzogen. Es tat ihr weh, so sehr, daß sie bei der Nachricht von der Taufe ihres jüngsten Enkels – wie sollte er denn heißen? – dem Wunsch, sie alle zu sehen, nicht widerstehen konnte, zumal er wie die anderen heranwachsen würde, ohne zu wissen, daß er ihr Enkel war, aber das spielte keine Rolle, sie wollte ihn nur sehen. Doch jetzt begriff sie, wie unklug, wie zudringlich sie gewesen war, er möge ihr verzeihen, möge sich nicht ärgern, sie hatte nur unbedacht gehandelt, das würde nie wieder vorkommen, dessen konnte er sicher sein.

Amleto wurde weich, sein Kinn zitterte, er ging auf die Mutter zu, berührte ihre Hände, fast umarmte er sie. Ach, liebe, liebste Mutter, könnte ich dich doch umarmen und in meine Arme schließen, ich täte es jetzt! Ach, Mütterchen, du weißt, wie sehr auch mich das Ganze schmerzt, meinst du, ich habe keine Gefühle, ich weine nachts nicht, wenn ich an meine liebe, liebe Mutter denke, die so einsam ist, und ich kann nicht einmal in ihrer Gesellschaft auf die Straße treten! Wären nicht diese verfluchten schwarzen Tratschweiber, die jeden Augenblick hereinkommen können, oder die Kinder, die heute am Sonntag nichts zu tun haben, wäre das alles nicht, ich würde dich jetzt mit Küssen und Liebkosungen bedekken, du weißt, daß ich das tun würde, meine geliebte Mutter! Aber weißt du nicht, sag mir, sage es mir, um Himmels willen sag es mir, weißt du nicht, daß das, diese schreckliche Lage, nur zu unserem Besten ist? Nein, du weißt es nicht, immer handelst du so, als wüßtest du es nicht! Aber du begreifst es doch, nicht wahr, mein liebes, angebetetes Mütterchen? Es ist zu unserem eigenen Wohl, weißt du das nicht?

Ja, sie wußte es und wußte auch, wie er litt, kannte sie doch sehr wohl seine freundlichen Gefühle, und sie fand keinen Fehler an ihm. Aber könnte sie nicht vielleicht aus etwas Abstand, ganz unauffällig, ohne sich in die Unterhaltungen zu mischen, ohne ihren Platz zu verlassen, der Taufe beiwohnen, vielleicht als Amletos Amme aus seiner Kindheit, als ein der Familie nahestehendes Hausmädchen, als Kindermädchen oder als Gouvernante?

»Gouvernante?« empörte sich Amleto und drehte die Augen zur Holzdecke empor. »Senhora Dona Jesuína, meine Kinder haben eine englische Gouvernante und eine deutsche Hauslehrerin! Herrgott im Himmel, was für wirres Zeug verstopft doch den

Kopf der Senhora Dona Jesuína? Als Gouvernante, das hatte noch gefehlt! Meine Kinder mit einer Schwarzen als Gouvernante, ja, siehst du denn die Wirklichkeit nicht? Die Welt ist nicht so, wie wir sie haben wollen, sondern so, wie sie ist!«
»Verzeih, ich habe dumm dahergeredet. Aber als Hausangestellte, als Kindermädchen ...«
»Nein, nein, das ist viel zu riskant. Die Leute könnten eine Ähnlichkeit zwischen uns ahnen, vielleicht hat schon jemand eine Andeutung oder sowas gehört und jetzt wird sie auch noch bestätigt. Nein, nein, warum schlägst du dir diese verrückten Ideen nicht aus dem Kopf und gehst wie immer in deine Messe und schaust hinterher nach deinen Blumen? Hör zu, ich lasse dir ein paar Nelkensetzlinge schicken, die gerade aus Portugal gekommen sind, ich schicke dir ein paar Bücher, diese Liebesromane, die dir so gefallen, und damit ist die Sache erledigt! Einverstanden?«
»Aber ich sehe nichts dabei, als Hausmädchen, als früheres Kindermädchen ... Und wer sollte schon eine Verwandtschaft zwischen uns wittern, du so weiß, so hell, mit so glattem Haar ...«
Amleto fuhr sich mit der Hand über den Kopf.
»Nun ja«, pflichtete er bei. »Mein glattes Haar und mein fein geschnittenes Gesicht ... Aber nein, nein, ich denke trotzdem, es wäre tollkühn. Vergiß das einfach und geh, ja?«
»Du weißt ja gar nicht mehr, was du noch dagegen sagen sollst, und daß ein altes Kindermädchen bei einem Tauffest dabei ist, das ist bei reichen Familien so, bei traditionsbewußten Familien, die ihre Neger und Dienstboten ehren.«
Amleto, der unentwegt neben dem Eßtisch auf und ab gegangen war, blieb plötzlich stehen.
»Schön, was tue ich nicht alles für dich? Aber paß auf, also gib acht, wie du dich aufführst, du bist das Kindermädchen, das mich aufgezogen hat, und so wirst du dich verhalten, ich werde dir nie verzeihen, wenn du mein Vertrauen mißbrauchst!«
Die Nierchen kamen, Luzia stellte den Teller auf den Tisch und blieb neben dem Stuhl stehen, auf dem Amleto Platz genommen hatte.
»Also schön, Dona Jesuína, wir sind uns einig«, sagte er und schob sich die Serviette in den Kragenausschnitt. »Und jetzt,

wenn Sie erlauben, werde ich mein erstes Frühstück zu mir nehmen, das wäre es denn. Luzia, die grüne Soße?«

Es war neun Uhr morgens, der Tag erstrahlte in außerordentlicher Durchsichtigkeit, so klar und frisch, daß man hätte meinen können, mit seinen Gästen vor einem Landhaus in Sintra zu sitzen, an einem jener köstlichen Aprilmorgen, wo sogar das rauheste Heidekraut die Felder zu begrünen und zu durchduften scheint. Amleto ließ die Türen und Fenster des Kabinetts öffnen. In Wirklichkeit war es eine geräumige, düstere Bibliothek, aus zwei weiten Gemächern, getrennt von einem Oberschwellenbogen in geschnitztem Palisander, der von einem in halber Höhe gerafften, changierenden Seidenripsvorhang bedeckt war. Es wurde nicht sehr hell in diesen höhlenartigen, von Schlupfwinkeln, Ein- und Ausbuchtungen stark unterteilten Kammern, die Riesenregale überladen mit verschnörkelten Verzierungen, da und dort ein verborgenes Versteck, eine Art Fuchsbau, eine unvermutete Nische, drüben zwei Karyatiden von furchterregendem Aussehen als gewaltige Stützen für ein winziges, schwarzes Ebenholztischchen, in düstere Farben gebundene Prachtbände, die Anfangsbuchstaben AHNF-D wie ein Wappen auf den Einbänden und Rücken gaufriert, Papierbögen in allen Größen, Löschpapiere und Federn in wunderschöner Anordnung, eine Kristallvase mit gelben Rosen funkelte einsam auf einem Eckbord. Doch durch die Terrassentüren wurde das Licht so stark zurückgeworfen, daß Amleto, als er die kleine ihm folgende männliche Gesellschaft zum Platznehmen aufgefordert und sich selber in seinen Fauteuil gesetzt hatte, nun der Herr sonnenhafter Ländereien war, chiaroscuro, beschienen durchs Filigranlaubwerk der Bäume. Der Portwein, der in diesem Licht gelegentlich auffunkelte, stieg ihnen vielleicht nicht nur auf dem Umweg des Magens zu Kopf, und Amleto entschuldigte sich leutselig dafür, daß er sich rekelte und die Beine übereinanderschlug, und er lachte über den Vergleich mit Sintra, den der ministrierende Priester, Monsignore Bibiano Lucas Pimentel, angestellt hatte. Merkwürdigerweise entpuppte sich Monsignore trotz des Rufes, er sei unbeugsam streng, fast als Causeur, wie er jetzt eine geistvolle Randbemerkung nach der anderen von sich gab. Sehr bescheiden für einen Mann der Kirche, der sich so hohen Ansehens erfreute, weithin als Prediger berühmt, Förderer von hier bisher nicht einmal erträumten Erziehungswerken, ein Aristokrat, der seine Herkunft bekundete durch vollkommen geschnittene Seidensoutanen, zartestes Parfum, das er verströmte, und Umgangsformen eines seit der Kinderzeit wohlerzogenen Menschen. Er ging etliche eilige Schrittchen zur Veranda, blickte nach links und nach rechts, kehrte ebenso rasch zurück und musterte den Teil der Bibliothek, in dem sie saßen.

»Jawohl, meine Herren! Hier sitzen wir also in der Höhle des Löwen, wo Senhor Amleto Henrique Ferreira-Dutton mit pfiffiger Durchtriebenheit sein ausgedehntes Vermögen aufbaut!«

Er lachte über die eigenen Worte und ließ keinen Zweifel daran, daß er gescherzt hatte. Amleto verstand und lachte gleichfalls, doch ohne die Zähne zu zeigen, eine Angewohnheit, die er seit kurzem hatte , weil er sie bei den meisten gesellschaftlichen Anlässen für höchst angemessen hielt.

»Hochwürden lassen heute Ihre satirische Ader gegen diesen Euren Diener los, der solche rhetorischen Attacken wahrlich nicht verdient hat. Zuerst vergleichen Sie dieses Häuschen mit einer Fazenda in Sintra, Ruhesitz von Adligen und Potentaten. Danach nennen Sie mich wildes Tier – wie soll ich sagen? – heimtückisches, durchtriebenes Raubtier, und erwähnen ein Vermögen, von dem ich nicht wüßte, wie es zu erwerben, geschweige denn selbst zu besitzen wäre.«

Der Monsignore setzte sich und lehnte sich behaglich zurück.

»Das ist keine rhetorische Attacke, Senhor Amleto, es ist die Wahrheit. Im Gegensatz zu Haustieren wie Hund, Kuh, Huhn stellen die Namen von Raubtieren ein Kompliment für die so Benannten dar. Das ist der Fall beim Löwen, beim Tiger... Wenn ich Sie also als Löwen bezeichnet habe, so halte ich Sie damit nicht für ein Raubtier, sondern für einen unbezwinglichen, löwenstarken Kämpfer, dazu fähig – und nun kommt die zweite Wahrheit –, einem unvergleichlichen Vermögen vorzustehen, einem großen Vermögen, das dank Gott und Ihrer Fähigkeiten von Tag zu Tag wächst.«

Amleto spürte, wie seine Ohren heiß wurden, glaubte, er sei vielleicht errötet.

»Ein unverdientes Lob ...«, murmelte er und hätte gerne etwas

Interessanteres vorgebracht, fand aber in seiner aufrichtigen Ergriffenheit über die Lobeshymne nicht die richtigen Worte.

»Und ob es verdient ist!« Eine feste, etwas derb klingende Stimme ertönte von der anderen Seite des Bogens, und gleich darauf erschien ihr Besitzer, Major Francisco Gomes Magalhães, Polizeichef und Patrício Macários Pate, mit einem kleinen Weinglas in der Hand. Seine Nase war rot, obgleich man nicht hätte sagen können, daß er betrunken war, aber auch nicht nüchtern, was man an seinen übertrieben festen Schritten und seiner ungewohnt lauten Stimme merkte. »Ganz und gar verdient, jawohl! Ich habe gehört, was Hochwürden mit Ihrer so lobenswerten Beredsamkeit gesagt haben, und gebe Ihnen vollkommen recht! Größer noch als Senhor Amleto Henrique kann nur einer sein, nämlich sein Sohn, mein Patenkind Patrício Macário! Haha! Dieser wird sicherlich mehr sein als der Vater und der Pate zusammen!«

»Ich weiß nicht«, sagte Amleto. »Ich weiß nicht. Und zwar wegen seiner Eigenschaften. Denn wenn er sie zur Hälfte von der Mutter ererbt hat, so hat er mehr Tugenden ererbt als der größte Teil der Menschheit, ich sage das ohne falsche Bescheidenheit. Doch ich fürchte für unsere Zukunft, ich fühle, wir leben in unruhigen Zeiten, ohne Frieden und Vertrauen in das Kommende, ohne Achtung vor dem, was hochzuhalten man uns gelehrt hat, wie die Tugenden der Ehrbarkeit, der Mäßigung, des Bürgersinns.«

»Aber hören Sie, zum ersten Mal in unserer Geschichte werden wir von Brasilianern regiert!« unterbrach Monsignore Bibiano.

»Ja, doch das will nichts besagen, es besagt vielleicht sogar das Gegenteil von dem, was Euer Hochwürden damit haben sagen wollen, wenn Hochwürden gestatten«, sagte der Major. »Denn wenn auch die Regierenden Brasilianer sind, so ist alles übrige, vom Heer bis zu den Kaufleuten, portugiesisch.«

»Ganz so verhält es sich nicht, mein lieber Herr Polizeichef, Sie wissen sehr wohl, daß es zwar ein wenig, aber doch nicht ganz so ist. Und bitte sehen Sie in mir keinen Anwalt der Rekolonisierung. Ich gehöre nicht zu den Heißspornen, die sich bis zum Separatismus, wenn ich so sagen darf, ja zum Republikanertum versteigen, doch ich sympathisiere in der Tat mit der Bewegung für die Mündigkeitserklärung Seiner Kaiserlichen Hoheit. Ich stelle mich somit in die Reihen der aufgeklärten Liberalen, und Euer Exzellenz müssen anerkennen, daß wir kein großes Glück mit den Regentschaftsregierungen bewiesen haben. Die Wirren der öffentlichen Ordnung, Aufruhr und Anarchie überall, scheint Ihnen das alles nicht besorgniserregend, Herr Polizeichef? Selbst hier in Bahia, sofern mich die Erinnerung nicht trügt, hatten Euer Exzellenz einen harten Kampf gegen Aufständische durchzufechten und haben sich in der nun bereits berühmten Dreitageschlacht vor nicht langer Zeit, vor gar nicht langer Zeit einen Namen gemacht. Wenn ich Portugiese von Geburt bin, bin ich doch dem Herzen nach Brasilianer, und wenn ich wie ein Portugiese spreche, so mehr aufgrund der Gewissenhaftigkeit desjenigen, der seine Sprache liebt und sie nicht durch unrichtigen und wenig ratsamen Gebrauch entwürdigen will. Ich bitte Euer Exzellenz inständig, keine falschen Schlußfolgerungen zu ziehen.«

»Aber nein, Euer Hochwürden mögen mir vergeben, das hatte ich wirklich nicht sagen wollen. Es ist nur so, daß ich in dieser Frage von Brasiliens Zukunft sogar von meinem hochberühmten Freund und Gevatter abweiche, am Ende ereifre ich mich immer ein wenig, Euer Hochwürden mögen verzeihen, nichts liegt mir ferner, als auch nur den geringsten Zweifel gegenüber dem durchaus unangreifbaren und höchst lobenswerten Verhalten von Euer Hochwürden zu hegen. Doch ich sehe, ja ich sehe in der Tat eine strahlende Zukunft für Brasilien, eine Zukunft, die sich nur mit der von früheren großen Zivilisationen vergleichen läßt. Wir sind nämlich mit allem ausgestattet, was für Fortschritt und Reichtum vonnöten ist. Gerade hier, in unserem Teil des Landes ...«

»... sind wir schrecklichen und zehrenden Dürreperioden ausgesetzt, welche die gesamte Landwirtschaft, die Viehzucht geißeln ...«

»Vergebung, Monsignore«, warf Amleto ein. »Die Trockenzeiten, wie man diese Dürreperioden nüchternerweise nennt, sind so übel nicht. Vielmehr kann man in ihnen die Gewährleistung für die gesellschaftliche Ordnung und die bestehende Wirtschaft sehen. Zum Beispiel läßt sich der kleine Grundbesitzer nur durch die von den Trockenzeiten hervorgerufene Not davon

überzeugen, daß seine Tätigkeit stets bloß dürftige, unbedeutende Erträge bringen wird, wodurch die Großgrundbesitzer – die einzigen, die den Fortschritt in jene Einöden tragen können, ich werde Ihnen gleich sagen, warum – in die Lage versetzt werden, diese kleinen Ländereien zu angemessen niedrigen Preisen zu kaufen, was anderenfalls eine unverhältnismäßige, vielleicht sogar untragbare Kapitalanlage bedeuten würde. Ich will Ihnen auch sagen, warum nur der Großgrundbesitzer den Fortschritt in alle diese fernen Landstriche bringen kann. Nur er kann bei den Behörden mit Einfluß und politischem Gewicht für die notwendigen Verbesserungen werben, für den Bau von Dämmen, Wehren, Schleusen und Kanälen, dank deren die Dürre kein Hindernis mehr für die Ertragskraft sein wird. Und nur der Großgrundbesitzer vermag das notwendige Kapital, die Kenntnisse und notwendigen Investitionen aufzubringen, damit die Produktion den Anforderungen des Handels gerecht wird, die in zunehmendem Maße komplexer werden. Daher spielen die Trockenzeiten eine höchst wichtige Rolle und bewirken etwas, das nur mit dem Einsatz von Waffengewalt zu bewältigen wäre, wollte man es künstlich herbeiführen, dessen bin ich sicher. Und überdies, auf welche Arbeitskraft könnte der Großgrundbesitzer sich denn stützen, da doch der Sklavenhandel bald zum Erliegen kommen wird?«
Der Major saß schon nach der halben Rede Amletos mit offenem Mund da und blieb, von Staunen benommen, so sitzen. Auch der Monsignore rang eine Weile um Worte, doch dann beglückwünschte er den Hausherrn zu der Brillanz und erneuernden Kraft seiner Gedankengänge.
»Nur glaube ich nicht, daß das Ende des Sklavenhandels bevorsteht. Meinen Sie tatsächlich, Senhor Amleto, daß wir ohne ihn überleben können, daß er abgeschafft wird?«
»Auch ich glaube nicht, daß sein Ende bevorsteht, ich weiß nicht, wann das sein wird. Ich weiß aber, daß es kommen wird, und wenn nicht schon aus anderen Gründen, so aus dem mächtigsten Grund von allen, nämlich dem, daß die Sklavenhaltung schließlich allzu kostspielig und daher wenig rentabel sein wird. Ich habe bei meiner Arbeit mit Sklaven zu tun und kann Sie versichern, daß die Kosten inkalkulabel sind, selbst der kaltblütigste Finanzmann bekommt da eine Gänsehaut. Der Tag wird kom-

men, an dem die Kosten eine solche Last bedeuten werden, daß es wirtschaftlicher sein wird, nach jeweils geleisteter Arbeit zu bezahlen, als einfältigerweise anzunehmen, daß wir sie dank unserer Sklaven umsonst bekämen, denn das tun wir nicht. Meine Herren, stellen Sie sich doch einen Großgrundbesitzer vor, der Arbeitskräfte nur für das Pflanzen und Ernten benötigt, beides ein- oder zweimal im Jahr. Während der übrigen Zeit wird er die Neger nicht beschäftigen können, aber ernähren, kleiden, beherbergen und ärztlich betreuen müssen, ganz zu schweigen von all den unvorhergesehenen Problemen, die jeden Tag auftreten. Das verteuert die Produktion, weil es die Kosten erhöht, und der Grundbesitzer verliert Geld, weil es immer schwieriger wird, die Kosten zu decken, und so weiter. Und nun vergleichen Sie dies mit der Vereinbarung, nur tatsächlich geleistete Arbeit von freien Arbeitern zu zahlen, ohne daß der Gutsbesitzer ihnen dasselbe geben muß, was er seinen Sklaven gewährt. Ich glaube, es gehört nicht viel weiteres Nachdenken dazu, daß es unvermeidlich ist, die Sklavenarbeit früher oder später abzuschaffen, andernfalls wären wir zu immerwährender Rückständigkeit verurteilt. Diese Klasse von Leuten in unserer Region, die sich mit der Zeit in kleine Grundbesitzer verwandeln könnten, wird das aus unabänderlichen geographischen und historischen Gründen nicht tun. So werden sie zusammen mit den völlig mittellosen Sertãobewohnern die Arbeitskräfte der Nation sein, und zwar zu den für die Nation erforderlichen Bedingungen, um Geldverschwendung und übertriebene Kosten zu vermeiden. Ich weiß wohl, daß eine solche Situation zu großer Arbeitslosigkeit führen könnte, zu Massen von Enteigneten und Landstreichern, wie wir es schon heute erleben. Doch erstens ist dies unvermeidlich, ich sehe nicht, wie es vermieden werden könnte, und die Wesensart unseres einfachen Volkes, sorglos und lebenslustig, fügsam und ohne Bedürfnisse, nimmt der Frage viel von ihrem Gewicht. Immerhin ist es beruhigend – und ich habe lange über die Angelegenheit nachgedacht, meine Herren –, sich für die Aufrechterhaltung der öffentlichen Ordnung auf eine Einrichtung wie die Nationalgarde verlassen zu können, sehr wohlbedacht und gerade zum richtigen Zeitpunkt gegründet, wie mir der Herr Major bestätigen wird. Wiederum, wie im Fall der Trockenzeiten, gilt es, die Blickrichtung umzukehren, das Gute unter der Erschei-

nungsform des Üblen zu sehen. Dieser Pöbel hat infolge seiner rohen, primitiven Natur, die fetischistisch ist, barbarisch, unempfindsam und unwissend, keine Ansprüche, die ihm nicht sein beschränkter Horizont vorschreiben würde. Infolgedessen ist es der natürliche Lauf der Dinge, daß diese Leute sich gegeneinander richten, nicht gegen uns, es sei denn, wir lockern die uns schützende, gesellschaftliche Zucht. Es wird sozusagen eine natürlich gelenkte Auslese entstehen, verschwinden werden die, welche unfähig sind, das Leben mit eigenen Mitteln zu bestreiten, und dies nicht einmal im Militärdienst, für den sie doch weitgehend geeignet sind, was die Vorrechte der Nationalgarde keineswegs beeinträchtigt, die, ich wiederhole es, gerade zum richtigen Zeitpunkt gegründet wurde. Diese Klassen werden des weiteren die Freiheit genießen, von vielen als kostbarstes aller Güter angesehen, und dieses Gut werden wir ihnen umsonst gewähren, unter der einzigen Bedingung, daß sie diese weder in Zügellosigkeit verwandeln noch sich ihrer als Freibrief für irgendwelchen Mißbrauch bedienen.«
»Aber, Senhor Amleto, glauben Sie nicht, daß unser Volk ...«
»Beachten Sie bitte, geschätzter Herr Major und Gevatter, wie häufig wir Wörter verwenden, ohne auf ihren eigentlichen Sinn zu achten. Das ist soeben geschehen, *data venia*, denn die lange Vertrautheit und fruchtbare Freundschaft, die uns vereint, läßt mich nunmehr ahnen, was Sie wollten. Schauen wir es uns doch einmal gut an: Was ist das, was wir gemeinhin Volk nennen? Sicherlich ist es nicht die rohe Masse der Ungebildeten, Kränklichen, Verrunzelten, Sumpffieberkranken, Mischlinge und Neger. Das läßt sich kaum Volk nennen, das würden wir einem Fremden nie als Beispiel für unser Volk vorzeigen. Unser Volk ist wie einer von uns, das heißt, wie die Europäer selbst. Die arbeitenden Klassen können nie über sich selber hinauswachsen, sie werden nie ein Volk sein. Volk ist Rasse, ist Kultur, ist Zivilisation, ist Selbstbehauptung, ist Nationalität, und nicht der Abschaum ebendieser Nationalität. Selbst geläutert, so sehe ich es kommen, werden die arbeitenden Klassen niemals das brasilianische Volk sein, da dieses Volk ja durch seine führende Klasse vertreten wird, die einzige, die den Formen der Zivilisation und Kultur nach höheren europäischen Mustern gerecht zu werden vermag – denn was sind wir anderes als verpflanzte Europäer?

Das dürfen wir nicht aus den Augen verlieren, wir dürfen nicht dem abgrundtiefen Irrtum verfallen und die Reichtümer unseres Landes und die darin schlummernde Größe ausbeuten, bloß, um sie diesem sogenannten Volk auszuliefern, das eine solch wunderbare Erbschaft nie und nimmer zu verwalten verstünde und sie gleich vergeuden würde, wie übrigens jeder weiß, der versucht hat, Sklaven und Dienern mit etwas Behaglichkeit und Vergünstigungen entgegenzukommen, da sie ja nicht wissen, was sie mit solcher Behaglichkeit und solchen Vergünstigungen anfangen sollen.«

»Sehr wahr. Reicht man den unteren Klassen den kleinen Finger...«

»Das sage ich ja, meine Herren. Das muß in aller Deutlichkeit und Logik, ohne Gefühlsduselei gesehen werden. Vor uns steht die vielleicht kühnste Aufgabe, die je der zivilisierten Menschheit gestellt wurde. Und ich hoffe zu Gott, daß ich mich täusche, aber ich fürchte für die Zukunft. Ich fürchte, daß wir den Schöpfer sein Teil tun lassen und wir das unsere nicht tun, davor habe ich Angst. Was sind wir heute? Eine Handvoll Zivilisierter und eine schreckenerregende Horde von Negern, Braunen und Buschwilden. Als Grundstock der Zivilisation sind wir sehr wenige, daher das riesige Ausmaß unserer Arbeitslast. Doch soweit es von mir abhängt, und ich bin sicher, auch von Ihnen, meine Herren, wird Brasilien nie ein Land von Negern, Braunen und Buschwilden sein, es wird sich nicht in eine Zufluchtsstätte von Minderwertigen verwandeln, verachtenswert und verachtet von allen echten Zivilisationen, denn auch hier wird Gott sei Dank eine dieser Zivilisationen gedeihen.«

»Haben Sie, lieber Gevatter, eigentlich schon einmal an die Politik gedacht? Schauen Sie, mit einer solchen Beredsamkeit und einer so klaren Argumentation...«

»Nein, nein, ich hasse die Politik, ich bin ein vollkommen apolitischer Mensch. Meine Arbeit verläuft in anderen Bahnen als denen der Politik. Die Politiker mögen mir verzeihen, ich habe nichts gegen sie, aber die Schmutzigkeit der Politik, wenn Sie mir den harten Ausdruck verzeihen, ekelt mich an. Nein, nein, ich ziehe es vor, in meinem Winkel zu bleiben als das bescheidenste Mitglied der produzierenden Klassen, und versuche den greifbaren Reichtum meines Landes zu vermehren, soweit es in meiner

Kraft steht, mehr will ich nicht. Ich strebe die Macht nicht an – und Gott möge mich davor bewahren, sie anzustreben.«
Die letzten Worte hatte er ganz nachdenklich, fast selbstversunken gesprochen. Und so kühlte der ergriffene Bürgersinn, der in der Bibliothek aufgeglimmt war, etwas ab. Der Tag war zu schön, um derlei Bemühungen weiterzuverfolgen. Der Monsignore, die Augen schließend und den Kopf bedächtig wiegend, als singe er ein uraltes Lied, erwähnte Flaumfedern blaßweißer Wolken, die sich zwischen den entzweigten Gerippen jahrhundertealter Bäume davonstehlen, und wurde mit beschwörenden Seufzern und schmerzvollen Ausrufen angehört. Der Major schenkte sich Portwein nach, der Monsignore bat um ein Gläschen und wiederholte kurz darauf seine Bitte, Amleto tat es ihnen nach, Dr. Noêmio, der aus den Innenräumen in Gesellschaft des alten Komturs Almeida hereintrat, deklamierte einige Verse über Schwalben in den mittelmeerischen Sommern der Bucht-aller-Heiligen. Gegen elf Uhr, als zum Mittagessen gerufen wurde, waren sie sehr glücklich. Amleto, auf dem Weg zum Speisezimmer beim Monsignore eingehakt, bemerkte, es gäbe gekochten Reis, um dem Geschmack der Gäste entgegenzukommen. Er selber sei früher auch »Reismampfer« gewesen, er hatte sogar Maniokmehl gekostet, das ihm heute wie Sägemehl schmecke. Aber Miss Bennington, die englische Gouvernante, hatte ihm in kürzester Zeit das Nötige beigebracht. Kannte der Monsignore die Köstlichkeiten der britischen Kochkunst, einer Kunst, worin, wie in allem übrigen, dieses bewunderungswürdige Volk exzellierte? Reis bitte nur im Pudding, die einzige annehmbare Form, ihn zu verzehren. Man nannte das Gericht *rice pudding*, wenn er nicht irre – wobei dem zweiten Wort die Besonderheit eignete, nicht Pah-ding ausgesprochen zu werden, wie zu erwarten gewesen wäre, sondern Puh-ding, eine der vielen Ausnahmen der überreichen englischen Sprache, deren Wortschatz fast das Doppelte der portugiesischen umfasse. Mochten die Herren gekochtes Hammelfleisch in Minzsoße? Ach, es gab so viel zu lernen von den Engländern! Die brasilianischen Fabrikanten – alles in allem eine törichte Sippschaft schlechtgerüsteter, rückständiger Handwerker – beschwerten sich darüber, daß englische Erzeugnisse angebliche Vorteile gegenüber hier hergestellten, besser gesagt, zusammengepfuschten Produkten besäßen. Warum, we-

gen niedriger Einfuhrzölle? Immerhin gab es doch Einfuhrzölle, und trotzdem war das hier Hergestellte teurer und ungleich viel minderwertiger. »Zwei und zwei, mein lieber Monsignore, ergibt noch immer vier, wie man's auch dreht und wendet, will man denn die Sonne mit einem Sieb zudecken, wie man landläufig sagt? So läßt sich die Konkurrenz doch nicht aus dem Feld schlagen, nicht wahr? Ich bin für den freien Handel, der einzige Weg, damit unsere Industrie vorwärtskommt, sofern wir überhaupt von eigener Industrie sprechen können. Es ist wie mit der Frage des Volkes, die wir vorhin angeschnitten haben. Waren die, welche Roms Ruhm begründeten, die Caesaren oder die Sklaven und der Plebs? Wir müssen uns an den Engländern ein Vorbild nehmen, deren Flagge . . .«

Doch er beendete seine Ausführungen über die englische Nationalflagge nicht, weil er beim Betreten des Speisezimmers die Baronin sah, auf ihren Sohn Vasco Miguel gestützt und nur mühsam gehend.

»Ah, Senhora Dona Baronin von Pirapuama«, rief er aus und stürzte mit ausgestreckten Armen auf sie zu. »Meine Senhora, Dona Baronin!«

Die Baronin hatte wieder unter einem Rheumaanfall zu leiden, gepeinigt von bohrenden Stichen im Rücken, die sie zu absonderlichen Stellungen verkrümmen ließen und ihren Gesichtszügen den ständigen Ausdruck von Weinerlichkeit gaben – ach, Senhor Amleto, Gott hat mir ein Kreuz auf den Rücken gelegt mit dieser erbarmungslosen Neuralgie, ach mein Gott! Aber warum war sie überhaupt gekommen, sie hätte sich doch entschuldigen sollen, die Tage waren so kalt, ach, Senhora Dona Baronin, was für ein Opfer bringen Sie uns, haben Sie denn, wenn die Frage gestattet ist, Senhora Dona Baronin, Ihren Tee aus Trauerweidenrinde getrunken?

Sie hatte ihn getrunken, ja, sie hatte schon soviel davon geschlürft, daß der Tee keine Wirkung mehr tat. Amleto hörte sie mit betrübtem Gesichtsausdruck an, ergriff ihre Hände, schritt langsam mit ihr zu ihrem Stuhl, half ihr behutsam beim Niedersetzen. Er blickte verstohlen auf Vasco Miguel, der an der Medizinischen Fakultät von Bahia promoviert hatte, aber arbeitslos war, ein bleichgesichtiger, verhärmter Jüngling ohne Kinn, mit übereinandergewachsenen Zähnen und allzu hoher Taille, was durch das vorgekrümmte Becken noch betont wurde. So war das, doch wenn es sein mußte, würde es sein, dachte er, seine Tochter hatte bisher einfach weder Reife noch gesunden Menschenverstand, um die Beweggründe für ihre Heirat mit Vasco Miguel zu begreifen. Freilich hatte auch Amleto andere Pläne mit ihr gehabt, hatte allerlei Phantasien genährt, hatte große schottische Luftschlösser gebaut, während er die Stiche von Reisebüchern durchgeblättert hatte. Doch man lebt nicht von Phantasien, man lebt in einem unerbittlichen System von Entscheidungen, wie ihm das feindliche Leben mit viel Lehrgeld beigebracht hatte. Der junge Mann war nicht reich, dafür aber weiß; er war nicht intelligent, dafür aber adelig; er mochte sogar Erfolg im Leben haben, denn in seinem Beruf, wie in allen anderen, sind gute Beziehungen wichtiger als berufliche Fähigkeiten; und was das Verlockendste war – es würde in Zukunft keinen Streit über das Vermögen des Barons oder der Baronin geben, denn schließlich bliebe ja alles in der Familie. Ja, die Heirat war eine ernstlich, sehr ernstlich zu bedenkende Angelegenheit. Carlota Borroméia Martinha war wohl wieder krank, wie sie es immer war, wenn Vasco Miguel im Hause erschien. Nun, sollte sie, das waren weibliche Listen, die brauchte man nicht allzu ernst zu nehmen.

Frauen, die mußte man zähmen! Wenn es doch die Baronin in Person wünschte und vorschlug, warum dann nicht? Teolina stimmte weder dafür noch dagegen, sie mischte sich nicht gerne in Männerangelegenheiten, um so besser. Wieder blickte er zu Vasco Miguel hinüber, er war doch gar nicht so übel, es gab viel schlimmere Kandidaten. Er setzte sich und blickte noch einmal aufmerksam umher, damit auch alles zufriedenstellend ablief, beschloß, der Tochter seine Entscheidung mitzuteilen und trank noch ein Schlückchen Wein. Mechanisch zog er sein Notizbuch aus der Tasche und einen goldenen Drehbleistift und kritzelte rasch: »Tagesplan: Heirat Carlota B.« Sie ist eine Dutton, dachte er in freudiger Entschlossenheit, und eine Dutton tut, was es zu tun gilt, Gott sei gelobt, *Dieu et mon droit. Le Roy le veult*, konnte man in diesem Augenblick getrost sagen – und wie war das Hammelfleisch gelungen? Was für köstliche gekochte Kartoffeln!

Dorf Baiacu, den 28. Februar 1836

Die meisten Menschen wissen nichts über das Gürteltier. Fragt man irgend jemand, was er über das Gürteltier weiß, so wird er vermutlich antworten, daß das Gürteltier Löcher gräbt, viel mehr wird er nicht sagen können. Damit tut man dem Gürteltier unrecht. Tatsächlich gräbt das Gürteltier Löcher und ist in ihrer technischen Konstruktion wie in ihrer baulichen Ausführung gleichermaßen bewandert. Das Gürteltier hat keine Zähne. Das heißt, wenn man genauer hinsieht, hat es, zwar nicht vorne im Maul, aber hinten, ein paar winzige Dinger, die man kaum Zähne nennen kann. Es beißt nicht, sondern kaut, und das ist für den, der sehen will, eine Lektion in Lebenswirklichkeit, denn das Gürteltier ist wie viele zweibeinige Leute, die nicht beißen, sondern kauen und schlucken, im wörtlichen und im übertragenen Sinn. Es verfügt jedoch über ausgezeichnete Krallen, stark, spitzgewetzt und rechenförmig angeordnet, so daß jeder, der mit ihm in Berührung kommt, tunlichst seinen Krallen aus dem Wege geht, von denen es nämlich bei jeder Gelegenheit Gebrauch macht. Es gibt viele Gürteltierarten auf der Insel, mit Vorliebe wird das sogenannte Hühnergürteltier gejagt, das echte Gürteltier, wie das Volk sagt, man erkennt es an der Farbe, an der Größe und an der jedem Huhn oder jeder Ente überlegenen Schmackhaftigkeit. Es unterscheidet sich auch durch seine neun Gürtel. Das Sechsbindige Gürteltier dagegen essen manche nicht, denn die Leute behaupten, es mäste sich am Fleisch von Verstorbenen, es dringt mühelos in jedes Grab ein, ob flach oder tief, reich oder arm. Und in der Tat schätzt dieses Gürteltier, das man auch daran erkennt, daß es für gewöhnlich gelblich ist, und nicht weiß wie die anderen, und dickfelliger, fauliges Fleisch, an Seuchen eingegangene Tiere und andere Aasgeierkost, so daß es vor dem Verspeisen tüchtig aufgekocht sein muß, damit die Gifte entweichen, und ratsam ist bei diesem Gericht übrigens reichlich scharfer Pfeffer, um all den Verwesungsschleim abzuführen. Das Gürteltier mit weichem Hintern, von vielen Falsches Gürteltier genannt, doch nicht wegen moralischer Falschheit wie andere Tiere, ist vor langer Zeit fortgezogen, wie auch das berühmte Kugelgürteltier nicht mehr anzutreffen ist, das am geschicktesten entworfene von allen, das sich ganz zusammenrollen kann, und erinnern wir uns daran, daß die Natur nicht viele Tiere geschickter entworfen und mechanisch besser ausgerüstet hat als das Gürteltier. Es ist auch in bestimmter Hinsicht vollkommener als der Mensch, dessen Nachwuchs in buntem Durcheinander kommt, während der Nachwuchs des Gürteltiers aufs beste geordnet eintrifft, und sicherlich erleben sie nicht dieselben Unannehmlichkeiten wie die Menschen. Und dies deshalb, weil das Gürteltierweibchen drei, vier, fünf oder auch sechs Junge werfen kann, und alle sind entweder ein Er oder eine Sie, es gibt im selben Wurf somit keine Brüder und Schwestern, was die Aufzucht wesentlich erleichtert. Auch kennen wir auf der Insel nicht das Riesengürteltier, das mit allen möglichen Namen bedacht wird, die allesamt mehr oder weniger bloße Erfindungen sind, das Erzählungen und Berichten zufolge einen Körper von über einem halben Klafter Länge haben soll, einen ebenso langen Schwanz, und aus seinem Rückenschild stellt man Zuber von ziemlichem Umfang her, dies freilich wird von der ganzen Insel und allen ehrbaren Leuten als lügenhafte Flause abgetan. Heutzutage wird das Gürteltier mit Gürteltierterriern gejagt, die es in seinem Bau aufstöbern, es töten und dem Jäger apportieren. Früher jagte man es mit der Keule, und zwar nachts, wenn es zum Fressen auszog, wie es das bis zum heutigen Tage tut. Doch das war viel schwieriger, weil das Gürteltier, selbst wenn man tief gräbt, nicht immer dazu gebracht werden kann, die Krallen aus dem Höhlengrund zu lösen, und weil es ein Tier ist, das lieber stirbt als loszulassen. Für jemand, der keine Zähne hat, mangelt es ihm nicht an Mut, und für einen, der nicht spricht, fehlt es ihm nicht an Stolz, wir können daher Gift drauf nehmen, daß das, was wir vom Gürteltier halten, nicht dasselbe ist, was es von sich selber hält, denn es gibt Adel unter den Gürteltieren, und es gibt solche unter ihnen, die besser sind als andere Gürteltiere, und es gibt viele Gürteltiergeschichten, einige, die nur wir kennen, andere, die nur sie kennen, sie ziehen die ihrigen vor und wir die unsrigen. Frisch oder eingepökelt oder an der Sonne gedörrt, im eigenen Saft oder in Palmöl geschmort, in Fett gebraten, gedünstet oder gesotten, ist das Gürteltier ein Leckerbissen, das derjenige, der es gekostet hat, nie mehr vergißt, so daß er stets ein üppiges Mahl vor sich sieht, sobald er ein lebendiges Gürteltier zu Gesicht bekommt. Genau dasselbe geschieht mit dem Sechsbindigen Gürteltier, das als minderwertiges Gericht eingestuft wird, weil es sich an Leichenfleisch gütlich tut, wobei der Mensch vergißt, daß auch er sich durch den Genuß von Tierleichen am Leben erhält und sie sogar einbalsamiert als Trockenfleisch oder Wurst zu sich nimmt. Der Mensch akzeptiert nur, daß er Tiere ißt, nicht, daß Tiere ihn essen, wobei sich Tiere nichts daraus machen und weiterhin Menschen fressen, ob als kleine Imbisse wie die Stechmücken oder als regelmäßige Mahlzeiten wie die Bandwürmer, sei es als Jagdbeute wie die Jaguare, sei es als Aas wie die Fische und Taschenkrebse – wenn der tote Mensch im Meer ist –, wie die Aasgeier und Wildhunde – wenn er auf der Erde ist –, wie die Würmer und Gürteltiere – wenn er begraben ist.

All diese Wissenschaft und Kunst des Gürteltiers und viele andere Beobachtungen aus der Philosophie der Jagd und der Ernährung mußte Nego Leléu sich mit großer Geduld von Luiz dem Gürteltier anhören, während die Nacht hereinbrach und sie Maniok kochten, um ihn mit getrocknetem Xangófisch und Zuckerrohrsirup zu essen, kurz bevor sie zur Jagd aufbrachen. Warum Leléu in diese verrückte Expedition verwickelt war, begriff er selber nicht genau, vielleicht hatte es zu tun mit dieser Geschichte, daß er sich in zwei verschiedene Menschen aufgespalten hatte, wie immer häufiger behauptet wurde. Für ihn war das lauter Unsinn, doch dann und wann war er selbst verdutzt über irgendein merkwürdiges Vorkommnis, und die Leute wiederholten dann, ja, er sei zwei Personen geworden, zwei völlig verschiedene Leléus, im Reden, im Gebaren, im Gang, im Gesichtsausdruck, in den Umgangsformen – so sehr, daß man schon aus der Entfernung wußte, wer von den beiden Leléus gerade daherkam, der Unterschied zwischen ihnen war wirklich beträchtlich.

»Das haben sich die Leute zusammengesponnen«, dachte er laut, und Luiz das Gürteltier, der das Feuer schürte und der schwerhörig war, glaubte, er frage nach dem Maniokbrei.

»Es dauert noch ein Weile«, sagte er lehrerhaft, und das ging Leléu auf die Nerven. »Ohne Geduld bringt man nichts zur Strecke, gewinnt man nichts im Leben. Übrigens ist es noch viel zu früh, ist ja noch kein Tier herausgekrochen. Schau, dort« – er deutete mit der Unterlippe auf die Hunde – »schau, wie ruhig da alles ist. Sie wissen genau, daß sie auf Jagd sind, sie sind bereit, sie wissen aber auch, daß die Jagd noch nicht auf ist, das Gürteltier kommt erst später raus. Ist heute Mondwechsel? Oder war das gestern? Beim Maniok muß man nach dem ersten Sieden das Wasser wechseln, sonst bleibt er hart, dann muß man beim zweiten Aufkochen lange genug warten, damit er weich wird, und ich esse ihn nur weich, ich hab doch keine Zähne mehr. Das Gürteltier, das geht erst spät spazieren. Das Gürteltier kommt nur raus, wenn ...«

»Ich weiß, hast mirs schon gesagt«, antwortete Leléu, der sich vorgenommen hatte, nicht die Geduld zu verlieren gegenüber Luiz, der langsam selbst ein Gürteltier wurde vom vielen Gürteltier-Essen, vom Reden über Gürteltiere und von seinen Unterhaltungen mit Gürteltieren. Eines schönen Tages wird er ganz und gar Gürteltier und geht herum und verspeist Tote. Selbstverständlich glaubte Leléu nicht an solche Geschichten, und doch konnte es das Natürlichste von der Welt sein, daß ein Ding zu einem andern wurde: Geht das Essen, was die Leute verzehren, nicht in die Haare, in die Fingernägel, wird es nicht Kraft, wird es nicht Rede, wird es nicht alles im Menschen? Aber daß aus einem Menschen zwei werden, wie sie von ihm sagten ... Sie wollten, daß er verrückt wurde, der Neid arbeitet auf tausenderlei Arten, und selbst in Baiacu, also es gab ja kaum einen Ort, der so erbärmlich und abgelegen war, mit Leuten, die schlechter dran waren als Zuchttiere auf den guten Fazendas, selbst in Baiacu, da war der Neid hinter ihm her, obwohl er keine Reichtümer und auch keine Vorrechte zur Schau stellte. Ach, lassen wir das, was solls, jetzt waren sie auf der Jagd, die Hunde wurden bereits unruhig, Luiz das Gürteltier hatte sich fertiggemacht, es gab kein Zurück mehr.

Luiz das Gürteltier wandte sich wieder seiner Feuerstelle zu, fächelte die Glut, die Augen starr auf die Funken gerichtet, die unter dem Kessel hervorsprühten. Doch nun kam ein wenig Wind auf, Fächeln erübrigte sich, er blieb einfach hocken, die Arme auf den Knien, das Gesäß auf den Hacken. Vielleicht verscheuchten der Rauch, die Funken, der Geruch der brennenden Kohle und auch der Wind selbst die Stechmücken, denn nicht einmal diese kleinen Blutsauger waren zu ihrer gewohnten Stunde da, und störten den Frieden mit ihren unentwegt juckenden Stichen, so daß man in der Stille ständig auf die Bißstellen schlagen mußte. Tiefe Stille ringsum, die Ebbe legte das endlose, sich zur Schweineinsel hinüberziehende Sumpfland frei, am Himmel ein letztes, fast erloschenes Karminrot, leichte feuchte Kühle, die großen Fruchtfledermäuse flatterten niedrig über den Boden und strebten dann und wann in Scharen den Wolken oder dem dichten Buschwald entgegen, die Winkerkrabben und andere kleine Krebse saßen vor ihren Löchern, die Flut leckte nun das Sumpfufer, ein schwaches Licht flackerte in der Tür des Häuschens unter der großen Kokospalme, ein sanfter, ziemlich törichter, ziemlich unsinniger Wunsch, all das möge aufhören, damit man nichts mehr zu tun brauchte, fast so, als verließe die Seele den Leib, und der bliebe als Statue zurück, als wäre die Seele nur noch ein Windhauch, der alles umfängt und an nichts mehr festhält. Nego Leléu, der sich nun wirklich ein wenig wünschte, sich in zwei Menschen verwandeln zu können, erinnerte sich, dieses Gefühl nur in der Kindheit gehabt zu haben, er mußte noch sehr klein gewesen sein, als man ihn eine Weile allein ließ und er dasaß und sah, wie die Wolken ihre Form veränderten und der Erdboden zu kreisen und die Welt auf dem Kopf zu stehen schien, der Tagesmond war weiß wie ein Maniokkuchen, die Gedanken schweiften zu einem unbekannten Ort, der Kopf ein dahintreibender Ballon. Manchmal konnte er sich daran erinnern, daß er sich so als Kind gefühlt hatte, er erinnerte sich sogar an nicht vorhandene Orte, die es nur in dem Jungen gab, aber sich wieder genauso fühlen, das konnte er nicht, nur die Erinnerung daran wollte ihm gelingen. Ach, Jungen und Mädchen, welche Kraft ist in ihnen, die uns fehlt, welche Macht haben sie, wenn wir sie lieben, welche Angst flößen sie uns ein, wenn sie leiden, und sie beginnen ungerechterweise zu leiden, sobald sie auf die Welt kommen, ihre angstvollen Gesichtchen tun uns weh, ihr Weinen quält uns, ihre Hilflosigkeit bekümmert uns, ihre Entdeckungen lassen uns ohne Grund weinen! Obwohl Leléu glücklich war oder vielleicht gerade deswegen, trocknete er sich die Augen, die zu tränen begannen, als er an Dafés kleines Gesicht dachte, nicht mehr so pausbäckig, wie es lange gewesen war, jetzt blitzte es schon einmal weiblich auf, doch noch immer war sie ein kleines Mädchen mit schneeweißen Zähnchen, einem kecken, kleinen Kinn, einem leisen Duft, etwas nach Blume, et-

was nach Honig, etwas nach Mensch, etwas nach gewaschener Wäsche und Lavendelblüten, ein Gesichtchen schnitt sie wie eine kleine Göttin, das Teufelskind! Und während Leléu daran dachte, wußte er, daß er blöde vor sich hin lächelte, und war stolz darauf.
Sie war vor dem erwarteten Tag geboren, am 29. Februar, einen verrückteren Geburtstag gibt es nicht, denn man hat nur alle vier Jahre Geburtstag. Somit wurde sie morgen nicht acht, sondern erst zwei Jahre alt. Und war es nicht wegen ihrem Geburtstag, daß er hier saß wie ein Dummkopf, zur Jagd verabredet mit Luiz dem Gürteltier, dessen dämliches Jägergeschwafel er jetzt anhören mußte? Ob er womöglich wirklich zwei Menschen wurde? Wer hätte das gedacht, daß er je auf so etwas Unsinniges wie eine Jagd gehen würde, und dann auch noch nachts, und dann, wo er wahrlich kein Wald- und Jägersmann war! Aber als er Maria da Fé fragte, was sie sich zum Geburtstag wünsche, hatte sie geantwortet, sie wollte Gürteltiereintopf essen. Hat man so was schon erlebt? Warum nicht etwas anderes, ein teures Geschenk, eine Bootsfahrt, ein buntgemustertes Kleid, eine Holzpuppe? Nein, ich möchte Gürteltiereintopf zum Mittagessen. Und noch was, hatte sie in ihrer vorlauten Art gesagt, die man ihr einfach nicht übelnehmen konnte, wenn Großvater Leléu ihr kein Gürteltier bescheren will, dann eben nicht, aber dann soll er hinterher nicht kommen und erzählen, er würde sein Versprechen halten. Hat man je so ein kleines Luder gesehen, kaum aus den Windeln geschlüpft, und redet schon so daher? Wieder lächelte Leléu, die Rotzgöre hatte Grips, hatte Köpfchen, die würde mal aufs Ganze gehen, ein gerissenes Luder würde die werden. Und schon geht Großvater Leléu wie ein Trottel auf Gürteltierjagd, und nur wegen diesem Fratz. Er hätte ja das Gürteltier kaufen können, doch dann entschied er – wurde er wirklich zwei? –, daß er für ein echtes Geburtstagsgeschenk das Biest selber schnappen müßte, denn das Abenteuer als Geschenk war doch wichtiger als das Gürteltier selbst. Wenn dich die Leute, die dich gekannt haben, heute sähen, Großvater Leléu ... Hätte ihm das einer vorher erzählt, er hätte es als Unsinn abgetan und sich sogar geärgert. Und selbst noch nach ihrer Geburt hätte er das gesagt, weil er damals eine scheußliche Pechsträhne hatte, überall häuften sich Hindernisse vor ihm auf wie Schweinspflaumen, die im März

vom Baum plumpsen. Und in Nazaré-das-Farinhas zu arbeiten kam nicht mehr in Frage, er hatte Schwierigkeiten, Käufer für seine Geschäfte zu finden, überall schossen Schwindler aus dem Boden, dazu vier weitere Keilereien mit den Negern von Verachtungslächeln, die kleine Vevé hochschwanger und kurz davor, und er hätte am liebsten ein paar Bäuche mit seinem Sporn aufgeschlitzt und ein Dutzend Köpfe plattgedrückt mit seiner Keule, seine Schneiderwerkstatt wurde ständig behelligt und verleumdet, und nicht anders seine Mädels, alles ging schief. Da war er also und hatte diese angebuffte Frau am Hals, ausgerechnet er, der sich keine Familie angeschafft hatte, um nicht angebunden zu sein. Also hatte er weder für die Mutter noch fürs Kind, das geboren werden sollte, etwas übrig, und schon Vevés Anblick war ihm zuwider. Wenn er an so etwas wie Pech und böse Strähne glauben würde, müßte er denken, sie hätte ihm das alles eingebrockt, diese, dieses elende Miststück mit ihrem gewölbten Bauch und ihrem wie zugenähten Mund.
Und zu allem Überfluß war die Kleine nicht nur vor dem erwarteten Tag, sondern auch vor der Stunde geboren worden, sozusagen. Sie wäre noch fast in der Pinasse zur Welt gekommen, als sie nach Encarnação gesegelt waren, niemand war darauf gefaßt, nach den Berechnungen hätte sie nämlich im März geboren werden sollen. Leléu selbst hatte nachgerechnet – es war leicht, sich an den Tag zu erinnern, an dem der Baron sich die kleine Negerin gewaltsam genommen hatte, am Vorabend von Sankt Antonius, dem althergebrachten Fest der Baronin. Also gut, er würde das Unglückswurm etwa vierzehn Tage bevor sie ihr Kind kriegte, nach Encarnação bringen, wo Maria da Hora, in deren Haus sie bleiben sollte, sich um die Geburt kümmern würde. Aber nein, nichts da, ob wegen dem Mond, ob wegen Vevés oder seinem eigenen Pech, vielleicht weil das Schiff so schaukelte, vielleicht aus vorsätzlicher Ironie des Schicksals, weil er nämlich als Hebamme eine Frau mit dem Wort »Stunde« im Namen gewählt hatte, jedenfalls lief das Wasser aus Vevés Bauch in dem Augenblick, als sie in den Hafen einfuhren, und sie klammerte sich ans Tauwerk des Bugs, setzte sich hin, preßte die Lippen aufeinander und spreizte die Beine weit.
»Halt es zurück, drück die Beine zusammen!« brüllte Nego Leléu, der nie gedacht hatte, daß er beim Anblick einer niederkom-

menden Frau so unruhig werden würde. »Gleich sind wir gelandet, gleich sind wir da, jetzt legen wir an, und da sind wir schon!«

Aber sie waren noch nicht da, und als man hastig angelegt hatte, wobei die Leute an Land die Bordwand festhielten, weil nicht genug Zeit zum Vertäuen blieb, trug man Vevé zu Maria da Hora, während das Kindchen bereits seinen Scheitel zwischen den Beinen der Mutter hervorstreckte, und sobald man sie hinbettete, kam es vollends zur Welt. Maria da Hora wollte nicht glauben, daß es das erste Kind und nur ein Achteinhalbmonatskind sein sollte, ein so kräftiges kleines Mädchen, das so mächtig losbrüllte, eine Geburt, leicht wie ein Nonnenfurz – sie wurde mißtrauisch. Und auch Leléu wäre mißtrauisch geworden, wäre er nicht praktisch Zeuge all der Ereignisse gewesen, die zu dieser Geburt geführt hatten, und hätte man dem Neugeborenen, obwohl es die Augen geschlossen hielt und in ein Tuch gewickelt war, nicht angesehen, daß es ein Mulattenkind und vielleicht nach dem Vater geschlagen war. Das sah man dann später auch, denn trotz der olivfarbenen Haut von der Mutter war das Haar fast glatt und die Augen – was für schöne Augen hatte das süße Luderchen – grün, grün, grün wie zwei Smaragdperlen im Rosenkranz, so schön, daß die Leute gelaufen kamen, ihr Ruhm hatte sich herumgesprochen.

So war das, doch Leléu gefiel das Ganze nicht, er wollte nichts davon wissen. Nun waren es statt einer sogar zwei, und er grummelte böse vor sich hin, als er am nächsten Montag bei Ebbe wieder dorthin segelte, weil er Maria da Hora Geld für den Unterhalt der beiden geben mußte, dazu noch ein bißchen abgejammertes Extrageld, das wußte er schon, und noch einen Auftrag bei Nego Sofrê, der für Leléus Netzfischerboote *Morgenrot* und *Kolibri* zuständig war und den Frauen auf Wunsch Fisch liefern sollte, ohne es allerdings zu übertreiben. Die herumschwärmenden Fastenzeitfliegen wie Tausende wildgewordener Teufelchen, sogar in den Hohlräumen des Schiffs, auf allem diese erstickende Hitze wie ein brühwarmer Umschlag, in Bahia erwartete ihn nichts als Ärgernisse und dann die ausgestreckte Hand von Maria da Hora, dieser fetten, ballonbusigen, kniepigen da Hora, die war so mächtig verschlagen wie sie dickbrüstig war. Und dann die beiden dort drinnen, die eine hochnäsig wie eine Prinzessin, die nur mit Herzögen und mit Cherubinen von Erzengelrang spricht, die andere pissend, kackend, suckelnd, greinend, kackend, pissend, suckelnd, greinend, pissend, kakkend, suckelnd – also wirklich, was hatte er mit alldem zu schaffen, was war das bloß für ein Leben, herrje, was für ein Leben, je mehr ich tun will, was ich will, umso mehr tu ich, was ich nicht will!

Leléu lächelte wieder und achtete kaum auf die Vorbereitungen von Luiz dem Gürteltier, der mit verstaubtem Kleinkram herumhantierte, sich ein Messer in den Gürtel steckte, schmierige Lederriemen prüfte, mit der Nase wie mit einem Rüssel in die Luft schnüffelte, alle zwei Schritt die Handflächen am Hintern rieb und mit den Hunden redete – hmhm, Freundschaft, lalahum, Oberst, humhumhumhum, Philister, schoschoschoscho, Prachtklöten, kusch, Wildfang, weg hier, Aufschneider, ganz ruhig, Krabbe, sachte sachte, Maismehl, mach schon, Edelmann, was soll das, Exzellenz, was soll das denn! – er löschte die Glut unter dem Maniokkessel und holte die Kruke mit Zuckerrohrsirup, die wegen der Ameisen in einem Wasserkübel aufbewahrt war.

Ich werde das Gürteltier selber kochen, sagte sich Leléu, der in Gedanken schon beim Heimweg war und bei all dem Trubel, den es mit dem Gürteltier geben würde. Wenn er auch manchmal den Reisen und Kämpfen seines bisherigen Lebens nachtrauerte, so hatte er doch keine Lust, Baiacu zu verlassen, und verließ den Ort nur, wenn er keine andere Wahl hatte, um noch eins der ihm verbliebenen Geschäfte zu versteigern. Er hatte so gut wie alles abgestoßen, jetzt blieben ihm nur einige vermietete Häuschen, die fünf Netzfischerboote, der kleine Hof in Baiacu mit Gemüse- und Obstgarten, Vevés großes Boot, das Fischerboot, der Fischstand vom Conceição-Markt und der hübsche Batzen, den er vergraben hatte. Brauchte er denn mehr? So war er alle Sorgen los und fühlte sich trotz des in alle Winkel seines Körpers vordringenden Alters stark, vielleicht stärker als zu der Zeit, als er Meile um Meile durch den ganzen Recôncavo marschiert war. Nichts mußte ihn mehr grämen, nicht einmal mehr die Wut auf Vevé, die noch größer geworden war an dem Tag, als er, in Bahia auf Fisch wartend, die Nachricht erhielt, Maria da Hora sei plötzlich in Encarnação gestorben. Vor lauter Wut zertrampelte er fast den Verkaufsstand, kippte noch einen Zuckerrohrschnaps und zog los, um Verachtungslächeln mit seinem Sporn umzubringen, und er tat es nur deshalb nicht, weil er ihn nicht finden konnte. Obwohl eine raffgierige, zänkische, schlaue, unverschämte alte Hexe, hatte Maria da Hora seine Geschäfte in Encarnação verwaltet und war – das mußte man ihr lassen – durchtrieben, doch weder unehrlich noch faul. Und jetzt, und jetzt das noch! Was für ein gottverdammter, verfluchter, schwarzer Unglücksrabe sie war, das konnte nur an ihr liegen, er war also wirklich vom Pech verfolgt, und das Pech war sie! Und schon stürzte er Hals über Kopf nach Encarnação, er wußte ja, daß Nego Sofrê mittlerweile vielleicht sogar seine Netzfischerboote verkauft hatte, denn bestimmt war der nicht beim Fischen und auch nicht beim Arbeiten, jede Wette. Und als er ankommt in Encarnação, da erwartet ihn doch nur die schiere Verzweiflung, Nego Sofrê will nicht mehr ausfahren und auch sonst kein Mensch weit und breit, sieht aus, als käm das Jüngste Gericht und es gäb kein Morgen mehr. Aber gewiß, ganz gewiß, das mußte ein böser Einfluß sein, lag doch auf der Hand, daß es ein böser Einfluß war von dieser Unglücksrabin und ihrem Bankert von Tochter. Ein Mädchen, das an einem Schaltjahrfreitag, an einem 29. Februar in der Mittagsstunde, zur Welt gekommen war, man wäre ja dämlich, wenn man das nicht zugeben würde, daß sie und ihre Mutter was zu tun hatten mit all diesem Mißgeschick.

Die Ursache all dieser Angst und Verstörung war nicht nur der Tod von Maria da Hora, die viele vielleicht gar nicht vermißt hätten. Es war die Rückkehr des Fischs, der, wie die meisten glaubten, alle vier Jahre die Reise dorthin machte und aus den Meerestiefen heraufstieß, in denen Drachen hausten, Schlangen und sonstige Seeungeheuer, um die Menschen für ihre Sünden zu bestrafen, ein Schreckensbote, ein Vollstrecker aus der Hölle, der mit seinem tausendzähnigen Riesenmaul jene klaren Gewässer heimsuchte. Zuerst hatte ihn die Mannschaft der *Kolibri* gesehen, die gerade die Barre hinter sich gelassen hatte, um ihr Meeräschennetz auszuwerfen. Als sie beidrehten, um das Boot in die Strömung zu bringen, bannte eine sanfte Furche in dem stillstehenden Wasser ihre Aufmerksamkeit, und augenblicklich ließ maßloser Schrecken ihr Blut gerinnen: So lautlos wie der Tod,

den er bedeutete, und ebenso bedrohlich glitt der Umriß eines graublauen Rumpfs dicht unter der Wasseroberfläche am Boot vorbei, von gleicher Größe und fraglos imstande, es mit einem einzigen Biß seines kolossalen Mauls entzweizubrechen. Sie wagten nicht, auch nur einen Finger zu rühren, nachdem sie sich auf den nassen Kanuboden geworfen hatten und die Sonne, statt sie zu erwärmen, sie zu einer schlotternden Masse hatte erstarren lassen, und sie versuchten, ohne jedes Geräusch zu atmen, während sie spürten – das Schwanken des Boots, der vom vorüberschwimmenden Fisch verursachte leichte Wellengang und das zweimalige, unerträglich lange Scheuern längs des Kanurumpfs, wobei ein Stoß das Boot fast zum Kentern gebracht hätte –, daß er seine mörderische Patrouille fortsetzte und nur auf den Schatten eines Opfers lauerte, um anzugreifen. Viele Stunden später eilten sie so verstört, daß sie ganz blutleer geworden waren, zur Kirche, um zu beten, beichteten ihre Sünden, entzündeten Dankeskerzen und einer von ihnen zog sich in die Einsamkeit zurück, die anderen zwei konnten sich nur nach großer Überwindung erinnern und die Geschichte erzählen.
Es war der große Tigerhai, der mit seinem Heißhunger nach warmblütigen Lebewesen zurückgekehrt war, doch einige glaubten nicht daran und meinten, die drei jungen Leute, allein auf See ohne einen erfahrenen Fischer, hätten nur eine Entschuldigung für den Verlust des Netzes gesucht, mit dem sie nicht umgehen konnten. Und schon geriet das ganze Abenteuer fast in Vergessenheit, als drei Tage nachdem Almiros Boot mit vier Mann zu den Sandbänken ausgefahren war, um Makrelen zu fischen, die Jungen an einem Strand, unter Taschenkrebsen und Tang, zerbissene und zerfetzte Stücke von Menschenleibern entdeckten, zermalmte Knochen bloß mit einem Fleischfetzen hier und dort, so daß nicht mehr festzustellen war, wie viele sie gewesen waren, und man sie nur erkannte, weil der Rumpf des Bootes, ein unförmiger Haufen zersplitterter Planken und Latten, in der Flußmündung gestrandet war und das zerrissene Segel noch am Mast flatterte wie ein Todesbanner. Überall erwartete man jetzt den großen Hai, den ganzen Tag wurden Bußübungen abgehalten, die Familien bereiteten sich sogar auf Hunger und Seuchen vor, jetzt, da das Meer den fürchterlichsten Tod beherbergte und selbst das Flußwasser plötzlich Zähne kriegen und die

Ufer und jeden, der sich in der Nähe fand, verschlingen konnte.
Leléu wollte nicht einmal mehr zu Maria da Horas Haus gehen, um nicht Vevé und das Kind anzutreffen. Er würde später entscheiden, was mit ihnen zu tun war, vielleicht würde er sie dort lassen, schließlich wußte er ja gar nicht, woher sie stammten. Schön, bei einer der beiden hatte er es selbst gesehen, aber das bedeutete nichts, er war weder Vater noch Besitzer, noch sonstwas, er hatte keinerlei Verpflichtungen, sie mochten zum Teufel gehen, mitsamt all den Widrigkeiten, die sie hinter sich herzuschleppen schienen wie einen Schwanz, der sich um alle herumwand. Er besuchte das Grab von Maria da Hora, zog den Hut, tat, als betete er still, und ging an den Strand, um darüber nachzudenken, was zu tun war. Er hörte nicht einmal die ersten Rufe von João Dadinho und João Loló, die auf ihn zurannten, als wäre der Riesenhai bis zur Kirche geschwommen und zerkaute dort gerade den Priester und die Altäre. Aber nein, die Bestie schwamm weiter draußen, man konnte es an dem Schwarm von Fischen erkennen, die wie besessen vor dem mächtigen todbringenden Rücken herumsprangen, dessen bläulicher Widerschein dann und wann knapp unter der Wasseroberfläche aufschillerte.
»Ich sehe ihn ja, ich sehe ihn ja«, sagte Leléu. »Was kann ich tun, ich bin nicht der König der Meere.«
Die Leute essen jeden Tag Fisch, wollte er gerade sagen, also kein Wunder, daß der Fisch eines Tages einen von ihnen essen will. Doch er sagte gar nichts, sondern hörte nur ungläubig zu, was die beiden von ihm verlangten.
»Ihr seid ja verrückt, ganz und gar verrückt.«
Gut, dann waren sie eben verrückt, aber was kostete es Leléu, wenn er zu ihrem Vorschlag ja sagte?
»Das kostet mich mein Boot«, erwiderte er knurrig. »Wenn das Biest das andere Boot aufgemampft hat wie ein Bratfischchen, dann wird er mein Boot als Zahnstocher nehmen, oder?«
Aber die beiden ließen nicht locker. Wenn niemand etwas dagegen tat, blieb der Fisch da, solange es ihm behagte, vielleicht sein ganzes Leben lang, er gewöhnte sich daran, Menschen zu essen, und lebte bequem in den Tag. Der Tigerhai hatte eine schwache Nase, das war allseits bekannt, er war nicht unbesiegbar, er

konnte harpuniert werden, würde Leléu etwa zulassen, daß wegen so einem tyrannischen Fisch das Elend über sie alle käme?
»Das Elend ist euers, das Boot ist meins.«
Doch schließlich überlegte er es sich anders, sollten sie doch dem Hai auf den Leib rücken, er wußte, man brauchte dem Biest nur näher zu kommen, dann verschwand es, so war das immer. Übrigens war diese eine Sache da, die sie ihm erzählt hatten, nicht uninteressant. Sie hatten wahrhaftig behauptet, sie könnten mit Vevés Anleitung und Befehl rechnen, die prahle nämlich, sie wüßte alles über die Seefahrt und den Fischfang und den Kampf gegen blindwütige Fische! Er hatte schon so was gehört, von Turíbio Cafubá, der war übrigens der allergrößte Idiot, wie jedermann wußte, und er hatte von dieser Prahlerei gehört, daß sie Fischerin war – also gut, dann nehmt dieses verflixte verfluchte gottverdammte Hinterfotzenscheißboot mit, und wißt ihr, was ich euch wünsche? Ich wünsche euch, daß ihr abkratzt, laßt mich doch in Ruh!
Ihr sagte er nichts, so wie auch sie nichts zu ihm sagte, als er sich kurz darauf zu den anderen an der Laderampe gesellte, um die Ausfahrt der Schaluppe *Prahlhans* zu erleben, die João Dadinho mitnahm, João Loló, vier abgehärtete Neger und Vevé, die sich wirklich auf das Handwerk zu verstehen schien, wie sie das Steuerruder führte, um die Untiefe zu umschiffen und das Boot zum Fisch hinmanövrierte. Wenn der Hai seine Rolle richtig spielte, dachte er grimmig, würde er ihn von dem einen oder anderen Problem befreien. Er würde Vevé verschlingen, diesen Klotz am Bein, und João Loló, der ihm unbedingt was abknöpfen wollte für das Anlegen von Beeten mit Quiabogemüse, Pfefferschoten und Pfefferminze, obwohl das lausige Arbeit war, die er nie bezahlen würde, aber Loló drängte immerzu. Natürlich, es konnte auch sein Boot beschädigt werden, aber die *Prahlhans* war widerstandsfähig, Jaqueiraholz und Zeder von der besten Qualität, das war kein Löffelbiskuit für Haie wie das Bötchen aus Weichholz, und Leléu gab ein heiseres Lachen von sich – sie wäre trotz allem ein sehr annehmbarer Preis für die Ruhe, die er dadurch kriegen würde. Doch er wollte diesen Gedanken nicht länger nachhängen und schüttelte den Kopf, um sie zu verscheuchen, blieb am Strand stehen und pfiff

leise, während die Schaluppe, zunächst von João Lolós Stange abgestoßen, dann von Klüver und Großsegel getrieben, Fahrt aufnahm. Vevé, mit zwischen den Knien festgeknotetem Rock, als stecke sie in altmodischen Pantalons, blickte zu ihm hinüber, hob den Fischknüppel, er hätte schwören können, daß sie lächelte, und jetzt wußte er, daß sie lächelte, während die *Prahlhans* nach Steuerbord gierte, hinaus auf die See, um dem großen Fisch nachzusetzen.

Fort war sie, verschwunden, und kehrte lange nicht zurück, alle meinten, mittlerweile wäre niemand mehr an Bord, die meisten dieser Angeber füllten bereits den Fischbauch und die übrigen seien auch mehr oder weniger in Fetzen. Leléu bereute schon, das Boot ausgeliehen zu haben, und sichtlich beklommen wartete er nur noch auf Zezé, Sofrês Tochter, die sich um die Kleine kümmern sollte – wie war doch noch der Name dieses verflixten Balgs? Doch Zezé kam und kam nicht, und so, nur weil er das Plärren nicht mehr aushielt, das seine Ohren wie ein Bohrer durchdrang, nahm er das Kind in den Arm, nachdem er die Türe geschlossen hatte, damit ihn ja niemand sah, wie er da hantierte wie ein Dienstmädchen, fast wie eine Amme. Sie war schon groß, das verflixte Ding, wog mehr als ein Spanferkel. Warum schmeiße ich das Balg nicht gleich in den Urwald oder nutze die Gelegenheit und ersäufe es im Meer, und weg damit? Er blickte in das Gesichtchen, sie weinte nicht mehr, jetzt glitten ihre Finger durch seine drei oder vier Brusthaare und zupften daran, als wollte sie sich daran hochziehen.

»Au, du Hurengöre!« schrie Leléu und verspürte Lust, ihr auf die Pfoten zu hauen. »Ich werd dir gleich deine weiche Birne polieren, du kleines Ekel!«

Er sprach mit dem Gesicht ganz nahe an ihrem, und wie auf Verabredung lachte sie. Zuerst war es nur ein Grinsen, bei dem sie den unteren Zahn zeigte und die beiden oberen, dann wurde ihr Lächeln breiter, dann lachte sie laut heraus, dann packte sie seinen Bart, dann preßte sie sich mit ihrem kleinen Leib gegen seine Brust, und als er eine strenge Miene aufsetzte, um sie wieder zur Ordnung zu rufen – und er müßte ihr den Mund stopfen oder ihr gleich einen Nasenstüber versetzen, damit sie Respekt lernte –, da wurde sie ernst, ihre geweiteten grünen Augen wendeten sich ihm zu, das Köpfchen lehnte sich an seine Schulter, das Gelächter kam noch mal als Lächeln wieder, soviel Aufmerksamkeit allein auf ihn gerichtet, als wäre er der Mittelpunkt der Welt – ob Leléu damals begonnen hatte, zwei zu werden?

Leléu lächelte genau so, wie er damals gelächelt hatte. Luiz das Gürteltier nahm an, das sei aus Freude darüber, daß das Essen fertig war, und machte ihm ein Zeichen, er sollte rüberkommen und zugreifen. Leléu folgte ihm zwar, aber ohne recht zu wissen, was er tat, denn er dachte nur daran, wie er an jenem Tag eingeschlafen war und wie er aufgewacht war mit einem tauben Gefühl im Arm wegen der Stellung, die er hatte einnehmen müssen, um dem Kind nicht weh zu tun, und wie er draußen das Geschrei gehört hatte: »Da ist der Riesenhai, da kommt die Bestie, ja, der gütige Jesus hat den Teufel getötet, herrje, er muß fünf, sechs Klafter lang sein, Gott segne die *Prahlhans*!« Er rannte hinaus, ohne zu merken, daß er noch das Kind in den Armen hatte, tatsächlich, da war die *Prahlhans*, mit Schlagseite wegen des an der Bordwand vertäuten Tiers, der große Angelhaken, mit einem Schweineviertel als Köder, hing noch aufgespießt im Riesenmaul, João Lolós langes Flensmesser war ihm bis zum Griff in den Leib gerammt wie ein Pfahl, Machetenschnitte in Kiemen und Maul, fünf banderillagleiche Harpunen staken im Rücken, bezwungen wie Sankt Georgs Drachen. Inmitten des Volksgeschreis rannte Leléu zum Anlegeplatz und sah eine Vevé mit hochrotem Gesicht, den Fischknüppel noch in der einen Hand, die andere, zerschrammt von der Rückenhaut des Tiers, in einem Verband, in der Haltung eines siegreichen Generals. Donnerwetter, sie haben das Biest erlegt, dachte Leléu und rechnete sich sofort aus, daß die Leber des Tiers Hunderte von Pfund wiegen mußte, und das Öl ihm gehörte, das Fleisch könnten sie behalten, aber das Öl gehörte ihm. Er sattelte sich das Kind rasch mit gespreizten Beinen auf die Hüfte und rannte zum Strand, um zuzusehen, wie sie das Tier auf den Sand zerrten, er schrie Sofrê zu, er sollte sofort große Messer und Macheten holen, um die Leber herauszuschneiden, und er dürfte niemand an die Leber heranlassen, ein Fläschchen Haiöl wär ein Vermögen wert, für alles nützlich. Vevé ging als erste an Land, lächelte, als sie Leléu sah, der ebenfalls lächelte, aber gleich wieder ernst wurde.

»Da, nimm dein Balg«, sagte er und reichte ihr das Kind.

Doch seit jenem Tag schien er nicht mehr nach Bahia zurückkehren zu wollen, er verzögerte die Abreise immer wieder, dachte sich Entschuldigungen aus, um bei dem Kind zu bleiben, fand Gefallen an dem Namen Maria da Fé, Maria-vom-Glauben, nahm sich unendlich viel Zeit, um sie hin und her zu tragen, wurde sogar auf die Mutter eifersüchtig, beschwerte sich über deren mangelnde Fürsorge, suchte alte Frauen auf, um sich über Breichen und Süppchen zu erkundigen, wurde fast wahnsinnig, als er glaubte, sie hätte Schnupfen, und wiegte sie zwei Nächte lang ein, ohne ein Auge zuzutun – ja, er war ein anderer, ganz ganz anderer geworden, niemand traute seinen Augen. Und wenn er dann doch nach Bahia fuhr, kehrte er mit Geschenken beladen zurück, beschwerte sich von neuem, für das Kind werde nicht richtig gesorgt, schimpfte die Mutter herzlos, forderte gutgebügelte Wäsche für die Kleine, wohlriechend und gestärkt, ging mit ihr spazieren, um ihr die Pflanzen und Tiere zu zeigen, er fütterte sie, und an dem Tag, als sie ihm auf den Schoß pinkelte, lachte er so heftig, daß ihn fast der Schlag traf, er fand das die lustigste Sache von der Welt, die einem passieren konnte. Und ihretwegen kaufte er das kleine Landgut von Baiacu, eine Entscheidung, die er traf, während er, wie so oft, in sprachlosem Staunen sie in ihrem Schlaf betrachtete, eigentlich ständig gehen wollte und doch nicht ging. An dem Tag, an dem sie ihn Goßfata nannte und dann noch einmal, obwohl alle Leute meinten, das sei nur Kleinkindgestammel – blödes Volk, seht ihr denn nicht, daß sie Großvater sagt, wenn sie mich sieht? –, beschloß er, in Baiacu zu bleiben, das Kind in aller Ruhe und Frieden aufzuziehen, fern von bösen Leuten und all dem Gerede über Aufruhr und Krieg, das man jetzt so häufig hören mußte. Er begriff dieses Gerede nicht, er wollte es nicht begreifen, er vermutete, daß Vevé, die immer wieder verschwand, um mit allerlei Leuten zu schwatzen, die er nicht kannte, etwas mit diesen Gerüchten zu tun hatte, und wurde energisch, als sie zögerte, mit nach Baiacu zu kommen.

»Ich lasse das Kind nicht hier, damit es schlecht erzogen wird und lauter Gefahren ausgesetzt ist!«

»Was denn für Gefahren?«

»Gefahren, ja, Gefahren! Du weißt nichts davon, weil du dich ständig in dieses Geschwätz mischst, du nimmst dich ganz wichtig, seit ich dir das Kommando von der *Prahlhans* gegeben habe und du bekannt geworden bist als die Frau ohne Furcht, die den Fisch getötet hat, der die Menschen schon durch den Anblick von seinem Schatten erlegt. Also gut, kannst furchtlos sein, kannst die Riesenhaitöterin sein, laß das Volk nur staunen, daß du die einzige Fischerbootsmeisterin auf der Welt bist, tu, was du willst, aber die Kleine, die verdirbst du mir nicht. Wenn du keine richtige Mutter sein kannst, dann bin ich aber ein richtiger Großvater!«

Er sagte laut und vernehmlich ›Großvater‹ und merkte gar nicht, was er da mit soviel Stolz aussprach. Und Vevé, die weder die Tochter verlieren wollte noch das Fischerboot und die wußte, daß sie von Baiacu aus überall hinsegeln konnte, stimmte lieber zu. Ruhe, endlich Ruhe in diesem Winkel, wo es nichts gibt und darum alles gibt. Doch auch hier roch Leléu etwas Merkwürdiges, etwas, das sich entwickelte, ohne daß er wußte, wie, die Luft war nicht mehr wie sonst, irgend etwas war hier faul. Vielleicht hatte es mit Júlio Dandão zu tun, der war bestimmt in diese Muslimneger-Aufstände verwickelt, vielleicht mit diesen verkommenen Schwarzen von den heruntergekommenen Besitzungen vom Baron von Pirapuama, alles Machenschaften von Leuten, die statt zu arbeiten eine Welt verändern wollten, die nicht zu ändern war, drum sagte man doch ›seit die Welt besteht, seit der Mensch Mensch ist‹ und bewies damit, daß sich nichts wirklich ändert, daß die Gesetze des Lebens immer gelten und sich nicht verändern werden. Übrigens, dachte Leléu, wer weiß schon etwas außer einem, der Großvater ist?

»Eine Kienfackel schüttelt man so«, sagte Luiz das Gürteltier und schwenkte ein Holzscheit mit glühender Spitze, die die Dunkelheit durchschnitt, und Leléu erschrak. Er steckte schon tief im Buschwald, hatte seinen Maniok gegessen, ein paar Mehlklümpchen mit Sirup waren noch in den Backentaschen, die Hunde schnüffelten bereits umher, und er hatte nichts gesehen! Er bemerkte, daß auch er ein glühendes Holzscheit hielt, freilich in seiner Rechten hängend, nicht gezückt wie das von Luiz.

»Verflixtnochmal, Luiz, was soll der Brandscheit? Der erleuchtet doch überhaupt nichts.«

»Er soll nichts erleuchten, er soll die Teufel vertreiben.«

»Die Teufel? Was für Teufel denn, Mann, wer ist denn der Teufel?«

Luiz das Gürteltier begann wieder in seinem lehrerhaften Ton und erklärte, Leléu kannte eben den Busch nicht, daher wüßte er auch nichts von den Buschteufeln, aber er, Luiz, er würde sich da auskennen. Hier gibt es viele Teufel, sagte er bedächtig, das ist hier nicht Afrika, wo es keine Teufel gibt, hier gibt es viele, sehr viele. Also Leléu sollte sein Glimmscheit schön hoch halten, um sich Ärger zu ersparen. Und so wollte er seine Buschweisheit mit vollen Händen ausbreiten, als er am Rand eines Bambusgebüschs plötzlich stehenblieb und die Augen zusammenkniff.
»Pst-pst-pst!«
Exzellenz preschte vor und wollte ins Dickicht dringen, es gelang ihm nicht, er umschlich es unablässig und wechselte alle paar Umkreisungen die Richtung.
»Exzellenz kann es nicht ausfindig machen«, erklärte Luiz. »Auch die anderen nicht, weder Freundschaft noch Krabbe, schau nur.«
Er deutete auf Krabbe und Freundschaft, die gleichfalls aufgeregt um die Bambussträucher strichen.
»Ist auch schwer, in dieses Gestrüpp einzudringen.«
»Ach was, es kommt auf den Hund an. Ob das Bambus ist oder Taquara, Wildfang kriecht da ohne weiteres rein, du merkst gar nicht, wie.«
Die ganze Zeit winselnd, durchschnüffelte Wildfang die Wurzeln der Bambussträucher, und plötzlich, als öffnete sich die Erde für ihn allein, verschwand er in einer Art Tunnel. Prachtklöten, die Hoden, die ihm den Namen gaben, wie zwei kleine braune Monde, verschwand bis zur Hälfte in dem Loch und wedelte wild mit dem Schwanz. Und zu Leléus Überraschung gab es plötzlich auf der anderen Seite eine Sandexplosion, und dahinter brach wie verrückt das Gürteltier hervor auf das Wurzelgeflecht eines riesigen Milchbaums zu, und es rannte rascher, als die kurzen Beine zu erlauben schienen. Doch die Hundemeute fiel gleich über es her, einschließlich Wildfang, der sich aus dem Loch wieder herausgearbeitet hatte wie ein Küken aus dem Ei. Das Gürteltier, auf den Rücken geworfen, schnaubte, wehrte sich und schrammte mit den Krallen über Exzellenz' Schnauze, doch der, ohne sich darum zu scheren, packte es mit den Zähnen beim Hals und ließ nicht eher los, als bis Luiz herankam, eine Keule in der Faust.

»Ein Sechsgürtler«, sagte er. »Hübsches, kleines Gürteltier, komm her«, fügte er fast liebevoll hinzu und machte ihm mit einem kurzen Hieb auf den Kopf den Garaus.
Zwei Stunden später, vier Gürteltiere im Strohsack, machten sie sich wortlos auf den Heimweg, sogar die Hunde verstummten und trabten brav daher, als wüßten sie, daß die Jagd zu Ende war. Luiz das Gürteltier marschierte voran, Leléu versuchte genau in seine Spuren zu treten, und so stießen sie fast zusammen, als Luiz unerwartet stehenblieb.
»Hör mal!« flüsterte er, mit dem Zeigefinger auf eine unbestimmte Stelle deutend, halb in die Höhe, halb in Richtung Busch.
Leléu spitzte die Ohren, hörte das muntere Gezwitscher eines Vogels.
»Ist eine Lerche, oder?« fragte er.
»Ja, aber um diese Zeit?« sagte Luiz und legte eine feierliche Pause ein, um etwas zu fragen, dessen Antwort er bereits wußte. »Und warum um diese Zeit?«
»Weiß ich nicht, schon merkwürdig. Aber...«
»Pst!« flüsterte Luiz, als ginge es um eine Verschwörung. »Hör doch!«
»Luiz, also sag mal, wie kannst du überhaupt so'n Zwitschern hören, wo du doch ziemlich schwerhörig bist?«
»Nur für großen Lärm bin ich taub. Für leisen nicht. Für großen auch nicht ganz.«
Leléu war drauf und dran, mit ihm zu streiten, obwohl er das ziemlich blöd fand und nach Hause wollte, doch das Geräusch kehrte wieder, begleitet von einer Art Gemurmel, einem sehr fernen, wortlosen Gesang.
»Ha!« sagte Luiz. »Hast du gehört? Die Seelen!«
Leléu schnalzte verächtlich mit der Zunge und stieß ihn leicht an, damit er weiterging. Aber der Gesang verklang nicht, schien im Wind, der auf die der Insel gegenüberliegende Küste zuwehte, zu schwanken, Leléu bekam eine Gänsehaut und schauderte. Ob das wirklich Seelenstimmen von Tuntum und Amoreiras waren? Und diese gedämpften Rufe, die man gleichfalls hörte, manchmal ganz nah, als wären da Leute versteckt, die Begrüßungen austauschten? Der Vogelgesang wiederholte sich, diesmal viel näher, Leléu schauderte wieder, jetzt waren Stimmen und Ge-

sang völlig verstummt. Unsinn, dachte Leléu, ich werde langsam trottelig. Aber er wollte lieber nicht zurückschauen und atmete erleichtert auf, als sie, nachdem sie einen kleinen Hügel umrundet hatten, im hellen Licht des Mondes und seines Widerscheins im seichten Wasser der Lagune, die Hütte von Luiz dem Gürteltier erspähten, die Schweineinsel und den Eingang zum Dorf. Ich will gleich nach Hause, dachte Leléu, freute sich schon auf den Spaß, den er am nächsten Morgen mit Maria da Fé haben würde und wog befriedigt den Strohsack mit den Gürteltieren in der Hand. Und doch fühlte er sich nicht völlig eins mit sich, und es verdroß ihn, daß er den Grund dafür nicht so recht wußte.

9 São João do Manguinho, Jtaparica, den 29. Oktober 1846

Mensch, wo treibt sich denn das ganze Volk aus der Walfängerstation-zum-Guten-Jesus herum, haben die Wale die etwa gefressen? Ach, wie vergänglich sind die Dinge dieser Welt, nichts von dem, was man baut, hält für ewig, nichts von dem, was man tut, wird über seine kleine Zeitspanne hinaus richtig in der Erinnerung bewahrt, nichts bleibt, wie es ist, nie kehrt einer zurück, nie kehrt einer zurück. Der Reisende, der den Pfad verfolgt, der vom Herrenhaus zur Kocherei führt, wird sehen, daß die ihn säumenden Margeriten unter Kletten erstickt sind, sie blühen nicht mehr wie früher. Das verschlossene, stille Haus zeigt sich noch gut erhalten, sogar der blaue Gesimsfries scheint frisch gestrichen, die Veranda wurde erst kürzlich gefegt, die Fenster schauen sauber und glänzend aus. Doch das Ganze erinnert an einen zum Begräbnis aufgeputzten Leichnam, an eine große weibliche Tierleiche, die schon bald verwesen wird. Leute sind noch dort, der eine oder andere Neger schleicht umher, schleppt Körbe, jätet Unkraut rings um die Bäume, schlurft gleichgültig um die Kocherei, und die, ja, die ist nun eine verfallene Ruine, verwitterte Mauern, durchlöcherte, verbogene Eisenplatten, das Dachgerippe zeigt sich durch klaffende Löcher, in denen die Sparren kreuz und quer stehen, Unkraut wächst in den Mörtelritzen, das Tor ist über einem der Pfosten eingestürzt, drinnen und draußen picken die Hühner, ranziger Geruch nistet in den Wänden, vier Walrückenwirbel, groß wie Königsthrone, umgeben einen trostlosen Zimtbaum. Die Neger, die dort gearbeitet hatten, wurden zumeist an verschiedene Käufer veräußert, andere zahlen noch ihre Freibriefe ratenweise ab, wieder andere wurden nach dem Willen ihrer Herren hierhin und dorthin zerstreut, ein paar wenige sind geflohen, viele sind gestorben, darunter fast alle, die noch das Große Mütterchen Gangana Dadinha erlebt haben, das einhundertfünfzig Jahre lang lebte und sogar die Macht hatte über Regen und Trockenheit, wie sie auch alles im Kopf bewahrte, was von der Menschheit bis heute in Erfahrung gebracht wurde – Menschen wie sie gibt es nicht mehr. Die Weißen lassen nicht mehr wie in früheren Zeiten den

Wal jagen, verarbeiten und kochen, zumal die Küstengewässer jetzt von Schiffen anderer Länder durchzogen werden, die besser und ergiebiger jagen und dann sogar hier ihr Öl verkaufen. Noch tauchen die Wale hier auf, gelegentlich in großer Zahl, doch es ist ein unsicheres, wagnisreiches Geschäft geworden, heute spielt sich der Handel anders ab, die Welt ist heute eine andere. Hier einen Wal jagen, dort einen zweiten, das vielleicht schon, doch nicht wie früher, nichts ist wie früher.

Sogar die Festtage von Sankt Gonçalo, das muß man gesehen haben, um's glauben zu können, und die Leute sagen, das liegt am ausschweifenden Leben des Eigentümers der neuen Zuckerrohrmühle Manguinho, der in seiner Vergnügungssucht seine Neger gerne feiern sieht, dazu ist er ein Verschwender – außerdem wird erzählt, hinter einer Tarnkappe aus Freundlichkeit würde er zu Orgien verleiten, sie veranstalten und sogar daran teilnehmen. Gott vergebe dem, der Böses denkt, Gott erlöse den, der falsch Zeugnis ablegt, doch man weiß von den Alten, nicht von den Alten aus Portugal oder den Alten an der afrikanischen Küste, oder von diesen hohlen Nüssen von Alten, die es heute nur noch gibt, sondern von den echten Alten, Alte wie Johannes der Priesterkönig, Alte aus dem Reich von Cathay, von Marco Paulus in der Türkei, aus der Zeit von König Herodes im Land der Hebräer, der Zwölf Pairs von Frankreich, der Eselsstute des Herrn, aus der Zeit, als die Tiere noch sprachen, der Sieben Weltwunder, Alte so alt wie die Berge – von diesen Alten, seit deren Zeit, weiß man von der Natur vom guten Heiligen Gonçalo, hier unter dem Kosenamen Gonçalinho bekannt, daran erkennt man schon diese niedrige Vertraulichkeit. Warum, wenn die Kleider vom Heiligen Antonius aus Stein oder Ton sind wie der Rest, die Kleider vom Heiligen Josef, die Kleider vom Heiligen Onofreus, die Kleider vom Heiligen Simon, die Kleider von allen männlichen und weiblichen Heiligen, warum sind dann für gewöhnlich die Kleider vom Heiligen Gonçalo aus Stoff? Und wenn wir vor Scham sterben, aber die Wahrheit ist das erste Gebot für den, der Geschichte schreibt, und die Wahrheit ist, daß der Rock von diesem Heiligen aus Stoff ist, damit man diesen Stoff hochheben und drunter den Makel in der Heiligkeit von diesem berühmten Heiligen sehen kann, nämlich die Maßlosigkeit von seinem unteren Werkzeug: dickere Hoden als die vom Heiligen Nereus, eine längere Rute als die von Sankt Moses, eine glänzendere Eichel als die vom Heiligen Priapus und steifer und dicker als bei Salomon-von-den-Tausend-Frauen, das ist die reine Wahrheit. Und die Verse für den Heiligen? Mehr als freizügig. Die Bittgesänge an den Heiligen? Mehr als schlüpfrig. Die Lobgesänge auf den Heiligen? Mehr als wollüstig, ja geradezu geil. Die Festlichkeiten für den Heiligen? Die reinsten Bacchanalien, man singt dabei:

Sankt Gonçalo aus Portugal,
Einen Mann mir endlich gönnt!
Spinnweben hab ich überall
An den Stellen, die Ihr sehr wohl kennt

– und das in den Novenen, scheinbar harmloses, süßliches Zeug, dabei kann man sich die Stellen ja gut denken, wo die Spinnen ihre Netze gewebt haben, überall, wo es eine Öffnung gibt, ob klein oder groß, vorne oder hinten oder im Kopf, überall am ganzen Leib, und die Frauen zeigen diese Stellen und reiben diese Stellen am Heiligen, fahren mit der Hand über das Ding vom lieben Heiligen und klatschen draußen auch noch, wenn die Männer singen

Sankt Gonçalo kommt vom Douro-Fluß,
Bringt Leder, das man haben muß,
Bringt Riemen jeder Art,
Der seine ist schön hart.

Wie Meister Aurelino Fialho, seit über zwanzig Jahren jedes Jahr wieder Festrichter und Ballettmeister der schönsten Tanzmädchengruppen, immer sagt, haben heute die Gedenkfeierlichkeiten ihren Höhepunkt erreicht – nicht mehr und nicht weniger als der große Fischzug vom heiligen Gitarrenspieler, ein Name, unter dem Gonçalinho auch bekannt ist. Aber vorher, da müssen die Landfahrten und das Fest stattfinden, die seit gestern und vorvorgestern im Schwange sind, und wer sie miterlebt, der könnte meinen, daß keiner auch nur zum Schlafen eine Pause gemacht hat, und die Sittenlosigkeit, die beherrscht mehr oder weniger den Tag, da machen wir uns doch nichts vor. Was man gestern auf dem Platz sah, im Licht der großen, auf Bambus gesteckten Fackeln, und was man nicht sah hinter Gestrüpp, in den

Lichtungen, hinter Mauern, auf Booten, überall, irgendwo, das war, wie er und sie ihren niederen Instinkten sündenlos frönen konnten, denn man sündigt nicht, wenn man sich dem Lotterleben von Gonçalinhos Fest überläßt – was die meist geachteten Moralschriften bekräftigen. Und überall ertönten Hurras und Hochs auf Sankt Gonçalinho, mit einer glühenden Begeisterung, so daß die alten Leute am liebsten den Tag wieder herbeigewünscht hätten, an dem die Regierung von Bahia Milizsoldaten und andere bewaffnete Einheiten hierher entsandt hatte, um die Hurer und Buhler in Ketten zu schlagen, die Frevler, die Bummler und Bettler, die Bauernballkrakeeler und die Bauchkriecher. Nur nicht die Betrüger von den Kirmesglücksspielen, eins betrügerischer als das andere und eine sprudelnde Quelle von höchster Sündhaftigkeit, denen sich die alten Leute mit Wollust hingeben, sie setzen ihre Münzen beim Reifenspiel ein, bei den Wetten zum Eierlauf, beim Holzreifenspringen, beim Glücksrad, beim Haarwickellotto, beim Hahnenkampf, bei den Wurfspielen und sonstigen Jahrmarktslustbarkeiten. Und wenn Pater Bernabé schon gewöhnlich schwer zurechtkommt mit seiner Pfarrei bei all den Unkosten, die mit einer Frau und noch zwei Mädchen und neun Kindern, drei Stück von jeder, entstehen, mag man sich vorstellen, welche zusätzlichen Sorgen ihm das Fest bringt mit den vielen Verkaufsständen, die er durch seine Familie auf dem Rummelplatz aufstellen läßt und die die Familie schlecht verwaltet und noch schlechter überwacht, schon seit zwei Jahren zahlt der Priester drauf, er ist bestimmt der erste Lotteriebudenbesitzer, der Geld verliert, und das, obwohl es sich um einen Gottesmann handelt. Wenn es bei Hof Tänze in den Kirchen gäbe, mit Tamburinen, Schellentrommeln, Kastagnetten und Mandolinen, dann will man ja nichts gesagt haben. Da aber bei Hof dergleichen nicht zu sehen ist, weder Negerinnen, die vor der Kirche liederliche Dinge verhandeln, noch Versteigerungen von Süßigkeiten – ich habe anzubieten eine prachtvolle Bonbontüte. Und wir fangen an, jetzt geht es ran. Ja, wer bietet mehr? Der kommt nur her. Und eins, zwei, drei, wer ist dabei? Ja, Sie Senhor, so treten Sie vor und nehmen Sie mit – auch keine hemmungslosen Völlereien, auch keine Mönche, die sich unters Frauenvolk mischen und in Hintern kneifen, auch keine klimpernden Gitarren und schrammelnden Lauten zwischen hopsenden Tänzern, keine Edelleute, die sich ungeniert an braunen und schwarzen Frauen reiben, keine Liebestänze vor dem Portal des Gotteshauses, geschweige denn schändlichste Karnevalsnegertänze, und noch viel weniger ein Heiliger der heiligen römisch-katholischen Mutter Kirche, der auf einem mit Moos und Pflanzen niederster Gattung verzierten höchstweltlichen Traggerüst befördert wird, auch keine Schnarrtrommler in Gesellschaft zügelloser Kastagnettentänzerinnen – da dergleichen bei Hofe nicht zu sehen ist, kann man nicht anders als empört sein.

Und weiter geht es mit Sankt Gonçalo in seiner reichverzierten Buchenkiste zum Strand hinunter, die Gitarre hat er zurückgelassen, nimmt aber den kleinen goldenen Hirtenstab mit, um die Parade der Fische abzunehmen, die heute auf alle Arten gefangen werden, mit dem Netz, mit dem Wurfnetz, dem Fischhaken, der Harpune, dem Angelhaken, der Bambusfischreuse, ja, mit der Hand, denn der Heilige läßt an seinem Fischfest niemanden im Stich. Das kann man zur Essenszeit feststellen, am Spätnachmittag, wo man auf dem ganzen menschenwimmelnden Platz keinen einzigen Trog findet, keinen Teller, keine Kürbisschale, die nicht gefüllt wäre mit Pfannenfisch, Suppenfisch, Brühfisch, Rostbratfisch, sogar mit rohem Fisch, wie Neger Zé Pinima ihn schätzt. Und mehr als jede andere ist Meeresnahrung nicht bloß Nährkraft, vielmehr bewässern ihre meerischen Säfte die Eingeweide mit erotischen Grundstoffen, die ihrerseits vom Portwein der Reichen, vom Muskatel der Gutgestellten und vom Zuckerrohrschnaps der Armen belebt werden. Das geschieht bei Männern genauso wie bei Frauen, und es lockert die Zügel, die erstere sich aus Angst anlegen und letztere aus Schicklichkeit als naturgegeben vortäuschen, und führt schließlich zu allgemeiner Zügellosigkeit und zu hemmungslosem Sinnesgenuß. Daher waren nach dem Abendessen, als die Nacht herabsank, kaum mehr Leute zu sehen, die nicht auf dem Platz tollten oder scherzten oder im Dunkeln das Tier mit zwei Rücken spielten. Und übrigens, morgen ist ein neuer Tag, Freitag und nicht Sonntag, kein Fest und kein Festzug mehr zu Ehren des heiligen Gonçalinho, nein, dann ist es Zeit, sich zu placken und zu plagen, wie es das Schicksal der Menschen ist.

Merinha diente jetzt in der Küche eines reichen Hauses in Manguinho, und am Hinterhoftor dieses Hauses, bildhübsch und mit geglättetem Haar, stand das Dienstmädchen Martina und schwatzte mit ihr. Martina, die auch auf diese Güter verkauft worden war, hatte Ausgang, denn ihre Herrschaften waren treue Anhänger von Sankt Gonçalo, und das Herrensöhnchen, jüngster Sohn des Hauses, sechzehn Jahre und recht stürmisch, war mit ihr gekommen, um feiern zu gehen. Falls es Merinhas Herrschaft nichts ausmachte, daß sie auch mit zum Fest ging, warum ging sie dann nicht mit? Warum stand sie mit langem Gesicht da und spähte kaum einmal durch einen Torspalt der gerade vorüberziehenden Festkapelle nach, als würde sie Trauer tragen? Das Leben ist kurz, das Leben eines Negers durch harte Arbeit und Demütigung noch kürzer, man muß sich amüsieren, wo man kann. Komm schon, Mädchen, da triffst du tausend Bekannte, sogar die Inácia hat sich von Porto Santo herbemüht, nicht mehr die Jüngste, aber noch ganz erstaunlich munter, außerdem der stumme Feliciano, der hat einen Tag frei in der Kalkbrennerei, und noch Nicodemo, ein ganz großer Mann ist das heute, das gibt ein richtiges Treffen, sag ich dir, Traurigkeit macht sich nicht bezahlt, los, auf zum Fest!
Merinha blickte das Jüngelchen an, das mit Martina gekommen war, ein Flaumbärtchen beschattete seine Oberlippe, ein Gesicht, als hätte er ein bißchen zuviel getrunken, so stand er unter einem Mangobaum an der Ecke.
»Ich versteh nicht, wie du dich auf so was einlassen kannst«, sagte sie und deutete mit dem Kinn auf ihn. »So ein Halbgarer wie der bringt dir doch nichts, ein Weißer, und ein Herr wie all die anderen, der nutzt dich doch nur aus ...«
Martina wurde nicht böse, sie lächelte und machte Ph!
»Hör mal, glaubst du etwa, ich werde ein nettes, sauberes, gutriechendes und zugängliches weißes Bürschchen nicht vernaschen, glaubst doch nicht, ich werd so eine Gelegenheit verpassen und dies adlige Kerlchen nicht auffressen? Dann wäre ich aber nicht mehr ich, bin ja wohl auch eins von Gottes Kindern! Ich habe ihn mir hübsch zugerichtet, er weiß schon allerhand, meine Liebe, du ahnst ja nicht, was ich dem alles beibring!«
Sie stemmte die geballten Fäuste in die Hüften, lachte laut her-

aus, streckte das Kinn vor und prustete so heftig, daß es sie schüttelte, sie stubste Merinha mit dem Ellbogen.
»Verputze ihn, wie er mich, meine Liebe ... Hahaha!«
Auch Merinha lachte. Man konnte Martina nicht böse sein, vielleicht war da ja was dran, an ihrer Art zu leben, wer wußte schon, was richtig war? Sie guckte sich den Jungen noch mal an, der keinerlei Ungeduld verriet. Er setzte den Hut auf, fand neben dem Mangobaum einen Kokospalmenstumpf, auf den er sich setzte, lehnte sich an den Baum, streckte die Beine von sich und sah aus, als wollte er einnicken.
»Ist er nicht hübsch?« fragte Martina. »Er heißt Manuel Bento, aber ich nenne ihn Bem-Bem, dann schmilzt er weg. Weißt du, wer sich wen geschnappt hat: ich ihn! Er hat immer nach mir geschielt, und ich hab getan, als würde ich rein gar nichts begreifen, ich halt was auf mich, er soll ruhig wissen, daß ers nicht mit Flittergold zu tun hat, das hier ist Feingold, meine Liebe!« Sie wiegte sich in den Hüften, legte die Fingerspitzen unterhalb des Nabels zusammen und lachte von neuem heraus. »Aber dann hab ich gemerkt, daß er nichts erzwingen wollte, aus lauter Unschuld war das, na und bei soner Unschuld, du, da kann ich einfach nicht anders. Warum ich mir nicht schon die kleinen Jungs schnappe, also das weiß ich nicht, warum nicht ... An dem Tag, wo ich diese strammen Schenkel richtig gesehen hab, so eingezwängt in die Kniehosen vom älteren Bruder und dies süße runde Ärschchen, dies Nuckelgesicht wie ein Milchferkel, so gierig nach Zärtlichkeit, diese Art, wie ein Küken, das die Glucke sucht – also da hab ich keine unnütze Zeit verloren, nein, da bin ich zu ihm hin und hab ihn angesprochen, wie ich grade an ihm vorbei bin und er wie immer ganz hinten im Flur, die Hand in der Hüfte, damit er mit seinem Ellbogen meine Brust streift, und der hat geglaubt, ich merk nichts, aber natürlich hab ich was gemerkt und immer langsamer bin ich an ihm vorbei, und immer, wenn ich dort zu tun gehabt hab, hab ich mir den Busen im Mieder hochgedrückt, schau, so, die Nippel ganz hoch, damit er merkt, wie der Busen im Mieder wippt, wenn ich an seinem Arm vorbei bin, jedesmal sollte er das, und manchmal, da bin ich ein Momentchen vor ihm stehengeblieben, hab ihn nicht angesehen, den Busen vor und zurück, weiß du, so. Schön, also einmal, beim Vorbeigehn, da dreh ich mich nach ihm um und sag: Warum rufst du mich nicht nachts und

bittest mich um einen Tee? Um einen Tee? Er verstand gar nichts, ich hab gelacht, und einmal ganz scharf auf das Ding geguckt hab ich, das hat kaum noch in seine Hose gepaßt, wenn ein Mann nämlich eine Jungfrau ist, da denkst du, das Ding will immer gleich platzen, und ich hab hübsch lang mit der Antwort gewartet, damit er gleich rückwärts die Wand hochging und dann hab ich gesagt, aber angesehen hab ich ihn auch nicht einen Augenblick: Tee. Ich hab es so gesagt: Teeeh. Das konnte er ja unmöglich falsch verstehen, na und in der Nacht, wo er an meine Zimmertür gekommen ist, und sagte, er wär da, weil er mich um Tee bitten wollte, da hatte ich doch so drauf gewartet, daß mir schon alles weh getan hat. Ich bin aufgestanden, bin zu ihm rüber und hab gesagt: Teeeeh? Der Ärmste, der konnte sich wohl kaum noch auf den Beinen halten, da hab ich ihn gleich reingeholt, rein ins Zimmer, hab ihn hingesetzt und ihm seine Sachen ausgezogen, und dann hats ein Fest gegeben, Mensch, war das gut! Und ich sag zu ihm, sag ich: Komm, mein Bübchen, mein hübsches Milchgesichtchen, du kleiner frecher Kerl, gib deiner lieben Martinazinha ein Küßchen hier drauf, ja hier... Hihihihi!«

»Also wirklich, Martina, eine Frau in deinem Alter, wann nimmst du endlich Verstand an? Also wirklich ...«

»So Gott will, nie, meine Hübsche. Wie stehts, gehst du jetzt mit oder nicht? Kannst das da ruhig weiter aufbewahren, aber besser wird es vom Aufbewahren nicht, das ist wie mit der Brotfrucht. Los, da soll man doch nur ein bißchen die Sorgen vergessen, unter die Leute kommen und sich etwas amüsieren. Wenn ichs nicht besser wüßte, würde ich sagen, du bist Witwe, und nicht bloß sitzengelassen von Budião.«

Sie sagte es und bereute es sofort. Sie sah das Gesicht der Freundin fast auseinanderfallen, legte ihr die Hand um den Nacken, zog ein weinerliches Gesicht und wollte schon etwas sagen, als Merinha sie unterbrach.

»Budião hat mich nicht sitzengelassen«, sagte sie. »Und er heißt auch nicht Budião. Sein richtiger Name, das ist ...«

»Er heißt nicht Budião? Hat er einen afrikanischen Namen?«

»Nein, nein, so'n Unsinn, kein Wort mehr. Sein Taufname ist Faustino da Costa, Budião heißt er, weil er so ein vorgestrecktes Maul hat wie ein Lippfisch, und weil er auch so kastanienbraun ist ...«

»Woher weißt du, daß er dich nicht verlassen hat? Es ist doch gut zehn Jahre her, Kind Gottes, wo doch niemand weiß, wohin er sich verkrümelt hat!«
»Ich weiß, daß er mich nicht verlassen hat.«
»So, das weißt du? Wo du mir doch selbst gesagt hast, daß niemand weiß, ob er geflohen ist oder gestorben oder ob er einen Quilombo gegründet hat, ob er in seinen Heimatort zurückgekehrt ist, das weiß doch keiner! Weißt dus denn, Merinha? Du machst ein Gesicht, als würdest dus wissen, stimmt das?«
»Ich weiß es nicht, woher sollte ich denn?«
»Woher weißt du dann, daß er dich nicht verlassen hat?«
»Ach, ich weiß es einfach, eine Frau weiß sowas, das ist etwas, das kommt einem über die Brust, ein Gefühl, das man nachts kriegt, das kommt frühmorgens, so ein Schmerz, der überfällt dich mittags, so eine Beklemmung beim Schlafengehen. Ich weiß es! Ich weiß, daß er nicht tot ist und mich nicht verlassen hat!«
»Wie willst du das wissen?«
»Es gibt da Mittel und Wege, ja! sowas erfährt man auf gewissen Wegen.«
Die Ärmste, sie redete zuviel von Dingen, die geheimgehalten werden sollten, sie, die nicht einmal sicher war, was wirklich war und was falsch, die Botschaften erhielt, die gar nicht wie Botschaften waren, als Rezepte getarnte Ratschläge, unerklärliche Grüße, aus dem Nichts auftauchende Hilfen, so undeutliche Nachrichten, daß sie unverständlich waren. Stimmte es denn, was der alte Zé Pinto unablässig wiederholte, der kaum mehr gehen konnte, und der davon lebte, daß er Korianderkraut und Feldkresse in den vermodernden Hälften alter Walölfässer anpflanzte, die er auch zum Decken seines Häuschens verwendet hatte, der mondsüchtig sein mußte, da er nachts grundlos ausging, während alles schon schlief und kein vernünftiger Mensch sich in den kühlen Nachttau hinauswagte? Er antwortete immer, wenn er gefragt wurde: Da-da-da-, meine Kleine, dein Grobian von Neger ist mehr als wohlbehalten und gesund, was soll dem Lumpenkerl schon zustoßen! Wenn sie beharrlich weiterfragte: Da-da-da-da-da, meine Kleine, wer seine Nase überall reinstekken will, verbrennt sich leicht die Schnauze. Und er watschelte davon wie ein alter Enterich und blickte nach oben, als unterhielte er sich mit den Moskitos.

Sie fühlte sich einsam, sehr einsam, einsamer noch als all die Jahre, die Monate, die Wochen, die sich dahinschleppenden Tage, diese Schneckenstunden, diese Minuten, so gedehnt wie Karamelfäden, dieses ewige Öffnen und Schließen der Augen wie endlose Nächte, unterbrochen von endlosen Tagen, diese Gesten, die nie zu Ende geführt wurden, weil er nicht da war. Der Krieg lag ihr im Blut, aber davon wußte sie nichts, bis ihr Onkel Júlio Dandão, auch er seit dem gleichen Tag wie Budião verschwunden, ihr das in Erinnerung brachte. Es war aber nicht nur ein verstandesmäßiges Erinnern, es war ein Erinnern im ganzen Körper, in ihrer Nase, ihren Ohren, ihren Handflächen, ihren Poren, ihrem Geschlecht zwischen den Beinen, und in dem vom Pfefferfeuer brennenden Mund, eine Erinnerung an etwas, das sie nicht einschlafen ließ. Ach, eine Erinnerung, von so vielen Frauen wie ihr geteilt, Frauen jeder Nation, Frauen, zerbrochen durch all das, was man von ihnen forderte, durch das Leben ihrer Männer, die wie der ihre so schwach waren in ihrer Stärke und die sie so brauchten neben sich, aber sie waren gezwungen fortzugehen, zu verschwinden in ihren Unternehmungen und Lebensabenteuern, und es war nicht sicher, ob sie jemals zurückkehrten, vielleicht vergaßen sie die Frauen sogar, fanden sie häßlich und alt geworden, und sie, selbst wenn sie weinten, klagten und vor Leidenschaft vergingen, wollten nicht, daß ihre Männer anders wären, denn sonst würden sie sie nicht lieben.
Neun Jahre waren vergangen, vielleicht zehn, sicherlich tausend und noch hundert dazu, und Merinha wußte, sie war nicht die erste, der dies geschah, es war Teil der Welt und des Lebens der Frauen, des Lebens der schwarzen Sklavinnen, immer und überall verbannt, warum mußte das so sein? Die älteren Frauen hatten sie das gelehrt, wie sie selbst belehrt und ihre Lehrerinnen belehrt worden waren: Hübsch und frisch – deckt noch keinen Tisch. Ist der Mann fesch und lungert, darbt die Frau und hungert. Schön ist ein Heiliger in seiner Prozession, aber im Bauch brauch ich eine warme Portion. Aber das stimmte nicht, oder? Nein, denn einen schönen Mann muß eine Frau einfach ansehen, er facht ihre Phantasie an, bringt allen Mutwillen in ihr hervor. Ein schöner Mann? Ach, ein schöner Mann! Ein schöner Mann ist wie ein neues Spielzeug, seine Schönheit weckt in der Frau, die ihn erobert hat, Stolz, denn sie weiß, daß er von anderen

begehrt ist, aber daß er ihr gehört, jenes Lächeln gehört ihr, jene Vertraulichkeit gehört ihr, sein Hahnenfedergepluster gehört ihr, der ganze schöne Mann gehört ihr. Ja, so ist das. Aber was macht einen Mann schön? Das weiß man nicht, denn die älteren Frauen konnten es nicht recht erklären. Die ältere Frau Nummer eins, die aus einem Völkchen von Obst- und Gemüsepflanzern stammt, findet den schön, dessen Arme, schon vom Großvater her, vom Obstpflücken und Erdeumgraben immer länger geworden sind, er tut sich hervor in seiner Leistung und wird geachtet von seinesgleichen. Die ältere Frau Nummer zwei, aus einem Fischervolk, findet den schön, der sich in einem Boot am meisten auszeichnet, der Körper und Gehabe eines Seefahrers besitzt, der mit einem Blick die Nähe des Fischs erkennt, der ihn sicher fängt und wegen des Ernstes seiner Berufung geachtet wird, und so ist er schön wie alle, die ihm gleichen. Die ältere Frau Nummer drei, die aus einem Kriegervolk stammt, findet die Haltung des tapferen Kämpfers schön, sie bewundert den, der eher stirbt, als daß er unterliegt, sie verliebt sich in den großen Sieger. Und so weiß Merinha nicht, wo sie steht, fühlt aber, daß die Frau vielleicht den Mann schön findet, der ihr die besten Kinder schenkt, denn so, wenn sie nicht sein kann wie er, werden ihre Kinder es sein können – und die Kinder sind schließlich sie. Und auf diese Weise setzt sie sich fort, und sie ist lieber die fünfte Frau eines Mannes, der so ist, wie sie sich ihre Kinder wünscht, als die erste von einem, dessen Nachkommenschaft nicht zu ihrer Erinnerung spräche, die sie im ganzen Körper trägt und die zu vergessen die Natur ihr nicht gestattet, einer, von dem sie nicht gebären wollte. So kommt es, dachte Merinha, daß es immer treue Frauen geben wird, treu bis hin zum Wahnsinn, zur Unvernunft, zur Unsinnigkeit, und das, weil sie zu ihrem Schoß halten, tapfere Treuhänderinnen ihrer Erbschaft, daher bewundert man die Frau, die auf ihren Mann wartet, darüber gibt es in allen Sammlungen Geschichten, und jede Frau, sie mag es noch so sehr leugnen, wird neidisch, wenn sie nicht so sein kann, selbst wenn sie das Warum nicht begreift, sie weiß aber, daß so sein Überlegenheit bedeutet.

Plötzlich war Budião nachts erschienen, wie er es immer tat, obwohl beide schon in Manguinho lebten, er in der Zuckermühle, sie im gleichen Haus wie jetzt, er hätte ihr also eine Nachricht zukommen lassen können. Aber er zog es immer vor, plötzlich nachts aufzutauchen und wie ein Nachtvogel vor dem Hintertürchen zu zwitschern, bis sie kam und öffnete. Diesmal wirkte er ungeduldig, denn als es bei ihr etwas länger dauerte, weil sie geschlafen hatte und im Hemd war, zwitscherte er so laut los, daß er womöglich die Herrschaft wecken würde, deren Schlafzimmer zwar ziemlich weit vom Hinterhof entfernt lagen, doch solche Pfeiftöne reichten nachts sehr weit. Beunruhigt kam sie nach draußen, in eine Decke gewickelt, und öffnete das Tor mit weit aufgerissenen Augen. Budião wirkte von Tag zu Tag mehr in Geheimnisse verwickelt und verharrte lange Zeit, irgendwo ins Unbestimmte starrend, fast ohne zu sprechen, und verschwand in der Nacht, nachdem er nur ein paar kurze Augenblicke bei ihr verweilt hatte. Wenn er ihr auch von den Vorgängen einiges erzählte, blieb er doch meist wortkarg und ungenau. Gab es wirklich eine geheime Bruderschaft? Gab es viele geheime Bruderschaften? Warum kreuzte Júlio Dandão so oft in seinem Saveiro auf, und warum konnte Budião entwischen, um den ganzen Tag mit ihm und etlichen anderen umherzuschippern, ohne daß er Fisch oder andere Ware heimbrachte, bei seiner Rückkehr mitunter erregt, mitunter mürrisch? Warum genossen die Schwarzen in der Mühle dort so viele Vergünstigungen? Wenn sein Herr als guter Mensch galt, der die Sklaven nicht einsperren ließ und sie fast wie Menschen behandelte, der manchmal Gedanken äußerte, die vielen schon den Galgen oder die Verbannung eingetragen hatten, erklärte das bereits die großen Freiheiten, die Budião zu genießen schien, die doch Sklaven sonst nie gewährt wurden?

Budião wartete auf sie, hastig auf und ab gehend, umarmte sie, sobald er sie sah und legte ihr die Hand auf den Mund, als sie sprechen wollte. Aber er hielt sie so lange in seinen Armen, er schien, als er sie an sich drückte, sogar zu zittern, seine Arme bebten wie im Fieber, daß sie sich losmachte, um ihm in die Augen zu sehen, um zu erfahren, was vorging.

»Was ist?« sagte sie und faßte sein Gesicht mit beiden Händen. »Was ist los? Was ist geschehen, erzähl, da ist doch was gewesen!«

»Ja«, antwortete er nach langem Schweigen. »Ja. Heute gehe ich fort, ich komme, weil ich mich verabschieden will.«

»Verabschieden? Wohin gehst du? Fort? Aber wie, so plötzlich, einfach so? Willst du fliehen? Willst du, Budião?«
»Mehr oder weniger. Es ist eine Mission. Kapitän Teófilo weiß, daß ich heute nacht verschwinde, ich werde mit Dandãos Boot ein paar Leute an der Küste abholen, die schon warten, von dort komm ich hierher zurück, im Morgengrauen fahren wir los, in einem großen Kanu mit acht Ruderern, mich mitgerechnet.«
»Der Kapitän Teófilo weiß das? Ach, Budião, das kann ich nicht glauben, wo gibt es denn sowas, ein Sklavenhalter, der von der Flucht von einem Neger weiß und nichts dagegen tut?«
»Er weiß nicht, daß ich fliehen will. Er kennt nur den ersten Teil von der Mission, die hat er mit deinem Onkel und mit anderen, mit vielen anderen ausgedacht, es ist eine verwickelte Sache, sehr verwickelt, ganz schwierig!«
»Ich versteh immer noch nicht. Ich versteh gar nichts!«
»Hör zu, nur du darfst das erfahren, und nicht, weil du meine Frau bist, nein, aber weil du die Frau bist, die du bist, weil du uns so oft nützlich gewesen bist. Hör gut zu, ich kann das nicht nochmal wiederholen, ich hab keine Zeit, ich fahre bei Hochflut aus, dein Onkel wartet schon auf mich. Da sitzt ein Gefangener in der Meerfestung, ein wichtiger Mann, der ist Kommandant von aufständischen Truppen, weit weg von hier, sehr weit weg, in Rio Grande, niemand von unsereinem kann sich vorstellen, wo das ist, aber es ist noch in Brasilien. Also, seitdem dieser Mann in der Festung ist, seitdem wird beraten, wie er fliehen und zurück in seine Heimat kann. Dandão, der wußte das, der weiß sowas immer, seit langem spricht er mit Kapitän Teófilo darüber. Niemand weiß es, denn diese Unterhaltungen finden geheim statt, manchmal sogar in einem Boot auf dem Meer.«
»Der Kapitän spricht mit meinem Onkel? Das kann nicht ...«
»Pst! Hörst du zu oder nicht? Ich habe dir nie Lügen erzählt, wenn du's nicht hören willst, um so besser, ich hab's ohnehin eilig.«
»Nein, nein, erzähl!«
»Júlio Dandão weiß also alles und hilft dem Kapitän Teófilo, der gehört zu Leuten, die wollen, daß der Mann frei ist, alles viel zu verzwickt und viel zu geheim, ich kann dir das im einzelnen nicht alles erzählen. Und morgen früh, wenn wir all die Männer angemustert haben, fahren wir los, wie gesagt: ich, dein Onkel, Zé

Pinto und noch andere, in einem großen Kanu, wir werfen nicht weit von der Festung Anker und warten auf den Mann. Morgen ist Sonntag, da hat er Erlaubnis, am Strand vor der Festung im Meer zu baden, und dort wird er den Wachposten übertölpeln und dann wird er zum Kanu rausschwimmen. Dann bringen wir ihn hierher, und gleich im Kanu, da wird er sich den Bart abrasieren, den hat er sich dort wachsen lassen, damit er nach der Flucht anders aussieht, dann wird er sich umziehen und wird sich einen Tag lang hier verstecken und dann schifft er sich auf einem Handelsschiff nach Rio Grande ein.«

»Dann kommt ihr also zurück! Dann gehst du also nicht fort, es ist also nur eine Flucht von einem Tag. Ich hatte schon gedacht...«

»Nein, ich gehe mit ihm fort. Ich und Júlio Dandão.«

»Du gehst fort? Zu diesem Ort weit weg, in den Krieg von den Aufständischen, mit diesem Mann, von dem du nicht weißt, wer das ist?«

»Wir wissen, wer das ist. Ja, wir gehen mit ihm. Ich schicke dir Nachrichten. Sprich nur immer mit Zé Pinto, er bleibt hier, der wird Nachricht bekommen.«

»Und der Kapitän ist damit einverstanden?«

»Vom zweiten Teil von der Mission weiß er nichts. Er weiß nur, daß ich als Ruderer im Kanu mitkomm. Er weiß nicht, daß du Dandãos Nichte bist, daß du meine Frau bist, daß Zé Pinto mit mir und Dandão unter einer Decke steckt, er weiß nichts, er weiß nur das, was ihn angeht.«

»Aber für was? Warum gehst du fort?«

»Meinst du, ich will mein ganzes Leben ein Sklave bleiben? Meinst du, ich wäre zum Sklaven geboren? Meinst du, es gibt nicht einen Haufen Dinge zu tun, nicht nur für mich, aber auch für die andern?«

»Aber was willst du dort tun? Wirst du nicht einem neuen Herrn dienen und wirst sein Sklave?«

»Nein. Nur am Anfang, da muß ich mich verstellen. Ich glaub, wir kämpfen in dem Krieg mit, bis jetzt haben sie mir noch nicht alles gesagt, vielleicht weiß Dandão alles, vielleicht erzählt er mir den Rest unterwegs.«

»Die haben dir noch nicht alles erzählt? Wer sagt dir denn das alles?«

Budião blickte auf, hielt die Hand in den Wind.
»Bald ist Ebbe, ich muß gehen. Ich geh, aber ich komm wieder, im Herzen bleib ich hier.«
Er schlug sich mit der Hand auf die linke Brustseite, sein Adamsapfel stieg und sank, er blickte Merinha ins Gesicht und bedeckte die feuchtgewordenen Augen. Ach, wie seltsam, wie sinnlos, fortgehen zu müssen, jetzt, wo er seine Frau sah, so verlockend, so nackt unter dem losen Stoff, so einladend mit ihren im Lauf der Jahre üppiger gewordenen Formen. Manchmal kam ihn der Wunsch an, aufzuhören, in diese Üppigkeiten einzudringen, in diese Höhlungen, zwischen die immer fülligeren Brüste, in die Allee dieser festen Schenkel, zu verschmelzen, mit ihr zu verschmelzen und dann innezuhalten, Teil der Erde zu werden, vereint für immer und ewig, ohne zu reden, ohne sich zu regen, nichts mehr zu benötigen außer dem Leben, beide eine Pflanze, ein Baum, ein aus beiden gleichermaßen geformtes Wesen. Wie seltsam ist dieses Fortgehen, dachte er wiederum, als er Merinhas Achselhöhle sah, die von dem herabfallenden Hemd freigegeben wurde, und fragte sich, ob dieser Stoff nicht noch ihren Schweiß in sich hatte, den sie in der heißen Küche von sich gab, diesen Geruch, der ihn mehr zum Manne machte als die anderen. Er legte den Kopf in ihre Achselhöhle, holte tief Atem, als müßte er sonst ersticken, und als er fühlte, daß der Stoff diesen Geruch barg, riß er ein Stück davon mit einer plötzlichen Bewegung ab. Ihr Hemdsaum rutschte bis zum Schenkel hoch, eine Brust entblößte sich jetzt, die andere halb, eine Leistenbeuge lag bloß, ihre nackten Schultern schimmerten im nächtlichen Licht. Budião wußte nicht, wohin blicken, und in der winzigen, zeitlosen Sekunde, in der sie wie der Inbegriff der Schönheit dastand, glaubte er auseinanderzubrechen. Er kniete nieder, beroch ihre Schenkel, schob die Hand unter ihr Hemd, spürte die Ofenhitze in der Mitte ihrer Schenkel, hob das Hemd und sah ihre Scham unter dem Kräuselhaar, durch das so oft seine Finger geglitten waren, um die dunkle Blume zu spüren, die sich entfaltete und unter seiner Berührung feucht wurde, den zarten Duft ihres mit dem eigenen Moschusgeruch vermengten Toilettewassers, einen betäubenden Hauch, der unablässig von ihr aufstieg und der ihn immer verleitet hatte, wie ein Tier zu tun, die Hand an ihr Geschlecht zu legen und sogleich an Nase und Mund zu

führen, die feuchten, von Köstlichkeit schimmernden und riechenden Finger.

»Gib mir Kraft«, sagte er und legte Kopf und Gesicht an den Liebesplatz, öffnete die zarte Spalte mit zwei Fingern, preßte sich mit dem Hals ganz an sie und umarmte ihre Knie. Er spürte, wie sie die Beine ein wenig spreizte, er legte den Kopf zurück, als wünschte er, sie möge rittlings seinen Hals umschlingen, packte sie bei ihren kräftigen Hinterbacken, sie spreizte die Beine noch mehr, er wäre am liebsten ganz dort eingedrungen und geblieben, beschützt unter dem Großen Nabel. Sie fühlte in ihrem Inneren etwas, das größer war als sie selbst, eine Kraft, die ihr Angst einjagte, und sie kam heftig, preßte ihre Schenkel gegen seine Ohren, erdrückte ihn fast in dieser Umarmung und verging fast. Budião stand auf, streifte die Hose herunter und sagte, er müßte in ihr zu Ende machen. Er brauchte sich nicht zu bewegen, nachdem er in sie eingedrungen war, sie hielten einander nur lange umarmt, er stöhnte und beim Herausströmen wurden seine Knie weich.

Auf dem Weg zum Strand drehte er sich noch einmal um. Winkte mit ihrem weißen Hemdfetzen, der, von seinem schwarzen Arm in der Dunkelheit geschwenkt, wie ein Geist zu schweben schien. Dann rannte er zur kleinen Brücke, wo Júlio Dandão ungeduldig auf ihn wartete und schimpfte, er hätte schon nicht mehr an Budiãos Kommen geglaubt und wäre bald ohne ihn losgefahren. Schweigend lichteten sie das Ankertau, Dandão ergriff das Ruder, Budião und Zé Pinto setzten die Segel, und los ging es mit achterlichem Wind die Barre entlang, sie segelten zum Walfischkap wie eine durchs Wasser schnellende Makrele. Noch vor Mitternacht waren alle Ruderer an Bord, die Strömungen der Ebbe trieben sie Bahia entgegen. In Ponta do Duro warfen sie Anker, gingen an Land und brachten das große Kanu ins Wasser, dessen Rumpf frisch gewachst glänzte, die Segel knatterten wie neu, die Riemendollen waren frisch umwickelt, alles genau wie bei einem Angriffs- und Kampfboot. Nur mit den Segeln, weil es noch früh und nicht eilig war, gelangten sie bald nach Bahia. Als wären sie Fischer auf der Lauer nach Meeräschen, erwarteten sie den Tagesanbruch draußen bei der Festung Sankt Marcelo, gegen fünf Uhr aßen sie Röstfisch mit Kaffee und Maniokmehl, setzten den roten Wimpel als Kennzeichen für das Boot, obwohl kein anderes in der Nähe lag, und legten sich hin, um zu warten. Gegen zehn Uhr stieß Dandão, der, den Hut über die Augen gezogen, im Achterschiff so tat, als schliefe er, Budião mit der großen Zehe an, deutete mit dem Kinn nach vorn gegen Steuerbord und flüsterte heiser: »Ruderer auf die Plätze.« Eine Schaumschleppe nach sich ziehend, kam ein Mann hastig auf das Kanu zugeschwommen, und Dandão manövrierte das Boot ihm entgegen. Auf dem Strand vor der Festung schickte sich ein Soldat an, seinen Karabiner abzudrücken, ließ ihn sinken, und rannte, die Arme schwenkend, nach drinnen. Sie zogen den Mann ins Boot.

»Willkommen an Bord, Kommandant Bento Gonçalves«, sagte Dandão. »In dieser Tasche ist ein neuer, sauberer Anzug, Hemd und Unterwäsche. In dem Kästchen Spiegel und Rasierklinge. Wenn Euer Exzellenz es sich bitte bequem machen wollen, denn gleich jagen wir davon, unter Segel und mit Riemen.«

»Aber sehr gerne«, erwiderte der Mann. »Reich mir nur ein Handtuch, damit ich mich abtrocknen kann, nehmt auf mich keine Rücksicht, und in See!«

Den Tag über saß der Mann verborgen in Manguinho. Gleich nach der Ankunft steckten sie das Kanu in Brand, nachdem sie es mit Äxten kleingehackt hatten. Am nächsten Morgen ganz früh brachten Júlio Dandão und Budião den Mann in einem kleinen Boot zu einem im Hafen von Bahia unauffällig ankernden Zweimaster, und von dort reisten sie, der eine als Freiwilliger, der andere als flüchtiger Sklave, dem Krieg entgegen, der von diesem Mann in dem genannten fernen Landstrich geführt wurde.

Wenig mehr wußte Zé Pinto, oder wenig mehr hatte er erzählen wollen. Ihr Boot war am Uferrand der Festung Sankt Lorenz leer gestrandet, das Verschwinden der beiden wurde einem Unglücksfall zugerechnet, vielleicht ein großer Fisch, vielleicht eine Sturzwelle. Ob Martina recht hatte und Budião für immer verschwunden war? Möglich war es, man darf das Herz nicht benutzen, um den Verstand Lügen zu strafen. Vielleicht bereute Merinha es jetzt, daß sie Martina nicht zum Fest begleitet hatte, nicht um wirklich etwas anzubandeln, sondern einfach um sich zu amüsieren. Wer weiß, ob dort nicht jemand wäre, der über Budião etwas berichten könnte? Sie überlegte, ob sie sich umziehen sollte, beschloß dann aber, zu gehen, wie sie war, schließlich wollte sie nicht feiern, nur zusehen, und wem das mißfiel, der mochte ihr neue Kleider schenken. Merinha streckte den Arm aus, um den Torriegel vorzuschieben, strich den zerknautschten Rock zurecht, knotete ihr Kopftuch und ging schlurfend mit Holzpantinen auf den Platz zu. Doch als sie in die Nähe der Buden und der fröhlichen Menge gelangte, verspürte sie keine Lust, sich mit irgend jemand in eine Unterhaltung einzulassen, ging lieber um die Bäume herum, setzte sich auf die kleine Kaimauer und ließ die Füße über dem Wasser baumeln.

»Da-da-da«, machte eine Stimme hinter ihr. »Da-da-da-da, feiert man so Feste?«

Zé Pinto stand neben ihr auf der Kaimauer. Er schien ein wenig beschwipst, seine Augen waren verändert.

»Ach, Zé Pinto, ich bin nicht zum Feiern aufgelegt, nein, ich schnappe hier lieber etwas frische Luft.«

Er lächelte und legte die Hand auf ihre Schulter.

»Sag doch nicht so was, Kleine, sogar ich, und ich bin alt, habe gelumpt, daß es seine Art hatte. Da-da-da, laß den Unsinn, komm und zerstreu dich.«

Sie senkte den Kopf, blickte auf die Füße und schlug die Holzpantinen gegen die Fersen, antwortete aber nicht. Und sie dachte schon, Zé Pinto sei fortgegangen, doch als sie sich nach ihm umwandte, deutete er mit dem Kinn hinter sie. Wie sonderbar – hatte sie nicht schon ein ähnliches Erlebnis gehabt, vor langer Zeit? Sie drehte sich nach der angedeuteten Richtung um und sah einen Umriß gegen das Laternenlicht, einen riesigen Mann in hohen Schaftstiefeln, mit breitrandigem, in die Stirn gezogenem Hut, ein schwerer Umhang hing ihm wallend über den Leib bis zum Gürtel, Metall funkelte an den Stiefeln und den weiten Hosen.

»Hier bin ich«, sagte die Gestalt. »Bin gerade angekommen.«

Merinha stand auf, wie, wußte sie nicht, sie strengte die Augen an, konnte aber die von der Hutkrempe beschatteten Gesichtszüge des Mannes nicht erkennen. Und seine Art zu reden, diese tiefer widerhallenden Wörter, hatte sie so lange nicht gehört. Aber sie täuschte sich keinen Augenblick, denn sie spürte sofort, daß der plötzlich aus der Dunkelheit herausgetretene Vermummte, der dort wie ein mächtiger Baumstamm aufragte, Budião war, der vom Kampf zurückkam, um bei ihr zu sein.

Salvador da Bahia, den 19. Dezember 1840

Wenn man ihn lange betrachtet, scheint der Fähnrich sich zu bewegen, scheinen schreckliche Schreie seinem Mund zu entfahren, aus der Höhle, die einmal sein Auge war, scheint Blut hervorzuschießen, das Kreischen der Möwen scheint ein Klageruf von armen Seelen, der den Wind kratzig macht, und die Portugiesen werden von neuem das Feuer eröffnen und alles vernichten. Maria da Fé, im weißen Spitzenkleid und das gestraffte Haar in einem runden Knoten hochgesteckt, lehnt seit über einer halben Stunde die Ellbogen auf die Kredenz und hat die Augen auf die Reproduktion des Bildnisses vom Fähnrich Brandão Galvão geheftet, das die Lehrerin Jesuína täglich abstaubte, während sie dabei leise ein Salve-Regina betete. Es glich dem Original nicht ganz, weil in der oberen rechten Ecke auf einem aufgemalten Kärtchen mit launig eingerollten Kanten ein paar Worte aus dem Abschluß der Rede in hochverzierter Kanzleischönschrift zu lesen standen. »... Die Stimme, die zu euch spricht, Möwen dieser unbezwinglichen Himmelsstriche, könnt ihr nicht kennen, doch die Stimme des brasilianischen Volkes, o taubenförmige Geschenke der Mutter Natur, werdet ihr stets wiedererkennen, denn sie wird hell und silbern den Erdkreis in Erstaunen versetzen!«

Dafé achtete nicht auf die Worte, die sie schon auswendig kannte, wie übrigens fast die ganze Ansprache, weil sie sie so oft aus dem Munde der Lehrerin gehört hatte, die unter den vielen, unendlich vielen in Brasiliens Geschichte hervorgetretenen Helden für diesen großen Landsmann eine Vorliebe hegte. Dafé liebte es, den Blick auf diese Szene zu richten und sich alsbald in exotischen Gedanken zu verlieren, ohne etwas zu sehen oder zu hören. In der schon zur Gewohnheit gewordenen Stellung – Ellbogen auf der Kredenz, die Fußknöchel verschränkt – pflanzte sie sich vor dem Stich auf, der, wiewohl in Schwarzweiß, sofort Farbe gewann, zunächst das Blut, dann die schmucke Uniform des Fähnrichs mit dem Tressenwams, danach das ganze Bild, und danach kamen auch die Geräusche. Kreischten diese Möwen nicht wirklich so laut und schrill, daß man es im Wohnzimmer hören konnte? Und sie, die nie Schmerzen empfunden hatte, sah sie nicht die Welt kreisen, wie der Fähnrich es in jener Stunde

gesehen haben mochte, fühlte sie nicht den Druck im Kopf, war ihr nicht sogar schon schwindelig und übel?
Dona Jesuína hielt ihre Anteilnahme für übertrieben. Schließlich galt es, viele und viel tapferere Helden zu verehren, Brasilien verdankte seine Unabhängigkeit nicht nur diesem mutigen Mann, sondern so vielen anderen, daß sie sich kaum aufzählen ließen. Dafé möge daran denken, daß wir ein großes Kaiserreich waren – wußte sie überhaupt, was ein Kaiserreich war, konnte sie die Größe dieses Begriffs ermessen? –, sie sollte sich die hochgewachsene, edle, eindrucksvolle, ja wunderbare Gestalt Seiner Kaiserlichen Majestät Dom Pedro de Alcântara João Carlos Leopoldo Salvador Bibiano Francisco Xavier de Paula Leocádio Miguel Gabriel Rafael Gonzaga aus dem großen Hause Bragança vorstellen, in seinen grünen fünfzehn Jahren bereits so weise wie der Jesusknabe unter den Schriftgelehrten und ihm sogar ähnlich mit seinem hellhäutigen Antlitz voller Sanftmut. Sie solle an die zahllosen, großen Männer denken, die gelebt hatten, die lebten und die leben würden, die um hohe Dinge wußten, die das Volk nie zu wissen vermöchte, die mit Bedacht entschieden, in der Gemeinschaft der Heiligen und der Musen, in Liebe zu Gott und Vaterland. Dafé sollte sich nur nicht einbilden, diese Männer wären Leute wie sie. Es waren außergewöhnliche Männer, Männer, die mit einem Wort oder Blick Massen bewegten, Männer, die Monate hindurch nicht schliefen, die in ihrer furchtlosen Brust die Schmerzen der Nation trugen, deren Tugend mit der der großen Märtyrer zu vergleichen war, deren Worte immer Tapferkeit bezeugten, Uneigennützigkeit, Verwegenheit, Selbstverleugnung, Hingabe und vor allem Liebe zu Brasilien. Sie sollte sich an die in jeder kleinen Episode unserer Geschichte so zahlreichen Vorbilder von unbeugsamem Mut, von unbestechlichem Charakter erinnern, womit aufs trefflichste dem Dichter recht gegeben wurde, der dem Himmel dafür Dank gezollt hatte, daß wir mit so vielen bewundernswerten Männern gesegnet wurden.
Sie finde das doch recht beunruhigend, sagte Dona Jesuína liebevoll zu Dafé, während sie den Stich umdrehte, um die Träumerei des Mädchens zu unterbrechen. Dafé war doch wohl glücklich, daß sie nach Baiacu, zu Großvater Leovigildo, zurückkehren konnte, oder etwa nicht? Wenn ja, wirkte sie aber nicht so. Jetzt war sie schon eine junge Frau, denn mit zwölf Jahren sind viele

Mädchen schon verheiratet, Dona Jesuína hatte sie alles gelehrt, was sie wußte, war es also recht, sich als ein unverständiges Kind aufzuführen, das stundenlang ein Bild begaffte, mochte es noch so begeisternd sein? Manchmal machte sie sich wegen Dafés Zukunft Sorgen. Eigentlich müßte die allerbestens aussehen, denn mit ihren Gaben und ihrer Schönheit dürfte es nicht schwerfallen, einen jungen Mann ihrer Rasse zu finden, vielleicht sogar einen von hellerer Farbe, damit sie vorwärtskam in der Welt, sie könnte eine gute Partie machen, eine Familie gründen und sich gut im Leben einrichten. Doch dann kamen ihr Zweifel wegen dieses Verhaltens und anderer Wunderlichkeiten.

Sie hatte Dafé behandelt, wie man eine Tochter behandelt. Wenn sie sie gelegentlich bestraft hatte, war es immer zu ihrem Besten gewesen, ein eigenes Kind würde sie genauso strafen. Sie seufzte und dachte insgeheim an Amleto, wieder einmal war sie stolz auf ihn. Sie hatte ihr die gleiche Erziehung gegeben wie Amleto, mit Ausnahme dessen, was eine Frau nicht brauchte und was für einen Mann unerläßlich war. Heute war er ein berühmter Mann, ein Mann, von dem in Bahia noch viel gesprochen werden würde, ein Mann, der des schrecklichen Opfers fähig war – ja, denn sie wußte, wie schmerzlich das war –, die eigene Mutter zu verleugnen, um nicht all die auf seinen Schultern lastende Verantwortung zu gefährden. Sie ärgerte sich etwas über Dafé, wenn sie sie mit Amleto verglich. Natürlich, sie war eine Frau und Mulattin, doch warum diese Verrücktheiten, warum zeigte sie sich, wenn sie stumm eine Zurechtweisung anhörte, so offensichtlich unbeugsam, warum war ihr Blick selbst in Augenblikken der Zärtlichkeit stets rebellisch? Selbst wenn sie mit der Handklatsche eins auf die Tatzen erhielt oder auf zusammengekehrtem Mais knien mußte, Dinge, die den anderen Schulkindern Schrecken einjagten, zeigte sie sich unbeeindruckt, sie weinte nicht einmal, selbst wenn die anderen ihr rieten, es aus Berechnung zu tun, um damit die Bestrafung abzukürzen.

Dona Jesuína erregte sich noch mehr, sie stieß Dafé etwas grob aus dem Zimmer, erinnerte sie daran, daß sie den Reisekorb noch nicht gepackt hatte und sich weiter aufführte wie eine Hirnverbrannte. Wenn Großvater Leovigildo kam und wegen der Flut gleich wieder los mußte, wollte sie sich hier nicht blamieren, er mußte ja denken, sie wäre eine schlampige Lehrerin. Sie gab Dafé eine Frist, bis wann sie alles in Ordnung haben sollte, und ging in die Küche, um zu sehen, wie weit das Kokosnußkonfekt gediehen war, das sie ihr mitgeben wollte. Schließlich mochte sie die Kleine, hatte sie in all den Jahren liebgewonnen, seit sie bei ihr lebte, um die von Leovigildo geforderte Erziehung zu erhalten. Sie hatte auch ein kleines Geschenk für Dafé besorgt, ein Medaillon Unserer-Lieben-Frau-von-der-Zuflucht mit Kettchen, das der Kleinen Beistand leisten sollte, jetzt, wo sie nicht mehr mit ihrer vernünftigen Beaufsichtigung rechnen konnte. Sie war gegen Dafés Übersiedlung nach Baiacu, fand, daß sie dort keine Zukunft hätte, begriff nicht, wieso jemand lieber in der Einöde lebte statt in einer großen Stadt wie Bahia, und noch dazu ein Mädchen im heiratsfähigen Alter. Jedesmal, wenn ihr der Gedanke an diese Heirat kam, leuchtete er ihr mehr ein. Es konnte sogar ein Mann mit Verantwortung sein, ein wohlsituierter Mann, ein Witwer, warum nicht? Vielleicht war es nicht besonders viel, doch bestimmt würde das Mädchen eine kleine Mitgift erhalten. Jedermann sagte ihr, der Großvater sei ein ziemlich gerissener, bemittelter Neger, was man übrigens an dem, was er seiner Enkelin zukommen ließ, sah. Daher war diese Rückkehr nach Baiacu nichts als eine große Dummheit, selbst wenn ihre Mutter dort wohnte, wie die Kleine manchmal zu bedenken gab. Was konnte das schon für eine Mutter sein, bestimmt eine grobschlächtige Negerin, die von irgendeinem Herrensöhnchen geschwängert worden war, womöglich eine Frau von üblem Wesen und schlechten Angewohnheiten, sicherlich ungehobelt, nach ihrem Beruf als Fischmeisterin zu urteilen, den sie angeblich ausübte und der nie und nirgends auf der Welt ein Frauenberuf war, am allerwenigsten der einer anständigen Frau. Schön, damit hatte sie nichts zu schaffen, sie würde sich doch nicht wegen der Tochter anderer Leute aufregen. Ihrer Verpflichtung war sie zuverlässig nachgekommen, die Kleine wußte sogar mehr, als ihr zustand, sie hatte häufig Bücher in ihren Händen gesehen, die sie nicht mal berühren durfte, doch bestrafen nutzte nichts, denn sie würde es nur wieder von neuem tun. Andrerseits besaß sie gute Manieren, war sauber, bescheiden und anständig, hatte Dona Jesuína doch stets darauf geachtet, ihren Schülerinnen diese Tugenden einzuimpfen, denn ohne das ist eine Frau nichts in der Welt. Wenn sie sich also nicht damit zufriedengab, nur zwei oder drei Monate jährlich in Baiacu zu verbringen, wie sie es die ganze Zeit über getan hatte, dann sollt sie doch tun, was sie nicht lassen konnte. Sie wusch ihre Hände in Unschuld, obwohl es ein Jammer war, wirklich ein Jammer, doch die Wahrheit ist, wer nicht weiß, was gut für ihn ist, dem ist nicht zu helfen.

Dafé ließ den Blick durchs Zimmer wandern, das trotz des geöffneten Fensters ziemlich dunkel war, und eine Weile betrachtete sie das Bildnis von Unserer-Lieben-Frau-von-der-Zuflucht, deren Kopf leicht geneigt war, die Hände Hilfe und Tröstung bietend, ihr Gewand von dem Lämpchen wie mit rotgoldenen Tupfen übersät. Nie hatte Dafé diese Kammer richtig gemocht, in der sie so viele Jahre geschlafen und in die sie sich, trotz des Verbots, so oft eingeschlossen hatte, um zu lesen, manchmal ziemlich merkwürdige Bücher, von denen sie kein Wort verstand. Andrerseits war ihr die Kammer auch nicht verhaßt, sie war wie ein etwas lästiger Freund, an dessen Gesellschaft man sich schließlich gewöhnt. Die feuchte Ecke, fast ein nasser Spalt, ein so enger Wandhohlraum, daß man die Hand nur seitlich hineinstecken konnte, wo scharrende Tierchen nachts Lärm verursachten und über ihr Bett flogen, war nach wie vor da und flößte ihr nach wie vor Angst ein, obwohl nicht mehr so stark wie in ihrer Kindheit, als sie bat, man möge eine brennende Kerze dort hineinstellen. Sie öffnete die beiden Kleiderschranktüren und kramte ihre Siebensachen zusammen. Nicht alles würde in den blauen Reisekorb passen, den Großvater Leléu ihr geschenkt hatte, sie würde einiges zu einem Bündel schnüren müssen, zurücklassen wollte sie nichts. Zunächst hatte sie etliches beiseite gelegt, um es hierzulassen, doch jetzt würde sie alles mitnehmen, kein Stück von ihr sollte zurückbleiben. Sie könnte den Plunder ja in Baiacu verschenken, mitnehmen würde sie alles.
Als Dona Jesuína in das Zimmer zurückkam, fand sie die Kleine reisefertig. Sie hatte eigentlich schimpfen wollen und war etwas aus dem Konzept, als sie alles an seinem Platz fand: der Korb war verschlossen, zwei handliche Bündel, ein Ranzen, das Bettleintuch gespannt, die Frisiertoilette makellos, Dafé aufrecht auf dem Bettrand sitzend. Sie begriff, daß die Kleine ihr fehlen würde, sie war dem Weinen nahe, umarmte sie und fuhr ihr mit der Hand über den Kopf.

»Versprichst du, daß du vernünftig sein wirst? Hm? Versprichst du's mir? Und wirst du mich hin und wieder besuchen? Schau, ich bin alt, ich mach's nicht mehr lange, du mußt mich oft besuchen kommen. Ach, liebe Maria da Fé, ich werde dich vermissen!«

»Ich auch, ich komme, ich komme bestimmt!«

Sie saßen noch umarmt da, als die Küchennegerin Rogaciana, ganz erhitzt, weil ihr Hintern ausgiebig betätschelt worden war, berichtete, Seu Leovigildo warte im Wohnzimmer, überglücklich, kaum zu glauben! Dona Jesuína verzog das Gesicht. Sie würde wieder nichts sagen, doch es mißfiel ihr gründlich, daß Leovigildo einfach ins Wohnzimmer stapfte und es sich bequem machte, als wäre er eine Respektsperson. Und das war er nicht, er war ein Neger, der Geld besitzen und ein guter Mensch sein mochte, doch er war von niedriger Herkunft, das war deutlich an seinem Gesicht zu erkennen, so dunkel, daß es schon violett wirkte. Schön, fortan würde sie strenge Anweisung erteilen, daß die Negerinnen ihn nur durch die Küchentür eintreten und ihn dort warten ließen. Sie zog aus ihrem Busenausschnitt ein winziges, goldverschnürtes Kästchen, übergab es Dafé, bat sie, es zu öffnen und legte ihr das Kettchen mit dem Medaillon um den Hals, dann küßte sie sie auf beide Wangen. Sie brach in Tränen aus und erschrak heftig, als Leléu, immer noch ganz Lebemann, in der Tür erschien, breit strahlend, von neuem Rogacianas Hintern betätschelte und schrie:

»Mein Mädchen, heute habe ich der Sonne beim Erwachen einen guten Morgen zugerufen!«

Salvador da Bahia, den 10. März 1853

Sie schwindet dahin, die ebenholzfarbne Najade.
Die bronzene Stirn ward jäh zu Elfenbein ihr
Vom eisigen Kuß der todverheißenden Schlange.
Im schwellenden Busen pocht nicht mehr
Das quälsame Herz.
»Dandalê! Dandalê!« heult laut auf Haroldo
Und in atemberaubendem Sturzflug
Aus des Adlers Krallen verzweifelt zur Erde er springt.

O Dandalê! Dandalê!
Doch seht, wie das trostlos tiefe Weinen
Das seiner innersten Seele entsprang –
Unsterbliches Schauspiel unbändigen Schmerzes! –
Jetzt hält der Fluß plötzlich inne,
Beim dumpfen Fall des gestürzten Helden,
Tot, tot und tot zu Füßen der Geliebten,
Opfer, die beiden, der Vorurteile,
Schlachtopfer beide für die Freiheit!

Mit schweißüberströmtem Gesicht, die Hände vom heftigen Deklamieren noch verkrampft, verbeugte sich hastig der Poet Bonifácio Odulfo Nobre dos Reis Ferreira-Dutton, um dem donnernden Beifall in Mazombos Taverne zu danken, der die letzte Strophe seines tragischen Poems *Haroldo und Dandalê* fast übertönt hatte. Ohne lächeln zu können, wie er es vorgehabt hatte, wischte er sich mit einem zerdrückten, grellbunten Taschentuch ab, blickte nervös in die Runde, winkte der auf dem Balkon zusammengepferchten Gruppe zu, versetzte dem Velasquez-Hut von Antônio Onofre einen unfreundlichen Stups, stand da wie einer, der nicht weiß wohin, während der Beifall anhielt und unter Begeisterungsrufen verebbte.
»Der Vers mit der Najade, der bleibt! Wie ging der noch? Zerflossen die ebenholzfarbene... Nein, doch! Sie zerfließt, die ebenholzfarbene Najade... Das ist großartig, mein Lieber, so eine Klangfülle in einer Redondilha habe ich lange nicht gehört, also unter uns, so ein Verschen ist bei der herrschenden Plattheit lange niemand mehr gelungen, solche Klangfülle habe ich in Jahren nicht mehr gehört! Sie zerfließt, die ebenholzfarbene Najade... Das ist wirklich fabelhaft, mein Lieber, damit ist bewiesen, daß Bankiers *ne sont pas seulement des salauds*, sondern auch erstrangige Dichter als Söhne zustandebringen! Der bleibt, der wird bleiben!«
»Die Becher gefüllt! Mazombo, mein Portugiesensohn, großer Schankwirt, hier herrscht ja eine schlimmere Dürre als in allen Wüsten Bessarabiens! Bist du dir klar darüber, daß du soeben ein Meisterwerk von unerhörtem Höhenflug gehört hast? Und dem kann unser aller Neid nicht begegnen, ohne auf die köstliche

Lymphe zurückzugreifen, die du hartnäckig in deinen Fässern versteckst!«
»Aber Senhor Doktor Antônio Onofre, ich erkenne wohl an, daß es ein bildschönes Gedicht ist, ein so außerordentliches Werk, daß es mir an die Eier geht, und daß der Herr Doktor Bonifácio Odulfo ein größerer Dichter ist als die gesamte Poetenbande im Königreich, aber es ist schon eine ganze Weile hell, ich fürchte sogar, daß die Polizei ...«
»Die Polizei? Möge sie kommen, die *gendarmerie*! Im Gegensatz zu einer verbreiteten Meinung bekommen nicht die Dichter weiche Knie, wenn sie sich der Tyrannei entgegenstellen, sondern feige Tavernenbesitzer, wie du einer bist. Die Dichter fliehen nicht vor dem Kampf, die Dichter fürchten nichts auf der Welt, schon gar nicht die Büttel des Herrn Intendanten oder des Herrn Polizeichefs oder wer es auch sein mag! Los Mann, reicht es dir nicht, daß du uns für das Gesöff, das du auftischst, das Lösegeld für einen Mandarin abpreßt, dazu willst du in diesem Haus der Freiheit auch noch die stickige Atmosphäre der Unterdrückung verbreiten? Was ist dir so unangenehm am Morgen, bist du etwa eine Fledermaus?«

»Je dis à cette nuit: ›sois plus lente‹; et l' aurore
Va dissiper la nuit!«

»Bravo!

O temps, suspends ton vol! et vous, heures propices,
Suspendez votre cours!
Laissez-nous savourer les rapides délices
Des plus beaux de nos jours!«

»*Touché*! Also, Mazombo, begreifst du, daß man sogar Lamartine zur Verteidigung von Antônio Onofres Bestrebungen herbemüht hat? Was willst du mehr?«
»Er will seinen Garret, er ist hoffnungslos ein Portugiese. Los, bring den Wein, bevor wir dich in Ketten legen und dich nach Beira zurückverschiffen, Lumpenkerl!«
»Für mich *Anisette*!«
»Für mich einen Becher Schierling!«
»Ich will aus einem Schädel trinken! Gibt's in dieser Kneipe denn

keine Schädel? Wie können Dichter sich betrinken ohne schöne ausladende Schädelschalen?«

»Auf die ebenholzfarbene Nymphe!«

»Najade!«

»Auf des Barden Bonifácio ebenholzfarbene Najade, die heute heller strahlt als einst die Lusiade!«

»Er lebe hoch! Auf unseren Lord Byron! Auf unseren Merimée! Auf unseren Musset! Auf unseren Chateaubriand, wahrlich, ein Chateaubriand! Die exotische Auffassung, der orientalische Tonfall, das gewisse Etwas von *Atala*, jenes gewisse Etwas von *Les aventures du dernier Abencérage* ... Und ich sage dies als großes Kompliment, war Chateaubriand selbst nicht ein glühender Schüler von Bernardin de Saint-Pierre gewesen, der seinerseits ...«

»Verzeihung, mein Freund Prosérpino, du wirst der Größe von Bonifácios Werk nicht voll gerecht. Ich für meinen Teil sehe viel, sehr viel Neues darin, neben der Gewaltigkeit seines Wortschatzes, dem Bilderreichtum, dem, ich würde sagen, symphonischen Rhythmus. *Ça va sans dire*. Doch was dieses Werk geradezu verklärt, was es zu einem echten Markstein macht, zu einer wahren Revolution – Revolution des Wagnisses, des Kunstverstands, des Genies –, das ist das Thema selbst, das Thema selbst! Ist den Herren vielleicht, wiewohl so offensichtlich wie die Fassade eines Theaters, die in dem Thema enthaltene Revolution entgangen? Haroldo und Dandalê ... Die Erzählung einer verbotenen Liebe zwischen einem weißen Abkömmling portugiesischer Goten und einer brasilianischen Negerin, einem wilden, primitiven Wesen, ›berauschende dunkle Frucht des tropischen Laubwerks‹, wie der Dichter es ausdrückt. Begreift ihr das Ausmaß der Kühnheit? Ermeßt ihr, sobald dieses unvergleichliche Werk veröffentlicht ist, die heftige Reaktion der Moralisten, der Konservativen und der Pharisäer, aus denen unglücklicherweise der Großteil unserer Gesellschaft besteht? Die Parteigänger der Sklavenbefreiung und die – warum es nicht deutlich sagen – die Republikaner ...«

»Meine Herren, um der Gnade des allerheiligsten Sakraments willen, diese Themen!«

»Dir fehlt es an Größe, Mazombo, du hegst in dir die Ideale einer Schnecke. Dabei könntest du als Besitzer dieses Salons in die

Geschichte eingehen, der ein Parnaß unsterblicher Poeten sein könnte.«

»Ja, aber die Geschichtsbücher nimmt man nicht mit auf die Galeere oder zum Galgen. Die erlauchten Herren, samt und sonders wohlbestallt im Leben, würden weder zum Galgen noch ins Gefängnis wandern, man würde Ihnen eine Abreibung verpassen und danach einen Kuraufenthalt an einem fernen Strand verschreiben, und hinterher wäre Ihnen alles verziehen. Aber was mich betrifft ...«

»Schon gut, *mon Tartuffe*. Schaff eine neue Kruke herbei, walte deines Amtes. Aber ich sprach von Haroldo und Dandalê. Übrigens, was für einen hübschen Namen hast du da deiner Heldin verliehen, wo hast du den denn ausgegraben? Bist ja gewitzter als eine Wildkatze, bis zu welchen Quellen bist du denn gegangen?«

»Ich bin zu keinen Quellen gegangen, wie du sagst. Dieser Vorname ist ein Erzeugnis meiner Phantasie, ich habe ein klangvolles Wort gesucht, das afrikanische Laute beschwört, die Tänze, die die der Negerrasse eigene, sinnliche Trägheit ...«

»Und hast einen glücklichen Fund getan! Dandalê ... Nun antworte mir, Prosérpino, wer von deinen Portugiesen und Franzosen wäre einer solchen Erfindung fähig? Übrigens, wann findet die Verbrennung der portugiesischen Bücher statt? Wir müssen das an einem See durchführen, jemand muß einen See beschaffen!«

»Bei dem Landsitz meines Onkels, in Rio Vermelho, liegt eine Lagune.«

»Dann soll sie dort stattfinden. Das wird ein Freudenfeuer geben, wenn die Bücher dieser unserer finsteren Dummköpfe brennen, die sich noch als unsere Lehrmeister aufspielen. Wir, eine vom Genie Rousseaus und Victor Hugos durchdrungene Generation, zwischen dem Tod und der Größe, sollen weichliches Zeug und winselnde Gefühlsduseleien lesen?«

»Aber nicht Herculano, nein. Herculano ...«

»Herculano ist ein aufgeblasener Hohlkopf, das weißt du sehr genau!«

»Nimm das zurück, nimm das lieber zurück!«

»Eher ließe ich mir den Bart abrasieren, und du weißt, daß ich schon zwei umgelegt habe, die das versucht haben.«

»Zwei hast du umgebracht? Wo denn?«
»Das geht dich nichts an. In Europa, du kennst die europäischen Studenten nicht, dort sind Duelle an der Tagesordnung.«
»Du lügst!«
»Nein, du lügst! Du lügst sogar, wenn du von diesem Herculano sprichst, ein gefährlicher Tollhäusler, der prähistorische Wortungetüme ausgräbt, um Lügenmärchen über Portugal zu verzapfen, so gräßliche Lügenmärchen, daß sogar die dümmsten Portugiesen – und höre, sie sind nicht selten, ganz im Gegenteil ...«
»Nimm das zurück, nimm das sofort zurück!«
»Ich nehme nichts zurück! Vielmehr werde ich die Eseleien, die er in seiner Frechheit drucken ließ, demselben Scheiterhaufen übergeben wie den gesammelten Quark der Herren Doktoren Xavier de Novais, Soares dos Passos, Bulhão Pato und all der sabbernden Hornochsen, die deiner Empfindsamkeit so nahegehen. Ins Feuer damit! Um Mitternacht, an der Lagune der Fazenda von Eusébios Onkel, vor dem Schlund, aus dem man die abgrundtiefe Stimme der Zeitalter hört ... Und wir werden aus Schädeldecken trinken, Eusébio! Morgen werden wir auf einen Friedhof gehen, wir werden eine Gruft schänden ... Oder lieber eine Kirche? Nachts werden wir in eine Kirche einbrechen ...«
»Meine Herren, ich bitte Sie inständig, ich beschwöre Sie, diese Themen, diese Themen!«

»Vorm balsamierten Leichnam, ach, vor ihr,
Die einst geliebt so war im Leben,
Den liebedürst'nden Leib ich bette hin,
Streichle und küsse ihr eiskaltes Antlitz ...«

»Nimm zurück, was du über Herculano gesagt hast, nimm's zurück! Alle sehen, wie er mich herausfordert, ich möchte, daß alle das sehen, bevor meine Faust auf seiner Schnauze landet!«
»Ruhe, meine Herren, die Nacht gehört der Poesie!«
»Nimm's zurück! Herculano ist kein Hohlkopf!«
»Das möge der Dichter des Abends entscheiden! Der Dichter Bonifácio Odulfo soll entscheiden, ob Herculano ein Hohlkopf ist oder nicht! Ich bitte um Aufmerksamkeit für den Urteilsspruch!«

Aber Bonifácio wußte nicht, was er sagen sollte, und sobald er die ersten Silben hervorbrachte, bekam er einen heftigen Hustenanfall und mußte sich setzen, mit verwirrtem Haar, verkrampften Gesichtszügen und röchelndem Atem.
»Kampfer!«
»Lockert ihm den Kragen!«
»Stellt ihn auf die Füße!«
Als der Kampfer berochen und Herculano vergessen war, kam Bonifácio allmählich zu sich, fuhr sich übers Haar und saß da mit stoischem Lächeln und entrücktem Blick.
»Die Lunge, diese verfluchte Kanaille. Aber das geht vorüber...«
Ein neuer Hustenanfall schüttelte ihn. Er schien im Begriff, in Ohnmacht zu fallen, und wurde von Antônio Onofre und Mazombo gestützt, vermochte jedoch das Gleichgewicht wiederzugewinnen. Er bestand darauf, daß es ihm gutgehe, bat, sie sollten weiterreden und -trinken wie bisher, doch Antônio Onofre hörte schließlich auf Mazombos besorgtes Mahnen und überredete ihn, nach Hause zu gehen. Es mußte etwa acht Uhr sein, die Sonne schien sicherlich schon warm, und es war doch keine schlechte Idee, draußen etwas frische Luft zu schnappen, nach einer langen Nacht in der feuchten, dumpfen Atmosphäre der Taverne.
Eingehakt traten die beiden auf die Straße. Die Sonne war von schweren Wolken verdeckt, und statt frischer Luft stießen sie auf erstickende Schwüle, und Antônio Onofre stöhnte entsetzt auf.
»Geben wir doch zu, daß es sich um eine unbewohnbare Stadt handelt«, sagte er. »Die Luft in der Taverne ist angenehmer zu atmen.«
Bonifácio antwortete nicht und ließ nicht einmal erkennen, daß er etwas gehört hatte. Antônio Onofre blieb stehen und zupfte ihn am Ärmel.
»Was hast du, fühlst du dich nicht besser?«
»Doch, mir geht's gut, sehr gut, ich weiß schon gar nicht mehr, daß ich gehustet habe. So ein Pech, wir hatten uns so gut unterhalten, und plötzlich dieser Hustenanfall.«
»Bist du deshalb so trübsinnig? Denkst du an die Krankheit?«
»Ich bin nicht trübsinnig und denke auch nicht an die Krankheit.

Ich sehe sie als Fluch an, als Verhängnis. Ich werde nicht der erste sein, nicht wahr, es scheint mir sogar die Bestimmung der Dichter zu sein, wie meine Mutter sagt. Nein, ich denke nicht an sie, auch bin ich nicht trübsinnig, wie du sagst.«
»Doch, du bist es.« Wieder blieb er stehen, trat zwei Schritte zurück und sprach mit verschränkten Armen. »Dann also Liebeskummer? Ah, natürlich! *On ne badine pas avec l'amour!* Was war es, hat dir die Dona X wieder einmal einen jener schmachtenden Blicke zugeworfen?«
»Ich habe dir bereits gesagt, du sollst darüber keine Witze machen, willst du, daß die Mordbuben ihres Mannes mich zu Tode prügeln?«
»Ich hab doch keine Namen genannt, ich habe X gesagt, ich finde, das gibt der Sache einen Anflug von Geheimnis und Abenteuer.«
»Ach, laß das doch, ich habe sie in letzter Zeit nicht sehen können. Ich fürchte, der alte Schauerling hat sie wieder einmal in das gräßliche Landhaus in Barra gesperrt. Ohnehin gibt es zur Zeit kein Theater hier, und der einzige Ort, wo ich sie sehen kann, ist ein Theater.«
»Aber eines Tages wird es eine Aufführung geben, laß den Mut nicht sinken.«
»Ich bin nicht mutlos. Ich hatte auch nicht an sie gedacht.«
»Aber woran zum Teufel denkst du dann, du behauptest zwar, du seist nicht besorgt, und doch bist du es, ich kenne dich doch, man ist bei dir kein langes Gesicht gewöhnt. Macht der Alte dir Schwierigkeiten?«
»Der Alte macht immer Schwierigkeiten. Der Arme, er ist ein kultivierter Mann, aber die Enttäuschungen und die Arbeit haben ihn dazu gebracht, Literaten und Intellektuellen zu mißtrauen. Jetzt, als Direktor seines eigenen Bankhauses und mit all seinen Geschäften, diesen endlosen Transaktionen, die mich ganz schwindelig machen, wenn ich nur von ihnen höre, jetzt, glaube ich, bleibt ihm nicht viel Zeit übrig, mich zu piesacken wie früher. Er hat sich mit dem Gedanken abgefunden, daß ich bin, wie ich bin, und daß ich mich niemals in einen Plutokraten ummodeln lasse, wie er einer ist. Ich weiß aber, daß er darunter leidet, er bildet sich ein, daß die Familie unmittelbar nach seinem Tod ruiniert sein wird, was übrigens zutreffen mag. Auf seine

Kinder kann er nicht zählen. Clemente André ist praktisch schon Monsignore, sein Leben spielt sich in Kollegien, Seminaren und Klöstern ab, manchmal kommt er mir vor, als verstünde er schon gar nichts mehr außer seinen gregorianischen Gesängen und den Beichten seiner Schäfchen. Carlotinha ist eine Frau und außerdem mit diesem Schafskopf von Vasco Miguel verheiratet, der nichtsdestotrotz vom Alten mit einigen Aufgaben in seinen Firmen betraut wurde. Wer keinen Hund hat, jagt mit dem Kater, wie es heißt, und so muß er mit dem Erztrottel zurechtkommen, den er sich als Schwiegersohn ausgesucht hat.«

»Aber das ist doch nicht seine Schuld, schließlich hat Carlota ...«

»Carlota hat gar nichts, die redet keinen Ton, und denken tut sie schon gar nicht und sucht sich einen Mann. Sie erfreut sich ihrer Bücher, lebt vermutlich in albernen Phantastereien, begnügt sich mit ihrem Musikunterricht und meinen beiden ständig erkälteten Neffen, die ihr am Rockzipfel hängen. Dabei hätte sie einen besseren Mann verdient, die Ärmste. Richtiger: einen anderen Mann, irgendeinen, denn jeder wäre besser als dieser Esel von Vasco Miguel. Mein Vater zumindest hat manches Leben gerettet, als er ihn der Medizin abspenstig machte. In der Epidemie von 1850 hat er seine Mutter und die Schwester Felicidade Maria verloren, und beide waren in seiner Behandlung. Ich bin sicher, daß er, wenn man ihn auf die medizinischen Künste losließe, ein viel tüchtigerer Schnitter wäre als das Gelbfieber und die Pestseuche zusammengenommen.«

»Heut bist du aber eine Giftschlange, was? Ich habe ja Glück, daß ich dein Freund bin ... Was für eine Lästerzunge!«

»Darum geht's nicht. Wenn mein Vater auch so mürrisch aussieht, hat er doch ein weiches Herz und begeht daher manche Eselei. Nach dem Tod des Barons zerfloß er in Mitleid mit der Baronin, er war dem Baron immer ergeben gewesen, er hat ihm gedient, dem Baron, der von Geschäften etwa soviel verstand wie von archaischem Sanskrit, mit so viel Ergebenheit, daß es ihn fast die Gesundheit gekostet hat, vielleicht eines Tages das Leben. Nie hat er etwas dafür erhalten, wie das in solchen Fällen üblich ist, doch trotzdem glaubte er, er müßte sich für die Baronin aufopfern. Er hat alles getan, hat die ruinierten Firmen in Ordnung gebracht, die der Wirrkopf von Baron ihr hinterließ, er hat absolut alles für sie getan, hat ihr sogar die Beerdigung des Barons gezahlt, denn der Baron muß eine weiche Birne bekommen haben, nachdem er wie ein Wahnsinniger gekämpft hatte im Unabhängigkeitskrieg, und danach war er wohl zu nichts mehr fähig, als bloß Held zu sein. Sogar die Aussteuer von diesem Mädchen – wie heißt sie noch? –, Florabela, sogar die Aussteuer für ihren Eintritt ins Kloster hat er ihr geschenkt. Und nicht zufrieden mit alledem, hat er auch noch diesem Kamel namens Dr. Vasco Miguel zum üppigen Überleben seine Tochter, meine Schwester, zur Frau gegeben. Das muß ein Wunsch der Baronin gewesen sein. Er, der seine Mutter früh verloren hat, machte sie zu seiner neuen Mutter und tat alles, worum sie ihn bat. Ergebnis: Jetzt trägt er auch noch diese Last auf den Schultern, denn von Geschäften dürfte Vasco wohl soviel verstehen wie ein Zebra, wie er überhaupt nicht das Geringste versteht, ich vermute, sein Wortschatz umfaßt nicht mehr als achtzig Wörter, wenn's hoch kommt.«

»Aber du hast doch noch einen Bruder, oder nicht? Einen jüngeren Bruder?«

»Tico Macário? Eher kriegt man Pater Clemente André dazu, seine Soutane aufzukrempeln und am Dreikönigsfest tanzen zu gehen, als *dem* Verstand beizubringen. Übrigens wird er heute vierzehn, sieht aber aus wie ein ausgereifter Affe von achtzehn. Er kann kaum das ABC und wälzt sich mit den Haus- und Gutsnegerinnen herum, und ich darf sicher sein, daß ich bereits den einen oder anderen Neffen in den Sklavenhütten habe. Vor nicht langer Zeit hat er seinen Lateinlehrer, den alten Queiroz, geohrfeigt. Überdies hat er ihm Tinte über seine Bücher und Papiere geschüttet, ein Ekel. Mein Vater bestraft ihn, was aber wenig nutzt, zumal meine Mutter in ihm ihr Schoßkind sieht, du weißt, wie das mit den Benjaminen geht. Sie findet immer, daß er ungerecht behandelt oder mißverstanden wird. Schon zweimal ist er von zu Hause ausgerissen und jedesmal verspricht sie ihm das Blaue vom Himmel herunter, damit er nicht wieder ausbüchst. Er raucht auch schon, trinkt und spielt Billard, er ist überhaupt ein rechtes Aas, dieser mein Bruder. Wie du siehst, hat mein Alter seine Sorgen, aber was soll's, wir alle haben Probleme.«

»Ja, aber das läßt dir sicherlich auch keine Ruhe.«

»Mein lieber Freund Toninho, ich sehe, wie besessen du Dinge suchst, die mich deiner Meinung nach unbedingt traurig stimmen müssen. Ich will offen zu dir sprechen, denn du bist für mich wie ein Bruder und ich wünschte mir, ich könnte zu Hause die Brüderlichkeit, das Verständnis, die Vertraulichkeit und die Uneigennützigkeit unserer Freundschaft finden.«

»Danke, mir geht es genauso, danke.«

»Du schuldest mir keinen Dank, du weißt, daß es wahr ist, über diese Dinge braucht man nicht zu reden.«

»Le sort fait les parents, le choix fait les amis.«

»*Voilà*. Also sage ich dir, daß mich nichts betrübt außer dem, was uns alle betrübt, der Schmerz der Welt. Was ist der Dichter, der Künstler, der Seher anderes als ein Wesen, das mehr fühlt als die anderen? Was mich am meisten erschreckt, ist der Mangel an Empfindsamkeit. Manchmal meine ich, ich lebe in einem Albtraum, wenn ich merke, wie unempfindlich mein Nächster ist, wie er nicht schreit, nicht weint, nicht stirbt angesichts einer Welt der Ungerechtigkeit und Unbill. Nimm unser Volk. Welches Volk könnte reicher als das unsere sein, glücklicher, wohlhabender, moderner? Keines! Und doch sieht man nur riesiges Elend, Hunger, Rückständigkeit, menschliche Tragödien – und all das wird so angesehen, als wäre es der natürliche Lauf der Dinge. Wir könnten die Titanen des Weltalls sein, die Titanen!«

»Und wir werden es sein! Die Kraft des Volkes, die Kraft des Geistes, die Kraft des Mutes!«

»Aber manchmal fehlt mir der Glauben. Mir scheint, ich schwanke zwischen einem gewissen *Weltschmerz*, zwischen Ernüchterung und Zaghaftigkeit.«

»Hältst du dieses Gefühl nicht für *passé*, für etwas Veraltetes, Wertherhaftes? Die Zeiten sind andere, die Horizonte der Neuen Welt ...«

»Das, was du ›wertherhaft‹ nennst, hat weder mit der Zeit zu tun noch mit dem Ort. Wie Werther selbst sagt, die Leute hier sind wie die Leute von überall. Warum nicht den *ennui* anerkennen, die schwarze Galle der Schwermut? Warum nicht erkennen, daß für den Dichter der Kelch gefüllt ist mit Gallenbitter, daß seine Bürde schwer wiegt, der Tod ihm eine Morgendämmerung ist? Es stimmt, mein lieber Freund Toninho: ich schwanke zwischen diesem *spleen*, diesem so tief verwurzelten und furchtbaren *spleen*, und einer Hinneigung zum Heroismus der Tat, imstande, Völkerschaften zu führen, einer Hinneigung zur Begeisterung, zur Bekräftigung von Rasse und universaler Lebenskraft, einer Hinneigung zum Geist des Volkes und der Größe – warum soll ich das alles nicht anerkennen? Wer bin ich nur, wo bin ich, was tue ich hier? Kennst du die Last, die dies für eine empfindsame Seele darstellt? Manchmal beneide ich die rohe Kraft des Volkes, manchmal schreie ich auf zum Himmel, weil ich nicht in Armut und nicht in Sklaverei geboren worden bin, manchmal – erschrecke, mein Lieber, erschrecke nur! – ersehne ich das Martyrium, verfalle ich ganz dem Gedanken an die Heiligkeit als Berufung!«

»Du gehst mir ans Gemüt! Nein, wirklich, du gehst mir ans Gemüt, gehst mir stärker ans Gemüt als mit deinen Versen, denn erleben wir nicht eben jetzt Geschichte? Wird man eines Tages nicht darüber sprechen und schreiben, wie wir hier unerkannt die dunkle Steige des Berghangs von São Bento erklommen haben, wie wir um all das gelitten haben, was unsre Stimmen lauter erheben läßt, mehr als irgendeine Macht es vermögen wird? Stell dir die Zukunft vor: ›Hier ergingen sich oft die Dichter Bonifácio Odulfo und Antônio Onofre und haben ihre großartigen Träume verkündet, die ihre Herzen in Fieber versetzten, und die zerstreuten Fußgänger merkten nicht, daß dort, zwischen dem Barden von *Haroldo und Dandalê* und dem Seher von *Neue Welt, Neue Zukunft*, die Universale Revolution gärte!«

»Ja, gewiß! Genau dasselbe denke ich manchmal auch und bin dann sicher, daß es so sein wird. Woher nehme ich diese Gewißheit? Ich weiß es nicht, doch etwas in mir läßt keine Zweifel zu, ich weiß es, ich weiß es! Fühlst du nicht manchmal in der Seele einen Wirbelsturm, einen Mahlstrom ungeordneter Gedanken und Gefühle, häufig einander widerstreitend, fühlst du nicht einen Drang, einen Durst, eine Ungeduld, eine Verstörung in dir?«

»Zwillingsseelen sind wir! Auch mir fehlt diese Gewißheit nicht, die auch mich inmitten wütender Verwirrung des Geistes und der Gefühle unverhofft überkommt. Ich möchte dir etwas zeigen, was ich geschrieben habe, auch wenn es erst ein Entwurf ist, in dem ich eine Art Wortpanorama dieser Gefühle zu schildern versucht habe. Kommst du heute zum Portugiesensohn?«

»Mein Lieber, wenn wir nicht zum Portugiesensohn gehen, werden wir dann nicht an der Portugiesensohnsucht sterben?«
»Hast recht, heute hast du deinen genialen Tag. Schön, ich glaube, hier biege ich ab, du bist schon fast zu Hause, und die Abkürzung von hier nach São Raimundo ist nur ein Katzensprung. Ich hoffe, die Alte ist zum Einkaufen auf den Markt gegangen und noch nicht zurück. Heute ist die Miete fällig, und noch immer verfüge ich nicht über das nötige *cum-quibus*, um meine Schulden zu begleichen. Der Gipfel der Ironie ist, daß mein Vater soeben ein Vermögen mit Diamanten gescheffelt hat, einen unermeßlichen Haufen Geld, aber die Überweisungen lassen auf sich warten, alles kommt von Lençois auf Eselsrücken, vom Ende der Welt. Na schön, aber es könnte schlimmer sein. Ohne die Alte in der Nähe gehe ich seelenruhig heim, schließe mich ins Zimmer ein, denke darüber nach, was ich anstelle. *Au revoir, mon p'tit. Haroldo und Dandalê* ist schon mit Feuerschrift ins Pantheon der Unsterblichen eingeschrieben!«
»Einen Augenblick, Toninho, soll ich dir nicht mit einer Handvoll Münzen aushelfen, bis dein Geld eintrudelt?«
»Ach, nicht nötig. Zu essen krieg ich immer etwas im Hinterhof der Kirche Sankt Peter, bei meinem Priesteronkel. Ein Mittagessen ist wohl eine Messe wert, *n'est-ce pas*?«
»Laß doch das alberne Getue. Da, nimm!«
»Schön, wenn du mir versprichst, daß es nicht wie beim letzten Mal ist ... Wenn du mir versicherst, daß es wirklich nur geliehen ist, daß du mir zugestehst, daß ich es zurückzahle, denn ...«
»In Ordnung, in Ordnung. Wirst du nicht in Bälde in einem Meer von Diamanten schwimmen? Du zahlst es zurück, sobald du ein Magnat geworden bist.«
»Wieder einmal rettest du mich aus der Schmach, vielen Dank. Die Alte von der Pension hat kein Anstandsgefühl, sie beschwert sich so lautstark über mich, daß es die ganze Nachbarschaft hört. Und rettest mich auch vor der Messe! Lebwohl, wir sehen uns heut abend bei Mazombo.«
»Lebwohl, Toninho, paß auf dich auf, hörst du?«
Er blieb einen Augenblick stehen und sah dem Freund nach, der über die Straße ging und in das Gäßchen nach São Raimundo einbog. Jetzt fiel ihm ein, daß er beschwipst war, vielleicht sogar ziemlich betrunken, doch statt sich zu ärgern, freute er sich. Lä-

chelnd maß er die Straße mit dem Blick, dachte, daß er sich über eine ihm vorgezeichnete Zukunft keine Sorgen zu machen brauchte, daß der Ruhm ihm ganz von selbst zufallen würde, daß jenes Volk, das er so gut begriff und deutete, durch seine Stimme das volle Bewußtsein seiner Rasse erreichen würde. Er sah sich am Hof, sah sich in den Pariser Salons, sah sich triumphierend nach Bahia heimkehren, auf den Armen des Volkes als dessen Poet, dessen größter Poet getragen. Zärtlichkeit für alles ringsum durchflutete ihn, überschwenglich grüßte er einen Braunen, der mit Papierbündeln unter den Armen vorüberging, und empfing eine dienstbeflissene Verbeugung als »verehrter Herr Doktor«. Langsam schlenderte er nach Hause, voller Liebe für sein Volk und sein Land und schrieb im Geiste nieder: »Mächtige tellurische Kraft des ungezähmten Landes der Brasilier, o ihr, die ihr auf Feldern schuftet, in Wäldern das Unbekannte rodet ...« Und undeutlich dachte er daran, die Worte aufzuschreiben, nahm aber davon Abstand, in der Gewißheit, daß sie wiederkehren würden, er war nicht wie die anderen, sein Genie stand außer Frage. Er war aber auch müde, wie er der Mutter sagte, sobald sie ihn wie üblich mit weinerlicher Zurechtweisung empfing, bevor er sich zum Schlafen in seine Kammer einschloß und die Fenster fest verriegelte, um sich nicht eine Lungenentzündung zu holen.

»Was geschieht einem Menschen, der etwas ganz verzweifelt braucht, und wenn es dann kommt, ist es nichts von dem, was dieser Mensch sich gewünscht hatte. Er stirbt, das geschieht ihm! Und dann liefert eine Firma wie Ambrósio Nunes & Gebrüder, die sich rühmt, alteingesessen zu sein und den distinguiertesten Prälaten und Männern der Öffentlichkeit zu dienen, einen elend zusammengeflickten Lumpen und wagt es, dieses Pfuschwerk Soutane zu nennen? Dergleichen Zynismus würde den gemeinsten Altkleiderhändler der Unterstadt beschämen! Schauen Sie, schauen Sie diese Taille, schauen Sie sich das an, man möchte es am liebsten in Fetzen reißen! Ich habe sehr deutlich gesagt, ich wünschte eine *hohe* Taille, in diesem Machwerk sehe ich aus wie ein fettleibiger Greis, mit einer Taille, die von den Hüften nicht zu unterscheiden ist. Nein! Und was ist das? Das hier auf der Seite, was soll das sein? Ein Seitenschlitz ist das! Wo hat man je

eine Soutane mit Seitenschlitz gesehen, allerheiligste Jungfrau? Einen Moment dachte ich, es sei eine Tasche, doch nein, es ist ein widerliches Loch, wie grotesk, die Herren sind wohl verrückt geworden! Nicht umsonst habe ich meine Soutanen immer in Rom schneidern lassen, und wenn ich einmal, gegen meinen Grundsatz, beschließe, eine Firma meines Landes auszuzeichnen, dann ist das Ergebnis dies hier... Dieses abscheuliche Flickwerk! Ich mag das nicht, ganz und gar nicht, ich mag den Besatz nicht, diesen Stoff habe ich nicht bestellt, der Rock ist nicht füllig genug, die Doppelärmel sind schauerlich, der Umhang sollte mit einer Brosche zugehakt und nicht durch diese Beerdigungsknöpfe festgehalten werden, was für ein Stümperkram, das Ganze ist mir zuwider, zuwider, zuwider! Und was sollen diese Würmer hier, diese Zimperfransen, sollen das Litzen sein? Wie blitzhäßlich, fort mit dem Kram, fort damit, Domiciano, ich kann's nicht sehen! Und Sie, mein verehrter Herr, ich lebe nicht von irgendwelchen Sporteln wie der Rest Ihrer Kundschaft, ich habe Geld, mich anständig zu kleiden, nur weil ich Priester bin, will ich nicht zerlumpt umherlaufen, eingehüllt in einen Sack aus schwarzem Werg! Wollen Sie bitte veranlassen, daß sämtliche Änderungen sofort ausgeführt werden! Vielmehr, keine Änderungen, ich verlange nur die Soutane, die ich bestellt habe! Und genauso, wie ich sie bestellt habe! Sie haben drei Tage Zeit, zweieinhalb Tage, um die Arbeit fertigzustellen, und wehe den Herren, wenn ich am Sonntag nicht im Besitz meiner Soutane bin! So, das wäre es, es reicht, auch die Geduld eines Heiligen hat ihre Grenzen! Die Herren können sich zurückziehen. Domiciano, bring mir ein Glas Wasser mit einem Löffelchen Zucker darin. Aber sieh zu, daß du mir nicht deinen üblichen Sirup bringst, oder ich muß ihn dir in die Ohren kippen!«
Pater Clemente André sank erschöpft auf das Sofa, die Hände über die schmerzende Stirn gebreitet. Er streckte ein Bein aus und öffnete die Kleiderschranktür mit der Stiefelspitze. Lustlos betrachtete er die lange Reihe von Soutanen, Umhängen, Ornaten und Hüten – alles schon abgetragen, alles müde, alles glanzlos, nichts dem Sonntag angemessen, auf den er sich so freute. Er erhob sich, öffnete die andere Tür, ließ die hängenden Kleiderstücke durch die Finger gleiten, fühlte ein Würgen in der

Kehle, setzte sich wieder, diesmal um zu weinen, das Gesicht in den Händen vergraben.
»Mein Sohn, was ist denn?« fragte Teolina in der Tür.
»Ach, Mutter, Mutter!« schluchzte Clemente André, ohne die Hände vom Gesicht zu nehmen. »Liebste Mutter, werde ich den Erzbischof in einer alten Soutane empfangen müssen?«
Teolina war bestürzt, sie lief auf ihn zu, hob seinen Kopf, blickte ihm in die Augen.
»Nun, mein Sohn, nicht doch, es ist kein Grund so verzweifelt zu sein. Hast du nicht eine neue Soutane aus Seide bestellt, die heute fertig sein sollte?«
»Ach, Mutter, habt Ihr nicht gesehen, daß ich die beiden Schlächter von Ambrósio Nunes & Gebrüder vor die Türe setzen mußte, die die Unverfrorenheit besaßen, mir einen Sack herzubringen – einen Sack, Mütterchen! –, um ihn mir als Soutane aufzuschwatzen? Ich habe ihnen gesagt, sie sollen mir eine andere schneidern, und zwar so, wie ich sie bestellt habe, aber ich fürchte, sie werden sie nicht rechtzeitig bringen, ich brauche sie für Sonntag!«
»Quäl dich nicht, mein Sohn, sie haben Erfahrung, und überdies schulden sie dem Bankhaus deines Vaters einen Batzen Geld, sie werden alles tun, um dich zufriedenzustellen.«
»Ach, liebste Mutter, meint Ihr wirklich?«
»Mein Wort darauf. Hör du nur auf, dich zu grämen. Heute feiert dein jüngster Bruder seinen Geburtstag, und statt mit ihm zu feiern, ist dein Vater böse auf ihn, das gibt heute noch Ärger. Dein zweiter Bruder hat sich wie immer die Nacht in den Tavernen um die Ohren geschlagen und schläft jetzt oben in seinem Zimmer, und das verärgert deinen Vater gleichfalls. Stell dir vor, er schläft noch um drei Uhr nachmittags, ist das eine Art? Und du, du läßt dich so selten bei uns blicken, da könntest du zumindest diese seltenen Augenblicke fröhlich mit uns verbringen.«
»Ihr habt recht, mein süßes Mütterchen. Aber die Soutane macht mir solche Sorgen ... Ihr wißt doch, wie sehr ich Seine Eminenz seit meiner Kindheit bewundere, einen Mann weit über allen anderen, durch seine Festigkeit, seinen Mut, seine stolze Haltung, durch sein Verhalten, wie es einem echten Kirchenfürsten geziemt. Ich erinnere mich noch an meine Firmung, als ich ihn auf seinem Thron beten sah, prachtvoll wie ein König, ich erinnere

mich, wie ich vor Glück zitterte, als ich aus seiner starken und strengen Hand den Laps empfing ...«

»Laps? Sohn, sprich deutlicher mit deiner Mutter, und denk daran, daß meine Bildung gering ist. Hast du etwas Besonderes von ihm bekommen?«

»Ja, in gewisser Weise. Erinnert Ihr Euch nicht daran, daß man bei der Firmung einen Klaps auf das Gesicht erhält? Man sagt aber nicht Klaps, sondern Laps. Er schlug mir ins Gesicht, und ich fühlte ein Erschauern, eine unerhörte Erregung, ich fühlte, wie sich mein Körper mit Bewunderung für diesen Mann füllte, mit einer mächtigen, erhabenen Empfindung, die ich nicht beschreiben kann, dafür fehlen mir die Worte. Und bei anderen Malen, wenn ich ihn bei Prozessionen so hoheitsvoll sah, die Majestät seines edlen Gesichts, beschattet vom Baldachin, der seine hehren Züge hervorhob, überkam mich eine fast himmlische Ergriffenheit. Ach, Mütterchen, allein von dem Gedanken, ihm persönlich vorgestellt zu werden, bekomme ich eine Gänsehaut, werde ich überhaupt Worte finden, nachdem ich seine Hand geküßt habe, werde ich eine gute Figur machen?«

»Natürlich wirst du eine gute Figur machen, mein Sohn. Du bist doch nicht irgendein Dummkopf, du wirst von all deinen Vorgesetzten hoch geschätzt, du bist einer der besten Seminarschüler gewesen, bist bereits ein angesehener Lehrer, zeichnest dich aus durch deine Arbeit im Barmherzigkeitsheim ... Glaubst du nicht, daß der Erzbischof schon viel von dir gehört hat und dich schätzt, bevor er dich kennengelernt hat?«

»Glaubt Ihr das, Mutter, glaubt Ihr das wirklich?«

»Ich bin sicher!«

»Aber trotzdem, haltet Ihr es nicht trotzdem für unerläßlich, daß ich mich gut darstelle? Unabhängig von meinem Priesteramt bin ich immerhin von guter Herkunft und nicht zu vergleichen mit einem dieser Dorfpriester aus dem Hinterland, mit denen möchte ich nicht verwechselt werden.«

»Das wirst du nicht, mein Sohn. Ich habe dir immer gesagt, dir ist ein hohes Schicksal bestimmt, das habe ich immer gewußt, darüber brauchst du dir keine Sorgen zu machen. Laß es also gut sein! Nun, iß etwas, das Abendessen kommt heute spät auf den Tisch, dein Vater muß noch einen Besucher in seinem Kabinett empfangen, geschäftliche Dinge. Hast du gut geschlafen? Ich hab dich praktisch seit gestern nicht mehr gesehen. Und dein Freund, hat er gut geschlafen?«

»Eine Frage nach der anderen, meine liebe Mutter. Wenn Ihr zufällig Priester sein könntet, Ihr wäret ein schrecklicher Beichtvater. Nein, ich möchte nichts vespern, ich wollte gerade ein Glas Zuckerwasser trinken, um das ich Domiciano gebeten habe, der aber eine Ewigkeit auf sich warten läßt. Und Domiciano ist nicht, was ich meinen Freund nennen würde. Er ist lediglich ein Junge aus dem Waisenhaus des Barmherzigkeitheims, um den ich mich persönlich kümmere, ein schwieriger Fall, sehr aufsässig, sehr dickköpfig, sehr rüde.«

»Manchmal bewundere ich dich noch mehr als sonst, mein Sohn. Du begnügst dich nicht damit, an Vaters Statt zu dienen, als Lehrer, als Berater und Freund für diese widerspenstigen Geschöpfe, sondern widmest die geringe Zeit, die dir für dich selbst übrigbleibt, denen, die am meisten Schutz brauchen.«

»Ach, Mütterchen, Ihr könnt Euch nicht vorstellen, wieviel Kummer und Sorgen er mir aufbürdet. Ich kann nicht mal allein schlafen, denn wenn ich ihn sich selbst überließe, wüßte ich nicht, wozu er fähig ist, er braucht unablässige Überwachung. Doch ich danke Gott für die Gelegenheit, meinem Nächsten zu dienen, darin besteht das Wesen des Priesteramtes. Da wir gerade von ihm reden, wo treibt er sich denn herum? Er müßte schon längst hiersein.«

»Mach dir keine Sorgen, ich gehe gleich wieder nach hinten, ich werde ihn finden und schicke ihn her. Vielleicht hat er etwas anderes tun müssen. Doch vorher möchte ich dich um einen Gefallen bitten.«

»So viele wie Ihr erbittet, liebste Frau Mutter.«

»Könntest du nicht mit deinem Bruder sprechen?«

»Mit welchem von beiden?«

»Mit Patrício Macário. Bonifácio, der hat sein Schicksal schon gewählt, der läßt sich auf Gespräche gar nicht ein, manchmal vergehen Tage, ohne daß er mehr als zwei oder drei Worte an seine Familie richtet.«

»Also dann mit diesem jungen Wilden? Aber worüber soll ich mit ihm sprechen? Wenn es nicht einmal dem Vater gelingt, ihn ...«

»Aber du bist ein Kirchenmann, und ein Kirchenmann ist gewohnt, widerspenstige Buben wie deinen Domiciano da zu zähmen.«

»Ich bezweifle stark, daß ich mit Tico Macário das gleiche tun kann, was ich mit Domiciano tue.«

»Ganz gewiß nicht, er ist dein Bruder und kein hergelaufener Junge. Aber vielleicht könntest du ihm ein paar Ideen nahebringen, ihm zeigen, wie sehr er auf dem falschen Weg ist. Ich habe Angst, daß dein Vater ihn eines Tages aus dem Hause werfen könnte, so zornig macht er ihn.«

»Vielleicht wäre es keine schlechte Idee, ihn hinauszuwerfen. Möglicherweise wird er dann zu schätzen wissen, was ihm bisher auf dem Präsentierteller gereicht worden ist.«

»Um Gottes willen, sag doch nicht so etwas! Wie kannst du deinem kleinen Bruder so etwas wünschen? Man darf nicht vergessen, daß er noch sehr klein ist, ihm fehlt noch Verständigkeit, man muß Geduld mit ihm üben.«

»Schon gut, Mutter, ich will sehen, was ich tun kann. Aber versprechen kann ich Euch nichts, hört Ihr? Wo steckt er?«

»Dein Vater hat ihn ins Kabinett rufen lassen, und das macht mich besorgt, denn er war sehr erregt, als er von der Straße kam, er hat den Pflanzen keinen Blick gegönnt, wie er es sonst nachmittags tut, auch wenn er noch so verärgert ist.«

»Was hat Tico diesmal gemacht?«

»Nichts. Heute ist sein Geburtstag, und seit Montag spricht sein Vater von nichts anderem als von der Last, einen vierzehnjährigen Taugenichts zum Sohn zu haben, der kaum das Einmaleins und das ABC kennt. Ich glaube, weil heute nun endlich der 10. März ist, wird er kurzen Prozeß mit dem armen Jungen machen. Ich befürchte das Schlimmste, mein Sohn, wirklich das Schlimmste. Ich glaube, Patrício Macário ist nach deinem Großvater geschlagen, meinem Vater, von dem es heißt, er wäre ebenso dickköpfig gewesen und immer verbohrter, je mehr man ihn strafte.«

»Ach Gott, ach Gott, ach Gott, all das ist ja so lästig! Warum können wir nicht in Frieden leben wie all die anderen Familien, warum muß immer ein neues Ärgernis auftauchen? Ist das nicht lästig, ist das nicht ein Kreuz?«

»Du wirst doch mit ihm sprechen, oder? Versprichst du's mir, versprichst du's?«

»Ich habe es bereits versprochen. Ich werde mit ihm sprechen, Ihr könnt beruhigt sein, obwohl ich nicht glaube, daß es etwas nützt. Sobald Domiciano kommt, denn ich habe ihm einige Aufgaben aufzutragen.«
»Dann also abgemacht, wir sprechen später darüber. Du bleibst nicht lange aus, oder? Ich muß den Negerinnen Anordnungen erteilen, ich werde Domiciano für dich suchen. Ah! Da kommt er schon! Man hat schon auf dich gewartet, mein Junge!« Domiciano sagte nichts, blieb mit dem Wasserglas in der Hand in der Tür stehen, mit leicht strubbeliger blonder Mähne, sein Unterhemd war nicht ganz zugeknöpft, so daß die Brust zu sehen war. Teolina warf ihm einen raschen Blick zu, wartete, bis er beiseite trat, um sie hinausgehen zu lassen, und lief den Gang hinunter. Clemente André nahm das Glas entgegen, fuhr dem Jungen übers Haar, knöpfte ihm das Hemd zu und ließ den Unterarm auf seiner Schulter ruhen.
»Wo bist du gewesen, was hast du so lange gemacht?« sagte er sanft.
»Die Negerinnen haben mich gehänselt, sie haben lange mit dem Glas getrödelt.«
»Die Negerinnen haben dich gehänselt? Bist eben hübsch, das ist es, mach dir nichts draus.«
Er umarmte ihn zärtlich, zog seinen Kopf an den seinen und strich ihm lange über Schultern und Nacken.

10 São João do Manguinho, den 30. Oktober 1846

In der ersten Nacht konnte Budião, weil man das Fest von Sankt Gonçalinho feierte, bis in die tiefen Nachtstunden bei Merinha bleiben. Gegen Tagesanbruch schlüpfte sie durch die Hintertür ins Haus zurück, aber nicht um zu schlafen, sondern um Mais und Kokosnüsse für den Kuskus zu mahlen und Feuer zu machen. Er legte sich in ein fast auf dem Trockenen verankertes Segelboot und schlief, bis die Sonne ihm die Füße unter dem Poncho erhitzte, der ihm als Bettdecke diente. Er wußte nicht, wem das Boot gehörte, und schämte sich, einfach die Hand zum Trockenbrett auszustrecken und ein paar Dörrfische zu stibitzen, statt dessen griff er nach seinem Tornister, stopfte seine Manta und den Poncho hinein und sprang vom Bug, der während der Ebbe ins Trockene ragte, an Land. Sein Hunger war aber sehr groß, und so beschloß er zurückzugehen. Er packte einen ganzen Fischspieß, füllte Hand und Mund mit Maniokmehl, verstaute eine halbe Tafel Preßzucker in der Tasche und sprang mit vollen Backentaschen auf den Strand. Da er beide Hände voll hatte und sich nicht festhalten konnte, stolperte er beim Aufprall und fiel fast auf die Nase, genau vor einem Paar zerfranster Ledergamaschen, mit grauen, gleichfalls abgenutzten Hosenbeinen. Er hob den Kopf und sah das Gesicht eines Mulatten mittleren Alters vor sich, mit Strohhut, Siebentagebart und einem am Hals durch eine schmutzige Schnur festgebundenen Umhang. Er roch nach verdorbenem Zitronenpunsch und Zuckerrohrschnaps. Budião kaute und schluckte den Fisch und das Mehl so rasch er konnte, weil er sprechen wollte, vielleicht gehörte dem Mann das Boot, obwohl er nicht danach aussah. Aber sein Gesicht war ihm vertraut, und Budião hatte Mühe, sich darauf zu konzentrieren, was er sagen sollte, während er sich zu erinnern versuchte, was er da vor sich hatte.

»Gestern war das Sankt Gonçalinho-Fest«, begann er seine Erklärung, »und Sie wissen ja, da sucht jeder eine Schlafstatt, wo er sie findet. Ich hab aber alles so hinterlassen, wie ich es vorgefunden hab ...«

»Wem gehörst du, Neger?« fragte der Mann barsch, und als Budião die herrische, schneidende Stimme hörte, erkannte er Almério wieder, den Verwalter der Walfängerstation-zum-Guten-Jesus. Aber er zog es vor, nichts zu sagen, hoffte sogar, der andere würde ihn so nicht erkennen, mit seinen Provinzkleidern und dem gebogenen Schnurrbart, den er seit acht Jahren hatte wachsen lassen. Merkwürdig, daß Almério hier war und dann noch in dreckige Fetzen gehüllt, wie ein Bettler.

»Ich gehör niemand, Kamerad«, sagte Budião. »Ist das dein Boot?«

»Vorlauter Neger, seit wann stellt ein Neger die Fragen! Wo ist dein Ausweis, los, zeig deinen Ausweis!«

»Für was soll ich meinen Ausweis zeigen? Wer bist du?«

»Jeder Weiße hat das Recht, von jedem Neger, der herumstreunt, den Ausweis zu fordern.«

»Ich sehe hier keinen Weißen.«

»Hör zu, Lumpenkerl, komm mir ja nicht dumm, sonst schlitze ich dir den Bauch auf.«

Mit einen Sprung rückwärts riß Almério ein sichelförmiges Rasiermesser aus der Ledergamasche, ließ es im gleichen Augenblick aufschnappen und durchschnitt damit vor Budiãos Augen die Luft. Er spreizte die Beine, hob das Kinn, spuckte aus dem Mundwinkel aus und wartete mit anmaßendem Blick auf die Reaktion. Budião steckte die Hand unters Hemd, zog seine Papiere hervor und streckte sie Almério entgegen, der sie mit der linken Hand packte. Um nicht die Hand senken zu müssen, in der er das Messer hielt, wollte er die Dokumente mit Hilfe des Mundes aufschlagen, aber Budião kam ihm zuvor, entfaltete sie und gab sie ihm.

»Das ist kein Ausweis«, sagte Almério. »Hab nie einen Ausweis wie den gesehen, der ist nichts wert.«

»Er steht auf dem Kopf, *che*.«

»Das seh ich selbst, daß er auf dem Kopf steht, auf dem Kopf oder nicht, das kommt aufs gleiche raus, das hier ist keinen feuchten Kehricht wert.«

»Auf dem Papier steht, daß ich amnestiert bin und freigelassen, als ehemaliger Soldat von der Julianischen Republik, von der Republik von Piratini, als Veteran aus dem Lumpenkrieg.«

»Alles Lügen, so was gibts ja gar nicht. Damit kannst du dir den Hintern abwischen. Zerfetzen werde ich das.«

Bevor er sich rühren konnte, preßte eine Hand Budiãos ihm das Handgelenk so kräftig, daß er das Rasiermesser fallen ließ, und die andere packte ihn an der Kehle.

»Hör zu, Almério, einen Dreck wirst du zerfetzen, hast du kapiert? Gar nichts wirst du zerfetzen, du wirst überhaupt nichts machen, hast du kapiert? Antworte, kapierst du?«

»Kenn ich dich nicht? Brauchst dich gar nicht zu verstellen mit deiner veränderten Sprechweise, ich kenn dich, du bist von der Zuckerplantage hier geflüchtet, du warst ein Neger von der Walfängerstation-zum-Guten-Jesus! Du kannst nichts machen, gegen mich nicht, du kommst in den Stock oder an den Galgen, du entlaufener Neger!«

»Willst du mal sehen, was ich mach, unverschämter Mulatte du, möchtest den Weißen spielen, was, du geborener Kriecher, du? Willst du sehen, was ich mach?«

»Laß mich los, Mensch, nicht! Au!«

Almério knickte zu Boden, Budião steckte seine Papiere wieder unters Hemd, ergriff das Rasiermesser, klappte es zu und warf es weit hinaus ins Wasser.

»Gib mir den Tornister, und ich erzähle nicht weiter, daß ich dich hier gesehen habe«, sagte Almério, noch immer am Boden.

Budião lachte fast los, wollte ihm erst einen Fußtritt verpassen, sagte sich aber, es lohnte nicht. Er wühlte in seiner Tasche, fand zwei grünspanfleckige Münzen und warf sie ihm hin.

»Da, kauf dir einen Schnaps und hau dich hin.«

Almério scharrte sich die beiden Münzen aus dem Sand.

»Du hast noch eine Tracht Prügel von mir gut, du niederträchtiger Neger, du«, sagte er. »Nicht nur eine, jetzt hast du dir zwei verdient, und du kriegt sie noch, und wenn ich dabei draufgehe.«

»Hör zu«, sagte Budião, schon auf dem Weg zum Dorf. »Ich schlag dich nicht zu Mus, weil ich mir nicht die Hände schmutzig machen will, und ins Meer werfe ich dich nicht, weil ich nicht die Fische vergiften will. Aber wenn du weiterquatschst, wenn du noch irgendein Wort sagst, steck ich dir den Kopf in den Sand, und aus deinen Kutteln mach ich Krabbenköder.«

Noch ein Weilchen schaute er Almério an, der nicht aufstand, und ging dann langsam weg, vom Strand hinauf zum Grasland.

Früher hätte er sich nicht beherrscht, er hätte einen salzigen Geschmack auf der Zunge gehabt und Lust verspürt, Almério umzubringen, vielleicht hätte er ihn wirklich umgebracht. Doch heute nicht mehr, heute war er glücklich gewesen, ihm zwei Kupfermünzen vor die Füße zu werfen, er machte sich nichts mehr aus Beschimpfungen und Drohungen, er wollte nur noch herumschlendern und die Insel wiedersehen, die nicht seine Heimat war, die es aber doch zu sein schien, nachdem er so lange in einer so fernen Gegend gelebt hatte, daß viele dort gar nicht glaubten, daß es das hier gab. Wenn er seinen Mate zubereitete und die Kürbisschale herumreichte in der so ganz anderen Pampanacht, wenn er ein Stück Röstfleisch in kochende Salzbrühe tunkte, um es unmittelbar vor dem Mund mit einem Messer zu zerschneiden, wenn er neue Wörter und Gewohnheiten lernte, dann hatte auch er manchmal gezweifelt, daß er von anderswoher gekommen war, er wußte nicht mehr recht, wer er war, es sei denn, dank der Erinnerung an Merinha und die Verschwörer aus dem Mehlhaus. Das Leben war schwer zu begreifen, selbst wenn man es bis zur Neige gekostet und durchlebt hatte, selbst wenn man einige streng gehütete Geheimnisse kannte, selbst wenn man glaubte, man kannte die Wahrheit, zumindest irgendeine Wahrheit oder einen Teil der Wahrheit.
Denn die Wahrheit war, daß man nichts begriff, dachte er, obgleich er sich darüber keine Sorgen machte wie früher. Hier war alles sehr hübsch, es roch gut, es war hell und leuchtend. Er blieb stehen, um einen blühenden Akazienstamm anzusehen, und war überrascht, als er merkte, wie er sich so deutlich an die Akazienstämme der Walfängerstation erinnerte, er hatte gar nicht gewußt, daß auch sie seinem Innern zugehörten. Zwischen den Wurzeln des großen Baums fünf oder sechs Löcher weißer Strandkrabben, blonde Tierchen, die erschreckt in Habtachtstellung vor ihren Höhlen erstarrt waren, bereit, sich bei der geringsten Bewegung sofort zu verkriechen. Er stellte sich vor, daß man ihn, hätte er in der Provinz von einem solchen goldenen Baum erzählt, der von gleichfalls goldenen Krebsen umringt sei, gewiß als Lügner verschrien hätte. Er tat, als wollte er den Krabben einen Fußtritt versetzen, sie wuselten fort, waren im Nu verschwunden, nur die runden Löcher waren noch zu sehen, die das Muster des Wurzelwerks schmückten.

Sehr hübsch, dachte er, sehr hübsch. Und auch sich selbst fand er sehr hübsch. Er wußte nicht, wie sein Gesicht aussah, hatte sich nicht einmal die Augen mit Wasser ausgerieben, fühlte sich aber schmuck, machte in seinen Feldstiefeln große Schritte, mit seinem Feldranzen, seinem Lederhut, seinem den Mund rahmenden Schnauzbart, seinem roten Tuch um den Hals. Schön, noch immer hatte er Hunger, vielleicht wäre es das beste, zuerst Zé Pinto aufzusuchen, dessen Häuschen knapp oberhalb des Strandes inmitten des Riedgrases lag. Er würde jeden Topf ausschlekken, irgend etwas, er würde mit dem Alten schwatzen, würde eine Verabredung mit Feliciano und ihm treffen, um ein paar Dinge zu regeln. Nur keine Eile, keine Hast, hier geht alles seinen gemächlichen Gang, das Leben der letzten Jahre war schon allzu rasch gelebt worden. Er merkte kaum, daß ihm auf dem Weg zu Zé Pintos Haus ein paar Jungen folgten und jeden Schritt aus der Entfernung beobachteten.

Der Alte hatte etwas Quiabogemüse, ein paar Angurien, er hatte Koriander, Minze, Zwiebeln, Mehl und zwei große Sägebarschköpfe. Sie hatten all das mit pfeffergewürztem Maniokbrei gekocht. Budião aß mit so unerwartetem Vergnügen, daß er die ganze Zeit lachte und stöhnte, während der Alte, mit vorgestreckten Lippen kauend, weil er keine Zähne mehr hatte, ihn belustigt betrachtete. Ein Pitangabaum, dessen Äste durch das Fensterchen drangen, war ganz überladen mit Früchten, die wie Trauben herunterhingen. Budião zog den längsten Ast zu sich her, füllte beide Hände mit Pitangas und schlürfte mit geschlossenen Augen eine nach der anderen aus. Dann hatte er lange keine Lust zu reden und stand nur mühsam auf, um sich seinen Mate zu machen. Er goß etwas kaltes Wasser auf die Mateblätter, nahm den Kessel, füllte den Kürbis bis zum Rand mit kochendem Wasser und hockte sich wieder auf den Boden. Zé Pinto fragte, was das sei, träge erwiderte er, das sei nur eine der vielen Angewohnheiten, die er sich in der Provinz Rio Grande do Sul zu eigen gemacht hätte, wo er gegen das Kaiserreich Brasilien gekämpft hatte, obwohl dort auch Brasilien sei, das sei schwierig zu erklären. Übrigens sei alles schwierig zu erklären, nicht einmal der alte Dandão schien gewisse Dinge zu begreifen, es gab noch viel zu lernen. Aber wie? Gewiß, er hatte auf seinen Reisen und in dem großen Zehn-Jahre-Krieg viel gelernt, er hatte die Freiheit gewonnen, er hatte in kurzer Zeit mehr gesehen als viele in ihrem ganzen Leben, aber mußte man denn nun immer erst in solche Kämpfe gehen, um etwas zu lernen? Und hatte er tatsächlich etwas gelernt, mußte man nicht das Lernen erlernen? Dieser Krieg, das wußte er, war doch nicht sein Krieg gewesen, wenn er das anfangs auch gemeint hatte. Aber es war doch auch sein Krieg gewesen, oder nicht? Schwer, irgend etwas zu wissen, sehr schwer, und nicht einmal die Tatsache, daß er in einige ihrer Geheimnisse eingeweiht war, konnte ihm die Gewißheit geben, daß es die Bruderschaft wirklich gab.

Ohne recht zu merken, was er tat, so als machte ihn der durch das Röhrchen aufsteigende Mate-Dampf betrunken, erzählte er weitschweifig, er hätte viel gekämpft, sei vom Lastträger und Burschen zum Frontsoldaten aufgestiegen, er hätte aber als Schwarzer gekämpft, immer als Schwarzer, immer wäre er anders gewesen als die anderen, von der Farbe einmal abgesehen, immer unten, selbst wenn er einmal oben war. Das verwirrte ihn aufs äußerste, hatte er doch geglaubt, der Krieg sei Sache der Bruderschaft des brasilianischen Volkes gewesen – aber wie konnte das sein, wo es doch für ihn immer noch keinen Platz zu geben schien? Darüber hatte er Dandão befragt, und der hatte ihm gesagt, das Leben und das Begreifen bestünden aus vielen Schritten, und nicht allen, denen ein Schritt gelingt, gelingt auch ein zweiter, und nicht alle Schritte gelangen ans Ende des Weges, außerdem ginge sein Begreifen auch nur bis zu einem bestimmten Punkt, und er kannte weder die Zukunft noch den Verlauf der Handlungen, die, da wäre er sicher, für sie entworfen würden. Niemand kann einem erklären, warum etwas wie abläuft – hatte Dandão gesagt –, man braucht also nur dem Gebot vom Gewissen genau zu folgen, um seine Rolle richtig zu spielen, denn niemandem wird verwehrt, das zu sehen, was er braucht für seine Rolle, nur man selbst kann sich weigern, zu sehen oder seine Aufgabe zu erfüllen.

Dandão war im siebten Jahr des Krieges gestorben, so stark wie er immer gewesen war, und hatte keine Zeit mehr gefunden, Abschied zu nehmen. Immerhin schien er zu wissen, daß er sterben würde, denn bevor er auf Spähpatrouille ging, von der er nicht zurückkehren sollte, hatte er ihm seine Tasche übergeben mit dem Korb der Geheimnisse. Noch immer steckte er bei ihm im Ranzen und er konnte nicht behaupten, daß er diese Geheimnisse gut kannte, es waren Visionen, die sich erst, nachdem man sie durchlebt hatte, offenbarten, das war kein einfaches Wissen, sondern etwas, was sich immer veränderte, je nach dem, was einer, der es suchte, tat und an Erfahrungen machte. Gibt es die Bruderschaft, wer ist die Bruderschaft? Ja, sie waren es, aber sie waren nicht die einzigen. Es gab etwas bei bestimmten Menschen, eine Art zu gehen, eine Art zu sprechen, eine besondere Stimme. Es gab geheimnisvolle Hilfen, Eingriffe, Übereinstimmungen ohne die Notwendigkeit einer Verständigung, Dinge, die man gemeinsam ablehnte. Ach, er konnte das nicht genau erklären, aber er wußte, daß die Freiheit des einzelnen nichts war ohne die Freiheit aller und daß Freiheit nichts war ohne Gleichheit, und die Gleichheit muß im Herzen und im Kopf sein, sie läßt sich weder kaufen noch aufzwingen. Ach, er wußte nichts, wollte nur mit Feliciano und Zé Pinto gemeinsam reden, wollte auch wissen, wie das Leben sich hier anließ, welche Neuigkeiten es gab, was in all den Jahren geschehen war. Schließlich waren sie die Verschwörer des Mehlhauses, waren sie es oder waren sie es nicht?

Er bat Zé Pinto, den Ranzen zu verwahren. Er holte nur den Poncho heraus, den er nachts vielleicht brauchen konnte, empfahl ihm, sorgsam mit Júlio Dandãos Korb umzugehen, er sollte ihn lieber verstecken, ihn vergessen und gar nicht zu öffnen versuchen. Er wollte in der Umgebung eine Runde machen, vielleicht würde er bis nach Amoreiras gehen, er wußte noch nicht, was er tun wollte. Ob Feliciano möglicherweise am Samstagabend hier sein könnte? Die Sklavenhütte der Kalkbrennerei lag weit weg, und je nach den Gezeiten müßte Feliciano am Samstag vielleicht bis spät arbeiten, es war nicht sicher, ob er bis nach Manguinho entwischen konnte. Schön, man wird sehen. Budião zog den Hut auf, der ihm im Nacken gehangen hatte, und hob die Hand.

»Ein Hoch auf uns!« sagte er lächelnd.

»Ein Hoch auf uns!« antwortete Zé Pinto todernst.

Budião verließ das Häuschen, reckte die Arme, atmete tief und schritt langsam den Trampelpfad hinunter. Er ging bis in die Nähe des Platzes, wollte erst den Strand entlang bis nach Amo-

reiras gehen, und drehte sich zerstreut um, als eine Hand seine Schulter berührte.
»Ist der das?« fragte ein Mann in Uniform Almério, der hinter zwei ebenfalls militärisch Gekleideten stand.
»Das ist er, ja.«
»Wachposten«, sagte der Mann zu Budião. »Dein Ausweis.« Budião händigte ihm seine Papiere aus.
»Das ist kein Ausweis. Diese Papiere sind wertlos.«
»Das sind die Papiere von meiner Amnestierung und meiner Freilassung.«
»Hier hat das keinen Wert, das stammt aus der Provinz Rio Grande.«
»Nein, es stammt vom Kaiserreich, vom Kaiser. Ich war Frontsoldat im Lumpenkrieg, amnestiert.«
»Mag ja sein, aber ich glaube es nicht. Für uns bist du ein aus der Zuckerplantage Manguinho entlaufener Sklave. Faustino da Costa mit dem Brandmal der Walfängerstation-zum-Guten-Jesus?«
Er wartete nicht auf die Antwort, zog mit einem Ruck Budiãos Hemd hoch und musterte das Mal auf der Brust. Winkte nach hinten, und schon kamen seine Gefährten angerannt, einer von ihnen mit gezücktem Karabiner, der andere schwenkte einen Knüppel und hatte Ketten und Stricke bei sich. Er verschränkte Budiãos Arme auf dem Rücken, schob seinen Knüppel dazwischen, verschnürte sie mit drei komplizierten Knoten. Er legte ihm Fußschellen an, ein Halseisen mit langer Kette.
»Los!« befahl der erste Mann. »Du bleibst auf dem Walfischkap so lange, bis dein Herr kommt und entscheidet, was mit dir geschehen soll. Los!«
Mit einer Art Reitpeitsche, die er unter dem Arm trug, schlug er Budião auf die Schulterblätter, zerknüllte die Papiere, die er in die Tasche steckte, deutete auf einen von zwei Mauleseln gezogenen Karren, der auf der anderen Seite des Platzes hielt. Almério ging ihnen nach, bis der Mann stehenblieb.
»Was willst du?« fragte er barsch. »Hast deinen Teil getan, mit uns hast du nichts mehr zu tun, verschwinde.«
»Er hat Geld. Es wäre doch gerecht, wenn ich, ich hab ihn dort gefunden und den Behörden übergeben ...«
»Geht mich nichts an, mach das mit dem Hauptmann Teófilo

aus. Los, verdufte, ehe ich dir eins überziehe! Los, Leute, führen wir den Neger ab!«
»Er hatte doch einen Ranzen! Fragt ihn nach dem Ranzen!« schrie Almério noch, der unter einem Mandelbaum stand, während die Männer Budião am Karren festbanden, sich daraufsetzten und, den Gefangenen im Schlepptau, zum Walfischkap fuhren.

Dorf Baiacu, den 12. Mai 1841

Eines der größten Vergnügen, die es gibt, ist es, nach einem kurzen heftigen Regenguß hinauszugehen und das sonnenwarme Pfützenwasser an den nackten Füßen zu spüren. Dafé erinnerte sich daran, daß Großvater Leléu, wäre er in Baiacu und nicht bei seinen Geschäften in Bahia, sie sicherlich ausschimpfen würde, wenn er sie erwischte, barfuß, durch die Pfützen watend, die Zehen gespreizt, um das warme Wasser besser genießen zu können. Er hatte immer soviel auszusetzen, der Großvater Leléu! Er war eigentlich sehr gutmütig und tat ihr jeden Gefallen, aber er hatte auch ziemlich viel auszusetzen – tu das nicht, tu jenes nicht, das gehört sich nicht für ein junges Mädchen, wie stellt sich die junge Dame denn das Leben vor? Einmal hatte sie ehrlich auf diese Frage zu antworten versucht. Aber sie wußte nicht, wie sie sich das Leben vorstellen sollte. Das Leben, das Leben ... Das Leben war, wenn sie am Leben war, wie hier in Baiacu, mitten unter den Tieren und Pflanzen. Ob sie damit zufrieden war? Nein, das war sie nicht, sie würde gerne fortgehen, um die Welt zu sehen, mehr Dinge zu sehen, mit mehr Menschen zu sprechen, Feste zu besuchen, Prinzen und Prinzessinnen und Helden kennenzulernen ... So also stellst du dir das Leben vor, glaubst, daß das Leben reisen ist und Prinzen und Prinzessinnen kennenlernen, wie? Da irrst du dich aber, so ist das eben nicht! Ach was, da bist du wirklich auf dem Holzweg, das Leben ist was ganz anderes!
Das Leben ist Arbeit, hatte Großvater Leléu gesagt. Das Leben ist Arbeit, Plage, Arbeit, Umsicht, Arbeit, ein waches Auge, Arbeit und dergleichen mehr. Darauf hatte sie geantwortet, dann wollte sie arbeiten, er sollte ihr das Kommando über ein Fischer-

boot geben, wie Mutter Vevé die *Prahlhans* kommandierte. Und er lachte – hör mal, Kleine, was für Ideen, nimm Verstand an, sonst wirst du was erleben! Ja, glaubte sie, daß er ihr die tadellose Erziehung verschafft hatte und sie verwöhnte, damit sie Fischerin würde? Aber Mutter war doch auch eine? Schon, hatte er gesagt, aber deine Mutter ist verrückt, das ist nicht das gleiche. Dann gib mir eine Arbeit, hatte sie gebeten, ich will über das Leben Bescheid wissen. Wieder lachte er und sagte, es gäbe viele Arbeiten für sie, zum Beispiel stricken, Süßigkeiten zubereiten, Spitzen häkeln, schneidern und Wäsche stärken. Ach, dann hatte er ihr also in der tadellosen Erziehung soviel über Prinzen und Prinzessinnen und große Helden beibringen lassen, damit sie nichts anderes täte als Wäsche stärken? Stellte er sich etwa so ihr Leben vor, Leben, das wäre Wäsche stärken?
Nein, so stellte er sich das Leben nicht vor. Aber er selbst war Gemüsegärtner gewesen, Krämer, Schneider, Fischhändler, Possenreißer, mit Füßen getretener Negersklave, er war alles gewesen, was man auf dieser Welt sein konnte, und jetzt saß er hier und wußte nur eines – und dieses eine war, daß alles Arbeit ist. Dann besorg mir eine Arbeit, antwortete sie, aber nicht stricken, nicht Süßigkeiten zubereiten, nicht Spitzen häkeln, nicht schneidern und erst recht nicht waschen und stärken.
Tja, hatte er gesagt, so einfach geht das auch nicht. Im übrigen, hatte er hinzugefügt, was ich mir für dich vorstelle, was ich mir am liebsten für dich vorstelle, ist, daß du heiratest und daß du eine gute Familienmutter wirst und mir einen Urenkel nach dem anderen schenkst, der erste Tadeu, der zweite Jacinto, der dritte Belarmino, der vierte Vicentino, der fünfte Lourival, der sechste Joaquim und der jüngste Leovigildo, und mit dem gehe ich durch und ziehe ihn als meinen Sohn auf, haha! Dann sorg eben dafür, daß ich heirate, antwortete sie, es kann ein Prinz sein oder ein großer Kapitän oder ein Vicomte oder ein Gouverneur.
Großvater Leléu war in die Enge getrieben, tatsächlich, er versuchte abzulenken, fand aber keinen Ausweg. Wenn das Leben entweder Arbeit war oder Heirat, dann mußte er das beweisen, sonst war das Leben irgend etwas, wonach sie verlangte, und genau das sagte sie, die Fäuste in die Hüften gestemmt. So daß Großvater Leléu nach langem Grübeln beschloß, eine Schule für

sie aufzumachen, eine kleine, aber anständige Schule, gleich hier in Baiacu, da konnte sie als Lehrerin arbeiten, bis sich eine Heirat ergab. Und die war garantiert, denn wer will nicht eine hübsche Lehrerin heiraten? Sobald er also nach Bahia fuhr, wollte er ihr Hefte kaufen, eine große Schultafel, lauter kleine Schiefertafeln, ABC-Fibeln und alles übrige, was man zum Lehren von Schreiben und Rechnen brauchte. Dafé bat, er möge auch Bilderbücher mitbringen, und er sagte ja. Und eine Handklatsche fürs Austeilen von Tatzen! Und ein paar Tintenfässer und Federn und Rechenpapier und Löschpapier und ein Fläschchen Leim!
Ach, dachte Dafé und tauchte die Füße in eine tiefere Pfütze und freute sich an dem kühlen Lüftchen, das jetzt wehte, hoffentlich kommt er heute. Noch fehlte viel, bis die Schule fertig eingerichtet war! Schön, soviel fehlte auch wieder nicht, es war nur, daß er das Strohdach von dem Häuschen erneuern lassen mußte, das er dafür gekauft hatte. Aber all das braucht zuviel Zeit, sie konnte es kaum erwarten, bis die Arbeit losging und sie das Leben kennenlernte. Sie hatte alle Bücher und Hefte aus Dona Jesuínas Zeit zusammengesucht, hatte sich sogar ein paar Sätze für die Schüler ausgedacht. Ja, und wer würden denn eigentlich ihre Schüler sein? Alle, entschied sie, alle werden ihre Schüler sein, alle.
Großvater Leléu würde auch nicht mit dem einverstanden sein, was sie für heute vorhatte. Sie wollte nämlich mit der *Prahlhans* ausfahren, zusammen mit der Mutter und den Fischern. Vielleicht würde eher eine Spazierfahrt daraus, denn für einen richtigen Fischzug war es schon zu spät, aber Vevé hatte versprochen, sie würden auf Fischfang ausfahren, ja. Spazierfahrt oder nicht, Großvater Leléu würde das nicht gutheißen, aber was er nicht weiß, macht ihn nicht heiß, und außerdem war das sowieso albern von ihm.
So fuhren sie aus, Vevé als Bootsmeisterin, Engelhai, Nego Régis, Odorico und Gruselhaut, war das schön, die Barkasse schwankte wie ein Tümmler, Tauwerk und Holz ächzten, der Bug schien sich in die Lüfte erheben zu wollen und durchschnitt flink die Wellen, ein Schwarm Hornfische tanzte hochgereckt auf der Leeseite des Schiffs, nur die Schwänzchen fegten über die Wasserfläche. Dafé lehnte sich an die Bordwand, ließ die Finger ins Wasser hängen, ritzte bald ein, bald zwei oder drei Schaumfurchen, Gruselhaut, dem auf der Brust vom vielen Pfählein-

rammen ein verhornter Knorpel gewachsen war wie eine Brustwarze am falschen Ort, wollte die Steinmarken anpeilen, die Sandbänke und die Untiefen, alle Stellen für Angelfische, die der angehende Fischer kennen mußte. Er stand auf der Bank mitschiffs, beschattete die Augen mit der gewölbten Hand, deutete auf zwei Hügelchen der Küste.

»Wenn ich von dort einen Strich hierher ziehe«, sagte er und zeichnete unsichtbare Linien in die Luft. »Besser etwas beidrehen!«

Wieder knarrte die *Prahlhans*, die Mannschaft holte die Schoten dicht, Vevé drehte nach Steuerbord, als wollte sie längsseits zu dem Punkt gelangen, auf den Gruselhaut deutete. Doch sie gelangte nicht längsseits, sondern nur querab.

»Bei so'm niedrigen Wasserstand mußt du den Anker so dreißig Klafter vor dem Punkt auswerfen und die Leine laufenlassen«, sagte Gruselhaut.

»Schon unterwegs«, sagte Vevé. »Ruf du aus.«

»Aê-aê-aê!« schrie Gruselhaut.

»Wirf den Anker vor dem Bug aus, Engelhai!«

»Einfach gehn lassen, Dona Vevé?«

»Halt mal'n Moment! Wieviel Klafter senkrecht, Gruselhaut?«

»Keine zwanzig bis zum tiefen Teil, und der ist hier. Laß ihn ungefähr senkrecht, laß ihn kurz laufen, die Barkasse, die geht dann mit der Strömung genau in die Richtung.«

»Wenn er richtig ist, sag es.«

»Hier kannst dus Ankertau auswerfen«, sagte Gruselhaut, stolz auf sein Navigieren, denn die Barkasse, die leise hin und her schaukelte und den Wellenschlag am Rumpf widerhallen ließ, spannte die von der Strömung der Ebbe gezogene Leine des Ankers in die gewünschte Position. »Fertig. Zitteraal, Ochsenauge, Rotbarsch, Dickkopf, Schellfisch, alles da zwischen den Steinen!«

»Mach Tintenfischköder, Dorico, nur keine Müdigkeit vorschützen!«

»Viel Süßwasser da unten, was, Gruselhaut?«

»Das ist der Paraguassu, Dona Vevé, aber der Fisch, der kommt schon, unten beißt Xumberga an, ab und zu kommt einer hoch!«

»Was ist mit dem Tintenfisch, Kleiner?«
Dafé wußte während alldem nicht, wohin sie blicken sollte, so fasziniert war sie von all dem Wissen bei diesen einfachen Leuten, sie staunte auch, daß sie in Büchern nie Menschen wie diese gefunden hatte, die so prachtvolle Kenntnisse und Fähigkeiten besaßen, selbst ihre Mutter war ihr zu einer Unbekannten geworden, geheimnisvoll und fern in ihrem vorher nie bezeugten Wissen. Wieviel mußten sie nicht gelernt haben, wie schön wurden sie alle, während sie ihre Aufgaben erfüllten, jetzt wollte sie auch Fischerin werden! Noch vor kurzem war sie fast etwas eingebildet gewesen, daß sie Lehrerin würde und also viel mehr wußte als sie alle zusammen, doch jetzt sah sie, daß sie sich getäuscht hatte. Es gab Menschen, die fischten, Menschen, die Gemüse anbauten, Menschen, die Stoffe webten, Menschen, die Holz bearbeiteten, Menschen aller Art, und alles erforderte große Kenntnisse und noch allerlei anderes innerhalb und hinter dieser Kenntnis, vielleicht war dies das Leben, wie Großvater Leléu immer gesagt hatte, wie viele Dinge gab es nicht im Leben! Wie schön war das Leben, jeder Gegenstand enthielt in sich eine eigene große Welt mit vielen Dingen, die dazugehörten, und sogar für ein Stück Stoff war jemand nötig, der ihm seine Aufmerksamkeit einen ganzen Tag widmete, bis es gewebt, zugerichtet und geschnitten war. Konnte man sich was Schöneres vorstellen in Gottes Welt als die großen Kenntnisse dieser Fischer und Schiffer? Dafé wäre am liebsten umhergetanzt, mit raschen, kurzen Schlägen trommelte sie auf die Bordwand, kicherte vor Freude, stampfte mit den Füßen vor Aufregung, lief von einem Ende zum anderen, sah, wie hier ein Fisch auftauchte, dort ein Angelhaken mit einem Köder versehen wurde, hörte, wie die Senkgewichte platschend vom Wasser verschluckt wurden – Menschenskind, ist dieses Leben voller Neuigkeiten nicht herrlich? Jetzt wollte sie auch als Schifferin und Fischerin arbeiten. Aber Lehrerin wollte sie auch sein. Was wollte sie nun eigentlich wirklich? Sie wollte alles, jawohl! Wenn jeder Beruf sein Stück Lebenserfahrung besitzt, wie viele Seiten hat dann das Leben, Großvater Leléu?
Fast schwebend lief sie zu Engelhai, der nicht mehr schwächlich, spillerig und fahlgesichtig wie früher war, sondern ein Bild von einem Mann, mit seinem weißen Schellfisch, der schimmernd am

Angelhaken hochkam. Überall Gefunkel von Schuppen und buntestes Farbengesprüh, die Fische schwänzelten in den Pfahlräumen der Barkasse, die Angelhaken schienen fast zu klein für die von ihnen durchbohrten Fischmäuler – hat nicht sie sogar, nervös lachend, einen Stichling herausgefischt? Und der riesige Rochen, der eher einem Fregattvogel als einem Fisch glich, der an Vevés Angel hing?

Bei der Rückkehr nach Mittag konnte Dafé sich kaum von den vor Fischen überquellenden Weidenkörben trennen. Einige von ihnen schlugen noch ab und zu um sich, andere schienen zu keuchen, die Kiemen stiegen und sanken immer langsamer, andere waren schon steif wie Sicheln verkrümmt. Auf dem Strand schaute sie beim Entladen jedes einzelnen Korbes zu, war beim Wiegen und Ausnehmen der Fische dabei, stellte sich zu den Trögen und Pfannen bei der Vorbereitung des Abendessens und paßte auf ihren in der Pfanne bratenden Stichling auf, damit ihn niemand anderes aß.

Schon gegen Abend, in dieser Jahreszeit, wo es rasch dunkel wird, beschlossen sie, lieber zu Fuß von der Schweineinsel nach Outeiro zu gehen, konnte doch Leléu auch in einem Hafen ankommen und wäre dann gar nicht erfreut, wenn er Dafé nicht zu Hause anträfe, um so mehr, als er wahrscheinlich die Schulutensilien mitbrachte. Da die kleine Schweineinsel während der Ebbe zur Halbinsel wird, konnten sie den Pfad durch die Salzwasserlachen benutzen und dann einen Abkürzungsweg durch den Busch nehmen, der an vier verlassenen großen Häusern vorbeiführte, deren Mauern und Fenster schon der Buschwald überwucherte. Daher waren sie sehr überrascht, als sie auf einen Ochsenkarren stießen, wie es sie in Zuckermühlen gab, der vor der Tür eines der Häuser stand, und sie drinnen Stimmen hörten. Dafé, die nach dem Fischzug nun alle Tiere mit neuen Augen sah, wollte sich das Ochsenpaar anschauen, einer weiß, der andere scheckig, wiederkäuend, ohne die Augen zu heben. Plötzlich erschien in einem der Fenster der Kopf eines Jungen.

»Hoppla!« schrie er. »Da haben wir, was wir brauchen!«

»Komm, schnell weiter«, sagte Vevé, doch schon kam der Junge, zusammen mit drei weiteren, durch das Tor gelaufen, und sie wurden umringt.

»Lassen Sie uns«, sagte Vevé, faßte Dafé an der Hand und versuchte weiterzugehen.
Doch sie versperrten ihr den Weg, und der, der zuerst gerufen hatte, hob einen deckellosen Krug.
»Einen Schluck Wein, mein Herzchen?«
»Nein danke.«
»Eugênio, wo du herkommst, erlaubt man da den Negerinnen, das Angebot eines Weißen auszuschlagen?«
»Dort nicht, ich dachte, das gehört zu den freien Sitten hier.«
»Hier bestimmt nicht! Hier gehorchen die billigen schwarzen Schlampen. Los, nimm einen Schluck Wein! Wirst du schon, oder muß ich dich zwingen?«
»Nein, vielen Dank. Es ist schon spät, ich muß meine kleine Tochter heimbringen, tun Sie das nicht, bitte lassen Sie uns vorbei!«
»Dein Töchterchen? Was du nicht sagst! Dieses Mordsweib hier, diese Rassenegerin, dieser Hintern, diese Titten, das hier soll deine kleine Tochter sein?«
»Laß sein, Leopoldo, laß sie gehen.«
»Auf keinen Fall. Was würdest du von der Bahianer Gastlichkeit denken? Komm her, Negerweibchen, laß die Fisimatenten, wir tun dir nicht weh, wir wollen nur ein bißchen feiern, was meinst du? Hinterher bringen wir dich nach Hause, wir geben dir sogar ein *pro labore*, na, was meinst du?«
»Lassen Sie uns bitte gehen, Ioiô, bitte.«
»Du unverschämtes Negerweib!« schrie er, zerrte Dafé roh zu sich und griff ihr unter den Rock.
Dafés Rock rutschte hoch, die anderen näherten sich, einer von ihnen wollte Leopoldo beim Festhalten helfen.
»Nein, diesmal nicht!« schrie Vevé.
Sie ließ ihren über die Schulter hängenden Proviantsack fallen, holte ihre Fischkeule hervor und ging mit dem über dem Kopf geschwenkten Knüppel auf sie los. Sie ließen Dafé los, und Leopoldo wich ein paar Schritte zurück.
»Du unverschämtes schwarzes Biest. Komm mir ja nicht frech, sonst mach ich Hackfleisch aus dir, wann es mir paßt!«
»Hände weg, Hände weg!«
»Von dir will ich nichts, du schwarzes Dreckstück, ich will die andere.«

»Weg da!«

Dafé konnte von dem Vorgefallenen nie etwas erzählen, konnte sich gar nicht recht daran erinnern. Immerhin wußte sie noch, daß sie sich an die hingestürzte und aus mehr als zwanzig Messerstichen blutende Vevé geklammert hatte und daß der, den sie Leopoldo nannten, immer noch an ihr zerrte, während einer, der sich Eugênio nannte, sagte, sie sollten besser schleunigst verschwinden.

»Die andere ist tot«, sagte er. »Das ist kein Spaß mehr, gehen wir.«

Stunden später, nach Mitternacht, während ein kalter Nordwestwind blies und ein Gewitter ankündigte, fanden Leléu und weitere acht Männer, die Fackeln und Jagdhunde mitbrachten, Dafé auf den Fersen neben Vevés Leichnam hockend, so reglos, daß nicht einmal ihre Augen blinzelten. Sie wickelten sie in eine Decke, besorgten eine Hängematte, um ihre tote Mutter wegzutragen, legten sie ins Bett, aber schlafen konnte sie nicht. Und einundzwanzig Tage hintereinander rührte sie sich kaum, machte den Mund nicht auf, um auch nur ein Wort zu sagen, blieb mit gesenktem Kopf sitzen und blickte auf ihre im Schoß liegenden offenen Hände.

Salvador da Bahia, den 12. März 1853

»Tag für Tag predige ich dir: Spuck nüchtern aus! Was hab ich dir gesagt, Tag für Tag?«

»Spuck nüchtern aus.«

»Wiederhol es!«

»Spuck nüchtern aus.«

»Wiederhol es!«

»Spuck nüchtern aus.«

»Also? Also? Und warum hast du es nicht getan?«

»Ich hab's vergessen.«

»Du hast es vergessen? Vergessen hast du's? Mehr hast du nicht zu sagen? Hast es einfach vergessen?«

Amleto drosch mit seinem Spazierstock auf die auf dem Schreibtisch liegenden Rechnungsbücher ein. Das hätte er mit ihm machen sollen, diesem unverbesserlichen Lumpen, der zwar sein

Sohn war, aber dennoch mußte er einsehen: er war ein Lump, ein Schuft, eine Niete. Er hatte ihm nicht genügend Prügel verabreicht, da lag der Hund begraben. Auch nahm seine Mutter ihn auf alle Arten in Schutz, und Amleto war sich sogar sicher, daß die meisten Krankheiten seines Sohnes, bei denen er nie Fieber gehabt oder sein Essen zurückgewiesen hatte – als litte die Seele selbst an Heißhunger –, reine Erfindungen von ihr waren, um ihn der väterlichen Zuchtrute zu entziehen. Und das war das Ergebnis: Diesen riesengroßen Lümmel, diesen einfältigen, groben Klotz von unangenehmem Äußeren, niedriger Gesinnung und noch niedrigeren Instinkten mußte er Sohn nennen, denn das war er. Das war er, wenngleich er nicht danach aussah, denn alle anderen waren fein und vornehm geraten, nur er war mit dieser großlöchrigen Plattnase geboren und diesen Lippen, die eher zwei fleischigen Würsten glichen – ein Negroider, nicht zu leugnen, ein Negroider! Glücklicherweise war sein Haar gar nicht mal übel, war leicht geringelt, doch mit genügend Pomade und einer engsitzenden Mütze in der Nacht ließ es sich einigermaßen glattkämmen und ins Genick zurückbürsten.
Amleto wollte sich setzen, berührte aber das Sitzkissen nicht und stand schon wieder gerade, um von neuem auf und ab zu gehen. Dabei hätte man mit der Nase etwas machen können. Seine Mutter hatte es mit ihm gemacht, und Carlota Borroméias Nase war dank ebendieser Technik schön schmal geraten. Und die hieß: Spuck nüchtern aus. Befeuchte Zeigefinger und Daumen mit der Zunge, wenn du nichts zu essen hast, und massiere die Nase, um sie schmaler zu machen. Carlota Borroméias Nase war weit weniger affenhaft ausgefallen als die von Patrício Macário, so daß die Behandlung, deren man sie als kleines Kind unterzogen hatte, genügte. Er hingegen hätte viel länger behandelt werden müssen, doch keine Strafe hatte genügt, um Patrício Macário eine so elementare Maßnahme einzubläuen. Überhaupt war keine Strafe hart genug, um ihn zu irgendeiner Aufgabe zu zwingen, das war die reine Wahrheit.
Am vergangenen Donnerstag, gleich nach der Unterredung in seinem Kabinett über das Spucken in nüchternem Zustand, hatte Amleto die Tür geöffnet, um Pater Clemente André eintreten zu lassen. André, ja, der war ein guterzogener junger

Mann, fleißig, lernbegierig, fast blond, vorbildlich in Benehmen und Kultur – vielleicht ein wenig eitel, ein bißchen stutzerhaft vielleicht, aber ein junger Mann von höchstem Niveau. Der Ärmste, er hatte Patrício Macário einen guten Rat zukommen lassen wollen, ihm sogar seine Sympathie versichern wollen zu einem Zeitpunkt, als der Vater bereits den Kopf zu verlieren drohte. Doch alles, was er erreichte, war, daß Patrício Macário rüde mit ihm umsprang und drohte, ihm mit beiden Pfoten eins in die Fresse zu geben, wie er es ausdrückte.

»Du bist ja homo, das bist du!« schrie er dem Bruder ins Gesicht, und die Halsadern schwollen ihm. »Jawohl, homo, und nur dein Vater und deine Mutter sehen nicht, wie du mit den Hüften wakkelst!«

»Paß auf, mit wem du redest, Lausebengel!«

»Paß du auf, mit wem du redest, und rühr mich nicht an, denn mir ist es egal, ob du in Seide und Puder daherscharwenzelst, ich schlag dir mit einem Faustschlag das Kinn kaputt!«

Es wäre fast zu der schon so lange befürchteten Tragödie gekommen, denn Amleto griff sich von der Garderobe seinen Palisanderstock mit dem Bronzeknauf und ging auf Patrício Macário los, um ihn irgendwo am Körper zu treffen, aber er schlug ihm nur deshalb nicht auf den Kopf, weil Clemente André sich plötzlich unwohl fühlte, die Hand zur Stirn hob, schwach aufstöhnte und auf den Teppich fiel.

»Mein Sohn!« schrie Amleto, ließ den Stock fallen und lief auf den Pater zu, der wie im Todeskampf die Augen verdrehte. »Mein Sohn, was hat dir diese Bestie angetan, dieses getaufte Tier?«

Rasend vor Wut raffte er sich auf, schnappte sich den Stock vom Boden, um von neuem auf Patrício Macário loszugehen, der mit verschränkten Armen dem Auftritt zusah, als hätte er mit dem Ganzen nichts zu tun.

»Schuft! Miststück! Hohlkopf! Verkommenes Subjekt! Ich werd dir zeigen, wie ich dir den Nacken beuge, du Kanaille!«

Aber ein Schmerz in der Brust, ein zerreißender, brennender Schmerz unter dem Brustbein, bremste den erhobenen Arm. Atemlos und betäubt hielt er sich an einer Stuhllehne fest, eisiger Schweiß rann ihm plötzlich übers Gesicht. In Begleitung von zwei Negerinnen kam Teolina herangestürzt und schwankte in der Tür und mußte sich gleichfalls festhalten, um nicht zu stürzen.

»Ich bringe ihn um, ich bringe diese Mißgeburt der Natur um, ich bringe ihn um«, keuchte Amleto. »Bevor er uns alle umbringt, bringe ich ihn um, eine schlimmere Strafe konnte mir Gott nicht auferlegen, als dieses Hornvieh zum Sohn zu haben.«

»Red nicht so, um der Unbefleckten Jungfrau Maria willen! Mein heiliger Antonius, heiliger Philipp, heilige Margarete, was ist bloß geschehen? Was ist denn, Patrício Macário, mein Sohn? Ach, heilige Mutter Gottes, Pater Clemente!«

Von allen Hausbewohnern entgingen nur Bonifácio Odulfo, der schlief und nicht aufwachte, und Patrício Macário, der sich erst auf Befehl seiner Mutter rührte, um ihr zu helfen, zumindest einem Tag der Einschränkungen, der verordneten Ruhe, der Angst und nervöser Schwäche. Dr. Vasco Miguel, der zum Glück später aus dem Bankhaus kam, um Amleto einige Papiere zu bringen, untersuchte alle. Am meisten sorgte er sich um Amleto, der an einer anginösen präapoplektischen Atemnot litt, ihm verschrieb er Bromid, verordnete ihm Bettruhe, verbot ihm schwere Gerichte und statt Kaffee sollte er Kräutertee trinken. Was die anderen betraf, Kamillentee, Stille, körperliche Ruhe. Was nun Tico anging, hieß es Geduld üben, über seinen Fall wußte die Medizin wenig auszusagen. Er hatte einen an Nervenleiden sehr interessierten Kollegen, vielleicht konnte der etwas empfehlen, was einen heilsamen Einfluß hätte auf Tico – wenngleich, wie gesagt, wenig über die Physiologie leicht erregbarer Temperamente bekannt ist. Und schließlich, was Bonifácio Odulfo betraf, so war er Poet, und wie alle Schmarotzer, brummte Vasco Miguel ärgerlich vor sich hin, betrachtete er sich als Gläubiger der Welt, Schuldner nur der eigenen Person, ihm kann nichts etwas anhaben.

Amleto hatte noch am selben Tag aufstehen wollen, doch die Frauen der Familie flehten so inständig, er möge wenigstens während der drei kommenden Tage das Bett hüten und erst am nächsten Montag wieder zur Arbeit gehen, daß er sich damit einverstanden erklärte, am Freitag im Bett zu bleiben. Den ganzen Tag hindurch mußte er Beruhigungsmittel und einen Maracujá-Saft nach dem anderen einnehmen, um die Wut zu bändigen, die ihm bei jedem Gedanken an Patrício Macário das Blut in den Kopf trieb. Nur mühsam vermochten sie ihn im Hause zu halten, aber am Samstagmorgen riß er sich gewaltsam los und traf um Viertel nach sieben in seinem Büro im Handelsviertel ein, wie er es sich angewöhnt hatte, seit er nicht mehr am Jesus-Platz war.

Zunächst schloß er sich ein und bearbeitete die Bücher mit Stockschlägen, ohne auf den Lärm zu achten, den das draußen verursachte. Er war an die Ausübung von Macht gewöhnt und genoß es, unverständliche Verhaltensweisen an den Tag zu legen, ohne daß jemand eine Frage zu stellen wagte. Wehe dem, der die Stirn hätte, nach dem Grund des Lärms zu fragen, und er war drauf und dran, der Tür einen deftigen Schlag zu versetzen, überlegte es sich aber anders und hieb so kräftig auf die Bücher ein, daß der Stock splitterte.

Schließlich brachte er es fertig, sich zu setzen, blickte stur geradeaus und rieb den Finger an der gebrochenen Stockspitze. Dieser Rotzjunge würde noch etwas erleben, und ob! Ein Mann wie er, geachtet in ganz Bahia, ja, eigentlich in ganz Brasilien, und sich von so einem kleinen Stinker im eigenen Haus heruntermachen lassen? Nie, nie im Leben! Und nun war es genau an der Zeit, seinen am Vortag entwickelten Plan auszuführen, der ihm immer überzeugender vorkam. Er warf einen Blick auf den Tagesplan vor sich. Das mußte er ändern, jetzt drängte Wichtigeres. Er begann eine neue Liste und schrieb hinter Nummer eins: »Familienrat«. Er war froh, daß der folgende Punkt, Nummer eins der vorigen Liste, ein kurzes Treffen gleich hier im Büro war, mit Dr. Noêmio Pontes, heute sein Teilhaber in verschiedenen Unternehmungen, einschließlich des Bankhauses, vielleicht des mächtigsten der ganzen Region überhaupt, mit über viertausend Contos Kapital.

Amleto unterbrach seine Anmerkungen zu der Liste und lehnte sich im Stuhl zurück, während er sich den Nasenflügel mit dem Federhalter kitzelte. Bei dem Gedanken an das Kapital des Bankhauses fühlte er sich von einer plötzlichen Freude und Ruhe durchströmt. Ja, was hatte er zu befürchten? Warum hatte er sich so stark an Unsicherheit, an Ungewißheit und Besorgnis gewöhnt, daß er selbst jetzt, wo es keinen Grund mehr dafür gab, noch immer vor Angst zitterte und fast in Panik geriet? Unsinn,

Unsinn, wirklich, es gab nichts, was außerhalb seiner Reichweite lag, er mußte sich ein für allemal zu der Ruhe und Festigkeit durchringen, die er vor den anderen zur Schau trug. Natürlich. Wozu diese ganze Besorgnis, all dieses Bangen? Weg damit! Er beschloß, zur ersten Liste zurückzukehren, für den Punkt »Familienrat« bestand keinerlei Anlaß, das entwickelte sich natürlich, für dergleichen würde er während des normalen Tagesverlaufs sorgen, ohne Aufregungen.

Als Dr. Noêmio eintrat, dem die Tür von seinem Sekretär Octaviano Souza ehrerbietig geöffnet worden war, fand er Amleto mit über dem Magen gefalteten Händen und der üblichen, etwas hastigen Liebenswürdigkeit. Sie sprachen über die jüngsten Erträge der Diamanten- und Goldminen von Lençois, über die Tabakpflanzungen, die Zuckermühlen, die Kalkbrennerei, die Lagerschuppen, die Ausrüstung der Schiffe und andere Angelegenheiten. Amleto beeindruckte den Bakkalaureus besonders durch den Scharfsinn, mit dem er das Problem der Pluralität von Notenbanken anging und die Vorzüge für seine Interessen aufzeigte, sofern sich diese Pluralität tatsächlich durchsetzte. Im Gegensatz zum Bakkalaureus, der seine Zweifel nicht verbarg, da dieser die Sache für ein Hirngespinst von Verrückten hielt, wußte Amleto, daß sie sich durchsetzen würde.

»Ich gebe Ihnen Brief und Siegel darauf«, sagte er. »Der Kurs wird steigen wie eine Rakete. Wir werden englische Pfund kaufen. Noch mehr Pfund Sterling.«

Der Bakkalaureus pflichtete ihm bei, daß der Kauf von Pfund Sterling immer ein gutes Geschäft sei, gab aber zu bedenken, daß es sich vielleicht um eine allzu große Festlegung von Kapital handeln könnte, da sie nur über eine so unsichere Grundlage wie die Pluralität verfüge. Doch statt ungeduldig zu werden, erging Amleto sich in einem bedächtigen und leutseligen Gespräch über die Logik der Finanzen, deren wichtigste Voraussetzung die Tatsache sei, daß die, welche die Macht innehaben, unfehlbar alles tun, um dauerhaft über diese Macht zu verfügen, und alles, um dieses dauerhafte Halten der Macht zu rechtfertigen. Und die Rechtfertigung ist nötig, weil sie sich während der Dauer ihrer Macht bereichern. Und solche Selbstbereicherung ist etwas Generöses, sie steht in Wahrheit allen offen; allen, versteht sich, die Augen im Kopf haben. In der Frage der öffentlichen Finanzen,

dozierte er, mit geschlossenen Augen lächelnd, gilt mehr als auf jedem anderen Gebiet die alte Lebensregel: *Cui prodest*? Wer zieht Nutzen daraus, wer erzielt Vorteile damit? Jede Maßnahme auf dem Gebiet der öffentlichen Finanzen bringt jemandem Nutzen, gleichgültig, in welch teuflischer Tarnung dies vor sich gehen mag, was meistens gar nicht der Fall ist, denn wer am Schalthebel der Macht sitzt, legt seine höchste Kunst darein, diejenigen, die nicht an der Macht sind, glauben zu lassen, daß die, die an der Macht sind, alles im Interesse derer tun, die nicht an der Macht sind.
Er kicherte vor sich hin, entschuldigte sich dafür, daß er wie ein Sophist redete, schwor jedoch, er sei garantiert keiner. Der Gedanke der Pluralität war ausgereift, sie war eine allzu anziehende Form, mit Papier Geld zu verdienen, als daß man sie übersehen könnte, und wenn auch nur für einen zwangsläufig begrenzten Zeitraum.
»In den öffentlichen Finanzen«, fügte er hinzu und mußte so prusten, daß er kaum weitersprechen konnte, »ist zwangsläufig alles für einen zwangsläufig begrenzten Zeitraum. Wir kaufen Pfunde.«
Er bedauerte, daß das Land nicht von Engländern kolonisiert worden war. Er bat um die Erlaubnis, eine Anekdote zu erzählen. Sein Sohn Bonifácio Odulfo, ein verstockter Frankophiler, ein Schuhputzer des kleinen korsischen Leutnants – Poetenmanien, die vorübergehen, wie einst die Masern vorübergingen –, habe seine dringende Bitte, Englisch zu lernen, barsch abgelehnt.
»Barbarensprache!« habe er gesagt. »Eine Sprache, die keinen Konjunktiv besitzt, kann einen nur mißtrauisch machen!«
Amleto gestand, er habe darüber herzlich lachen müssen. Doch dann habe er seiner Gewohnheit gemäß vor dem Schlafengehen alles unter die Lupe genommen, was ihn tagsüber zum Lachen gebracht hatte, und sei zu dem Schluß gekommen, daß das Fehlen von Flexionen im Englischen ein Zeichen von Überlegenheit sei.
»Übertrieben viele Flexionen neigen dazu, den Geist auf unfruchtbare Wege abzudrängen«, sagte er. »Wenn ein Franzose etwas zu tun gedenkt, wofür er nicht genau Modus, Tempus und Flexion findet, läßt er die Sache bleiben.«

Wieder lachte er, wieder bat er um Verzeihung, daß er sich dieser unwiderstehlichen Laune überließ, er wisse nicht, was in ihn gefahren sei. Doch schon fand er seine Haltung wieder und suchte in seinen Anmerkungen etwas, worüber er mit dem Bakkalaureus noch nicht gesprochen hatte. Das meiste war bereits mit kräftigen Federstrichen getilgt, doch etwas war noch unerledigt.

»Ich hätte noch etwas mit Ihnen zu besprechen«, begann er. »Das neue Segelboot für die Kalkbrennerei. Die Verteilung der Aktien des Finanzfonds ... Aber natürlich, wie konnte ich das vergessen?« Er legte eine lange Pause ein, öffnete mehrmals den Mund, klatschte langsam mit aneinandergelegten Handgelenken, als wollte er einen Schmetterling nachahmen. »Sie wissen, all die Jahre, in denen wir miteinander zu tun hatten, ist unsere persönliche Freundschaft ebenso gediehen wie unsere Geschäfte, vielleicht sogar mehr, zu meiner Ehre.«

»Zu meiner Ehre, Komtur Amleto.«

Amleto lächelte. Er ließ sich gerne Komtur nennen, das war unvergleichlich besser, als mit ›Senhor‹ angeredet zu werden. Er neigte leicht den Kopf vor dem Bakkalaureus und erklärte ihm weiter, daß er sich als sein Freund fühle und folglich als sein Vertrauter. Er erzählte ihm alle Sorgen, die Patrício Macário ihm machte, der dadurch im Hause unerträgliche Verhältnisse schaffte. Nach viel Leiden, viel Zweifeln und Zaudern, nach vielen Augenblicken, in denen er drauf und dran gewesen sei, eine von Zorn diktierte Wahnsinnstat zu vollbringen, sei er schließlich zu einer endgültigen, zu der in diesem Falle einzig möglichen Entscheidung gelangt. Er habe sie nach einem Vorfall zwischen ihm und seinem jüngsten Sohn getroffen, der fast das Ende seiner Tage bedeutet hatte, jedenfalls fühle er sich bis zu diesem Augenblick schwach und einer Ohnmacht nahe. Er habe sie jedoch mit Überlegung, Ausgeglichenheit und Reife gefaßt und sei sich dieser Entscheidung so sicher, daß nur starke Gegenargumente, überaus starke, unwiderlegliche, ihn davon abbringen könnten.

Er bat um Entschuldigung dafür, diese Entscheidung noch nicht preisgeben zu können. Doch er werde es noch heute tun, im Familienrat, den er berufen habe und bei dem er hoffe, mit der Teilnahme von Dr. Noêmio Pontes beehrt zu werden. Ob ihm zwei Uhr passe? Es war ja Samstag, man könnte die Geschäftszeit früher enden lassen. Er, Amleto, sei gegen elf Uhr zu Hause und werde nachmittags nicht zurückkehren.

»Ich fühle mich hochgeehrt, mein lieber Komtur und Freund, hochgeehrt«, sagte der Bakkalaureus und erhob sich, als sei es ihm unmöglich geworden, sitzen zu bleiben.

»Glauben Sie mir, mein wertester Freund, die Ehre, die Sie mir damit erweisen, ist größer. Ich werde auch für die Teilnahme von Monsignore Bibiano sorgen, der den Jungen getauft hat und unser geistlicher Ratgeber und Beichtvater ist, sowie für die von Major Francisco Magalhães, der sein Taufpate ist. Ich schätze, wir benötigen auch die Gegenwart von Dr. Vasco Miguel, von Pater Clemente André, meinem Sohn, und auch von Bonifácio Odulfo, obgleich ich bezweifle, daß ihn das interessieren wird. Aber auch er ist mein Sohn und bereits erwachsen, ich möchte nicht, daß er sich hinterher beschwert, in einer Familienangelegenheit übergangen worden zu sein.«

»Sehr gut bedacht, sehr gut bedacht. Und ich bin sicher, daß die Entscheidung die richtigste sein wird, ich bin sicher, daß ich ihr zustimmen werde.«

»Ich hoffe es. Wie gesagt, nur allerstärkste Gegenargumente würden mich davon abbringen.«

Er fühlte sich nach dem Fortgang des Bakkalaureus in bester Verfassung. Er öffnete das Fenster und steckte den Kopf hinaus. Es war ein schöner Tag, fraglos ein schöner Tag in jeder Hinsicht. Es gab nichts Besseres als Entschlußkraft, Ausgeglichenheit und Mut zur Entscheidung, um einen Mann von Verantwortungsbewußtsein wieder zu Kräften kommen zu lassen. Er kehrte zum Schreibtisch zurück, holte seinen Schreibblock mit dem Monogramm hervor und kritzelte drei Briefchen: eines an Monsignore Bibiano, eines an Major Francisco Magalhães und ein drittes an Teolina, mit der Bitte, ganz sicher für die Anwesenheit von Pater Clemente und Bonifácio Odulfo um zwei Uhr im Haus in einer hochwichtigen Angelegenheit zu sorgen. Er beschrieb drei Umschläge, zog die Glockenschnur, und Octavio trat sofort ein.

»Diese Briefchen sind unverzüglich an die auf den Umschlägen genannten Personen auszutragen. Sehr gut, Senhor Octaviano, das wäre alles. Was ist denn?«

Octaviano stammelte, wurde rot. Es sei nichts, er kenne ja die Anweisungen des Herrn Komtur, nicht gestört werden zu wollen, doch seit Wochen komme fast jeden Tag eine Frau, eine bescheidene, braune Frau, man sehe jedoch, daß es eine anständige Person sei, die mit dem Herrn Komtur zu sprechen wünsche.
»Schreiben Sie sie auf die Almosenliste«, sagte Amleto. »Das wollen solche Leute immer, die meinen, wir könnten die ganze Menschheit durchfüttern.«
»Ich habe sie schon eingetragen, Herr Komtur. Aber sie sagt, sie will keine Almosen an Heiligenfesttagen, sie möchte nur mit Euer Exzellenz sprechen.«
»Aber wozu will sie mit mir sprechen? Ich habe keine Zeit, um mit allen zu sprechen, die mich aufsuchen. Wer ist diese Frau?«
»Sie sagt, sie sei die Witwe eines Beamten des Herrn Baron von Pirapuama, später von Euer Exzellenz, eines gewissen Horácio Bonfim, wenn ich nicht irre.«
Amleto hielt mühsam einen Ausruf zurück. Was wollte diese Frau hier, so viele Jahre nachdem ihr Mann entlassen worden und bald darauf gestorben war? Hatte sie denn keine Witwenpension? Natürlich hatte sie die, und noch anderes mehr, was konnte sie jetzt noch wollen? Das konnte nichts Gutes verheißen, doch es wäre wohl das beste, sich die Sache sofort anzusehen.
»Also gut, Octaviano, schicken Sie sie herein.«
»Jawohl, Senhor. Und hier sind die Papiere von heute, die Sie zu klassieren und einzuordnen befahlen.«
»Die bleiben hier.«
Er schätzte die Art nicht, wie Octaviano ihm die Dokumentenmappe hinlegte, er verschob sie so, daß der obere Rand parallel zur Tischkante zu liegen kam. Das waren die kleinen Dinge, die die Octavianos von den Amletos unterschieden, dachte er. Oder sogar die Horácios von den Octavianos, denn diese Eiterbeule wäre außerstande gewesen, den Erwartungen seiner Vorgesetzten in Sachen Aufräumen aus eigenem Antrieb nachzukommen, alles mußte befohlen werden. Er erinnerte sich an Horácios Überraschung, als er sich am Ende eines ganz gewöhnlichen Arbeitstages entlassen sah. Fraglos hatte er sich sicher gefühlt, weil er wußte, daß Amleto wußte, daß er von der Unterschlagung des Eigentums des Barons wußte, da er ja ständig lauschte, spionierte, schnüffelte. Was er nicht wußte – und das ließ sich an

seinem erbleichten Gesicht ablesen, nachdem er es entdeckt hatte, war, daß Amleto einen Schlosser beauftragt hatte, seine Schubladen und sein Fach im großen Schrank zu öffnen, und alle Papiere an sich genommen hatte. Alle, nicht nur die, welche Amleto bloßstellten, sondern auch solche, die Horácio bloßstellten, einschließlich der Wechsel von Spiel- und Würfelschulden, die er aus Unvorsicht nicht vernichtet hatte. Amleto lachte innerlich, als er sich an seine hilflose Miene erinnerte, nachdem er in aller Ruhe zu ihm gesagt hatte: »Trösten Sie sich, Senhor Horácio Bonfim. Ich schulde Ihnen sogar Dank, Dank für eine Lehre, die ich bei Ihnen gelernt habe. Die Lehre, Dokumente nicht übertrieben lange aufzubewahren, denn es empfiehlt sich, daß wir selbst und sonst niemand über unsere Vergangenheit Bescheid wissen. Sie haben mir soeben eine wertvolle Geschichtsstunde erteilt. Senhor Horácio Bonfim. Raus mit Ihnen!«

Lebhaft erinnerte er sich an die Worte, die er damals gesagt hatte, und sprach sie fast laut vor sich hin, als die Frau eintrat, von Octaviano als Dona Maria d'Alva Bonfim vorgestellt. Er blickte sie mit strenger Miene an und forderte sie absichtlich nicht zum Sitzen auf.

»Ja bitte?« sagte er, die Hände auf dem Schreibtisch faltend.

Die Frau war nervös und wußte nicht, wie sie anfangen sollte, zumal er aufstand und vor dem Fenster aufgepflanzt erklärte, er habe wenig Zeit. Schließlich, stotternd und sich für jeden Satz entschuldigend, sagte sie, Horácio sei ein guter Mensch, sei immer ein guter Ehemann gewesen, habe für die Arbeit und für sein Heim gelebt. Wenn er seine Fehler gehabt habe, so habe er darin jedem anderen aus seinen Verhältnissen geglichen, Kind armer Leute und von klein an durch Arbeit abgehärtet. Die Wahrheit sei, daß er sie nicht ohne Schutz gelassen habe seit jenem verhängnisvollen Tag, an dem er von der Arbeit entlassen heimkehrte und zwei Stunden später durch einen Schlaganfall gelähmt aufs Bett sank, um vierzig Tage später vom barmherzigen Tod erlöst zu werden. Gott hatte ihr keine Kinder vergönnt, auch hatten sie keine nennenswerten Besitztümer erwerben können, immerhin hatte sie das Haus geerbt, in dem sie in Tingüi gewohnt hatten, auf der Sparkasse hatte sie eine bescheidene Barschaft, dann das Gemüsegärtchen im Hinterhof, ein paar Hühner und zwei vermietete Häuschen, mit denen sie ihren Lebens-

unterhalt notdürftig bestritt. Doch jetzt war das alte Haus, in dem sie ihre ganze Ehe hindurch gewohnt hatten, seit der Zeit des Herrn Baron von Pirapuama, den Gott in Seiner heiligen Glorie behüten möge für alles, was er für die kleinen Leute getan hatte, jetzt war dieses Haus vom Einsturz bedroht, der Regen hatte es schwer beschädigt, darin zu wohnen war fast nicht mehr möglich. Für Reparaturen besaß sie nicht das nötige Geld, sie kamen alle viel zu teuer, wie er aus der Aufstellung, die sie ihm zeigen wollte, ersehen könnte.
Amleto wurde ungeduldig, er wollte das Papier nicht sehen. Dieses Gerede führte zu nichts, er konnte seine Zeit nicht mit dem Anhören von Geschichten vergeuden, die ihn nicht im geringsten interessierten. Wieder bat sie um Entschuldigung, zog aus der Tasche ein Heft mit hartem Einband und erklärte, Horácio habe ihr vor seinem Tod, unter großer Anstrengung, von diesem Notizbuch gesprochen und ihr zugeflüstert, es sei Gold wert. Da sie nicht gut lesen konnte und mit den schwierigen Wörtern nicht vertraut war und auch niemanden auf der Welt kannte, den sie um Hilfe hätte bitten können, habe sie daran gedacht, Seine Exzellenz, den Herrn Doktor Komtur aufzusuchen und durch seine Vermittlung etwas für das Notizbuch zu erhalten. Hatte Horácio nicht vielleicht recht gehabt mit der Behauptung, es handle sich um ein wertvolles Dokument?
Amleto nahm das Heft, setzte den Kneifer auf die Nase und schlug die erste Seite auf. Wie auf einem sorgfältig gedruckten Vorsatzblatt stand da zu lesen: TAGEBUCH DER EREIGNISSE IN DEN GESCHÄFTSBETRIEBEN DES HERRN BARON VON PIRAPUAMA UNTER DER VERWALTUNG DES BUCHHALTERS AMLETO FERREIRA – Bericht aus der Feder von Horácio Bonfim, zur Unterrichtung des Herrn Barons und der Nachwelt. Er begann zu blättern und täuschte nur geringes Interesse vor. Es waren nicht viele Seiten, höchstens dreißig, in winziger, häufig verbesserter Schrift abgefaßt. Doch in einer unglaublichen Detailfülle war alles festgehalten, was seit des Barons Bettlägerigkeit im Büro vorgefallen war.
»Hundesohn!« knurrte Amleto zwischen den Zähnen.
»Euer Exzellenz sagten?«
»Nichts, nur ein beiläufiger Ausruf. Besitzen Sie eine Zweitschrift?«

»Nein, Senhor, er hat mir gesagt, ich sollte es gut aufbewahren, denn nur in diesem Heft würden sich seine Aufzeichnungen befinden.«
»Um so besser. Das hat nicht den geringsten Wert, aber es sind Firmengeheimnisse, die Ihr verstorbener Mann wohl für wissenswert gehalten hat, zu welchem Zweck, kann ich nicht erahnen. Haben Sie das irgend jemandem gezeigt?«
»Nein, Senhor, ich habe es nie jemandem gezeigt, das Heft hat seit dem Hingang meines Mannes in einer Truhe gelegen und ist dort verstaubt.«
»Sie haben verantwortungsvoll gehandelt. Und haben Glück gehabt«, fügte er hinzu. »Denn Ihr Mann würde selbst nach seinem Tod heute in große Schwierigkeiten geraten, falls dies Heft bekannt würde.«
»Das Heft hatte also niemals einen Wert?«
»Für ihn schon. Für ihn hatte es möglicherweise Wert. Die Denkart mancher Menschen ist seltsam. Jedenfalls war es gut, daß Sie es mir gebracht haben, denn ich bin zufällig die einzige Person, der ein so unverantwortliches Dokument hätte anvertraut werden dürfen.« Er veränderte seinen Gesichtsausdruck und verschränkte die Arme. »Unglücklicherweise kann ich Ihnen die benötigte Hilfe nicht geben, sie übersteigt bei weitem meine augenblicklich verfügbaren Mittel, wir leben in einer Zeit der Krise. Dennoch werde ich Ihnen ein Kärtchen an den Herrn Direktor der Kreisbauverwaltung mitgeben, mit der Bitte, Ihnen nach Möglichkeit eine Unterstützung zu gewähren. Für diese Dinge ist die öffentliche Hand ja da. Und zum Zeichen meines guten Willens gebe ich Ihnen ein zweites Kärtchen für Herrn Emídio Reis mit, der ein paar Läden besitzt, und bitte ihn, ob er Ihnen nicht einige Restmaterialien überlassen kann oder Mängelware, die noch zu gebrauchen ist.«
Er zog am Glockenstrang und sagte Octaviano, der sogleich eintrat, er möge die beiden Kärtchen abfassen. Er gab ihr ein Zeichen, sich zurückzuziehen, doch bevor die Tür sich schloß, rief er sie zurück.
»Hier«, sagte er und streckte ihr eine Fünf-Milreis-Note entgegen. »Es ist nicht um Ihres Mannes willen, sondern um Ihretwillen.«
Er drehte den Schlüssel im Schloß um, setzte sich und schlug auf's

Geratewohl das Heft auf. Er stieß auf eine Seite mit der Überschrift »Die Plünderung der Reserven.« Leicht zittrig las er: »Die von den Geschäftsbetrieben eingenommenen Provisionen des Herrn Barons werden fortgesetzt, manchmal in voller Höhe, an die Betriebe des Herrn Amleto abgezweigt, in betrügerischem Einverständnis mit seinem Verwandten Senhor Emídio Reis. Am Donnerstag, dem 23. August im Jahre des Heils 1827, kam Senhor Emídio Reis, Bruder der Gattin von Amleto Ferreira, ins Büro, und bei dieser Gelegenheit ...«
»Hundesohn!« knurrte Amleto und knallte das Heft zu.

Bonifácio Odulfo kam mit mehr als einer halben Stunde Verspätung hinunter ins väterliche Kabinett. Er fand die Tür verschlossen und Teolina klebte praktisch daran, so ängstlich war sie bemüht, die Vorgänge drinnen zu erfahren, daß sie ihren Sohn nicht kommen sah und erschrak, als er sie fragte, wie spät es sei.
»Mein Sohn!« sagte sie, hob die Hände und lief hastig ins Wohnzimmer und wieder zurück, um auf die Uhr zu schauen. »Fast Viertel vor drei, und du bist noch hier? Ich dachte, du wärst längst drinnen, schon um Mittag habe ich dich wecken lassen! Dein Vater wird bestimmt fuchsteufelswild, er ist schon den ganzen Morgen verärgert, und jetzt kommst du auch noch mit solcher Verspätung zu dieser Besprechung, die für ihn so wichtig ist! Ich hoffe nur, daß du damit nicht die ohnehin schlimme Lage deines Brüderchens verschlimmerst, ach mein Gott, was hat dein Vater nur mit ihm vor?«
»Nur Ruhe, Dona Teolina, ist denn nicht Pater Clemente zugegen, um diese ganze, schöne Sitzung abzusegnen, die der Komtur einberufen hat?«
»Ja, weißt du denn nicht? Weißt du nicht, daß Tico mit Pater Clemente André handgreiflich werden wollte und der Vater ihn fast mit Stockschlägen umgebracht hätte und ihn nur deshalb nicht umgebracht hat, weil er einen Anfall bekommen hat?«
»Ich habe die Negerinnen darüber tuscheln hören, habe aber der Sache keine Bedeutung beigelegt. Ach übrigens, hat Tico denn nun Pater Clemente die Nase eingeschlagen? Eine prachtvolle Keilerei hätte das gegeben, der Pater in seine seidenen Röcke

verwickelt und Tico, wie er ihm mit den niedlichen Elefantenpranken, die Gott ihm geschenkt hat, die Fresse poliert!«

»Sprich nicht so! Ich verbiete dir, so zu sprechen! Du kommst nicht nur zu spät und zeigst schon dadurch Verachtung für die Familenangelegenheiten, sondern redest obendrein von der Sache, als ginge es um eine Zirkusvorstellung! Nimmst du denn gar nichts ernst?«

»Verzeiht, Mutter, aber das, was Ihr Familienangelegenheiten nennt, ödet mich schon an, bevor ich weiß, worum es sich handelt. Was kann ich denn dagegen tun, wenn Tico sich in den Kopf gesetzt hat, den Pater tüchtig durchzuprügeln? Falls Ihr glaubt, daß ich eingreife, *pardon, Madame, moi je n'suis pas un suicide*. Ich schwärme nicht für den Faustkampf, meine Muskeln sind im Kopf angesiedelt und nicht in den Pfoten, wie im Fall unseres süßen Tiquinho.«

»Ich habe dir bereits gesagt, ich verbiete dir, so zu sprechen!«

»Aber ich rede doch nicht schlecht von Tico, wir haben uns immer gut verstanden, er ist doch unser heißgeliebter Benjamin, ich bin sicher, er wird die Freude meines Alters sein, wie auch die Eure und die von Vater. Es ist eine Frage der Berufung. Die meine ist die Literatur, die von Tico ist – wie soll ich sagen? – die körperliche Kunst! Die Welt hat Raum für Hirnprotze und für Muskelprotze, für Bonifácios und für Ticos. Nun schön, meint Ihr, ich sollte jetzt hineingehen?«

»Natürlich sollst du das! Dein Vater wird schon böse genug sein über deine Verspätung, er würde dir dein Fehlen nie verzeihen, das wäre eine äußerst schwere Beleidigung.«

»Fern, unendlich fern läge mir die Absicht, dem großherzigen Urheber meiner Tage eine äußerst schwere Beleidigung anzutun. Wie gelangt man in diese Höhle?«

»Hör zu, versuch ein Wörtchen zugunsten deines Bruders einzulegen. Er hat keinen Verstand, er ist noch ein kleiner Junge.«

»Ein Junge, schwer wie ein mittlerer Eber, aber ein kleiner Junge.«

»Hör, was ich dir sage, Bonifácio Odulfo, erlaub dir keine Späße mit deiner Mutter! Wenn du mir schon einen Gefallen nicht tun willst, um den ich dich bitte, und ich bitte dich um so wenig, und nie erfüllst du mir etwas, dann mach wenigstens keine so schwachsinnigen Späße mit mir!«

»Bin ich sehr zerzaust? Vater beanstandet immer meine Haare. Wie sind sie heute, ich habe versucht, sie sauber zurückzubürsten, was sagt Ihr, Mutter?«
»Du siehst noch sehr verschlafen aus, aber deine Haare sind in Ordnung, nur hättest du dringend einen Haarschnitt nötig, so siehst du nicht gut aus, nicht gerade wie ein junger Mann aus gutem Hause.«
»Eben deshalb darf es nicht angefaßt werden, *amoureuse Maman*. Mein Ruf würde den Haarschnitt eines jungen Mannes aus gutem Hause nicht überstehen, das wäre tödlich. Sagen Sie mir bitte, soll ich anklopfen oder rufen?«
»Laß mich erst weggehen, ich will nicht, daß dein Vater mich sieht und denkt, ich lausche. Aber sieh zu, daß du deinen Bruder verteidigst, er steht allein und ist seinem Schicksal ausgeliefert.«
»Seid unbesorgt, Dona Teolina, *comptez sur moi*.«
Die Mutter verschwand im Gang, er wollte anklopfen, hielt inne, probierte die Klinke aus, die Tür war nicht abgeschlossen und gab noch leichter nach, als er vermutet hatte, so daß er ziemlich heftig gegen Amletos Ferse stieß, der, durch den Raum schreitend, um seinem Redefluß Nachdruck zu verleihen, gerade ausrief:
»Zum Barras! Zum Barras mit ihm! Barras! Barras, Barras, Barras!«
»Verzeihung, Vater«, sagte Bonifácio Odulfo und hielt Amleto am Ellbogen fest, damit er nicht stürzte.
Amleto wollte gerade den nächsten Satz abfeuern und zögerte einige Sekunden lang, ob er fortfahren oder das Eintreten des neuen Teilnehmers zur Kenntnis nehmen sollte. Doch sogleich beherrschte er sich, musterte den Absatz des Lackstiefels, nahm die durch die Tür verursachte Schramme wahr und holte tief Atem, um loszudonnern. Doch wider seine eigene Erwartung sagte er nichts, sondern heftete nur die Augen auf Bonifácio, mit zusammengepreßten Lippen und zerfurchter Stirn, während das Kinn sich hob und wieder senkte, wie er es Jahre hindurch im strengen Umgang mit Untergebenen gelernt hatte. Regungslos bis auf sein Kinn und den in kurzen Intervallen keuchenden Brustkorb, ließ er unverwandt den Blick auf seinem Sohn ruhen, der zu erröten begann, während seine Ohren unerträglich brann-

ten. Anfangs wollte Amleto diesen Blick nur ein paar Augenblicke dauern lassen, doch schon fand er Gefallen daran, stumm in seiner Haltung zu verharren, einem pochenden Stillschweigen, das den ganzen Raum erfaßte. Der immer tiefer errötende Bonifácio wußte nicht, wohin blicken, konnte nicht entspannt dastehen und faltete schließlich mit gesenktem Kopf die Hände über dem Gürtel. Schon wurde das lastende Schweigen unerträglich, so daß Monsignore Bibiano, höchst peinlich berührt, zu sprechen beschloß, nachdem er mit den Händen eine Zeitlang nervös über den Bauch gestrichen hatte, der sich über seiner Schärpe wölbte.

»Ja, aber der Herr Komtur sagte gerade ...«

»Ich sprach über Söhne, Monsignore. Ich sprach von Söhnen, von der Unstetigkeit dieser saft- und kraftlosen, richtungslosen Generation ohne ein Gefühl für echte Werte und ohne Verantwortungsbewußtsein.«

Wieder blickte er auf Bonifácio, der das Gesicht nicht erhoben hatte.

»Komm mir bitte nicht mit Erklärungen, ich will deine Erklärungen nicht hören, auch keine Witzeleien in deinem affigen Französisch. Der Entschluß, den ich im Hinblick auf deinen Bruder fasse, würde auch dir nicht schlecht bekommen, also versuche wie ein Mann deines Alters und deiner Herkunft zu handeln, nicht wie ein hergelaufener Taugenichts. Setz dich und sprich nur, wenn du wirklich etwas zu sagen hast.«

Er folgte Bonifácios Bewegungen von der Tür zu einem Stuhl und ließ den Blick noch Sekunden auf ihm haften. Schließlich legte er die Fingerspitzen aufeinander, wobei die Zeigefinger seine Lippen berührten, und blickte aufwärts, als suchte er den Gesprächsfaden an der Zimmerdecke.

»Ich sagte also, daß meine Entscheidung, auch nachdem ich die Vorschläge der Anwesenden angehört habe, die ich vernünftig, konstruktiv und wohlüberlegt finde, daß sie endgültig lautet: zum Barras. Ich weiß um die schrecklichen Folgen, auch für den guten Namen der Familie. Das Heer ist keine ehrenvolle Beschäftigung, noch paßt sie für einen Mann aus gutem Hause, das ist etwas für das ewige Treibgut, den Abschaum der Nation, wie wir es jede Minute nur allzu deutlich vor Augen haben. Nicht einmal seine Polizeifunktion erfüllt es zufriedenstellend, da sich die Soldaten mehr mit Meuterern beschäftigen als mit sonstwas, kein Wunder bei dieser Horde von gewaltsam angeheuerten oder von den Musterungsagenten zu lächerlichen fünf Milreis verschacherten Lumpen, den verlotterten Bataillonen untauglicher Freigelassener, entflohener Sklaven und übelbeleumundeter Ausländer. Selbst im Offizierskorps ist nicht einer aus illustrer oder angesehener Familie bekannt, kein Aristokrat wird eine Uniform in seiner Familie akzeptieren. Aber es gibt Extremfälle, und für Extremfälle gibt es extreme Arzneien. Die einzige Art und Weise, diesem kopflosen jungen Mann ein tragisches Schicksal zu ersparen, ist es, ihn in den Militärdienst zu stecken, denn so werden ihm seine Zügellosigkeiten mit der flachen Säbelklinge auf dem Rücken oder mit dem Zackeisen an den Füßen ausgetrieben, denn so traktiert das Heer sein gewaltiges Kontingent an Rabauken und Radaubrüdern!«

»Aber das Heer, Komtur?« fragte Major Magalhães. »Hieße das nicht, allzu streng mit dem jungen Mann ins Gericht gehen? Hat mein illustrer Freund einmal an die Marine gedacht, zum Beispiel? Es gibt ausgezeichnete englische Offiziere in der Marine, selbst unter den gewöhnlichen Matrosen gibt es eine große Anzahl Engländer. Und die Disziplin ist dort ebenfalls streng, aber die Marine, das wissen wir alle, läßt sich nicht mit dem Heer vergleichen, das ist ein Beruf, der adelt. Selbst die portugiesischen Offiziere ...«

»Mein ehrenwerter Freund und Gevatter, ich weiß, was Ihr Herz bewegt, handelt es sich doch um einen Patensohn, dessen Wohlergehen Sie sich so innig angelegen sein lassen, wofür ich Ihnen, wie jedermann weiß, besonders dankbar bin. Aber die Marine ...« Er stockte, schloß die Augen auf der Suche nach dem richtigen Ausdruck, erblickte etwas, räusperte sich lange, die geschlossene Hand auf dem Mund. »Schön, seien wir freimütig. Ich habe an die Marine gedacht, jawohl, doch zwei Gründe haben mich von der Wahl abgebracht. Der erste: Ich sehe den Eintritt des jungen Mannes ins Militär nicht nur als Erziehungsmaßnahme, sondern auch und vielleicht hauptsächlich als Strafe. Und im Heer sehe ich ihn gründlicher bestraft als in der Marine. Zweitens ...« Wieder blieb er stecken, räusperte sich so geräuschvoll, daß er einen kleinen Hustenanfall bekam und begann mit fast erstickter Stimme von neuem zu sprechen. »Zweitens könnte man wohl sagen, daß Patrício Macário in seinen physiognomischen Zügen und seinem Temperament – und ich sage das ohne Beschämung, denn ich bin stolz auf meine brasilianischen Wurzeln, selbst auf die bloß angeheirateten – nach der brasilianischen Seite von Dona Teolinas Familie geschlagen ist. Ich hatte nie die Gelegenheit, euch dies zu erzählen, glaube sogar, daß nicht einmal meine Kinder es wissen, aber Dona Teolinas Großmutter väterlicherseits war praktisch eine Buschwilde, Tochter eines Portugiesen, eines weitberühmten Waldläufers, eines Mannes adliger Herkunft, verwandelt in einen Buschwaldhauptmann durch Umstände, die hier nicht zur Sache gehören, und einem Indiomädchen, der jüngsten Tochter eines Kaziken, wie die Buschwilden ihre Könige und Befehlshaber nennen. Diese Indiofrau mußte wohl starkes Blut besessen haben, denn es übertrug sich durch Generationen bis hin zu Patrício Macário. Das Ergebnis ist sein halbindianisches Aussehen, diese dunkelschattierte Haut und, wer weiß, diese rohen und praktisch nicht zu bezähmenden Umgangsformen. Dona Teolinas liebe Großmutter war, wie man mir erzählt, eine bewundernswürdige Frau, die sich, nachdem sie sich von ihrer Stammesgemeinschaft getrennt hatte, bekehrte und ein der Familie und den frommen Werken geweihtes Leben führte. Doch in ihrem Stammbaum muß es zwangsläufig zahlreiche, wilde Krieger gegeben haben, von denen wohl Patrício Macário diese bereits erwähnten Züge in Charakter und Aussehen ererbt hat. Ich möchte daher keine Risiken eingehen. Im Heer kann der junge Mann, sofern er sich durch Arbeit und Zucht bewährt und nicht auf halbem Wege von einem Kriegsgericht erwischt wird, zu Positionen aufsteigen, die weniger beleidigend für sein Elternhaus wären. In der Marine erfüllt er nicht die physischen Anforderungen der Offizierslaufbahn, offengestanden glaube ich nicht, daß er, selbst wenn er gewisse Meriten erreichte, es über den Leutnant hinaus bringen würde oder wie man dort den höchsten unter den niederen Rängen nennt. Nein, nein, der Junge kommt mir in die Militärschule.«

»In der Zentralschule werden auch junge Leute fürs Heer vorbereitet.«

»Er kommt in die Militärschule.«

»Ist er denn alt genug?«

»Das ist nun wirklich bedeutungslos, wir haben genügend

Freunde, um dergleichen Banalitäten möglichst rasch zu regeln.«

»Aber wird Dona Teolina sich dem Plan nicht widersetzen?«

»Möglicherweise, aber weiblicher Widerstand muß stets unter folgenden Gesichtspunkten betrachtet werden: als weiblicher Widerstand. Die Frauen, meine Freunde, sind ganz Herz und kein bißchen Kopf, und wir wissen sehr gut, es lauern mehr Fallen in den Schmeicheleien des Herzens als in den kühlen Schlußfolgerungen des Kopfes. Dona Teolina wird das begreifen müssen, denn wie bei Kindern müssen wir mit Frauen tun, was zu ihrem eigenen Wohl dient, und nicht das, was sie sich wünschen.«

»Ohne Frage.«

»Daher habe ich diesen Rat einberufen. Ich weiß, daß diese Entscheidung, so schmerzlich sie ist für einen Vater, richtig ist, doch wollte ich sie nicht ohne die Anhörung von Freunden und Familie fassen. Wir müssen *e pluribus unum facere*, Monsignore mit seiner Gelehrsamkeit mögen mich berichtigen, wenn ich den Ausdruck falsch gebraucht habe.«

»Ich bitte Sie, Herr Komtur, ich wünschte, ich könnte ebensoviel Latein.«

»Sie sind sehr gütig, Monsignore, die Großherzigkeit eines Freundes. Wo ich gerade von Großherzigkeit spreche, ich fürchte, nochmals auf sie zurückgreifen zu müssen. Sicherlich werden die guten Dienste des Herrn Majors uns bei der Aufnahme des jungen Mannes in die Militärschule nützlich sein. Ich werde ihn an den Kaiserhof schicken, und zwar ohne jegliche Privilegien. Erhalten die Schüler Sold?«

»Das glaube ich nicht. Das Heer zahlt nicht einmal seinen Söldnern Sold, und wenn es welchen bezahlt, ist es ein Hungerlohn, der kaum für eine 300-Réis-Mahlzeit am Tag ausreicht, lächerlich wenig.«

»Dann wird er eben einen bescheidenen Monatswechsel erhalten, ein paar Pfund, vom Korrespondenten sparsam zugeteilt. Und wo von einem Korrespondenten die Rede ist: da fällt mir die Bitte um einen neuen Gefallen ein, diesmal an meinen hervorragenden Rechtsanwalt, Teilhaber und Freund, Dr. Noêmio Pontes.«

»Ich stehe zu Ihrer Verfügung.«

»Wofür ich Ihnen auf ewig dankbar bin. Es gilt, die Frage des Korrespondenten in Rio de Janeiro anzugehen. Ich weiß, daß unter den vielen Freunden, die Sie in Rio de Janeiro haben, genügend verantwortungsbewußte und charaktervolle Männer sind, um diese Funktion zu erfüllen.«

»Aber gewiß doch. Sofort fällt mir Dr. Amarílio Veiga ein, vielleicht Dr. Benjamin Furtado, vielleicht ...«

Der Entschluß war gefaßt und gutgeheißen worden, nun wurden die Einzelheiten näher erörtert, jetzt gemächlich, wie der Abend nahte: Amleto zurückgelehnt in seinem Sessel mit befriedigtem Gesichtsausdruck, Vasco Miguel etwas ungeduldig auf seinem Stuhl rückend, um aufzubrechen, Major Magalhães durchs Fenster starrend und in ernste Gedanken vertieft, Monsignore mit der Frage beschäftigt, ob er zum Abendessen geladen würde, Noêmio Pontes Namen und Anschriften notierend, Clemente André besorgt um seine Soutane, die nun jeden Augenblick geliefert werden mußte, Bonifácio Odulfo schweigsam, aufgebracht, gedemütigt, grollend – wie er die Lebensweise all dieser Leute haßte, wie er das Geld des Vaters verabscheute und alles, wofür es stand, wie eines Tages alle sich vor seinem Genie verneigen würden, wie eines Tages dieses Haus nur noch dazu dienen würde, damit das Volk darin sein eigenes Andenken pflegte!

11 Quelle-zum-kleinen-Krug, den 23. Juni 1842

Leléu versteckte sich hinter den Dendê-Palmen, um zu weinen, und dachte, dieses Leben ist verrückt, verrückt, völlig verrückt. Wie ist es möglich, daß ein Mensch sich beim Weinen zusieht? Er wußte es nicht, doch eben das geschah – er sah sich selbst mit verzerrtem Gesicht, mit keuchender Brust, die Kehle schmerzte vor ersticktem Stöhnen, die Tränen rannen wie Regen, obwohl er sich bemühte, sie zurückzuhalten, indem er die Handflächen gegen die Augen preßte. Vielleicht hatte er als Kind geweint, er erinnerte sich nicht, denn ein kleiner Negersklavenjunge ohne Mutter, ohne Vater, ohne Beschützer verlernt das Weinen früh. Und nun dies, einfach so, ohne Grund, genau zum Festbeginn, alle trafen ein, die Freudenfeuer brannten, die Wimpel flatterten, Mais wurde geröstet, die Farbenregenraketen standen bereit, in den Himmel aufzuschießen, die Ballons mit ihren Dochten aus Werg warteten aufs Aufsteigen, die größte in dieser Gegend je erlebte Johannisnacht, das größte Sankt-Johannis-Fest der Welt, wie Leléu selber auf dem Dorfplatz gesagt hatte, als er alle Leute eingeladen hatte, sich bei der Quelle-zum-kleinen-Krug einzufinden, wo nach dem Festrummel das Bad zur Ehre des großen Heiligen, des Vetters Unseres Herrn, stattfinden sollte. Wer ihn so weinen sähe, mußte ja glauben, es sei wegen all der Ausgaben, die er mit dem Fest hatte – und er lachte mitten im Weinen und fand das Leben noch verrückter als ohnehin. Doch nach dem Lachen schluchzte er von neuem so heftig, daß er nicht sitzen bleiben konnte, und langsam auf die Quelle zuging. Er mußte sich beherrschen, schließlich war er der Gastgeber des Festes, er war sogar als Sankt Johannes der Täufer verkleidet, um den Spaßmacher zu spielen, in ein Ziegenfell gehüllt, das er als Kamelfell ausgeben würde wie das des Heiligen, in der Hand seinen alten Caboatã-Knüttel als Hirtenstab. Und sollte das Fest nicht auch die Kleine wieder froh machen? Und wie kann man jemanden froh machen, und erst recht ein unschuldiges junges Mädchen, mit diesem verflixten Geflenne und Gejaule, das eher zu einem vom Muttertier verlassenen Hündchen paßte?

Er lehnte die Hand an eine Dendê-Palme und fragte sich, welchen Ausweg es für ihn gab. Was für einen Ausweg gab es, selbst für einen Menschen, der alles im Leben gesehen hatte? Gar keinen, schien es. Sein kleines Mädchen, das ihm, wenn es die Arme um seinen Hals schlang, um etwas aus ihm herauszuschmeicheln, eine Herzwärme schenkte, die er nie empfunden hatte, und eine Dankbarkeit für das Leben, die er nie für möglich gehalten hatte, und ein Staunen, das er sich nie hätte träumen lassen, sein kleines Mädchen, das er vor allem Übel der Welt beschützen wollte und das der Inbegriff der Freude und des Zutrauens war, war ihm geraubt worden. Nicht ihr schmaler Körper, der ganz zerbrechlich geworden war, weil sie kaum noch aß, seit dem Tag, als sie ihre Mutter ermordet hatten. Dafés Körper war noch da, auch wenn der ihn traurig machte und mitunter schlaflos vor Angst, die Kleine könnte erkranken, so ganz ohne die Kraft, die man sonst als erstes in ihrer Gegenwart empfand. Doch ihr Geist war ihm geraubt worden, weggeholt, an einen Ort verbannt, von wo er nicht zurückzuholen war. Die Schulsachen, die er in einzelnen, dicken, schön verschnürten Paketen mitgebracht hatte, damit die Kleine sich abends damit vergnügen, sie auspacken und ordnen konnte, lagen noch an derselben Stelle, wo er sie abgestellt hatte, nur das Paket mit den Schiefertafeln war aufgeschnürt, weil er eines Tages eine entnommen hatte, um sie etwas aufzuheitern, doch sie hatte sie nicht einmal angesehen. Er tat alles, was ihm in den Sinn kam, nahm sie sogar auf einen Ausflug nach Bahia mit und in jedes Städtchen oder Dörfchen, wo gerade ein Fest stattfand, eine Kirmes, eine Gedächtnisfeier, er gab sogar den Müttern der herumstreunenden kleinen Jungen Geld, damit diese ihr die ganze Zeit Gesellschaft leisteten, alles, alles hatte er getan, aber nie mehr hatte er ihr Lachen gehört, sie nie mehr barfuß herumtollen sehen, nie mehr ein Leuchten in ihren Augen wahrgenommen, nie mehr Geschichten von Königen, Herzögen, Prinzessinnen und Helden aus ihrem Mund gehört, sie nie mehr einen Blick in Bilderbücher werfen sehen, die er unter solchen Schwierigkeiten hier und dort für sie zusammengesucht hatte. Langsam hatte auch er selbst die Lust am Leben und an den Geschäften verloren, er wollte von nichts mehr wissen, und in den vielen schlaflosen Nächten, in denen er aufstand und auf Zehenspitzen nachsah, ob sie gut schlief und regelmäßig atmete, hielt er sich selber lange Reden, um sich nicht völlig entmutigen zu lassen und seinen Lebenskampf fortzusetzen.

Doch selbst das brachte er jetzt nicht fertig, er konnte nur noch heulen und dastehen, an den von Kletterpflanzen umrankten stacheligen Stamm der Dendê-Palme gelehnt, er wollte sein kleines Mädchen wieder zurückhaben, wozu brauchte er Geld, wozu brauchte er überhaupt etwas, wenn er nicht mehr Großvater Leléu war, wenn es auf der Welt nichts mehr zu lernen gab, wenn er bei der einzigen Sache in seinem Leben, die er nicht als Arbeit, sondern als eigentliches Leben angesehen hatte, Schiffbruch erlitten hatte? Zum ersten Mal dachte Nego Leléu ans Sterben, er stellte sich vor, daß auch er ausruhen müßte, daß der Tod notwendig und barmherzig wäre, sich in nichts aufzulösen war besser als da zu sein, irgend etwas zu sein, denn sein Leiden war das altbekannte, es war Arbeit, ihres aber war nicht zu ertragen, es tötete mehr als der Tod selbst. In seiner Kniehose betastete er den Rochensporn, den er zu Hause ganz in Gedanken eingesteckt hatte, mit der anderen Hand berührte er sein Herz, dachte, wie leicht es doch war, den Dorn zu packen und ihn in jene Stelle zu bohren, wo das Blut wohnte, und auf immer fortzugehen, vielleicht würde er, wenn er gestorben war, das Verlorene finden, was er nie besessen hatte, das, was ihm nur für so kurze Zeit gewährt worden war, die Seelenruhe, die einem Menschen stets vorenthalten blieb, der nur Narben an Leib und Geist davongetragen hatte. Er bohrte sich die Fingernägel in die Handflächen und empfand tiefes Mitleid mit sich selbst, er wünschte sich jemanden, bei dem er sich beklagen konnte, wünschte sich Vater, Mutter, enge Freunde, fühlte sich so mutterseelenallein, daß er dem Wahnsinn nahe zu sein glaubte, und er erkannte, wie leicht es sein würde, den Verstand zu verlieren, nicht schwerer, als sich von einem Felsen in die Finsternis des Abgrunds zu stürzen.

Aber gibt ein Nego Leléu auf? Nie und nimmer! Ihr kennt doch den Wal, den man Draufgänger nennt? Er ist das tapferste Lebewesen, das es gibt; wenn in seine Flanken die Harpunen dringen, wenn er sich von den tödlichsten Feinden umringt sieht, die ein Tier nur haben kann, wenn er das Meer in einen verhängnisvollen Dornenstrauch verwandelt sieht, dann bäumt er sich auf wie ein edles Rennpferd, schüttelt den Kopf wie ein Krieger, der sich nicht ergibt, schnaubt nicht, stöhnt nicht einmal, er unterdrückt den stechenden Schmerz all der seinen Rücken zermarternden

Pfeile, befiehlt seinem Blut, ihm in dieser Stunde die Treue zu halten, und mit einem Ruck, dem nichts auf der Welt zu widerstehen vermag, zerfetzt er alles, was sich ihm in den Weg stellt, und reißt das Boot mit, die Männer, reißt die Taue mit, reißt alles mit auf seiner wilden Schaum- und Wasserjagd durch die sieben Meere und bezwingt so all die, die meinen, er könnte bezwungen werden, er, dessen machtvoller Stolz und Kampfwillen nicht zu bezwingen sind. Ich bin nichts, dachte Nego Leléu und verwandelte sich nach und nach in einen Draufgängerwal, ich bin ein gerissener Neger, den nie jemand gewollt hat, aber ich bin ich, und es gibt keine Arbeit, die ich anpacken will und nicht anpacke, und dieses Tau zerreiße ich, dieses feindliche Boot zerstöre ich mit Kopfstößen, ich tauche in dieses Meer, also drauflos, mein alter Leléu!
Und als er aus dem Dendê-Palmenwäldchen trat, hatte er ein gewaltiges Lächeln im Gesicht, fast ein Waldgott war er, nachdem er sich im eisigen Strahl der Quelle das Gesicht befeuchtet hatte, um Tränen mit Tränen zu bekämpfen, er wirbelte umher, verjüngt zu dem Zwanzigjährigen, von dem er gar nicht wußte, daß er es gewesen war, ein Teufelskerl, gelenkig wie ein Affe, wild wie eine tollwütige Hündin, mit der Kraft, mit dem Kampfgeist, mit der gottverdammten Kriegsfahne der unendlichen Kraft des unübersehbaren Mutes eines Mannes, der sich von einem Hurensohn keinen Scheißdreck gefallen läßt, zwei Leléus, einer gut, der andere böse wie die Pest, eine Hand streichelnd und die andere keulenschwingend, eine Gesichtshälfte lachend und die andere grimassierend, eine Herzseite Liebe verströmend und die andere glühend rot vor Haß, ein Ohr lauschend und das andere taub, ein Bein flüchtend und das andere vorwärts stürmend, die Brust gebläht, der Kopf vom Hals getrennt und Feuer spuckend, die Zähne kräftig genug, die ganze Insel mit Bissen blankzuroden, die Sehnsucht nach Dafés Rückkehr wie mit Paukenwirbeln verkündend, daß sie dort zu finden war, ja, daß das Leben mehr galt als der Tod, daß Streiten mehr galt als Nachgeben, daß die Liebe, die kämpft, mehr galt als die, die sich versteckt, daß ein heiliger Krieg mehr galt als ein kranker Frieden.
Wer kommt denn da geschlendert, leicht und locker, voller Schwung?
Wenn das nicht Nego Leléu ist, im fein gegerbten Ziegenfell, mit

fein geschnitztem Hirtenstab aus Caboatã-Holz, und kecken Sandalen fein angepaßt, ein verschmitzes Lächeln fein aufgesetzt, so bricht er dort aus dem Buschgestrüpp um zu feiern! Los, ihr Mädchen, der Heilige langweilt sich, wach doch auf, Johannes! Wach auf, Johannes, hol dein Johannisfeuer vom Firmament herunter mit deiner Mutter Elisabeth, deinem Vater Zacharias, deinem Vetter, dem Herrn des Himmels, deiner Mahlzeit aus Heuschrecken und Honig, deiner Hand, die sogar das Wasser reinigt, deinem Unschuldslämmchen, wach auf, Johannes! Erwache, Sankt Johannes, komm zu deinem Fest, sieh doch, wie sie das Licht des Heiligen Geistes entzünden, das über Jesu Haupt kreist wie die Motten rund um das Licht, komm, Sankt Johannes, komm und bezwinge Salome, die tanzend tötet, die tanzend stirbt!
»Was treibt denn die Kleine hier, so ein Trauerkloß, und reißt sie sich nicht zusammen?« fragte Nego Leléu, der sich zum Blöken von Meister Pautérios Ziehharmonika wiegt. »Sankt Johannes will keine Traurigkeit sehen! Sollte das etwa Hunger sein? Sogar Gürteltiereintopf gibt es, hat Sankt Johannes zusammen mit Luiz dem Gürteltier selber geholt! Es gibt Maisbrei, es gibt Lelê, es gibt Mungunzá, es gibt Maisküchlein, es gibt gekochten Mais, es gibt geschmorten Mais, es gibt Erdnüsse, es gibt Reismehl, es gibt Eselstee, es gibt von allem!«
Hinter seinem Rücken legte er heimlich das Ende eines Brennscheits an den Docht der Rakete, die er verborgen hielt, tat, als erschreckte ihn das Zischen, wirbelte herum, wie um zu sehen, was da hinter ihm vorging, und ließ die Rakete los – es lebe Sankt Johannes! Dafé, die neben zwei Mädchen saß, die gleichfalls nicht mit dem übrigen Festschwarm tanzten, brachte ihre Blumengirlande in Ordnung und lächelte leicht, ohne die Lippen zu öffnen. Aber sie hat gelächelt! dachte Leléu. Los, Leute, es lebe Sankt Johannes!
Er faßte ihre Hand, tanzte mit ihr los und grüßte hier einen, grüßte dort einen, glitt in die Mitte eines Kreises, sprang von einem Fuß auf den anderen.
»Sehr gut, Leute, Sankt Johannes ist da, wer kein Gevatter ist, sollte sich gevattern!«
»Ja so was, Leute, wo hat man schon so einen schwarzen Sankt Johannes gesehen?«

»Bißchen viel Sonne gekriegt, mein Sohn, ha-ha-ha-ha!«
»Wirke ein Wunder, mein lieber kleiner Heiliger!«
»Wo ist die Schüssel? Und ist das jungfräuliches Wasser? Laß mal sehen! Hm! Hm! Ah-hum! Ich wills dir ja nicht sagen, Kleine, aber da ist etwas ganz Schlimmes drin in diesem nassen Wasser, etwas ganz Schlimmes!«
»Erzähl, erzähl doch, lieber kleiner Heiliger!«
»Laß mich erst dieses Kamelfell ausziehen, ich will mirs auch bequem machen. Hm! Hm! schlimmschlimm, Jungejunge!«
»Ist das ein Kamelfell, lieber Heiliger? Nennt man im Land vom lieben Heiligen den Ziegenbock Kamel?«

»Hier heißt Ziegenbock Kamel,
Kamel heißt der Bock, der rummst,
Geh und frag deine Mutter,
Ob es wahr ist, daß sie ...

He-he-he-he, wie geht noch der Reim vom Ziegenbock, mein Sohn?« »Lieber Heiliger, ist im Wasser alles geschrieben, was der Mond gesagt hat?«

»Hier im Wasser ist alles geschrieben,
Was jemals gesagt hat der Mond,
Auch das von deiner Schwester,
Die täglich einem andern beiwohnt!

He-he-he-he, du fragst, ich sags dir!«
»Lies im Wasser mein Schicksal, lieber Heiliger!«

»Wenn ich hier ins Wasser schau,
Seh ich dein Geschick genau,
Und das heißt Wasser in Körben tragen
Und an einer harten Glocke nagen!«

»Ob ich heute heirate, guter lieber Heiliger?«

»Ich sag dir die ganze Wahrheit,
Und die ist nicht allzu harsch,
Heiraten tut dich heut keiner,
Doch stöpseln deinen süßen ...

Piep, piep, schau das Vögelchen an, damit du auf andere Gedanken kommst!«

»Soll ich das Messer in eine Bananenstaude stecken, damit ich den Anfangsbuchstaben vom Namen meiner Geliebten erfahre?«

»Hineinstecken kann man vieles,
Beim Stecken nur frisch gewagt,
Doch steckt bald was im Hintern
Von dem, der allzu blöd fragt!«

»Kann ich um Mitternacht eine Kerze anzünden, damit ich weiß, ob mein Herz die Wahrheit spricht?«

»Zünde die Kerze an, Kleiner,
Dann hörst du, was dir gar nicht lieb,
Dein Herz sagt dir die Wahrheit:
Dein Vater ist ein Dieb.«

Und dorthin und dahin, hier springt er, wie schön ist doch ein festgestampfter, harter Lehmboden, der nicht staubt, wenn man feiert und tanzt! Es lebe Gott, dessen Heiligkeit alt ist, und Sankt Johannes, der ein alter Heiliger ist, ein neuer Heiliger wird sogar von einem gerissenen Frater reingelegt, Mensch, ist das gut, drück die Quetschkommode, Portério, jetzt aber ran, Meister! Und hopp-hopp-hopp, und-eins, und-zwei, und-drei, los gehts, springen wir über das Feuer, los doch endlich, damit wir Gevatter werden, hoppla und hopp, Avemaria, Mensch, ist das gut! Wer nicht mitmacht, der beleidigt mich, habt ihr gehört? Also, ich will, daß du ißt, ich will, daß du tanzt, ich will, daß du dich vergnügst, ich will, daß du hüpfst, ich will, daß du lachst, ich will, daß du hier weggehst und nicht schlecht redest vom Gastgeber von diesem Fest, ich will, daß du mit vollem Bauch nach Hause kommst, den Kopf voll Likör, die Lenden voll Hitze, denn für diese Hitze, da haben wir ja das Wasser von der Quelle-zum-kleinen-Krug, die diesem Volk geschenkt worden ist, damit es sich in der kalten Nacht vom Jahr ordentlich wäscht, und das ist die Nacht vom Täufer, und der nämlich hat dem Herrn über den Kopf gestrichen und so hat er das Wasser vom Jordanfluß geheiligt, als er darin den heiligen Leib gewaschen hat, den die Welt beschmutzen sollte.
Ob Leléu in dieser Nacht gearbeitet hat? Na, und wie Nego Leléu gearbeitet hat! Wie ist er herumgezischt, wie im Zickzack

herumgeschossen, fünf, sechs, zwanzig Leléus ist er gewesen, wie er geredet hat, wie blöd herausgequasselt, wie er sich aufgespielt und aufgeplustert hat, wie er überall reingeplatzt ist, und alle feiernden Heiligen, die waren ihm ins Gesicht geschrieben, und wie er für alles das richtige Wort gewußt hat, was für ein Künstler war doch dieser Nego Leléu! Wieviel Liebe empfand dieser Nego Leléu zu seiner Enkelin, Herzensenkelin, Lieblingsenkelin an diesem Abend, als er beschloß, sie dürfte gar nicht zur Ruhe und zum Nachdenken kommen, er zog sie auf, ihren Körper zog er wie ein Uhrwerk auf, damit ihre Seele einfach nicht anders konnte, ja, und hat sie da nicht wirklich losgetanzt, ist gehüpft und Hand in Hand mit ihm übers Feuer gesprungen, hat von fast allem gegessen, was es gab, hat Feuerwerkskörper angezündet und bei den Ballons mitgeholfen, einer hübscher als der andere, wie sie da am Festplatzhimmel zu Sternchen wurden? Wer nun noch glücklicher war als sie, das war Leléu, der hat dem Heiligen fast ein Dankgebet aufgesagt dafür, daß er ihm seine kleine Enkelin genau so zurückgegeben hat, wie sie früher war – gibt es nicht doch noch Glück auf dieser Welt?
Und vor lauter Glück platzte er fast wie Puffmais, als er mit einem Krug von der Quelle zurückkam, um die zu bespritzen, die zu ängstlich gewesen waren, um in der Quelle zu baden, und da sah er die Kleine zittern, die Zähne schlugen aufeinander, mit bebendem Kinn, die Augen weitaufgerissen, die Arme an die Rippen gepreßt, die Beine eingeknickt, als wollte sie niederknien und könnte nicht. Er ließ den Krug fallen, rannte zu ihr hin, konnte aber kein Wort aus ihr herausbringen und mußte sie fast auf seinem Schoß wiegen, bis sie endlich mit mühsam erhobener Hand, als trüge sie eine Last, auf eines der Johannisfeuer deutete, wo vier weiße junge Männer bei einigen schwarzen Mädchen standen. Sie amüsierten sich prächtig, einer von ihnen zupfte auf einer Art Mandoline, die anderen tanzten um das Feuer. Leléu fühlte eine beklemmende Kälte von der Brust in die Magengrube hinunterwandern.
»Sind sie das?«
»Ja.«
Er sprang auf und griff nach dem Rochensporn mitsamt der ihn verbergenden Scheide. Dafé stürzte fast zu Boden, als er sie losließ, und er wurde sich unverzüglich darüber klar, daß man ihn,

wenn er die Männer überfiele oder an Ort und Stelle umbrächte oder auch nur auf eine Gelegenheit dafür nach dem Fest wartete, mit Sicherheit festnehmen, foltern und hängen würde.
»Nein«, sagte er zu sich selbst. »So nicht.«
Er legte ihr mit großer Behutsamkeit das Ziegenfell um die Schultern, um sie warm zu halten, und trug sie langsam den ganzen Weg nach Hause zurück, nachdem er Meister Pautério gebeten hatte, das Fest mit seinen Musikern zu übernehmen, er müßte nur seine Enkelin heimbringen, die plötzlich erkrankt sei. Beim Heimkommen weckte er die beiden alten Negerinnen, die in der Hinterhofkammer schliefen, trug ihnen auf, einen Tee für die Kleine zu kochen, sie gut zuzudecken und nach ihr zu sehen. Während die Alten Blätter für den Tee holten und die Kohlen entfachten, fragte er Dafé, ob es ihr besserginge, und sie antwortete ja, aber sie hätte so etwas wie Knallen, Summen und Pfeifen im Kopf.
»Hat nichts zu sagen«, sagte er, »das geht vorbei. Ich werde Sá Benvinda sagen, sie soll zwei Scheiben rohe Kartoffeln schneiden und sie dir auf die Schläfen legen, unter das Haar, dann geht dein Kopfschmerz rasch vorüber. Ist dir kalt?«
»Nein.«
»Dann ist alles gut. Schau, hör zu, was ich dir sage, denn es ist sehr wichtig, daß du mir dabei hilfst, hinterher erkläre ich dir alles. Ich will der Benvinda und der Nonoca sagen, daß ich im Nebenzimmer schlafe, damit sie mich jederzeit rufen können. Aber laß es nicht soweit kommen, daß sie mich rufen, hörst du?«
»Ich bin müde.«
»Um so besser, ausgezeichnet, dann schlaf also. Aber wenn du aufwachst, dann gib acht, daß sie mich nicht rufen, hast du gehört? Hast du gut verstanden?«
»Ja.«
Leléu legte für einen Augenblick den Kopf an den ihren, hüllte sie gut in die Decke und ging hinaus, um den Alten zu sagen, er habe auf dem Fest zuviel getrunken, sei todmüde und würde in der kleinen Kammer schlafen.
»Aber wenn was ist, da ruft ihr mich, ja? Wenn sie euch bittet, daß ihr mich ruft, dann ruft ihr mich, ja?«
»Nicht nötig, nein, Sô Leléu, Melissenteechen macht das, da ist sie bald wieder obenauf. Ist nur so eine Magengrollike.«

»Ist gut, dann beeilt euch mit dem Tee, sie ist ja fast schon eingeschlafen. Und zwei Scheibchen Rohkartoffeln, die legt ihr auf ihre Schläfen, damit die Kopfschmerzen weggesaugt werden.«
»Schon gut, gehn Sie nur schlafen, keine Sorge, wir machen das alles, keine Sorge.«
»Schön, dann also gute Nacht.«
Mit einem Petroleumlämpchen in der Hand betrat er die kleine Kammer, hielt die Flamme an die vier Dochte des von der Decke hängenden Leuchters und kramte in seinen Sachen. Er zog eine Kniehose und ein Hemd an, setzte einen Strohhut auf, wickelte sich ein breites Ledergehänge um die Taille, dessen spitz zulaufendes Ende an der linken Seite sein Fischmesser aufnahm, prüfte mit dem Daumen die Messerklinge und steckte sie wieder in die Scheide, sah, daß auch der Sporn an seinem Platz saß, packte den Knüppel, blickte umher, ob er nichts vergessen hatte, drückte den Strohhut mit zwei Kniffen oben etwas ein, löschte die Flammen des Leuchters, warf sich einen schwarzen Umhang über, sprang hinaus und rannte fast bis zur Quelle-zum-kleinen-Krug zurück.
Es war alles so rasch gegangen, daß er noch gar nicht genau hatte überlegen können, was er tun würde, und als er sich abermals im Dendê-Palmenwäldchen versteckte, diesmal aber nicht um zu weinen, sondern um die vier Weißen zu beobachten, fragte er sich, ob er diese Männer wirklich töten wollte. Schon oft hatte er daran gedacht, jemanden umzubringen, einmal hatte er sogar einem Mann den Arm durchbohrt, doch immer hatte er sich schließlich gesagt, das beste sei, die Dinge anders zu lösen und nur im äußersten Fall zu töten. Wie jetzt, wie jetzt! Ist es das, was man tödlichen Haß nennt? Das mußte es wohl sein, denn er fühlte sich voller Gift gegen die, die ihm die Seele seiner Kleinen geraubt, ihr die Freude und den Willen zum Leben genommen hatten, die das Fest, das ihre Rettung sein sollte, durch ihre Gegenwart beendet hatten, die so überheblich waren, daß sie an den Ort zurückkehrten, an dem sie Vevé ermordet hatten, wußten sie doch, daß ihnen nichts zustoßen konnte, denn einem Weißen, der einen Schwarzen getötet hat, geschieht nichts. Und sie hatten wohl vor, auch anderen schwarzen Mädchen etwas anzutun, die weder so schamlos noch so furchtsam waren, sich alles gefallen zu lassen.

Schön, dachte Leléu, mögen sie Schlachtvieh sein, mag die ganze Negerbande Schlachtvieh sein, vielleicht ist das, wie die Welt eben läuft, aber diesmal läuft es nach meiner Pfeife.

Der Morgen graute, als die jungen Leute mit ein paar schwarzen Mädchen aus einer Lichtung traten, alle vier schwankten und lachten laut. Leléu richtete sich auf, um sich einzuprägen, wohin sie gehen würden, denn ihr Boot konnte ebensogut an der Schweineinsel wie auch im Hafen von Baiacu vertäut sein. Sie trödelten beim Abschied länger, als jemand wie er es in dieser Lage aushalten konnte, und fast hätte er sich vor Ungeduld auf sie gestürzt und alles riskiert, doch schließlich ließen sie die Mädchen stehen, die frühmorgens wieder zur Landarbeit mußten, und schlenderten langsam weiter, den Pfad hinunter, der mit Sicherheit zur Schweineinsel führte. Leléu umschlich rasch das Palmenwäldchen, schlüpfte durchs Dickicht, um vor ihnen dazusein, und als sie ankamen, hatte er sich schon in der Nähe des Schiffs versteckt und wartete, daß irgend etwas geschah, damit er wußte, wie er vorgehen sollte. Ein Schiff von Weißen, ganz bemalt, neues Takelwerk, polierter Rumpf, alles in neuester Ausführung – ob es eine Besatzung hatte? Leléu wurde unruhig, denn was sollte er tun, falls eine Mannschaft vorhanden war?

So angespannt, daß er kaum atmete, streckte er den Hals über das kleine Fischerboot, hinter dem er sich versteckt hatte und sah erleichtert, daß niemand mehr im Boot war. Jetzt brauchte er nur noch darauf zu warten, daß sie sich in dem Streit, in den sie verwickelt waren, einigten, denn zwei von ihnen wollten die Flut nutzen, um gleich in See zu stechen, während die anderen beiden dafür waren, dort zu übernachten und morgens loszufahren. Er verschränkte die Finger und bat zum ersten Mal in seinem Leben um Glück. Sollten sie lieber dort übernachten, betrunken wie sie waren, dann hätte er leichteres Spiel, dann brauchte er sich nicht den Kopf zu zerbrechen, wie er mit ihnen Schluß machen konnte. Doch der Bärtige, offenbar der Älteste von ihnen, setzte schließlich seinen Willen durch. Man würde sofort abfahren, es war ja bereits Freitag, und sie waren losgefahren, um am gleichen Tag zurückzukehren unter dem Vor-

wand, fischen zu gehen, wer müde sei, sollte im Boot schlafen, er würde die Segel hissen und das Ruder übernehmen.
Leléu spuckte seitlich aus – Scheiße! Und nun? Vielleicht würde er sie nie wiedersehen, vielleicht war das die letzte Gelegenheit, sich zu rächen, wäre es nicht besser, sich gleich jetzt auf sie zu stürzen? Er strich über die Keule, griff nach seinem Messer, und spannte alle Muskeln an. Jetzt oder nie! Er durfte am Wasser entlang kein Geräusch machen und ging ganz langsam um das Fischerboot herum, noch hatte er keine Ahnung, wie er vorgehen sollte. Es war ihm gleichgültig, ob er verletzt oder gar getötet würde, nur der Gedanke, einer von ihnen könnte entkommen, quälte ihn. Aber das mußte er dem Glück überlassen, dem Schicksal.
Doch falls einer von ihnen entkam, würde man nicht nach Dafé suchen, sie mißhandeln oder ebenfalls umbringen? Ganz sicher würde man das. Und konnte er die Kleine ohne Schutz lassen? Auf keinen Fall. Verzweifelt vor Schmerz blieb er stehen – was jetzt, was jetzt, was jetzt? Sollte er aufgeben müssen, wo er schon so nah am Ziel war? Warum fällt ihm nur keine Lösung ein, warum wird jetzt alles auf so dumme Weise verspielt? Wieder spähte er über die Bordwand des kleinen Fischerbootes, sie stiegen gerade ein. Sie würden auf die kleine Barre zusteuern, gegen das auflaufende Wasser der Flut, sie würden dicht am Inselrand entlanglavieren, in den Kanal einfahren und wahrscheinlich mit Rückenwind nach Bahia segeln. Hundebande! Wieder schickte Leléu sich an, blindlings anzugreifen, er machte zwei Schritte und ... Nein! Nein! Aber das ist klar, das ist doch mehr als klar, etwas Klareres gibt es nicht! Würden sie nicht dicht am Strand und an der Sandbank vorbeifahren? Überlaß das mir!
Er bemühte sich, sich nicht von Unruhe übermannen zu lassen und kein Geräusch zu verursachen, jetzt, wo schon ein lauter Seufzer deutlich zu hören wäre, so bückte er sich fast auf alle viere, und so langsam, daß ihm Bein- und Bauchmuskeln schmerzten, watete er im kniehohen Wasser bis zur Biegung des Strandes, die ihm Deckung gewähren würde, und als er dort ankam, schoß er wie verrückt die Sandbank entlang in Richtung auf den Hafen von Baiacu, an dem sie vorüberfahren mußten.
Verdammte Bande, hoffentlich würde der Schnaps ihnen noch schneller zu Kopf steigen, hoffentlich würden sie lange, sehr

lange brauchen, bis sie die Segel gesetzt hatten und um die kleine Barre herummanövriert waren! Er rannte, bis ihm die Lungen aus dem Rachen hingen, und nur der Gedanke, daß unbedingt alles gründlich erledigt werden mußte, bestärkte ihn zu rennen und alle Kraft in die Beine zu pumpen, die zu versagen drohten, und in ein Herz, das schneller nicht mehr schlagen konnte, da erspähte er von weitem schon die Bucht von Baiacu, die wie eine Reihe schwarzer Fische daliegenden Fischerkanus, die sich nun im auflaufenden Wasser bereits aus dem Schlamm heraushoben. Er rannte dicht am Gemüsegarten des alten Perelepe vorbei, an dem für den Schweinepferch abgezäunten Teil, er lehnte sich an die wackligen Pfähle und, ohne genau zu wissen, wozu, ohne Zeit zum Nachdenken und benommen vor Atemnot, drückte er den Zaun mit der Schulter ein, riß eine Bresche, sprang über einen Haufen Ferkel, stolperte über das Mutterschwein, stieß fast im Stürzen die Schuppentür ein und packte eine verrostete Spitzhacke, die immer dort lehnte. Er fand sie leichter als vermutet, schulterte sie samt der Keule und rannte weiter, auf die Kanus zu. Er wählte eines der kleineren, legte Hacke und Keule hinein, ging zu den anderen Kanus, schnitt mehr als zehn Taue durch und stellte sich vor, wie viele von ihnen in die Strömung hinausgetrieben würden, kehrte zu dem ersten zurück, sprang hinein und begann hinauszurudern.

Er hatte schon eine Weile gewartet, nachdem er den Bootsanker am Ausgang der kleinen Barre ausgeworfen hatte, als endlich das Großsegel des Boots der weißen Männer hinter den höchsten Mangrovenbäumen auftauchte. Er versteckte den schwarzen Umhang achtern, packte die Spitzhacke und schlug mit zwei Schlägen ein Loch in den Boden des Kanus, das langsam Wasser nahm. Er legte sein Zeug neben seine Füße, wartete, bis er in Sichtweite der Weißen kam, und begann mit den Armen zu winken und wie ein verzweifelter Schiffbrüchiger zu schreien, ein tattriger, schwacher Schiffbrüchiger, beabsichtigte er doch, wie ein alter Mann zu wirken.

Das Schiff näherte sich dem Kanu, zwei der jungen Männer sahen ihn, einer von ihnen manövrierte nahe heran. Sie warfen ihm ein Tau zu, ließen das Fallreep herunter, und er kletterte an Bord, nahm sogar die Hacke mit, während das Kanu Schlagseite bekam.

»Wozu braucht der Alte denn diese Spitzhacke?« sagte einer von ihnen halb belustigt, halb gereizt.
»Wenn ich die nicht mehr hab, dann kann ich mir keine neue kaufen, Ioiô«, erwiderte Leléu mit zittriger Stimme. »Jetzt, wo ich das Kanu verloren hab, da kann ich mich nur noch auf das hier verlassen, damit kann ich ein paar Muscheln ausbuddeln.«
Er küßte den beiden die Hand, verbeugte sich zeremoniell, dankte dem Himmel, daß er die Gebete eines alten, armen Schwarzen erhört und ihm durch diese vier Erzengel Rettung gesandt hatte, ja, er wüßte nicht, was er tun oder sagen sollte, um seine Dankbarkeit zu zeigen. Der Mann, der seine Hacke beanstandet hatte, befahl ihm, den Mund zu halten und fragte, ob er ein Schiff wie dieses steuern könnte, denn es sei so ziemlich das gleiche wie bei einem Fischsegler. Leléu sagte ja, natürlich, seit seiner Kindheit täte er nichts anderes, er sei immer Seemann und Fischer gewesen. Sie wollten wohl schlafen, nicht? Das sah man – hehehe! –, die jungen Herren hatten sicherlich manchen Schnaps gekippt, recht hatten sie, man ist nur einmal jung, und vom Leben nimmt man nur das Leben mit, das man lebt – hi-hi-hi! Aber dann kommt der Augenblick, da will der Körper nur noch ausruhen, ist doch so, oder? Nur so hält man sich frisch für das nächste Mal, wenn man ausruht und sich gut ernährt. Sie sollten es ihm überlassen, sie waren doch unterwegs nach Bahia, oder? Er würde den Steuermann spielen, das wenigste, was er zum Zeichen seiner Dankbarkeit tun könnte, von Bahia würde er dann schon irgendwie zurückkommen, so was läßt sich immer einrichten.
Der Wind blies schwach, Leléu manövrierte das Schiff auf den Kanal zu. Die Flut war noch ziemlich niedrig, und so glitten sie steuerbords dicht an der Küste, backbords an der fast ganz freiliegenden Sandbank entlang, die Schlängelmuster der Wellen im Sand zogen sich so weit der Blick unter dem Mondlicht reichte. Er schaute die vier an, alle schnarchten, zwei im Bug, einer mittschiffs und der vierte ganz in seiner Nähe, er brauchte nur den Arm auszustrecken, um ihn zu berühren. Er band die Ruderpinne fest, stand auf, sah, daß das Schiff in die richtige Richtung lief, und zog das Fischmesser. Mit größerer Leichtigkeit als vermutet, da alle mit dem Gesicht nach oben und bloßgelegtem Hals schliefen, trat er von einem zum anderen und schnitt ihnen, mit

einem Schnitt für jeden, geräuschlos die Kehlen durch. Dann stieg er durch die Ladeluke hinunter und bohrte in den Boden ein Loch von etwa einer halben Spanne Durchmesser, und das Wasser schoß herein. Er legte die Hacke beiseite, packte die Keule, wusch das Messer im Wasser, schnitt das Fallreep des Großsegels durch, das sofort herabstürzte, blickte um sich und sprang ins Meer, genau in dem Augenblick, als das Boot über die tiefste Stelle des Kanals fuhr. Er durchschwamm die kleine Strecke bis zum Strand, blickte dem Boot nach, das immer rascher bis auf den Grund des Kanals versank, wo es, dessen war er sicher, nie gefunden werden würde – wie keines der anderen je gefunden wurde, die dort, vierzig Faden unter dem klingenglatten Wasser, in den dicksten Schlick gesunken waren. Er betrachtete den Himmel und sah, daß es bald tagen würde, er mußte rasch nach Outeiro zurückkehren, bevor die alten Frauen entdeckten, daß er nicht dort geschlafen hatte.

Walfischkap, den 3. November 1846

Während er sich vor der auf den Hinterhof gehenden Gefängnistür mit Hilfe einer Kalebasse wusch, hielt der Kerkermeister Manoel Joaquim – alt, zahnlos, mundverdeckender Schnauzbart und ein kürbisgroßer, von einer Wurmkrankheit befallener Hoden, auf den er zur Betonung des einen oder anderen Arguments leicht klopfte – eine Rede. Er wetterte gegen den heutzutage herrschenden Mangel an Ordnung und gegen das geringe Kaliber der Herren da oben, die denen von früher nicht das Wasser reichen konnten, damals konnte man stolz sein, wenn man ihnen diente, nicht diese Möchtegernadligen von heute, diese immer frecher werdenden Krämer und diese Neger von heute, bei denen man nur noch darauf wartet, daß sie mit »Herr« angeredet werden wollen.
Mühsam infolge des umfangreichen Dings zwischen seinen Beinen, ging er nackt und naß, wie er war, zu Budiãos Zelle, der mit Händen und Füßen an der Wand angekettet dastand und sich seit dem Tag seiner Inhaftierung nicht hatte setzen können. Der Alte blickte ihn verächtlich an, räusperte sich und spuckte aus.
»Ein niederträchtiger Neger wie du, der sich Unverschämtheiten

herausnimmt, Papiere fälscht, seinem Herrn unter Vertrauensmißbrauch durchbrennt, ein niederträchtiger Neger wie du dürfte gar nicht hier sein und zweimal am Tag vom Allerbesten essen, schön behaglich in seiner warmen und trockenen Zelle, sowas haben viele arme Leute nicht zu Hause. So einer wie du müßte am Pranger stehen, der gehörte ausgepeitscht, damit ihm der Rücken heiß wird und er was lernt!«

Er kehrte in den Hinterhof zurück, und trocknete sich mit einem schmutzigen Lappen ab. Noch etwas feucht, schlüpfte er in die wegen seiner Krankheit notwendigen weiten Hosen, zog das Hemd über und hängte die Jacke an einen Wandhaken.

»Na gut«, sagte er. »Dein Glück ist vorbei. Jetzt gibt's weder Sonn- noch Feiertag für dich, jetzt kommt der Herr Kapitän Teófilo, dein gesetzmäßiger Herr und Besitzer, hierher, der wird dich identifizieren und über dich bestimmen. Ich glaube nicht, daß du ohne eine tüchtige Tracht Prügel oder was Schlimmeres davonkommst, was viel, viel Schlimmeres. Der Herr Hauptmann Teófilo ist ein sehr guter Mensch, viel zu gut, aber so was, das wird der nicht wortlos durchgehen lassen, hier muß ein Exempel statuiert werden.«

Er stapfte zu einer Wassertonne, füllte einen Eimer und schüttete das Wasser über Budião aus.

»Zwei oder drei Tage, und schon stinkst du wie eine Meute von räudigen Hunden. Ich glaub, Afrika, das muß das stinkigste Land sein, das es gibt, wenn eine Rasse wie deine es verpestet.« Er schüttete noch etliche Eimer Wasser über ihn, beschwerte sich darüber, daß die Kirchenglocken oftmals nicht zur rechten Zeit läuteten, und brummte, daß er ohne Geldmittel und Hilfskräfte auskommen und entflohene Neger bewachen müßte. »Wär ich doch ein Schweinehirt! Nicht einmal die elementarsten Werkzeuge haben wir hier in einem öffentlichen Gefängnis, überhaupt nichts haben wir. Das einzige, was wir haben, das ist dies!«

Er hob eine riesige Handklatsche aus dunklem Holz mit den wie üblich in Kreuzform angebrachten fünf Löchern, auf der einen Seite glatt, auf der anderen mit kleinen Erhebungen, die wie stumpfe Nagelköpfe aussahen.

»Und wir haben das hier!« fuhr er mit funkelnden Augen fort und zeigte eine in geflochtenen Enden auslaufende Lederpeitsche. »Aber so was kriegt man von jedem Maultiertreiber, ich übrigens auch. Siehst du diese dunklen Flecken hier? Das ist Blut, das Blut von so einem niederträchtigen Neger wie du. Der ist von hier auf den Friedhof gekommen, zu viert haben sie sich ablösen gemußt, als sie ihn bestraft haben. Der war bärenstark, der hatte so einen massigen Körper wie du.«

Es schien ihm schwerzufallen, mit dem Sprechen und Herumfuhrwerken aufzuhören. Da er nichts zu tun hatte, setzte er sich hin und stand wieder auf, rückte einen Vogelkäfig zurecht, setzte sich von neuem, kehrte zum Käfig zurück, staubte die Jacke mit den Fingerspitzen ab und bewegte sich unablässig, während er mit überlauter Stimme an die besseren Zeiten dachte, die er erlebt hatte, Zeiten des Respekts und der Strenge.

Benommen und hin und wieder ohnmächtig, worauf er mit glutheißen Schultern und Armen erwachte, fühlte Budião schon seit langem seine Beine nicht mehr, bewegte schon nicht mehr ohne Anstrengung Augen und Kopf, begriff schon nicht mehr richtig, was man zu ihm sagte, fühlte auch kaum noch Schmerz, außer am Kopf, an dem es von allen Seiten mit scharfen Krallen zu zerren schien. Er sah nicht, wie Manoel Joaquim im Gang verschwand, auf den die vier Zellen gingen, und die Vordertür öffnete, um Kapitän Teófilo, die drei Uniformierten, die ihn gefangengenommen hatten, und den Garnisonschef, Unteroffizier Lourenço Frota, einzulassen.

»Ist er tot?« fragte der Unteroffizier Lourenço, als er Budião erblickte, nachdem Manoel Joaquim ihnen die Zelle geöffnet hatte.

»Von wegen tot, Herr Unteroffizier. Der tut nur so.«

Der Unteroffizier war nicht sehr überzeugt, zog eines von Budiãos geschlossenen Lidern hoch, gab ihm zwei Klapse aufs Gesicht und einen leichten Fußtritt gegen das Schienbein.

»Rührt sich nicht. Wie lange steht er schon so?«

»Seit er hier ist. Aber Essen hat er gekriegt. Die Armkette ist so angeschmiedet, daß er den Teller halten kann zum Essen, ich hab das selbst ausgerechnet. Gestern hat er Bohnen mit Schweinsfuß gegessen, hat alles aufgegessen. Heute hat er noch nicht gegessen, es ist aber auch noch früh am Tag. Heute hab ich ...«

»Laß ihn los, kette ihn los.«

»Sollte man nicht besser die Milizsoldaten rufen, wie? Das ist ein starker Neger, der wehrt sich vielleicht.«
»Loslassen, Mann, siehst du nicht, daß er ganz schwach ist. Hast du Kaffee da, irgend etwas Starkes?«
»Kaffee? Ich wollte, ich könnte mir selbst Kaffee leisten, wie lange hab ich schon keinen Kaffee mehr zu Gesicht bekommen! Was denkt der Herr, glauben Sie, daß ich mit der halben Pataca, die ich täglich krieg, daß ich mich mit Kuchenbrot fütter und den Gefangenen Kaffee spendier, der kostet heute doch ein Vermögen?«
»Mund halten, Alter, laß den Schwarzen frei!«
Sie setzten Budião auf einen Stuhl mit steiler, hoher Lehne. Da er auf dem Sitz abrutschte, mußten sie ihn halten und mit den Achselhöhlen über die Stuhllehne hängen. Der Unteroffizier befahl Manoel Joaquim, eine Lauge aus dem kalten Abendtauwasser vorzubereiten und sie dem Schwarzen über den Kopf zu gießen. Dann ließ er sich etwas Schnaps bringen und preßte Budião die Backen zusammen, bis er die Lippen öffnete, schüttete einen halben Becher hinein und schloß ihm den Mund mit einem Schlag gegen das Kinn. Budião schüttelte sich.
»Er lebt«, sagte der Unteroffizier. »Los, Neger, was hast du zu sagen?«
»Pues entonces«, sagte Budião. »Nosotros holn sie todos da raus.«
»Was hat er gesagt?«
»Eine Art afrikanische Sprache. Spricht er denn nicht Portugiesisch?«
»En marche-marche!« sagte Budião, den Hals reckend, und der Unteroffizier gab ihm eine Ohrfeige.
»Hör zu, vorlauter Neger, ich weiß, daß du normal sprechen kannst wie andere auch, werd mir ja nicht frech, komm mir nicht mit Tricks, sonst mach ich dich fertig!«
Budião schlug die Augen auf, nahm Hauptmann Teófilo wahr und lächelte fast.
»Hauptmann Teófilo!« sagte er. »Herr Hauptmann Teófilo, que veo? Ich komm aus dem Lumpenkrieg zurück, komm ich, Hauptmann! Wir haben el Comandante Bento Gonçalves mitgenommen, wie el capitán Teófilo nos ordenó! Y la provincia ...«

Hauptmann Teófilo wurde blaß.
»Was ist das für ein Krieg?« fragte der Unteroffizier. »Hat er nicht von einem Krieg gesprochen?«
»Der redet im Wahnfieber, ich weiß nicht, was das für ein Krieg ist, ich weiß nicht, wer dieser Kommandant sein soll.«
»Ich weiß es. Der Kommandant Bento Gonçalves hat hier als Gefangener in der Festung Sankt Marcelo gesessen, ein niederträchtiger, aufmüpfiger Ausländer. Ich gehörte zur Garnison der Festung, als er von dort floh, das ist über acht Jahre her, länger noch.«
»Ich weiß nicht, ich erinnere mich nicht daran.«
»Aber dieser Schwarze weiß Sachen. Mané Joaquim, wo sind die Papiere, die er vorgelegt hat?«
»Liegen in der Schublade drinnen. Ich hab alles abgeschlossen, dieser Papierkram macht mir angst. Hier kommt ja niemand her, kein Schreiber, keine Behörde, ich hab diese Papiere in Verwahrung, und ich weiß nicht, was ich mit ihnen anfangen soll. Wollt Ihr die nicht gleich alle mitnehmen, Exzellenz?«
»Nein, Manoel Joaquim, ich will die Papiere, die er dort vorgezeigt hat. Geh und hol sie, Schluß mit dem Gerede!«
Hauptmann Teófilo, die Hände auf dem Rücken, begann im Raum auf und ab zu gehen. Ob der Unteroffizier denn wirklich glaubte, dieser entflohene Schwarze wüßte irgend etwas Wichtiges?
»Ganz entschieden, ich bin überzeugt, heute haben wir entdeckt, wie die Flucht dieses Ausländers vor sich gegangen ist.«
»Glauben Sie, der wird reden?«
»Kommt darauf an. Aber wenn ich ihn an die Garrotte liefere, wird er entweder reden oder draufgehen. Das freilich hängt von Euer Exzellenz ab, der Schwarze gehört schließlich Ihnen.«
Der Hauptmann erwiderte nicht gleich etwas, er mußte sich gut überlegen, was er antworten sollte. Wenn der Sklave wichtige Informationen besaß, konnte er, ohne Verdacht zu wecken oder sogar böse Absichten aufkommen zu lassen, nicht umhin, seine Einwilligung zu geben, daß man ihn mit Hilfe der üblichen Hilfsmittel verhörte. Doch wenn er statt zu sterben redete, würde er ihn nicht unwiderruflich belasten? Noch dachte er darüber nach, was zu tun wäre, als Manoel Joaquim mit den Papieren zurückkehrte.

»Laß sehen«, sagte der Hauptmann rasch, um dem Unteroffizier zuvorzukommen. »Faustino, ganz recht. Faustino ...«
Doch er kam nicht zu Ende, weil eine heftige Explosion, gefolgt von zwei weiteren, weniger starken, die ganze Erde zu erschüttern schien. Ein Küchenregal brach herunter, Manoel Joaquims Tonkrug rollte vom Tisch und zerschellte auf dem Fußboden, die Gangtür brach dröhnend auf, ein lauwarmer Lufthauch drang herein. Draußen begannen schwarze Rauchschwaden aus der Richtung der Festung Sankt Lorenz die Bäume und Hausdächer einzuhüllen.
»Jesus Maria! Es ist die Festung! Ein Aufstand ist ausgebrochen!«
Sie vergaßen Manoel Joaquim und den Gefangenen, stürzten in wilder Hast nach draußen und erkannten mitten im Gerenne und dem entstehenden Durcheinander zwischen dem Geschrei der Weiber, dem Heulen der Kinder und dem Gebrüll der Männer, daß der Rauch tatsächlich aus der Festung herüberdrang, nicht nur aus ihren Mauern, sondern auch dahinter, so daß der Eindruck entstand, das Meer selbst stehe in Flammen.
»Die Festung brennt!«
»Wir werden überfallen!«
»Aufstand, das ist ein Truppenaufstand! Die werden alle umbringen, ein Aufstand!«
»Unteroffizier Lourenço, Sie müssen die Meuterer aufhalten!«
»Frauen in ihre Häuser, Frauen in ihre Häuser, schließt euch in eure Häuser ein und macht niemandem auf!«
»Die Garnison, wo ist die Garnison? Zu den Waffen! Zu den Waffen!«
»Hauptmann Teófilo! Die Nationalgarde! Die Nationalgarde!«
»Im Namen Seiner Kaiserlichen Majestät! Auf seinen Befehl, im Namen Seiner Kaiserlichen Majestät!«
»Es heißt, sie werden keinen am Leben lassen, der nicht zu ihnen übergeht und ihnen nicht Tribut zahlt! Alle werden über die Klinge springen, ach mein Gott!«
»Die Eimer! Zur Festung! Zur Festung!«
Erst viele Stunden später wurde unter gegenseitigen Beschuldigungen, unter Mißverständnissen, Unverschämtheiten und einer

Verwirrung, die Monate anhalten sollte, entdeckt, daß es keine Meuterei gegeben hatte, keinen Überfall, kein Schlachtgetümmel – im übrigen erfuhr man nie genau, was vorgefallen war. Niemand hatte sich zu jener Stunde in der Festung befunden außer dem Stubendiensttuenden, dem Schwarzen Máximo, der das Laub vom Eingang fortkehrte. Und der Schwarze Máximo hatte nicht viel zu berichten: Nach den drei Donnerschlägen, die von der Nordmauer herübergekracht waren, und dem Rauchgestöber, das ihn fast erstickt hatte, war er noch tauber geworden. Anscheinend war ein Pulverfaß geplatzt, ein Faß, zwei weitere Fäßchen, dann kam Rauch aus brennendem Pech mit Werg; und plötzlich stand das Meerwasser in Flammen, was glücklicherweise auch andere gesehen hatten, damit er nicht als Lügner dastand, und hinterher entdeckte man tatsächlich, daß irgendwer eine Mischung aus Öl und Teer aufs Wasser geschüttet und angezündet hatte.

Einige behaupteten auch, hinter Feuer und Rauch, deutlich gegen die Mönchsinsel abstechend, habe eine kleine Brigg mit gesetzten Segeln vor Anker gelegen, die etwa eine dreiviertel Stunde nach den Explosionen blitzartig in See gestochen sei. Man erfuhr auch, daß der Hauptmann und der Unteroffizier nach ihrer Rückkehr ins Gefängnis Budião nicht mehr vorfanden. Dagegen fanden sie die Werkzeuge, die die Befreier benutzen wollten, um ihn aus seinen Ketten loszumachen, die sie jedoch gar nicht gebraucht hatten. Und sie fanden Manoel Joaquim an derselben Stelle gefesselt, an der Budião angekettet gestanden hatte, nur daß eines der Fußeisen statt um den Knöchel dicht um den geschwollenen Hoden lag. Blind vor Schmerz und unter heftigen Flüchen, bezeugte Manoel Joaquim, was die einen glaubten und die anderen für unwahr hielten, es seien mindestens fünf gewesen, die den Schwarzen befreit hätten. Unter ihnen eine junge Frau, hochgewachsen und sehr stark, die von den anderen Maria da Fé genannt worden wäre.

Salvador da Bahia, den 5. April 1863

Was für ein Schock! Unter den im silbernen Sieb gefangenen Zitronenmelisseblättchen war eines schwarz zusammengeballt wie eine tote Fliege. Amleto bekam eine Gänsehaut. Aber statt gleich wütend loszuschreien, beschloß er, das Ding erst einmal näher in Augenschein zu nehmen, obwohl es ihn ekelte und er würgen mußte, falls es wirklich eine Fliege war. Er hob das Sieb ans Fensterlicht, rückte die Brille zurecht und spießte das Blättchen mit dem umgedrehten Teelöffel auf. Verdammt, nicht einmal mit Hilfe der Brille sah er jetzt gut. Aber das Gewebe war fraglos das einer Fliege, es war zweifellos eine Fliege, dessen war er fast sicher.

»Joviniana! Joviniana! Joviniana!«

Mit verrutschtem Turban, hervorquellenden Augen, schiefer Schürze, mit ihrem Körper, der mehr breit als hoch wirkte, stürzte Nega Juvi aufgeregt ins Wohnzimmer. Sie kannte die vom Herrn Komtur bestimmte Regel, der zufolge ein Neger nur einmal gerufen wurde, man ließ sich nicht herab, ihn zweimal zu rufen. Daher mußte etwas sehr Schlimmes vorgefallen sein, obgleich nach Iaiá Teolinas Tod Ioiô Amletos Nervenzustand immer beklagenswerter geworden war, er immer weniger aß und immer sonderbareren Süchten frönte. Sie sah das Sieb in der über den Kopf erhobenen Hand, sah ihn vor Zorn zittern und erriet, daß es etwas mit seiner Fliegenmanie zu tun hatte, der schlimmsten von allen, die jede Mahlzeit ins Unerträgliche dehnte, während er jeden Bissen genau untersuchte und vor allen zusammenzuckenden Anwesenden auf den Tisch schlug, sobald er eine Fliege gefunden zu haben glaubte. Er stellte zwei Neger als Wachposten am Tischrand auf, und sie mußten die Fliegen mit Wedeln verscheuchen, er befahl ihnen, sämtliche Winkel des Hauses mit Kampfer auszuräuchern, verlangte, daß in jeder Vase ein Nesselbaumzweig und ein Strauß Chrysanthemen aufgestellt wurden, unternahm Inspektionsgänge durch Küche und Anrichte, um nachzusehen, ob etwa nicht zugedeckte Nahrungsmittel herumstanden, und selbst so mußte er beim Essen und Trinken mit der Zunge zwischen den Zähnen wühlen, um nicht versehentlich eine Fliege zu verschlucken. Das machte ihm die Mahlzeiten zu einer wahren Qual, nicht nur weil sie sich hinaus-

zögerten, sondern weil sie belastet waren mit Ängsten und Schwermutsanfällen nach dem Essen, wenn er trotz aller Vorsichtsmaßnahmen von der Furcht geschüttelt wurde, aus Versehen verschluckte Fliegen verdauen zu müssen. Daher rührte auch sein immer spitzer werdender Gesichtsausdruck, denn um die Zunge nicht zu zeigen, während er sie vorne und hinten an den Zähnen scheuerte, sah er sich gezwungen, ihrem möglichen Vordringen mit geschlossenen Lippen zu wehren, wodurch ihm der Mund und die Backen so gebläht wurden, als hielte er ein lebendes Tier drinnen gefangen.
»Was ist, Ioiô?«
»Hier! Hier! Das ist eine Fliege! Eine Fliege in meinem Tee!«
Nega Juvi beugte sich vor und streckte die Hand aus.
»Mit Verlaub, Ioiô?«
Sie nahm das Sieb, kniff die Augen zusammen, drehte das Blättchen mit ihrem kleinen Finger um und lächelte.
»Ist keine Fliege, nein, Ioiô, es ist ein aufgerolltes Blättchen.«
»Bist du sicher, Negerin? Sieh genau hin, für mich sieht das haargenau wie eine Fliege aus! Und wenn es eine Fliege ist, dann kenne ich eine Menge Leute, die den Rest ihres Lebens bei Fliegentee, Fliegensuppe und geschmorten Fliegen zubringen werden!«
»Ist es nicht, Ioiô, es ist ein Blatt, schauen Sie bitte selbst.«
Sie rollte das Blättchen auf und strich es vor seinen Augen flach. Er rückte den Zwicker dicht an seine Augen heran, prüfte das Blatt eingehend und ließ sich schließlich erleichtert in den Stuhl zurücksinken.
»Es ist keine Fliege«, sagte er lächelnd. »Es ist in der Tat keine. Schön, nimm das Tablett mit.«
»Aber werden Ioiô den Tee nicht trinken?«
»Nein. Nein, ich will ihn nicht.«
»Aber der Tee ist doch so, wie Ioiô ihn mögen, Ioiô haben seit heute morgen nichts gegessen, er fastet bis jetzt, das Teechen ...«
»Nein, nein. Nimm alles mit.«
»Wollen Ioiô vielleicht Schwarztee statt Melissentee?«
»Nimm den Tee mit, Joviniana! Wenn du noch ein Wort sagst, mach ich mit dir, was ich mit dem Neger Fidúcio gemacht habe: ich lass' dir ein heißes Ei in den Mund schieben, damit du endlich deine Frechheit los wirst! Weg damit!«

Wie konnte er Tee trinken, wie überhaupt etwas trinken, etwas essen, wenn er beim bloßen Gedanken an die Fliege würgen mußte? Tatsächlich hatte er einmal kurz nach Teolinas Tod fast eine Fliege verschluckt. Bei der Erinnerung daran zog es ihm den ganzen Leib vor Ekel zusammen, er konnte es aber nicht lassen und rief sich all die widerlichen Einzelheiten vor Augen. Er hatte zerstreut die Zeitung gelesen und nicht auf das zum Mund geführte Gläschen Portwein geachtet. Nach einem Schluck fühlte er auf der Zunge einen schwammigen kleinen Gegenstand, so etwas wie eine Rosine oder ein Stück Traubenhaut. Doch da flatterte der kleine Klumpen auf seiner Zunge, und schon spuckte er mit unbeschreiblichem Widerwillen die noch lebende Fliege aus und erbrach sich auf den Teppich, bis er vor Schwäche in Ohnmacht fiel.
Er drückte sich den Magen und schüttelte energisch den Kopf, um diese lästigen Gedanken loszuwerden. Er rieb die Zunge an den Zähnen und musterte sie im kleinen Spiegel des Hutgestells. Ja, seit jener Zeit beunruhigte ihn die Vorstellung, eine Fliege in seinem Essen zu finden, so sehr, daß er kaum mehr essen konnte. Er magerte stark ab, jetzt fiel sein noch täglich mit einer Aloe-Kur und dem Haarnetz traktiertes Haupthaar zu beiden Seiten des abgezehrten Kopfes herunter und betonte die hervorstehenden Backenknochen und die hohlen Wangen. Anfangs fühlte er sich noch wohl, doch nach und nach wurde er immer schwächer, sein Körper mergelte aus, seine dünnen Beine wurden schwächlich, die Hände durchscheinend und welk. Und doch mißfiel ihm diese Kraftlosigkeit keineswegs, denn mitunter war sie süß und betörend, etwa wenn eine köstliche Trunkenheit über ihn kam, häufig begleitet von flüchtigen Farbvisionen, nachdem er sich überwunden hatte, im Morgengrauen einen stark gezuckerten Mokka zu trinken. Und in jedem Fall zog er diese Kraftlosigkeit der Aussicht vor, vielleicht Fliegen zu schlucken, eine Gefahr, die er nicht einmal durch die strengste Wachsamkeit ganz aus der Welt schaffen konnte.
Doch waren es nur die Fliegen? Er meinte ja, aber da er anderen Leuten so oft angedeutet hatte, der Tod seiner Frau habe ihm den Appetit verschlagen, konnte er diese Mutmaßung selbst nicht ganz beiseite schieben. Arme Teolina! Immer so still und bescheiden, immer zur Arbeit und zum Mitgefühl bereit, immer

ein Vorbild damenhaften Verhaltens. Sie war während der Epidemie nicht am Fieber gestorben, obwohl sie die Krankheit bekommen hatte, das schreckliche Gelbfieber, das schon mehrmals Tausende hinweggerafft hatte. Vielleicht war sie auch nicht wirklich von dieser Krankheit befallen worden, hatte sie doch auf dem Höhepunkt des Fiebers gar nicht wie die anderen Opfer die Spulwürmer ausgeschieden, die doch die Krankheit verursachten. Aber ihre Gesundheit war hinterher nie mehr die alte, immer hatte sie erhöhte Temperatur, einen Schmerz, eine Unpäßlichkeit, was alles noch verstärkt wurde durch Patrício Macários Abwesenheit, die sie empfindlicher traf, als sie sich vorgestellt hatte. Auf ihrem Sterbebett betete sie einen Rosenkranz nach dem anderen und rief die Heiligen an, sie möchten wie in den Geschichten, die alle Familien erzählten, ihr die Gnade gewähren, noch vor ihrem Hinscheiden ihr Söhnchen wiederzusehen. Doch dazu kam es nicht, denn Patrício Macário war es nicht gelungen, sich rechtzeitig nach Bahia einzuschiffen, und die Mutter war schon begraben, als er eintraf.
Ja, vielleicht war es auch wegen Teolina. Sie fehlte ihm, sie fehlte ihm auf tausenderlei Arten, die ihm vorher nie in den Sinn gekommen wären, und so war sein Weinen aufrichtig, dem er sich viele Monate hindurch in den vier Winkeln seines Kabinetts heimlich überließ, wenn er sich an sie erinnerte. Witwer, ja, Witwer, er hätte nie geglaubt, in welcher Leere man als Witwer zurückbleibt, nie hätte er geglaubt, wie sinnlos mit einemmal das Leben sein konnte, wie die Gewohnheiten sich verändern, wie Menschen und Dinge sich ganz anders darstellen. Aber die Witwerschaft war vor allem Leere, jene große Leere, die seine Abende endlos machte und die ihn dazu brachte, sich bis spät in die Nacht in seinem Geschäftsbüro einzuigeln.
Witwer und reich. Anfangs hatte er gedacht, es dürfte ihm nicht schwerfallen, mit Diskretion und Geschick das eine oder andere galante Abenteuer zu erleben und es so anzulegen, daß er endlich die Frauen kennenlernen würde. Und es fiel ihm auch nicht schwer, nur verlor er bald den Gefallen an diesen Unternehmungen, die ihm stets eher lästige Unkosten als Vergnügen einbrachten. Noch traf er sich dann und wann mit einer französischen Schauspielerin, doch die Frau, die er auf der Bühne in solcher Schönheit und Anmut glänzen sah, war in Wirklichkeit weitaus

älter, als sie gewirkt hatte, und mit ihren Zicken, ihrem Geschmolle und ihrer Ziererei ging sie ihm derart auf die Nerven, daß er ihr ein perfides *Billet doux* sandte, in dem er ihr ewige Dankbarkeit und Zuneigung schwor, sie aber aus intimsten Gewissensgründen, die er besser nie enthüllte, nicht mehr sehen würde, nicht mehr sehen dürfe.

Ja, vielleicht war Teolinas Tod daran schuld. Denn davon einmal abgesehen, mußte er zugeben, daß er ein glücklicher Mensch war. Wie so oft lehnte er sich zurück, setzte den Zwicker ab und hub an, sich selbst in Gedanken einen neuen Vortrag zu halten darüber, wie glücklich er war und sich folglich auch fühlen mußte. Seine Geschäfte hatten ihn mit Sicherheit zu einem der reichsten Männer der Provinz Bahia, vielleicht des ganzen Landes gemacht, besonders, nachdem er die staatlichen Subventionen, die er für seine von der Dürre betroffenen Besitzungen erhalten hatte, in Diamantenminen investiert hatte. Er bemühte sich, sich wie früher all seiner Besitzungen zu erinnern, konnte es aber infolge seines ermüdeten Gedächtnisses nicht mehr. Es gab praktisch niemanden, der ihm nicht Geld schuldete oder nicht direkt oder auf Umwegen bei ihm einkaufte. Sogar seine Neger, die er, um mit seinen Standpunkten überzeugend zu wirken, im Rahmen des Möglichen nach und nach freiließ, zahlten ihre Freibriefe in nur von mäßigen Zinsen erhöhten Raten ab. Und um der Gerechtigkeit Ehre zu erweisen, rührte er dieses Geld fast nie an, denn den größeren Teil davon hatte er für eine seiner vielen Initiativen auf dem Gebiet der Kultur und der sozialen Probleme bestimmt, in diesem bestimmten Fall dem Studienfonds für die Abschaffung der Sklaverei.

War er also nicht glücklich? Sein ältester Sohn war, wie vorauszusehen, rasch Monsignore geworden, widmete sich mit Leib und Seele der Jugenderziehung, sowohl im Waisenhaus der Frommen Werke wie auch in der kostenlosen Privatschule, die er mit Hartnäckigkeit und Beharrlichkeit hatte gründen können und die jetzt bereits allein über dreihundert interne Schüler zählte. Bonifácio Odulfo, der sich mittlerweile den Dreißig näherte, bereitete ihm zwar noch immer Sorgen, doch weniger als früher. Hätte er nicht für die Druckkosten seiner Bücher aufzukommen, auf deren Titelblättern jeweils ein anderer, der Phantasie des Dichters entsprungener Name eines neuen Verlagshauses

prangte, würde dieser Sohn ihm nicht das geringste Mißbehagen verursachen. Amleto war schon daran gewöhnt, daß Bonifácio, wie er sich selber ausdrückte, Monate verbrachte, ohne die Sonne zu sehen, Vater und Sohn kannten keine Konflikte mehr und behandelten einander bei den höchst seltenen Gelegenheiten eines Zusammentreffens sogar einigermaßen liebevoll. Der Poet hatte seinen Kreis von Bewunderern, nach den seltenen Zeitungs- und Streitschriftartikeln zu schließen, von denen einer das Poem *Haroldo und Dandalê* als Klassiker der portugiesischen Sprache pries, mit Heldengestalten, würdig, auf dem Podest der Weltliteratur zu stehen neben Dido und Äneas, Helena und Paris, Odysseus und Penelope. Nie würde Bonifácio ihn als Firmenchef ersetzen können, dafür zeigte Dr. Vasco Miguel, wenn auch pinselig und langsam wie eine gewissenhafte Schildkröte, wo nicht Talent, so zumindest eine solide Mittelmäßigkeit, die so kostbar ist in der Welt der Geschäfte und in vielen Fällen noch wünschenswerter als Klugheit oder Originalität. Einen besseren Schwiegersohn hätte er sich genaugenommen schwerlich wünschen können, und wenn er die füllig-gefällige Gestalt Carlota Borroméias betrachtete, so wußte er, daß es seiner Familie unter allen denkbaren Umständen wohlergehen würde.
Und Patrício Macário – welch ein Wunder! Die militärische Ausbildung, die harte Unterwerfung unter die neunundzwanzig eisenharten Kriegsartikel des Grafen zu Lippe, den Amleto durch seinen Sohn kennen und bewundern gelernt hatte, das Kasernenleben und die Disziplin, wie gut hatte all das dem Charakter des jungen Mannes getan! Er hatte ohne jeden Zweifel seine Berufung gefunden. Noch jung, hatte ihm sein schneidiges Verhalten während der Feindseligkeiten am Rio de la Plata – wo, wie er scherzhaft sagte, jeder Brasilianer es sich zum *point d'honneur* gemacht hatte, zumindest eine Spanischschnauze pro Tag zu töten – die Anerkennung seiner Vorgesetzten und seine rasche Beförderung zum Leutnant eingebracht, einen Posten, den er jetzt im Militärdistrikt von Bahia innehatte. Die Uniform stand ihm gut zu Gesicht, kaschierte sogar sein mulattenhaftes Aussehen, um so mehr, als er eine Vorliebe für eindrucksvolle Litzen und kühn geschnittene Umhänge hatte und sich so, obgleich nur Leutnant, der Truppe und

den ärmeren Offizieren, welche die Mehrheit ausmachten, als eine Art Marschall aufzwang. Sein Ruf als tapferer Krieger und echter Soldat hatte ihm schließlich auf ausdrücklichen Wunsch des kommandierenden Hauptmanns die Aufgabe eingebracht, als zweiter Offizier in der Sonderkompanie zu dienen, die beauftragt war, die berüchtigte Banditin Maria da Fé zu liquidieren, die noch immer Schrecken und Verwüstung im ganzen Recôncavo, ja selbst im Sertão säte. Am folgenden Tag, einem Montag, sollte er an der Spitze seiner Soldaten zu dieser Expedition ausrücken, in der er sich sicherlich noch einmal mit Ruhm bedecken würde. Amleto war letztlich sogar stolz auf ihn, auch wenn er all die inneren Vorbehalte, einen Soldaten zum Sohn zu haben, nicht ganz überwinden konnte und sich sogar gezwungen sah, jedesmal, wenn das Thema angeschnitten wurde, ausführliche Erklärungen abzugeben.

Also war er doch glücklich oder nicht? Er dachte darüber nach, ob ihn etwas quälte, etwas wirklich quälte. Nein, nichts dergleichen. Folglich war er sehr glücklich. Er lehnte sich zurück, um diese Wahrheit tiefer in sich aufzunehmen und lächelte befriedigt, lachte sogar laut heraus, dachte sogar daran, etwas zu sich zu nehmen vor dem Mittagessen, das spät, sicherlich erst nach elf auf den Tisch kommen würde, er dachte an etwas Leichtes, vielleicht einen Reispudding, vielleicht einige Hörnchen. Wie schön, es gab nichts, was er bestellen und was man ihm nicht sogleich bringen würde, es gab nichts, was für ihn außer Reichweite lag, er war ein glücklicher Mensch.

Natürlich wußte er nicht, was jetzt, ungefähr um neun Uhr morgens, im Haus seines Schwiegersohns Vasco Miguel vor sich ging. Dort stieg nach der Rückkehr von der Messe und nachdem sie die Jungen zum Zeichenunterricht und zwecks Einweisung in die guten Tischsitten zu Miss Clara, der englischen Gouvernante und Hauslehrerin, geschickt hatte, Carlota Borroméia in den oberen Salon hinauf, öffnete die Balkontüren, band die Gardinen fest, legte die Hände auf die Balustrade und schien die kristallklare Luft zu bewundern, die das Haus auf allen Seiten umstrich, die sich über den gesamten Horizont ausdehnenden grünen Felder, den in allen Farben schimmernden Garten. Sie trat zum Schreibtisch, tauchte die Feder ins Tintenfaß, kaute lange an dem Federhalter, verdrehte die Augen, bog sehr langsam den

Hals seitwärts wie ein Bildhauer, der sein Werk aus allen Gesichtswinkeln betrachten will, und schrieb einige Zeilen in ihrer sauberen runden Schrift:

Also dann, also dann, also dann!
Also denn!
Also dann, also dann? Also denn?
Also dann, mögt ihr mir verzeihen, mögt ihr mir vergeben.
Also dann!
Ich habe entdeckt, daß der Garten, von hier gesehen,
Der Garten und das Madrigal, la-si-re-do!
Sich für die Existenz nicht interessieren!
Also dann! Alsodann, alsodann, alsodann,
Dem der mich liest. Unterzeichnet. CBNFD.

Darauf setzte sie sich ans Klavier und spielte eine gute halbe Stunde. Sie erhob sich, öffnete eine Schublade des großen Büffets, zog ein silbernes Messer in gleichfalls silberner Scheide heraus, Amleto zufolge ein Erbstück seines englischen Urgroßvaters. Sie wandte sich an all die zahlreichen Statuetten aus Biskuitporzellan, die den Salon bevölkerten, und geruhsam eine nach der anderen fassend, hackte sie ihnen den Kopf ab, stellte sie wieder an ihren Platz und warf die Köpfe aus dem Fenster. Als die Negerinnen den Regen aus Porzellanköpfen in den Garten fallen sahen, liefen sie unter dem Balkon zusammen und wußten nicht, was vorging, bis Carlota Borroméia oben erschien und sich erst lächelnd, dann wütend mit wiederholten Messerstichen zusetzte und zu Boden sank, nachdem sie sich den Hals durchstochen hatte. Als es ihnen endlich gelang, die Tür aufzubrechen, fanden sie sie bereits leblos mit rätselhafter Grimasse in einer süßlich riechenden Blutlache liegen.
Amleto erfuhr davon, als er gerade den Löffel in den Reispudding bohren wollte. Er ließ den Löffel fallen, schloß den Mund und sagte der Nega Juvi, ohne den Tonfall zu verändern, die Stallneger sollten seine Kutsche anspannen, denn er wolle zu seiner toten Tochter fahren.

12 Dorf Baiacu, den 25. Mai 1863

Eine einzige Frage läuft von Mund zu Mund, ein einziges Bangen sucht die bedrängten Herzen heim, nur dieser eine Zweifel wird auf der Insel herumgeflüstert vom Walfischkap bis nach Catu, von Küste zu Gegenküste, von Schiff zu Schiff, von Haus zu Haus, von Apotheke zu Apotheke, von Sklavenhütte zu Sklavenhütte, von Plantage zu Plantage: Wird sie kommen? Wird sich wieder einmal ihr furchterregender Wagemut beweisen, den die Mächtigen Frechheit nennen, das kleine Volk aber bewundert? Wird sie wieder einmal mit dem Stolz, der sie nie verläßt, den Truppen und Waffen der Amtsgewalt entgegentreten? Oder wird sie, indem sie ihrem Großvater nicht die Ehre erweist, die Legenden ihrer Heldentaten, die sich das ganze Volk erzählt, Lügen strafen? Oder gibt es sie vielleicht gar nicht, trotz der Zeugenaussagen vieler, die immerhin reine Gerüchteköche sein mögen, wie so manch andere, die sich in der Menge herumtreiben?
Auf der Insel herrscht tiefe Nacht; dunkle, ausladende Wolken, aneinandergereiht wie mit dem Pinsel aufgetragen, haben sich zu einer schwarzen Masse zusammengeballt, in der nichts sich zu rühren scheint. Am Fuß des Großen Hügels stehen die Fenster von Nego Leléus Haus offen, kleine, rechteckige Lichtflächen in der Dunkelheit, vom lauen Wind bewegt, der – sonderbar für diese Jahreszeit – hin und wieder weht. Und aus diesen Fensterchen dringt wie regelmäßiger Wellengang ein winselndes, zittriges Klagen, angeführt von der näselnden Stimme einer Alten, im Wechsel mit anderen Frauen. Niemand kann über diesen Gesang im Zweifel sein: es sind die Wechselgesänge, Einzelgesänge der Totenklage, die hier bei Leichenbegängnissen immer angestimmten Totenlieder, das ist weniger aus den Worten zu schließen, denn deren Sinn kennt man nicht mehr recht, als aus der Schwermut, die sich über die Lebenden und die Landschaft legt und alles in die gleiche hoffnungslose Trauer verwandelt.
Für wen erschallte diese weithin tönende, trauervolle, trostlose Totenklage? Wenn das nicht Nego Leléu ist, lächelnd in seinem Sarg, herrscherlicher als ein Vicomte, schmucker als ein Marquis, im frisch gebügelten schwarzen Anzug, glänzenden Lack-

stiefeln, tadellos rasiert, mit feingebürstetem Kraushaar, auf der Brust gefalteten, makellos sauberen Händen, frischduftendem, gestärktem Oberhemd, nicht der geringste Anflug von Tod! Ist Nego Leléu gestorben? Natürlich ist Leléu gestorben, sonst hätten sie ihn doch nicht gewaschen, angekleidet und aufgebahrt, damit er am nächsten Morgen beerdigt wird. Er ist mitten in seinem Mittagsschläfchen gestorben, und da er täglich kindlicher wurde, dachte er, es sei ein Traum. Er wurde von den anderen kleinen Jungen gefunden, mit denen er sich zum Ballspiel, Drachensteigen und Kreiselspielen verabredet hatte. Sie sahen gleich, daß er tot war, doch keiner von ihnen erschrak, weil er einen vergnügten, vielleicht durchtriebenen und jedenfalls glücklichen Gesichtsausdruck hatte.

Denn sicherlich war er glücklich, dieser Nego Leléu, der so vieles im Leben gewesen und schließlich zum kleinen Jungen geworden war. Es war nicht allzu lange her, daß er ein kleiner Junge geworden war, und es war auch nicht plötzlich geschehen, sondern allmählich, jeden Tag ein klitzekleines bißchen, und bevor man es recht bemerkt hatte, hüpfte und sprang er inmitten der Bubenschar und wollte von keiner anderen Beschäftigung mehr als Spielen wissen. Genaugenommen war er schon seit der Zeit, als seine Enkelin bei ihm wohnte, ein wenig so. Doch dann kam das mit ihrer Mutter, und davon trug sie innerlich einen Knacks davon und, als er deshalb großen Kummer hatte, verschwand sie in die Welt, auf eine Weise, an die sich niemand mehr richtig erinnert, sie streifte kreuz und quer durch die Buschwälder und führte seit fünfzehn Jahren einen Krieg, verurteilt und gesucht von allen Gerichtshöfen und Polizeistationen.

Was war mit dem kleinen, wohlerzogenen, verwöhnten, hübschen Mädchen geschehen, das bei soviel Sorgfalt und Pflege fast weiß erschien? Niemand wußte es, es gab sogar welche, die sich bekreuzigten und vom Teufel sprachen, denn nur der Erzfeind konnte eine Frau zu einem so mit Kämpfen und Widrigkeiten angefüllten, sogar für einen Mann schwierigen Leben verleiten. Der in seinem Sarg lächelnde Nego Leléu jedoch wußte all das sehr genau und vergaß, selbst zum Kind geworden nie, daß er diese Enkelin hatte, und war stets stolz auf sie, er konnte nur nicht aufstehen und es laut verkünden, denn war

er nicht sogar ihretwegen bedroht worden, und zwar nicht nur ein- oder zweimal?
Und wie schwer hatte das arme Kind nach dem Tod seiner Mutter gelitten! Am Tag, an dem er die vier Weißen getötet hatte, schlief sie bis spät, und er nutzte die Zeit, um in der Kammer zu bleiben und den versäumten Schlaf nachzuholen. Gegen acht Uhr war er zum Ausgehen fertig, er hatte Fischmesser, Keule und Sporn wieder verwahrt, und er überlegte, wie er ihr den Vorfall beibringen und ob er es überhaupt erzählen sollte, als er sie stöhnen hörte. Er lief zu ihr, fragte sie, was denn wäre, und wieder klagte sie über Knalle, Gesumm und Pfeifen in ihrem Kopf. Ach, sie wußte es nicht, sie wußte nur, daß dieses wahnsinnig gewordene Orchester in ihrem Kopf rumorte.
Ein Orchester, das sich fortan kaum Ruhe gönnte. Oft spielte es leise, selten hielt es inne, dann wieder polterte es los und bewirkte, daß die Kleine in die Wälder oder zur Sandbank lief, wo sie lange die Hände rang und sich so hinwarf, als wollte sie sich mit dem Kopf voran im Boden vergraben, und schließlich Erleichterung fand. Unschlüssig, was er tun sollte, erzählte Leléu ihr, die vier Männer seien gestorben, als ihr Boot Schiffbruch erlitt, und sie hörte alles ohne die geringste Gemütsbewegung an. Dann erst berichtete er, er selber sei der Urheber ihres Todes gewesen, und er schmückte die Geschichte aus, zog die häßlichsten Grimassen, um die Exekution der vier in lauter erfundenen Einzelheiten auszumalen. Er wirbelte herum, stolzierte umher wie ein Krieger von einst, er demonstrierte ihr mit der Keule, daß er den Säbel und das Bajonett besser zu führen verstehe als die tüchtigsten Generäle, er sagte, er sei imstande, ganze Heere niederzuringen, unsichtbar zu werden, Mauern zu durchschreiten und ohne Flügel zu fliegen, er legte einen Arm um sie, um zu bekräftigen – während er mit dem anderen Arm wütend die Luft zerschnitt –, daß ihr nichts, nichts, nichts, nichts, aber auch gar nichts, überhauptgarnichts zustoßen könnte, weil Großvater stark sei wie achtundachtzig Elefanten, wild wie einhundertzwanzig Löwen und tückisch wie dreihundertsechzig Hornissenschwärme. Nun denn, hübsche Kleine, Kinderschwatz des grünenden Alten, Edelstein, Blüte meines Gartens, Freude meines Daseins, Odem meines Lebens, Unglücksrabin, Luderchen, hübschestes, schamlosestes, rosenrotes Muckerchen, Tucker-

chen mit weinerlichem Schnutenmund? Humm? Tu-tu-turu-tutu? Bim-bom-bim, Lam-bombem? Wie stehts, wo bleibt das Lächeln von diesem Alten? Der Alte weint und weint und weint, kleines Fräulein, dein Alter weint! Willst du, daß der Alte weint? Also geh schon – ach Kurrum-kurrum-kurrum-kurrum, ach Arrum-arrum-arrum –, der Alte weint, bis er nicht mehr kann, und du Kleine, hast du denn kein Mitleid mit dem alten Greiner? Ein Lächeln, kleines Fräulein, ein Lächeln, kannst du mir nicht eins schenken?

Aber sie lächelte nicht und meinte ernst, wenn die Männer gestorben wären, ohne zu wissen, wozu sie starben, hätte die Rache wenig genützt. Als Exempel hätte das dienen müssen, nicht nur für sie, auch für die anderen. Leléu erschrak, fast wurde er böse auf sie und fragte, ob sie verrückt geworden wäre, ob sie endgültig ihren Verstand verloren hätte. Das sei die einzige Möglichkeit gewesen, wie sie sich das denn vorstellte, glaubte sie etwa, er allein hätte gegen ganz Bahia, ganz Brasilien antreten können? Sie sollte lieber ihren Mund halten und fortan mehr nachdenken, bevor sie töricht daherredete.

Sie schien gar nicht zuzuhören und sagte, auf die im Schoß gefalteten Hände blickend, Gerechtigkeit müßte sein, und würde Gerechtigkeit herrschen, dann hätte er diese nutzlose Tat nicht tun müssen, dann hätte er nicht umsonst sein Leben zu wagen brauchen für eine Sache, die ihr die Mutter nie zurückgeben würde und weder ihre Demütigung noch ihren Schrecken ausgelöscht hatte und am wenigsten verhindern konnte, daß so etwas wieder vorkäme.

»Die vier tun so was nie mehr!« schrie Leléu gereizt. »Was heißt hier Gerechtigkeit, was ist das für eine Blödheit, so was gibt es doch gar nicht, so was mags im Ausland geben, aber hier gibts so was nicht!«

»Aber das wird es geben müssen.«

»Aber das wird es geben müssen ... Was redest du denn da, bist du etwa eine Kaiserin? Oder eine Generalfeldmarschallin? Nimm endlich Verstand an, du glaubst wohl, der Himmel ist nah, aber der Himmel ist weit weg! Nur wenn du in eins von diesen Ländern ziehst, die es geben soll, aber ich glaub nicht dran, und noch weniger, weil du eine Mulattin bist, das heißt eine Schwarze.«

»Nein. Es wird hier sein müssen, das hier ist mein Land.«
»Das hier ist mein Land ... Was redest du da, Kleine, dein Land, das ist das bißchen Land, das ich besitze und das ich dir hinterlassen will, und paß bloß auf, wenn du nicht gerissen bist, wirst du selbst am Ende ohne was dastehn, da lauert immer einer, der dir alles abjagen will.«
»Ich meine nicht mein Stück Land in diesem Sinn, ich spreche davon, daß hier mein Land ist, wir sind das Volk von diesem Land.«
»Hast du schön gesagt, hast du sehr schön gesagt: wir sind das Volk von diesem Land, das Völkchen, die kleinen Leute. Das sind wir, ja, das kleine Volk. Dann denk daran, präg dir das gut in deinem Kopf ein: wir sind das kleine Volk! Und kleines Volk ist nichts, überhaupt nichts ist das, wo gibts denn sowas, daß das Volk Bedeutung hat? Und dazu noch ein schwarzes Volk! Schau dir die Wirklichkeit an, sieh doch die Wirklichkeit! Dieses Land, das gehört den Großgrundbesitzern, den Herren, den Reichen, den Mächtigen, und wir können uns nur gut mit ihnen stellen, ab und zu, da können wir etwas rausschlagen, nach links und nach rechts können wir uns wenden, arbeiten und gewitzt sein, begreifen, daß bestimmte Dinge Arbeit sind, die gar nicht nach Arbeit aussehen, das ist das Leben von den Armen, meine Tochter, mach dir doch nichts vor. Und mit Glück und viel Arbeit steigt einer auf im Leben, verbessert seine Lage ein wenig, aber Volk bleibt Volk, Herr bleibt Herr! Ist der Herr Volk? Frag einen von denen, ob er Volk ist! Wär er Volk, dann würd er nicht Herr sein.«
»Und die Gerechtigkeit?«
»Was für Gerechtigkeit? Herr des Himmels, was für eine Gerechtigkeit denn? Wo hast du denn jemals was von Gerechtigkeit gehört? Gerechtigkeit, das ist ein Wort aus Büchern, das ist Gerechtigkeit! Wer mir Gerechtigkeit gibt, das bin ich selber. Wenn ich mich nicht krummgelegt hätte und wenn ich mich nicht verachtfacht hätte, acht mal acht, und bloß die Hände in den Schoß gelegt hätte und auf die Gerechtigkeit gewartet hätte, da würden wir heute Gras fressen, wenns hoch kommt!«
»Schön, aber es wird Gerechtigkeit geben. Wer arbeitet, ist das nicht das Volk? Ist es nicht das Volk, das alles aufrechterhält? Also ist es das Volk, das herrschen wird.«

Leléu brachte seinen Mund nicht mehr zu, sein Kinn hing herunter, er glaubte Sinnestäuschungen zu hören. Was waren das für Vorstellungen, was war in die Kleine gefahren?
»Hast du nicht all die Fürsten und Könige und Helden in den Büchern gesehen? Und hast nicht gesehen, daß nicht mal sie sowas zustande gebracht haben, daß es das alles nicht gibt, daß der Mensch sein Leben mit beiden Beinen auf der Erde leben muß?«
»Ich weiß nicht.«
Ja, es war wirklich überflüssig gewesen, die vier Männer umzubringen, denn nicht nur brachte es Vevé nicht zurück, wie Dafé bemerkt hatte. Er bekam dadurch auch Dafé selbst nicht wieder, sie war zwar nicht mehr so traurig wie bisher, aber sie war eine andere geworden. Sie war nach wie vor das gute, liebevolle Geschöpf, aber sie spielte nicht mehr, sie redete wenig und ging oft in den Wald, strich draußen stundenlang gedankenverloren umher, kam ganz langsamen Schrittes wieder zurück wie jemand, der vieles mit sich herumträgt. Wenn er verreiste – und manchmal erdachte er sich absichtlich Anlässe zu Reisen –, wollte sie ihn immer begleiten, und er nahm sie auch mit, aber nie wollte sie das sehen, was er ihr vorschlug. Stundenlang stand sie auf der Straße still, setzte sich auf eine Parkbank oder auf eine Balustrade, wo Schwarze zugelassen waren, und sah das Volk vorüberziehen und schien so weit fort zu sein wie der Mond und die Sterne. Dann bat sie den Großvater, er sollte sie zu arbeitenden Menschen führen. Arbeitende Menschen, was soll der Unsinn? Arbeitende Menschen, arbeitende Menschen, arbeitende Menschen! – Tischler, Schreiner, Schmiede, Böttcher, Schuster, Schneider, Maurer, Ackerbauern, Gärtner, Schnapsbrenner, Bäcker, Barbiere, Maler, Waffenschmiede, Metzger, Fuhrleute, Messerschmiede, Besenbinder, Gemüsehändler, Viehhirten, Maultiertreiber, Lastenträger, Kassierer, Glöckner, Goldschmiede, Weber, Kesselschmiede, Grubenarbeiter, Jäger, Apotheker, Konditoren, Maschinisten, Zahnzieher, Kurpfuscher, Kutscher, Krebsfischer, Fischhändler, Holzschläger, Schlächter, Schweinehirten, Obsthändler, Sattler, Salzarbeiter, Ölhändler, Schlosser, Straßenfeger, Wasserträger, Tavernenbesitzer, Scherenschleifer, Heizer, Hausierer, Altbuchhändler, Töpfer, Drucker, Schreiber, Lampenputzer, Kupferstecher, Totengrä-

ber, Eselstreiber, Pächter, Geschirrmacher, Schafscherer, Verschneider, Milchmänner, Gastwirte, Müller, sie alle lernte sie kennen und bei ihrer Arbeit bewundern, und sie überzeugte sich immer mehr davon, daß alles Tun, Herstellen und Dienen ein Zeichen der Schönheit der Welt ist und daß der Mensch dort Mensch ist, wo er etwas tut, herstellt oder dient. Sie verlangte aber auch die Musiker zu sehen, die Gaukler und Possenreißer, die Marktsänger, die Gitarristen, die Stegreifdichter, die ihre Stegreifgedichte aufsagten, die Spielzeugbauer, die Jahrmarktslaienspieler, die Bilderzeichner, die Musikanten, die Festtänzer, die Töpfer von Lehmstieren, -puppen und -werkzeugen, die Holzschnitzer mit ihren Hölzern, die Vergolder mit ihrem Blattgold, die Zauberer, die Feuerwerker und ihre Gefahren, die Geschichten- und Moritatenerzähler, die Weihnachtsmysteriendarsteller, die Vogelzüchter. All das und viel mehr sah, studierte und bewunderte sie nach und nach in Gesellschaft ihres Großvaters Leléu, der auch manche dieser Künste und die, die sie trefflich ausübten, kannte und seine Enkelin mehrmals in ein Staunen versetzte, wie sie es erlebt hatte, als sie Vevé bei der Ausübung des Fischerhandwerks beobachtet hatte.

Auch wenn Freundschaft und Liebe zwischen ihnen sich vielfach verzweigten und noch tiefere Wurzeln schlugen als bisher, so verhinderte dies doch nicht, daß Dafé sonderbar, stumm und ungesellig blieb. Es gab sogar Tage, an denen sie von zu Hause weggelaufen zu sein schien und Leléu nervös und aufgewühlt herumirrte, bis jemand sie fand, manchmal an entlegenen Orten, wohin man nur mit dem Boot gelangte. Von dieser Zeit an glaubte er fast, sie würde den Verstand verlieren, wirklich verrückt werden, aber da sie eine sanfte Verrückte war – und selbst wenn sie es nicht wäre –, beschloß er, niemandem davon etwas zu sagen, sich auch bei niemandem Rat einzuholen, damit niemand sie einsperren könnte oder sie für eine Teufelsbesessene hielt. Trotzdem ließ er nicht ab, ihr Ratschläge zu erteilen: Solche Gedanken passen nicht zu einem Neger und noch weniger zu einer Frau, sagte er oft zu ihr, das sind Gedanken von Menschen, die weder die Welt noch das Leben kennen. Dennoch, obwohl sie ihn gewöhnlich ohne Widerworte anhörte, änderte sie sich nicht und hörte auch nicht auf, ihm ihre absonderlichen Gedanken zu erklären. Anfangs wollte er sie nicht anhören, doch schließlich gewöhnte er sich daran. Zumindest lief sie, wenn sie nur mit ihm sprach, nicht Gefahr, mit anderen zu reden, wonach es sie so drängte, und dadurch als Verrückte und Aufständische zu gelten.

Aber tat sie das vielleicht nicht doch? Vor einiger Zeit hatte sie den alten Zé Pinto kennengelernt, einen altgedienten, aus seinem Beruf fast schon zurückgezogenen Böttcher, der ihr jedoch noch die Geheimnisse seines Handwerks zeigen konnte, und besuchte sie ihn nicht gelegentlich, brachte ihm eine kleine Mahlzeit und unterhielt sich stundenlang mit ihm? Und nachdem sie diese Bekanntschaft gemacht hatte, fing sie da nicht auch an, mit einem alten Neger des Barons von Pirapuama zu reden, der jetzt Austernschalen schippte für die Kalkbrennerei des Komturs, ein Neger, der nicht einmal richtig sprechen konnte, weil der Baron ihm die Zunge hatte herausschneiden lassen? Sie lernte aber verstehen, was er sagte, und nahm sich sonntags sogar ein Boot, um zu hören, was er zu erzählen hatte. Sie befreundete sich auch mit einer gewissen Merinha aus Manguinho, einer Hausnegerin aus einer reichen Familie, die sie nie vorher gesehen hatte, mit der sie jetzt aber vertraut war wie mit einer Schwester.

Leléu machte sich immer noch Sorgen, er wurde eifersüchtig, brach sogar etliche häßliche Streitereien vom Zaun. Was zum Teufel war das, was für ein Leben war das, das sie jetzt führte? Wenn ein Neger keine Familie haben durfte, wenn Familie bei einem Neger nur Sklavenhütte und wilde Ehe bedeutete, wie konnte sie da erwarten, jemals als Mädchen aus gutem Hause eingestuft zu werden, wenn sie so weitermachte? Sie hatte doch gelernt, was ein junges Mädchen aus gutem Hause war, oder wozu war sie bei diesem alten Reff in die Schule gegangen? Es hatte anscheinend nichts genützt, denn sie sollte ihm doch bitte mal ein einziges Mädchen aus anständiger Familie zeigen, das solche Unterhaltungen führte, solchen Ideen nachhing, sich so benahm! Und sich mit schwarzen Negerlümmeln abgab und, statt sich zu bemühen, die Leiter hochzusteigen und ihre Rasse zu verbessern, es vorzog, zu den Schwarzen zurückzukehren! Schwarz geboren zu sein, einverstanden, da ist nichts zu machen. Aber schwarz sein wollen? Wer will denn schwarz sein? Man sollte ihm einen zeigen, der, wenn er könnte, nicht so weiß würde wie ein Reiher! Wie kommt ein Mensch dazu, die Chance

zu haben, nicht mehr schwarz zu sein, und sie freiwillig zu verpassen?
»Ach Großvater, ich werde nie etwas anderes sein als schwarz.«
»Ja bist du denn schwarz? Du bist nicht schwarz, du bist Mulattin, Mulattin mit grünen Augen, und viele weniger hübsche Mädchen, unendlich viel weniger hübsch als du, sind heute sozusagen weiß, sind angesehen, haben ihre Stellung im Leben. Ich selbst weiß von vielen Leuten mit gemischtem, und zwar sehr gemischtem Blut, die heute weiß sind, die Stellungen erworben, die Bedeutung erlangt haben im Leben. Und du, was beschäftigt dich? Dich beschäftigt womöglich, wer Dadinha war – ich weiß, wer Dadinha war! –, dich beschäftigt ...«
»Ihr wißt, wer Dadinha war, Großvater!«
»Und ob ich das weiß! Nichts war sie, überhaupt nichts, sie war eine dicke alte Vettel, ein Nichts war sie, eine Lügentante, ein durchtriebenes Aas ...«
»War sie nicht meine Urgroßmutter? Die Mutter von Turíbio Cafubá?«
»Mutter von ... Wer hat dir denn diese Geschichten erzählt? Sieht ganz nach Zé Pinto, diesem alten Schwachkopf aus. Ich muß wohl meine Keule packen und ihm eins auf den Kopf hauen, damit er aufhört und seine Nase nicht in alles steckt, wer hat dir denn diese Geschichten erzählt?«
»Warum erzählt denn Ihr mir diese Dinge nicht auch? War der Name meiner Mutter, ihr richtiger Name, Naê?«
»Ich werde dir nichts dergleichen erzählen! Da kämpft man, kämpft, kämpft, kämpft, bis der Körper nicht mal beim Ausruhen aufhört zu schmerzen, man kämpft, kämpft, kämpft, um sich Luft zu verschaffen, um es besser zu haben, aufzusteigen, und was kommt dann? Dann kommt eine wie du, und die, glaub ich, die muß ich wohl im Haus einsperren, damit sie mir draußen keine Eseleien anstellt und bloß wieder nach unten will, all das Zeug will sie wissen und auf das ganze Durcheinander läßt sie sich ein, ändern will sie, was man gar nicht ändern kann ... Ich kenn das Leben, verstehst du? Ich weiß Bescheid!«
»Wer war Caboclo Capiroba?«
»Caboclo Capiroba? Es hat nie einen Caboclo Capiroba gegeben, Kleine, nie hat es so einen gegeben, das sind alles Märchen!

Aber ist es denn möglich, daß ich dich in ein Mädchenpensionat schick, daß ich dir die beste Lehrerin besorg, daß ich dir alle Bücher bezahl, damit du dich bildest, und nun willst du einfach wie ein Pferdeschwanz nach unten wachsen, willst alles verlernen, und willst doch wahrhaftig ein altes schwarzes Weib werden, scheint es, statt ein Jemand? Caroba-Capibocla-Caboclo-Capiroba – so was hat's doch nie gegeben! Hast du für das studiert? Für das?«
»Hatte der Caboclo nicht eine Tochter, die Vu hieß? Habt Ihr einen Mann namens Júlio Dandão gekannt?«
»Júlio Dandão? Ein Bandit war das! Ein Hexer, ein Zauberer, der muß geflohen sein mit vierzig Diebstählen auf dem Buckel und mit mehr als zwanzig Toten. Sag mir bloß nicht... Júlio Dandão, nein, du hast doch nichts mit Júlio Dandão zu tun gehabt, hast du ihn etwa gesehen? Das ist kein Umgang für dich, kein Umgang ist das, hast du verstanden? Das ist kein Umgang für dich!«
»Aber er ist doch nicht mehr hier, er ist verschwunden, das habt Ihr doch selbst gerade gesagt.«
»Ja, und was willst du dann von ihm wissen? Er ist nicht mit dir verwandt, der hat nichts mit dir zu schaffen, was willst du denn von ihm?«
»Ich habe nur gefragt, es war nur eine Frage. Und mein Vater, habt Ihr meinen Vater gekannt?«
Leléu rollte mit den Augen. Was sollte er der Kleinen noch sagen, was konnte er noch tun? Er wurde verlegen, stand auf und tat, als wollte er nach den Pflanzen sehen und wurde schließlich von einem Jungen abgelenkt, der einen Drachen steigen lassen wollte und dabei fast über die Gemüsebeete rannte. Der Junge dachte, Leléu wollte ihn ausschimpfen und hinter ihm her, um ihm ein paar Kopfnüsse zu verpassen, wie er immer drohte, doch das tat er nicht. Tiefernst packte Leléu den Drachen, musterte ihn mit kritischem Auge und sagte zu dem Jungen, mit diesem Schwanz da würde er nie steigen. Und übrigens wär es ein Jammerbild von Drachen, schlimmer könnte nur der aussehen, der ihn gemacht hätte, und jetzt wollte er ihm mal zeigen, was ein richtiger Drachen ist. Und schon lief er in die Gerätekammer, holte allerlei Kram hervor, machte sich daran, einen neuen Drachen zu basteln und verbrachte den Nachmittag damit, ihn steigen

zu lassen und dem Jungen und den anderen, die sich dazugesellten, Unterricht im Umgang mit den Winden zu erteilen.
Es muß wohl damals gewesen sein, daß er anfing, kindisch zu werden, und nach und nach aufhörte, seine Enkelin zurechtzuweisen. Und er hörte nicht nur auf, sie zurechtzuweisen, sondern rief sie eines schönen Tages zu einer Unterhaltung, die sie nie für möglich gehalten hätte. Er sagte zu ihr, man sehe es ihm zwar vielleicht nicht an, aber er hätte viele Dinge begriffen, viele Dinge, und auch, daß die Weisheit des Lebens mehrere Seiten hat, nicht nur eine Seite. Also wäre es wohl möglich, daß es viele Weisheiten gibt und nicht nur eine, so daß er nicht mehr abstreiten wollte, was seine Enkelin dachte. Er finde es nicht richtig, aber abstreiten würde er es nicht, die Welt wäre eben so, voller verschiedener Arten und Weisen, die Dinge zu sehen. Ob sie wüßte, was er vorhätte? Er wolle es ihr sagen. Das Geld, das er in einem Leben voller Arbeit und nichts als Arbeit zusammengekratzt hätte, sei an den Orten vergraben, die er auf dem Papier, das er ihr jetzt übergab, aufgezeichnet hatte. Alles gehörte ihr, er sei alt, er wollte nur noch sein Gemüsegärtchen behalten, sein Obstgärtchen, sein Häuschen, seine Hühner, seine Schweinchen, seine Sächelchen, seine Spielzeuge, seine kleinen Freunde. Er sei alt, wirklich sehr, sehr alt, er sei bestimmt der älteste Mensch, den sie kannte, drum sei es das beste, hierzubleiben und ein Junge zu sein, etwas, was er nie gewesen und woran ihm sehr gelegen wäre, um das Leben abzurunden. Und was sie anging, jetzt hätte sie keine Entschuldigung mehr, nicht zu tun, was sie für richtig hielt, und genau das sollte sie doch jetzt tun: das, was sie für richtig hielt. Das sei ein Geschenk, an das er schon lange gedacht hätte, und es sei ein Geschenk von großer Liebe. Nicht das Geld, denn er hätte auf der Welt ja nur sie, und deshalb sei es seine Pflicht, für sie zu sorgen, wo sie auch niemanden sonst auf der Welt hätte. Das Geschenk sei vielmehr ihre Freiheit, die Freiheit zu sein und zu wählen, etwas, wofür sie zumindest von seiner Seite immer Hilfe finden würde, während sie von allen anderen Seiten wohl immer auf Schwierigkeiten stoßen würde, auf tödliche Schwierigkeiten, harte, erbarmungslose Schwierigkeiten. Aber diesen Rat wollte er ihr geben: sie sollte nicht einfältig sein, sie sollte nicht jedermann trauen, sollte sich nicht leichtfertig anvertrauen und auch nicht leicht aufgeben; sie sollte nicht

lügen, aber auch nicht tollkühn sein; sollte nicht immer auf gleiche Weise kämpfen wollen, sondern sehen, daß es für jeden Kampf einen besonderen Weg gab, je nach den Umständen; sie sollte ihn mögen, weil er sie so sehr mochte, daß ihm das Herz weh tat, und wenn er kein besserer Großvater gewesen sei, dann weil er es nicht besser gewußt hätte, aber alles, was er wußte und versucht hatte zu lernen, das hätte er für sie getan. Ob sie ihn mochte?

Dafé umschlang den Kopf des Großvaters, drückte ihn an ihre Brust und weinte lautlos, damit er nicht zu ihr hochblickte und ihre Tränen sah. Sie sagte, niemand könnte jemanden mehr lieben als sie ihn, denn für sie sei er nicht nur Großvater, er sei Vater, Lehrer, Kamerad, Freund, einfach alles auf der Welt. Einen besseren Großvater als ihn, einen besseren Vater, keinen Besseren könnte es geben, und wenn sie eines Tages in die Welt hinausging, würde sie ihn nie vergessen, würde immer seinen Namen und sein Andenken ehren und ihn so oft besuchen, wie sie nur irgend konnte, nie würde sie aufhören, ihn so lieb zu haben, daß es auch ihr sonderbar ums Herz war, und ihr Kinn zitterte vor Liebe, die ihr die Brust zu sprengen drohte.

Lange Zeit saßen sie an jenem Tag so umschlungen da, wortlos, und gegen Abend aßen sie zusammen wie bei einem großen Bankett; Leléu hatte aus einer Truhe einen silbernen Leuchter als Tafelschmuck geholt, sie füllte die Wohnzimmervasen mit Schwertlilien, und die beiden lachten viel, weil sie Edelmann und Edeldame spielten, nie hatte es ein so erlesenes Festmahl gegeben – ist dem nicht so, Vicomte? Ja, in der Tat, Marquise! –, nicht in der ganzen Geschichte von Baiacu, der Insel, des Recôncavo und dem übrigen Brasilien. Nach dem Abendessen nickte Leléu ein, er wollte etwas ausruhen, bevor er nachts weiterarbeitete an der Nichts-Fang-Falle, die er den anderen Jungen zeigen wollte. Und nachdem sie eine leichte Decke über ihn gebreitet hatte, damit er sich nicht erkältete, und einen Becher Wasser neben ihn gestellt hatte, damit er nicht aufzustehen brauchte, wenn er durstig erwachte, ging sie in ihre Kammer und packte einige Dinge in ein Bündel. Dann ging sie fort, niemand weiß genau, wohin, doch muß es ein Ort gewesen sein, an dem sich einige Verschwörer aus dem Mehlhaus versammelten.

Sie ging an diesem Tag nicht endgültig fort, aber es war der Tag,

an dem sie anfing fortzugehen, und der Junge Leléu wußte bereits, daß sie fortgehen würde. Als sie dann wirklich fortging, sagte er nicht viel und machte auch keine Szene, er verhielt sich, wie er es versprochen hatte, und von Einsamkeit und so lastender Sehnsucht niedergedrückt, daß er im leeren Haus und in dem wegen ihrer Abwesenheit öde gewordenen Garten kaum mehr umhergehen konnte, weigerte er sich, von neuem zu weinen, wenngleich er dafür das Schluchzen herunterschlucken mußte wie jemand, der nur mit Mühe eine widerwärtige Arznei im Magen behalten kann. Lieber zeigte er Stolz, worüber, das wußte er nicht genau, jedenfalls Stolz, einen gelassenen tiefen Stolz, welcher der Luft, die er atmete, wenn er an sie dachte, einen würzigen Geschmack gab.
Und mit diesem Stolz erfüllt, sah er, wie manche meinten, die Enkelin gelegentlich, andere wieder glaubten, er erhielte nur Nachrichten oder Briefchen von ihr, blieb er ein glücklicher kleiner Junge, bis er viele Jahre später starb, uralt, wirklich steinalt, der älteste kleine Junge, den man jemals gesehen oder sich vorgestellt hat. Und in dieser wolkenschweren Nacht, welche die Insel umhüllt, auf der die Nachricht von seinem Tod bereits rings um die Küste geeilt ist wie Feuer auf einer Lunte, glaubt er vielleicht nach wie vor – wie er da so hübsch zurechtgerückt in seinem Sarg liegt, so zufrieden über die schön gesungenen Trauergesänge für ihn –, daß er träumt. Die Nacht ist bis in die Wälder gedrungen, hat ihre schwarze Samtdecke über alle Wesen gebreitet, ist dichter und stickiger geworden, als wollte sie nicht weichen, wenn der Morgen kommt. Und in den langgezogenen Klagelauten, die aus den Kehlen der alten Frauen von Baiacu durch die Lüfte hallen, wird bei allen die eine Frage laut, die durch das bleiche Filigran der Trauermusik sinkt, aufgeworfen von den Alten, die wiederholt das Zeichen des Kreuzes schlagen, und von den Jüngeren, die im Geiste schon Heldentaten und Waffengeklirr sehen und hören, die Frage, ob sie kommen wird, ob sie die Nacht in ungebändigtem Ritt durchbrechen, die Meere in unbezwinglichem Geschwader durchpflügen wird, ob Maria da Fé kommen und den Leichnam ihres Großvaters ehren wird, den großen Nego Leléu großartigen Angedenkens. Nacht, mit ihren schwarzen Handschuhen winkt sie ihrem Bruder Nachttau zu, ihrer Schwester Kälte, ihrem Gefährten Unbekannt, ihrer Or-

donnanz Geheimnis, ihren Vettern Befürchtungen, ihren Freundinnen Erscheinungen, ihren Tischgenossinnen Aufregungen – Nacht wollte nicht und würde nicht antworten und träufelte so in die Luft der Insel eine schleichende Angst vor allem, eine Angst vor nichts, das Gefühl, das jeder kennt – das Gefühl, daß etwas Starkes geschehen wird.

Friedhof der Schwarzen von Vera Cruz auf Itaparica, den 26. Mai 1863

Seit dem frühen Morgen, unter einem Nieselregen, der kam und ging, schlängelte sich Leléus Leichenzug langsam durch die pfützenreichen, von glitschigem Schlamm bedeckten Schneisen. Gegen neun Uhr, während eine schwache Sonne hier und dort zwischen den sich auflockernden Wolken durchblitzte, gelangten sie zum Fuß des Hügels, wo der kleine Friedhof lag. Es ging mühsam vorwärts in diesem Schlamm, der den Hang mit Quiaboschleim bedeckt zu haben schien, doch die Soldaten griffen hilfreich ein. Der größte unter ihnen, ohne Zweifel ein Offizier, nach dem gepunzten ledernen Degengehenk, dem vergoldeten Pferdegeschirr, der quastenverzierten Schärpe und dem Degen mit perlmuttbesetztem Knauf zu schließen, ließ vier schwarze starke Soldaten herbeiholen und hieß sie den Sarg tragen. Er rief zwei andere, sagte ihnen mit heiser kratzender Stimme, kaum zu verstehen wegen seines Riesenschnauzbarts, der den Mund und das halbe Kinn verdeckte, sie sollten dem Leichenzug vorangehen und mit zwei Spaten wo immer möglich Stufen ausheben, damit alle den Hügel weniger mühevoll besteigen könnten.
Die Trauergäste murrten, als sie den Soldaten den Sarg übergeben sollten. Einer von ihnen erhob sogar Einspruch, doch der Offizier stieß ihn beiseite und befahl dem am Zupacken gehinderten Gemeinen mit einem Wink, er sollte sich um den Widerstand nicht kümmern und den ihm befohlenen Posten einnehmen. Niemand erhob weiteren Einspruch, zumal angesichts des Trupps von etwa dreißig Mann, bewaffnet mit Doppellaufpistolen und neuen, in Soldatenhänden bislang selten gesehenen Karabinern. Außerdem hatten viele Leute beschlossen, gerade wegen dieses Trupps an der Beerdigung teilzunehmen. Sie wollten se-

hen, was geschehen würde, wenn Maria da Fé in Erscheinung trat, denn das war der Grund für die Anwesenheit des Militäraufgebots. Seit dem Vortag war die Ankunft der Truppe bekannt, einer Kampfeinheit, die von einem kühnen, draufgängerischen Hauptmann befehligt wurde, dessen Kenntnisse des Militärwesens und der Kriegskunst allseits berühmt waren.
Sollte dieser strenge, wortkarge Offizier, der offensichtlich nicht aus der Gegend, sondern aus anderen Teilen Brasiliens stammte, wo man überragende Helden von der Wiege an wachsen und gedeihen ließ, sollte der jener berühmte große Hauptmann sein? Vielleicht, sicher war er es, denn das Schiff, auf dem die Truppe gekommen war, hatte bei der Einfahrt in den Hafen von Walfischkap plötzlich Havarie erlitten, und trotzdem war die Kampfeinheit zur Stelle, um die Macht und Gegenwart des Kaiserreichs unter Beweis zu stellen. Sicherlich hatten sie alle Einöden und Sumpfgebiete zwischen Walfischkap und Baiacu in nächtlichen Gewaltmärschen durchmessen, nur um Maria da Fé daran zu hindern, von neuem alle Welt herauszufordern. In diesem Augenblick wirkte er, schmuck und hochgewachsen in seinen Stiefeln mit dreifachen Sohlen und verstärktem Oberleder, wie ein Jaguar, der gleichzeitig die Jungen und die Jagdgründe überwacht, unablässig hetzte er auf und ab, gab seinen Männern Anweisungen und forschte die Umgebung nach Feindbewegungen aus – nach einem Feind, von dem er sich – das lag auf der Hand, denn jedermann erkennt die Fähigkeit eines Offiziers, sobald sie sich zeigt – niemals würde überrumpeln lassen. Zumal er an allen Punkten Posten aufgestellt hatte, an denen man näherrückende Einheiten aus der Entfernung beobachten konnte, und so den außerordentlichen militärischen Scharfsinn bewies, den er bei seinen Lehrmeistern auf den Militärakademien erlernt hatte. Zugleich hatte er, seit Leléus Sarg das Haus verlassen hatte, unablässig Kundschafter vorausgeschickt und ließ jedesmal, wenn einer von ihnen nicht rasch zurückkehrte, den Leichenzug anhalten, so daß diejenigen, denen der Anblick von Uniformierten verhaßt war, die in ihren Augen nur kamen, um dreinzuschlagen, mit den Füßen zu treten, zu demütigen, etwas zu erzwingen, zu plündern, zu töten und einzuschüchtern, für Maria da Fé das Schlimmste zu fürchten begannen und beteten, ihre füchsische List möge sie nicht im Stich

lassen und sie vor einem so verhängnisvollen Treffen bewahren. Was für ein Hauptmann, was für barsche Manieren, was für eine vollkommene Beherrschung soldatischer Verhaltensformen! Zum Entsetzen aller Anwesenden war er in die Totenwache eingebrochen und hatte nicht gezögert, Weinen und Wehklagen der Beleidigten herauszufordern durch den Befehl, das Haus zu räumen, nachdem er den Sarg hatte öffnen lassen, der für den Leichenzug bereits verschlossen war. Sicherlich wollte er feststellen, ob auch wirklich Leléu darin lag, und wenn ja, ob er nicht etwa den Toten spielte, um seiner Enkelin, der Banditin, beim Legen eines Hinterhalts behilflich zu sein. Er blieb drinnen eine ganze Weile allein mit dem Toten, und schon herrschte große Unruhe unter denen, die er hatte aus dem Haus werfen lassen, als er endlich heraustrat und nur durch eine Handbewegung, wie es seine Gewohnheit zu sein schien, den Befehl gab, den Sarg von neuem zu schließen und ihn zum Friedhof zu bringen. Und ohne den breitkrempigen Hut zu lüften, fast vermummt unter seinem mit schimmernden Flechtschnüren geschmückten Umhang, faltete er die Hände auf dem Rücken, um den Aufbruch des Leichenzugs zu überwachen, das glatte, dunkelbraune Gesicht ganz ohne Regung, beschattet vom Hut und dem hochgeschlagenen Kragen des Umhangs, der Schnauzbart herabhängend wie die Hörner eines Bergziegenbocks.

Wenn bei einem Begräbnis schon gewöhnlich nicht gesprochen wird, so war bei diesem Leichenzug die Stille fast zu greifen, vertieft vom Patschen der Füße auf dem schlammigen Pfad und unterbrochen vom gelegentlichen Krächzen eines Reihers, der dicht über den Baumkronen des Hügels abwärts stieß, um in den Salzlagunen Schalentiere zu fischen. Schließlich gelangte der Sarg zum Rand des Grabes. Der Regen, der vor geraumer Zeit aufgehört hatte, wurde von einer Windbö über die Gegenküste wieder herangetragen, wie ein Vorhang, der langsam, aber bestimmt zugezogen wird. Der Totengräber Aristides blickte ungehalten nach oben, als die ersten Tropfen das Wasser der Pfützen bereits zu Rinnsalen im Lehm werden ließen, die das im Morgengrauen mit soviel Hingabe ausgehobene rechteckige Loch nur allzu rasch zu überschwemmen drohten, er sprang hinein und breitete die Arme aus zum Zeichen, man möge ihm den Sarg herunterreichen.

»Raus da!« knurrte der Hauptmann. »Raus da! Nicht so!«
Aristides schien nicht zu verstehen und blieb mit ausgebreiteten Armen stehen, während der Regen ihm über das Gesicht rann.
»Raus da!« wiederholte der Hauptmann mit einer Stimme, die seltsam scharf klang für einen, der noch kurz zuvor ein Reibeisen in der Kehle gehabt zu haben schien.
Aristides klammerte sich an den Rand des Grabes, stemmte sich heraus, blieb vor dem Hauptmann stehen, wollte etwas sagen, überlegte es sich aber anders. Der Hauptmann machte ein paar Schritte auf den Sarg zu, blieb mit gesenktem Kopf davor stehen, und so jäh, daß es die Nahestehenden erschreckte, riß er den Hut vom Kopf und warf ihn auf den Erdboden. Noch bevor jemand sich klarmachen konnte, wie seltsam es für einen Hauptmann war, sein Haar zum Knoten aufgesteckt zu tragen, packte er seinen dichten Schnauzbart, riß ihn ab – wobei er allen Anwesenden einen Schauder vermeintlichen Schmerzes verursachte – und warf ihn, als wäre er nichts als eine haarige Spinne, neben den Hut auf die Erde.
»Volk vom Dorf Baiacu und dem ganzen Landstrich von Vera Cruz!« sagte der Hauptmann mit jetzt heller, kristallklarer Stimme, wie das Geschmetter eines Glockenvogels über dem Geräusch des niederprasselnden Regens und den gedämpften Schreckensschreien. »Wir stehen hier, um einem die letzte Ehre zu erweisen, der allen als Vorbild dient, die nicht den Nacken vor der Tyrannei gebeugt haben, allen, die von der Freiheit träumen, allen, die im täglichen Kampf lernen, ihren eigenen Wert zu achten, allen, die sagen: Nieder mit den Herren, und hoch lebe das Volk! Hoch lebe das Volk und hoch lebe die Freiheit!«
Herr des Himmels, wer war dieses Ruhmesstandbild, herrlich in Haltung und in Worten, wenn nicht die Kriegerin Maria da Fé, die da dank unbegreiflicher Künste der Uniform eines knurrig aussehenden Hauptmanns entsteigt wie ein triumphierender Schmetterling der Hülle einer obskuren Raupe, strahlend wie die Sonne inmitten des Regens, erschienen, um den Stolz freizusetzen, der in furchtsamen Herzen eingekerkert moderte? Da steht sie in Fleisch und Blut, keine Legende, sondern Wahrheit, die man berühren kann, nicht fern, sondern nah, nicht Soldaten befehligend, sondern eine Abteilung ihrer Milizionäre – der Mi-

lizsoldaten des Volkes, von denen man so viel gehört hat und die so wenige gesehen haben!

»Volk von Baiacu, Volk von Vera Cruz, Volk der Insel Itaparica, Volk meiner Heimat, ich brauche eure Ohren, damit in ihnen die rettende Rebellion ertönt!« sagte sie, und da stand keiner auf den Hängen des Grabhügels, der nicht seine Haut wie die eines Pferdes erschauern fühlte und dem nicht der Kopf vorwärts gerissen wurde von dieser die Wolken fortfegenden, schwungvollen Stimme.

Im Wipfel eines purpurblühenden Baumes hockend, lauschte der Volksmilizionär José da Rosa hingegeben Maria da Fés Ansprache, deren Worte von den Felsbrocken der Hügel abprallten und bis zu ihm herübertönten, und fast hätte er vergessen, die vielen Pfade zum Friedhof weisungsgemäß zu überwachen. Doch ganz vergaß er es nicht, und während das Volk drunten immer dichter zusammenrückte, um Maria da Fé zuzuhören, schob er das Laub beiseite, das ihn verdeckte, und sah ein breites, niederes Segelschiff die Barre umschiffen. Er kniff die Augen zusammen, sah, daß die schwarzen Fleckchen, die die Reling sprenkelten, Köpfe von Menschen waren, viel mehr Menschen, als sonst ein Boot wie dieses aufnehmen würde. Kein Boot, nein, ein kielloser Leichter, nein, kein Leichter, eine dicke Schute, nein, keine Schute, das war schon eine Zille, ja, der Lastkahn von Aprígio Lopes! Aber was sollte das bedeuten, diese alte Bütte mit all ihrem bißchen Takelage gehißt, hier im Hafen von Baiacu, und mit soviel Mannschaft? Die Besatzung gehörte nie und nimmer zu dem Kahn, denn vier oder fünf Mann waren mehr als genug, um einen altersschwachen Eimer wie den da zu bemannen, der im übrigen an diesen armseligen Inselküsten nie genügend Fracht bekommen würde, wo es so gut wie keine Waren zu verladen gab. Also mußten es Soldaten sein, die hier landeten, jawohl! Die Scheißkerle hatten zu früh aufgegeben die Korvette zu reparieren, mit der sie Walfischkap angelaufen hatten. Vielleicht war der Schaden zu groß gewesen, so daß sie sich ausgerechnet hatten, daß sie sie nicht rechtzeitig flottkriegten vor der Beerdigung. Da haben wir einfach zu gut gearbeitet, dachte José da Rosa, ließ das Nachdenken sein und fuhr wie ein Windstoß durch die Baumkrone hinunter, um Maria da Fé Meldung zu erstatten.

In der Zille beschattete sich Patrício Macário die Augen mit der Hand und musterte die fast menschenleere Küste, nur zwei oder drei Frauen, die Miesmuscheln suchten, zwei oder drei Fischer, die Netze flickten, leere Kanus, aufgelaufen im Sumpf. Ob sich dort die sogenannte große Banditin versteckt hielt, die von der Expedition gefangengenommen oder zu Tode gejagt werden sollte? Er blickte in die Runde und ärgerte sich über die schlecht bewaffneten Lumpenkerle, deren Vorgesetzter er war. Er wußte nicht genau, wie viele es waren, sicherlich waren es weniger, als aus Bahia unter großen Mühen ausgezogen waren, nachdem der Hauptmann, Großzügigkeit und Entgegenkommen vortäuschend, allen versichert hatte, falls sie nicht gleich nach ihrer Rückkehr Sold empfangen würden, würde er ihnen das Geld aus eigener Tasche ohne Zinsen vorstrecken.
»Das ist kein Heer«, sagte Patrício Macário zu sich selber, vielleicht etwas zu laut für einen, der nicht belauscht werden will. »Was zum Teufel ist es dann?«
»Was denn?« fragte der Hauptmann, der unbeobachtet dazugetreten war. »Was haben Sie gesagt, Leutnant?«
»Ach nichts, Herr Hauptmann. Ich habe nur nachgedacht.«
»Sie haben nicht nur nachgedacht, Sie haben etwas gesagt.«
»Ja, Senhor. Ich glaube, ich war zerstreut und habe mit mir selber gesprochen.«
»Ich habe es gehört. Sie hatten Ihre Zweifel, ob wir wirklich ein Heer sind. Das gehört sich nicht für einen Offizier, Leutnant, das gehört sich ganz und gar nicht.«
»Verzeihen Sie, Herr Hauptmann, ich habe nicht bemerkt, daß ich laut spreche. Und ich habe auch nicht vom brasilianischen Heer gesprochen, Senhor, ich dachte nur an diese Männer hier. Ich denke wie ein Großteil des Offizierskorps, nämlich daß wir nicht einmal die allernotwendigsten Arbeitsbedingungen haben.«
»Ich weiß, was Sie sagen wollen«, sagte der Hauptmann und ließ den Blick über die in allen Ecken des Lastkahns zusammengedrängten Männer gleiten. »Dafür werden wir die ersten sein, die ein Gesindel befehligen und damit siegen.«
»Dessen bin ich sicher, Herr Hauptmann. Ich weiß, daß Sie uns auf dieser Mission zum Erfolg führen werden.«
»Auch ich weiß das. Kennen Sie die Gegend gut?«

»Nein, das kann ich nicht behaupten. Ich bin hier ein paarmal gewesen, mein Vater hat einige Besitzungen auf der Insel. Aber das war in meiner Kindheit, das ist lange her. Jedenfalls haben wir ein paar Männer, die aus der Gegend stammen, ich glaube, es wird nicht schwerfallen, sich hier zu orientieren.«
»Wir dürfen nicht allzu zuversichtlich sein. Ich hätte gerne ein paar Pferde dabei. Ich werde nie die glänzende Rolle vergessen, die unsere Kavallerie in Montecaseros gespielt hat.«
»Ja, Senhor.«
»Ihre Feuertaufe, Leutnant?«
»Gegen die Uruguayer, Herr Hauptmann. Ich habe im 17. gedient, ich war...«
»Ja, ja. Einen Augenblick.«
Das Boot bog bereits in die kleine Bucht ein, der Steuermann manövrierte, um anzulegen, der Hauptmann trat näher.
»Glauben Sie, daß wir beim Landen Schwierigkeiten bekommen werden?« fragte er den Steuermann.
»Schwierigkeiten? Was für Schwierigkeiten, Herr Hauptmann?«
»Ich sehe, daß das Terrain schlammig ist, das ist Treibsand.«
»Treibsand?«
»Ja, Schlamm, der dem Gewicht der Männer ganz leicht nachgibt.«
»Ah ja, Senhor, stimmt, er gibt stark nach. Aber er geht wohl nicht über die Knie. Es ist schon Hochwasser und wir können dicht am Strand ankern, da ist es nur noch eine kurze Strecke.«
»Gibt es keine Beiboote in diesem Schiff, kein Gigboot?«
»Das ist ein Lastkahn, Herr Hauptmann, Lastkähne führen keine Beiboote mit. Und selbst wenn wir welche hätten, es bliebe uns ja keine Zeit, sie an Bord zu nehmen, Sie selbst haben mir gedroht, mich zu erschießen, wenn ich nicht unverzüglich in See ginge.«
»Sie stehen im Dienst der Regierung Seiner Kaiserlichen Majestät. Sie sollten stolz darauf sein, und überdies werden Sie entschädigt dafür.«
»Jawohl, Herr Hauptmann. Ich bin ganz sicher, Herr Hauptmann.«
Der Hauptmann trat an die Bordwand, inspizierte, die Hände auf der Reling, den Strand und spuckte ins Wasser.

»Schlamm, Moskitos, Hunger«, brummte er. »Das Schicksal des Soldaten.«
Er atmete tief, schlug auf das Holz und machte sich plötzlich Mut.
»Leutnant!« schrie er. »Geben Sie Befehl, an Land zu gehen, wir sind da! Wir werden diese Drecksbande zusammenschlagen. Trotz Schlamm, trotz Hindernissen, trotz allem, wir werden unsere Pflicht tun!«
»Jawohl, Senhor!«
»Männer! Auf uns ruhen nicht die Augen des Vaterlandes, denn es sind einsame Schlachten im Dunkeln wie diese, die uns erwartet, worauf die Grundmauern einer Nation errichtet werden. Nicht unehrenhaft ist ein solcher Umstand, sondern eine besondere Ehre, denn dem Soldaten steht es nicht zu, zu fragen, sondern zu gehorchen! Auch nicht äußere Anerkennung zu suchen, sondern nur die des eigenen Gewissens, und das Gewissen wird stets bedingungslose Hingabe an das Vaterland zeigen! Als Heer Seiner Kaiserlichen Majestät haben wir den Auftrag, gegen die Feinde der Ordnung und der nationalen Einheit –, die Feinde des brasilianischen Volkes polizeilich vorzugehen und für Frieden zu sorgen! Leutnant, übernehmen Sie das Kommando!«
»Die Kompanie hört auf mein Kommando! Kornett!«
Auf und ab steigend wie ein verrückt gewordener Vogel, schwankte das Kompaniebanner neben den anderen Standarten, deren Fahnenträger sich im Schlamm mühsam im Gleichgewicht hielten. Es neigte sich, schleifte über das Wasser, bauschte sich abermals, geküßt von der kalten Brise des öden Strandes. Obwohl er bei jedem Schritt einsank, gelang es Patrício Macário – den Degen in der Faust, geschwollene Halsadern, die Uniform bespritzt vom schwarzen stinkenden Schlamm –, die Strecke zwischen Schiff und Strand im Verlauf seines Landekommandos mehrmals zurückzulegen.
Kaum an Land, ließ der Hauptmann, während seine Männer mit dem Befehl, die Umgebung zu rekognoszieren, Früchte pflückten und Hühner einkreisten, denen sie sogleich die Hälse umdrehten, einige Inselbewohner zusammenrufen, um Erkundigungen einzuholen. Wußte jemand, wo sich diese Banditin aufhielt; hatte sie tatsächlich die Unverschämtheit besessen, bei der Beerdigung ihres Großvaters aufzutauchen? Niemand wußte

es, obgleich der Hauptmann drohte, alle vor das Kriegsgericht zu bringen. Und wieso waren so wenig Leute zu sehen, war die Bevölkerungszahl in einem Dorf mit so vielen Häusern und einem Landstrich mit so vielen kleinen Höfen wirklich so stark zurückgegangen? Nun, natürlich waren alle zum Begräbnis gegangen. Schön, aber wo lag der Friedhof?

»Mit Verlaub, Herr Hauptmann«, sagte einer der Einwohner, ein Alter mit Knollennase und einem Strohhut mit ausgefransten Rändern.

»Schon recht, Alter, aber rede rasch, ich habe keine Zeit zu verlieren.«

»Es ist nämlich: Wer wird mir das bezahlen, was die Soldateska Eurer Exzellenz mir aus meinem Gütchen mitgenommen hat, ich konnte zwar noch nicht alles zusammenrechnen, ich weiß nur, daß sie mir alle Obstbäume leergepflückt haben und nicht ein Huhn haben sie mir übriggelassen und mindestens vier Ferkel haben sie mir weggeholt, und dazu ein altes Mutterschwein, das aber noch immer wirft.«

»Sie sind selber schuld, denn Sie haben die Leute auf Ihre Besitzung gelassen. Ohne Genehmigung durften sie da nicht rein.«

»Das habe ich ihnen ja gesagt, Herr Hauptmann, sie haben aber nicht auf mich gehört, und meinem Sohn haben sie eine Tracht Prügel verpaßt, weil er sie am Eindringen hindern wollte.«

»Ihr Sohn wird sich unverschämt aufgeführt haben. Die Würde der Streitmacht zu beleidigen, ist nicht statthaft, auch nicht in einem Ausnahmezustand.«

»Er hat ihnen nur gesagt, sie dürften nicht reinkommen, niemand hätte sie eingeladen, sie dürften nicht unser ganzes Federvieh und unsere Früchte vernichten, denn das ist alles, was wir besitzen.«

»Genug! Werde nicht frech! Du wirst entschädigt werden, und damit basta, stolz müßtest du sein, daß du dem Heer deines Vaterlandes nütze sein kannst, nicht jeder verdient soviel Ehre! Armer Analphabet, du hast natürlich nie von Napoleon gehört, und drum bedeutet dir der Ausspruch dieses großen Generals der Menschheit nichts, daß die Armeen auf den Mägen der Soldaten marschieren. Das läßt sich hören, wie! Wie sollten wir eine so gefährliche Expedition auf unbekanntem Gebiet gegen eine so ruchlose, bedenkenlose Banditin durchführen, um undankbare

Leute wie dich gegen ihre Übergriffe zu verteidigen, ohne unsere Männer angemessen zu ernähren?«

»Aber Herr Hauptmann, wahr ist aber, daß diese sogenannte Banditin mir nie was geraubt hat und daß meine Familie jetzt, ohne das, was Eure Soldaten uns weggenommen haben, und ohne Geld, um wieder was zu kaufen, ins bittere Elend stürzt.«

»Genug, hab ich gesagt! Willst du, daß ich dich wegen Unverschämtheit gegen einen Offizier des Kaiserlichen Heeres auspeitschen lasse?«

»Nein, Senhor.«

»Dann verständige dich mit dem Korporal der Kompanie, trage ihm deine Beschwerde vor, lege Beweise vor, daß die Tiere und Früchte dir gehörten, fülle die entsprechenden Antragsformulare aus, zahle die Stempelmarken, Stempelgebühren und gesetzlichen Abgaben, und du wirst zur gegebenen Zeit dein erbärmliches Geld bei der Zahlstelle des Militärdistriktes erhalten. Sieh zu, daß ich meine Hingabe an das Volk nicht bereue, dem du angehörst und dem ich stets mein Leben geweiht habe! Los, weg mit dir!«

Nachdem der Alte gegangen war, fragte Patrício Macário, der die ganze Zeit neben dem Hauptmann gestanden hatte, ob es ihm nicht erlaubt sei, die Unkosten und Verluste aus der eigenen Tasche zu bezahlen. Schließlich hätten die Soldaten schon acht Monate keinen Sold erhalten, und er vermute, daß die Auszahlung an den armen Alten, bis sie genehmigt sei, sicherlich noch ein oder zwei Jahre auf sich warten lassen werde.

»Auf keinen Fall. Man darf diesen Pöbel nicht verwöhnen. Wenn wir eine Ausnahme machen, werden sie es als ihr Recht ansehen, immer sofort bar bezahlt zu werden, wenn eine Kriegsoperation die Beschlagnahme von Lebensmitteln erfordert. Und im übrigen, es ist gesetzliches Vorgehen, und das Militär hat nicht das Recht, das Gesetz in Frage zu stellen, sondern nur, es zu erfüllen.«

»Jawohl, Senhor.«

Überdies hatte der Hauptmann andere Sorgen. Er befahl, man sollte unter seinen Männern einen oder zwei suchen, die als Führer bei der Umzingelung des Friedhofs dienen könnten. Man müßte unverzüglich losmarschieren, im Laufschritt, der Trupp

müßte sofort antreten. Doch obgleich der Kornett wiederholt und wie toll zum Sammeln blies, trafen einige Soldaten verspätet ein, während andere im Dickicht verschwunden zu sein schienen. Puterrot vor Zorn beschloß der Hauptmann, drei der Saumseligen mit zweihundert Hieben mit dem flachen Säbel zu bestrafen. Er ließ sechs starke Braunhäutige kommen und rief den Kompaniearzt, in Wahrheit Student der medizinischen Fakultät im letzten Semester, um bei der Strafaktion mitzuwirken. Als der Trupp auf dem Dorfplatz angetreten war, wurden die drei Männer mit der Säbelklinge geschlagen; und nachdem sie die vorgeschriebene Anzahl Klingenhiebe erhalten hatten, ließen die Männer, die sie an den Achselhöhlen gehalten hatten, sie fallen, und sie sackten blutüberströmt und zerschlagen auf den harten Sandboden des kleinen Platzes, und der Arzt erklärte, sie seien alle in kritischem Zustand. Der Hauptmann zuckte mit den Achseln, trat auf die zusammengekrümmt Daliegenden zu, musterte sie ungerührt und befahl, sie sollten in drei der Hütten untergebracht werden, bis sie wiederhergestellt wären, und sollten, sofern sie gesund würden, vors Kriegsgericht gestellt werden.
Er hielt seinen Trupp in Alarmbereitschaft und beschloß mit seinen zwei Leutnants und den vier Fähnrichen Kriegsrat abzuhalten. Er erklärte, es gebe zwei Wege zum Friedhof: den, welchen der Führer empfohlen, und den, den er selber nach rascher Überlegung gewählt hatte. Der Führer hatte vorgeschlagen, die Schneise zu benutzen, die unmittelbar zum Friedhof führte, doch er selbst fand, man solle ihn in Richtung Süden umgehen, vielleicht über Ponta Grossa, um zu vermeiden, daß der Feind dank seines zeitlichen Vorteils der Einkreisung entkäme.
»Dann schiffen wir uns also wieder ein?« fragte Patrício Macário.
»Natürlich nicht. Wir sind Infanterie, keine Matrosen. Wir werden marschieren. Wir werden die Bucht im seichten Teil durchwaten und von dort aus die mutmaßliche Flucht des Feindes zum Kontinent durch den Trichter-Kanal blockieren.«
»Herr Hauptmann, können wir den Marsch überhaupt schaffen? Der größte Teil der Männer ist barfuß, und das Gelände . . .«
»Sie sind gewohnt, barfuß oder in Holzsandalen zu kämpfen. Besser so als in diesen verdammten Militärstiefeln, die ihnen gestellt werden und die ihnen die Füße kaputtmachen.«

Er schloß die Aussprache über den Marsch ab und erklärte noch, daß man von Ponta Grossa aus eine rasche Umklammerung rings um die mutmaßliche Stellung des Feindes durchführen würde. Das war Blüchers Lehre, Neys Lehre, Condés Lehre, das war der taktische Grundpfeiler der Schule von Auxonne, das war die Lehre von Valmy, die Lehre von Jena und Auerstädt, die Lehre von Austerlitz. Würde man mit der geplanten Schnelligkeit marschieren, war er sicher, den Feind zwischen zwei Feuerlinien einzukeilen, und mit einem Bajonettangriff würde man ihn schließlich leicht liquidieren, besonders weil mit großer zahlenmäßiger Überlegenheit zu rechnen war, da die Banditin, den laufend eingehenden Nachrichten zufolge, ihre Überfälle gewöhnlich mit kaum mehr als zwanzig Männern ausführte. Und er setzte ein breites triumphierendes Lächeln auf, als die Nachricht kam, es kehrten bereits Leute von der Beerdigung zurück, Maria da Fé sei tatsächlich mit ihren als Soldaten verkleideten Männern dabeigewesen und ziehe bereits Richtung Trichter-Kanal ab.
»Haargenau, wie ich Ihnen gesagt habe, meine Herren«, sagte er und breitete die Arme aus. »Leutnant Patrício Macário, Leutnant Alvim, sofort abmarschieren!«
Der Abmarsch indes verlief nicht wie vorgesehen. Die Flut war noch nicht zurückgegangen, als sie, schon nach Mittag, in Ponta Grossa anlangten, und der Trupp mußte einen Halt einlegen, den sie nutzten, um Hühner, Schweine und Ziegen zu braten, die sie auf den kleinen Höfen des Dorfes requiriert hatten. Einige der Männer hatten auch Schnapsflaschen mitgebracht, und als die Flut genügend gesunken war, damit sie die lange Bucht durchwaten konnten, hatten viele Mühe beim Marschieren. Statt Regen herrschte jetzt erstickende Schwüle, die die lästigen Netzfliegen, Bremsen und Stechmücken aller Größen noch unerträglicher machte. Überdies stellte sich der von einer seichten Schicht schwarzen Wassers bedeckte Schlamm als viel heimtückischer heraus als vermutet, er verschluckte die Soldaten bis zur Hüfte und ließ sie nicht mehr los, was den Durchmarsch mehrere Stunden hinzog. Außerdem zerschnitten die massenweise unter den Wurzeln der Sumpfpflanzen verborgenen Miesmuschelschalen fast allen die Füße, so daß sich der schwarze Schlamm scharlachrot färbte und die Männer nach dem Erreichen der anderen Seite der Bucht zu einem längeren Aufenthalt gezwungen waren,

um den Blutfluß zu stillen und die Füße so gut wie eben möglich zu verarzten.

Der noch von Wolken bedeckte Himmel beschleunigte den Einbruch der Dunkelheit, und der schon recht nervöse Hauptmann drängte seine Offiziere, mit der Umklammerung zu beginnen. Er selbst wollte die Westkolonne befehligen, die entlang der inneren Küste vorstoßen würde. Leutnant Macário, dessen Kampferfahrung ihm den Vorrang vor dem jungfräulichen Degen des Leutnants Alvim einräumte, sollte die Ostkolonne befehligen, die einen Bogen beschreiben sollte, als wollte sie schräg zur äußeren Küste vormarschieren. Damit wäre dem Feind jede Fluchtmöglichkeit abgeschnitten, es sei denn, er würde nordwärts zurückweichen, in welchem Fall er in die Hände der Garnison von Mar Grande oder der von Walfischkap fallen würde.

Die Nacht sank herab, und an der Spitze seiner Marschkolonne dachte Patrício Macário, ob es nicht ratsamer sei, anzuhalten. Schließlich war in diesen düsteren Buschwäldern nichts zu sehen, die Männer waren erschöpft und verängstigt, und wenn beide Kolonnen ihre Positionen korrekt eingenommen hatten, würde der Feind zwangsläufig umzingelt werden, sollte er beschließen, südwärts zu ziehen. Abgemacht, man würde hier kampieren. Obgleich sie nur wenige Feldlampen hatten und der größte Teil nicht richtig brannte, stellten sie fest, daß sie sich in der Nähe einer Quelle befanden, auf einem verhältnismäßig trockenen Grasstück, wo sie Feuer machen, Fackeln flechten und sich so gut es ging einrichten wollten.

Doch nicht nur das Lied der Grillen und Eulen betonte die Stille. Da war noch etwas, was sich nicht ausmachen ließ, eine Art unsichtbar erdrückender Gegenwart, Zeichen unbekannten Lebens in Bäumen und Gebüsch, Ahnungen von furchterregenden Erscheinungen, Spukgestalten und Dämonen. Patrício Macário, mit dem Kopf auf dem Ranzen ruhend, ohne schlafen zu können, zündete ein Zigarillo an und bot ein zweites dem Gemeinen Jonas an, der mit weit aufgerissenen Augen noch mehr Kleinholz ins Feuer warf und sich ein ums andere Mal bekreuzigte. Gierig nahm er das Zigarillo an und bat um Erlaubnis, es mit einem brennenden Scheit anzuzünden. Patrício Macário fragte, ob er Angst vor armen Seelen hätte, er sagte nein, wovor er Angst hätte, das wären Schlangen, auf diesem Grasland könnte er nicht einschlafen, weil er sicher wäre, daß eine Giftschlange kommen, ihn beißen oder ihm die Augen ausfressen würde. Mit gebührendem Respekt müßte er dem Herrn Leutnant zur Vorsicht raten, denn den Schlangen wäre es egal, wen sie zum Opfer nähmen, nur Kinder griffen sie nicht an, wie ja allgemein bekannt. Patrício Macário lachte und wollte etwas sagen, doch ein lautes Geraschel im Dickicht ließ alle aufhorchen. Sie hatten noch keine Zeit gefunden, die Quelle des Lärms zu ergründen, als die Blätter von neuem raschelten und hohles Gelächter quer durchs dichte Gebüsch zu laufen schien. Und schon kam leises Lachen, spöttisches, fast unzüchtiges Gekicher an mehreren Stellen aus der Finsternis hervor. Aber wie eine durch einen starken Luftzug gelöschte Kerzenflamme verstummten alle Geräusche auf einen Schlag, und wieder herrschte ringsum Totenstille.

»Was war das?«

»Das ist der Teufel! Vadirretra, Satanas!«

»Was war das, was war das?«

»Da war nichts, ich habe nichts gehört!«

»Es sind die Waldcaboclos, die dieses Weib begleiten!«

»Zu den Waffen, zu den Waffen!«

»Kornett!«

Trotz allgemeiner Panik und Verwirrung konnte Patrício Macário den größten Teil seiner Männer sammeln, wenn auch etliche entsetzt nach allen Seiten ausgebrochen waren und die Gelegenheit zur Fahnenflucht nutzten. Aber jetzt blieb keine Zeit, ihnen hinterherzuhetzen, Pikette und Spähtrupps mußten formiert, Fackeln entbrannt und die in verschiedene Sektoren aufgeteilte Umgebung von kleinen Gruppen in einem Radius von fast dreihundert Metern durchkämmt werden. Dann sollten sie sich wieder sammeln, falls sie nicht auf feindliche Einheiten gestoßen waren. Andernfalls sollten sie unverzüglich das Feuer eröffnen, und ihre Kameraden würden sofort zur Verstärkung herbeieilen.

Die vom Fähnrich Azevedo angeführte Patrouille überwand eine von Kriechbüschen bewachsene, kleine Schlucht und erblickte auf der oberen Seite eines hohen Hangs, fast eines Absturzes, einige in Fackel- oder Laternenlicht wankende Silhouetten.

»Halt! Wer da?«

»Männer des Hauptmanns Vieira, auf Spähtrupp!«
Der Fähnrich lächelte. Es waren Kameraden, sogar in diesem drämmrigen Licht konnte er sehen, daß sie Uniformen trugen.
»Fähnrich Sacramento?« fragte er den Mann, der gesprochen hatte. »Sacramento?«
»Sacramento, ja«, sagte der Mann, und das war das letzte, was der Fähnrich Azevedo im Leben hörte, denn heftiges Gewehrfeuer ging dort oben los, und er fiel bei der ersten Salve.
»Sie sind es! Das sind die Männer von Maria da Fé, die haben sich als Soldaten verkleidet!«
»Verdammte Bande, sie haben uns reingelegt!«
»Zurück, zurück! Der Fähnrich ist gefallen!«
»Feuer, Feuer auf sie!«
»Zurück! Wir müssen dem Leutnant Meldung machen! Zurück!«
Bald wußten alle, jeder auf seine Weise und in widersprüchlichen Fassungen, von dem als Heer in Erscheinung getretenen Feind, und das Ergebnis war – trotz verzweifelter Anstrengungen der Offiziere –, daß sich viele unglückliche Zusammenstöße zwischen den Spähtrupps ereigneten. Sie töteten sich gegenseitig in großer Zahl, und fast alle wurden verletzt bei dem Versuch, den Feind zu dezimieren oder sich irgendwohin in Sicherheit zu bringen. Noch lange Zeit hindurch erinnerten sich die Menschen an dieses Debakel, das von der Geschichte später als »die Niederlage von Baiacu« bezeichnet wurde, eine militärische Katastrophe, die gewöhnlich der eklatanten Verletzung der Kriegsethik durch die Aufrührer zugeschrieben wurde, wie auch dem Rückgriff auf Taktiken, die jeder anständig ausgebildete Offizier niemals in Betracht ziehen würde. Ganz abgesehen von den riesigen Kontingenten, die die Aufrührer mobilisiert hatten und die von Augenzeugen als eine entfesselte Horde Hunderter und Aberhunderter mit gewaltigen Sicheln bewaffneter, schmerzunempfindlicher, fanatischer Meuchelmörder geschildert wurden.
Diese Horde indes hatte wohl nach dem verhängnisvollen Zusammenstoß übereilt den Rückzug angetreten, denn dort bewegte sich nur noch eine kleine Nachhut von gewiß nicht mehr als zwanzig oder dreißig Mann. Eben die Männer, die nach dem vernichtenden Schlag gegen die Truppe den im Wald verirrten und von einer Kopfwunde benommenen Patrício Macário mit

dem Lasso einfingen, ihm die Arme am Körper festschnürten und ihn mit leichten Fußtritten in den Hintern zum Mitgehen nötigten.

Feldlager von Matange, den 28. Mai 1863

Keiner ist ganz sicher, aber es gibt Leute, die behaupten, daß Maria da Fé mit den Vögeln Zwiesprache hält und sich ausgezeichnet mit ihnen versteht. Bestimmt trifft es auf Seevögel zu, denn mehrmals wurde sie gesehen, wie sie mit Möwen plauderte oder mit Reihern und Eisvögeln lachte, und es trifft auch auf Landvögel zu, auf die Prachtmeisen, auf die Drosseln, die Kardinalvögel, die Ochsenblutvögel, auf die Talgkacker, die Grasfresser, die Bentevis, die Kanarienvögel, die Sittiche und viele andere, die in dieser Gegend überall anzutreffen sind. Und so sitzt sie wie ein kleines Mädchen auf der Astgabel eines Mangobaumes und blickt in die Höhe und befragt offenbar einen schwarzen Kolibri, der zwischen den Bäumen eifrig hin und her schwirrt und nach Kolibriart vor ihr in der Luft stehenbleibt und rückwärts fliegt. Der Kolibri ist stumm, doch das hindert ihn nicht, andere Verständigungsmittel zu verwenden, und niemand kann wissen, ob dieser Schwirrtanz nicht ein Alphabet ist.

Sie indes kann nicht lange verweilen, mag sie noch so eingehend Neuigkeiten mit dem Kolibri austauschen, denn sie hat zu tun. Sie muß einen Entschluß fassen, die beiden Dienstag nacht gefangenen Offiziere betreffend, die in zwei Kammern der verlassenen Sklavenhütte von Matange festgehalten werden, jener Hütte, die von ihr und ihren Männern immer, wenn sie in der Gegend sind, als Feldlager benutzt wird. Der Höherrangige, Hauptmann Vieira, hatte sich höchst anmaßend aufgeführt und mit schrecklicher Bestrafung für das schändliche Verbrechen gedroht, das an ihm verübt werde, doch mittlerweile war er ruhiger, ja geradezu umgänglich geworden, wollte nur unbedingt erfahren, was mit ihm geplant war, und bekundete sogar eine gewisse Sympathie für seine Bewacher. In kürzester Zeit, dessen war sie sicher, würde er für den Fall seiner Freilassung mit großzügigen Versprechungen winken, doch man sah ihm an, daß man ihm nicht trauen durfte. Sie hatte ihn nur einmal aus der Entfernung gesehen, doch sein Gaunergesicht war das einzige an ihm, was nicht log, eine Ansicht, die auch Budião teilte, der ihn schon einige Male erlebt hatte.

Der andere hingegen schien der Stolz in Person, er gab auf Fragen keine Antwort und blickte sie nur mit einem hochmütigen Haß an, der nur wegen der Ernsthaftigkeit, mit der er ihn durch Blicke und Haltung zum Ausdruck brachte, nicht komisch wirkte. Schon zweimal hatte sie durch eine Ritze der Kammerwand gespäht, während er mit Budião sprach. Am ersten Tag beschränkte er sich darauf, eine mit der Würde eines Offiziers vereinbare Behandlung zu fordern, erklärte, er erkenne die Rechtmäßigkeit seiner Haft nicht an, und ließ keinen Zweifel, daß er hier herauskäme und zurückkehren würde, um sie zu zermalmen, wie sie es verdienten. Obwohl das in Anbetracht der Umstände alles etwas töricht klang, sprach daraus doch auch eine gewisse Schönheit, und er selbst wirkte keineswegs häßlich auf sie mit seiner dunklen, vom Wetter getönten Haut, seinem hochgewachsenen, breitschultrigen Körperbau, seinem schönen, von Ringelhaar gekrönten Kopf, seinem ausgeprägten Kinn, den vollen Lippen, dem ansprechenden Schnurrbart. Ohne seine etwas breite und flache Nase hätte man ihn einen bildschönen Mann nennen müssen. Nein, nein, selbst mit dieser Nase war er hübsch; vielleicht wäre er mit einer anderen, besser proportionierten allzu hübsch gewesen. Ja, er sah gut aus, er war ein schöner Mann – und Maria da Fé zuckte es über die Haut, und sie wünschte sich, ihn wiederzusehen.

Doch sogleich empfand sie bei dem Gefühl Ärger. Wie konnte sie, wenn auch nur in Gedanken, einem solchen Wunsch nachgeben? Nein, es durfte nicht sein. Von Anfang an hatte sie gelernt, daß sie, um Männern gleichgestellt zu sein, besser sein mußte als sie, um so mehr, als sie Männer führen mußte. Nein, keine Schwachheiten, keine verwirrenden Gefühle, die zu Tagträumereien oder gar zum Verlust der Selbstbeherrschung führen konnten, nichts dergleichen. Wäre sie ein Mann, sie könnte gleich mehrere Frauen haben, da sie aber eine Frau war, durfte sie keinen Mann haben, es sei denn einen, der weder versuchte, sie unterzukriegen, sie beherrschen wollte noch glaubte, er hätte sie bereits unterworfen, nur weil er mit ihr ins Bett gegangen war.

Doch das gab es nicht, es war müßig, an dergleichen Dummheiten zu denken.
Sie warf den Zweig fort, den sie in der Hand gehalten hatte, seit sie auf dem Mangobaum saß, ließ den Blick umherschweifen, sah die Betriebsamkeit ihrer Männer auf dem Gelände, winkte José da Rosa, der wie immer als Späher in einer Baumkrone hockte und betrat die Baracke, in der Budião schon auf sie warten mußte. Sie fand ihn eingenickt und sagte zu ihm im Scherz, er werde alt.
»Ich bin es bereits«, sagte er. »Nur du wirst nicht alt, du hast noch immer dasselbe Gesicht, niemand wird dir mit deinen über dreißig Jahren mehr als zwanzig geben.«
»Weil ich nur alle vier Jahre Geburtstag habe«, lachte sie. »Du hättest dir deinen Geburtstag besser aussuchen sollen.«
»Ich weiß noch nicht mal, wann der verflucht noch mal ist, ich glaube, damals zu meiner Zeit gab es noch keinen Kalender. In meiner Heimat Afrika, da zählt kein Mensch Jahresdaten.«
»Du bist so alt wie der Teufel, ob hier oder in Afrika. Und Merinha, geht es ihr besser?«
»Ja, es fehlt ihr nichts. Geschieht ihr recht, denn dickköpfig wie sie ist, wollte sie ja unbedingt mitkommen. Aber diese Strapazen hält sie nicht mehr aus.«
»Aber du glaubst, daß du sie aushältst, obwohl du älter bist als sie?«
»Ja, aber ich muß auch nicht ihre Krautstampfer und ihren Mordshintern mitschleppen.«
»Hör mal, du sprichst von deiner Frau!«
»Aber ich mag sie ja! Ich mag es, daß sie so richtig dick und schwarz ist! Du wirst nie erleben, daß ich mich mit so einem Storchbein wie dir zusammentue, ich finde, ein Mann braucht Fleisch bei einer Frau. Nein, wenn sie ihren mächtigen Steiß nicht mehr hätte, dann wär sie auch ihren mächtigsten Stößel los, nämlich mich, der ich noch stramm und tüchtig dabei bin, es gibt noch welche, die mich mögen.«
»Laß das schamlose Geschwätz, Mensch, hör auf, dir Blödsinn auszudenken, nimm dir ein Beispiel an mir, ich habe nie dummes Zeug im Kopf!«
»Aber du bist anders. Du bist Dona Maria da Fé.«
»Mag sein. Und jetzt?«

»Und jetzt was?«
»Jetzt werden wir gleich entscheiden, was mit den beiden dort zu tun ist«, sagte sie und fühlte plötzlich ein wenig Lebensmüdigkeit und ein wenig Angst, denn bei der Erwähnung der Offiziere mußte sie sofort an den jüngeren denken und erschauerte gleich wieder, und es war weder ein Kälte- noch ein Fieberschauer, sondern etwas zugleich Sanfteres und Überwältigenderes, etwas, das ihre Beine hochlief, nicht in der Haut, nicht im Fleisch, nicht in den Knochen, nirgendwo in den Beinen, sondern irgendwo dazwischen. »Und jetzt?« fragte sie lauter als beabsichtigt und stand auf, um dann unruhig durch die Baracke zu gehen.
Budião bemerkte, daß die Offiziere ihnen wenig oder gar nichts nützen konnten. Zunächst schien es ein guter Gedanke, ein Lösegeld für sie zu fordern, einen Zuschuß für die eigenen Ausgaben, zumal sie ja, wie sie wußte, immer oder fast immer mittellos waren und zunehmend von der Hilfe der befreundeten Landarbeiter oder der einen und anderen gleichfalls immer selteneren Plünderung abhingen. Aber was für ein Lösegeld? Das Heer bezahlte ja nicht einmal seine eigenen Soldaten, die zerlumpt herumliefen und irgendwelche Gelegenheitsarbeiten annahmen, Schwarze überfielen und meuterten. Immer mehr ging die Rede von reichgewordenen Kommandeuren, die ihren Untergebenen die ausstehenden Soldzahlungen gegen Zinsen vorstreckten, die dreimal so hoch waren wie bei jedem normalen Geschäft. Und von anderen, die gleichfalls ihre Geldkassetten füllten, indem sie die seltenen Zahlungen, die eingingen, gleich für sich behielten und für Waffen-, Versorgungs- und sonstige Käufe Kommissionen kassierten. Daher war an Lösegeld für die beiden gar nicht zu denken, zumal sie Uniform trugen aus keinem anderen Grund als dem, daß sie vorher ziemlich wüst gelebt und es zu keiner anständigen Beschäftigung gebracht hatten, so daß eine Lösegeldforderung an die Familie, falls sie überhaupt Familien hatten, gar nicht in Betracht kam.
»Wenns nach mir ginge«, sagte Budião, »dann würden wir sie mit einer Keule einmal kräftig durchklopfen und ... Sie mögen Prügel, hier in Baiacu haben sie zwei von ihnen mit ich weiß nicht wieviel Säbelhieben umgebracht und einen dritten auf Lebzeiten lahm geschlagen. Also verabreichen wir ihnen eine gesunde Prügelstrafe und bringen sie hinterher um. Und je früher,

desto besser, denn wir müssen hier schleunigst raus, es wird nicht lange dauern, bis sie uns mehr Leute auf den Hals hetzen, und nicht alle Truppen werden so sein wie die, die wir erlebt haben. Das ist meine Meinung.«

Maria da Fé war anderer Ansicht. Was wäre mit einer so dummen Rache gewonnen, die doch nur die niederen Instinkte nähren konnte, die wir zwar alle in uns haben, aber doch nicht ins Kraut schießen lassen dürfen? Sie staunte über Budião. Sicherlich waren Gewalt und Tod manchmal unvermeidlich. Auch sie hatte damals zugestimmt, daß seine Rache an Almério mehr als gerecht gewesen war, als Beispiel für alle, welche das böse und hinterhältige Leben des Verwalters miterlebt hatten. Sie war auch nicht gegen viele andere Dinge gewesen, die sie getan hatten und noch immer taten. Aber einfach töten, töten, um zu töten, aus Rache, die nur böse Früchte tragen kann? In solcher Gesinnung waren die zahlreichen Gespräche zwischen ihnen und anderen doch nicht geführt worden. Nicht in solchem Geist war an das zwar immer ungewisse, aber nie zu vergessende Vorhandensein der Bruderschaft zu denken. Das war nicht, was sie taten, das war nicht, wofür sie kämpften.

Budião senkte einen Augenblick den Kopf, dann reckte er ihn entschlossen hoch. Ja, er gab ihr recht, daß es keine Gewalt geben dürfte, aber es gab sie, ob er nun zustimmte oder nicht. Es gab so viel Gewalt, daß er sie in seinem ganzen Leben zur Gefährtin gehabt hatte, ob nun in ihm selbst, bei den Brüdern seiner Rasse, unter den Weißen, überall. Daher ist die Gewalt eben Teil des Daseins und es ist besser, wenn sie zu unseren Gunsten ist, als wenn sie gegen uns ist. Natürlich löste Gewalt zu guter Letzt nichts, aber brachte etwas anderes denn Lösungen? Würden die beiden Offiziere freigelassen und liefe dann einer von uns ihnen über den Weg, dann würden sie doch auch versuchen, ihn auszupeitschen und zu töten, oder? Es war also eine Frage der Gelegenheit, ja, eine Frage des Lebensgesetzes selbst: Jede der beiden Seiten versucht die andere unterzukriegen und zu töten, und wenn der eine töten kann, dann tut ers, und wenn der andere kann, dann tut ers auch.

Sie hatte da von der Bruderschaft gesprochen, in der Gewißheit, daß sie in seinem Herzen ein Echo fand. Die Bruderschaft war Teil ihrer aller Leben, immer hatte sie ihnen Auftrieb gegeben,

Ansporn und Hoffnung, und einige Male schien sie sich sogar zu bekräftigen, aber sie hatte ja selbst gesagt, es war ungewiß, ob es sie gab, und genau so war es. Was taten sie also, wozu kämpften sie eigentlich? Wozu hatte er in der Provinz gekämpft und einen Freibrief errungen, der ihm nichts genutzt hatte? Wozu hatten sie sich in so viele Wirrnisse, in so viele Kämpfe gestürzt? Weil es sein mußte, das nahm er hin. Aber wozu sonst noch, was gab es außerdem? Warum hatten sie nicht mehr aus den Geheimnissen des Korbs von Júlio Dandão gelernt, was war die Daseinsberechtigung der Dinge, was war das, worauf sie zustrebten? Vielleicht war er schon älter, als er dachte, weil ihn jetzt immer häufiger dieses sonderbare Gefühl überkam, daß er an allem zweifelte, was nicht ganz greifbar war, und nicht an allzuviel mehr glaubte.
Maria da Fé erwiderte, sie stimmte ihm da nicht zu. Er selber glaubte doch an die Freiheit, er würde ja sogar lieber sterben als ohne sie leben. Und glaubte er nicht auch an die Gerechtigkeit? Sie glaubte an die Gerechtigkeit, glaubte, daß eines Tages Gerechtigkeit geschaffen würde, daß es ein Volk gab und nicht bloß eine Horde seelenloser Menschen, eine Menschenmasse, sie glaubte, daß auch das Volk daran glauben müßte und daß sie beide dafür einiges tun müßten. Doch den Sinn jeder einzelnen Handlung, nein, den kannte sie nicht. Viel mehr als das, was sie gesagt hatte, nein, viel mehr wußte sie nicht. Und die Geheimnisse des Korbes, das wußte er doch, waren eher Geheimnisse des Wie als Geheimnisse des Warum. Ja, es ging darum, wie das Warum zu finden war, denn das Warum – das stand in den Geheimnissen – entdeckt man nur im praktischen Leben eines jeden selbst, und mit diesem praktischen Leben hatten sie es zu tun. Wenn Júlio Dandão gesagt hatte, man sollte die Reichen töten, so hielt sie dem entgegen, daß es mehrere Formen des Tötens gab; und diejenige, bei der man einen tötet, nur damit ein zweiter, genau gleicher an seine Stelle tritt, ist zwecklos. Sicherlich war das so, weil Júlio Dandão noch am Anfang stand in der Entdeckung der Erkenntnis, zu der die Geheimnisse lediglich das Tor öffneten, und diese Erkenntnis wurde durch sie vervollständigt, Dandão hatte selber gesagt, daß es so sein sollte. Nicht eigentlich vervollständigt, vielmehr durch sie fortgeführt, denn wie Dandão mit einem Blick auf den Korb gesagt hatte, Erkennt-

nis ließ sich nie vollenden, mußte vielmehr ständig weiter vollendet werden, so daß andere nach ihnen kommen würden, um diese Aufgabe fortzuführen – ob das die Bruderschaft war? –
Was, glaubte er, hatte sie an dem Tag getan, als sie, mit Hilfe von Merinha und Martina verkleidet, zum Haus des verstorbenen Zé Pinto in Manguinho ging, um den Korb zu holen, dessen Versteck nur sie kannte? Alle Vertrauenswürdigen, sogar einige, die später dann zu ihnen gestoßen waren, hatten sich dort versammelt, denn das Ganze war wie eine Zeremonie, und Maria da Fé hatte gesagt, ja, sie würde den Korb einen Augenblick öffnen. Und wußte er, was sie getan hatte? Zur Verwunderung aller, ja zum Entsetzen, entfernte sie sich von der Gruppe mit dem Korb in ihren Händen, öffnete ihn, blickte eine Sekunde hinein, und statt etwas herauszunehmen, legte sie etwas hinein.
»Ich habe etwas hineingelegt«, sagte sie. »Ein Stück Papier mit ein paar neuen Schritten zur Erkenntnis und zu den Geheimnissen, die ich, glaube ich, entdeckt habe.«
»Was für Schritte?«
»Ich weiß nicht recht, ich bin meiner Sache nicht sicher. Deshalb habe ich sie ja in dem Korb verwahrt.«
»Schon gut, dann mach mit den Männern, was du willst.«
»Nicht, was ich will, sondern was getan werden muß. Diese Männer wissen es nicht, aber sie sollten auf unserer Seite stehen, denn sie gehören auf unsere Seite. Wenn sie ein bißchen nachdächten, würden sie sehen, daß sie nicht auf die Seite derer gehören, die sie ausbeuten und sie wie Schafe zur Schlachtbank schicken, nur damit ihre Herren ihr Wohlleben gesichert sehen, sondern daß sie auf unsere Seite gehören. Sie sind gefährlich, weil sie an die Lügen glauben, die sie sich gegenseitig predigen. Lügen, die sie den Soldaten stets eingeredet haben und an die sie schließlich fester glauben als an sich selbst. Wir können nichts mehr ändern, was ihre Köpfe angeht, aber wenn wir sie ihnen abschlagen würden, könnten wir anderen Köpfen Schaden zufügen. Natürlich werden wir allen die Köpfe abhauen, die darauf aus sind, uns die Köpfe abzuhauen, aber ich denke, wie ich schon gesagt habe: Ich will nicht einen abhauen, nur damit ein neuer nachwächst.«
»Gut, einverstanden. Was also tun wir?«
»Ich glaube, ich weiß es. Sag unseren Leuten, daß wir morgen in aller Frühe das Lager auflösen. Und heute nacht brauche ich ein

Boot, um eine Sache zu erledigen. Und bitte auch Merinha, daß sie zu mir kommt, ich muß mit ihr sprechen.«
»Was willst du tun?«
»Nichts, nichts werde ich tun. Ich werde den beiden ein starkes Schlafkraut in ihr Essen mischen lassen, und dann werde ich warten, bis die beiden eingeschlafen sind, nehme sie im Boot mit und setze sie nachts am Walfischkap ab.«
»Am Walfischkap? So weit weg?«
»Aus zwei Gründen. Erstens wissen sie nicht, wo sie hier sind, und werden nicht wissen, wie lange sie unterwegs waren, um bis dorthin zu kommen. Und außerdem gibt es am Walfischkap Leute, und ich brauche Leute, um zu tun, was ich mit ihnen tun will.«
»Was willst du denn mit ihnen machen? Ich versteh nichts, ich finde das alles sehr kompliziert.«
»Nichts ist kompliziert. Es ist bloß ein Scherz, den ich mir erlauben will.«
Lächelnd verließ sie die Baracke, als erinnere sie sich an etwas Lustiges. Sie ging langsam, blickte in die Landschaft und blieb unwillkürlich vor der Kammertür stehen, hinter der der jüngere Offizier eingesperrt war.
»Mach die Tür auf, Zé Popó, ich will rein«, sagte sie zu einem der beiden Wachposten, und sie selbst war überrascht über das, was sie da tat.
»Du willst da rein, Dona Maria da Fé?« fragte Zé Popó erstaunt. »Und wirst du dir von dem Mann da ins Gesicht sehen lassen?«
»Viele Leute haben schon mein Gesicht gesehen. Und dann und wann zeige ich mein Gesicht gerne. Los, mach auf. Wartet hier draußen, bis ich euch rufe.«
Patrício Macário wurde von dem plötzlich durch die offene Tür eindringenden Licht geblendet, es mußte eine Traumvision sein, diese hochgewachsene, bildhübsche Frau, in Kleidern, wie er sie an den Frauen, mit denen er zusammenlebte, nie gesehen hatte, dieser stolze Gesichtsausdruck, wie andere Frauen ihn nie zur Schau getragen hatten, und vor allem diese leuchtende, warme, gelassene Schönheit; er rieb sich die Augen. Sie blieb stehen und blickte ihn lange wortlos an, er wollte etwas sagen und fand keine Worte.

»Also?« sagte sie schließlich und ließ den Blick durch die Kammer schweifen. »Werden Sie mit der einem Offizier gebührenden Würde behandelt?«
»Darf ich erfahren, mit wem ich spreche?«
»Mein Name«, sagte sie, »ist Maria da Fé.«
Er tat einen Schritt rückwärts und schüttelte den Kopf wie jemand, der ein verstopftes Ohr hat.
»Wie bitte?«
»Maria da Fé. Sie werden schon von mir gehört haben. Und übrigens sind Sie hierhergekommen, um mich zu sehen, soviel ich weiß. Nein, nicht um mich zu sehen, um mich zu töten, habe ich recht?«
Patrício Macário nahm Haltung an.
»Sie haben recht, vollkommen recht. Um Sie gefangenzunehmen und Sie eventuell zu töten, falls Sie Widerstand leisten.«
»Nein. Um mich zu töten. Sie sind gekommen, um mich und uns alle zu töten. Das tut das Heer immer.«
»Das ist nicht wahr. Das brasilianische Heer...«
»... ist nicht mehr als eine Horde allseits verhaßter Rohlinge, deren hauptsächliche Mission darin besteht, ihr eigenes Volk zu bekämpfen.«
»Ich protestiere! So können Sie nicht mit mir reden! Das ist eine schwere Beleidigung, die ich nicht hinnehmen kann und...«
»Natürlich ist das eine schwere Beleidigung. Die Wahrheit beleidigt sehr oft. Und bitte versuchen Sie nicht zu schreien, Sie sind hier nicht in der Kaserne, wo Sie mit den anderen großen Helden zusammenleben, aus denen das Militär besteht. Ich bin nicht gekommen, um mit Ihnen zu diskutieren, ich bin gekommen, den Gefangenen zum ersten und letzten Mal zu sehen, ich bin immer neugierig auf den Typ von Mann gewesen, dessen Ideal es ist, zu töten oder zu sterben und ein Leben lang strammzustehen. Stehen Sie bequem, ich bin kein General.«
»Das ist völlig unannehmbar! Vor Ihrer Anmaßung und Unverschämtheit werde ich mich nicht beugen! Ich bin Offizier des Kaiserlichen Heeres, ich vertrete die höchste Macht der Nation, und die Tatsache, daß ich hier einem Zwang unterworfen bin, schüchtert mich nicht ein. Wenn Sie mich mit Drohungen oder Ankündigungen einer Hinrichtung erschrecken wollen, verlieren Sie Ihre Zeit. Sie sollen wissen, daß ich Ihren mich betreffen-

den Entschlüssen nicht die geringste Bedeutung beimesse, auch bringt mich das keinen Daumenbreit von meiner festen Absicht ab, für den Fall, daß ich die Flucht ergreifen kann, diese pöbelhaften Aufrührer, welche Sie bei Ihrer vaterlandsfeindlichen Tätigkeit repräsentieren und anführen, der Justiz und gerechten Bestrafung zuzuführen.«

»Was ist das Vaterland?«

»Diesen hohen Begriff werde ich nicht einer Frau aus dem Volk erläutern, einem Abgrund aus überheblicher Unwissenheit, einer ordinären Banditin. Das Vaterland bin ich!«

»Das Vaterland bist du«, sagte sie lachend. »Und das Volk bist du.«

»Ich habe nicht vom Volk, ich habe vom Vaterland gesprochen!«

Maria da Fé verwandelte ihr Lachen in Lächeln, fast zärtlich blickte sie ihn an, seine kindisch trotzige Art gefiel ihr, was hatte dieser Mann nur? Doch gleich darauf veränderte sie ihren Gesichtsausdruck.

»Hören Sie auf zu schreien, Herr Offizier.«

»Hören Sie auf, mich zu beschimpfen!«

»Leben Sie wohl, Herr Offizier! Wie ist der Name des Herrn Offiziers?«

»Patrício Macário Nobre dos Réis Ferreira-Dutton, Leutnant!«

»Ein gräßlicher Name. Leben Sie wohl, Herr Offizier.«

»Einen Augenblick! Ich verlange, daß man mir Aufklärungen gibt! Ich verlange ...«

Die Tür fiel zu, und Maria da Fé blieb noch einige Zeit vor ihr stehen. Doch dann ging sie weiter und traf auf Merinha, die sie suchte und ihr sagte, wenn sie zwei Pflanzen, die überall hier in Matange wild wuchsen, mischte, und zwar eins zu vier, und wenn sie daraus einen Extrakt zubereitete, würden zwei Tropfen genügen, um einen ausgewachsenen Mann zum Schlafen zu bringen, zwei Tropfen, die nach nichts schmeckten und kein Gericht und kein Getränk veränderten. Auch lähmten sie nicht und verursachten keinen Brechreiz, setzten einen nicht außer Gefecht, schläferten nicht einmal richtig ein, sondern raubten dem, der es dem Zweck entsprechend einnahm, nur das Bewußtsein. Sehr gut, erwiderte Maria da Fé, richte alles her.

Nachts, noch ziemlich früh, aber schon stockdunkel, besah sich Maria da Fé das Boot und kehrte dann ins Feldlager zurück, um zu erfahren, ob die Offiziere gut gegessen hatten. Sie hätten sehr gut gegessen, sagte Merinha, und wenn die verdammten, tückischen Krautbüschel sie nicht im Stich ließen, müßten sie schon mehr jenseits als diesseits sein. Nun befahl Maria da Fé, die beiden Männer nackt in ihren Kammern liegenzulassen und die Uniformen für alle Fälle aufzubewahren. Aber sollten sie ihnen nicht etwas anderes anziehen? Nein, sagte sie, nackt. So geschah es, und sie sah, kurz bevor sie auslaufen wollten, noch einmal nach, wie die Dinge lagen. Alles war in Ordnung, ganz wie geplant, man wartete nur auf den Befehl, um die Männer ins Boot zu bringen.
Wieder blieb sie vor Patrício Macários Kammer stehen, wieder befahl sie, die Türe zu öffnen.
»Ich muß noch etwas tun.«
»Aber er schläft da drinnen nackt!«
»Dann legt ein Bettlaken über ihn.«
Sie ging hinein und schloß die Tür, da lag er, nur sein Kopf schaute im schwachen Lichtschein eines Öllämpchens unter den Falten des Tuchs hervor. Sie blieb vor der Pritsche stehen, von neuem wurde ihr heiß, sie schloß einen Augenblick die Augen und ballte ihre Fäuste so sehr, daß sich die Fingernägel in die Handflächen gruben. Ihr Herz flog, ihr Atem stockte, aber mit unbeschreiblichem Wohlgefühl im ganzen Körper beugte sie sich über ihn, so schön und stark, schlummernd wie ein unschuldiges Kind, und ganz langsam hob sie das Leintuch und entblößte ihn, als fürchte sie, ihn zu wecken.
Was tat sie dann? Niemand weiß es. Man weiß nur, daß sie nach einer Weile mit fast verschmitztem Gesichtsausdruck heraustrat, möglicherweise wegen des Streichs, den sie ausführen wollte. Sie brachte die beiden im Fischsegler zum Walfischkap und ließ sie in aller Stille auf dem Largo da Gloria, dem Platz-des-Ruhms, mitten unter den Bäumen, pudelnackt liegen.
Am nächsten Tag wurden sie, noch immer nackt, aufgefunden und waren Anlaß für Gelächter und Aufsehen im ganzen Städtchen, bis man ihnen Kleider besorgte und den wunderbaren Bericht ihrer Unbill durch die Hand der großen Banditin Maria da Fé hörte. Schwere Unbill, die durch die Zeugenberichte ihrer

Freunde noch lebendiger wurde, denn unter denen, die von dem Ereignis wissen, wird bekräftigt, es seien die Bentevis gewesen, die das Volk des Städtchens geweckt hätten, damit es die nackten Männer sehen konnte, die Drosseln mit ihrem hintersinnigen Lied, die den Vorfall besangen, und der kleine schwarze Kolibri, der zu ihr zurückflog, um ihr zu erzählen, wie alles verlaufen war.

13 Walfischkap, den 7. Januar 1865

Unter den Hunderten, ja vielleicht Tausenden von überragenden Helden und Patrioten, welche die Landstriche und die Geschichte der Insel und des ganzen Recôncavo bevölkern, lebt keine Gestalt, die so gewaltig wäre, daß sie João Popó in den Schatten stellen könnte. Es mag berühmtere geben, geistig oder militärisch verdienstvollere, in der Redekunst bewandertere. Doch unter all diesen wird kein einziger sein, dessen Herz größere Liebe zum Vaterland, mehr Bürgersinn, heißer entflammte Leidenschaft für die heimatliche Scholle birgt, oder je geborgen hat, als das des alten João Popó. Und auf der ganzen Insel gibt es niemanden, der am siebten Januar, bei den Gedenkfeierlichkeiten anläßlich des bedeutsamen Datums, so freudig frohlockt wie er, dessen Augen alle Augenblicke von siebenquelligen Tränen überströmen, dem das Herz fast aus der Brust hüpft, in dessen Kehle vor Erregung das Wort stockt. Dieser Tag feiert, wie alle echten Brasilianer wissen, den Endsieg der Itaparicaner gegen die Bande der Unterdrücker. Sie versuchten die Insel einzunehmen, die Speichellecker und Verräter, doch als sie ihre Kriegsschiffe auf das Bahia gegenüberliegende herrliche Ufer zusteuerten, verwandelten sich alle Strände in Donnerhöhlen, so heftig feuerte das itaparicanische Gewehrfeuer. Sie versuchten Amoreiras zu nehmen und wurden mit Messerstichen und Steinwürfen zurückgeworfen; sie versuchten Ponta de Areia zu nehmen und wurden mit Faustschlägen und Fußtritten zurückgeschlagen, sie versuchten Walfischkap zu nehmen und wurden von den Inselmatrosen niedergemetzelt; sie versuchten, Mocambo zu nehmen und wurden von einem Heer von kampfbereiten Weibern und Kindern dezimiert.

Und daran denkt der alte João Popó, während er die Kanalstraße hinuntergeht, in großer Eile, weil der festliche Umzug gleich beginnen wird. Die in seiner Brusttasche gefalteten Notizblätter zu der Stegreifrede, die er im Rathaus halten wird, lassen sein Brustbein, das ohnehin gewölbt ist wie bei einem Hahn, noch stärker hervorspringen. Er ist eleganter gekleidet als alle die gut gekleideten Fußgänger, die er, je nach dem Grad der Freundschaft und Wertschätzung für jeden einzelnen, mit mehr oder minder weit gezogenem Hut grüßt. Doch er bleibt nicht stehen, um zu plaudern, und entschuldigt sich, sobald jemand ein längeres Gespräch anfangen möchte, denn er hat es eilig, er hat noch viel zu erledigen, heute ist der große Tag. Und alle verstehen das, denn sie kennen seinen kompromißlosen Patriotismus und wissen von dem außergewöhnlichen Beitrag, den er zu den Festlichkeiten beisteuert, dadurch, daß er – in Anbetracht der Unsicherheit und Unzulänglichkeit öffentlicher Zuschüsse – den größten Teil der Unkosten aus eigener Tasche bestreitet.

So stört niemand seinen Weg durch die Kanalstraße zum Campo Formoso hin, auch wenn niemand weiß, daß er dort entlanggeht, weil er diskret sein und nicht im Gewimmel der Kirchstraße gesehen werden will. Er ist ein Mann von großem Verantwortungsbewußtsein, einer Verantwortung, der nur ein wohlsituierter Mann nachkommen kann. Und wohlsituiert ist er, sein Besitz umfaßt nicht nur den Schlachthof und die Metzgereien auf der Insel und in Bahia, sondern auch die Lagerschuppen, die kleinen Fazendas, die Mietshäuser, die sechs Fischerboote. Deshalb kann er nicht nur das Fest vom Siebenten Januar mitfinanzieren, sondern auch das tun, was er jetzt tut. Wer einen Augenblick stehenbleibt, um ihn vorüberschreiten zu sehen, wird bemerken, daß in einem Abstand von gut hundert Metern Militão und Boanerges hinter ihm drein marschieren, zwei seiner schwarzen Fleischer, die Taschen ihrer Lederschürzen voll mit Stücken von Kamm und Fehlrippe und mit zwei Weidenkörben mit den Hälften von Junglämmern, die er jedes Jahr für das Festtagsmittagessen schlachten läßt. Der Gedanke war ihm nach einer Rede gekommen, die er, nun schon vor langer Zeit, gehalten hatte und in der er die Heldentaten der Inselbewohner beschworen und dabei ausgerufen hatte, sie seien nicht länger eine Herde von Schafen, auf die Weide geführt, von Dieben und Taugenichtsen im Sold der lusitanischen Krone. Nichts war daher geeigneter, den Tag im Geist der Itaparicaner richtig zur Geltung zu bringen, als die Kraft der Metapher mit der Kraft der Mahlzeit zu verbünden und in jedes Haus Lamm liefern zu lassen.

Nicht in jedes Haus von Walfischkap natürlich, heute bereits groß und blühend und unter dem offiziellen Namen ›Tapferes Städtchen Itaparica‹ zur Stadt und zum Sitz der Gemeinde erhoben, sondern in die Häuser von João Popós Familien. Denn zu seinen wichtigsten Verantwortlichkeiten gehört auch die Verpflichtung, für den Unterhalt einer Anzahl von Abkömmlingen zu sorgen, die selbst für eine Gegend mit so fruchtbaren Frauen, wie die Insel es ist, als beträchtlich angesehen wurde. Mit Iaiá Candinha, seiner rechtmäßigen Frau, hatte er achtzehn Kinder, die alle heranwuchsen außer Olegário, der im zehnten Lebensjahr an einer vereiterten Zahnwurzel gestorben war. Mit Iaiá Menina, Candinhas Schwester, hatte er elf, von denen zwei aber tot geboren wurden, so daß neun übrigblieben. Mit der Negerin Laurinda, aus Anrichte und Küche von Meninas Haus, hatte er drei, alles Jungen und bärenstarke Mulatten. Mit Maria Zezé, Candinhas Nichte, die in Mutá wohnt, aber jedes Jahr zum Fest ihre Tante besucht, hatte er vier, die noch bei der Mutter leben, mit Ausnahme von Perolina, die geheiratet hat und mit ihrem Ehemann nach Santo Antônio de Jesus verzogen ist. Mit Rufina-vom-Hügel, in der das Volk eine Hexenmeisterin sieht, hatte er fünf, ebensoviele wie mit der Frau, für die er ein Haus in Ponta do Trilho gebaut hatte, deren Namen ungewiß ist, die aber in der Nachbarschaft als Maria-das-Silberstück bekannt ist. Mit den jungen Negerinnen aus dem Besitz seines Vaters und aus seinem eigenen hatte er über zwanzig gezeugt, vielleicht sogar dreißig, obwohl Chico Popó, sein während des Unabhängigkeitskrieges verstorbener älterer Bruder, es gleichfalls gerne mit den Negerinnen getrieben hatte, so daß einige der Kinder genausogut von ihm stammen mochten. Und mit anderen Frauen, einer Patentochter hier, einer Gevatterin dort, einer Kusine auf Besuch, einer oder zwei Hausgehilfinnen, hatte er noch ein paar, mitunter mehr als nur ein paar, so daß niemand die genaue Anzahl seiner mittelbaren und unmittelbaren Abkömmlinge wissen kann, schon weil die beiden Hauptzweige verschiedene Namen haben: der von Candinha lautet Azevedo, der von Menina Batista, so daß man über die Verwandtschaft leicht den Überblick verlieren konnte, wäre da nicht der Umstand, daß die Leute fast alle mit ihren Taufnamen rufen und den Nachnamen Popó anhängen.

Bei einem so weitverzweigten Baum fällt es schwer, die hervorragendsten Früchte vorzuzeigen. Indes läßt sich sagen, daß es bei den Popós alles mögliche gibt, angefangen bei Luiz Popó, der nie ein Bad nimmt, den ganzen Tag Schnaps trinkt und zwischen den

Mauleselinnen haust, bis zu Lafayette Popó, der dank des väterlichen Ansehens als städtischer Bauführer begonnen hatte und rasch zum reichen Eigentümer mehrerer Landgüter und Stadthäuser aufgestiegen war. Und überall gibt es Popós, denn nicht alle sind in Itaparica oder überhaupt im Recôncavo geblieben. Einige zogen ins Hinterland, andere siedelten zum Kaiserhof über, wieder andere verschwanden in der weiten Welt, ohne je eine Nachricht zu senden.

Doch von allen sind die Kinder von Rufina-vom-Hügel die berühmtesten. Es sind Zé Popó, Dionísio Popó, Vavá Popó, Geminiano Popó und Rita Popó. Rufinas Blut, ein Gemisch aus Kap-Verdisch mit afrikanischem Mina und Azorianisch, wurde immer als sehr stark angesehen, also sind die Jungen wohl nach ihr geschlagen, obwohl João Popó selbst, der heute, wenn er auf die Straße geht, nur deshalb keine Keule mehr trägt, weil seine Stellung es ihm nicht erlaubt, von den Älteren als einer beschrieben wird, der überall einen Mordswirbel machte, ein großer Hurer vor dem Herrn, der überall Streit vom Zaun brach und krakeelte und überhaupt ein begnadeter Schläger war. Jedenfalls sind sie alle ziemlich rauhe Burschen, die Söhne, wahre Teufel, mit denen sich niemand anlegen will. Zu allem Überfluß hatte sich Zé Popó in einem Alter, von dem man etwas mehr Verstand erwarten durfte, der Bande von Maria da Fé angeschlossen, tauchte aber trotzdem gelegentlich im Städtchen in dieser oder jener Verkleidung auf, um Krach zu schlagen, junge Mädchen aus gutem Hause zu besuchen und respektlos zu behandeln und die Behörden herauszufordern.

João Popós Sorge um die Nachkommenschaft indes geht im Augenblick nicht viel über die Notwendigkeit hinaus, die Lämmer auszutragen, jetzt, wo er Militão ein Zeichen macht, Richtung Sankt-Antonius-Hügel zu eilen, wo er Rufina und den anderen Frauen die Sachen auszuhändigen hat, und Boanerges sagt, er soll Iaiá Meninas Haus durch die Seitentür betreten, um sich mit den Küchennegerinnen einig zu werden. Er rückte den neuen Frack zurecht, nestelte an seinem Vatermörder, reckte sich und trat ein, ohne nach links oder rechts zu blicken. Wie immer saß Menina in ihrem Schaukelstuhl und nähte im Licht des Fensters, und wie immer bei João Popós Eintreten hob sie nicht die Augen. Seit dem Tag, als er, damals ihr Verlobter, die Familie dadurch empört hatte, daß er Candinha geschwängert hatte und deshalb zur Ehe mit ihr gezwungen worden war, richtete Menina nicht mehr das Wort an ihn, außer um Fragen zu beantworten. Die Kinder, die sie gezeugt hatten, hatten sie wortlos gezeugt, und wenn sie ihm etwas zu sagen hatte, tat sie das durch die Negerin Laurinda. Anfangs versuchte João Popó sie von dieser starrsinnigen, hochmütigen Haltung abzubringen, doch sie blieb ungerührt, so daß er sich schließlich daran gewöhnt hatte.

Er blieb an der Tür stehen und wartete vergebens auf ein Zeichen, daß sie ihn zur Kenntnis genommen hatte.

»Also denn«, sagte er nach einem Räuspern. »Ich komme nur vorbei, um Euch mitzuteilen, daß der Neger Boa mit den zwei Lämmern für das Mittagessen da ist. Wo ist Laurinda?«

Sie deutete mit dem Kopf nach der Anrichte, und er ging hinein, wo er die Negerin in der Küche im Gespräch mit Boanerges antraf.

»Ich wünsche diese Unterhaltungen in der Küchentür nicht!« sagte er energisch. »Hast du die beiden Lämmer schon ausgeladen, Boanerges?«

»Ja, Nhô.«

»Hast du das Fleisch abgeliefert?«

»Ja, Nhô.«

»Was treibst du dich dann noch hier herum wie eine schwatzhafte Alte? Geh und tu deine Arbeit, bevor ich aus der Haut fahre!«

Er wandte sich an Laurinda und gab ihr einen Klaps auf den Hintern.

»Na, schönes Kind, hast du mir was zu bestellen?«

»Iaiá Menina möchte wissen, ob Ioiô heute hier zu Mittag essen wird. Sie sagt, schon seit acht Jahren verspricht Ioiô, am Siebenten Januar hier bei ihr zu Mittag zu essen, und das ist bis heute nicht geschehen.«

»Wie soll ich denn hier bei ihr zu Mittag essen? Heute empfange ich zu Hause hochgestellte Persönlichkeiten, vornehme Herrschaften, Dona Candinha ist schon seit vier Uhr in der Früh auf den Beinen. Was für ein schwachsinniger Gedanke. Sag ihr, nächstes Jahr komme ich zum Mittagessen, dieses Jahr nicht.«

»Ja, Iô.«
»Sag ihr, ich komme heute abend, nach sechs. Sag ihr, ich brauche sie heute.«
»Sie hat seit Mittwoch Rheumatismus, ich hab sie heute schon zweimal mit Öl eingerieben.«
»Dann brauche ich dich. Laß die Kammertür offen wie üblich.«
»Ich hab auch Rheumatismus.«
»Sag das noch mal, und ich zeig dir deinen Rheumatismus. Willst du, daß ich allein schlafe?«
»Sá Rufina hat heut früh bestellen lassen, sie will mit Ihnen sprechen.«
»Ich weiß, worum es geht, Militão wird mittlerweile mit dem Fleisch und dem Lamm eingetroffen sein.«
»Ich glaub, das ist es nicht, Ioiô.«
»Willst du den Mund halten! Nimm dir ja nichts heraus. Los, leg die Hand hierher, halt das einen Augenblick fest, los.«
»Nicht hier, Ioiô, das ist doch Wahnsinn, Iô João Popó!«
»Mach schon, du Zuckerdose ...«
»Iô João, gleich kommen Leute!«
»Ich muß fort, sonst würde ich dir wieder zeigen, was ich dir immer zeige, seit du bei uns bist. Siehst du, siehst du, wie er schwillt? Manche jungen Kerlchen wären froh über so einen Ständer!«
»Iô João ...«
Iaiá Menina trat in die Küchentür, blieb stehen, dann machte sie kehrt. João Popó ließ von Laurinda ab, die mit den Händen auf dem Turban zum Herd lief, und ging hinter Menina her.
»Was ist? Ihr habt doch gar nichts gesehen, Ihr braucht nicht so ein Gesicht zu machen! Warum macht Ihr so ein Gesicht?«
»Ich mache überhaupt kein Gesicht.«
»Doch! Ich bin es satt, man wird hier behandelt, als wäre man ein Verbrecher! Antwortet mir, hat in diesem Haus je irgend was gefehlt, was? Ja?«
»Ich habe nie gesagt, daß etwas fehlt.«
»Aber Ihr führt Euch auf, als fehlte etwas! Ich habe nie ein Opfer gescheut, habe die eigenen Interessen nie über die Interessen von denen gestellt, die von mir abhängig sind, immer habe ich korrekt gehandelt, und was bekomme ich dafür? Undank, den kriege

ich! Undank! Hätte ich nicht meine Vaterlandspflichten zu erfüllen, dann würdet Ihr jetzt ein paar Wahrheiten hören! Wo sind meine Lackschuhe, die alten? Diese hier kneifen noch zu sehr, ich bin nur gekommen, um sie auszuwechseln, und habe keine Zeit, mich mit Euren Zänkereien abzugeben! Ihr seid eine alte Kratzbürste, Senhora, das seid Ihr, eine alte Giftnatter, außerstande, eine Jugendsünde zu verzeihen, für die ich schon so oft um Vergebung gebettelt habe, und nur ein versteinertes, undankbares Herz wie Eures kann so etwas verweigern! Meine Schuhe!«

Beim Fortgehen schwitzte er leicht und war verärgert, fühlte sich ungerecht behandelt und ausgebeutet. Schön, aber jetzt konnte er sich nicht von so etwas durcheinanderbringen lassen. Wie begann doch gleich seine Rede? Und war der Teil über den Krieg nicht etwas schwach ausgefallen? Und waren wirklich Schlachten im Gange? Hatte Brasilien auf die verbrecherische Kaperung der *Marquês de Olinda* tatsächlich reagiert? Befand die Nation sich wirklich im Kriegszustand? Überall schwirrten Gerüchte, was mochte an ihnen sein? Er versuchte den vom Krieg handelnden Teil seiner Rede zu memorieren, aber es mißlang ihm, er mußte von vorne beginnen, der Reihe nach. Er ging langsamer und wiederholte die Rede von Anfang an, mit etwas heiserer Stimme, fast wie Hundegeknurr, und nur ihm waren die Wörter verständlich, andere würden darin nur den dramatischen Tonfall und die Kunstpausen verstanden haben.

»Was ist das, Vater, haltet Ihr Eure Rede schon hier?«

»Wie, was?« João Popó erschrak. Fast wäre er mit seinen vier ältesten Söhnen zusammengestoßen, Cochrane, Labatut, Lafayette und Washington, die aus der Marktgasse auf das Rathaus zugingen.

»Ihr habt für Euch selbst eine Rede gehalten.«

»Nichts dergleichen, Unsinn, Ostinho.«

»Kommt der Regierungspräsident?«

»Vielleicht kommt er, vielleicht ist er schon da. Ich hab keine Zeit gehabt, ihn am Dampfer abzuholen.«

»Der neue Dampfer ist noch nicht gekommen.«

»Ah, dann haben wir noch Zeit. Ist das Schiff schon in Sicht?«

»Nein, das ist das Merkwürdige. Eigentlich müßte es längst dasein, aber man sieht noch nichts jenseits der Sandbank.«

»Unsinn, es wird schon kommen. Der Präsident wird gewiß nicht ausbleiben, es ist ein wichtiger, ein hochwichtiger Anlaß.«
»Schön, wie ich Labinha gerade gesagt habe, vielleicht kommt er auch nicht. Diese Geschichte mit dem Krieg ist wirklich wahr, wir sind jetzt schon seit längerem mit Paraguay im Kriegszustand, vielleicht länger als einen Monat.«
»Wer hat dir das gesagt? Diese Gerüchte gehen schon die ganze Zeit um, kein Tag vergeht, ohne daß vom Krieg im Süden gesprochen wird, gegen die aus Uruguay, gegen die aus Argentinien, ich weiß nicht, gegen wen noch.«
»Nein, nein, es stimmt. In Bahia weiß man alles, die Lage ist ernst, wir haben Krieg! Frag irgendeinen, der von dort gekommen ist, alle Welt weiß Bescheid.«
»Mein Gott! Haben wir Krieg? Krieg?«
João Popó schwankte und fühlte in der Brust ein nicht zu beschwichtigendes Brennen. Er hob den Stock in die Höhe, ohne zu wissen, was tun, am liebsten wäre er in alle Richtungen losgerannt, um seine Rede allen in die Ohren zu gellen, hätte seine Waffen greifen und auf den Kirchturm steigen mögen, um ihn als Rednertribüne zu benutzen.
»Die Glocken!« knurrte er. »Warum läuten die Glocken nicht? Wir sind im Krieg! Im Krieg! Brasilien ist bedroht, begreift ihr denn nicht? Bedroht, angegriffen, vom Haß des Feindes verfolgt! Wir sind im Krieg, nun heißt es Mut zeigen und Entschlossenheit, Brasilien darf nicht unterliegen; es wird nie unterliegen!«
Als João Popó kurz darauf trotz der Abwesenheit des Regierungspräsidenten oder eines hochrangigen Vertreters zu seiner auswendig gelernten Rede ansetzte, hatte er sie vergessen, und noch benebelter als zuvor, als er die Kriegsnachricht zum ersten Mal gehört hatte, sprach er, in einem grandiosen Aufschwung der Seele, als wiederholte er nur, was ihm aus den Wolken zugeflüstert wurde, länger als eine halbe Stunde. Er sagte, wie passend es sei, daß er und viele andere Itaparicaner die Kriegsnachricht genau an diesem Tag erfahren hätten. Das war ein göttliches Zeichen, ein von der Vorsehung gesandter Zufall. Er wollte damit sagen, daß wieder einmal die Itaparicaner das Vaterland retten und seine Unversehrtheit bewahren würden. Das hatten sie

bereits gegen die Holländer getan, gegen Korsaren aller Nationen, gegen die lusitanischen Unterdrücker, und diesmal würden sie es gegen diesen niederträchtigen, paraguayischen Feind tun, der sich mit seinen schmutzigen Krallen niemals an der stolzen Nationalflagge Brasiliens vergreifen sollte. Er selbst kannte persönlich den Schneid des Itaparicaners, seinen Schneid in der Vergangenheit, seinen Schneid in der Gegenwart, seinen Schneid in der Zukunft. Er selbst hatte die erhabene Gesellschaft vieler der früheren Helden gepflegt, Itaparicaner oder auf der Insel verwurzelte Männer – Barros Galvão, João das Botas, den Baron von Pirapuama, einen aufrechten und zu Unrecht vergessenen Kriegs- und Staatsmann der Unabhängigkeit, und so viele andere, welche die Geschichte nicht der Vergessenheit überantworten durfte, sondern auf die höchsten Höhen größten Ruhms erheben mußte, den Ruhm, dem Vaterland aus Liebe zum Vaterland gedient zu haben. Und was Vergangenheit und Zukunft betraf – er selber würde in vorderster Frontlinie stehen, wenn die ihm auf den Schultern lastenden Jahre es nur erlauben würden. Doch wenn er nicht persönlich zur Front eilen könnte, so würde er seine Söhne schicken. Die waren großjährig, unabhängig, er würde ihnen keinen Befehl erteilen. Doch ein Befehl wäre auch nicht notwendig, war er doch sicher, daß, sobald sie den silbernen Fanfarenstoß des Rufes zur Erfüllung ihrer Pflicht als Brasilianer vernähmen, zumindest einer von ihnen zur Einschiffung eilen würde.

»Und das schwöre ich bei meiner Bürgerehre, meiner Ehre als Brasilianer, meiner Ehre als Patriot, der nie aufhören wird zu kämpfen und Widerstand zu leisten, solange noch ein Paraguayer am Leben ist! Nieder mit dem lusitanischen Unterdrükker! Nieder mit dem holländischen Eindringling! Nieder mit Madeira! Hoch lebe João das Botas! Hoch lebe Maria Felipa! Hoch lebe Schwester Joana Angélica! Hoch lebe Lord Cochrane! Hoch lebe der Baron von Pirapuama! Hoch lebe das Tapfere Städtchen Itaparica! Hoch lebe Seine Kaiserliche Majestät, Dom Pedro II.! Hoch lebe Brasiliens Unabhängigkeit! Nieder mit Paraguay! Hoch lebe das Vaterland!«

Er war schweißgebadet, Sabbel der Empörung rann ihm übers Kinn den Hals hinunter und er sank in die Arme derer, die, von einer zu Tränen und Schreien gerührten Menge fast zerquetscht, als erste zu seiner Beglückwünschung herbeieilten. Draußen, auf dem ganzen Platz, spendete das Volk Beifall mit Händeklatschen, Hochrufen und Feuerwerk. Sogar die mit Lendenschurz und Federkopfschmuck aufgeputzte Gruppe, die die Rolle der Indianer im Festzug darstellen sollte, gewöhnlich ein paar braune Habenichtse, die es für freien Schnaps tun und meist zu betrunken sind, um irgend etwas mitzubekommen, schien sich zu begeistern, und ein paar Keulen wirbelten durch die Luft.

Natürlich wußte João Popó nicht, sollte es aber nachher zu seinem unbeschreiblichen Stolz erfahren, daß der vom Glück begünstigte Zufall, auf den er in seiner Rede angespielt hatte, noch außerordentlicher war, als er gedacht hatte. Denn am selben Tag, wer weiß, vielleicht zur selben Stunde, während er auf dem Quitanda-Platz gegen den Feind wetterte und das Gespenst des Krieges seinen eiskalten Schatten über Brasilien breitete, erließ die Regierung Seiner Kaiserlichen Majestät von der Höhe des Hofs von Rio de Janeiro herab ein Gesetz, das die ›Freiwilligen des Vaterlandes‹ ins Leben rief, die Blüte der nationalen Jugend, die sich auf den fernen Schlachtfeldern der Ehre im paraguayischen Feldzug schlagen würde.

Salvador da Bahia, den 23. Mai 1866

Gehn sie denn nie zu Ende, diese weinerlichen Beileidsbezeugungen, diese hängenden Lippen, diese ganze Pantomime, dieses schwachsinnige Ritual? Bonifácio Odulfo ließ die warme, übertrieben lange und heftige Umarmung von Professor Oscar Pedreira über sich ergehen und mußte sich beherrschen, um ihn nicht wegzustoßen. Ja, ja, gewiß doch, er bedauerte also zutiefst das Hinscheiden des Komturs Amleto, in den seit seinem Tod verflossenen 365 Tagen hatte er an niemand anderes gedacht als an ihn, und natürlich glaubte er, mit dieser Speichelleckerei würde er erreichen, daß der auf der Bank verfallene Wechsel nicht zu Protest ging. Noch heute würde der zum Notar geschickt. Wie viele stehen wohl noch in der endlosen Schlange? Alle in Schwarz, die Frauen mit trauervoll zusammengepreßten Händen und die Männer mit den lächerlich betrübten Mienen, was für eine groteske Prozession! Das Ganze ein Akt bloßer Oberflächlichkeit, bar jeder echten Empfindung und, noch schlimmer, bar jeder praktischen Nützlichkeit. In diesem Punkt, wie übrigens in vielen, sehr vielen anderen, hatte Komtur Amleto immer recht gehabt: was kein praktisches Ziel hat, ist sinnlos, ist etwas Hohles, dessen sich zu entledigen die Menschheit lernen muß. Was soll diese ganze Heuchelei? Wozu das alles? Die Menschen müssen sich entwickeln, sie müssen begreifen, daß alles und jedes sich entwickeln muß, wir alle eingeschlossen!

Wie er übrigens sich gewaltig entwickelt hatte seit dem Tag, an dem er, im Morgengrauen nach Hause kommend, unter dem Arm einen Stoß frischgedruckter Exemplare seines letzten Poems, *Rufe in der Morgenröte*, dessen Erscheinen sie bei Mazombo gefeiert hatten, verwundert aufblickte, als er Kutschen vor dem Haus sah und die Tür offen fand, gedämpfte Stimmen und Gestalten, die drinnen herumzusummen schienen. Immer eine Stufe überspringend, eilte er die Treppe hinauf, und der erste Mensch, auf den er stieß, war die Negerin Juvi, mit weit aufgerissenem Mund und nassen Wangen, die Hände gegen ihren gewaltigen Busen pressend.

»Ach, Ioiozinho, ach Ioiozinho, Ioiô, Ioiô, Ioiô!«

Natürlich, der Alte war tot. Man wußte schon lange, daß er sterben würde, er selbst sprach von nichts anderem. Er arbeitete zwar weiterhin, ging aber nie mehr aus und aß seit dem Tod von Carlota Borroméia noch weniger als zuvor. Oft trank er den ganzen Tag nur Tee, sonst aß er zum Mittagessen gerade ein halbes gebratenes Fischfilet und zum Abendessen ein in Milch getunktes Brötchen. Er fing nicht einmal mehr an zu streiten, wenn er zum Essen gedrängt wurde. Aufmerksam schien er allem zuzuhören, doch dann erwiderte er nichts, als ob er einen göttlichen Auftrag erhalten hätte, langsam zu verhungern. Sein Haar wurde immer schütterer, seine Haut immer schlaffer und blasser, seine Nase länger, seine Stimme krächzend und dünn, seine Bewegungen langsam wie bei einem um zwanzig oder dreißig Jahre Älteren. Er mußte sterben. Bonifácio Odulfo legte den Stapel mit gebundenen Heften auf das Büffet, er betrat des Vaters Schlafzimmer, setzte sich auf den Stuhl von Mutters Toilettentisch vor den Flakon mit Aloe-Essenz und blieb dort reglos und schweigsam bis zur Stunde der Beerdigung sitzen.

Während der folgenden Tage verließ er das Haus nicht, sprach wenig und ließ vielen Freunden, die ihn besuchen wollten, ausrichten, er sei nicht da. Wenn man ihn wegen irgendeiner zu treffenden Vorkehrung befragte, sagte er, man möge doch bitte mit Monsignore Clemente André sprechen, mit Dr. Noêmio, mit Dr. Vasco Miguel, mit irgend so jemandem. Richtig Sorgen bereitete er den Hausnegerinnen, Verwandten und nahen Freunden, die nie gedacht hätten, daß der Tod des Vaters ihm so nahegehen würde, daß er für Tage verstummte, in sich gekehrt, abwesend, zerstreut, immer in seinem Schlafzimmer eingeschlossen oder am Schreibtisch des Kabinetts sitzend, an dem der Alte bis zum Ende seines Lebens gearbeitet hatte.
In ebendiesem Kabinett versammelt, um Erbschaftsfragen zu besprechen, meinten Dr. Noêmio, Clemente André, Vasco Miguel und der Notar Pôncio Nogueira, ihre Sitzung werde nur für einen kurzen Augenblick unterbrochen, als Bonifácio Odulfo den Raum betrat, nahmen sie doch an, er sei nur gekommen, um sich dafür zu entschuldigen, daß er nicht an der Unterredung teilzunehmen wünschte. Daher waren sie ziemlich überrascht, als er das Wort ergriff.
»Meine Herren, Sie können dieses Treffen nicht ohne meine Anwesenheit durchführen«, sagte er. »Ich sehe darin eine Mißachtung, die dem Entzug meiner Rechte Tür und Tor öffnet.«
Wie? Was? Entzug? Was wollte er damit sagen? Was redete er da, wenn sein Verhalten sonst doch darauf schließen ließ, daß ihm an einer Teilnahme nichts lag? Wenn sein Interesse an den Geschäften des Vaters sich ein Leben lang auf die regelmäßige Zahlung seines Monatsgeldes und der Druckkosten seiner Bücher beschränkt hatte, wenn er stets eine heftige Geringschätzung für alles zur Schau gestellt hatte, was Handel, Produktion und Geld betraf, und allem, was nicht Kunst und Poesie war, ewige Abneigung geschworen hatte?
»Lauter Ausreden, ein ganzer Schwanz von unhaltbaren *non sequiturs*«, erwiderte er und legte die Fingerspitzen aufeinander, wie der Vater es getan hatte, neigte den Hals auf die gleiche Weise zur Seite und sprach im gleichen, leicht überheblichen Tonfall, so daß es allen eine Sekunde lang schien, sie sähen ein Gespenst. »Tatsache ist, daß ich Erbe bin und interessiert an der Inventur, mitverantwortlich für die ausgedehnten Güter, die das von mei-

nem Vater hinterlassene Erbe ausmachen, daher habe ich das Recht und die Pflicht, alles zu erfahren, was hier vorgeht, und zu allem meine Meinung zu äußern. Überdies, in Anbetracht der besonderen Umstände, welche die unmittelbaren Erben betreffen, das heißt, in Anbetracht der Tatsache, daß mein älterer Bruder, Monsignore Clemente André, sich auf Lebenszeit dem Priester- und Lehramt geweiht hat und mein jüngerer Bruder, Hauptmann Patrício Macário, die militärische Laufbahn eingeschlagen hat und sich im Augenblick an der Kampffront von Mato Grosso befindet, bin ich, Assessor der Rechte Bonifácio Odulfo Nobre dos Reis Ferreira-Dutton, am meisten dazu berufen, das Erbe des Komturs Amleto Henrique Nobre Ferreira-Dutton anzutreten. Um so mehr, als« – er legte eine lange Pause ein und ließ den Blick über die Anwesenden gleiten – »*fide, sed cui, vide*, eine weise alte Regel, ist das nicht so?«
Er hatte sie überrascht, wahrhaftig, und weitere Überraschungen sollten folgen. Im zentralen Büro wurde die Disziplin eisern, die zu Amletos Zeit herrschende Strenge verschärfte sich noch. Im Hause zog neben unerbittlicher Überwachung der Hauswirtschaft und neben schweren Strafen für Neger, die einen Gegenstand zerbrachen oder sich irgendwelche Verschwendung zuschulden kommen ließen, eine zeremonielle Atmosphäre ein, in der Vertraulichkeit oder übertriebene Munterkeit verpönt waren. Seine Erscheinung veränderte sich so stark, daß viele Freunde aus den gemeinsamen Zeiten der Boheme ihn nicht wiedererkennen würden, wenn sie ihn zu Gesicht bekämen, was übrigens unwahrscheinlich war, selbst wenn sie ihn aufsuchten, denn er weigerte sich, die zwei oder drei, die ihn besuchen wollten, zu empfangen, wenn er auch einem von ihnen einen Umschlag mit Geld und ein Briefchen mit der Warnung gesandt hatte, dies sei die letzte, ihm mögliche Unterstützung. Er stutzte sein Haar, ließ sich einen Prinz-Albert-Bart schneiden, kleidete sich nur noch in Schwarz und gab seine hüstelnde Atemweise auf, die er sich unter seinen Freunden zugelegt hatte, um sie von seinen schwachen Lungen zu überzeugen. Schließlich bewies er, daß er als Geschäftsmann noch gerissener und kaltblütiger war als sein Vater, er beherrschte in weniger als drei Monaten alle wichtigen Gesichtspunkte erstklassiger Firmenverwaltung und erzielte vor Ablauf eines Geschäftsjahres bislang als schimärisch

angesehene Gewinnsteigerungen. Die einzige Beschäftigung des früheren Bonifácio Odulfo, die er fortführte, war die Poesie, gab er doch in den seltenen Augenblicken der Leutseligkeit, die er sich in Gesellschaft seiner Teilhaber erlaubte, scheinbar widerstrebend zu, sie liege ihm nun einmal im Blut, sie sei eine unauslöschliche Flamme. Doch nun gab er keine Poesiebändchen mehr heraus, ließ seine Gedichte nicht einmal mehr sehen, noch rezitierte er sie, er ziehe es vielmehr vor, sagte er, sie zu verwahren, um sie später, vielleicht unter einem Pseudonym, in einer seriösen Ausgabe zu veröffentlichen, deren Drucklegung er selber besorgen werde. Insgeheim kultivierte er ein von ihm erotisch-priapeisch genanntes Genre und nährte einsame Phantasien, eine Auswahl dieser Gedichte eines künftigen, vielleicht nach seinem Tod gelegenen Tages in irgendeiner Form drucken zu lassen. Und in den freien Stunden, in denen er sich in sein Kabinett einschloß, studierte er Englisch, lernte lateinische Sprichwörter und Zitate auswendig, trank Tee und aß dazu rosinengefüllte *muffins*.

Der Pilgerzug der Kondolenzbesucher schien endlich zum Ende gekommen zu sein, das Händedrücken, die Umarmungen, die tränenreichen Gesichter, die üblichen Beileidsworte waren gnädigerweise vorüber. Monsignore Clemente André, nicht mehr im feierlichen Ornat, sondern hochelegant in einer französischen Soutane, verließ die Sakristei, küßte die Neffen, nahm Vasco Miguels Glückwunschworte zu seiner Predigt entgegen und ergriff Bonifácio Odulfos Hände.

»Arbeitest du heute?« fragte er.

»Aber gewiß doch. Heute ist ein Tag wie jeder andere. Außer natürlich, daß der Bürobeginn sich verspätet wegen dieser Messe. Ich bin schon im Gehen, was möchtest du?«

»Es geht um den neuen Gebäudeflügel des Waisenhauses.«

»Mein lieber Monsignore, ich weiß, daß du die Heiligkeit anstrebst und für die sogenannten guten Werke lebst, aber hast du einmal darüber nachgedacht, daß du die Familie mit deiner Freigebigkeit in den Ruin treiben könntest?«

»Ach, übertreibe doch nicht. Und überdies ist der Flügel schon fast fertiggestellt, es fehlen nur noch die Dachziegel.«

»Fertiggestellt von Anfang bis Ende auf unsere Kosten. Gibt es denn in Bahia keine anderen Firmen, die an Mildtätigkeit interessiert sind? Ich erwarte das ja nicht in demselben Maße wie wir, denn wir üben sie in astronomischer Höhe.«

»Es handelt sich doch nur um die Dachziegel, keine große Angelegenheit.«

»Nun gut, aber ich meine es ernst: Wir müssen Schluß damit machen. Wenn ich dich mit allem belasten wollte, was du schon im Namen deiner schutzlosen Jungen entnommen hast, wärst du heute ein armer Pater, und dann Ade allen römischen Soutanen.«

»Französischen. Gefallen sie dir?«

»Laß diese Frivolitäten und benimm dich entsprechend deiner Stellung, unserer Stellung. Ich meine es ernst, mach mir die Last, die ich trage, nicht noch unerträglicher, wo ich für alle Geschäfte verantwortlich zeichne, ohne eine Minute Ruhe noch Rast, während du deine Nächstenliebe pflegst, Patrício Macário sich mit Blut und Kriegsorden bedeckt und Dr. Vasco Miguel sein Leben mit dem Gekritzel amtlicher Schreiben und Memoranden sowie dem Durchschnüffeln von Buchhaltungsbelegen verbringt.«

»Ach komm, werd doch nicht ärgerlich. Ich verspreche dir, daß ich frage, bevor ich uns in neue Unkosten stürze.«

»Selbst wenn du es nicht versprichst, wirst du es tun müssen. Ich leite Handels- und Finanzunternehmen, ich bin verantwortliches Mitglied der produzierenden Klasse, das hier ist kein Spendenverein.«

»Das weiß ich, ja, du hast recht. Aber wo soll ich das Geld für die Dachziegel auftreiben? Soll ich später zu dir ins Büro kommen?«

»Nein, du würdest nur meinen Zeitplan durcheinanderbringen, ich habe keinen Termin mehr frei. Ich mache etwas Besseres, als dir Geld zu geben: ich gebe dir die Dachziegel.«

»Aber wäre Geld nicht viel einfacher? Da würde ich den Kauf der Dachziegel selbst übernehmen und dir die Arbeit erleichtern.«

»Glaub mir, mein lieber Bruder, niemand erleichtert mir die Arbeit, ich selbst erleichtere sie. Du kannst sicher sein, daß ich dir die Ziegel auf die für mich leichteste Art liefern werde. Oder willst du die Ziegel nicht mehr? Sitzt du auf dem trockenen? Was machst du mit der monatlichen Überweisung, die wahrlich nicht gering ist, oder? Kommen dich deine französischen Soutanen zu teuer zu stehen?«

»Du brauchst nicht so zu reden. Auch wenn wir Brüder sind, sollten wir gegenseitig Respekt wahren.«
»Genau das finde ich auch. Verstehst du? Schön, was die Ziegel betrifft, damit wir keine überflüssige Zeit verlieren: Geh zu deinem Onkel Emídio in der Zentralniederlassung und sage, du hättest mit mir gesprochen, ich sei mit der Schenkung der Ziegel einverstanden. Nein, nicht Schenkung, Verkauf.«
»Wieso das? Ich verstehe nicht.«
»Natürlich verstehst du nicht, du verstehst davon so viel wie ich von deinen Euchologien. Was ich dir erklären will, ist folgendes: er gibt dir die Ziegel und stellt dazu eine Quittung und einen Fiskalschein aus, als hättest du die Ware gekauft.«
»Aber wenn du sie mir schenkst, warum willst du dann so tun, als hättest du sie mir verkauft?«
»Manchmal sind dergleichen Dinge notwendig, es würde zu weit führen und wäre zu umständlich, es dir zu erklären.«
Ungeduldig verabschiedete er sich von seinem Bruder, küßte ebenfalls die Neffen und fragte Vasco Miguel, ob er nicht gleich mit ihm zum Büro kommen wolle, so könne er Zeit sparen. Sie würden seinen Wagen nehmen und die Kinder im anderen nach Hause zurückschicken. Vasco Miguel war einverstanden, sie gingen zusammen nach draußen, stiegen in die Kutsche und lehnten sich, einander gegenübersitzend, in die gutgepolsterten Sitze zurück. Bonifácio Odulfo zog die Fenstergardinen zu und ließ nur durch den Spalt des Verdecks Licht herein. Mit geschlossenen Augen und gesenktem Kopf, den rechten Arm an die Brust geschmiegt, massierte er sich ausgiebig die Stirnhaut zwischen den Brauen. Vielleicht brauchte er auf der langen Fahrt mit dem Schwager gar nicht zu reden, während die Räder über das löchrige Pflaster holperten und die Pferdehufe den hallenden Takt dazu schlugen, vielleicht könnte er die ganze Zeit über schweigen, was er vorzog. Wenn er nicht anfing zu reden, würde Vasco Miguel auch nicht reden, denn in seiner gewohnten Haltung, die plumpen Hände auf dem Bauch gefaltet, den Mund leicht geöffnet, mit feuchten Lippen, ausdruckslosen Augen und hängenden Wangen, schien er nie nachzudenken, sondern glich einer stillstehenden Uhr, die gleichgültig darauf wartet, daß jemand sie in Bewegung setzt.
Indes, als Bonifácio Odulfo so schweigend dasaß, fiel ihm etwas

ein, was ihn veranlaßte, sich wieder einmal über den Schwager zu ärgern. Zunächst dachte er, wie seltsam und zugleich auch wie empörend es doch war – warum, wußte er nicht –, daß ein kultivierter Mann wie sein Bruder, der Pater, nicht einmal die Notwendigkeit verspürte, den Eingang einer bestimmten Geldsumme vorzutäuschen, um den Ausgang oder Eingang einer anderen, die nicht ohne Risiko zu buchen war, zu verdecken. Was für eine Dummheit, dachte er, die meisten Menschen scheinen nicht über allzuviel Phantasie zu verfügen, geschweige denn Verstand, Unterscheidungsvermögen, Weitblick. Jawohl, Weitblick, das, wie so vieles andere, fehlte dem, der da vor ihm herumdöste.

»Wie steht es mit den Verbindungen zu den ausländischen Banken?« fragte er plötzlich, schon im erbitterten Tonfall dessen, der eine enttäuschende Antwort erwartet.

»Welche Verbindungen zu ausländischen Banken?«

»Dr. Vasco Miguel, ich erinnere mich sehr deutlich, daß ich am letzten Montag beim Bankrat erschöpfend über die sich durch den Konflikt mit Paraguay ergebenden Möglichkeiten gesprochen habe. Unsere Truppen haben keine Uniformen und erst recht nicht die riesigen materiellen Mittel, um den Krieg fortzusetzen. Selbst wenn wir auf die sogenannten Alliierten rechnen, die nicht sehr ins Gewicht fallen, sind sie zahlenmäßig jedenfalls viel schwächer und in Kriegsausrüstung eindeutig unterlegen. Ich erinnere mich, daß ich davon sprach, was das bedeutet, oder nicht?«

»Sie haben davon gesprochen, das stimmt. Sie brauchten mich nicht daran zu erinnern, ich erinnere mich sehr wohl.«

»Und was habe ich gesagt?«

»Sie sagten, dies bedeutet, daß die Regierung einen enormen Finanzbedarf haben wird. Ich weiß das wohl.«

»Anscheinend nicht. Wenn Sie es wissen, warum haben Sie die Verbindungen zu den ausländischen Banken nicht beschleunigt? Zu unseren Korrespondenten?«

»Ich habe dazu keinen Anlaß gesehen. Und sehe ihn auch jetzt noch nicht.«

»Aber, Allerheiligste Muttergottes, hat Dr. Vasco Miguel alles gehört, was ich bei der Zusammenkunft gesagt habe, hat er gehört, was ich soeben gesagt habe, hat er das?«

»Ich habe es gehört, natürlich habe ich es gehört. Ich begreife aber nicht die Beziehung zwischen dem einen und dem anderen.«

»Sie begreifen es nicht. Dieser Feldzug gegen Paraguay wird sich noch länger hinziehen, als man denkt, ich bin sicher, er wird äußerst strapaziös sein, und zwar aus den bereits angeführten Gründen. Und wie können wir uns an den sich für die Banken ergebenden Möglichkeiten beteiligen, wenn nicht durch Beteiligung an ausländischen Finanzierungen? Als Agenten dieser Finanzierungen, als Mittelsmänner! Oder glauben Sie, unsere Bankguthaben reichen aus, um den Feldzug gegen Paraguay zu finanzieren?«

»Gewiß, Sie haben recht. Ich werde das sofort nach meiner Ankunft im Büro in die Wege leiten.«

»Und vergessen Sie nicht, Auskünfte über die Materialkäufe der Alliierten und der Paraguayer einzuholen?«

»Werden wir die Paraguayer finanzieren?«

»Natürlich nicht. Wir können aber ihre Lieferanten finanzieren. Einige von ihnen sind auch unsere Kunden im Ausland. Das kann zu einer Reihe hochinteressanter, sogar neuerungsträchtiger Transaktionen führen, zu einem verwickelten, feingesponnenen Netz, das nur das Talent eines großen Bankiers zu ersinnen weiß. Und ich glaube, daß dieses Talent mir Gott sei Dank zu Gebote steht.«

»Das glaube ich auch. Dafür haben doch die Banken Präsidenten, oder nicht? Schon allein kraft meines Tätigkeitsgebiets hätte ich nicht voraussehen können, daß ...«

Bonifácio Odulfos Zorn war beschwichtigt, er machte mit der Hand eine versöhnliche Geste und verstummte von neuem. Nicht, weil seine Gereiztheit völlig verschwunden wäre, sondern weil ihm bei der Erwähnung von hochinteressanten Transaktionen etwas einfiel, woran er seit zwei Tagen dachte. Etwas, das er mit dem Geheimnamen »Dreiecksspiel« getauft hatte, womit ihm eine verwickelte Verbindung zwischen drei Teilnehmern an einer Finanzoperation vorschwebte. Drei? Nein, sicherlich vier. Er lehnte sich zurück, beglückt über die Klarheit, mit der er alle Möglichkeiten voraussah, und zwar in einer ausgeklügelten Verflechtung, die er mit Amletos Fadenspiel verglich, worin Amleto, jetzt begriff er warum, die einzige Zerstreuung seiner letzten Monate gefunden hatte. Er hätte dem anderen seine Gedankengänge erläutern können, doch dieses verstockte Zebra würde keinen Deut kapieren, er selber würde alles in die Wege leiten.

»Spielen Sie Schach?« fragte er und sah Vasco Miguel von der Seite an.

»Nein.«

»Ich dachte es mir.«

Er merkte, daß der Kutscher die Bremsbacken an die Räder drückte, also fuhren sie wohl schon den steilen Weg der Montanha hinunter. Er zog einen Gardinenspalt auf, blickte auf das Meer dort drunten, auf die Festung Sankt Marcelo, graubraun und rund mitten im unbeweglichen Meer, auf die Türme der Kirche Conceiçao da Praia in der Sonnenglut. Er verlor sich ein wenig in der Landschaft, vielleicht fühlte er den heißen Atem dichterischer Eingebung, jedenfalls fühlte er Frieden. Denn nicht er war es, es war Patrício Macário, der sehr weit weg von hier, fast zur selben Stunde, als er in der Kathedrale betete, zum Trompetenstoß »Alle hinknien« auf die Erde sank und das Gebet an die Jungfrau-von-den-Schlachten sprach, an Unsere-Liebe-Frau-von-der-unbefleckten-Empfängnis, zusammen mit anderen Offizieren und Gemeinen, von denen die meisten morgen fallen würden, in den fernen Sumpfgebieten eines Ortes mit Namen Tuiuti.

Tapferes Städtchen Itaparica, den 11. März 1866

Kummer ist so, Kummer tötet. Seit etwa November vergangenen Jahres legte sich der alte João Popó nun zum vierten Mal ins Bett, und diesmal gibt es Leute, die wissen wollen, daß er nicht davonkommt. Der Mann ist nur noch ein Schatten seiner selbst, er ist nicht wiederzuerkennen, ein trostloser Anblick besonders für den, der ihn kannte, denn er war selbst im Alter kraftvoll, mit energischem Gang und warmer Stimme in seiner selbstsicheren Art. Und nun drückt er sich an die Häuserwände, wenn er auf die Straße geht, hebt nicht den Blick, spricht, als hätte er nicht die Kraft, den Mund aufzumachen, geht, wohin man ihn führt, reagiert auf nichts. Und obwohl das alarmierendste Symptom ein leichtes Fieber ist, das kommt und geht, liegt er jetzt im Bett, will nicht essen, will nicht trinken, will nicht schlafen, will überhaupt nichts tun, starrt nur auf die Zimmerdecke und betet dabei den von der Mutter geerbten Rosenkranz.

Natürlich zieht Itaparica in die Schlacht, in einer Stunde wie dieser würde es nicht abseits stehen. Im Gegensatz zu dem, was man in anderen Landstrichen erwarten konnte, galt es hier, den Feuereifer der Freiwilligen einzudämmen, denn die Aufstellung des Insel-Korps – die Zweite Infanteriekompanie der Freiwilligen des Vaterlandes – wurde ausschließlich finanziert aus dem Vaterlandsfonds, den die Stadtbürger, also auch João Popó, aufgebracht hatten, und dieser Umstand mußte die Rekrutierung zwangsläufig begrenzen. Aber es war noch mühsamer, diejenigen zurückzuweisen, die sich höchst erregt mit ihrem Ausschluß nicht abfinden wollten und mit den schlimmsten Ausschreitungen drohten, falls sie nicht eingeschifft würden, um Brasilien zu verteidigen. Die Hartnäckigeren oder Glücklicheren besorgten sich Paten, die ihnen Uniform und Ausrüstung spendierten und politischen Einfluß geltend machten, um ihnen Freiplätze zu beschaffen. Selbst so blieben viele zurück und dachten in ihrer Erbitterung schon daran, eine neue Kompanie ins Leben zu rufen und irgend etwas zu unternehmen, um in den Krieg zu ziehen, denn alle meinten, sie müßten in den Krieg ziehen.

Alle, das heißt alle mit Ausnahme von João Popós vielen Söhnen. Wenn er am Siebten Januar 1865 als erster die Menge aufgerufen hatte, für die Nation die Waffen zu ergreifen, und zwar vielleicht, zu seiner Ehre, in genau dem heiligen Augenblick, als die Freiwilligen des Vaterlandes geschaffen wurden; wenn er der erste gewesen war, der Himmel und Erde in Bewegung setzte, um Itaparicas Beteiligung am Kriegsgeschehen in die Wege zu leiten, unermüdlich in seinem Redeschwall, unbeugsam in seiner Entschlußkraft, unverwüstlich in seinem Eifer; wenn schließlich er es gewesen war, der im Namen der eigenen Ehre seine Söhne dem Vaterland zum Opfer darbot, so war auch er es, der nach soviel Ehre sich ihrer plötzlich gänzlich entkleidet sah, bedrückt, niedergeschlagen, erledigt. Mit einem Wort: geschlagen. Seit dem 10. Oktober, als die neue Kompanie ins Leben gerufen worden war. Am selben Tag übertrafen die freiwillig Angetretenen bereits zahlenmäßig das vorgesehene Kontingent. Doch João

Popós Söhne waren an diesem Tag nicht zur Stelle, auch nicht an einem der darauffolgenden Tage. Keiner von João Popós Söhnen mit irgendeiner seiner gegenwärtigen oder verflossenen Frauen, keiner, wirklich keiner, auch nicht ein einziger.
Anfangs versuchte er das zu vertuschen, gab zu verstehen, es sei nur eine Frage der Zeit, da die Familien noch die Entscheidung träfen, wer marschieren sollte. Er deutete sogar an, Eifersüchteleien seien unter seinen Söhnen ausgebrochen, da sie samt und sonders alle gehen wollten, was natürlich unmöglich war, daher die Verzögerung. Doch bald darauf mußte er seine Lügerei einstellen, denn die Wahrheit wurde im ganzen Städtchen bekannt und auch überall sonst auf der Insel. Er konnte die Sache nicht mehr verheimlichen – und zum ersten Mal sank er aufs Krankenbett.
Kaum genesen, begann er mit neuem Schwung seine Werbekampagne unter den Söhnen. Candinhas Söhne waren die ersten, die er zu überreden versuchte. Lafayette Popó erklärte, er sei schon zu alt zum Kämpfen, überdies hinderte ihn seine Verantwortung im Augenblick, neue Verpflichtungen einzugehen. Wenn Lafayette, der vierte Sohn, zu alt war, was sollten dann die ersten drei sagen? Sie sagten das gleiche, mit dem unverschämten Zusatz, nur ihrem Vornamen nach, den sie sich nicht ausgesucht hätten, seien sie Helden und Generäle. Dann kamen die Frauen, die eine nach der anderen geboren worden waren, dann kam der einzige des letzten Schubs, der bereits im Militärdienstalter war, Franklin Popó. Doch Candinha sagte unter Weinen und Wehklagen, wenn die Nonne Joana Angélica vom niederträchtigen, lusitanischen Bajonett durchstoßen worden sei, sei auch sie, Candinha, sehr wohl bereit, sich vom grausamen Dolch des Ehegatten durchstoßen zu lassen, wenn er darauf bestünde, ihr den angebeteten Jungen, die Wonne ihres Alters, wegzunehmen, damit er im Krieg den Tod fände oder zum Krüppel würde. Später entdeckte João Popó, daß Franklin höchstpersönlich, gleichfalls unter Tränen, die Mutter angefleht hatte, sie möge sich derart übertrieben aufführen – und so sank er zum zweiten Mal aufs Krankenlager.
Nachdem er, wie manche meinten, eine Zeitlang zwischen Leben und Tod geschwebt hatte, erhob er sich und wollte Rufinas Söhne aufsuchen, aber er konnte die Sache nicht einmal mit ihr

richtig durchsprechen, da sie sich zu dieser Art von Unterhaltung nur bereitfinden wollte, falls die verwickelten Probleme der Erbschaft und die Legate geregelt wären, die João Popó seinen unehelichen Abkömmlingen noch zu Lebzeiten gewähren müßte. Und was sagten die Söhne von Iaiá Menina? Sie sagten das gleiche, genau wie die von Laurinda, die von Maria Zezé, die von Maria-dem-Silberstück. Und außerdem, warum sollten nur sie gehen und nicht die rechtmäßigen Söhne? Nur weil sie rechtmäßig waren? Waren ihnen so viele Vorrechte denn nicht genug, wollten sie noch mehr? Der Alte tobte, schäumte, drohte, aber es half nichts. Er unterbrach sogar die Nahrungsmittellieferungen an alle, aber Söhne und Frauen gingen in die Lagerschuppen, wenn er nicht da war, und holten sich die Lebensmittel, ohne sich um den Protest von Angestellten und Sklaven zu kümmern. Einer seiner Mulattensöhne, Ranulfo Popó, tauchte von irgendwoher auf und sagte, er würde sich stellen, doch unter gewissen Bedingungen, darunter eine beträchtliche Leibrente, das Haus in Encarnação und die Fazenda in Ponta do Trilho. Empört, weil er darin den Gipfel der Verbrechen und Sünden sah, die Prostitution der Vaterlandsliebe, wurde João Popó von Traurigkeit befallen, die ihn fast zur Strecke brachte. Eines Nachts während dieser Zeit suchte ihn Luiz Popó im Vollrausch auf, und nachdem er eine unverständliche Rede gehalten hatte, mit Gebärden, die so aussahen, als wollte er unsichtbare Schmetterlinge fangen, sagte er, er wollte nach Paraguay gehen, noch in dieser Stunde würde er gehen, was er dann aus verschiedenen Gründen nicht tat, zuallererst deshalb, weil er an Ort und Stelle zu Boden stürzte und erst am darauffolgenden Tag erwachte, ohne sich an das geringste erinnern zu können – zum dritten Mal sank João Popó aufs Krankenbett.

An seiner Genesung zweifelte man. Fast bewußtlos dämmerte er ins neue Jahr hinüber, erholte sich aber wundersamerweise noch rechtzeitig, um an den Feierlichkeiten zum Siebenten Januar teilnehmen zu können. Candinha riet ihm ab, seine engsten Freunde versuchten, ihn von dem Vorsatz abzubringen, er aber beharrte darauf. Abgesehen von der Peinlichkeit, die durch das Fernbleiben von Freiwilligen aus einer der größten Sippschaften der Insel entstand, zumal, wenn man jenes feierliche Versprechen bedachte, gab man die aus den Unruhen entstandene Lage zu bedenken, an denen Zé Popó bei den Festlichkeiten des vergangenen Jahres teilgenommen hatte. Tatsächlich hatten die als Indianer des Festzugs verkleideten Straßenräuber, die sich ›Milizsoldaten des Volkes‹ nennen, die Atmosphäre des Festes genutzt, um das Finanzamt zu überfallen und die Steuerkasse auszurauben. Damit nicht zufrieden, zwangen sie den Steuereinnehmer, ein Schriftstück zu unterzeichnen, in dem er bestätigte, daß er den größten Teil der kassierten Steuern in die eigene Tasche hatte fließen lassen, die Steuerzahler betrog und erpreßte, indem er weit überhöhte Steuern erhob und die verschiedensten Arten von Bestechungsgeldern einstrich. Damit noch nicht zufrieden, verteilten sie Hetzblätter, in denen sie fragten, ob es ein unabhängiges Land geben könnte, in dem das Volk versklavt würde und die Herren im Dienst von Ausländern stünden. Sie fragten auch, ob die Leute nach Paraguay marschierten, um ein Land zu verteidigen, das nicht denen gehörte, die in den Kampf zögen, sondern denen, die sie in den Kampf schickten und die ihrerseits zu Hause blieben, Gedichte schrieben, Reden hielten und immer reicher wurden. Sie fragten, ob es Sklaven, ob es elendig Arme in Paraguay gäbe. Gäbe es sie, würde ihnen der Kampf wenig Ruhm bringen, denn ein Sklavenhalter ist dem anderen Sklavenhalter gleich, egal, welche Farbe er hat oder welche Sprache er spricht, und ein Sklave, der sich nicht als Sklave, sondern als Mensch betrachtet, kann nicht für diesen oder jenen Herrn kämpfen, sondern nur gegen alle Herren. Wenn es dort keine Sklaven und Armen gibt, wozu dann gegen ein freies Volk zugunsten von Sklavenhaltern oder Ausbeutern kämpfen? Wenn es sie aber gab, auch dann stellte sich die Frage, wozu dort kämpfen, da ihr eigener Kampf hier stattfindet und nicht dort? Und schließlich noch nicht zufrieden mit alldem, bemalten sie die Haus- und Gartenmauern mit riesigen Buchstaben, die sagten »Ein Hoch auf uns, hoch lebe das brasilianische Volk, hoch lebe das Volk, das sich eines Tages zusammenfinden wird, wir, die wir niemandem gehören, wir, die wir Freiheit für uns wollen und nicht für unsere Herren«. Noch zu manch anderem wird er sie angestiftet haben, dieser Zé Popó, der, in den Teufel selbst verwandelt und fast nackt in seinem Lendenschurz aus Flederwischfedern, das ganze Städtchen in Aufruhr versetzt hatte.

Ja, João Popó erinnerte sich gut an all das, und auch noch an anderes, das er nie jemandem erzählen würde. Zé Popó hatte den Nerv besessen und war über die Mauer von Meninas Haus gesprungen, in dem der Alte schon mit Laurinda im Bett lag, und zwar nicht untätig, hatte das Zimmerfenster aufgestoßen, hineingespäht, laut herausgelacht und gerufen: »Deinen Segen, Vater.« João Popó durchfuhr der Schreck seines Lebens, er fand jedoch noch Zeit, sich aufzuraffen und mit hinuntergerutschten langen Unterhosen seinen unwürdigen Sohn zusammenzustauchen, wie er es verdiente, wenn dieser auch inzwischen längst in den Busch getürmt war und vermutlich von des Vaters Zorn kein Wort vernommen hatte. Das Unheil war vollständig, als er anschließend außerstande war, das Begonnene mit Laurinda fortzusetzen, und das war das zweite Mal, daß ihm solches in all seinen Lebensjahren widerfuhr. Das erste Mal hatte sich in den ersten Monaten seines Ehelebens ereignet, als Candinha mitten im Liebesakt ein höchst obszönes Stöhnen von sich gab, das ihn die ganze Nacht außer Gefecht setzte und einen langanhaltenden Nervenschock hinterließ, da er mit solchem Verhalten bei einer scheinbar so tugendhaften Frau nie gerechnet hatte. Doch damals war das Recht auf seiner und die Schande auf Candinhas Seite gewesen, nicht auf seiner. Welcher ernstzunehmende Mann könnte das Mißtrauen ertragen, das solches Gestöhn hervorrief, das sie zum Glück nie mehr zu wiederholen wagte? Aber nicht beim zweiten Mal, beim zweiten Mal wäre es seine Mannespflicht gewesen, sofort nach dem Zwischenfall erneut mit der gleichen Zielstrebigkeit in Laurinda einzudringen. Doch dies war ihm unmöglich, und João Popó schlüpfte in sein Nachthemd und wanderte die ganze Nacht durchs Haus, wobei er den Sohn verwünschte und einen machtvollen Zauberspruch brummte, um die Manneslust wieder zu entfachen, doch vergebens.

Ja, er hatte all diese Prüfungen zu überstehen, doch den Feinden und Neidern würde er keine Genugtuung gönnen. Lieber sterben als nicht bei den Festlichkeiten erscheinen, die Teil seiner Seele, gewissermaßen gleichbedeutend mit seinem Leben waren. Er ließ Militão rufen, befahl ihm, die Lämmer wie gewöhnlich zu überbringen, er nahm ein Vollbad, kämmte sich sorgfältig, zog seinen besten Anzug an und ging ins Rathaus; die Gesellschaft von Labatut, Washington und Cochrane lehnte er ab. Dort angekommen, übersah er hochmütig Blicke und Geflüster und stieg,

als die Volksredner das Wort hatten, auf die Tribüne, von der er so oft unter tosenden Ovationen herabgestiegen war. Doch er hatte noch nicht einmal zu reden begonnen, da wurde er überschüttet mit dem lautesten Hohngeschrei, das man je auf der Insel vernommen hat – trotz der nicht allzu überzeugten Ordnungsrufe des Ratsvorsitzenden. Er wehrte sich, erhob die Stimme, so laut er vermochte und drohte herabzusteigen und sich mit den nächststehenden Auspfeifern anzulegen.
»Kanaillen! Vor euch habe ich keine Angst! Hundesöhne! Kommt her, ich krieg euch einen nach dem anderen, jawohl einen nach dem anderen, ihr Kanaillen!«
Inmitten des heillosen Durcheinanders stieg er von der Rednertribüne, gestützt von einigen Freunden, denen es nach viel Tumult und Schreierei gelang, ihn nach Hause zu geleiten. Doch dann rannte er wie im Fieberwahn aus der Tür, um in das Häuschen einzudringen, in dem der zweite Kadett Mirabeau José die Anwerbungen notierte. Allerdings war Sonntag, und der Kadett verlobte sich gerade im Wohnzimmer seines künftigen Schwiegervaters, des Schreibers João Bizarria. Das hielt João Popó nicht ab, wie ein Wirbelwind raste er in João Bizarrias Haus, und auf die Knie fallend, mit wirrem Haar, verrutschter Kleidung, hervorquellenden Augen, flehte er unter heftigem Schluchzen, man möge ihn anmustern, möge ihn in die Schlacht ziehen lassen. Er würde ihnen Geld geben, würde alle seine Güter hergeben, würde alles tun, er war noch rüstiger als viele junge Männer, besaßen doch die Männer seiner Zeit mehr Zähigkeit. Um des Herrgotts willen, um der geheiligten Uniformtressen des Kadetten willen, um alles in der Welt möge man ihm gestatten, sich anwerben zu lassen, egal für welchen Posten, egal für welche Aufgabe, solange es nur an der Kampffront war, er könnte unmöglich die Schande ertragen, daß Brasilien bedroht wurde, ohne daß auch nur einer der Popós aufstand, um sein Blut für Brasiliens Verteidigung hinzugeben. Nur gewaltsam konnte man ihn fortschaffen, sein Weinen verwandelte sich in Heulen, sein Verstand wurde vom Feuer der Leidenschaft verkohlt, sein Körper von der Macht so vieler Widrigkeiten angegriffen – zum vierten Mal warf es ihn aufs Bett.
Und nun, an diesem Sonntag, der jenem früheren so wenig glich, kämpft João Popó vielleicht schon den Todeskampf in sei-

nem Bett, wo er seinen Rosenkranz nicht aus der Hand läßt und auf keine Anreden mehr antwortet. Man versucht, ihm die Nachrichten zu verheimlichen, doch er erfährt alles. Da sind immer gemeine Leute, die mit absichtlich lauter Stimme unter seinem Zimmerfenster Bemerkungen fallenlassen. Immer kommen Besucher, die es wie die meisten Menschen genießen, schlimme Nachrichten mitzubringen und bei fatalen Ereignissen zugegen zu sein. Er weiß, daß der berühmte Dampfer *União* bereits angelegt hat, der die Zweite Infanteriekompanie zum Kriegsschauplatz transportieren wird. Er weiß, es werden Abschiedsfeste für die künftigen Kämpfer gegeben, Liebchen, Bräute, Frauen und Mütter weinen stolze Tränen, Musikkorps üben, Bürger schmücken Straßen mit Wimpeln, Frauen beenden die Stickereien an Standarten und Flaggen, junge Burschen spielen das Niedermetzeln von Feinden, Männer geben sich bereits als Väter wagemutigster Kriegshelden. Er weiß auch, daß längs der Wellenbrecher vom Walfischkap die Mütter der Freiwilligen, vom Meerwind umweht, der schon so manches unsterbliche Antlitz geküßt hat, Setzlinge von Tamarindenbäumen gepflanzt haben, einen für jeden sich einschiffenden Sohn, damit diese Bäume mit ihrem edlen, dauerhaften Holz, ihrem langsamen Wachstum und ihrer eindrucksvollen Gestalt für immer dort wachen, selbst wenn jene, deren ewiges Andenken sie aufrechterhalten, nie zurückkehren werden. Er weiß alles, und darum weint er ein wenig und möchte in Gesellschaft seines Rosenkranzes sterben, mit dessen Perlen er soeben das zweihundertundneunte Avemaria begonnen hat. Die Einschiffung ist für Mittwoch, den 14., angesagt, alles ist soweit, alles ist bereit, Popós wird es in Paraguay nicht geben und bald wird es keinen João Popó mehr geben.

Man kann nicht sagen, daß die Familie über den großen Verlust des João Popó sonderlich betrübt gewesen wäre. Aber schließlich war er schon sehr alt und letzthin sehr schwach, in diesem Alter ist der Tod oft ein Ausruhen, ohne Gesundheit lohnt das Leben nicht mehr, der Mensch muß sich mit seinem Schicksal abfinden, das Leben ist nun einmal so, wer lebt, stirbt, ist es nicht so? Um der Wahrheit die Ehre zu geben, Candinha überschlug sich fast in Fürsorge für den Kranken, immer bot sie ihm ein Teechen an oder ein Breichen, die er regelmäßig zurückwies, die meiste Zeit saß sie an seinem Bett, doch niemand hörte von ihr während

dieser harten Prüfung einen bekümmerten Seufzer oder sah eine angstvolle Träne. Iaiá Menina erkundigte sich jeden Tag nach ihm, betrat jedoch nicht sein Zimmer, und da sie sich mit der Schwester nicht verstand, beschränkte sie sich darauf, den Negerinnen einige Fragen zuzubrummen, sich zu bekreuzigen und mit ihren harten Schrittchen nach Hause zurückzukehren. Was die anderen von ihm unterstützten Familien und Nahestehenden betrifft, so schienen sie von der neuen Lage nicht sonderlich betroffen. Anfangs machten sie noch die eine oder andere Bemerkung dazu, ließen Kummer, ja sogar Trauer erkennen. Doch bald gewöhnten sie sich daran und lebten weiter wie gewohnt, ein jeder widmete sich seiner Beschäftigung oder Nichtbeschäftigung und fügte mit dieser Gleichgültigkeit der ruhmlosen letzten Etappe João Popós eine grausame melancholische Note hinzu.
Melancholie mit einer Prise Bitterkeit und Skandal, wollte man dem Gerücht Glauben schenken, wonach Coquinho, Ostinho und Labinha – wie Cochrane, Washington und Labatut unter intimen Freunden hießen – beim Umtrunk in einer Taverne von Bahia offen besprochen hatten, wie das Erbe des Alten aufzuteilen sei, war doch Coquinho davon überzeugt – mit beredter Unterstützung durch Labinha, der bei der Aufgabe, Ostinho die Augen für die harten Wahrheiten des Lebens zu öffnen, half –, daß Lafayette schon einen Plan fertig hatte, praktisch alles einzusacken, auch die persönlichen Goldsachen des Alten. Wollten sie das bezweifeln, sollten sie sich an den Fall des goldenen, rubingeschmückten Kruzifixes erinnern, das niemand mehr zu Gesicht bekommen hatte, seit Lafayette es sich ausgeliehen hatte mit der Begründung, damit einer religiösen Zeremonie Glanz zu verleihen; sie sollten sich an den Fall der portugiesischen Leuchter aus getriebenem Silber erinnern, an den Elfenbeinstock mit goldenem Knauf, an die goldene Uhrkette und an so viele andere Gegenstände, daß diese bereits im Familiengedächtnis durcheinandergerieten. Coquinho erhitzte sich. »Wenn das Mehl knapp ist, back ich mir zuerst mein Brot«, soll er grob ausgerufen haben, um danach einen ausgeklügelten Aktionsplan zu erläutern, der die Teilnahme eines Anwalts aus Bahia einschloß, damit die Rechtsgültigkeit garantiert war, wenn man den Alten zur Unterschrift einiger Papiere bewegen konnte, bevor er ins Gras biß, und natürlich um anzugeben, wie diese Pa-

piere aufgesetzt und formuliert werden mußten. Das brachte viel Arbeit mit sich, man mußte Aufstellungen ausarbeiten, Erkundungen, Untersuchungen, Bewertungen vornehmen und all das unter dem Siegel der Verschwiegenheit, um ja kein Aufsehen zu erregen. Daher war keine Zeit zu verlieren, denn sie waren nicht die einzigen mit etwas Grips und Ehrgeiz unter den zahllosen bekannten und unbekannten Erben von João Popó, dessen bedenklicher Zustand zu unaufschiebbaren Maßnahmen zwang.

Ob es sich um eine Verleumdung handelte oder nicht, läßt sich ohne Beweise nicht bekräftigen, Tatsache ist jedoch, daß Cochrane Popó von nun an eifrig das Büro von Dr. José Miranda aufsuchte, eines Rechtsanwalts, der bekannt war für seine Fähigkeit, Gaunereien einzufädeln, betrügerische Verkäufe schon verkaufter Dinge, Urkundenfälschungen, Schwindel, Machenschaften und sogar etwas eleganter angelegte Diebstähle. Derart häufige Besuche konnten nur gemeinsame Interessen bedeuten, Interessen, die vielleicht in Papieren Gestalt gewannen, die Cochrane – selten Labatut, niemals Washington – auf immer häufigeren Fahrten zwischen der Insel und Bahia hin- und herbeförderte. Er verwahrte sie in den Innentaschen eines dicken schwarzen Überziehers, und sie mußten ihm ein gewisses Kältegefühl vermitteln, denn jedesmal, wenn er ankam, stets nachts, und die Papiere bei sich trug, hatte er den Gehrock von oben bis unten zugeknöpft. Seine Hände steckten auf eine Weise in den Hosentaschen, die höchst unerzogen wirkte, hätte man ihm nicht angesehen, daß er sich unwohl fühlte, denn seine Schultern waren eingezogen, sein Hut fest auf den Schädel gedrückt, das Gesicht beschattet, praktisch vermummt, so daß viele Leute ihn im Halbdunkel nur an dem etwas hüpfenden Gang aller Popós erkannten, gleich dem des Vaters. Die neue Angewohnheit erregte bald die Aufmerksamkeit des Städtchens, und die landläufigste Vermutung war die, daß er in Gesellschaft einer in Bahia aufgetriebenen Dirne zum Säufer geworden war, und zwar wegen der nun wohl bald tödlichen Schande, die er dem Vater angetan hatte, und wenn er trank, geriet er eben in diesen Zustand und würde sich früher oder später eine Lungenschwindsucht holen. Dann und wann kann sich einer nicht beherrschen, und sobald er ihn an der Straßenecke ganz vermummt auftauchen sieht, brüllt er los, dort kommt der Werwolf, der Kinderschreck, der

finstere Höllenhund und so fort, aber er macht sich nichts daraus und geht wortlos weiter.
Da Gott auch auf krummen Linien gerade schreibt, gelang es Zé Popó eben auf Grund dieser dubiosen Praktik der Brüder, spielend leicht zu tun, was er zu tun hatte an diesem Sonntag auf der Insel. Zé Popó kam, um mit dem Vater zu sprechen, um dem Alten zu sagen, er würde nach Paraguay kämpfen gehen, seine Ehre sei gerettet. Er wäre schon viel früher gekommen, aber es sei schwierig gewesen, ins Städtchen zu gelangen, ohne festgenommen zu werden, außerdem hätte er lange gezögert, mit Maria da Fé darüber zu sprechen, weil er dachte, sie würde enttäuscht sein, wenn er in diesen fernen Krieg ziehen wollte, der in der Tat nicht der ihre war. Doch sie war nicht enttäuscht, sie sagte, sie verstünde ihn vollkommen. Es sei geradezu eine Frage der Menschlichkeit, der Pflicht dem Vater gegenüber, der den Nachrichten von der Insel zufolge deshalb so krank sei, weil keiner seiner Söhne sich anmustern lassen wollte.
»Es ist aber nicht nur deshalb«, erwiderte er. »Es ist auch, weil ich gehen will.«
»Ja, ich weiß, ich hätte auch Lust«, sagte sie zu seiner großen Verwunderung, da er zumindest ein spöttisches Lächeln erwartet hatte. »Ich weiß, daß alles wahr ist, was wir über den Krieg und was wir über die Lage unserer Heimat denken, doch dies ist auch unsere Heimat, sie ist sogar hauptsächlich unsere, denn wir sind die Mehrheit der Menschen, die in ihr geboren wurden und in ihr leben. Darum gibt es in diesem Krieg etwas, was auch unser ist, es ist unsere Heimat oder wird es eines Tages sein. Wir müssen die Dinge so tun, wie wir es für richtig halten, wir können nicht unsere Ideen verraten, aber wir dürfen auch nicht andere, vielleicht zweitrangige, aber immerhin vorhandene Dinge unterschlagen. Auch ich kriege eine Gänsehaut, wenn von Brasilien die Rede ist, wenn ich die Hymne höre und sehe, daß das Volk die Augen zur Flagge hebt. Denn sie ist nicht unsere Flagge und ist doch unsere Flagge. Ich kann nicht gehen: Ich bin eine Frau, ich bin eine Banditin und habe eine wichtigere Verantwortung. Wenn ich zulasse, daß diese Ideen zugrunde gehen, was wird dann geschehen? Aber du, du kannst gehen, du mußt das auch durchleben, für das kämpfen, was du liebst, obwohl es dir vorenthalten wird, für das, was uns gehört, aber gegen uns

gekehrt wird, was denen gehört, die uns im Krieg befehligen und uns im Frieden beherrschen. So ist das eben, vielleicht ist das Leben so, vielleicht lernst du etwas, was du uns dann lehren kannst.«

»Ich hätte nie gedacht ...«

»Ich schon, ich hatte mir bereits gedacht, daß du vielleicht gehen würdest, seit dem Siebenten Januar, wo unsere Leute in Indianer-Verkleidung in Itaparica waren. Und ich denke auch folgendes: Ob durch diesen Krieg die Dinge nicht besser werden? Das Heer ist immer eine krakeelende Bande von Lumpenkerlen gewesen, unter dem Kommando von Ausländern, die alles hier verachten, durchsetzt von gleichfalls ausländischen Söldnern, die auch alles verachten. Das Heer, das aus Leuten aus dem Volk besteht, ist immer die schlimmste Waffe gegen das Volk gewesen, noch schlimmer als die Polizei, schlimmer als die Inquisition. Und dennoch, die Mächtigen behandeln das Militär verächtlich, sie empfangen die Soldaten nicht in ihren Herrenhäusern, wollen ihre Töchter nicht mit ihnen verheiraten, sehen ihre Söhne nicht gern in ihrer Gesellschaft. Vielleicht begreift das Heer jetzt, wo es sich für die opfert, die zu Hause bleiben und sich mästen, die sie aus der Ferne kritisieren und ihnen unausführbare Befehle schicken, vielleicht begreift es jetzt, daß es nicht den Herren gehört, sondern dem Volk, es ist nicht die Nationalgarde, sondern die Volksgarde, es ist keine Waffe gegen das Volk, sondern die Waffe für das Volk. Vielleicht begreift es jetzt, daß seine Seite unsere Seite ist, nicht die Seite von denen, denen es dient, ohne dafür auch nur ein wenig trocken Brot zu bekommen, geschweige denn die Ehre, seinem eigenen Volk zu dienen. Viele von den Soldaten werden als Helden zurückkehren, mit Ruhm und Legenden bedeckt, keiner von ihnen wird nach diesem Krieg mehr derselbe sein. Und hoffen wir, daß sie zu dem werden, was sie sein sollten, daß sie zu einem Volksheer werden. Ja, geh und kämpfe in Paraguay, richte deinen Vater wieder auf, geh und lerne, indem du handelst und lebst. Ich habe keinen Vater gehabt, aber ich hatte einen Großvater, und der war mir mehr als ein Vater, und einmal hat er mit mir das getan, was ich jetzt mit dir tue. Geh, handle, lerne, lehre.«

Bruder ist Bruder, bei aller Verschiedenheit, einer hat Riesenhauer, der andere spitze Zähnchen, einer ist blond, der andere dunkelhaarig, einer häßlich, der andere hübsch, einer O-beinig, der ander X-beinig, eines schönen Tages kommt doch die Bruderschaft zum Durchbruch und – zack! – sieh dir das an, dem anderen wie aus 'm Arsch geschnitten! Genau das ging Zé Popó durch den Kopf, als er, im Busch verschanzt, darüber nachgrübelte, wie er vorgehen sollte, um nachts in das Städtchen zu gelangen und mit dem Vater zu reden. Die Nacht würde zwar dunkel werden, aber die Leute waren gewohnt, alles mögliche in der Dunkelheit zu erkennen, er mußte ein Mittel finden, ungesehen ins Haus des Vaters zu gelangen und es erst nach seiner Anmusterung zu verlassen, wenn er nicht mehr festgenommen werden konnte.
So dachte er, ohne daß ihm etwas einfiel, und er war schon fast bereit, auf gut Glück loszustürmen, als er sich selber am Strand entlangkommen sah, aus der Richtung des Klosterguts. Er schüttelte den Kopf. Was für ein Spuk war das, ganz in Schwarz, ganz verhuscht, aber ihm doch auf so offensichtliche Weise ähnlich? Er schlüpfte hinter ein Gestrüpp am Wegrand, wo die Gestalt vorbeikommen mußte; so konnte er sie aus nächster Nähe sehen, obwohl er wahrscheinlich ihre Gesichtszüge kaum würde erkennen können. Doch er brauchte sich gar nicht anzustrengen, denn kaum war die Gestalt auf etwa zehn Meter herangekommen, sah er, daß das nur sein Bruder Cochrane Popó sein konnte. Es war ihm nie aufgefallen, wie ähnlich sie beide sich waren, aber sie waren es, das war jetzt zu erkennen, am Körperbau, am Gang, an allem, und er erinnerte sich jetzt wieder daran, denn als Erwachsene hatten sie sich einige Male von Angesicht zu Angesicht gegenübergestanden.
»Psst!« machte Zé Popó und trat hinter dem Gebüsch hervor.
»Huch!« schrie Cochrane, riß die Arme hoch und machte Anstalten fortzurennen, obgleich ihm die Beine fast den Dienst versagten. »Huch!«
»Ruhe, Coquinho, ich bins.«
»Wer, ich? Ach! Mein Stündlein hat noch nicht geschlagen, noch hat mein Stündlein nicht geschlagen!«
»Ich bins, Coquinho, Zé Popó, dein Bruder.«
»Zé Popó? Bist du wirklich Zé Popó?«
»Ja, ja, ich bins!«

»Was hast du mir für einen Höllenschrecken eingejagt, ich hab gedacht, der Tod kommt mich holen, ich hab gedacht, es ist der Teufel, das kannst du doch nicht machen, ich hätte fast einen Herzschlag gekriegt! Das kannst du doch nicht machen!«

»Verzeih, es war keine böse Absicht.«

»Was machst du überhaupt hier? Willst du etwa verhaftet werden? Eines Tages werden sie dich schnappen, und ich garantiere dir, sie werden dich nicht mit Glacéhandschuhen anfassen, das kann ich dir garantieren. Wär ich du, ich würd abhauen, was suchst du hier? Kommst an wie die Aasgeier, nur weil gemunkelt wird, daß es dem Alten schlechtgeht?«

»Gehts ihm wirklich so schlecht?«

»Ja, ziemlich. Das heißt, man weiß nicht, was er hat, kein hohes Fieber, er scheint überhaupt nicht krank zu sein. Aber er ißt nicht, er ist arg zusammengefallen, steht schon nicht mehr auf.«

»Der Ärmste. Also, ich möchte, daß du mir einen Gefallen tust.«

»Ich?«

»Ja, einen kleinen Gefallen, es soll dich nichts kosten.«

»Ich weiß nicht, nein, mein Leben ist sauber, ich möchte dir keine Gefälligkeiten erweisen, und hinterher, da werfen sie mir vor, daß ich den Banditen helf, ich möchte nicht, daß ich am Galgen ende, wo du höchstwahrscheinlich enden wirst.«

»Los, sei keine Filzlaus!« sagte Zé Popó ungeduldig und trat auf den Bruder zu.

Wenig später konnte man Cochrane Popós Gestalt, in ihrem üblichen düsteren Aufzug, über den Largo da Glória an Almiros Taverne vorübergehen sehen, und von drinnen schrie es heraus:

»Da kommt der schwarze Mann!«

Er drehte sich nicht einmal um und ging seines Weges. Anders als sie dachten, bog er nicht links zu seinem Elternhaus ab, sondern nahm die kleine Gasse, um auf die Kanalstraße zu kommen. Mit fast unhörbaren Schritten gelangte er zur Haustür von João Popó, fand die Tür angelehnt, ging durch die Eingangshalle und blieb vor dem Besucherzimmer stehen, das nur von einem Handleuchter mit Glaszylinder und von den Lämpchen des Hausaltars beleuchtet wurde.

»Jemand da?« rief er und klatschte in die Hände, und schon betrat ein erschrockenes Negermädchen das Wohnzimmer, warf einen Blick auf ihn und rannte die Treppe hinauf.
»Seu Coquinho ist da. Seu Coquinho ist da!« hörte er sie oben sagen.
Cadinha kam bald darauf die Treppe herunter, in der Hand einen zweiten Leuchter und mit zusammengekniffenen Augen.
»Was suchst du denn hier?« fragte sie. »Du bist doch sonst nie mehr aufgetaucht und hast dieses Haus nicht mehr beehrt, das du sang- und klanglos verlassen hast, und jetzt bist du auf einmal da. Was ist über dich gekommen? Geld kann ich dir keins leihen, du hast mir ja noch nicht einmal zurückgezahlt, was du beim letzten Mal von mir gewollt hast, wo ich doch jede Kupfermünze beiseite legen muß, damit es im Haus an nichts fehlt.«
»Ich möchte meinen Vater sehen.«
»Das geht jetzt nicht, er hat endlich einmal ein Breichen gegessen, und es sieht so aus, als würde er gleich einschlafen.«
»Es muß aber sein.«
Ohne etwas zu sagen, nahm er den Leuchter vom Tisch und stieg die Treppe hinauf, während Candinha hinter ihm her wetterte und ihn doppelt für den Tod des Vaters verantwortlich machte, sollte er durch diesen unerwarteten Besuch beschleunigt werden. Er betrat das Schlafzimmer, ohne den Hut zu ziehen und trat ans Fußende des Bettes, der Alte schlief nicht, sondern war fast aufgerichtet, die Perlen des Rosenkranzes übersäten seinen Schoß, seine Lippen bewegten sich schwach im Gebet. Er erschrak, als er den Sohn sah, und sprach zum ersten Mal seit langer Zeit.
»Du? Was willst du denn hier?«
»Ich komme, um Euch etwas Wichtiges mitzuteilen.«
»Du hast mir nichts Wichtiges mitzuteilen, du hast mir nichts zu sagen. Ich will dich nicht sehen.«
»Wer glaubt Ihr denn, daß ich bin?«
»Der, der du bist: eine Memme, ein Feigling, ein Schlappschwanz, ein Landstreicher, und ich habe die unverzeihliche Sünde begangen, dich mit dem geheiligten Namen Lord Cochrane zu taufen! Fort von hier, willst du mich vollends umbringen? Raus hier!«

»Ich bin nicht Coquinho, auch nicht Ostinho, auch nicht Labinha«, sagte die Gestalt, zog den Hut und knöpfte den Überzieher auf. »Mein Name ist José.«

»Du? In seinen Kleidern? Was hast du gemacht? Hast du deinen Bruder umgebracht? Ach, Herr der Unglückseligen, warum marterst Du mich so entsetzlich am Ende meines Lebens? Was für schreckliche Sünden muß ich begangen haben, damit Du mich so hart züchtigst?«

»Ich hab niemand umgebracht, und wenn ich es hätte, der würde kaum einem fehlen. Ich habe ihm nur ein paar auf die Schnauze gegeben, weil er mir sein Zeug nicht leihen wollte, ich glaub aber, daß er nicht mal schief davon wird.«

»Ich will auch dich nicht sehen! Deinetwegen ...«

»Ich komme, um Euch zu sagen, daß ich mich zum Paraguay-Feldzug einschiffen will.«

Candinha, keuchend und kaum imstande, sich bis zur Tür zu schleppen, nachdem sie treppauf, treppab geeilt war, um Militão und Boanerges zu rufen, die in der Hinterhofkammer schliefen, traute ihren Augen kaum. Es war keine peinigende Szene von roher Gewalt, die sich vor den zur Überwältigung des Eindringlings herbeigerufenen beiden Negern abspielte, vielmehr sahen sie da, angestrahlt von einem aus dem Nirgendwo kommenden Glanz, wie unter Wechselgesängen aus dem Himmel, Vater und Sohn umarmt, zwischen Lachen und Weinen, João Popó kregel wie ein junger Mann und Zé Popó, der Riesenkerl, selig wie ein Bub. Candinha fiel in Ohnmacht.

Aber das bemerkte João Popó nicht einmal, kein Wunder, denn die Einschiffung sollte in zwei Tagen stattfinden, und er mußte Himmel und Hölle in Bewegung setzen, um Uniform und Ausrüstung für den Sohn zu beschaffen, und sollte er sie stehlen müssen, und er mußte ihn um jeden Preis auf die Freiwilligen-Liste bekommen – glücklicherweise gibt es immer Mittel und Wege für dergleichen Dinge. Denn jetzt wußte er, daß er am 14., mit stolz geschwellter Hühnerbrust, während der Vaterlandswind ihm die Lungen versengen und sein Herz entfachen würde und sein Kopf in den Lüften schwebte wie ein Festballon, am Kai stehen würde, ohne sich um die ihm über die Wangen rinnenden Tränen zu kümmern, und daß er den Hut so hoch wie möglich schwenken würde, um den heldenhaften Sohn zu grüßen, der mit breitem Lächeln von der Reling der *União* winken würde, unterwegs zum Schlachtfeld, ein Popó in der ersten Angriffsfront gegen die Feinde Brasiliens. Was Cochrane Popó betraf, so wollte es das umbarmherzige Schicksal, daß Zé Popó, nachdem er ihm ein paar Faustschläge verpaßt und seinen Überzieher angezogen hatte, einige der belastenden Papiere mitnahm, mit dem Ergebnis, daß der Alte alles erfuhr und schwor, so gewiß wie einer seiner Söhne in Paraguay kämpfte, würde er die drei Verschwörer enterben.

Nicht, daß er etwa an diese Dinge glaubte, aber die Wahrheit war, daß alle, durch die die Göttin Ifá sprach, die alles weiß, Zé Popó immer bestätigt hatten, er gehörte Oxóssi. Einen schönen Oxóssi hatte er, einen bildschönen, sympathischen und tapferen Oxóssi, den Orixá, der in der Morgendämmerung jagt, Hähne ißt, ein Meister in Pfeil und Bogen. Zé Popó sagte nichts, doch alle Babalaôs, alle Babalorixás und Ialorixás, die mit Muscheln und Holzperlen wahrsagten, erklärten immer, Oxóssi sei ihm nahe, obwohl sie sich nicht absprechen konnten und ihn nie zuvor gesehen hatten. Daher gewöhnte er sich an den Orixá, lernte seine hellblaue Farbe besonders liebgewinnen und entdeckte zu seiner großen Überraschung, daß er schon von Geburt an nicht mochte, was Oxóssi nicht mochte: er mochte keine Ameisen, er mochte kein Quiabogemüse, er mochte keinen Bienenhonig. Alles von Oxóssi verschmähte Dinge, doch er wußte es nicht, er erfuhr es erst als Erwachsener.

Aber das alles mögen Dinge sein, die sein können oder nicht, nur daß Zé Popó, der anfangs zum Küchenfegen abgestellt, doch bald nach dem Appellsignal zur Ordonnanz des Stabsoffiziers seines Bataillons angefordert wurde, so daß er in der ersten Vormittagshälfte wenig zu tun hatte, und er nahm ein sonderbar wogendes Getümmel im Buschwald wahr, etwas sich lebhaft Rührendes, und ohne zu wissen weshalb, war er sich sicher, daß es mit Oxóssi zu tun hatte, er spürte sogar, daß es da ein Vorzeichen in den Wolken gab, der Heilige wollte ihn vor etwas warnen. Um so mehr, als es der ihm geweihte Wochentag war, genau der Tag, an dem – Zé Popó mußte es zugeben – ihm meistens die Dinge zustießen, die entscheidend waren. Aber sollte dieser Orixá wirklich hier sein? Was trieb er hier, so weit von seinen Kultplätzen und von seinem Volk entfernt, hier, wo es keine Orixás gibt, sondern andere Wesenheiten, Ungeheuer mit Ochsenkopf, Schlangenleib und Rasierklingenschweif, nach dem, was die Leute aus der Gegend und auch die Argentinier und Uruguayer erzählten? Freilich, die erst vor kurzem aus Afrika gekommenen Neger bestätigten es, Oxóssi war ein sehr brasilianischer Orixá, viel mehr brasilianisch als afrikanisch, denn in

Afrika ging er zwischen über dreihundert anderen ziemlich unter, und viele Leute erinnerten sich gar nicht mehr an ihn. So war es nicht unmöglich, daß er seine brasilianischen Söhne hierher begleitet hatte, um an ihrer Seite zu kämpfen und sie zu beschützen.

Ach was, dachte Zé Popó, das sind ungereimte Dinge, er ließ seinen Gedanken einfach allzu freien Lauf. Warum versuchte er statt dessen nicht zu lernen, wie ihm Maria da Fé geraten hatte? Hier gab es viel zu sehen und zu lernen, sogar neue Redeweisen, sogar, daß Bahianer nicht nur die in Bahia Geborenen waren, sondern alle, die nicht aus den Südprovinzen stammten. Sogar neue Gerichte und Getränke, die einem erst zuwider waren und hinterher schmeckten. Ja, viel gab es zu lernen, und Zé Popó blickte über das Feld rings um das Lager: Busch, Sumpfgelände, Gestrüpp aus seltsamen Pflanzen. Das Zeltlager erstreckte sich endlos bis zum Horizont hin – wie viele Männer waren sie wohl? Tausende und Abertausende sicherlich und ganz außergewöhnliche Generäle in ihren schimmernden Uniformen, mit ihrem legendären Schneid, Namen, die die Soldaten in den kalten Nächten dort rings um die Lagerfeuer einander wie Götternamen zuflüsterten.

Ein schöner Tag glücklicherweise, ein klarer, fast konnte man sagen, ein wohlriechender Tag. Doch die Buschwälder, was geschieht in den Buschwäldern? Wenn das Oxóssi ist, in den Buschwäldern, was treibt er dann in diesen Wäldern? Wieviel Uhr mochte es sein? Gegen zehn, vielleicht elf, Zé Popó sprang auf, um einen Befehl des diensttuenden Offiziers entgegenzunehmen, und auf dem Weg sah er einen Trupp Soldaten aus dem Dickicht rennen.

»Sie sinds«, schrie einer der Soldaten.

Hätte man später Zé Popó gefragt, in welcher Reihenfolge das ganze Geschehen ablief, er hätte es nicht sagen können, denn plötzlich zischte und platzte eine Art Rakete, das Kornettsignal ›Zu den Waffen‹ ertönte, Soldaten wuselten wie Ameisen aus allen Ecken hervor, die Gewehrpyramiden lösten sich auf wie Zahnstocherbündel, Standarten füllten die Luft, die Offiziere brüllten los, und aus dem Busch, aus dem sandigem Gelände und den Sümpfen brach unter höllischem Gewehrfeuer paraguayische Kavallerie und Infanterie hervor, eine rote und kupferfarbene

Woge, noch furchterregender durch das schneidende Gefunkel ihrer langen Krummsäbel.
Bleich, aber sehr gefaßt, mit noch kräftigerer Stimme als gewöhnlich, stellte Hauptmann Patrício Macário seine Männer in Dreierreihen auf und eröffnete das Feuer auf eine der feindlichen Kavallerieflanken, die keilförmig in die mittlere Vorhut der Brasilianer eingedrungen war. Zé Popó spürte einen Salzgeschmack auf der Zunge und nahm nur das wahr, was unmittelbar um ihn herum vorging, er führte den Befehl, das Bajonett aufzupflanzen, aus, ohne auf das zu achten, was er tat, und wußte nur, daß er auf das Kommando warten mußte, um auf die feindlichen Reiter loszustürmen, denen nun das Sumpfgelände zu schaffen machte. Außerdem waren sie von ihrer Kerntruppe durch einen Angriff der berittenen Garibaldiner getrennt, die sich mit Kriegsgeheul auf ihren linken Flügel stürzten und ein großes Gemetzel anrichteten. Das Signal für den Bajonettangriff schmetterte sein mörderisches Lied, die ganze Kapelle schien unisono zu blasen, und Zé Popó stürmte in unaufhörlichem Lauf an der Spitze der ersten Welle los, trotz des zum Schutz der eingeschlossenen Kavallerie von links herüberdonnernden paraguayischen Gewehrfeuers. Es kam ihm so vor, als würde er die von den tödlichen Kugeln gezogenen Linien sehen und ihnen ausweichen können und glaubte nicht, daß er jemals getroffen werden könnte, dann prallte er plötzlich auf den ersten Paraguayer, dem er je in seinem Leben begegnet war – einen starken Burschen mit Indiogesicht, der auf seinem scheuenden Gaul ohne Lanze und Degen nicht wußte, was tun. Zé Popó hätte nie gedacht, daß man in einem Krieg wie diesem dem Feind in die Augen blickte, doch genau das tat er, er schloß sie nur in der Sekunde, in der er das Bajonett mit einem Vorwärts- und Aufwärtsstoß dem anderen in den Bauch stieß, fühlte, wie der Stoff zerriß, die Eingeweide zerfetzt wurden und das Blut ihm über die Handgelenke floß. Er wartete noch darauf, daß dem Paraguayer, der den Mund weit aufsperrte, die Hände erschlafften, die sich in dem Augenblick, als er verwundet wurde, an die Zügel geklammert hatten, und er hätte auch noch lange zugeschaut, hätte er nicht plötzlich bemerkt, wo er war und daß er etwas tun mußte, um nicht selbst zu sterben. Er fuhr mit dem Karabiner herum, als fürchte er, von hinten angegriffen zu werden, und sah, wie die feindliche Kavallerie zurückwich und von den Garibaldinern nie-

dergemäht wurde, während die Infanteristen schon in wilder Auflösung fortstoben, verfolgt von einem Trupp Liniensoldaten mit Hauptmann Patrício Macário an der Spitze.
Einige Kameraden in Zé Popós Nähe klatschten Beifall, ungläubig blickte er in die Runde. Kein Feind in der Nähe, niemand außer seinen Kameraden, schon klang die Schießerei wie fernes Dröhnen. Sie hatten die Schlacht gewonnen, das war also eine Schlacht, er hatte schon schlimmeren Krawall erlebt. Zu seiner Linken, mit der Hand am Mützenschild und lächelnd, erkannte er Joaquim Leso aus Gameleira, Sohn des Fischers Né Leso, der oft Maria da Fé geholfen hatte. Er wollte ihn umarmen, doch kaum hatte er den ersten Schritt auf dem schlüpfrigen Gelände getan, war ihm, als verspürte er einen Schlag, einen heftigen Stoß, er rutschte und fiel mit einem Knie zu Boden. Er sah sich um, wer ihm den Stoß gegeben haben konnte, fand niemanden, der nahe genug stand, und drehte sich wieder zum Wald hin, als er ein schreckliches Grollen von dort herüberdröhnen hörte und sah, wie Joaquim Lesos Kopf von einem unbekannten Geschoß zerfetzt wurde. Er hatte sich getäuscht, höllisch getäuscht, die Schlacht war nicht zu Ende, sie hatte gerade erst begonnen, und der Tod, in seiner Gier, alle Stirnen zu berühren, überschwemmte von neuem die Felder und Sümpfe mit Blut. Den ganzen Tag lang hielt das Gemetzel an, eine Welle von Männern nach der anderen prallte unter Gebrüll, Detonationen und Gestöhn aufeinander, niemand außer dem Tod sah genau, was geschah, denn kein Mensch sieht eine Schlacht, er erlebt nur seinen Teil bis zum Ende.

Aber Oxalá, Vater der Menschen, sieht die Schlachten. Oxalá sieht alles, und er sah auch, wie seinem Sohn Joaquim Leso der Kopf von einem Kanonengeschoß abgerissen wurde, so daß er nie mehr die Leute von Gameleira mit seinen gefälligen Manieren, seinem freundlichen Lächeln und seiner entwaffnenden Zutraulichkeit entzücken würde. Er sah auch, wie sein Sohn Oxóssi aus dem Buschwald herausschoß, nur für ihn sichtbar als ein bläulicher Blitzstrahl, und Zé Popó auf die Seite stieß, damit das Geschoß nicht ihn traf. Was wollte Oxóssi, was mischte er sich da ein in die Männerschlacht, in der viele der Besten sterben sollten, wenn es so geschrieben stand?

Bald erfuhr er, was Oxóssi wollte, als dieser nämlich zur Wohnstätte Xangôs-des-Steinschleuderers gelangte. Xangô, glänzend in Rot und Weiß, empfing den Bruder mit der hochgemuten Fröhlichkeit, die ihn nur verläßt, wenn Zorn ihn packt. Oxóssi wandte sich an ihn mit folgenden Worten:

»*Ca-uô-ô-biê-si*, ich grüße meinen großen Bruder, König von Oió, Herr des Blitzes, Herr der *igi-ará*, Jacutá, Steinschleuderer! Dort, auf den Feldern eines fernen Ortes mit Namen Tuiuti, wird eine große Schlacht geschlagen, die größte, die je auf dieser Seite der Welt gesehen wurde, und in dieser Schlacht sterben viele unserer tapfersten Söhne, bezwungen von einem erbarmungslosen, übermächtigen Feind. Unseren Söhnen, die um ihre Ehre kämpfen, die ihnen im Blut steckt, fehlt es nicht an Tapferkeit, aber der glückliche Ausgang dieses Kräftemessens ist ungewiß, und schon fürchte ich, daß die Stunde kommt, da kein einziger unserer mutigen Söhne mehr auf den Beinen steht. Oft haben sie vor uns ihre Köpfe geneigt, haben sie ihre Verpflichtungen unter Opfern erfüllt, haben uns unsere Nahrung dargebracht. Wer wird nun meiner in der Morgendämmerung gedenken, wer wird mir meinen Hahn und mein Zicklein spenden? Wer wird mich am Rand des Buschwalds begrüßen? Und wer wird deine Waffen ehren, wer wird dir die gebührenden Huldigungen zollen, wer wird dich beschwören? Uns steht es nicht an, diesem Kampf fernzubleiben. Vielmehr sollten wir uns einmischen, als wäre es unserer, denn das ist er. Daher rufe ich auch meinen Bruder Xangô, Meister des Feuers und der Axt, von nie erreichtem Stolz und Mut, damit er mich in diese große Schlacht begleitet, in der unsere tapfersten Söhne fallen, damit wir kraft unseres Armes und unserer Kriegskunst ihr Glück wenden.«

Worauf der Jacutá Genannte, der Steinschleuderer, mit seinem Kopf nickte, groß wie eine Glocke, und antwortete:

»*Oquê*, Oxóssi, *oquê-arô*, unvergleichlicher Jäger der Morgendämmerung, König der Buschwälder, Herr der List, unerreicht in Pfeil und Bogen, hocherfreut ist mein Herz, dich in meinem Hause zu sehen! Schon hat mir Ifá, die alles weiß, gesagt, daß diese große Schlacht im Gange ist und daß dort viele meiner wakkersten Söhne fallen. Ich weiß wohl, daß es uns eigentlich nicht ansteht, in diese Kämpfe einzugreifen, ich weiß aber auch, daß wir in viele eingreifen mußten und daß wir zu unserer großen

Betrübnis unserem Volk oftmals nicht helfen konnten, wie wir es wünschten. Ich bewundere deine Verwegenheit, ich habe mitangesehen, wie du deine wohlverdiente Macht und Bedeutung mehrst in diesem Land, in dem du nicht geboren, aber wiedergeboren bist. Voller Stolz sehe ich, wie du dich erhebst, um unseren Söhnen beizustehen, und mit noch größerem Stolz sehe ich, daß du mich abholst, um dich aufs Schlachtfeld zu begleiten. Ich werde drum mit dir aufs Schlachtfeld gehen, werde meine Waffen und meine Kraft mitnehmen, und gemeinsam werden wir die besiegen, die unsere tapfersten Söhne töten wollen.«

So sprach er und stand auf, und seine Statur war einem Turm vergleichbar, und sein heißer Blick war glühend wie hundert Feuerbrände. Und schon durchstreifte er mit seinem Bruder Oxóssi das brennende Gebiet von Tuiuti. Zuerst drangen sie in die Herzen und Köpfe ihrer Söhne ein und legten in ihre Kehlen die Kriegsrufe ihrer Ahnen, jeder ein verblüffender Oxóssi, jeder ein unwiderstehlicher Xangô, keiner fühlte mehr Angst, keiner fühlte mehr Schmerz, alle kämpften, wie wenn der Wind hohe Gräser biegt. Xangô sah, wie sein Sohn Capistrano aus Tairu, umringt von drei paraguayischen Kavalleristen im Sumpfgelände, seinen nassen, unbrauchbaren Karabiner fortwarf, eine herrenlose Lanze aufhob und einem seiner Gegner eine Grimasse zog, der nun zum Angriff ansetzte und seinem Pferd so die Sporen gab, daß blutiges Schlammwasser in alle Richtungen spritzte. Da erschien Xangô und sagte zu seinem Sohn:

»Capistrano, nicht umsonst hast du dein Haupt meinem Namen unterstellt, hast mich an meinen Feiertagen gegrüßt, hast durch dein Betragen stets meiner Ehre und Größe gedacht. An die Speisen, die du mir gespendet, die Tiere, die du mir geschlachtet hast, denke ich mit Wohlgefallen. Halt deine Lanze fest, fürchte den Feind nicht, denn nichts fürchtet Xangôs braver Sohn. Ich bin bei dir und kämpfe mit dir.«

Diese Worte hörte der tapfere Sohn der lieblichen Strände von Tairu, wo es Fisch im Überfluß gibt und die Frauen liebenswürdig sind, und stärkte damit seinen Mut.

»*Ca-uô-ô-ca-biê-sile*, mein großer Vater Xangô! Ich habe keine Furcht gehabt, wenn ich allein auf dem Meer war und dem Sturm widerstanden habe und den großen Fischen. Nie habe ich die Angst gekannt und nie im Dunkeln gezittert, und drum würde ich auch jetzt nicht zittern, erst recht nicht, weil mein großer Vater mir zur Seite steht. Bevor ich auf diesen fremden Feldern sterbe und bevor meine Verwandten, wenn ich fort bin, mein Axexê machen und meine Andachtsgeräte ins Flußwasser werfen, da nehme ich noch einen mit, denn ich sterbe nicht umsonst. Und niemand wird erleben, daß ich den Rücken kehre oder einen Fußbreit weiche.«

Xangô, ein rotweiß glühender Blitz, fand auf der anderen Seite, auf trockenem Gelände, einen zweiten seiner Söhne, den Soldaten Presciliano Braz aus Santo Amaro do Catu. Er wollte keine Zeit mit Reden verlieren, fuhr einfach in seinen Kopf hinein und richtete seinen Blick auf die beiden Kavalleristen, die Capistrano bedrohten. Presciliano lud das Gewehr, und geführt von der Hand des Gottes, traf er einen der Reiter an der Stirn, dessen Pferd davonstob und seinen Reiter durch den Schlamm schleifte. Sofort gab Xangô Presciliano eine neue Patrone an die Hand und führte ihm das Gewehr beim Zielen. Gleich darauf flog er zu dem Reiter, der auf Capistrano eindrang, und blies ihm in dem Augenblick, als er die Lanze gegen seinen Sohn senkte, seinen Feueratem ins Gesicht, einen so starken Atemstoß, daß jener im Sattel schwankte, danebenzielte und selbst von Capistranos Lanze aufgespießt wurde, fast wie eine Flagge auf einer Mastspitze.

An allen Ecken und Enden kämpften Xangô und Oxóssi auf der Seite ihrer tapfersten Söhne. Doch Oxóssi sah, daß trotz seiner Anstrengung und seines Bruders außerordentlicher Tapferkeit ihr Kriegsglück schwankend war und die Gefahren größer wurden. Nun eilte der große Jäger der Morgendämmerung, Kenner von Bogen und Pfeil, zur Wohnstatt seines Bruders Ogum, des Herrn des Eisens und der eisernen Werkzeuge, dessen Name der Krieg selbst ist. Dort angekommen, sprach er folgendermaßen:

»*Ogum-ê*, Schmied ohnegleichen, Herr der Werkzeuge, einzigartig im Kampf, dessen Name der Krieg selbst ist, mutigster aller Orixás, ich grüße dich, tapferster Bruder! An einem Ort mit Namen Tuiuti fallen in dieser Stunde etliche unserer tapfersten Söhne in ungleichem Kampf, bedrängt von einem mitleidlosen Feind. Wir, unser Bruder Xangô und ich, sind dort und stehen ihnen in diesem Gefecht bei, doch unsere Hilfe genügt nicht, ich mag die Buschwälder noch so schnell durchfegen und dem einen hier, dem anderen dort beistehen, mag unser Bruder Xangô, der Steinschleuderer, die Sümpfe mit seiner großen Verwegenheit noch so sehr in Schrecken versetzen. Daher bitte ich um die Hilfe meines unübertrefflichen Bruders, des großen Ogum, Herr des Eisens und der Werkzeuge, einzigartig im Kampf, dessen Name der Krieg selbst ist, er möge sich uns in diesem Kampf zugesellen und dadurch verhindern, daß wir viele unserer tapfersten Söhne verlieren.«

Der Orixá von meerblauer Farbe runzelte die Stirn, kreuzte die Arme auf der breiten, nackten Brust und antwortete:

»*Oquê*, Oxóssi, geliebter Bruder, großer Jäger der Morgendämmerung, geschickt mit Bogen und Pfeil! Dich in meinem Haus zu sehen bereitet mir Freude, doch muß ich dir sagen, denn ich lüge nicht, daß du mir mehr Freude bereiten würdest, kämest du nicht unter diesen Umständen. Nicht weil es mir etwas ausmacht zu kämpfen, da ich doch alle Waffen und Werkzeuge beherrsche und mein Name der Krieg selbst ist, sondern weil du mich erst jetzt aufgesucht hast, wo ich der erste sein sollte, der gerufen wird. Ich erkenne den großen Mut und die unvergleichbare Tapferkeit unseres Bruders Xangô an, Herr des Blitzes, Steinschleuderer, König von Oió, doch ich kann nicht zulassen, daß man mir wegnimmt, was mein ist durch Recht und Berufung. Mit meinem Arm wäre die Schlacht gewonnen und wir würden nicht viele unserer tapfersten Söhne verlieren, die jetzt nahe daran sind, auf diesen Tuiuti genannten Feldern unter Schmerzen zu verbluten. Aber man hat mich vergessen, wo ich der erste hätte sein müssen, an den man sich erinnert. Wo haben sie den Kopf vor mir gebeugt? Wo ist mein Opferplatz? Welche Tiere hat man vor der großen Schlacht für mich geschlachtet? Wer hat mich gebeten, dem Eisen der Rüstungen ein günstiges Geschick vorauszubestimmen? Wer hat an mich gedacht, bevor die Schlacht nicht mehr zu gewinnen war, selbst mit deiner Hilfe, unvergleichlicher Jäger, makelloser Bogenschütze, und mit Hilfe unseres Bruders Xangô, schon immer unerreichbar in Stolz und Mut? Ich bin traurig, daß eine große Schlacht geschlagen wird, in der so viele unserer tapfersten Söhne fallen werden, die Ehre mir aber nicht erlaubt, an ihr teilzunehmen. Sprich mir nicht mehr davon, und ich bitte dich, willst du weiter in meinem Hause verkehren, womit du mir große Freude bereitest, daß du nicht mehr

mit mir über eine Sache sprichst, die zu besprechen mir mißfällt, weiß ich doch genausogut wie du, daß ich recht habe.«
So sprach er, verschränkte noch enger die Arme auf der Brust und runzelte so stark die Stirn, daß die Blätter auf den Bäumen erzitterten. Oxóssi, Jäger mit Mut, geschickt mit Bogen und Pfeil, Herr des Waldes, erzitterte gleichfalls angesichts des gerechten Zorns seines untadeligen Bruders. Doch er verlor nicht den Mut und wanderte zum Haus Oxalás, Vater der Menschen. Dort angekommen, sprach er diese Worte:
»*Rê-pa-babá*, Babá-Oxá, Oxalá, Vater der Menschen, Sohn des Olorum, Herr der leuchtenden Weiße, höchster von allen, mein Vater, der du die meisten Namen trägst! Seit langem leidet dieser dein Sohn, ohne daß er dich je um etwas angegangen ist, denn ich habe mich immer meinem Schicksal ergeben und zu begreifen versucht, daß in allem Geschehen Notwendigkeit verborgen liegt. Doch jetzt, auf einem unbekannten Feld namens Tuiuti, sterben viele unserer tapfersten Söhne in einer ungleichen Schlacht, angesichts eines allzu starken, erbarmungslosen Feindes. Ich selbst und mein von mir herbeigerufener Bruder Xangô kämpfen mit in dieser Schlacht, aber unsere Kräfte reichen nicht aus, um den Tod von der Stirn unserer Söhne fernzuhalten. Soeben habe ich mit meinem Bruder Ogum gesprochen, dem Herrn des Eisens und der Waffen, dessen Name der Krieg selbst ist und dessen Tapferkeit die jedes anderen überragt, doch er, aus gekränktem Stolz, weigert sich, auf das Schlachtfeld zu eilen und die Seinen zu verteidigen, weil er sie undankbar findet, und nichts kann ihn von seiner Entscheidung abbringen. Ich weiß, daß dieser Krieg nicht der unsrige ist und es uns auch nicht ansteht, in diese Kriege einzugreifen, und auch, daß Oxalá, Vater der Menschen, nichts von Kriegen wissen will. Aber ich stünde nicht hier, wüßte ich nicht, daß auch deine Söhne unter den Menschen dieser großen Schlacht gefallen sind, und das bringt deinem Herzen Schmerz. Ich sehe mein eigenes Leben in dieser großen Schlacht und bitte dich, daß du mir hilfst, den großen, im Kriege unbezwinglichen Ogum zu überreden, daß er auf der Seite seiner Söhne mitkämpft.«
Nach diesen Worten umschlang er die Knie seines Vaters Oxalá, des einzigen Sohns Olorums, des Herrn der leuchtenden Weiße, des höchsten von allen. Oxalá fühlte Mitleid mit dem Sohn,

streichelte seinen Kopf, antwortete freundschaftlich und sprach die folgenden Worte:
»Ich weiß wohl, wie du fühlst, denn ich erlebe deinen Wagemut und deinen Kummer mit, wie auch den Tod unserer tapfersten Söhne auf den Tuiuti genannten Feldern. Und du hast recht mit dem, was ich tun oder nicht tun kann, denn in der Tat, sehr wenig vermag ich zu tun. Wie du selber gesagt hast, ist dieser Krieg nicht der unsere, weshalb uns auch ein Eingreifen nicht ansteht. Vieles steht geschrieben, noch viel mehr obliegt den Menschen, es selbst niederzuschreiben, denn ihre Seelen sind frei, und wenn sie Krieg machen, so weil sie den Krieg gewählt haben. Doch bekümmere dich nicht, denn es steht auch geschrieben, daß der, welcher für das Gute kämpft, woran er glaubt, schließlich siegen wird. Was Ogum betrifft, den Herrn des Eisens und der eisernen Werkzeuge, unübertrefflich im Kampf, dessen Name der Krieg selbst ist, so weißt du wohl, daß sein Schneid nur noch von seiner Halsstarrigkeit übertroffen wird. Du hast selber gesagt, daß ihn nichts bewegen würde, und so ist er.«
Der große Oxóssi, furchtloser Jäger, unvergleichlich in Bogen und Pfeil, beharrlich wie der Morgentau, nahm sich die Worte seines Vaters zu Herzen, um so mehr, als er alles als Wahrheit erkannte. Und schon weinte er im Schoß Oxalás, des Herrn der leuchtenden Weiße, des höchsten von allen, über den Verlust seiner tapfersten Söhne, als dieser, das Herz von Weh beklommen, wie folgt sprach:
»Ich will nicht, daß du weinst, auch nicht, daß du traurig bist, mein geliebter Sohn, unschlagbar in Bogen und Pfeil, Jäger der Morgendämmerung, Fürst der Buschwälder. Ich verspreche dir nichts, gebe dir aber einen Rat. Laß die Hoffnung nicht erlöschen, daß der mutige Ogum, unbezwinglich im Krieg, es sich anders überlegt und seinen Söhnen in dieser großen Schlacht zu Hilfe eilt. Doch laß es nicht bei der Hoffnung bewenden, denn sie allein, ohne eifriges Tun, führt nur zu fruchtlosem Träumen. Suche drum deine Schwester Iansã auf, Königin der Winde und der Geister, Herrin der Stürme, draufgängerisch und wagemutig wie ein Taifun, und bitte sie um ihre Hilfe. Sie wird dir zwar Ogum, dessen Name der Krieg selber ist und dessen Arm keine Schranken kennt, nicht ersetzen, sie wird dir aber neuen Auf-

schwung leihen, denn sogar die mächtigsten Bäume fürchten die Kraft deiner Schwester Iansã, Bezähmerin der Winde und Geister. Suche sie auf, grüße sie und sage ihr, deine tapfersten Söhne und die ihren fallen in dieser großen Schlacht des Tuiuti genannten Ortes. Bitte sie, ihre großen Kriegergaben einzusetzen, um den Unsrigen im grausamen Kampf dieser großen Schlacht beizustehen.«

Oxóssi preßte den Kopf an die Brust des Vaters und brach ohne Verzug auf zum Hause von Iansã, Herrin der Winde und der Stürme, Hüterin der Geister. Dort angekommen, sprach er:

»*É-parrê*, Iansã, Herrin der Winde und der Stürme, Königin der Geister, draufgängerisch und verwegen wie ein Taifun, von unwiderstehlichem Kampfesgeist, ich grüße dich! Auf den unbekannten Feldern eines Tuiuti genannten Ortes fallen viele unserer tapfersten Söhne von der Hand eines übermächtigen, unbarmherzigen Feindes. Ich habe mich bereits dem Kampfe angeschlossen in Gesellschaft unseres Bruders Xangô, des Steinschleuderers, schreckenerregend auf dem Schlachtfeld, doch auch so schweben unsere Söhne in Gefahr, und der Ausgang der Schlacht ist sehr ungewiß. Drum komme ich, dich zu bitten, daß du mit mir aufbrichst zu dem Tuiuti genannten Schlachtfeld, damit die Waffen mit deiner Hilfe uns nicht widrig sein mögen, meine große Schwester Iansã, Königin der Winde und der Stürme, Herrin der Geister, furchterregend im Streit!«

Die Göttin im Schmuck ihres roten Zierats hob das schöne Antlitz von funkelnder Herrlichkeit und antwortete ihrem Bruder Oxóssi auf folgende Weise:

»*Oquê*, Oxóssi, geliebter Bruder, Jäger der Morgendämmerung, Fürst der Buschwälder, bewandert in Bogen und Pfeil, ich heiße dich willkommen wegen der Freude, die du mir ins Haus bringst! Die Perlen von Ifá, derjenigen, die alles weiß, haben mir schon gesagt, daß diese große Schlacht im Gang ist, in der viele unserer tapfersten Söhne fallen und in der meine Brüder Oxóssi, geschickt mit Bogen und Pfeil, und Xangô, der Steinschleuderer, ihr Bestes geben. Ich war schon verwundert, daß ich nicht zu diesem Kampf gerufen wurde, doch die Perlen offenbarten mir, daß du mich holen würdest, und so will ich dich mit all meinen Waffen in diese große Schlacht begleiten. Heute wird nicht der Tag sein, an dem unsere tapfersten Söhne die Erde mit ihren leb-

losen Leibern bedecken werden, denn das werden die Kraft unserer Arme und die Macht meiner Winde zu verhüten wissen.«
So sprach sie und zog mit ihrem Bruder auf die Felder von Tuiuti, wo Xangô, der den Blitz bezähmt, im wild entbrannten Streit auf den Wolken ritt, die Gegner niederwarf und seine Söhne beschirmte, so daß es auf Erden wie im Himmel keinen schrecklicheren Anblick geben konnte. Und schon ließ Iansã, verwegener als ein Taifun, Königin der Lüfte, vor der sogar die mächtigsten Baumstämme Angst haben, ihre trügerischen Winde wehen, die den Herzen der Feinde böse Geister zuführten. Feige Geister, Memmengeister, lügnerische und laue Geister, sie alle wurden von den Winden der Göttin hergeweht und drangen in die Nasenflügel der Paraguayer und flößten ihnen tiefe Angst ein. Geister der Zwietracht, Geister des Neids, Geister der Erbärmlichkeit, sie alle wurden gleichfalls von den Winden Iansãs hergeweht, die vor nichts flieht, und stifteten Wirrsal unter den Feinden.
Oxalá, Vater der Menschen, der höchste von allen, sah von seinem leuchtendweißen Thron aus, was vor sich ging, und lächelte. Doch noch fühlte er im Herzen die Trauer seines geliebten Sohnes Oxóssi, nie bezwungen in der Jagd, und daher rief er Exu, der alles ißt, vor sein Angesicht.
»*Larô-iê*, kleiner Exu, du, der alles ißt, Freund der Hunde, Bote der Orixás«, sagte Oxalà, Vater der Menschen. »Ich habe dich gerufen, damit du mir einen Dienst erweist. Weit weg, auf einem unbekannten, Tuiuti benannten Felde, wird eine Schlacht geschlagen, in der viele meiner tapfersten Söhne fallen und anderer Orixás auch, und das bekümmert mein Herz tief. Ogum, Herr der eisernen Werkzeuge und des Eisens, dessen Name der Krieg selbst ist, will aus Stolz und Eitelkeit seinen Arm nicht zur Verteidigung seiner Söhne leihen. Er klagt, man habe es an Opfergaben ihm gegenüber fehlen lassen, man habe ihn nicht als ersten gerufen, man habe ihn vergessen, und nun entzieht er sich dem Kampf. Ich will mich nicht seinen Ungezogenheiten und seinen Unmutsanfällen aussetzen, denn ich vermag nicht von meiner Größe herabzusteigen. Darum weise ich dich an, daß du ihn aufsuchst und ihn, ohne noch etwas von dem zu sagen, was ich gesprochen und mit dir beredet habe, überredest, zum Kriegsschauplatz aufzubrechen, indem du eine deiner tausend Listen

und Kunstgriffe anwendest, und tritt mir nie mehr unter die Augen, solltest du deine Mission nicht zu meiner Zufriedenheit ausgeführt haben.«

Exu flog zu Ogums Haus und fand ihn schlafend. Da schlüpfte Exu, der alles ißt, vollendeter Bote, er, der in der Dunkelheit lacht, als Traum in den Schlaf Ogums, des Königs des Eisens, hervorragend im Kampf, dessen Name der Krieg selbst ist. Doch nicht als Exu, vielmehr in Gestalt Iansãs, Göttin der Lüfte, von unschlagbarem Kampfgeist; Iansã, die runden Hüften schwenkend, erschien vor Ogums schlummernden Augen und sprach zu ihm:

»*Ogum-ê*, großer Krieger! Ja, ein großer Krieger, der schläft wie ein altes Schaf, während seine tapfersten Söhne wie zertrampelte Blumen verenden, auf dem fremden Feld namens Tuiuti! Habe ich deinetwegen das duftende Bett unseres Bruders Xangô verlassen, des Königs von Oió, des Herrn der Gerechtigkeit und des Donners, des Steinschleuderers? Derjenige, der jetzt an der Seite seiner Söhne kämpft, keinen Augenblick im Streit und Gefecht innehält, seiner Ehre eines erhabenen Streiters gemäß? *Ogum-ê*, großer Krieger, Herr des Eisens und der eisernen Werkzeuge, dessen Name der Krieg selbst ist, ich hoffe, dein bleierner Schlaf trägt dir Ruhm ein! Ich hoffe, so befriedigst du deine kleine Eitelkeit, die nichts Wichtigeres sieht als die Huldigungen derer, die heute schutzlos sterben, liegst du doch da wie ein Oxum ohne Schönheit und gefällst dir in deiner Kleinheit als verwöhnter Junge. Meinst du, so kannst du die strafen, die dich angeblich vergessen haben? Nein, so strafst du dich, so erniedrigst du dich in meinen Augen, so machst du dich bedeutungslos und verdienst in Wahrheit das, worüber du dich mit deiner anmaßenden Verstocktheit beschwerst. Meine geschmeidigen Schenkel wirst du nie mehr berühren, meine samtenen Brüste werden nie mehr deinen Kopf betten, nie mehr werde ich zulassen, daß du die Hand unter mein Gewand schiebst, denn wenn früher die Siegerhand des Schlachtenlenkers mir Schauer verschaffte, so verursacht mir die Hand von einem, der schläft, während sein Volk fällt, nur Ekel. Wenn früher mein Schoß deinen Samen zu empfangen begehrte und stolz auf ihn war, während sie ihn trug und er nachher keimte, wünsche ich heute keine Kinder mehr von dir, suche dir eine Frau mit gesenktem Kopf und armseligen Gefühlen, die dir als Saatbeet dienen und deine Kinder zur Welt bringen kann, die sich bald ohne Vater sehen werden, schläfst du doch aus Eitelkeit, während die Deinen aus Tapferkeit fallen. Lebewohl, großer Krieger, Herr des Eisens und der eisernen Werkzeuge, dessen Name der Krieg selber ist!«

Gleich darauf verließ Exu, der tausend Listen kennt und sich an Kunstgriffen ergötzt, der in der Dunkelheit lacht, Ogums Schlaf und verbarg sich zwischen den Bäumen, weil er wußte, daß der, dessen Name der Krieg selbst ist, entbrannt vom Augenglanz der großen Göttin Iansã erwachen würde, erstarrt von der eisigen Verachtung, die aus ihnen blitzte, benommen von der Schönheit, deren Gegenwart alles andere verdunkelte, wahnsinnig bei dem Gedanken, daß er womöglich nie mehr bei ihr liegen würde. So erwachte, irrwitzig vor Wut, Ogum, König des Eisens und der eisernen Werkzeuge, unbezwinglich im Kampf, glühend vor Haß, weil er ihr nicht antworten konnte, da ein Traum keine Antwort zuläßt. Ein Traum, den er als Vorahnung deutete, als Ifás Einflüsterung, die alles weiß und die ihm gegen eine Falle des trügerischen Geschicks beistehen will. Auf diese Weise griff der tapfere Sohn Oxalás, Herr des Krieges, unübertrefflich im Kampf, zu den Waffen und zog in die große Schlacht, die er durch die Kraft seines unwiderstehlichen Armes wenden würde.

Oxóssi, Jäger der Morgendämmerung, fühlte, daß sein großer Bruder Ogum gekommen war, um mitzukämpfen, als metallisches Getöse das Schlachtengetümmel übertönte und die Luft sich wie vom Blasebalg einer Esse erhitzte. Ogum, Herr des Eisens, Meister der Waffen, dessen Name der Krieg selbst ist, hielt in seinem Flug durch den Himmel inne und sprach zu seinem Bruder die folgenden Worte:

»*Oquê*, Oxóssi, mein lieber Bruder, Jäger ohnegleichen, bewandert in Bogen und Pfeil! Es gehört sich nicht für mich, wie ein altes Schaf zu schlafen, während in diesem schrecklichen Krieg unsere tapfersten Söhne sterben. Wichtiger als die Huldigungen, die mir nicht gezollt wurden, und die Pflichten mir gegenüber, die nicht eingehalten wurden, ist das Leben unserer Söhne, und ich darf nicht zulassen, daß der Stolz mich noch immer blendet. Doch wenn ich bereits Zeit verloren und so lange gebraucht habe, bis ich nachkomme, so werde ich mit meiner Wut und meinem entschlossenen Kampfwillen alles wiedergutmachen.«

Oxóssis Antlitz erhellte sich in breitem Lächeln, und seine Brust füllte sich mit neuer Glut angesichts der riesenhaft gewachsenen Gestalt seines großen Bruders, schrecklich wie das Donnern der Bronzekanonen. Mit erhobenem Arm grüßte er ihn und sprach:

»*Ogum-ê*, heil dir, König des Eisens, Meister der Waffen, unbesiegbar im Kampf, dessen Name der Krieg selbst ist, du kommst zu uns als Rettung! Denn immer düsterer wird diese entsetzliche Schlacht, in der unsere Söhne wie Fliegen sterben und sich schon mit dem Schlamm vermischen, zerstampft von den gnadenlosen Füßen des Gegners. Nun, dank deiner Ankunft, bin ich sicher, daß wir das Waffenglück zu unseren Gunsten wenden können und noch heute, bevor der Tag sich neigt, den Sieg feiern werden.«

Wie ein Sturmwind brauste Ogum aufs Schlachtfeld hinunter und verschonte nichts, was sich ihm entgegenstellte, denn er kennt keine Schranken und ist als der zuerst Kommende bekannt. Vor ihm auf einem grünen kleinen Hügel kämpfte ein Trupp Soldaten, geschart um die Standarte der Zweiten Infanteriekompanie der Freiwilligen des Vaterlandes von der Insel Itaparica; der Sergeant Matias Melo Bonfim, seit seinem siebenten Jahr Ogum geweiht, einer seiner tapfersten Söhne, trug die Standarte. Er stammte aus Amoreiras, wo die Purpurranken blühen und die Vögel fröhlicher singen. Er hatte seine zwei kleinen Kinder zurückgelassen, Matilde und Baltazar, seine Frau Maricota und sein Mais- und Bohnenfeld, er hatte seine verwitwete Mutter und sein Vieh zurückgelassen und versprochen, gleich nach gewonnenem Kriege zurückzukehren. Er hatte sein Töchterchen Matilde und sein Söhnchen Baltazar am Rand der Anlegestelle geküßt, bevor er sich in seiner schmucken Uniform für den Kampf um Brasilien einschiffte, hatte seine Frau Maricota und seine verwitwete Mutter umarmt und war mit dem gleichen stolzen Lächeln losgesegelt, das er jetzt auf dem Gesicht trug, die unberührbare Standarte der Inselkompanie in der Faust, die über der Schlacht im Wind flatterte. Froh, seinen Sohn zu sehen, schickte sich Ogum an, ihm Mut und Trost zu spenden, aber das glühende Blei einer feindlichen Kugel biß in den zarten Hals des

jungen Burschen aus Amoreiras, löschte sein Lächeln und verhüllte seine Augen mit dem grauen Schleier des Todes, der ihm die Seele aus dem Mund saugte, diesem Mund, der nie mehr Matilde und Baltazar küssen und auch nie mehr von den Schönheiten Amoreiras erzählen würde, wo die Purpurranken blühen und die Vögel fröhlicher singen.
Ogum stieß einen gellenden Schrei aus, der den Kanonendonner übertönte, und seine heißen Schmerzenstränen um den toten Sohn tränkten den Erdboden und ließen das Blut der Gefallenen stärker dampfen. Die Standarte schwankte, sank auf die eine Seite, dann auf die andere, bis ihr Schaft umkippte und zwischen den Köpfen der Kämpfenden verschwand. So wie ein Schwarm von Thunfischen einen Schwarm Meeräschen vernichtet, wie Jaguare sich auf ihre Beute stürzen, wie ein wütender Bienenschwarm, wie zwei Meuten von Wolfshunden einander zerfleischen, so kämpften Paraguayer und Itaparicaner um den Besitz der Standarte. Die Gefreiten Benevides und Arimatéa bildeten, ihre Karabiner wie Keulen schwingend, eine Mauer um die Standarte, damit ihr Kamerad, Gefreiter Líbio, sie aufheben konnte. Doch als der Gefreite Líbio aufstand, wurde ihm der Kopf von einem Säbelhieb gespalten, und er fiel tot zu Boden, und seine Erinnerung an das schöne Gamboa, seine Heimat, wo es Krabben und Krebse im Überfluß gibt und die Abende frischer sind, verwehte mit seinem zertrümmerten Gehirn. Eine paraguayische Hand bemächtigte sich des Fahnenschaftes, ein Lanzenstoß in die Brust streckte den Gefreiten Benevides nieder, und schon schickte der Feind sich an, die unberührbare Flagge zu zerknittern, als Ogum, Herr der Schlachten, Meister der Waffen, dessen Name der Krieg selbst ist, aus der Höhe herabschoß und die Fahne mit einem Ruck emporriß, so daß sie einen Augenblick in den Wolken zu flattern schien. Und nun sprach der große Ogum zum Gefreiten Arimatéa:
»José de Arimatéa, halt die unberührbare Standarte deiner Heimat fest, die ich dir jetzt überreiche! Wer zu dir spricht, ist dein Vater Ogum, Herr der Schlachten, unbesiegbar im Kampf, dessen Name der Krieg selbst ist! Ich habe meine Söhne nicht vergessen und bin hier, damit sie nicht von der Hand des grausamen Feindes fallen. Mein Schmerz ist unermeßlich, denn ich habe zu lange gebraucht, bis ich kam, und konnte nicht verhüten, daß

einer meiner tapfersten Söhne getötet wurde, Matias Melo Bonfim, der Stolz und die Zierde von Amoreiras, wo die Purpurranken blühen und die Vögel fröhlicher singen. Aus demselben Grund ist auch meine Wut maßlos, die ich jetzt auf den Feind niederschmettern lasse. Ich stehe dir zur Seite, du wirst siegen! *Ogum-ê!*«

Gleich darauf, wie ein Wirbelwind, wie eine stählerne Wetterfahne, wie zwanzigtausend die Luft zerschneidende Buschmesser, schirmte der große Ogum, unbesiegbar im Kampf, seinen Sohn, den Gefreiten Arimatéa, während er hoch die Fahne hielt, gegen alle feindlichen Kugeln und Stöße ab. Dann eilte Ogum, der keine Schranken kennt und der Vorwärtsstürmende genannt wird, überall auf dem Schlachtfeld zu Hilfe, von einer Flanke zur anderen, von der Vorhut bis zur Nachhut, von den Infanteristen bis zu den Kavalleristen, von den Kavalleristen zu den Artilleristen, lieh seinen Söhnen Kampfesmut und Widerstandskraft und brachte dem Feind Tod und Verderben, noch blind vor Haß, weil er den Tod des Matias erlebt hatte, der ihm seit seinem siebenten Lebensjahr geweiht war. So stritt er unermüdlich, als er auf Omulu stieß, der ihm aus dem Schatten eines Baumes zuwinkte, das pockennarbige Gesicht vom Schleier aus Schnüren und Perlen bedeckt. Nun sprach zu Ogum der Orixá der Seuchen und Krankheiten, Herr der Lepra und des Ausschlags, der ohne Messer Tötende:

»*Ogum-ê*, tapferster Krieger, Herr des Eisens, Meister der Waffen und Werkzeuge, heil dir, Bruder Ogum, dessen Name der Krieg selbst ist! Ich habe in den Perlen Ifás, die alles weiß, gesehen, daß diese Schlacht auf den Tuiuti genannten Feldern geschlagen wird, in der viele unserer tapfersten Söhne durch die Hand eines übermächtigen, erbarmungslosen Feindes gefallen sind und noch immer fallen. Die Perlen haben mir auch gesagt, daß zur Unterstützung unserer Söhne in dieser großen Schlacht unser Bruder Oxóssi, unbesiegbar in Bogen und Pfeil, Fürst der Buschwälder, mitkämpft, auch unser Bruder Xangô, der Steinschleuderer, Herr des Blitzstrahls, unsere Schwester Iansã, Königin der Winde und der Stürme, die sogar den höchsten Bäumen Angst einjagt, und endlich du, den ich als letzten aufzähle zum Zeichen, daß du der Erste sein sollst, Ogum, Herr des Eisens, Meister der Waffen, über alle Kritik erhabener Schmied, unbezwinglich im Kampf. So verließ ich mein Haus und kam hierher, denn auch ich will mitkämpfen und verhüten, daß viele unserer tapfersten Söhne sterben. Auch mein Herz tut weh, wenn ich meine Söhne fallen sehe, und ich weine, wenn ich sehe, wie sie in dieser großen Schlacht zu Krüppeln geschlagen und von einem überstarken, gnadenlosen Feind dezimiert werden. Ich bitte dich daher, daß du mich in den Kampf führst, denn auch ich will zur Verteidigung meiner Söhne mitkämpfen.«

Doch der große Ogum war voller Bitterkeit, er sprach mit Galle in der Kehle und Schwefel in den Lungen und antwortete Omolu mit den folgenden giftigen Worten:

»A-tô-tô, Omolu, Gebieter der Pestseuchen, Meister der Pokkennarben, Herr der Epidemien, jener, der ohne Messer tötet! Es verwundert mich höchlich, daß du in diese große Schlacht eilst und vorgibst, zu den Waffen greifen zu wollen! Wo bleibt deine alte Anmaßung, die dich hinderte, das Messer anzunehmen, das ich den Orixás und den Menschen zum Geschenk gab, während du es vorzogst, deine Tiere durch Erschöpfung zu töten, statt mich durch den Gebrauch meines Messers zu grüßen? Wo ist dein krankhafter Stolz, der aus deinen Schlächtereien die einzigen macht, bei denen ich nicht gegrüßt werde? Jetzt willst du, daß ich dich in die Schlacht führe, willst das Eisen der Waffen ergreifen, willst deine schutzlosen Söhne auf Kosten meiner Tapferkeit und meiner Kriegswaffen retten? Aber ich sage dir, Herr der Räude, Pusteln und Schwären, König der Lepra und der Epidemien, ohne Nebenbuhler in der Fäulnis bei lebendigem Leib und langsamem Tod, ich werde dich zu keinerlei Kampf mitnehmen, hier jedenfalls wirst du nicht deinen Pesthauch und deinen ansteckenden Schweiß verströmen. Trage deine lahme Häßlichkeit weit fort, entferne dich in andere Gegenden, vergiß deine Hirngespinste vom Kriegersein, denn meine Ankunft hat bereits das Schlachtenglück gewendet, und bei Einbruch der Nacht wird auf diesen Tuiuti genannten Feldern schon kein Feind mehr auf den Füßen stehen. Hier bist du von keinerlei Nutzen, und wenn dir mein Messer für deine Opferungen nicht gut genug ist, so ist es auch nicht dazu gut, daß du Ruhm suchst, denn dein Ruhm ist der Ruhm der Quarantänen, des Kindbetts, der Hospitäler, der Lepraheime und der Friedhöfe.«

So sprach der Herr des Eisens, dessen Name der Krieg selbst ist, und zog ab, um neuen Tod unter den Feinden zu säen. Omolu, Herr der Pestseuchen, Meister der Blattern und Furunkel, er, der keine Krebse ißt, antwortete nicht, noch war sein narbiges Gesicht unter dem Schleier zu erkennen. Aber Oxalá, Vater der Menschen, der die meisten Namen trägt, der höchste von allen, sah Omolus Gesicht, und ein Schatten fiel auf seine Freude. Die große Schlacht, in der die Orixás kämpften, war gewonnen, der todbringende Frieden, den der nie bezwungene Arm Ogums mit Hilfe seiner Brüder erzwang, nahte zusammen mit der Nacht. Doch Ogums Stolz, der ihm so herbe Worte gegen den Gott Omolu diktiert hatte, gegen Omolu, der nicht leicht vergibt, sollte seinen tapfersten Söhnen noch viele Verluste an Menschenleben eintragen.

Oxalá, der alles sieht, einziger Sohn Olorums, der höchste von allen, Herr der leuchtenden Weiße, Quelle der Harmonie, der mit den meisten Namen gerufen wird, seufzte. Er hatte beobachtet, daß die paraguayischen Wesenheiten, seltsame Wesen von unglaublichem Aussehen, dabei waren, aus den Wassern, Bäumen und Wolken aufzutauchen, um gleichfalls ihren Söhnen beizustehen. Oxalá, Vater der Menschen, kennt die Furcht nicht und nicht die Ungewißheit. Er kennt jedoch die Angst, und wiederum tat ihm das Herz weh bei dem Gedanken, daß zwar die Schlacht gewonnen war, die schrecklichen Tage aber gerade erst begonnen hatten, da seine tapfersten Söhne wie Fliegen sterben würden, wie vom grausamen Feind zertrampelte Blumen, wie Baumstämme, die Omolu in seinem Zorn hat vermodern lassen, Omolu, der Herr der Krankheiten, Fürst der Pestseuchen, Herrscher der Wunden und des Ausschlags, jener, der ohne Messer tötet.

Corrientes, Argentinien, den 30. Juni 1866

Hauptmann Patrício Macário legte mit einer kleinen Schmerzgrimasse das linke Bein auf einen der leeren Stühle seines Tischs im Restaurant und Cabaret *El Pericón*. Nun mußte er an seinen Vater und die Gouvernanten denken, denn so etwas tat man nicht einmal zu Hause, geschweige denn an einem öffentlichen Ort. Ach, zum Teufel mit ihnen! Seinem Bein ging es schon besser, es schmerzte aber noch, besonders, wenn es kalt war wie jetzt, zum Teufel noch mal, er mußte es strecken, damit das nervenzermürbende Stechen aufhörte. Da aber außer dem Kellner kein Gast zu sehen war, war er eigentlich ganz für sich. Wieder ärgerte er sich, daß er eine Entschuldigung brauchte, Erklärungen und Rechtfertigungen für sein Verhalten, als könnten Vater und Gouvernanten kommen, um ihn zurechtzuweisen, als würde er sie ernst nehmen, wenn sie es täten. Er erinnerte sich an den ständig unwilligen Gesichtsausdruck, mit dem sein Vater ihn die längste Zeit seines Lebens behandelt hatte; er fuhr sich über die Nase, lächelte und wurde dann wieder ernst und nachdenklich. Einige Zeit überlegte er, ob er Sehnsucht nach dem Vater empfand oder nicht, kam aber zu keinem Schluß. Ja, vielleicht hatte er Sehnsucht, vielleicht würde er nach seiner Rückkehr zu Hause niedergeschlagen sein. Er kam sich etwas verloren vor, ängstigte sich sogar ein wenig. Obwohl man ihn in die Uniform gesteckt hatte, hatte er sich stets als einen Mann mit Familie gesehen, als einen Menschen, der immer Angehörige und ein Elternhaus haben würde. Doch jetzt schien ihm alles so leer, trotz der beiden Brüder und des Schwagers, die in der Erinnerung plötzlich in solche Ferne gerückt waren, daß er sich mutterseelenallein vorkam. Es war unbehaglich und aufregend zugleich, ein so zweideutiges Gefühl, daß es ihn belästigte und zu anderen Gedanken trieb.

Ja, hier war er wirklich nicht in der Öffentlichkeit, in diesem Lokal so ganz aus der Welt, in Rot- und Goldtönen dekoriert, vollgestopft mit Schnörkelbeintischen, Polsterstühlen, Portieren, Wandteppichen, schweren Vorhängen, an Ketten hängenden Kandelabern, massiven Leuchtern und Fenstern, die auf geschnitzte Balkons aus schwarzem Holz hinausgingen. Alles war abgenutzt, abgeschabt, der Samt der Stuhllehnen verschlissen, die Leuchter verbeult, die Fensterscheiben mit Papier und Leim gekittet, und in einer Ecke ein großes Loch in der Wand, kaum verborgen hinter einem Paravent aus Holz. In einer Art Livree, die gleichfalls ramponiert, aber sehr sauber war, die Hände vor dem Bauch gefaltet, wartete der Kellner würdevoll auf den Ruf des Gastes. Patrício Macário mochte ihn, er fand sein puterhaftes, aufgeblasenes und doch verschüchtertes Auftreten ulkig. Wieder blickte er umher. Mochte das Lokal noch so baufällig und abstoßend sein, es war fürstlich im Vergleich zum Hospital, schon bei der Erinnerung an den Gestank dort wurde ihm übel. Glücklicherweise war er gesund geschrieben worden, durfte das Hospital verlassen und seine Genesung in der Stadt beenden, bis er flußaufwärts zum Feldlager Tuiuti zurückreisen konnte, um seinen Dienst wieder anzutreten. Das Bein hatte aufgehört zu zwicken und zu pochen, die Narbe im Gesicht brannte nicht mehr, er atmete tief und war fast glücklich. Nein, er fühlte sich vollkommen glücklich, er war am Leben, auf dem Weg der Genesung, war für sein Verhalten von Vorgesetzten und Untergebenen wieder einmal gelobt worden, hatte einen Teil des überfälligen Solds und eine Goldsendung von Bonifácio Odulfo erhalten, hatte dieses halbzerfallene, aber sympathische Lokal gefunden und hatte nichts zu tun, als das, wonach ihm der Sinn stand. Er winkte dem Kellner, der angelaufen kam, zwei Schritte vor dem Tisch stehenblieb und sich mit vorgestrecktem Kopf verbeugte.

»Was haben Sie zu trinken, Camarero«, sagte er auf spanisch.

Mit einer Bewegung, die Patrício Macário fast erschreckte, zog er aus der Weste eine Art Faltblatt, auf dessen schäbigem Umschlag in Filigranbuchstaben schwach *Carta de Vinos* zu entziffern war. Er schlug sie vor dem Gast auf, der staunend die Augen aufriß.

»Haben Sie all diese Weine da?«

»Fast alle, Herr Hauptmann, fast alle. Darf ich Ihnen mit Ihrer Erlaubnis eine Marke empfehlen?«

»Ja, klar, natürlich.«

»Den Clicó, Herr Hauptmann«, sagte er vortretend, die Hacken zusammenschlagend und auf den Namen der Karte deutend.

Patrício Macário las *Clicquot*, Finísimo Rojo de Francia.

»Den Clicó«, wiederholte er und versuchte die Aussprache des Kellners nachzuahmen.

»Jawohl, Herr Hauptmann. Der Lieblingswein unserer besten Kunden, alle Personen von feinstem Geschmack, die uns besuchen, ziehen ihn vor.«

Patrício Macário lachte, blickte umher. Alle? Der Kellner folgte seinem Blick.

»Das ist so wegen der Kriege«, erklärte er mit einer Miene verletzten Stolzes. »Noch vor ganz kurzem hatten wir hier die Be-

satzung vom General Robles und vom Kommandanten Resquin, beide Male mit großen Schäden, Herr Hauptmann.«
Er deutete mit dem Kinn auf das Loch in der Wand. »Eine Kohete, Herr Hauptmann!«
»Eine Kohete?«
»Ja, eine Kohete. Sssss ... Bumm! Verstehen Sie?«
»Ja. Sssss Bamm! Kohete heißt das auf spanisch?«
»Das wissen Sie besser als ich, Herr Hauptmann.«
»Schön, heute interessieren mich weder Koheten noch Raketen, noch Kanonen. Ich nehme Ihren Vorschlag an. Den Clicó.«
Der Kellner betrat die Anrichte und kehrte nach kurzer Zeit zurück mit einem riesigen Tablett, praktisch einer silbernen Tischplatte, in deren Mitte bescheiden eine dunkle Flasche und ein schimmerndes Kristallglas standen. Eine schwungvolle Bewegung, und er balancierte das Tablett auf der rechten Hand, während sein rot angelaufenes Gesicht die Anstrengung verriet, aber er legte Wert auf seine Kellnerkunst, bis er die gewaltige Last endlich auf dem Tisch abgestellt hatte.
»Bringen Sie ein zweites Glas«, befahl Patrício Macário.
»Ist dieses nicht gut, Herr Hauptmann? Es ist venezianisches Kristall, das beste des Hauses, ich selber ...«
»Nein, nein, es ist für Sie. Ich trinke nicht gerne allein.«
Der Kellner lachte, verrenkte sich vor lauter Verbeugungen und lehnte ohne große Überzeugungskraft die Einladung ab. Patrício Macário bestand darauf, mit gespielter Strenge, der andere stimmte schließlich zu, aber der Herr Hauptmann müßte die Notwendigkeit einer gewissen Zurückhaltung doch verstehen. Trotz der augenscheinlichen Vernachlässigung genieße das alteingesessene Haus einen hohen, stolzen Ruf. Vor vielen Jahren von Franzosen – echten Franzosen! – gegründet, sei es jetzt im Besitz einer kastilischen Familie, sehr freundlicher Menschen, doch von einer gewissen Strenge. Und übrigens hätten die Depots, das Hospital und andere Einrichtungen der Alliierten mehr Menschen und mehr Betrieb in die Stadt gebracht. Es sei nicht ausgeschlossen, daß in Kürze weitere Gäste kämen, so daß er weitere Kellner rufen müßte, die zu dieser Stunde mit anderen Arbeiten beschäftigt seien. Und abends erst, ach, Herr Hauptmann kennt ja die Samstagabende im *Pericón* nicht, sie sind denkwürdig, die Musik, die Weine, die schönen Frauen! Und

wenn der Herr Hauptmann nichts einzuwenden habe, werde er das Glas gleich nach dem Anstoßen verstecken, damit, wenn jemand käme, er nicht bei offenkundiger Verletzung der Betriebsordnung ertappt werde.

Er lief sein Glas holen, schenkte dem Hauptmann zwei Fingerbreit Wein ein, damit er ihn probierte. Patrício Macário hätte nie gedacht, daß ein Schluck Wein, ein schlichtes Schlückchen Wein, so berauschend köstlich schmecken könnte, wie er so unbeschreiblich warm in Mund und Magen rann und in einer sanften Welle seinen Kopf durchdrang, so daß er tief atmend in plötzlicher Klarheit alle roten Samtportieren des Saals größer und glänzender sah. Er schloß die Augen, lehnte sich zurück, seufzte leise, während die sanfte Herbheit des Schlückchens sich in seinem Mund beißend und süß zugleich ausdehnte und die eingeatmete Luft deliziös durchduftete. Er blickte hoch, der Kellner verbeugte sich, füllte sein Glas und nahm wieder Haltung an.

»Bedienen Sie sich«, sagte Patrício Macário.

»Werden Herr Hauptmann einen Trinkspruch ausbringen?« fragte der Kellner mit seinem über Kopfhöhe erhobenen Glas.

»Nein, tun Sie das! Sie müssen nur entschuldigen, daß ich nicht aufstehe, wie es die Pflicht eines Gentleman ist.«

»Es ist mir eine Ehre, Herr Hauptmann.«

»Also los, bitte.«

Aufmerksam hörte er dem Trinkspruch zu, obwohl er nur das eine oder andere Wort verstand, weil der Kellner eifrig etwas ganz Verwickeltes aufzusagen schien, vielleicht ein in der Jugend gelerntes Gedicht. Er endete mit mehreren Hochs auf Brasilien, auf Argentinien, auf die Freiheit, die Freundschaft unter Brudervölkern, auf die vielen Siege, die der Herr Hauptmann in seiner ruhmreichen Waffenlaufbahn noch erringen würde. Patrício Macário, schon ungeduldig auf den Schluß wartend, konnte das Verlangen zu trinken kaum mehr beherrschen, er dankte mit einem »Muy bien« und einem kurzen Kopfnicken, kippte das Glas und trank es in einem Zug aus. Er wollte mittendrin eigentlich absetzen, war aber nicht dazu imstande, nie hatte er etwas getrunken, was ihm so wohl tat, dessen er so dringend bedurfte. Vielleicht sollte er nicht trinken, hatte er doch eben erst das Hospital verlassen, aber er fühlte keine Schwäche, hatte auch keine

Arznei eingenommen, denn dort hatte man seine beiden Wunden nur in karbolsaurem Wasser gebadet und etwa alle zwei Tage frisch verbunden. Aber zum Teufel, der Mensch hat ein Recht, sich nach soviel erlebtem Elend und soviel mitangesehenem Unglück die Nase zu begießen.

Genau das sagte er zu Pedro Vidal, dem Kellner, als er mehrere Stunden später nur unter Schwierigkeiten eine Flasche balancieren konnte, eine unter den acht, die er brauchte, um den Aufmarsch der Truppen in der Schlacht von Tuiuti vorzuführen. Obgleich er oft hinter dem Paravent verschwand, um sein Glas zu füllen und hinunterzukippen, war Pedro Vidal einer jener Trinker, die mit jedem Glas ein bedächtigeres und würdigeres Gleichgewicht an den Tag legen, so daß er Patrício Macário beim Balancieren der Flasche helfen konnte.

»Muchas gracias«, sagte Patrício Macário und blickte die Flasche befriedigt an. »La botella konnte garnich fallen, es el General Osório. Muy bien, aquí tenemos also Osório, en el Hügelito, claro? En esta partia està Mallet con la artilleria, aquí – sind die Gräben mit den barricadas und den diversas defensas gegen die feindliche caballeria, comprende? Muy bien, aquí tenemos Sampaio, Sampaio hier, la Tertia División. Hier los hombres del General Flores, claro? Also Flores. Muy bien, hier Flores und hier Mitre! Mitre! Argentina! Auf derecha Seite von Mallet hier, comprendes? Hier gestruppo muy denso, hier la foresta, hier la laguna. Hier el quartiero general, claro? Aquí kommt später el paraguayo Diaz, macht la Tertia División kaputt, Sampaio, Sampaio hier. Diaz, wenn la batalla beginnt, Diaz kommt aquí, attacka in dieser Richtung, capito? Muy bien, la batalla bricht hier aus, siehst du? Eine Congreve-Rakete-Kohete – Sssss-Bumm! –, muchas, muchas explosiones en el campamiento und Biwak. Yo selbst war hier und hab el cornetto befohlen, zum appello zu blasen, du kennst das? Ta-tará-ta-ta-ta-ta-ta-tará-ta-ta, tororé, tororé, tororé ... Das war el signalo, weil mi posición ist hier, hinter esta botella, hinter diesem glaso vino, siehst du? Ich lass' also zum appello blasen, todos mis soldatos zur Aufstellung hierher. Tienes Brot, pan? Con etwas pan läßt sich meine formación muy exacto bezeichnen. Mi bueno Vidal, Bruder und Camarada, wenn du jetzt la botellas holst, die du jetzt holen wirst, kannst du dann dos oder tres kleine panitos mitbringen, sie können ruhig viejos sein, sie sind ja nicht für comida da, sondern damit wir diese botella, hupps, batalla beenden können. Diesmal soy yo mit dem Trinkspruch dran, jetzt erst sehe ich, como grandiosa diese batalla gewesen ist! Fünfzigtausend hombres, vielleicht sechzigtausend hombres, und el viejo Sampaio en contraattacka gegen Diaz wie ein hurricano! Worauf wartest du, mi bravo Pedro Vidal? Man verdurstet ja en esta grande ciudad de los siete Strömungen! Ist etwa el sortimiento vino de la grande casa *El Pericón* finito?«

Er verfolgte Vidals Gang zur Anrichte und merkte erst jetzt, daß inzwischen andere Gäste eingetroffen waren. Auf der anderen Seite des weiträumigen Saals saßen, im Halbdunkel schwer zu erkennen, zwei Gruppen an langen Tischen, deren langgezogene Schatten durch die Ein- und Ausbuchtungen der Wände verzerrt wurden. An einem kleinen Tisch rechter Hand nahm gerade eine neue Gruppe Platz. Patrício Macário wurde mißmutig. Jetzt war *El Pericón* nicht mehr dasselbe, Eindringlinge waren gekommen, bald würden Teller und Bestecke klappern, Stimmen und Gelächter würden widerhallen, weitere Lichter würden aufscheinen und schon waren neue Kellner aus dem Nichts aufgetaucht, entzündeten Kandelaber und bewirkten zu seinem Mißfallen, daß der Salon sich zu verjüngen schien wie eine ältere Frau, die nur abends hübsch wird. Doch dann fand er sich damit ab und glaubte sich mit Vidals Hilfe in seiner Redoute einigermaßen sicher verschanzt, zumal eine neue Flasche eingetroffen war. Er füllte die Gläser, ergriff einen Stock, um aufzustehen, sein krankes Bein schien in vorzüglicher Verfassung, obgleich er den Stock zu Hilfe nehmen mußte, weil ihm beim Aufstehen schwindelig wurde, und er die Augen schließen mußte, bis der Schwindelanfall vorüberging. Er öffnete die Augen, streckte die Hand aus, um das Glas zu ergreifen, und sah den Hauptmann Vieira vor sich, in makelloser Uniform, mit glänzenden Stiefeln, goldenen Litzen, funkelndem Bandelier und blitzweißen Handschuhen, deren linken er angezogen hatte, während der andere lässig aus dem Aufschlag seines Waffenrocks herabhing, in den er ihn nach Art der eleganteren Offiziere geschoben hatte.

»Mein edler Hauptmann Macário«, sagte er mit einem Lächeln, das seinen Schnurrbart verzerrte, und streckte ihm die Hand entgegen. »Welche Freude, Sie zu sehen! Sie sind offensichtlich vollständig wiederhergestellt«, fügte er hinzu und spitzte die Lippen, als er den Blick über das Flaschen- und Gläsermeer gleiten ließ. »Sie scheinen soweit hergestellt zu sein, daß Sie zum strengen Dienst des Feldlagers zurückkehren können, von dem ich erst heute loskommen konnte, und auch nur für eine Mission, die sehr wenig Zeit in Anspruch nehmen wird. Wir sind vor wenigen Stunden gelandet und ...«

»Vieira«, sagte Patrício Macário, ohne nachzudenken. »Du bist der letzte Mensch, den ich heute sehen möchte. Geh!«

»Was soll das heißen? Was ist in dich gefahren? Ist dir die Nachricht von deiner Beförderung zum Major zu Kopf gestiegen?«

»Beförderung zum Major? Was für eine Beförderung zum Major denn?«

»Sag bloß du weißt nichts davon. Alle im Feldlager wissen es schon, der Alte macht kein Geheimnis daraus.«

»Ist das wahr? Wer hat dir das gesagt?«

»Ich sag dir doch, alle wissen es, es ist eine todsichere Sache. Sogar der alte Polidoro, und der ist gewiß kein großer Lobhudler, hat bei einer Zusammenkunft des Generalstabs über dich gesprochen. Todsicher.«

»Major?«

»Noch nicht, vorläufig bist du noch Hauptmann, und deshalb begehst du eine grobe Unhöflichkeit gegen einen Kameraden von gleicher Uniform und Stellung, wenn du ihn nicht an deinen Tisch bittest, um mit ihm auf deine bevorstehende Beförderung anzustoßen.«

»Nein, kein Anstoßen. Anstoßen steckt an. Beschränken wir uns aufs Trinken.«

»Magst du den Clicquot?« fragte Vieira, nachdem er sich gesetzt hatte und kritisch eine Flasche prüfte. »Schön, ich brauche nicht zu fragen, offenbar magst du ihn. Auch mir schmeckt er. Ein wenig herb manchmal, aber immer sauber, findest du nicht?«

»Wie? Ja, doch. Major, wie? Hatte ich nicht erwartet, hatte ich wirklich nicht erwartet.«

»Was soll das heißen? Natürlich hattest du das erwartet! Wenn deine Tapferkeit vor dem Feind nicht schon genügt hat, und die hast du reichlich bewiesen, kannst du immer noch auf das Wichtigste zählen, nämlich auf eine einflußreiche Familie und ausgezeichnete Beziehungen.«

»Wie bitte? Was willst du damit sagen? Willst du damit sagen, daß ich regelmäßige Bittbriefchen verschicke und den Vorgesetzten in den Hintern krieche? Willst du das damit sagen?«
»Überhaupt nicht. Ich habe ganz allgemein gesprochen, nur ganz allgemein. Du kannst doch nicht leugnen, daß gute Verbindungen und eine bedeutende Familie, daß all das zählt.«
»Ob das zählt, interessiert mich nicht. Ich erfülle meine Pflicht, ich erledige meine Aufgaben, der Rest interessiert mich nicht.«
»Das Leben ist wirklich voller Ironie. Seit dem Vorfall damals in Itaparica, als ich schon Hauptmann war und du noch Leutnant, wirst du ständig befördert und ich nicht. Wohlgemerkt, ich unterstelle nichts, aber Bescheidenheit beiseite, mein Kampferfahrungsregister hat so viele Pluspunkte wie deines oder noch mehr, ich habe mehr Dienstjahre, und du siehst, wie die Dinge ablaufen, oder?«
»Und du hast die Stirn, den Vorfall von Itaparica mit deiner sogenannten Umklammerung und deinem nächtlichen Ausflug aufzuwärmen?«
»Ich habe in Übereinstimmung mit elementaren taktischen Normen gehandelt, in Übereinstimmung mit den Regeln, die in einer solchen Lage anzuwenden sind.«
»Man hat ja gesehen, was dabei herausgekommen ist.«
»Du weißt sehr genau, daß ich für das Mißlingen der Mission nicht verantwortlich gemacht werden kann. Wir hatten es mit härtesten, außergewöhnlichen Bedingungen zu tun, mit einem zahlenmäßig überlegenen, wilden und mit dem Gelände vertrauten Feind, der uns trotz heftigstem Widerstand empfindliche Verluste beigebracht hat, und die haben uns, auch wegen dem ungesunden Sumpfgelände, zum Rückzug gezwungen und dadurch konnten wir unsere Verluste wesentlich verringern.«
»Das stand in deinem Bericht, wenn ich mich nicht täusche, mit genau diesen Worten. Hast du ihn auswendig gelernt?«
»Mehr oder weniger. Ich habe immer ein ausgezeichnetes Gedächtnis gehabt und eine gewisse Neigung zur Literatur.«
»Das ist eines der zynischsten und verlogensten Prosastücke, die ich in meinem ganzen Leben gelesen habe. Sprich mir nicht von deinem Bericht, der bloße Gedanke daran treibt mir die Schamröte ins Gesicht.«

»Hör zu, lassen wir Schamhaftigkeiten beiseite, wir beide haben gelebt und kennen die Wirklichkeit. Was sollte ich tun, unsere Laufbahn mit einem anderslautenden Bericht zerstören? Damals warst du mit allem einverstanden, ich erinnere mich gut daran.«

»Ja, stimmt, aber daran war meine damalige Unerfahrenheit schuld. Heute würde ich nicht mehr zustimmen.«

»Das ist heute leicht gesagt.«

»Vieira, wieso meinst du, alle Welt hat denselben Charakter wie du, warum schließt du von dir auf andere?«

»Weil ich es komisch finde, daß du genau wie ich die Privilegien akzeptiert hast, die wir erreicht haben durch unseren Dienst in einem Frontabschnitt und durch unsere tapfere Wahnsinnstat damals in Itaparica, und jetzt willst du mir weismachen, du würdest sie heute nicht mehr annehmen. Du würdest sie ebenso annehmen, wie alle sie annehmen, so nämlich läuft das im Leben, wofür hältst du denn die anderen, für einen Chor von Vestalinnen? Ach, wenn ich alles erzählen würde, was ich weiß!«

»Hör zu, Vieira, ich habe dem Bericht nur nicht widersprochen, und die Vorteile habe ich nur angenommen, eben um ihm nicht zu widersprechen.«

»Aber widersprochen hast du nicht, das steht nun einmal fest. Und warum hättest du ihm auch widersprechen sollen? Ich habe mehr militärische Fähigkeiten als viele, die sich damit rühmen und die solchem Selbstlob entsprechende, gute Posten haben. Gerade jetzt haben wir zu büßen für die Folgen der Unfähigkeit von vielen unserer Kommandanten. Du mußt wissen, daß das Leben im Lager zur Hölle geworden ist, dadurch daß die Paraguayer uns Tag und Nacht bombardieren. Über kurz oder lang werden wir von diesen gnadenlosen Bombardements ganz geschwächt und entnervt sein, und wenn wir dann eine neue Konfrontation haben, gute Nacht!, dann glaube ich nicht, daß dein hochgerühmtes Heldentum ausreicht, um uns vor einer Niederlage zu bewahren. Und warum das alles? Weil wir den Sieg nicht genutzt haben, um den Feind zu verfolgen, um ihn möglichst zu dezimieren und neue Stellungen zu beziehen. So lautet die eindeutige Anweisung der großen Strategen, das ist eine elementare Erkenntnis aller militärischen Theorie.«

»Und wie hätten wir den Feind verfolgen sollen, Vieira? Den

Feind verfolgen mit Offizieren, wie du einer bist, einer wie du, der im Schlachtengetümmel untertaucht, den niemand zu Gesicht bekommt, solange das Feuer anhält, und der nur große Töne spuckt, über die Lehren von Hinz, Kunz und Munz, als würde er in der Kriegsakademie Vorlesungen über Napoleon halten? Was weißt du denn von einer echten Schlacht, von einer echten militärischen Operation, du Feigling, du hast noch nie mit dem Degen gekämpft, du Kanaille, du Lügner, du schamloser Schwindler!«

»Paß auf, was du sagst, Macário! Paß auf, bevor du das bitter bereust! Sonst mußt du das noch runterschlucken, dafür sorg ich!«

»Nichts wirst du tun, du schamloser Halunke! Nichts! Genauso wie du zuschaust, wenn deine Soldaten fallen, die auf sich gestellt bleiben, ohne Kommando und ohne Hilfestellung, Männer aus dem Volk, junge Burschen, die kaum aus den Windeln gekrochen sind, Leute, denen du dich überlegen fühlst, wo du ihnen in Wirklichkeit weit unterlegen bist, genauso wortlos mußt du dir anhören, was immer ich dir gerade an den Kopf werfen will. Für deinen Operettendegen brauch ich nicht mehr als meinen Spazierstock! Das Heer, das aus diesem Krieg hervorgeht, wird keinen Platz mehr haben für Müßiggänger wie dich, die ihre Schurkenhaftigkeit mit Affektiertheiten und Scheinkenntnissen tarnen, die nur dafür leben, überall Vorteile herauszuschinden, die ihre Stellung dazu mißbrauchen, mehr und mehr Pfründe zu ergattern, die mit ihrer Uniform den Mächtigen die Stiefel wichsen, die das Soldatenleben zum Mülleimer von eigensüchtigen Ehrgeizlingen machen, die sich nur wichtig tun und sich alles unter den Nagel reißen mit Lügen und Betrügen, mit Bluffen und Erpressen und Einschüchtern, und sogar noch an die eigenen Flunkereien glauben, die sie sich und den anderen einreden, damit sie sich selbst im Spiegel gegenübertreten können. Du Lügner, du Lump, du verkommener, käuflicher Kerl, du Schurke, du Arschkriecher, ein Maulheld gegen Wehrlose, ein Scharlatan und Schmarotzer, du zynischer Schieber und Wucherer, du Heuchler, du Dieb! Sohn einer Hure! Hast du gehört? Sohn einer Hure! Hast du gut hingehört? Du bist gemeint, Hauptmann Vieira, uniformierter Hosenscheißer, Pustel auf Beinen, glitzernde Kloake, dich meine ich! Ich meine dich, du Sohn einer Hure!«

»Paß auf, daß ich dir nicht einen Schuß vor die Stirn knalle!« sagte Vieira, hochrot, fast violett im Gesicht, und trat zwei Schritte zurück.
»Nur zu, Sauhund! Ich habe dich Sohn einer Hure genannt. Hast du gehört? Sohn einer Hure, Sohn einer Hure, Hurensohn! Hurensohn! Hahnrei! Bastard! Tunte! Dieb! Was soll ich dich noch alles nennen, um zu beweisen, daß du überhaupt nichts tun wirst? Sohn einer Hure!«
»Macário, die Welt dreht sich oft, und der Tag wird kommen, wo du alles, was du mir hier sagst, mit Zins und Zinseszins zurückzahlen wirst, hör mir genau zu. Ich werde mir meine Laufbahn nicht dadurch verderben, daß ich eine Niete wie dich umlege, einen bloßen Flegel, der glaubt, er wäre ein Soldat. Du bist besoffen, und ich diskutiere und schlage mich nicht mit Besoffenen.«
»Ja, komm her, du Bastard! Komm her und sorg dafür, daß ich meine Worte schlucken muß!«
Aber Vieira kam nicht wieder, und Patrício Macário hatte keine Lust, hinter ihm dreinzulaufen. Er wollte mit dem Kellner reden, ihm alles, was ihm bei Menschen wie Vieira so zu schaffen machte, erklären, alles, was ihn so wahnsinnig wütend machte, was ihm dieses Gefühl von Ohnmacht und Scheitern gab, er sagte sich aber, daß er das niemand je, jemals würde erklären können, er konnte nur hoffen, daß es jemanden gab, und es mußte diesen Jemand geben, der ebenso fühlte wie er.
Er setzte sich wieder hin, nahm ein Glas, hob es, setzte es aber nicht an den Mund. Was nun, essen? Hatte er überhaupt Hunger? In jedem Fall mußte er etwas essen, und daher bat er den Kellner – zwar ohne Appetit, aber bereit, sich, weil es eben sein mußte, zu ernähren –, ihm etwas Nahrhaftes zu bringen. Er aß viel mehr, als er vermutet hatte, und fühlte sich etwas weniger betrunken, aber noch immer sehr betrunken, und setzte sich zu guter Letzt zu einer Frau namens Corazón, er erklärte ihr seine Liebe, die er noch nie so tief empfunden hätte und verließ das Lokal mit ihr, um in einem mit Papierblumen geschmückten Zimmerchen an der Plaza del Cabildo mit ihr zu schlafen.

15 Lissabon, Portugal, den 30. November 1869

In diesen Dingen sollte man sich nicht von einem strengen Determinismus lenken lassen, denn andere Faktoren, wie etwa Rasse, spielen dabei eine entscheidende Rolle, fest steht indes, daß die klare Aufteilung des Jahres in vier verschiedene Jahreszeiten zivilisiert ist und eine zivilisatorische Wirkung ausübt. Nationen wie Brasilien, in denen es praktisch nur Winter und Sommer gibt, in denen zwischen Januar und Dezember das ewig gleiche Klima herrscht, scheinen zur Rückständigkeit verurteilt; dafür gibt es genügend geschichtliche und zeitgenössische Beispiele. Sogar kulturell sind die jahreszeitlichen Schwankungen von gewaltiger Bedeutung, erzwingen sie doch eine Verschiedenartigkeit von Interessen und Tätigkeiten als Folge klimatischer Veränderungen, so daß die ihnen ausgesetzten Völker eine größere Spannweite von Fähigkeiten und eine zwangsläufig verfeinerte Empfindsamkeit aufweisen. Überdies stimuliert Kälte die geistige Tätigkeit und beugt der Trägheit vor, die den Bewohnern heißer und tropischer Zonen eignet. In Europa erlebt man keine Faulheit, und das läßt unfehlbar auf den von der Kälte ausgelösten Impetus schließen, der, da er nachweislich die Zusammenziehung der Blutgefäße und das Sinken der Temperatur in den Eingeweiden der Wollust verursacht, nicht nur für die Durchführung höherer Arbeit und für Erfindungen sowohl technischer wie künstlerischer Art günstige organische Bedingungen schafft, sondern auch die schläfrige Sinnlichkeit der Neger, Indios, Mischlinge und anderer Bewohner heißer Klimata zügelt und sogar der Weißen, denen es nicht gelingt, durch die reine Kraft des zivilisierten europäischen Geistes den unterjochenden Druck der physischen Umwelt zu überwinden. Während so der eine Stärke und Größe gewinnt, schwächt sich und verkommt der andere.

Die Fakten sind eindeutig, dachte Bonifácio Odulfo; sie nicht sehen, das bedeutet, wie es im Volksmund heißt, die Sonne mit einem Sieb zudecken zu wollen. Wann würde er diesen Essay schreiben, der ihm plötzlich so vollendet einfiel, so vollständig, so ausgereift und so kraftvoll, so festverankert im Augenschein der Tatsachen und in leidenschaftsloser Vernünftigkeit? Vielleicht nie, schloß er mit gewisser Trauer, denn Bankiers schreiben keine Essays, auch sollten gewisse Dinge nicht ausgesprochen werden, wenn sie auch allseits bekannt waren. Schade, wie es auch schade war, daß er nicht das Gedicht skizzieren konnte, das ihn schubweise überfallen hatte, als er, vorwärts gebeugt, um dem durch Lissabons Unterstadt fegenden Wind die Stirn zu bieten, darauf bestanden hatte, zu Fuß die Rua do Ouro hinabzugehen, damit er die Erregung genießen konnte, bei der Einmündung in die Praça do Comércio plötzlich stehenzubleiben und auf die Ribeira das Naus zu stoßen, die trächtige, graue Weite der Tejo-Mündung, deren kleine Wellen gegen die Rampe plätscherten, als beginne hier das Meer und eröffne sich das Unendliche. Eroberer der Ozeane! Unerschrockene Seefahrer, Erforscher des Weltalls, Beherrscher von Weiten, Reisende ins Unbekannte! Ruhm Euch, die Ihr Wege bahntet …

Vielleicht rührten die Tränen, die damals seinen Augen entquollen, nicht anders als die, welche ihm jetzt in die Augen traten, während er die Rua São Bento von einem Balkon aus hinuntersah, nur vom eisigen Wind her, der ihm ins Gesicht schlug. Vielleicht war es aber wirklich Erregung, die ihn wieder erfüllte, heitere Erregung jetzt, da er das schöne Häusergewirr der Oberstadt von Estrela betrachtete, das er jeweils von den Seiten des Balkons aus sehen konnte. Ohne auf seine kalten Hände zu achten, preßte er das schmiedeeiserne Geländer. Was für ein bildschönes kleines Palais! Nein, kein Palais, ein wahrer Palast, die eines Königs würdige Residenz. Was für ein Unterschied gegenüber den ärmlichen, brasilianischen Häusern, wo das Fehlen von Komfort, Raffinement und Luxus mit nicht zu verbergender Scham »Nüchternheit« genannt wurde. Und dies war nur eine der Residenzen des Marquis von Sassoeiros, seines Gastgebers. Fraglos die schönste von allen, hatte dieser doch darauf bestanden, seinem Gast mit unübertrefflicher Noblesse zu begegnen, indem er ihm den Palast mit allen Nebengebäuden zur Verfügung stellte, mehr als genügend, um Bonifácio Odulfo, seine Gattin, Dona Henriqueta, die von Brasilien mitgebrachte Dienerschaft und die portugiesischen Hausbediensteten zu beherbergen. Es gab jedoch noch andere: die Quinta in Lissabon, die Quinta in Sintra, das Herrenhaus in Estoril, dieses Soundso in Restelo und so fort, eine nicht auswendig aufzuführende Reihenfolge, die in Bonifácio Odulfo gelinden Neid auslöste. Wie sollte man in Brasilien solch ein Raffinement entwickeln? In Brasilien lohnt es nicht einmal, reich zu sein, dachte er, nahm die Hände vom Geländer und hauchte wärmend in sie hinein.

»Welche Kälte!« gurrte Henriqueta kokett in ihrer Redingote mit Wollkragen, die sie graziös über ihr rosafarbenes Nachthemd geworfen hatte. »Mach zu, mach zu, Boduzino, diese Kälte bringt mich noch um! Was hast du denn in dieser Kälte da draußen getrieben, willst du dich erkälten und mich damit vor lauter Fürsorge umbringen?«

»Du sprichst schon wie eine Portugiesin, fabelhaft, was für ein Talent du für dergleichen hast!« sagte Bonifácio Odulfo entzückt. »Und schön bist du wie eine Prinzessin! Meine portugiesische Prinzessin!«

»Ich habe ja nie sehr brasilianisch dahergeredet.«

»Stimmt, du hast immer eine besondere Art zu sprechen gehabt, eines der Dinge, die mich an dir sofort angezogen haben. Und dein Vater, der alte Baron, spricht genau wie ein Portugiese.«

»Darauf hat er immer Wert gelegt. Er sagt immer, an seiner Stimme wird jeder erkennen, daß er sich nie unter Schwarzen bewegt hat und in Coimbra seine Ausbildung erhielt.«

»Geistvoll ist er, der Alte. Ich dachte gerade, wie schön dieses Haus ist, dieser Palast, findest du nicht? Wir haben ja schon darüber gesprochen, aber ich werde nicht müde, diesen Reichtum und dieses Raffinement mit der Armut Brasiliens zu vergleichen, wo selbst bei all dem Geld nichts von dem hier zu sehen ist. Nicht, daß man diese Dinge nicht kaufen und einführen könnte, aber da ist etwas, was man nicht mitnehmen kann, diese Atmosphäre, diese Kultur, die hier in der Luft liegen ...«

»Bitte sprich mir nicht mehr davon, ich kann an nichts anderes denken. Wie angenehm, durch saubere Straßen zu schlendern, ohne je einem Neger oder einem Zerlumpten begegnen zu müssen wie in Bahia, unter Menschen zu sein, die richtig sprechen und spürbar ein Mindestmaß an Kultur an den Tag legen, sogar die Ärmsten. Übrigens, du hast mich dafür gescholten, doch jetzt mußt du zugeben, daß ich recht daran getan habe, die beiden weißen Dienstmädchen und Miss Gordon mitzubringen, und daß ich sehr zu Recht bei dir darauf gedrängt habe, deinen

Lakaien mitzunehmen, wie heißt er noch? Ich vergesse es immer.«

»Meinen Lakaien, haha! Octaviano. Ja, ich wollte ihn nicht mitnehmen, ich dachte, dann würde er sich zuviel einbilden, wenn ich ihm nach so wenigen Jahren in meinen Diensten eine Reise nach Europa ermögliche. Es ist wahr, du hattest recht. Ich dachte, es genügt, die Schwarzen mitzunehmen, aber wir wären doch sehr indigniert ...«

»... Wenn wir hier allen Leuten den Eindruck vermittelten, wir lebten unter Schwarzen, in Brasilien gäbe es nur Schwarze, wie übrigens viele meinen, was mich vor Zorn fast umbringt. Ein Mann deiner Bedeutung darf belanglose Dinge nicht selbst erledigen und dafür auch nicht einen Schwarzen anstellen. Stell dir die Schande vor! Jetzt, wo der Marquis uns das Haus und seine Dienerschaft überlassen hat und darauf besteht, daß wir beides nach Belieben nutzen, glaube ich nicht, daß ich mit irgend einer der Negerinnen einkaufen gehe, ich nehme die portugiesischen Dienstmädchen und Miss Gordon mit, auch nicht einmal die weißen brasilianischen Mädchen.«

»Gehst du heute noch Einkäufe machen? Schau, heute ist Empfang im Königspalast, Beginn der Feierlichkeiten zur Wiederherstellung der Unabhängigkeit, sicherlich sind die Straßen überfüllt ...«

»Ach, der Empfang im Palast! König Dom Luís, hast du sein Bild gesehen? Er hat schöne blaue Augen, man sieht, daß er als König geboren ist. Wieso fragst du, ob ich noch Einkäufe mache? Wenn du wüßtest, was es auf dem Chiado alles zu kaufen gibt, wenn du wüßtest, wie es hier alles gibt, während wir dort nichts haben, wenn du wüßtest, wieviel mir noch fehlt, um beim Empfang tadellos aufzutreten, als eine dir ebenbürtige Gattin, du würdest nicht so reden! Ach, was für Juwelen, was für Edelsteine, was für vollendet schönes Gold, welcher Zauber, du kannst dir nicht vorstellen, was es für einen weiblichen Geist bedeutet, der im rückständigen Brasilien eingesperrt lebt, Lissabons Läden zu betreten und zu entdecken, daß die Dinge, vor denen man dort Mund und Augen aufsperrt, hier auf köstliche Weise ganz normal sind.«

»Ich verstehe dich vollkommen, meine Angebetete, und nichts entzückt mich mehr, als wenn ich dich wie ein launisches Kind sehe, das mit blitzenden Äuglein dem Einkaufen entgegenzittert. Du hast aber noch gar nichts gesehen. Wir fahren noch nach Paris, nach London ... Die Opulenz am Hof Napoleons III. kannst du dir nicht vorstellen, der Gipfel der Lichterstadt!«

»Natürlich kann ich das, und zwar sehr gut, und auch dort werde ich Einkäufe machen! Ich möchte diese Reise bis zur Neige auskosten und jede Minute nutzen, um zu kaufen, was wir brauchen, außer anderen wichtigen Dingen, die unser Leben verändern werden. Wir sind ja keine gewöhnlichen Leute.«

»Also gut, schon gut, ich gewöhne mich zusehends daran, daß du immer recht hast. Hast du schon gefrühstückt?«

»Nein, aber es ist schon gedeckt, und ich habe einen Hunger wie lange nicht mehr!«

»Was sind das für Manieren, du ausgelassenes Kind? Wo hat man schon eine Dame so über ihren Appetit reden hören?«

»Aber du hast nicht gesehen, was es hier an Speisen gibt?«

»Natürlich, sind wir nicht schon drei Tage hier?«

»Na also, wieso bist du dann nicht auch ganz aufgeregt? Alles ist so viel besser, von so viel besserer Qualität ... Die Süßigkeiten, das Fleisch, die Konserven, die Krebse ... Hach!«

»Langsam, langsam Kleines!«

»Hast du die Äpfel gesehen? Meine Lieblingsfrucht ist der Apfel, ach, was für frische köstliche Äpfel! Und die Kirschen? Die Pflaumen? Oh, warum gibt es keine Früchte in Brasilien?«

»Geh, geh schon, iß dein Frühstück, bevor du mich noch aufißt.«

»Grrr! Wuff!«

»Geh schon. Ich will nur schnell ins Badezimmer und mir den Bart stutzen, ich bin gleich zurück.«

»Laß mich nicht warten!«

»Ich lasse dich nicht warten, geh.«

Er rührte sich nicht, bis sie zur Tür des Frühstückssalons gelangt war, diese geöffnet, sich umgedreht und ihm ein kleines Adieu zugewinkt hatte. Welche Lebensfreude, welch eine ruhelose Empfindsamkeit, welch eine wunderbare Intuition bei einer noch so jungen Frau! Er mußte sich eingestehen, daß er viel von ihr gelernt hatte, daß er jeden Tag etwas Neues dazulernte. Er hatte sich bereits an eine gewisse Selbstgenügsamkeit in der Leitung der Geschäfte und als Oberhaupt der Familie gewöhnt, und so hatte er gedacht, es gäbe wenig mehr zu lernen für ihn. Doch er hatte sich getäuscht, denn dieses Mädchen mit seinem mutwilligen Verhalten in der Intimität und dem öffentlichen Auftreten einer Lady war in Wahrheit die ideale Gefährtin für einen Mann wie ihn. Sie öffnete ihm die Augen für Seiten des Lebens, deren Wichtigkeit er bislang nicht erkannt hatte, sie formte seinen Geschmack, machte ihn auf vieles Bedeutsame aufmerksam, kurz, sie machte aus ihm einen anderen Mann. Teresa Henriqueta Vianna Sá de Britto Ferreira-Dutton, praktisch eine Prinzessin von Geburt, Königin aus Berufung, die künftige Mutter seiner Kinder und die konnten nur Fürstenkinder werden.

In Gedanken verloren betrat er das Badezimmer und blickte in den Spiegel. Er hob das Gesicht, musterte sich von oben bis unten, fand sich keineswegs übel. In Wahrheit fand er sich sogar hübsch, sichtlicher Adel in den Zügen, ein gewandter junger Mann von fünfunddreißig Jahren. Soviel, was hinter diesem Gesicht, in diesem Kopf steckte! Er hatte Mühe, beim Öffnen des Wasserhahns, beim Mischen von Warm und Kalt, und staunte von neuem über einen so zuverlässigen Mechanismus, er mochte kaum die Hände unter dem Strahl fortziehen, um sich das Gesicht zu waschen, so angenehm fühlte sich an, wie das Wasser über die Finger floß. Er war stolz, daß er die portugiesischen Dienstboten nicht über den Gebrauch dieser oder jener modernen Apparate hatte befragen müssen, und war sich seines vollendeten Auftretens sicher, er würde es später nicht bereuen müssen. Er kannte alle richtigen Ausdrücke, wußte, was einem gefallen, was einem mißfallen mußte, bei gesellschaftlichen Anlässen ließ er sich keinerlei Nervosität anmerken, niemand hätte behaupten können, er sei ein schlechterzogener Provinzler, typisch für ein rückständiges, obskures Land ohne eigenständigen Charakter und ohne besondere Note. Und das hier war erst Portugal, dessen Bedeutung zusehends nachließ und das sich kaum mit den großen Nationen Europas vergleichen ließ.

Wieder hob er das Gesicht. Wäre er in Frankreich oder England geboren, unter den gleichen Bedingungen wie denen seiner Geburt in Brasilien, welche Höhen hätte er mittlerweile schon erklommen? Zugegeben, in Portugal war seine Bedeutung durch

die Unterbrechung der Lieferungen aus Brasilien wegen des Paraguay-Feldzugs beträchtlich gewachsen. Nicht um seiner schönen Augen willen hatte der Minister Loulé, Minister des Königreichs, darauf Wert gelegt, ihn mit einer persönlichen Einladung zu den Festlichkeiten des Ersten Dezember zu ehren. Der Marquis von Sassoeiros, der ihn mit so viel Aufmerksamkeit und Prunk auszeichnete, hatte gleichfalls Gründe, ihm gefällig zu sein, war doch der Verkauf seiner französischen Importartikel nach Brasilien infolge von Devisenschwierigkeiten fast ganz ins Stocken geraten, so daß die Freundschaft mit einem einflußreichen brasilianischen Bankier, der imstande war, gewisse Probleme zu umschiffen, hochinteressant wurde. Da war auch die Frage der Verbindungen des Marquis mit dem Herzog von Saldanha. Der Marquis hatte diese Verbindungen auf besondere Art und Weise erwähnt, als wolle er damit etwas andeuten, worüber er sich vorläufig nicht deutlich äußern durfte. Doch Bonifácio Odulfo vermutete, daß es sich um einen Geheimplan höchster Tragweite handelte und mit der Möglichkeit zu tun hatte, daß Dom Luís die spanische Krone übernahm, wozu er, so hieß es, mit der Unterstützung Napoleons III. rechnen konnte. Sollte wirklich eine iberische Föderation zustande kommen, was mutmaßlich das Ideal des Herzogs von Saldanha war und wobei er wiederum mit der Unterstützung durch Interessen wie die des Marquis von Sassoeiros rechnen konnte? Und konnte in dieser das Antlitz Europas betreffenden geschichtlichen Wende die Beteiligung dessen, der sich da prosaisch im Spiegel musterte, entscheidend sein, insofern es um Kapitalbeschaffung und Finanzierungsberatung ging?
Bonifácio Odulfo kniff die Augen zusammen, um ein deutlicheres Bild von sich zu bekommen, er konnte so besser sehen. Er war ein bedeutender Mann, ja, ein sehr bedeutender Mann, der sich beim Nachdenken über diejenigen ertappte, die über die Geschichte der Welt entschieden, als wären sie seinesgleichen. Und bald würde er an der Seite von so bedeutenden Männern wie er selber durch die imposanten Salons des Palastes von Ajuda schlendern. Brasilien war rückständig, unendlich rückständig und unbekannt, aber er war bedeutend und brauchte sich persönlich wegen nichts zu schämen. Wie es auch nichts zu schämen gäbe, wenn er vom Kaiser von Frankreich selbst oder von der

Königin Viktoria eingeladen würde. Doch das würde er natürlich nicht, denn – so dachte er gereizt – ein Brasilianer ist nur für einen Portugiesen bedeutend.

Tapferes Städtchen Itaparica, den 14. Mai 1870

Schande, Schande, Schande über Schande! Höchste Schande, unauslöschliche Schande, eine Schande, die so schwer lastet, daß es João Popó unmöglich wird, mit sich selber zusammenzuleben. Wenn man ihn vorher, in den härtesten Augenblicken eines ohnehin sehr harten Lebens, nie mit einem Glas in der Hand gesehen hatte – jetzt war es so, zuviel war zuviel. Aber die sollten doch sagen, was sie wollten, er würde sich nichts daraus machen, wie er sich auch nichts aus dem Blick von Lindaura aus Jacinto machte, als er den Laden ihres Mannes betrat und einen Krug – nein, keinen Krug, eine ganze Kanne – Schnaps forderte, das reinste Feuerwasser, wenn man sich danach eine Zigarre ansteckte, fing der Atem an zu brennen, etwas für richtige Männer. Riesiges Erstaunen allerseits: ein achtbarer Bürger, der anstatt einen Neger zu schicken, höchstpersönlich einen Kramladen betrat, um lauthals einen Krug voll ordinärem Schnaps zu bestellen? Heutzutage war alles möglich, sogar, daß der alte João Popó sich lächerlich machte und das letzte bißchen Anstand verlor – denn kaum hatte er gesagt, man brauchte den Krug nicht einzuwickeln oder ihm nach Hause zu liefern, er selber würde ihn unter dem Arm mitnehmen, da ließ er doch vier Finger von diesem Fusel in einen Zinnbecher gießen, und hat er das Ganze nicht ohne mit der Wimper zu zucken wie Wasser runtergekippt? Er wischte sich mit dem Taschentuch über den Mund, schnalzte mit der Zunge und musterte die Anwesenden einen nach dem anderen, bevor er mit seinem Krug ins Freie stapfte.
Freilich waren bedeutsame Veränderungen im Leben João Popós eingetreten seit dem Tag, da sein Sohn Zé Popó in den Krieg gezogen war, daher war das allgemeine Befremden etwas geringer, als es zu anderen Zeiten gewesen wäre. Zunächst mußte er nach der Abreise zwei oder drei Nächte aus purer Aufregung schlaflos verbracht haben, mit aufgerissenen Augen, als hätte er fünf Kannen Kaffee getrunken, ein unaufhörliches Hin-und-

Hergerenne zu den unangebrachtesten Stunden. Er ließ Coquinho Popó im Morgengrauen zu sich rufen und hielt ihm eine Standpauke, die bis zum Morgen dauerte, sagte, wenn er nur ein bißchen Anstand hätte, sollte er nie mehr den Fuß auf die Schwelle eines Hauses setzen, für dessen Unterhalt er, João Popó, aufkäme, und er sollte sich besser eine andere Bleibe suchen, denn er würde ihn auf die Straße setzen. In ziemlich der gleichen Weise verfuhr er mit Labinha und Ostinho, brach den Verkehr mit Lafayette ab, und als Candinha Einspruch erhob, drohte er, ihr eine Abreibung mit einer Buschliane zu verpassen, und befahl sogar dem Neger Boanerges, im Wald einen Haufen davon zu holen. Franklin Popó wollte die Mutter verteidigen und büßte dabei ein nagelneues Oberhemd ein, zerfetzt von den Lianenhieben des Alten, der ihn von Zimmer zu Zimmer jagte und sogar hinter ihm her durchs Fenster sprang als wäre er zwanzig Jahre jung. Wieder im Haus, verkündete er, er hätte dort nichts mehr verloren, er betrachtete sie allesamt nicht als anständige Familie und würde von Stund an bei Iaiá Menina wohnen. Candinha sagte, die Kehle würde sie sich durchschneiden, und sogleich eilte er in sein Zimmer, packte sein Rasiermesser, wetzte es sorgfältig am Korkstreifen, erprobte die Schneide an einem Haar, das er an bloß einem Ende hielt, und händigte es ihr aus, mit der Empfehlung, ihre Arbeit draußen zu verrichten, um nicht das ganze Haus mit ihrem ordinären Blut zu versauen, das unfähig wäre, einen tüchtigen Sohn zuwege zu bringen. Candinha fiel in Ohnmacht, er geiferte, nicht einmal zum Selbstmord taugte sie, er hieß die Negerinnen seine Bündel und Truhen packen, mietete zwei Ochsenkarren und sorgte dafür, daß sein Umzug Aufsehen erregte, sogar das Klavier ließ er aufladen und die auf diesem stehenden Statuetten des Geigers und der Harfenistin aus *Bisquit*-Porzellan, ein Geschenk des verstorbenen Hermelindo, Candinhas Vater.

Im Hause der Iaiá Menina hielt er vor den Negern und Nachbarn eine Ansprache, in der er erklärte, mit einer ausgehaltenen Frau zu leben wäre in vielen Fällen besser, als mit der gesetzmäßigen, die nur ein Klotz am Bein wäre, aber sie sollten auf keine falschen Gedanken kommen, denn er wäre hier, um sein Recht als Hausherr und Familienbeschützer auszuüben, und niemandem wäre er Erklärungen schuldig. Gegen Abend, kaum war der Umzug beendet, ließ er Iaiá Menina die Nachricht zukommen, er brauchte sie in Kürze, und als sie durch Laurinda sagen ließ, ihr Rheumatismus sei schlimmer geworden, stieß er ihre Kammer mit einem Fußtritt auf und sagte, er wünschte sie in einer auf seiner goldenen Taschenuhr exakt abgezählten Viertelstunde zu sehen, und zwar frisch und munter genug, um eine Polka zu tanzen, andernfalls würde er ihr den Rheumatismus schon austreiben.

Und nicht zufrieden, Iaiá Menina solcher Art in Atem zu halten, schien er sich auch den geilsten aller Teufel einverleibt zu haben, denn es verging kein Tag, ohne daß er es mit mindestens einer seiner Frauen, mitunter mit zweien, trieb, so entzündete ihn unablässig das Lustfeuer, und so spornte der Priapismus seine Lenden beim Anblick der erstbesten Schürze an. Freunden verkündete er in geheuchelt vertraulichem Tonfall, er wünschte sich, die Erde selbst hätte eine Scheide, damit er sie mit seiner unbezwinglichen Rute in Besitz nehmen könnte, die ihm epische Gefühlserregungen verschaffte, wenn er sie unwiderstehlich in die Ritzen der Frauen stieß. Manchmal machte er sich sogar nach Mutá auf, um Maria Zezé zu besuchen. Und Candinha bewahrte, nachdem der erste Ärger verflogen war, alles, was er zurückgelassen hatte, genau so, wie er es gewohnt gewesen war, einschließlich der Porzellantassen, der englischen Pantoffeln und des Emailnachttopfs, so daß er, wenn er erschien, sich zu Hause fühlen konnte, bevor er sie ins Bett holte, wo sie sich bekreuzigen und die Augen schließen würde.

Nur bei Rufina Popó stieß er auf Schwierigkeiten, denn obwohl er sie häufig besuchte, ihr mehr Geld gab, als er je jemandem gegeben hatte und alles pries, was er sah und hörte, gab sie nicht nach und würde erst nach vorherigen Abmachungen nachgeben, besonders wo jetzt ihr Sohn Zé Popó die Familienehre in Menschengestalt verkörperte. João Popó ließ sich zu den geforderten Abmachungen zwar nicht herbei, winkte nur vage mit einem Testament, das er in nächster Zeit aufsetzen würde, versprach jedoch, daß die Dinge ein anderes Gesicht bekommen würden, sobald der Sohn aus dem Krieg zurückkehren würde. Ganz bestimmt, ja. Und da die Dinge so lagen, warum wollte sie dann nicht ...? Immer sachte, antwortete sie und stieß ihn zurück, erst will ich das unterschriebene Papier in meiner Hand sehen.

Diese Haltung reizte manchmal seine Nerven aufs Äußerste, so daß er eines Tages mitten auf dem Sankt-Antonius-Hügel vor ihrer Tür stehenblieb und vor allen Leuten einen der übelsten Krawalle aufführte, die die Insel erlebt hat, und man aus seinem Mund Kraftausdrücke und obszöne Beschimpfungen von solcher Farbigkeit und Vielfalt hörte, daß etliche davon hier zum ersten Mal vernommen wurden. Er mußte von seinen Söhnen Geminiano und Vavá festgehalten werden, und Dionísio, der hitzigste von allen, drohte sogar, ihn mit der Keule zu traktieren, sollte er seine Mutter noch einmal beschimpfen.
Also war João Popós jetziges Verhalten nicht gar so ungewöhnlich, es gehörte gewissermaßen bereits zu den alltäglichen Vorkommnissen des Städtchens. Aber jetzt, wo sein Sohn, zum Gefreiten befördert, die Brust mit Orden bedeckt, als Held zurückgekehrt war, wurde allgemein erwartet, daß sich João Popó ein weiteres Mal ändere. Alles wies auch darauf hin, wartete er doch in schimmernd schwarzem Anzug, mit neuem Hut, neuen Halbstiefeln und neuem Taschentuch, alles nagelneu, auf das Anlegen des Dampfers, der die Soldaten, die Schlachten und Krankheiten überlebt hatten, darunter sein Sohn Zé Popó, heimbringen sollte. Zwischen Sirenensignalen, Pfiffen, Papierschlangen, Schreien, Fanfarenstößen von Horn und Trompete und Feuerwerkskrachern nahm João Popó seinen Sohn in die Arme, trug ihn fast, gefolgt von einer Musikkapelle, zum Campo Formoso, wo das Fest schon vorbereitet war, der kleine Platz voll mit Tischen, auf denen reichlich Speisen und Getränke standen. Vier Monate lang hatte er hart an einem Akrostichon gearbeitet und nun konnte er es, auf dem Höhepunkt des Festes, triumphierend aufsagen, als krönenden Höhepunkt der Begrüßungsansprache auf Zé Popó. Was für ein Glück, was für eine Begeisterung, was für ein Ruhmestag, Zé Popó auf die Fragen der Jungen über die auf seiner Brust funkelnden Auszeichnungen antworten zu hören, welch unbeschreiblicher Tag! Und er blieb unbeschreiblich bis tief in die Nacht und in den Morgen hinein, denn João Popó, Inbegriff des Glücks und des Stolzes rief den Tag zum Feiertag aus und ließ im ganzen Städtchen feiern.
Doch jetzt, Schande! Schmach! Schande! Rufinas verwünschtes Hexenblut, was hatte dieses ordinäre Peststück in die Welt ge-

setzt! Warum kann Glück nie vollkommen sein, ist das nicht unglaublich? Mußte Zé Popò, dieser Hundsfott, dieser Unglücksrabe, dieses Miststück, dieser Halunke, mußte er das Glück des Alten mit dieser Kränkung zerstören? Ach was, Kränkung – Beleidigung, Erniedrigung, Entwürdigung, Besudelung, eine wahre Freveltat! Diese Schande, diese riesengroße Schande, um nicht vom Verbrechen des fraglos begangenen Landesverrats zu sprechen, zum Ergötzen und Ohrenschmaus seiner Feinde und – warum es nicht aussprechen? – der Feinde Brasiliens. João Popó krümmte sich, als er wieder an den Vorfall dachte, füllte einen kleinen Becher mit Schnaps und trank ihn, zum Schluß von einem Schauder gepackt, in einem Zuge aus.

Die ›Gesellschaft der Söhne der Unabhängigkeit Siebenter Januar‹, von Stadt und Provinz als Einrichtung von öffentlichem Interesse anerkannt, wurde mit schöngeistigen Zielen begründet und sollte zudem der Förderung der Ideale von Vaterlandsliebe und Bürgersinn sowie den geläutertsten Werten der Nationalität dienen. Bei der Wahl für das Biennium 1869-1870 siegte die Gruppe *Freiheit* trotz der von João Popó mit der Gruppe *Autorität* angeführten kämpferischen Opposition, deren Programm ein Dornbusch flammender Reden gegen Sittenverfall war, gegen Freidenkertum, republikanisches Ideengut und Befürworter der Abschaffung der Sklaverei, gegen die Religionsfreiheit und alles, was die Untergrabung der Grundfesten darstellte, auf denen eine echte Zivilisation ruht. Corinto Mello, Präsident der siegreichen Gruppe, war eine scheinbar unangreifbare Gestalt, doch João Popó sah in dessen Nachsicht gegenüber gewissen Neuerungen eine ungeheure Gefahr, abgesehen von dem unübersehbaren Makel für eine zur Bewahrung und nicht zur Veränderung gegründete Institution. Um ein Haar hätte sein Antrag auf Statutenänderung zugunsten der Aufnahme von Mulatten allgemeine Zustimmung gefunden, ein Unheil, das nur dank João Popós übermenschlichen Anstrengungen an Beredsamkeit und Überzeugungskraft in letzter Minute abgewendet werden konnte. Wo leben wir? hatte er in der Vollversammlung gefragt. In Sodom und Gomorrha? In den ausschweifenden Reichen des Orients? Nie werden wir es zulassen, daß der Tag kommt, an dem die Geschicke einer Vereinigung, welche in ihrem Namen selbst das

Wort Unabhängigkeit trägt, von Sklaven und Sklavensöhnen gelenkt werden!

Bei zahlreichen anderen Gelegenheiten widersetzte sich João Popós wachsam kämpferischer Geist Corinto Mellos Reformismus, so daß die Beziehungen zwischen den beiden stark abkühlten und die Samstagnachmittagsversammlungen gelegentlich in einer Atmosphäre erbitterter Spannung verliefen. So sah João Popó sich genötigt, für die seinem Sohn in einer Sondersitzung zugedachte Ehrung sogar unter einigen Mitgliedern der gegnerischen Fraktion um Unterstützung zu werben. Man gab zu bedenken, daß die Huldigung allen früheren Kriegsteilnehmern gebühre, einschließlich der vielen Toten, doch João Popó entgegnete, sein Sohn sei der bei weitem höchstdekorierte Kriegsteilnehmer gewesen, und die Gerechtigkeit gebiete, daß die Auszeichnung in ihm ihr Sinnbild fände. Nach langen, geduldigen Verhandlungen, bei denen João Popó sich häufig gezwungen sah, an rückständige Schulden zu erinnern und andere Formen des Drucks auszuüben, wurde ein Kompromiß erreicht. Die Huldigung würde allen gelten, doch Zé Popó sollte das Verdienstehrendiplom im Namen der anderen entgegennehmen und vor der Festversammlung eine kurze Erklärung über den Feldzug abgeben und vielleicht sogar eine kleine Ansprache halten.

Diese kleine Ansprache von insgesamt sechshundertfünfzig Kanzleibogen hatte João Popó in Monaten erschöpfender Arbeit fertiggestellt und war dabei mitunter in solches Fieber geraten, daß er vom Schreibtisch aufstehen mußte, so groß war die Erregung, welche die Niederschrift brasilianischer Ruhmestaten in ihm entfachte.

Schon galoppiert er stürmisch dahin, der Zentaur der Pampas.

Unter dem gnadenlosen Kugelhagel hebt er die majestätische Brust, und angesichts seiner herrlichen Erscheinung gewinnen unsere Männer ihren in der Blutrünstigkeit der Schlacht gesunkenen Mut zurück.

Er ist kein Mensch. Er ist ein Gott. Mit seinen unter der flatternden Hutkrempe funkelnden Augen zieht er den ruhmreichen Säbel, und aus seinen Lippen bricht mit machtvoller Stentorstimme wie Triumphtrompeten der so lange erwartete Befehl:

»Sturmangriff!«

Aus jeder Kehle ein Ruf, der einstimmig über die Felder hallt.

Das ist die brasilianische Truppe in ihrem unbezwinglichen Vormarsch.
Schon marschieren sie nicht mehr; sie laufen. Schon laufen sie nicht mehr; sie stürzen, sie stürmen, sie fegen über alles hinweg, nichts hält sie auf.
Über die Erde rollt ein verwundeter Körper.
Ein Kamerad, der auf dem Feld der Ehre fällt! Ein noch knospendes Leben, niedergemäht vom Schrecken des Krieges!
Und dennoch wütet der Kampf weiter, rasend, schreckenerregend, in jeder Sekunde neues Leben fordernd, um es auf dem flammenden Altar des Gottes Mars zu opfern. Das Kornett ertönt ...
Aber Zé Popó war nicht dazu zu bringen, vorzulesen, was der Alte geschrieben hatte, mochten dessen Appelle noch so leidenschaftlich ertönen. Wenn er es wünschte, könnte er ja etwas hinzufügen, da und dort eine persönliche Note anklingen lassen, aber eine so hochrangige Arbeit konnte er doch nicht ungenutzt lassen, eine Arbeit, hinter der so viel Forschungsarbeit steckte, so viel herkulische Sprachanstrengung? Zwecklos. Zé Popó ließ sich nicht erweichen, und so konnte sich João Popó an seinem festlichen Samstagnachmittag trotz Lächeln und geschwellter Brust nicht verhehlen, daß er den zweistöckigen Sitz der Gesellschaft mit leichter Beklommenheit betrat.
Die Blamage stellte sich gleich zu Beginn der Zeremonie ein, als Zé Popó sich weigerte, den ihm zugedachten und vom Vater mit so viel Aufwand bestellten Ehrenplatz einzunehmen. Er erklärte, er sehe keinen Anlaß, anderswo zu sitzen als seine Kameraden, die ebensogroße Verdienste hätten wie er, außerdem werde das Verdienst im Kriege nicht immer dort anerkannt, wo es in Wahrheit erworben wird. João Popó tat zwar so, als machte ihm das nichts aus und zollte den Worten seines Sohnes sogar Beifall, aber er wich Corinto Mellos Blicken aus, der mit all dem hoch zufrieden sein mußte.
Die Blamage wuchs, als nach der Überreichung des Diploms und zwei Grußworten, eines vom Präsidenten, das andere vom offiziellen Festredner, Zé Popó auf die Tribüne geleitet wurde und er, statt zum Gegenstand der Feier anzuheben, in einem jeden Überschwangs baren, fast kraftlosen Tonfall sagte, er wüßte nicht, worüber er sprechen sollte. Was wollten sie denn hören? Sie soll-

ten sich doch nicht einbilden, ein Krieg würde von anderen Menschen als den hier versammelten geführt. Im Gegenteil, von den Gemeinen bis hinauf zu den Marschällen seien es Menschen genau wie sie, derselbe Mensch, der im Frieden arbeite, sei auch der, der im Kriege arbeite. Aber er sei gerne bereit, Fragen irgendwelcher Art zu beantworten, auch wenn ihm manchmal die Worte nur schwer in den Mund kämen und er sie nicht richtig zu gebrauchen wisse.

Tiefes Schweigen senkte sich über den Saal, die Versammelten scharrten mit den Füßen, blickten zu Boden, setzten sich geräuschvoll anders hin, rückende Stühle, ächzende Dielen. João Popó bekam heiße Ohren, blickte umher, sah niemanden, der eine Frage wagen wollte. Alles würde ein großes Fiasko werden, ein Reinfall, eine Blamage. Und wenn nun Políbios Sohn, der sich Poet und Literat dünkte, eine Stegreifrede halten und Zé Popó den Rang ablaufen würde? Was für eine Demütigung! João Popó blickte zu Políbios Sohn hinüber, und glaubte, er sei gerade dabei, sich den Auftakt zu einer Rede auszudenken, hatte er doch den gefährlichen Gesichtsausdruck von einem, der sich im Kopf verschachtelte Sätze zurechtlegt. Nein, nein, das durfte nicht geschehen, und João Popó hob zögernd die Hand, wie um das Wort zu bitten. Da es nun einmal soweit gekommen war, würde er die Zügel an sich reißen und die Notizen vorlesen, die er glücklicherweise mitgebracht hatte.

Doch dann mußte er so tun, als wollte er sich nur die Augen reiben, denn Corinto Mello, der sich mit pedantisch auf den Mund gepreßter Faust geräuspert hatte, beschloß eine Frage zu stellen. Der Saal versank in Regungslosigkeit, Zé Popó legte die Hand auf das Tribünengeländer und blickte besorgt zum Podium.

Corinto Mello wiederholte in seiner kurzen Einleitung einige seiner besten Sätze aus einer früheren Ansprache, legte die gefalteten Hände an die Lippen, atmete tief ein und fragte Zé Popó, was unter seinen reichen Erfahrungen als Held des Vaterlands, welches am tiefsten haftende Bild, welche ihn am längsten verfolgende Erinnerung, kurz, was sich am tiefsten in seinem Geist eingegraben habe, und Zé Popó antwortete: Die Maden. Ja, die Maden, sagte er schlicht. In vielen Teilen Paraguays und im Grenzland mit Brasilien wimmelte es so stark von Schmeißfliegen, daß die Männer anfangs fast die ganze Zeit damit verbrachten, das Fleisch zu schützen, das hier so kostbar war und so schwer zu besorgen. Aber dann gaben sie einen von vornherein verlorenen Kampf auf und gewöhnten sich an madiges Fleisch, in dem es wimmelte von kleinen, weißlichen Larven, sie gewöhnten sich an Maden in allem und jedem, viele gewöhnten sich sogar daran, die Fliegen selbst zu essen oder sie mit irgendwelchen Flüssigkeiten hinunterzuwürgen, denn sie umschwärmten alles Eß- und Trinkbare. Infolgedessen verwandelten sich selbst die nur leicht Verwundeten in Brutstätten von Larven, in wandernde Madenkolonien. Sie konnten ihre Wunden mit Kaliumchlorat waschen, doch das war schwer aufzutreiben, so daß etliche Kameraden lebend aufgefressen wurden, an ihren Leibern, Gesichtern, Eingeweiden mästeten sich diese kleinen Würmer und verursachten zunächst Juckreiz, der sie dazu brachte, sich verfaulte Fleischfetzen auszureißen. Und später mußten sie schlimmste Schmerzen in der Einsamkeit erdulden, weil nicht einmal die Ärzte ihnen nahekommen wollten. Mehr als einmal hatte Zé Popó Kameraden gesehen mit halbzerfressenen Gesichtern, mit kleinen Würmern, die ihnen über die Backen ringelten, über ihre Augen, in ihren Ohren, und deshalb waren diese Maden vielleicht die beharrlichste Kriegserinnerung.

João Popó, der zurückgehalten werden mußte, um seinen Sohn nicht zu unterbrechen, wartete nicht ab, bis eine Reaktion auf das Gesagte laut wurde, sondern fragte unverzüglich, was das Gefühl sei, das die Soldaten in der Stunde des Kampfes für das Vaterland beseelte, worauf Zé Popó antwortete: Angst. Selbst nach vielen Stunden des Kampfes, selbst nach Jahren des Krieges, habe man jedes Mal Angst empfunden. Man kämpfte trotz der Angst, weil der Feind auch Angst hatte und weil die guten Offiziere, die gleichermaßen Angst hatten, ein Beispiel setzten und so taten, als hätten sie keine. Bei bestimmten Gelegenheiten war die Angst so stark, daß die Männer entsetzt aus der Schlacht flohen, und das passierte den besten Soldaten, auf der einen wie der anderen Seite. Wegen dieser Angst wurde der Krieg immer schlimmer, da die Männer bei so viel gezwungenermaßen unterdrückter Angst in Verzweiflung gerieten und, wenn immer sie konnten, die widerwärtigsten Grausamkeiten sogar an

wehrlosem Volk begingen, was übrigens in diesem Kriege sehr häufig vorkam.
Puterrot widersprach João Popó seinem Sohn und deutete auf die Auszeichnungen, deren größter Teil für Tapferkeit vor dem Feind erworben worden sei. Mit eindringlicher Stimme und die Augen auf den Vorstandstisch gerichtet, fragte er, ob es nicht wahr sei, daß ihm zum Beispiel einer der Orden für die Rettung eines Offiziers unter außerordentlich schwierigen Umständen verliehen worden sei, und Zé Popó antwortete: Mehr oder weniger schon. Es war in Curupaiti, wo die Alliierten eine schwere Niederlage erlitten und vom Feind aufgerieben wurden und ihr Kommandant, Major Patrício Macário, unterstützt von nur wenigen Soldaten, die verstörten Männer vorwärtsstieß. Die Lage wurde immer kritischer, die Paraguayer schienen sich jeden Augenblick zu verzwanzigfachen, die Brasilianer, stoben wie aufgeschreckte Vögel in Panik davon. Er selbst dachte bereits an Flucht, denn die fliehenden Männer berichteten in unzusammenhängenden Schreien Schreckliches von der Frontlinie. Er fragte den Offizier, ob er es nicht für ratsam halte, sich aus dem Staube zu machen, und der meinte, als er sah, daß hier nichts mehr auszurichten war, man könne sich vielleicht weiter hinten von neuem sammeln. In diesem Augenblick wurde er durch einen Streifschuß an der Stirn verletzt und vom herunterrinnenden Blut geblendet, und er schwankte benommen. Infolgedessen mußte Zé Popó ihn ein wenig stützen und verteidigte ihn auf dem Rückmarsch gegen zwei oder drei Angriffe, wobei er unerwartetes Glück hatte. Aber der Major war auf eigenen Füßen marschiert, hatte auch weiter seinen Säbel getragen und davon Gebrauch gemacht, und wenn Zé Popó ihn verteidigt hatte, bis sie in Deckung gelangten, durfte doch nicht verschwiegen werden, daß er sich damit gleichzeitig selbst verteidigt hatte. Er sagte das nicht aus Bescheidenheit, worin er nicht einmal eine ausgesprochene Tugend sah, sondern aus Ehrlichkeit und weil er darauf hinweisen wollte, daß es keine besonderen Männer gibt und daß ein jeder Held sein kann, je nachdem, wo er sich befindet, was er tut und wie sein Tun von den anderen gedeutet wird.
João Popó stand auf und wollte den Anmerkungen seines Sohnes einen Nachtrag anfügen, geriet aber in Zwist mit dem Vorstand, der ihm das Wort entzog, schon weil neue Fragen, viele neue

Fragen, gestellt wurden. Er überlegte, ob er sich zurückziehen sollte, zögerte, ging bis zur Tür und wohnte der restlichen Sitzung am Ausgang stehend bei, war die ganze Zeit drauf und dran, endgültig zu gehen, überlegte es sich immer wieder anders und blickte zur Decke auf, ohne seiner Wut freien Lauf lassen zu können.

War Zé Popó verwundet worden? Das war er, ja, und was er dazu sagen konnte, war, daß da ein wahnsinniges Hitzegefühl aufgestiegen war und ein wahnwitziger Durst, ein Durst, wie er ihn nie im Leben verspürt hatte. Aber dort, wo er verwundet worden war, da stank das Wasser, weil es aus Pfützen geholt wurde, in denen Leichen verfaulten, und es würde sicherlich Cholera oder irgendeine andere Seuche hervorrufen, wie zum Beispiel die Blattern, die mehr Soldaten getötet hatten als der Geschoßhagel. Daher weigerte er sich, Wasser zu trinken, bis zum darauffolgenden Tag, als er in ein Hospital transportiert wurde, wo etwas mehr, aber nicht sehr viel mehr Sauberkeit herrschte, und die Verwundeten, die noch gehen konnten, wollten meistens nicht im Feldlazarett bleiben.

Ob er keiner der großen Heldentaten beigewohnt habe, von denen seit Beginn des Feldzugs so viel gesprochen wurde? Oh ja, doch, viele Akte von Tapferkeit und Mut hätte er erlebt, auf beiden Seiten. Aber er wollte sagen, daß man nicht vergessen dürfte, daß Helden auch alle diejenigen waren, die die Angst ertragen hatten, die Krankheit, den Hunger, die Erschöpfung, den Schlamm, die Läuse, die Fliegen, die Wanzen, die Zecken, die Blutsauger, die Kälte, die Verzweiflung, den Schmerz, die Gleichgültigkeit, den Schmutz, die Ungerechtigkeit, die Verkrüppelung. Sie alle waren Helden und waren nicht als Helden geboren, sie waren Leute aus dem Volk, Leute wie die Leute von der Insel Bahia, die doch auch viele von diesen Dingen aushielten und viele andere dazu, sogar schlimmere, ohne daß sie in den Krieg zogen oder heldenhaft genannt wurden. Und auch die Paraguayer waren heldenhaft gewesen. Er hätte keinen Haß auf die Paraguayer, und er meinte auch, man dürfte sie nicht hassen, sie hätten doch für ihr Land gekämpft wie wir für das unsere. Auch die Paraguayer waren ein Volk, Leute wie die Leute hier, Leute wie wir. Jetzt waren sie dezimiert, so daß in den letzten Monaten des Krieges praktisch nur noch Kinder in ihren Truppeneinhei-

ten kämpften, bartlose Jungen mit noch heller Stimme, mit entsetzten, tapferen Augen, er selber hätte viele von ihnen getötet, und niemand könnte von ihm verlangen, daß er stolz darauf war oder heldenhafte Erinnerungen daran bewahrte. Stolz würde er empfinden, ja, und da sei er sicher, eines Tages würde er diesen Stolz erleben, wenn der Kampf und das Leiden nicht für die Erhaltung eines Brasilien erduldet würden, in dem viele arbeiteten und wenige Geld verdienten, in dem das echte brasilianische Volk, das schaffte und etwas hervorbrachte, weder eine Stimme besaß noch Achtung genoß, in dem die Mächtigen, Freibeuter ihres eigenen Landes, dieses nur als etwas ansahen, das ohne Gegenleistung ausgeräubert und ausgesaugt werden durfte. Stolz würde er empfinden, ja, wenn dieser Kampf, so wie er es noch erleben könnte, wirklich dazu dienen würde, das Heer im Interesse des Volkes und nicht gegen das Volk zu bewaffnen, wie es bislang immer gewesen war, wobei das Heer das Volk stets im Dienste der Mächtigen erdrückt hatte. Stolz würde er empfinden, ja, wenn dieser Kampf, wie es doch hätte sein können, zur Verteidigung eines Brasilien geführt worden wäre, in dem das Volk regierte, ein großes Land, ein großes Vaterland, in dem es Würde gab, Gerechtigkeit und Freiheit!
João Popó lehnte sich an die Tür, um nicht zu stürzen, wurde aber von dem entstehenden Aufruhr fast umgerissen, während ein wirrer Chor von Rufen losbrach wie »Sehr richtig«, »Bravo«, »Nieder«, von Pfiffen, Klatschen, erregten Rufen und Beschimpfungen.
»Hoch lebe das brasilianische Volk!« schrie Zé Popó auf der Tribüne mit hocherhobener Faust. »Ein Hoch auf uns!«

Tuntum-Lichtung, den 13. Juni 1871

Manchmal summen die Seelen und die Geister. Eigentlich summen sie nicht, vielmehr scheint, wenn die Umgebung voll von ihnen ist, ein atmosphärisches Vibrieren zu entstehen, das in den Ohren empfindsamer Wesen wie ein Summen klingt. Rufina-vom-Hügel zum Beispiel erklärte, gleich als sie sich der Lichtung näherte, in jedem Gebüsch stecke ein Bienennest.
»Ein richtiger Schwarm ist das«, sagte sie zu ihrer Tochter Rita

Popó, die neben ihr ging und ein Körbchen mit Kultgeräten trug. »Sag den Leuten, sie sollen Geduld haben, das wird eine Schufterei heut nacht, ich muß tief Luft holen.«

Sie nahm das Körbchen, ging mit großen Schritten auf die Wegkreuzung zu und schnüffelte nach den Seelen, die sich dort befinden mußten, die Caboclos und die anderen Wesenheiten. Schon ahnte sie, wie erschöpft sie am Ende der Nacht sein würde, und das verdarb ihr etwas die Laune. Sie gelangte zur Kreuzung, ärgerte sich, daß Leute in der Nähe waren, und verscheuchte ungeduldig alle Welt. Verdammtes Gesumme, gab es in der weiten Welt denn keinen anderen Ort, wo all die Seelen sich versammeln konnten? Sie seufzte, kauerte sich an der Kreuzung zweier Pfade nieder, die jetzt schon etwas tiefer lagen als das Gelände ringsum, so ausgetreten waren sie, sie klemmte ihren Rock zwischen die gebeugten Knie und holte nach und nach ihre Siebensachen langsam aus dem Korb. Das Gesumme ging ihr wirklich auf die Nerven, und bevor sie ihre Perlen küßte und sich mit ihnen bekreuzigte, ließ sie die Augen gereizt über die Dunkelheit der Büsche und Bäume gleiten, die die Lichtung umschlossen.

»Wie das da drüben von Leuten wimmelt«, murrte sie mit vorgeschobener Unterlippe. »Hoffentlich gibts keinen Krach.«

Sie ordnete alle Kultgegenstände, legte eine Hand auf die Stirn und hob mit der anderen ein Tonfläschchen mit Rum an den Mund, zog den Korken mit den Zähnen heraus und tat ein paar lange Schlucke. Spuckte seitwärts aus, zog eine schwarze Zigarre aus dem Haar, steckte sie in den rechten Mundwinkel zwischen Wange und Zahnfleisch.

»Rita, mein Kind, du kannst die Leute herholen!« rief sie zur anderen Seite der Lichtung hinüber. »Ohne viel Lärm und Geschwätz!«

Als sie zu ihr gelangten, fanden sie sie mit gelöstem Haar, mit blutunterlaufenen Augen, mit einem Gesichtsausdruck, der alle leicht beunruhigte, ja ängstigte. Rufina war eine große Hexenmeisterin, eine der größten Hexenmeisterinnen unter den vielen großen Hexenmeisterinnen der Insel, und ihre meistens recht grobe Art schüchterte jeden ein, der sich ihr in der Stunde näherte, da sie ihre Zaubermächte rief.

»Mach mir die Zigarre an«, befahl sie, ohne jemanden im be-

sonderen anzublicken, und ein hagerer Schwarzer rannte zu einem kleinen Holzfeuer und kam mit brennendem Reisig zurück.
»Schönungut«, sagte sie schließlich. »Sammlung. Gebet.«
Aber sie brauchte nicht lange mit leiser Stimme und auf die Stirn gepreßten Fingerspitzen zu beten, denn bald fing ihr Körper zu zittern an, fast fiel ihr die Zigarre aus dem Mund, ihr Kopf schien sich vom Hals lösen zu wollen, und plötzlich machte sie einen Satz, der alle einen Schritt zurückweichen ließ.
»Rrrreis! Rrrreis! Reisch! Queré-quexé, queré-quexé, queré-quexé! Wo, wo, wo sindsiealle. Hier die, die will mit euch reden, ihr da! Hmm! Rrreisch!«
Rufina hatte recht, es würde eine geschäftige Nacht werden, sah man doch, daß der Caboclo gekommen war, nachdem er mit den anderen einen wüsten Streit um das Medium geführt hatte. Und was für ein schöner Caboclo er war, sehr hochmütig, sehr forsch, sehr elegant, sehr mitteilsam in seiner gedrechselten Redeweise. Rita Popó erwiderte den Blick, den er ihr zuwarf, und verspürte ein Rütteln im Kreuz. Was für eine Nacht!

Patrício Macário verließ die Quinta von Jefferson Pedeira, ohne mit jemandem zu sprechen. Er ging auch in keine bestimmte Richtung, er wollte nur ein wenig hinaus, seine Augen brannten bereits vom Zigarrenrauch, die immer gleichen Argumente zugunsten einer republikanischen Regierungsform hören zu müssen, hatte ihn etwas ermüdet. All das kannte er auswendig, und eine echte Auseinandersetzung war das da drinnen ja nicht gewesen. Statt den Worten des anderen Aufmerksamkeit zu schenken, dachte jeder nur an das, was er sagen würde, wenn er an die Reihe kam, selbst wenn er nur mit anderen Worten wiederholen würde, was bereits gesagt war. Normalerweise brachte er dafür sehr viel Geduld auf, es machte ihm sogar Spaß, wenn die Redner gut waren, doch diesmal hatte er keinen Sinn dafür.
Die Nacht war hell, er schritt auf einen hohen Baum zu, dessen Namen er nicht kannte. Er strich über den Stamm, atmete die frische, von dem vor kurzem niedergegangenen leichten Regenguß reingewaschene Luft ein und hob das Gesicht zum leuchtenden Mond im wolkenlosen Himmel. Itaparica hatte ihm immer gefallen, nicht nur das Städtchen, sondern auch solche Fleckchen

wie diese Quinta, umschirmt von Buschwäldern und umgeben von sanften Bäumen und farbenfrohen Pflanzen, glühwürmchen- und zikadendurchschwirrte Nächte, eine kühle, sanfte Brise, die das Blattwerk bewegte, lichtdurchschimmerte Fenster. Drinnen zu hocken und sich zu verschwören oder Verschwörung zu spielen, war in einer solchen Nacht nachgerade eine Sünde.
Er lächelte, ohne zu wissen warum, und bemerkte, daß er zum ersten Mal seit vielen Tagen das Leben nicht mit Verzweiflung, mit eklem Überdruß betrachtete. Ja, er war sehr jung Major geworden, aber jetzt mutete ihn das Soldatenleben wie eine widerwärtige Ödnis an, im Kreise mittelmäßiger Kameraden, speichelleckender Ehrgeizlinge wie Vieira, übrigens auch schon Major und kurz vor einer neuen Beförderung, in einer Zeit, wo Beförderungen immer seltener wurden. Was tun, wohin gehen? Vielleicht war es ja noch zu früh, mit dergleichen zu rechnen, aber es sprach gar nichts dafür, daß die von ihm nach dem Krieg erwarteten Veränderungen eines Tages Wirklichkeit werden würden. Im Gegenteil, das Heer wurde nach wie vor schlecht bezahlt, wenn es überhaupt bezahlt wurde, zerlumpt, schlecht ausgerüstet, demoralisiert, korrupt und verachtet wie eh und je. Die Neger, die die Hauptlast des Krieges auf ihren Schultern getragen hatten und als Soldaten heimgekehrt waren, konnten nicht Soldaten genannt werden, waren sie doch nach wie vor Sklaven – und wie konnte ein Heer aus Sklaven bestehen statt aus freien Soldaten? Nichts hatte sich wirklich verändert, nichts von dem, was er in jener durchzechten Nacht in Corrientes Vieira mit solchem Nachdruck an den Kopf geworfen hatte, war eingetreten. Daher war nichts natürlicher als seine Mutlosigkeit, die von der republikanischen Aufwallung einiger Idealisten keineswegs gelindert wurde. Er selber war Parteigänger dieser Ideen geworden und vertrat vage die Auffassung, die Republik könne das Land auf bessere Wege lenken, aber was konnte er für sie tun, hier, wo er dem Militärbezirk von Bahia unterstellt war, eine Bande analphabetischer Landarbeiter und rettungsloser Säufer befehligte und mit Offizieren zusammenlebte, die an nichts anderes als an Geld und Völlerei dachten? Mangels Studien und Informationen hatte er nicht einmal klare Vorstellungen von der Sache, geschweige denn, daß er wußte, was im Lande vorging.

Auch beredte und wohlmeinende Verschwörer wie sein Freund Jefferson Pedeira nutzten da wenig, denn sie befanden sich praktisch in der gleichen Lage wie er, unerfahrene Provinzler, die zwei oder drei Bücher auf Französisch gelesen hatten. Trotzdem, er hatte gut daran getan, zu diesem Inseltreffen zu kommen, es ließ sich gut vereinbaren mit dem gerade angetretenen Urlaub, vielleicht eine Gelegenheit, aus der lähmenden Eintönigkeit des Kasernenlebens herauszukommen. Aber die Natur zog ihn mehr in ihren Bann als das vergleichende Studium der Entwicklungsstufen jener Nationen, die sich für die republikanische Regierungsform entschieden hatten und die ein Rechtsgelehrter, den er an diesem Abend kennengelernt und der seit seiner Ankunft auf der Quinta den Mund nicht zugemacht hatte, in seiner Raserei mit hervorquellenden Augen vor seinen Hörern entwickelte.

Ja, aber wenn nichts verständlicher war als seine Mutlosigkeit, so war auch sein Entzücken verständlich, als er merkte, daß die Mutlosigkeit schwand und ihre Berechtigung einbüßte in dieser freundlichen, stillen Nacht. Vielleicht hätte er ja Gründe genug, böse Erinnerungen an Itaparica zu hegen, denn hier, wenn auch auf der anderen Küstenseite, hatte sich schließlich das fürchterliche Fiasko der von Vieira befehligten Operation ereignet. Aber nein, das bedrückte ihn jetzt nicht und schrumpfte zum Erlebnis eines anderen Menschen in einem anderen Dasein. Nur die Erinnerung an die bildschöne Frau, mit der er knapp gesprochen hatte, war höchst lebendig geblieben, als wäre es nicht das einzige Mal gewesen, daß er sie gesehen hatte, als hätte er mit ihr mehr zu tun, als eine kurze, spröde Unterhaltung rechtfertigte. Wo mochte sie jetzt sein? Es hieß, sie sei noch immer die Banditin, die sie stets gewesen war, sie sei in den Sertões untergetaucht, eine Heilige geworden, habe Sklaven befreit und an der Seite aufständischer Indios Krieg geführt, habe Wunder gewirkt und könne sich unsichtbar machen, und sie sei alterslos. Natürlich alles Legende, dennoch erweckte sie seine Neugierde.

Und mit einer Art Heimweh, einer unbestimmten Sehnsucht, mit dem Empfinden, schon unter gleichen Umständen hier gewesen zu sein, nur glücklicher und unschuldiger, begann er geistesabwesend auf einem alten, ausgetretenen Pfad dahinzuschlendern, der durch das dichte Grasland vor dieser Seite der

Quinta führte. Im Mondlicht nahmen die noch feuchten Blätter jeden Augenblick andere Formen an, und im Vorbeigehen schüttelte er sie, um die Wassertropfen in den Strahlen zerstäuben zu sehen, welche durch die Kronen der höheren Bäume fielen. Er bemerkte nicht, daß der Pfad sich häufig wand, und wußte bald nicht mehr, wo er war, als er an den Rand einer weiten Lichtung gelangte und auf der anderen Seite eine große Gruppe von Negern und Mulatten und nur zwei oder drei Weiße erblickte, umgeben von Fackeln und kleinen Feuern, im Kreis versammelt um eine kauernde Gestalt. Das mußten Neger bei ihren fetischistischen Bräuchen sein, die zwar verboten waren, aber bekanntermaßen weiterhin existierten. Es mochte sich lohnen, ihnen zuzuschauen, wenn sie auch die Zeremonie wahrscheinlich abbrechen würden, sobald er sich zeigte. Er beschloß, sich zu verstecken, drang in das höhergewachsene Gebüsch ein, das die Lichtung umgab, fand einen alten Baumstumpf, auf den er sich wie auf einen Hocker setzte, verborgen vom Gezweig der Büsche, und begann dem Ritual der Neger zuzuschauen.

Als Maria da Fé erfuhr, daß Zé Popó die Fahrt an der Insel der Gezeiten vorbei nutzen und seiner Mutter einen raschen Besuch abstatten wollte, die er seit seiner Rückkehr aus dem Krieg nicht mehr gesehen hatte, sagte sie, sie würde mit ihm gehen, und war, kaum hatte sie das ausgesprochen, über sich selbst verwundert. Warum hatte sie das gesagt? Es lag kein Grund vor, durch diesen Abstecher eine Gefahr einzugehen, wenngleich das Risiko in Wahrheit sehr gering war, denn nur sie beide und die Besatzung des Fischerseglers, das würde kaum Aufsehen erregen, und im Notfall würden sie wissen, wo sie sich verstecken konnten. Doch wozu überhaupt nach Itaparica? Ihr fiel kein triftiger Vorwand ein. Sankt-Antonius-Tag, die eine ganze Nacht lang heruntergeleierten Novenen, die Schwarzen, die vermutlich den freien Tag für irgendeine Zeremonie nutzen würden, all das bot keinen sonderlichen Anreiz. Schön, vielleicht fühlte sie Sehnsucht nach der Insel, schließlich hatte sie lange dort gelebt, und Erinnerungen an Großvater Leléu riefen sie dort von überall.

Jedenfalls war sie zur Reise entschlossen, und als Zé Popó bei Ebbe losfuhr und der kleine Fischersegler in südlicher Richtung auf Itaparica zusteuerte, fühlte sie das Herz leicht, als schwebte es in der sanften Meerbrise. Bald würde die Nacht einbrechen, der Himmel begann sich gegen Steuerbord zu röten, und plötzlich, als würde ein grauer Berg vom Grund des Meeres auftauchen, wurde vorn ein mächtiger, von seiner Wasserdampfsäule umnebelter Wal sichtbar. Bezaubert erhob sich Maria da Fé, lief zum Bug, um das riesige Tier besser sehen zu können, das sich kaum bewegte und mit halbem Rumpf in ruhig eindrucksvoller Majestät aus dem Wasser ragte. Und das Boot kam immer näher heran, so daß Maria da Fé dachte, es würde den Wal rammen, als dieser einen melodiösen Kehllaut ausstieß, seltsam zart für ein Tier dieser Größe, den Rumpf in einer anmutigen Kurve bog und ins Meer zurücktauchte, einen Schaumkamm hinterlassend. Maria da Fé, die während der ganzen Dauer dieser wunderbaren Erscheinung den Atem angehalten zu haben schien, atmete tief auf und empfand eine rauschhafte Freude, jugendlichen Überschwang von Glück und Freiheit, der ihr Gesicht zu einem einzigen Lächeln erhellte, während das kleine Schiff nach Backbord drehte und geradewegs aufs alte Walfischkap zulief, eingerahmt von einem tiefroten Himmel.

Sobald sie am Walfischkap geankert hatten, erfuhren sie durch den Bootsführer Bernardino, den sie vor ihrer Landung losgeschickt hatten, Rufina sei, wie sie übrigens erwartet hatten, zur Tuntum-Lichtung aufgebrochen, zu nächtlicher Arbeit. Sie ankerten das Boot, fuhren im Kanu an Land und schlugen den Tuntum-Saumpfad ein, als hätten sie, aus entgegengesetzten Richtungen, ein Treffen mit Patrício Macário verabredet.

Patrício Macário verließ den Baumstumpf, auf dem er gehockt hatte, und beschloß, sich der um die Wegkreuzung versammelten Gruppe etwas zu nähern. Er wollte besser sehen, was da vor sich ging, und genauer hören, was gesprochen wurde. Offensichtlich gab es da eine Hauptpriesterin, die die ganze Prozedur bestimmte und die sich dabei sehr merkwürdig verhielt, wobei sie entweder still bei ihren Kerzen und Fetischen saß oder umherging, rannte, sprang, gestikulierte und Ansprachen hielt, in einer hingenuschelten Art, die wie schlecht gesprochenes Galicisch klang. Von da, wo er stand, konnte er kaum verstehen, was sie eigentlich sagte. Ob sie kultische Anweisungen gab, die Zukunft voraussagte, Verwünschungen ausstieß?

Behutsam jedes Geräusch vermeidend, schlich er nun um die Lichtung herum und hielt sich dabei hinter dem Gestrüpp. Als er bereits in der Nähe der Kreuzung war, tauchte von der anderen Seite eine Gruppe auf, vier oder fünf Personen, darunter anscheinend eine hochgewachsene Frau mit Kapuze. Er hielt es für besser, sich nicht weiter vorzuwagen, von seinem Standort konnte er alles gut beobachten. Er fand hier keinen Baumstumpf zum Hinsetzen und lehnte sich an einen Stamm. Und was, wenn diese Hexenmeisterin wirklich Zauberstücke vollführte? Immer wieder hörte er Geschichten, er kannte Leute, die beschworen, daß viele Geschehnisse durch Zauberkraft und Hexenkunst bewirkt worden waren. Nein, Unsinn, all das war erfundenes Zeug, die verzerrte Darstellung ganz gewöhnlicher Ereignisse. Trotzdem, in der Nähe der Gruppe und ihrer Feuer herrschte Kälte, eine absonderliche Kälte, und der Buschwald wirkte hier nicht so ruhig und friedlich wie rings um die Quinta. Er bekam eine Gänsehaut, schlug den Rockkragen hoch, blickte umher, ob er auch wirklich allein war, und richtete seine Aufmerksamkeit von neuem auf die Zeremonie. Wer war der breitschultrige, kraushaarige Neuankömmling? Jemand, den er kannte. Klar doch, es war sein ehemaliger Soldat, der Gefreite José Hipólito, Zé Popó! Patrício Macário sprang fast aus seinem Versteck, um ihn anzusprechen, besann sich jedoch eines Besseren, und blieb stehen. Die anderen außer der Priesterin schienen jetzt von etwas besessen zu sein und benahmen sich wie außer Kontrolle. Ein hübsches Mädchen in buntem, weitem Rock, das von Zé Popó angesprochen wurde, löste sich von ihm und jagte, wie ein Kreisel wirbelnd, ins Dickicht hinein. Die etwas zögernde Priesterin nahm die Zigarre aus dem Mund und blies ein paar Kringel in ihre Richtung.

»Lassie! Lassie doch!« schrie sie denen nach, die hinter dem Mädchen herhetzten. »Lassie laufen!«

Plötzlich wurde die Gruppe ganz still, die Zikaden und Kröten ließen sich wieder vernehmen, der Wind raschelte in den Blättern, und er bekam wieder eine Gänsehaut. Das war wirklich ein sonderbarer Ort, alles schien belebt zu sein und die Luft von ständiger Spannung erfüllt. Nein, hier zu bleiben war nicht angenehm, am liebsten wäre er jetzt umgekehrt. Und was zum Teufel war das jetzt für ein Geräusch? Als dresche jemand mit dem

Knüppel auf den Buschwald ein. Vielleicht ein Tier? Aber was für ein Tier machte so ein Geräusch? Er entfernte sich von dem Baum, wandte sich in die Richtung, von wo der Lärm kam, und kriegte einen Schrecken, der ihm die Stimme verschlug. Vor ihm, mit schreckenerregendem Gesichtausdruck, leuchtenden Augen, wirrem Haar, die Zähne bleckend in einem unangenehm herausfordernden Grinsen, die Arme wie zur Umarmung ausgebreitet, blieb das Mädchen im bunten Rock stehen, als er sich umdrehte, und stieß das Kinn zwei oder dreimal in seine Richtung.

»Kommensehier! Kommensehier!« sprach sie mir fast knurrender Stimme, die nicht ihr zu gehören schien. »Fu! Achgutgutgut! Fu! Kommensehier nu, wie? Fu! Nuisgutgutgut, ja, mijn Liebchen Fu? Kommensehier!«

Die immer noch rauhe Stimme wurde etwas weicher, ihr Ausdruck sanfter, mit liebenswürdigem Lächeln neigte sie den Hals. Patrício Macário, unentschlossen, wußte nicht, was tun.

»Was willst du?« fragte er, bemüht, fest, aber nicht feindlich zu klingen.

»Fu! Fu!«

Blitzschnell umarmte sie ihn, legte ihr Gesicht an das seine und begann, ihm über den Rücken zu streichen, doch er stieß sie erschrocken fort, mit einem unwillkürlichen Schrei. Sofort umringte die Gruppe vom Kreuzweg die beiden, voran die Frau mit der Zigarre, und es war, als hätten sie schon seit der Ankunft des Mädchens da gestanden.

»Hum!« machte die Frau laut, ging auf Patrício Macário zu und musterte ihn von oben bis unten. »Hum!«

Die anderen, wie auf den Schutz der Frau bauend, falls dieser fremde Weiße irgend etwas gegen sie unternehmen wollte, weil er sie bei verbotenen Handlungen ertappt hatte, rührten sich nicht und blickten unverwandt nur auf sie. Patrício Macário befreite sich aus der Umarmung des Mädchens und wandte sich an die Frau mit der Zigarre, als er Zé Popó bemerkte.

»Kommandant, Sie hier?«

»Ich freue mich, Sie zu sehen, Gefreiter, das hier kommt mir nämlich gar nicht geheuer vor. Ich bin zufällig hier vorbeigekommen und habe nur zugeschaut, was vorging, als dieses Mädchen mich angriff. Übrigens weiß ich nicht genau, ob sie mich

überhaupt angegriffen hat, jedenfalls hat sie mich gepackt. Ich habe nichts gegen diese Bräuche, ich habe nicht vor, einzugreifen, aber ich finde, das geht zu weit.«
Zé Popó lächelte. Er fand es natürlich, daß der Major, der mit dergleichen keineswegs vertraut war, nicht begriff, was vorgefallen war, in Wirklichkeit etwas Harmloses. Hier wurden Wesenheiten empfangen, Caboclos, Geister, Ahnenseelen, Verwandte und Freunde, und höchstwahrscheinlich kannte die Wesenheit, die sich gerade in seiner Schwester Rita verkörperte, den Major, vielleicht war es der Geist eines seiner Untergebenen, der im Krieg gefallen war. Patrício Macário starrte auf das Mädchen, das jetzt schweigsam neben der Frau mit der Zigarre stand, doch noch immer mit unruhig auf ihn gerichtetem Blick. Er hörte kaum mehr Zé Popós Erklärungen, wonach diese Leute nichts wünschten, als sich ihren seit vielen Jahren überlieferten und von Generation zu Generation vererbten Bräuchen zu widmen. Er bat den Major, ihnen zu vergeben, es ihnen nicht übelzunehmen, viele seien arme Sklaven, hätten keine Freude im Leben außer diesen kleinen geheimen Augenblicken.
»Wie?« sagte Patrício Macário, als Zé Popó ihm eine Frage stellte.
»Ich habe Sie gefragt, ob Sie eine Maßnahme gegen sie ergreifen werden, Kommandant.«
»Maßnahme? Was für eine Maßnahme, wie denn? Nein, natürlich nicht. Ich bin kein Polizist und habe anderes zu tun, als eine derartige Maßnahme zu ergreifen. Im Gegenteil, ich bin ungemein neugierig. Sie haben gesagt, dieses junge Mädchen ...«
»Verkörpert eine Wesenheit.«
»Ja, sie verkörpert, also sie verkörpert eine Wesenheit. Sie haben gesagt, dieses Mädchen verkörpert eine Wesenheit, die mich kennt? Wie denn? Wieso kennt sie mich?«
»Also, das läßt sich vielleicht nur schwer sagen, Herr Major. Ich verstehe kaum etwas von diesen Dingen, ich bin nur hier, weil meine Mutter... Meine Mutter ist diese Senhora hier.«
Patrício Macário erholte sich rasch von seiner Verwunderung und wollte Rufina nun begrüßen, doch sie nahm mit nach oben gedrehten Augen und nachlässig auf die Hüfte gestützter rechter Hand kaum Notiz von ihm, und Zé Popó redete weiter. »Meine Mutter«, sagte Zé Popó, »ist die Erbin von einer langen

Tradition. Alles, was sie weiß, hat sie bei der verstorbenen Mutter Inácia gelernt, von der haben Sie wohl nie gehört, aber sie hat zu einer Art von Geschlecht gehört, einem Geschlecht, das seinen Adel besitzt, der kommt von der Mutter Dadinha her und von Mutter Inácia und von anderen ganz einzigartigen Frauen und die werden von all unseren Leuten sehr geliebt. Aber das alles sind Dinge von diesem Volk, und die interessieren Sie wohl kaum, das sind wirklich Dinge vom Volk.«
»Doch, es interessiert mich, sogar sehr. Das heißt also, daß Ihre Frau Mutter... Interessant, sehr merkwürdig. Ich hätte nie gedacht... Was für ein Zufall, Sie hier zu treffen, in einer solchen Nacht.«
»Und was für ein Zufall, Herr Major, ich komm sehr selten her, ich wohne nicht hier.«
»Ich auch nicht, natürlich. Aber um auf Ihre Schwester zurückzukommen – es ist doch Ihre Schwester?«
»Rita, meine Schwester.«
»Also, um auf Ihre Schwester zurückzukommen, wie kann ich von dieser Wesenheit erfahren, die mich kennt? Wenn sie mich kennt, muß sie etwas über mich wissen. Das wäre doch ein interessanter Beweis für Phänomene, an die ich nie geglaubt habe. Gibt es eine Möglichkeit für mich, mit ihr zu sprechen, solange sie sich in diesem Zustand befindet?«
Zé Popó wollte etwas sagen, aber Rufina griff ein, indem sie ein lautes »Hum« von sich gab.
»Hum! Glaub ich nich«, brummelte sie. »Der da ist Siniki. Mal sehn, ob er fürn Augenblickchen weggeht, dann erklär ich die Sache. Aber leicht wird das nicht, der ist reichlich verstockt.«
»Wer ist das? Verzeihung, ich habe nicht ganz verstanden.«
»Siniki ist ein Caboclo«, erläuterte Zé Popó. »Ich habe schon viel von Siniki gehört, er ist ein starker Caboclo, anscheinend Holländer, ein Caboclo, der immer gewaltig flucht und Zäune einreißt.«
Rita Popó versetzte der Mutter, die sie am Arm festhielt und ihr die Hand abwechselnd auf Stirn und Nacken legte, einen Puff und machte sich frei:
»Nain, nain, nain!« schrie sie mit der gleichen barschen Stimme von vorher. »Ich geh nit, geh nit, geh nit! Ich bleib! Ich geh nit!«

»Der ist wirklich verstockt«, sagte Rufina. »Mal sehn, ob ich drüben was mit ihm reden kann, ob ich ihn ruhig kriege.«

»Ihn?« fragte Patrício Macário Zé Popó, während Rufina mit Rita in Richtung Kreuzweg fortging. »Ich weiß, Sie haben gesagt, daß sie eine Wesenheit verkörpert, aber hört sie denn vollständig auf, sie selbst zu sein?«

»Ja, das ist nur ihr Körper. Hier sagt man, sie ist das Pferd von diesem Caboclo, das Medium.«

»Und warum sollte dieser Caboclo sich für mich interessieren? Sie haben doch gesagt, es sei jemand, der mich kennt, aber wenn es dieser Caboclo da ist, wie soll der mich denn kennen? Übrigens, etwas anderes Merkwürdiges, ein holländischer Caboclo, haben Sie das nicht gesagt?«

»Ja, das hat man mir beigebracht. Es ist eine verzwickte Geschichte, ziemlich verrückt. Es heißt, er war ein Holländer, der wurde zurückgelassen, als sie nach der Invasion geflohen sind, und da wurde er zum Vieh von Caboclo Capiroba. Auch so ein berühmter Caboclo, der läßt sich aber schon lange nirgends mehr sehen, auch nicht in Amoreiras, wo sich angeblich alle Geister treffen und alle kommen, auch wenn sie nicht gerufen sind.«

»Vieh des Caboclo Capiroba? Sie haben ›Vieh‹ gesagt?«

»Na ja, mehr oder weniger. Die Geschichte will wissen, daß dieser Caboclo Capiroba, bevor er ein Caboclo-Geist und zum Beschützer von Indios, von Schwarzen und vom einfachen Volk wurde, daß der vorher in Salzsümpfen gehaust und Holländer zum Schlachten gezüchtet hat. Er hat die Holländer in einem Gehege gemästet, und wenn es soweit war, hat er einen davon geschlachtet und ihn mit seinen Frauen und Töchtern aufgegessen. Es heißt, er hat viele Frauen gehabt und nur Töchter bekommen, nie Söhne.«

»Sie haben recht, die Geschichte ist wirklich verrückt. Aber Sie glauben daran, wie?«

»Weder glaub ich dran noch glaub ich nicht dran. Immerhin habe ich schon einiges gesehen.«

»Klar, da Ihre Mutter diese Tätigkeit ausübt. Hat sie einen offiziellen Auftrag, irgendein Amt sozusagen?«

»Nein, nein, das Volk denkt nicht so, es sieht die Dinge nicht auf diese Weise festgelegt. Sie nennen sie Mutter Rufina, Mutter, Große Mutter, Hexenmeisterin, jeder nennt sie so, wie er sie sieht, das schwankt von Person zu Person oder vielleicht von Gruppe zu Gruppe.«

»Sehr interessant, höchst merkwürdig. Sie flößt höchste Achtung ein, oder? Sie hat eine starke Autorität, obwohl man ihre Redeweise so schwer verstehen kann.«

»Auch das schwankt. Das heißt, nicht das, was Sie Autorität nennen, denn das hat sie immer, schließlich sind ihre Mächte und ihre Wissenschaft für dieses ganze Volk vorhanden, und wenige können sich in dieser Hinsicht mit ihr vergleichen. Aber ihre Redeweise wechselt. Wenn sie jemand verkörpert, der...«

»Ah, sie auch? Klar, was für eine Frage, natürlich, schließlich ist sie eine Art Hohepriesterin.«

»Ja, sie auch, und dann spricht sie Caboclo-Sprache und diese Sprache schwankt von Caboclo zu Caboclo, je nachdem, welchen sie verkörpert, je nach seinem Ursprung, nach der Zeit, in der er gelebt hat, sogar nach seinen Marotten, das ist ganz verzwickt.«

»Ich verstehe, das liegt auf der Hand, klar. Daher hat die Stimme Ihrer Schwester auch so sonderbar geklungen, und daher dieses Kauderwelsch.«

»Ja, das war Siniki, der da aus ihr gesprochen hat.«

»Und Dona Rufina hat auch einen verkörpert? Ihre Redeweise fand ich auch absonderlich, aber lange nicht so wie die des Holländers.«

»Nein, das ist, weil sie fast ein ganzes Fläschchen Cachaça getrunken hat, nach dem Rest zu schließen, der noch am Kreuzweg ist.«

»Sie hat Zuckerrohrschnaps getrunken? Gehört das zum Ritual, ist das, sagen wir, unerläßlich um die Geister herbeizurufen?«

»Ich weiß nicht genau. Sie hat immer Cachaça getrunken, und Mutter Inácia hat auch getrunken. Es heißt, Mutter Dadinha, die berühmteste und bekannteste von allen, hätte nicht getrunken. Aber meine Mutter trinkt, sie trinkt jedesmal, wenn sie hier am Kreuzweg arbeiten muß, obwohl sie doch sonst alkoholische Getränke nicht anrührt.«

»Faszinierend! Dann stehen also die Caboclos auch unter dem Einfluß von Cachaça. Natürlich, wenn sie in den Leib von einem fahren, der sich betrunken hat...«

»Nein, das nicht. Wenn Sie hier bleiben, werden Sie es sehen.«

»Natürlich werde ich dableiben! Nichts bringt mich hier weg, ich bin immer neugierig auf diese Dinge gewesen, besonders jetzt, bei dem merkwürdigen Interesse dieses Caboclo für mich. Es sei denn, daß meine Gegenwart aus irgendeinem Grunde lästig wird.«
»Aber Herr Major, wie sollte Ihre Gegenwart lästig werden? Die Leute sind Ihnen dankbar, daß Sie soviel Verständnis gezeigt haben. Wo doch mancher andere sie zur Rede gestellt und vielleicht noch versucht hätte, sie anzuzeigen. Übrigens danke auch ich Ihnen recht sehr.«
»Was für ein Unsinn, Gefreiter, ich habe einen Bruder, der ist Priester, und an dessen Lateingebrabbel glaube ich noch weniger, als ich an diese Dinge glaube, womit ich natürlich niemanden kränken möchte. In Sachen Religion betrachte ich mich als Agnostiker, obwohl ich bei Gelegenheiten, die ich nicht umgehen kann, die katholischen Kulthandlungen befolge. Und was Sitten und Gebräuche angeht, so kann ich mich, glaube ich, als Liberalen betrachten, die fetischistischen Bräuche der Schwarzen bringen mich nicht aus dem Konzept, solange sie sie durchführen, ohne jemandem zu nahezutreten, und solange sie dadurch nicht in ihrer Arbeit beeinträchtigt sind.«
»Nicht alle denken so ... Oder genauer, sehr wenige denken so.«
»Ich habe immer in dem Ruf gestanden, ein Hitzkopf zu sein, und ich bin es auch. Ein Hitzkopf, weil ich nicht ertrage, wenn meine Rechte, die ich als heilig ansehe, verletzt werden. Deshalb habe ich Sympathie für diejenigen, die von solchen Rechten Gebrauch machen wollen, die für mich heilig wären.«
»Hören Sie, dazu gehört aber auch die Befreiung der Neger, Herr Major ...«
»Ich sage Ihnen die Wahrheit: Ich bin dafür. Ich war immer dafür und bin es mehr denn je, nachdem ich –, nachdem wir im Feldzug Seite an Seite mit so vielen Negern gekämpft haben. Aber reden wir jetzt nicht von Politik, ich bin gerade aus einer politischen Versammlung geflohen, die unendlich weniger interessant war als diese hier. Braucht Dona Rufina wohl lange? Nicht daß ich es eilig hätte, ich habe nichts weiter zu tun, ich habe Urlaub, aber ich bin eben sehr neugierig.«
In ziemlich kurzer Entfernung konnten sie Rufina und Rita am

Kreuzweg kauern sehen. Rita, die gelegentlich aufgeregt aufstand und heftig gestikulierte, schien Rufina einen endlosen Bericht vorzutragen, einen Bericht, den sie durch Ausrufe und flehentliche Beschwörungen unterbrach. Rufina beschränkte sich darauf, die überspannten Bewegungen der Tochter zu dämpfen und ihrem Bericht mit langsam bedächtigem Kopfnicken zuzuhören. Aber wenn sie etwas sagte, hörte ihre Tochter nicht zu, zerrte verzweifelt an ihren Haaren und versuchte ins Dickicht zu rennen.

»Das wird noch dauern, glaube ich«, sagte Zé Popó. »Hätten Sie vielleicht Lust, etwas zu trinken? Etwas zu essen?«

»Essen, trinken? Sie wollen mir doch nicht sagen, daß hier eine Verpflegungsstelle eingerichtet worden ist, Gefreiter, ich staune immer mehr, was alles passiert um uns herum, dicht vor unserer Nase, ohne daß wir es merken! Essen und Trinken, hier?«

»Nicht das, was Sie gewohnt sind. Das Essen zum Beispiel ist gut, ich glaube aber nicht, daß Sie es kennen. Sie haben es höchstens auf Märkten oder Volksfesten gesehen. Das meiste ist mit Dendê-Öl zubereitet.«

»Hab ich schon gegessen, schon probiert, ich mag es! Ein wenig kräftig, aber es hat mir geschmeckt.«

»Es ist die Kost von armen Leuten, sie besteht aus Bohnen, Innereien, Blättern aus Buschwald, Armenkost eben, aber es ist gut.«

»Nur zu, Gefreiter, das ist für mich ein noch viel schöneres Abenteuer, als ich gedacht hatte. Und Getränke, haben Sie gesagt?«

»Ja, auch Getränke für arme Leute. Abacaxi-Aluá ...«

»Ananassaft?«

»Nein, ein Getränk aus Abacaxischalen, in Wasser gelöst, sehr schmackhaft.«

»Aber gibt es nichts Stärkeres? Ich meine, dieses, wie heißt es nochmal, das enthält doch keinen Alkohol, oder?«

»Nein, das nicht. Es gibt aber andere mit Alkolhol. In dieser Jahreszeit brennen sie viele Liköre, aus Jenipapo, aus Maracujá, aus Pitanga, aus aromatischen Blättern, aus Milch ...«

»Was Sie nicht sagen, Gefreiter José Hipólito, hätten sie nicht Ihren Abschied genommen, ich würde Sie morgen zum Sergeanten befördern!«

Sie gingen um den Kreuzweg herum, ohne sich ihm zu nähern, und gelangten an eine Stelle, wo das Gras niedrig war und auf Tüchern und Brettern die Speisen standen. Rechts, wie eine Riege Bleisoldaten, standen die Likörfläschchen. Patrício Macário entkorkte und beroch eine nach der anderen und schenkte sich einen großzügigen Schluck Jenipapo-Likör ein.
»Trinken Sie nicht auch etwas, Gefreiter? Oder mögen Sie keinen Likör?«
»Ich halte mit, doch. Nur einen kleinen Schluck, ich muß noch vor Morgengrauen abreisen.«
»Auf unsere Gesundheit, Gefreiter! Und gewissermaßen verdanke ich Ihnen meine Gesundheit, haha!«
»Sie sind sehr gütig, Herr Major. Auf unsere Gesundheit!«
»Schade, daß ich die Zigarren in der Quinta gelassen habe. Jetzt könnte ich eine gute Zigarre gebrauchen. Sie haben nicht zufällig eine dabei?«
»Nein, Senhor, ich rauche nicht.«
»Aber sicherlich hat hier jemand welche dabei. Schauen Sie, die rauchen dort Zigarillos.«
»Aber das ist kein Rauchtabak, Herr Major, das ist eine andere Art von Tabak, das ist Angolatabak, auch Liamba genannt.«
»Wirklich? Hab nie davon gehört. Kann ich so was mal probieren?«
»Jaa, die rauchen das, um Dinge zu spüren ...«
»Dinge zu spüren? Wie denn, wollen Sie damit sagen, die rauchen das Zeug und spüren Dinge? Glauben Sie daran? Halten Sie es für möglich, daß einer ein Zigarillo raucht und Dinge verspürt?«
»Ich bin nicht sicher. Jedenfalls ist es ein ganz anderer Tabak.«
»Gehen Sie, verschaffen Sie mir eins, Gefreiter, ich möchte das ausprobieren.«
»Gerne, Herr Major.«
Patrício Macário tat einen Zug aus dem strohumhüllten Zigarillo, das Zé Popó ihm gebracht hatte, und mochte anfangs den Geschmack nicht, doch nach einem Schluck Likör fand er die Mischung angenehm. Er setzte sich auf einen Hocker, bot Zé Popó einen anderen an und lehnte sich an einem Baum. Er streckte die Beine aus, tat einen neuen Zug, trank noch einen

Schluck und fühlte sich unendlich wohl, federleicht, fast schwerelos, die Landschaft gewann neuen Zauber.
»Gefreiter José Hipólito, ich muß Ihnen danken. Ich habe einen ausnehmend öden Abend hinter mir, und jetzt verschaffen Sie mir ein außerordentliches Wohlgefühl. Fabelhaft dieser Likör, fabelhaft, dieser Tabak.«
Von allem ringsum betört, vergaß er das Zigarillo, das erlosch und seinen entspannten Fingern entglitt. Er war sich auch nicht sicher, ob er nicht träumte, als Zé Popó ihn am Arm zum Kreuzweg zog und er Rufina allein gegenüberstand und eine Geschichte hörte, die er verstand und zugleich nicht verstand, die ihn jedenfalls verwunderte, so daß er die berichteten Episoden manchmal selbst zu erleben glaubte, in einer Welt aus verschwommenem Licht und undeutlichen Umrissen. Rufina erzählte ihm, er habe die gleiche Seele wie Vu, Tochter des Caboclo Capiroba, und folglich sei er in gewissem Sinn, Vu. Diese Vu war die Frau vom Caboclo Siniki, darum wäre Siniki jetzt, wo Vus Seele sich in einem Mann verkörpert hatte, in eine Frau gefahren, damit sie ihn küssen konnte. Sie sagte noch, vielleicht würde er all das nicht verstehen, aber Siniki hatte ihr erzählt, er, Patrício Macário, würde bald eine Frau treffen, die früher Caboclo Capiroba gewesen wär, und diese Frau und er würden sich lieben. Dann zeigte sie ihm – und sie erzählte dabei alles ganz ausführlich – daß diese Frau, und sie wußte wer, durfte es aber nicht sagen, auch ein leiblicher Abkömmling von Caboclo Capiroba war, Vus Vater, Dadinhas Urgroßvater, Turíbio Cafubás Ururgroßvater, Urururgroßvater von Daê, auch Vévé genannt, und Großvater fünften Grades von dieser erwähnten Frau. Die Frau war also, was die Seelen anging, ihre eigene Ahnin – und das mußte etwas bedeuten, was, wußte Rufina nicht. Er müßte auch sehen, daß diese Frau und er, weil er doch Vus Seele habe, so etwas wie verwandte Seelen waren, denn Vu war die Tochter gewesen, die am meisten nach dem großen Caboclo Capiroba geschlagen sei – und das bedeutete bestimmt etwas, und das würde der Major noch entdecken. Etwas war sicher, todsicher: All das war eine eingefädelte Sache, eine abgemachte Sache, eine von vorneherein eingerichtete Sache, da sollte er sich nicht täuschen, das mußte er alles aufnehmen. Vielleicht glaubte er es nicht, aber er gehörte zu diesem Volk, vielleicht nicht durch sein

Fleisch und Blut, aber viel tiefer, durch die Seele – und er war nicht ohne Grund hier, es war kein Zufall.

Sie blickte ihn an, die Hand auf seine Schulter gelegt und lächelte.

»Du wirst gerade verzaubert«, sagte sie. »Oder?«

In Gedanken schweifte er ab, er antwortete nicht, dachte aber, in der vollkommensten Ruhe, die er je im Leben verspürt hatte, daß er in der Tat verzaubert war, daß er eine andere Welt betrat, eine für ihn zuvor völlig unbekannte Tür öffnete, doch seltsamerweise fühlte er sich nicht unsicher, vielmehr kam es ihm so vor, als ob das Unbekannte in gewisser Weise bekannt, vertraut war. Und er war nicht einmal verwundert, als er das Gesicht hob und Maria da Fés hohe Gestalt dicht vor sich sah, ebenso hübsch wie früher, in ihren Augen spiegelte sich das Licht der Feuer, ihren Kopf rahmte die Kapuze, die sie zurückgeschlagen hatte. Das also war es, ja, das war's, alles war glasklar, nichts erforderte Erklärungen, alles war betörend klar, und er streckte ihr die Hand entgegen, und sie half ihm aufstehen. Ja, er war schon einmal von dieser Hand berührt worden, er war schon einmal diesem Gesicht von unbeschreiblicher Schönheit ganz nahe gekommen. Anfangs sprachen sie kein Wort und blieben Hand in Hand am Kreuzweg stehen, während Caboclos und Seelen, hin und herhüpfend und in alle verfügbaren Köpfe schlüpfend, ihre Posse aus verdrehten Reden und Erinnerungen aufführten, ein fröhlichfestliches Getümmel. Dort zogen, während Patrício Macário immer tiefer in seine Verzauberung versank, alle Freunde und Verwandte vorüber, da ging Nego Leléu vorbei, der die Enkelin segnete, Dadinha ging vorbei, die beide segnete, es ging Akki-man vorbei, ganz krumm, der die beiden in einem Gemisch aus Holländisch und Kastilisch begrüßte, es ging Siniki vorbei, der Patrício Macário rasch zwickte und Maria da Fé die Zunge herausstreckte, es ging sogar die Negerin Esmeralda vorbei, mit gerafftem Rock, lächelnd und tanzend. Der Mond beendete seine Bahn durch die lichten Stellen zwischen den Baumkronen über dem Kreuzweg, die Nacht wurde schwärzer und Patrício Macário sah sich vollständig verzaubert.

16 Salvador da Bahia, den 7. Juli 1871

Ob Tico die Sprache der Blumen verstand? Henriqueta fühlte eine prickelnde Hitze am Hals bis zu den Ohren hinaufkriechen, während sie ein großes Bukett kleiner Jasminzweige in der Macao-Vase auf der Kommode des schwägerlichen Schlafzimmers ordnete. Sie riß einige Blätter ab, um die Blüten besser zur Geltung zu bringen, trat prüfend einen Schritt zurück und fand ihr Werk gelungen. Sie griff nach der neben der Vase liegenden rosafarben gebundenen *Fibel für Verliebte*, schlug das Kapitel »Die Blumen sprechen« auf und las: Kleine Jasminzweige bedeuten Leidenschaft. Wieder wurde ihr heiß, und sie fragte sich, ob sie die richtige Botschaft gewählt habe. Vielleicht war sie etwas stark, allzu stürmisch, aber – zum Teufel! – sie hatte immer ein stürmisches Temperament gehabt, und in ihrem kleinen erstikkenden Leben hatte sie für nichts mehr Geduld. Die Frage war, ob Tico die Botschaft mißverstehen würde, denn obgleich die Frauen ihm nachliefen, war er Galanterien nicht sonderlich zugeneigt. Ja, aber die *Fibel* dort liegenzulassen, damit er sie befragen könnte, das wäre vollendeter Wahnsinn, eine unverzeihliche Albernheit. Nein, nichts dergleichen, das war alles zu offensichtlich, ein zu deutliches Angebot. Überdies könnte sie, wenn das Buch nicht gleich daneben lag, vorgeben, die Bedeutung dieser Blumen nicht zu kennen, konnte die Dinge in der Schwebe lassen, was in einer Situation wie dieser immer angebracht ist. Ja, sie mochte das Buch in einem Augenblick unschuldiger Leichtfertigkeit gelesen haben, aber natürlich erinnerte sie sich nicht mehr an die Bedeutung der Blumen, dergleichen romantische Torheiten beschäftigten ihren Kopf nicht. Sie stellte sich vor, wie sie dies dem Schwager mit einem dem Sinn ihrer Worte völlig widersprechenden Gesichtsausdruck sagen würde und ihn damit in die köstlichsten Zweifel stürzte. Diese kleinen Machenschaften hatten einen großen Reiz, sie erforderten ein feines Gefühl für Nuancen, aber zugleich, welche Ungeduld! Sie öffnete das parfümierte Couvert, in das sie das Billett gesteckt hatte, das sie neben der Vase liegen lassen würde. Was für ein Nervenkitzel, die Worte wählen zu müssen, wie auf Eiern zu gehen, aufzupassen, daß sie ja keinen falschen Schritt tat! Jedenfalls, das Billett war gut abgefaßt, in vollkommener Ausgewogenheit zwischen der schlichtliebevollen Höflichkeit einer Schwägerin und der Herausforderung. »Willkommen zurück zu Hause«, sagte die Karte. »Ich habe Ihnen diese Blumen gebracht, die ich selbst mit Bedacht ausgesucht habe, um Heiterkeit in Ihr Zimmer zu bringen und Ihrem Geist zu helfen, zu angenehmeren Beschäftigungen zurückzufinden. Denken Sie an sie, es wird Ihnen guttun. Ganz herzlich, H.« Schön, sie hätte ihn vielleicht duzen sollen, schließlich war er nicht so viel älter als sie und überdies ihr Schwager, sie wohnten im selben Haus. Und der Ausdruck »mit Bedacht« war nicht genau das, was sie sagen wollte, um anzudeuten, daß es sich um eine Blumenbotschaft handelte. Sie wünschte sich ein treffenderes Wort, wiewohl nicht zu durchsichtig, aber sie hatte es nicht gefunden. Und war das »es wird Ihnen guttun« wirklich notwendig? Warum nicht einfach »denken Sie an sie«? Wie aufreizend, die Worte so genau wägen zu müssen, wenn sie nichts sehnlicher wünschte, als einen von Leidenschaft und Glut überquellenden Brief zu schreiben und dasselbe zu tun wie die listenreiche Charlotte, eine Gestalt des ausschweifenden Romans, den Titiza ihr heimlich geliehen hatte, die vor nichts Halt machte, wenn sie beschloß, einen Mann in ihr Schlafgemach zu locken. Ach, was für ein *frisson*! Sie steckte die Karte in das Couvert, lehnte es an die Vase und fand letztlich, sie habe sich zu stark zurückgehalten. Sie dachte an das Aperçu der Madame d'Arconville, das sie mit dem Fingernagel im Buch unterstrichen hatte: »*Les hommes admirent la vertu, mais c'est la coquetterie qui les subjugue.*« Aber *coquetterie* und Eleganz in Bahia? Eher würden Bananenstauden in den Parks von London gedeihen. Ach, London, ach, Paris, ach, Zivilisation! Sie zog einen Schmollmund, wischte ein Tröpfchen Vasenwasser von der Kommode, zupfte die Vorhänge zurecht, trat hinaus und schloß die Türe hinter sich. Bald mußte Titiza kommen, um beim Aufräumen des Musikzimmers zu helfen, in dem sie alle aus Europa mitgebrachten Neuigkeiten aufstellen würden. Und um dort Tee zu trinken, Biskuits zu essen und zu reden, zu reden, zu reden!

Wäre Titiza nicht, Herr im Himmel, sie wäre längst verrückt geworden, *absolument détraquée*. Titiza war ihre Leidensgefährtin in dieser eintönigen, erbärmlichen Stadt voller dummer und derber Leute, in der es rein nichts zu tun gab, nichts und noch mal nichts! Sie hatte schon bei verschiedenen Gelegenheiten zu Bonifácio Odulfo gesagt: Nach der Bekanntschaft mit Europa war es unmöglich, in diesem Kaff zu leben, das nicht einmal über ein anständiges Theater verfügte, wo man alle zwei Jahre eine Opernaufführung sah, wo das gesellschaftliche Leben geradezu bäurisch ablief, wo man nicht einmal gerne ein hübsches Kleid anzog, weil man sich nirgendwo damit zeigen konnte. Wozu? Um zu leiden, während die Lehrerin Maria do Carmo Machado *L'Elisir d'Amore* zu Tode tirilierte, begleitet von dem nicht weniger grausigen Pianoforte des Dr. jur. Armindo Barros? Um sterben zu wollen, wahrhaft sterben zu wollen, wenn der niederschmetternde Augenblick gekommen war, wo der alte Komtur Laudelino Proença seine endlosen Epithalamien dahermümmelte, unverständlich ebenso dank ihres geschwollenen Aufbaus wie durch die den Silben zugefügten Stöße eines altersschwachen Gebisses? Nein, nein, nein, tausendmal nein! Sie mußten nach Rio de Janeiro übersiedeln, bevor sie sich gezwungen sah, eine Nervenheilanstalt aufzusuchen und diese nie mehr zu verlassen, falls es hieß, sie sollten nach Bahia zurückkehren. Sie war noch ein Kind gewesen, als die Tragödie geschah, so daß man ihr nichts erzählt hatte, doch da sie jetzt über den Tod ihrer Schwägerin Carlota Borroméia Bescheid wußte, konnte sie die Hand ins Feuer legen und bei allen Heiligen schwören, daß Carlota zur Verzweiflung getrieben worden war durch das ihr auferlegte Leben, und dazu noch ihre Ehe mit diesem Nilpferd Vasco Miguel. Titiza konnte das bekräftigen, was sie übrigens in den häufig ausgetauschten Vertraulichkeiten auch tat. Natürlich hatte Titiza Vasco Miguel wegen des Geldes geheiratet; zwar gab sie es auch Henriqueta gegenüber nicht offen zu, aber es lag auf der Hand. Ein hübsches, intelligentes Mädchen, das viel jünger war als er, welchen anderen Grund konnte es haben, an der Seite eines solchen Dickhäuters zu leben, der schlaff daherredete, mit seinem Schneckengang und diesem trüben Blick? Ihr Vater, ein halbruinierter Großgrundbesitzer mit zahllosen Ländereien, aber in Schulden ertrinkend, hatte vermutlich die ganze Sache eingefädelt, und so sah sich Vasco Miguel im Besitz der Kleinen und des Landbesitzes. Natürlich hatte er dabei ein besseres Geschäft gemacht als sie, denn wenn es im Hause auf materieller

Ebene an nichts fehlte, so lebte man auf geistiger Ebene in schlimmerer Öde als mit Bonifácio Odulfo, der zumindest eine gewisse Lebendigkeit besaß, obwohl er ermüdend war mit seiner Gefühlsduselei und Unterwürfigkeit in der Intimität. Nein, nein, nein. Titiza und sie würden die Kampagne für die Übersiedlung nach Rio gewinnen! Führte Bonifácio Odulfo nicht schon Gespräche über die Notwendigkeit, für seine Bank und verschiedene seiner Unternehmungen Filialen in Rio de Janeiro zu eröffnen oder den Hauptsitz sogar nach Rio, an den Hof, zu verlegen, wo alles Wichtige geschah und man nicht durch den armselig engen Provinzhorizont eingeschränkt war? Also, noch ein bißchen Beharrlichkeit, und sie würden ihre Ehemänner zu dem großen Schritt veranlassen, der ihren Umzug und den ihres so geliebten Bankunternehmens nach Rio de Janeiro bewerkstelligen würde.
Wenn man es genau bedachte, so zeichnete sich diese Freude in der Zukunft bereits ab, der Umzug war beschlossene Sache und würde schließlich Wirklichkeit werden. Nicht schlecht, wenn sie sich an die düsteren Aussichten erinnerte, die sie noch während der Rückreise aus Europa wie schauerliche Albträume verfolgt hatten. Das Leben war ebenso reizlos wie vorher, doch jetzt wußte sie wenigstens, daß sie künftig am Hof leben würden, außerdem war ihr bildschöner und so männlicher Schwager von seinem geheimnisvollen Urlaub wieder zurückgekehrt, den er wer weiß wo verbracht hatte. Er hatte nicht erzählt, wo er gewesen war, doch das spielte keine Rolle, er war eben ein Sonderling, und das erhöhte nur seinen Charme und seine Anziehungskraft – ein echter Mann, im wahren Sinn des Worts! Vielleicht ein wenig rauh, ein wenig derb, aber er hatte gute Umgangsformen, wenn auch meist etwas spröde, und er wußte sich in der Gesellschaft zu benehmen. Was für ein Unterschied zu Bonifácio Odulfos pedantischem Geschwätz, welcher Unterschied, in seinen starken Armen zu liegen und nicht von den dünnen, haarigen Tentakeln des Ehemanns umhalst zu werden, der einen womöglich noch bat, geschlagen zu werden! Nein, nicht womöglich, er hatte tatsächlich darum gebeten und erst angesichts ihrer Empörung hatte er vorgegeben, es sei nur ein Scherz gewesen. Wenn es ein Scherz gewesen war, warum verwahrte er dann diese kleine Peitsche im Schlafzimmer, mit der er sich selber einige Hiebe ver-

setzt hatte, bevor er sie dazu bringen wollte, ihn auszupeitschen? Das war nicht zum Spaß, wie es auch kein Spaß gewesen war, als der Schlüssel zu einem der Kabinettschränke im Schloß stecken blieb, als wäre er vergessen worden. Wieso vergessen, wenn er doch immer an dem Schlüsselbund hing, den Bonifácio überall mit hin schleppte. Keineswegs vergessen, sie sollte nachsehen, was darin verborgen war, wie zum Beispiel die Bücher des Mittelteils, ganz andere Bücher als diejenigen, die sonst im Haus herumlagen, in ungewöhnlichen Farben gedruckte Broschüren, merkwürdige Formate. Ganz vorne eine Sammlung kleiner Bände mit rotverblichenen Lederrücken: *Collection ›Le Fouet‹*. Hieß *fouet* nicht Peitsche? Natürlich, das bestätigten die Stiche. Was für Stiche! Der mit dem Salon, angefüllt mit Ledersesseln, mit einem Mann im Frack, Koteletten *à la Empire*, aufgezwirbelter Schnurrbart und obszönes Lächeln, der eine Art Quittenbaumgerte schwang, mit der er das ausladende Gesäß einer *gamine* bearbeitete, unter der strengen Aufsicht einer Dame mit bohrendem Blick! Diese und andere Stiche hatte sie Titiza gezeigt, wirklich ein Skandal! Es war das erste Mal gewesen, daß sie untereinander das Wort »Hintern« gebraucht hatten – wie diese Bücher von nackten Hintern wimmelten! Auch von Männerhintern, einschließlich des Wüstlings mit Schnurrbart, in Hemd und Stiefeln und sonst nichts, wie er ein Mädchen peitscht, das nur ein Korsett anhat. Und was für Geschehnisse wurden in diesen Geschichten erzählt! Soweit man sie verstehen konnte – denn die Texte waren in einem Vorstadt-Französisch abgefaßt, das nicht in Salons gesprochen und noch weniger jungen Mädchen beigebracht wurde –, gab es darin stets einen Mann, der eine Frau züchtigte, um sie hinterher zu trösten und sie für die abartigsten Akte ins Bett zu zerren, die man sich nur vorstellen konnte. Doch da war auch eines unter den Büchern, ein einziges, in dem schöne junge Geschöpfe Männer verschiedenen Aussehens und Alters peitschten, einschließlich einen Herrn mit einem Schnauzbart, der ein wenig an Bonifácio Odulfo erinnerte, als der dicker gewesen war. Eingeschlossen im Kabinett, waren sie fast vor Lachen gestorben, als sie diese behaarten Hintern sahen, die von Frauen in Unterwäsche mit schwarzer Spitze und bloßen Brüsten ausgepeitscht wurden. Henriqueta hatte Titiza die seltsame Geschichte von Bonifácio Odulfos Peitsche anvertraut,

und Titiza hatte hocherregt gesagt, an ihrer Stelle würde sie sie auch gebrauchen. Auf so etwas zu hoffen, war bei Vasco Miguel vergeblich, denn – glaub mir, meine Liebe! – er war derjenige, der prügeln wollte, er hatte es einige Male mir ihr ausprobiert, nur mit einigen leichten Schlägen ins Gesicht. Wäre sie nicht aufgebraust und hätte nicht gedroht, alles ihrem Vater zu erzählen, hätte er tatsächlich losgeschlagen, trotzdem wagte er noch hin und wieder Andeutungen, die sie natürlich nicht zu verstehen vorgab.
Eines Tages, dachte Henriqueta, bin ich imstande, Titizas Rat zu folgen, und verpasse Bonifácio seine Peitschenhiebe. Er war es schließlich, der sie forderte, und wer weiß, vielleicht würde sie dabei sogar eine gewisse Befriedigung erleben? Zumindest die Befriedigung, ihre Wut über das schale Leben loszuwerden, zu dem er sie in einer für sie viel zu kleinen Stadt zwang. Wer vermochte je die großen Ideale des Ewig-Weiblichen zu verstehen, das Bedürfnis nach Zartgefühl und Romantik, die einer Frau von Rang eigenen Kapricen, die feine Empfindsamkeit einer Dame wie sie? »Hast du meinen Schlüssel gesehen?« hatte er gefragt, und sie, ohne ihren ernsten Gesichtsausdruck zu verändern, hatte mit einem Blick in seine Augen erwidert, ja, sie habe ihn gesehen, sie habe den Bücherschrank verschlossen und den Schlüssel verwahrt, ob er ihn jetzt brauche? Sie hatte die Bücher nicht erwähnt, auch wenn sie mit dem Gedanken gespielt hatte, aber damals hatte sie einen plötzlichen Ekel gegen ihn empfunden und gedacht, soll er doch innerlich brennen, bis sie es sich anders überlegte, falls sie das überhaupt täte. Doch es würde die Dinge ändern, alles würde sich ändern. *La femme est pour son mari ce que son mari l'a faite*, also war er sogar dafür verantwortlich, daß sie Macários Geliebte werden wollte, und schon das bloße Wort »Geliebter« versetzte sie in kaum zu bezähmende Erregung.
Drunten hatte eine Kutsche angehalten, das mußte Titiza sein, die gerade eintraf. Eine der Negerinnen kam herauf, um zu melden, die Senhora Dona Beatriz sei soeben ins Haus getreten, und Henriqueta lief ihr entgegen. Was für eine Freude, sie zu sehen, sie war spät dran, wie hübsch sie war, wo hatte sie den feinen Kamelott gekauft, der konnte nur importiert sein, er paßte wundervoll zu diesem Modell, und dieser herrliche Gazestoff ihrer

Mantille, war der nicht auch importiert? Sie küßten sich ausgiebig und gingen in den Musiksalon hinauf. Sie hatten sich soviel zu erzählen! Die Hauptneuigkeit mußte gleich heraus, Titiza hielt sich nicht zurück und tuschelte schon auf der Treppe los. Der Umzug nach Rio war so gut wie sicher! Vasco Miguel hatte um strikte Geheimhaltung gebeten, weil Bonifácio Odulfo Henriqueta eine Überraschung bereiten wollte. Er hatte geschworen, es sei nur noch eine Frage von Monaten, vielleicht von Wochen! Was für eine Nachricht! War sich Titiza auch sicher, war sie sich ganz sicher, Titizinha? Natürlich war sie ihrer Sache sicher, wäre sie es nicht, sie würde kein Wort verlauten lassen, wußte sie doch, daß sie sich nach nichts so sehr sehnten wie danach. Und noch mehr, die ganze Familie würde umziehen, außer dem Monsignore, versteht sich, der würde nie im Leben seine Jungen und seine frommen Werke verlassen. Wie? Die ganze Familie, auch Tic ...? Auch Patrício Macário? Sehr richtig, auch das hatte ihr Vasco Miguel erzählt, der die Nachricht von Patrício Macário persönlich erhalten hatte, und zwar, als der zur Bank gekommen war, um einige Angelegenheiten zu erledigen. Er hatte auch erzählt, daß Patrício Macário nicht gerne mitging, weil er allem Anschein nach für einen bürokratischen Posten im Ministerium ernannt werden sollte, etwas, was er verabscheute. So könnten sie im gleichen Haus wohnen bleiben, wie eine echte vereinte Familie!
Henriqueta glaubte, etwas Verdächtiges im Blick der Freundin bemerkt zu haben, als sie von Tico sprach. Und ein gewisses Zögern in der Stimme, ein gewisses Etwas, das auf Verstellung schließen ließ. Hatte denn etwa auch Titiza ein Auge auf Tico geworfen? Trügerische Hoffnung! Fortan würde sie ihr nichts von ihren Plänen mehr anvertrauen, sie war doch nicht blöd. Vielleicht wäre es die beste Taktik, die Freundin zu Vertrauensseligkeiten zu ermuntern, auf diese Weise konnte sie ihr alle Informationen zur Sicherstellung ihres Sieges entlocken. Ganz klar, mit Besonnenheit würde sie alles rechtzeitig erfahren, Übereilung konnte ihre Pläne nur vereiteln. Sie betraten den Musiksalon, Henriqueta preßte die Hände an den Kopf: hatte man je schon ein derartiges Durcheinander gesehen? Alles noch halb in den Kisten, alles in Unordnung, noch nichts erledigt. Aber lohnte es überhaupt die Mühe, irgendetwas auszupacken, jetzt,

wo der Umzug beschlossene Sache war? Ach, in Rio würde sie die Gelegenheit wahrnehmen und sich von diesen scheußlichen Möbeln aus Virginia befreien, etwas so Armseliges, so Phantasieloses. Sogar die Leuchter mit Tüllen so düster wie Falterflügel würde sie loswerden, gleich wie sehr Bonifácio Odulfo daran hing, weil sie aus dem alten Haus des Barons von Pirapuama stammten. Nein, nein, Liebe, Damast, viel Damast, und lauter Gegenstände im Stil des Zweiten Kaiserreichs, natürlich nicht dieses hier, sondern des französischen. Und um das Thema zu wechseln, wußte Titiza, daß es in Rio de Janeiro keine Frau, keine einzige Frau von etwas Rang gab, die ihr Haar nicht von einer französischen Coiffeuse frisieren ließ? Was meinte sie, würde ihr eine *coiffure en papillote* gut stehen? In dieser Saison ...

Sie hatten kaum gemerkt, wie die Zeit verstrichen war, als sich Titiza von ihr verabschiedete. Es war schon spät, die Negerinnen mußten bereits Henriquetas Badewasser erwärmt haben, und Henriqueta befahl, die Wanne bis oben zu füllen. Sie betrat das Badezimmer, das modernisiert worden war, nach einigem Widerstreben von seiten Bonifácio Odulfos, der seit seinen Dichterzeiten nicht das ständige Bedürfnis bestimmter Personen begriff, häufige und ausgedehnte Vollbäder zu nehmen. Jetzt war das Badezimmer sehr hübsch, mit einem großen Spiegel im Regency-Stil, tiefen Schränken, einem Wedgewood-Waschbecken mit zwei Griffen, damit man das Wasser ausschütten konnte und einer großen Marmorbadewanne an der Wand. Henriqueta seufzte zufrieden, sie genoß es, ins heiße Wasser zu sinken und darin zu träumen. Sie zog sich aus, blickte sich im Spiegel an. Dachte von neuem an Tico. Bald würde er heimkommen, wie schön wäre es, wenn sie sich ihm so zeigen könnte, ohne Umstände! Sie schloß die Augen, fuhr sich über die Hüften, legte die rechte Handfläche auf ihre Scham. Preßte die Schenkel lange aneinander und empfand dabei soviel Vergnügen, daß sie sich auf einen Handtuchständer stützen mußte, um nicht hinzufallen. Sie stieg in die Wanne, das Wasser war ziemlich heiß, wie sie es liebte. Sie spreizte die Beine und fühlte, wie sich mit dem Wasser ihr eigener Saft langsam, fast ölig vermischte und sie zwischen den Schenkeln so weich machte, daß es nichts Köstlicheres gab, als sich zärtlich zu berühren und zu streicheln. Doch, das gab es, das gab es schon, aber es war nicht da. Sie griff mit dem Arm leicht hinter sich, nahm eine Holzbürste mit glattem, weich abgerundetem Stiel, schloß wieder die Augen, umspannte den Schaft mit den Fingern, strich mit dem Handrücken der anderen Hand über die ziemlich rauhen Borsten der Bürste und steckte sich behutsam, um sich nicht wehzutun, das Stielende mit einem Seufzer in die Scheide. Fast im gleichen Augenblick, während ihr Herz immer schneller klopfte und ihr Atem flog, flüsterte sie den Namen Tico, und ihr Orgasmus dauerte so lange, daß sie glaubte, sie würde sterben.

Kap-von-Unserer-Lieben-Frau, den 30. Juni 1871

Patrício Macário erhob sich von der Binsenmatte, spähte aus dem offenen Fensterchen und sah, daß sich ein sonnenheller Tag ankündigte. Wieder einmal würde er, wenn er die Füße vors Haus setzte, sich reckte und bis zum Rand des Felsenvorsprungs ging, um auf das Meer zu blicken, Agostinho treffen, und der würde anmerken, daß der Tag schön war und daß es in dieser Jahreszeit für gewöhnlich kalt ist und viel regnet. Und dann würde er sich darüber auslassen, ob Ebbe oder Flut war und hinzufügen, seit Tagen hätte er keinen Wal mehr gesehen – was war das in dieser Jahreszeit doch früher anders gewesen! Patrício Macário lächelte, blickte Maria da Fé an, die noch schlief, ins Leintuch gewickelt, und sein Herz wurde warm, wie immer, wenn er sie still ansah. Wie stolz war er, hier mit ihr die Matte zu teilen, von ihr geliebt zu werden! Stolz, weil es nie irgendwo eine so schöne Frau gegeben hatte, und er konnte diesen Stolz nicht beschreiben, der in ihm aufstieg, wenn er ihre bewundernd oder begehrend auf ihn gerichteten Augen bemerkte, wenn sie ihn berührte, wenn sie ihn umarmte, wenn sie sich von ihm betörend nackt sehen ließ, die Seine, die Seine, ganz und gar die Seine, weil sie ihn liebte, das wußte er. Und stolz auch, weil er wußte, daß sie nur einen Mann lieben konnte, der ihr gleich oder ähnlich war, und das bedeutete, er mußte zumindest etwas von ihrer spontanen, wachen Intelligenz haben, von ihrem hellen, alles erleuchtenden Lachen, von ihrer Entschlußkraft und Beherztheit, ihrem Adel und ihrer Würde, von der Gewißheit, die sie auf alle übertrug, nie mißachtet oder gedemütigt zu werden. Und diese hochgemute, schöne Frau, die weder durch Worte noch Gewalt zu bezähmen war, war hier bei ihm, sie liebte ihn, sie lag unter ihm und sie zog ihn an sich, als wollte sie ganz eins werden mit ihm.

Er empfand eine so starke Erregung, daß seine Augen feucht wurden. Denn auch er liebte sie so innig, daß er manchmal erschrak und sich fragte, ob er wirklich bezaubert worden war, wie Rufina ihm zu verstehen gegeben hatte. Aber Rufina hatte auch eine Bestätigung von ihm gefordert, was bedeuten konnte, daß die Verzauberung zum Teil vom Verzauberten abhing. Ja, natürlich war er verzaubert, natürlich hatte die Welt neuen Glanz gewonnen, und nie mehr würde er der gleiche sein, nie mehr. Er wußte nicht, ob er an die verzwickte Geschichte glauben sollte, die Rufina ihm erzählt hatte, er vermied es sogar, diesem Zweifel nachzugehen. Wahr indes war, daß er nichts mehr sah, wie er es früher gesehen hatte. Nicht die Menschen, ob weiß oder schwarz, nicht die Dinge und auch nicht die Ereignisse. Zuerst hatte er mit wachem Geist gelernt, daß im Gegensatz zu seiner bisherigen Auffassung alles in verschiedenen Formen gesehen werden kann, sehr verschieden von der, die man für die einzig richtige hält. Und danach, ganz gleich, was nun an Rufinas Geschichte sein mochte oder nicht, begann er eine tiefe Affinität zu diesen Menschen zu fühlen. Keine Affinität, welche bedeutete, daß er genauso wie sie leben würde, sondern eine, welche sein ganzes voriges Dasein als absurd erscheinen ließ, als hätten diese Menschen keine Bedeutung gehabt, als wären sie kein Teil von ihm gewesen, als wäre die gesamte Nation auf diejenigen beschränkt gewesen, mit denen er zusammenlebte, in Wahrheit nur eine Minderheit, die sich für verpflanzte Europäer hielt und nicht das geringste von dem begriff, was sich ereignete. Wie ließ sich so ein Land aufbauen? Wie konnte dieses Land, so ohne Kraft und Persönlichkeit, aufhören, auf die eine oder andere Weise eine Kolonie zu sein?

Es gelang ihm nicht, klar und deutlich über diese Dinge nachzudenken, stürzte er doch in einen Aufruhr neuer Empfindungen und Ahnungen, die ihm manchmal sogar Angst einflößten, weil er sie nicht genau bestimmen konnte. Einige dieser Dinge sah er schemenhaft vor sich, andere konnte er nur erahnen, und seine

Erbitterung stieg schon im voraus nur noch mehr, denn er glaubte, anderen eine offenkundige Wahrheit nie erklären zu können, weil er nicht wußte, wie er diese vermitteln sollte. Außerdem schien ihm alles, was er in den langen Unterhaltungen mit Maria da Fé, nachdem sie noch vor Tagesanbruch die Tuntum-Lichtung verlassen hatten und am Kap-von-Unserer-Lieben-Frau fast ganz allein gelassen worden waren, – erschien ihm das, was sie ihm erzählt hatte, bruchstückhaft und zusammenhanglos, ohne daß es ihm jemals gelingen würde, die einzelnen Teile richtig zusammenzufügen. Als er ihr aber von seiner Ratlosigkeit sprach, hatte sie ihm geantwortet, auch sie wüßte nicht, wie diese Teile sich zusammensetzten, ihr Leben sei eher ein Suchen und Tasten. Sie hatte das Gefühl, es gäbe da eine Art Korb, eine Truhe, in der die Antworten sich sammelten durch das, was Menschen wie sie taten, und solche Menschen gab es mehr als vermutet, bis jemand sie zu einem Ganzen verflechten könnte. Das einzige, wovon sie wußte, das war die Kraft des Volkes, eine Kraft, die dem Volk bewußt werden mußte, eine Kraft nicht nur von Zahlen, sondern aus allem, was es mit seinen Händen, Köpfen und Stimmen schaffte, denn das Volk war der wahre Eigentümer des Landes, nicht diejenigen, die es zur Durchsetzung ihrer eigenen Interessen unterjochten. Sie war sicher, daß man das eines Tages erkennen würde, daß es Freiheit und Gerechtigkeit geben würde. Wie dieser Tag zu erreichen war, wußte sie freilich nicht, doch würde sie, weil sie das nicht wußte, deshalb nicht mit verschränkten Armen dasitzen, denn gewisse Dinge konnten mittlerweile getan werden. Zumindest die Köpfe, zumindest die Köpfe! – hatte sie mit leidenschaftlicher Stimme gesagt, zumindest die Köpfe mußten aufgeschlossen, mußten befreit werden, damit sie ihre eigene Wahrheit erkannten und nicht die Wahrheit ihrer Beherrscher. Sie war sicher, daß es eine Bruderschaft gab, eine Art von brüderlicher Vereinigung, deren greifbare Grundlagen sie nicht aufzählen konnte, der sie aber angehörte, und diese Bruderschaft, mochte die Unterdrückung noch so groß sein und mochten die Stimmen des Volkes auch getötet werden, würde immer bestehen bleiben, denn überall, wohin man auch ging, würde immer einer der Brüder zur Stelle sein. Sie nannte diese Bruderschaft die ›Bruderschaft des Brasilianischen Volkes‹ und sie bestand darauf, daß es keine

dichterische Erfindung, sondern Wirklichkeit war, allerdings verborgen unter anderen Wirklichkeiten, an die alle gewöhnt sind. Wie erkannte man einen, der der Bruderschaft angehörte? Wer zur Bruderschaft gehört, antwortete sie, erkennt den anderen. Erkennt ihn an seinen Taten, an seinen Worten, am Gang, an den Gebärden, an der Stimme, der Haltung und an vielen Dingen, die jeder kennt, der zur Bruderschaft gehört. Du selbst weißt als erster, daß du zur Bruderschaft gehörst, fügte sie hinzu, obgleich du nicht weißt, wie das zugegangen ist. Sie stellte sich vor, daß die von der Bruderschaft einander fanden, weil sie sich dieser Aufgabe widmeten, daß wer immer sich dieser Aufgabe widmete, die Bruderschaft fand, es ist etwas, was zugleich von außen und von innen kommt.
Glaubte er an Gott? Sie jedenfalls glaubte an ihn, vielleicht auf besondere Weise, aber sie glaubte an ihn. Darum glaubte sie auch an die große Verantwortung des freien Willens. Gäbe es keinen freien Willen, der Mensch wäre nichts, er könnte keinerlei Würde anstreben, weil er nämlich keinerlei Verantwortung hätte. Weil es aber den freien Willen gibt, ist es unsere große Verantwortung, die Verbesserung der Welt, wenn wir sie wünschen, selbst ins Werk zu setzen, denn sie gehört uns, sie gehört dem Menschen und ist ihm geschenkt worden. Man kann nicht wünschen, daß Gott die Probleme der Menschen löst, weil er dem Menschen die Verantwortung und auch den freien Willen nehmen würde, wenn er dies täte. Deshalb war für sie klar, daß jede hingebungsvolle Arbeit, die auf Vollkommenheit abzielt, diese Vollkommenheit aber dem Gemeinwohl unterordnet, damit zur Verbesserung der Welt beiträgt, natürlich lagen die Dinge nicht so einfach, schon wegen der Unterdrückung und der Ungerechtigkeit. In ihrem Fall bestand die Arbeit im Kampf gegen diese Unterdrückung und Ungerechtigkeit darin, genau zu verstehen, welche Möglichkeiten der Abhilfe es dagegen gab und wie sie anzuwenden waren. In ihrem Fall brachte ihr Verantwortungsgefühl sie außerdem dazu, diesem Kampf nicht ihr Leben, sondern ihre Seele zu widmen. Wie das geschah, wußte sie auch nicht, sie wußte aber, dies war die Aufgabe, der sie sich verschrieben hatte.
Eine Aufgabe, an die sie ihn erinnerte, als sie am Vormittag vom Taschenkrebsfang mit Agostinhos Keschernetz zurückkehrten.

Sie kam darauf zu sprechen, weil sie viel gelacht hatten während der Verfolgung der Krebse, die aus dem Korb geflüchtet waren, den er trug, und weil er sie da umarmt und gesagt hatte, sie würden sich nie mehr trennen.

»Aber natürlich werden wir uns trennen«, sagte sie. »Deine Ferien gehen zu Ende. Und meine auch, warum es nicht aussprechen?«

»Ich dachte, das sei schon entschieden«, sagte er, leicht ungeduldig. »Noch gestern hast du gesagt, wir würden uns nie mehr trennen.«

»Du weißt sehr genau, was ich damit sagen wollte. Was ich sagen wollte, ist, daß meine Liebe zu dir nie erlöschen und dich immer begleiten wird. Und deine, das weiß ich, wird mich auch immer begleiten.«

»Das kommt mir widersinnig und dumm vor. Wenn ich dich liebe, und du mich liebst, wenn wir nie eine solche Leidenschaft, eine solche Übereinstimmung, eine solche Glut, eine solche Ekstase erlebt haben, weshalb sollen wir uns dann trennen und wofür?«

»Darüber haben wir doch schon oft gesprochen ...«

»Ja, wir haben darüber gesprochen, aber ich nehme das noch nicht hin.«

»Es geht nicht ums Annehmen, es geht darum, daß es so ist. Es ist nicht etwas, was ich will, sondern etwas, das sein muß.«

»Vielleicht muß es ja sein, wenn man diese verrückten Dinge betrachtet, die wir wissen oder zu wissen glauben. Aber wenn man den Alltag betrachtet, alles Praktische und Greifbare, dann ist es nichts, was sein muß, dann ist es eine Wahl.«

»Eine Wahl ist sehr oft etwas, was sein muß. Und glaubst du wirklich, daß diese verrückten Dinge so verrückt sind? Ich kann nicht deine Frau sein. Selbst wenn es keine Schwierigkeiten gäbe, weil ich schwarz bin oder Mulattin oder wie die Leute sagen, die sich mit diesen Wörtern herumschlagen, könnte ich nicht deine Frau sein. Ich könnte dir nicht dienen, ich könnte dich nicht begleiten, ich könnte dir keine Kinder schenken, mit einem Wort, ich könnte nicht deine Frau sein, und ich wäre nur deine Frau, wenn ich deine Frau sein könnte.«

»Aber ich kann dein Mann sein. Und ich kann bei dir bleiben.«

Maria da Fé stieg das Wasser in die Augen, eine Träne rann zu ihrem Mund hinab. Ohne sie fortzuwischen, ließ sie die Netze fallen und umarmte ihn lange und legte die Hand auf seine Lippen, als er sprechen wollte.

»Weißt du«, sagte sie leise und blickte zur Seite, »ich selber denke manchmal, daß es mich gar nicht gibt, dann denke ich, ich bin eine Legende, so wie man das von mir behauptet. Und du wirst in Zukunft vielleicht das gleiche denken, wirst denken, ich sei eine Legende. Ich weiß nicht, ob das schlimm für dich ist, denn ich liebe dich so sehr und will nicht, daß du leidest, ich will nicht, daß du auch nur im geringsten leidest, und vielleicht leidest du, nachdem du dich davon überzeugt hast, daß ich eine Legende bin, nicht ganz so schlimm.«

»Das ist doch Unsinn, das ist doch verrückt, natürlich bist du keine Legende, du stehst hier neben mir, bist meine Frau, bist mein Leben, bist ...«

»Ich bin nicht dein Leben, ich bin deine Liebe. Sieh doch, um zusammen leben zu können, müßte einer von uns aufhören, der zu sein, der er ist. Und es ist weder recht, daß ich aufhöre zu sein, die ich bin und zu tun, was ich tue, noch daß du aufhörst zu sein, der du bist, und zu tun, was du tust.«

»Aber ich tue doch nichts. Im übrigen kann man sich immer ändern.«

»Natürlich tust du etwas und wirst weiterhin etwas tun. Und was das Sich-Ändern angeht, das ist unmöglich.«

»Wieso unmöglich? Ich bleibe dabei, das ist Unsinn.«

»Weil ich den liebe, der du bist, nicht den, in den du dich verwandeln würdest. Und du liebst die, die ich bin, und nicht die, in die ich mich verwandeln würde. Und natürlich ist all das sinnvoll, immer ist alles sinnvoll, du sagst, es ist Unsinn, weil wir fast immer nur dort einen Sinn finden, wo wir ihn finden möchten. Hast du irgendeinen Sinn gesucht, irgendeinen Grund für das, was uns zugestoßen ist? Warum sind wir einander in die Arme gesunken, ohne ein Wort zu sprechen, warum haben wir gefühlt, daß wir uns besser kannten, als irgendein Mensch irgend etwas kennt? Warum ist das so geschehen, auf diese Weise, als wäre alles vorherbestimmt? Meinst du, es ist einfach geschehen und hätte auch nicht geschehen können?«

»Nein, nein, natürlich mußte es geschehen.«

»Siehst du? Also gibt es Dinge, die sein müssen, du selber hast es gesagt.«
Da war keine Menschenseele, da war nichts, nicht einmal ein Vogel, als sie sich unter einem alten Mangobaum ins weiche Gras legten und alles taten, was leidenschaftlich Liebende je getan haben, und die Zeit hielt inne. Sie setzte erst (fünf Tage später) wieder ein, als Patrício Macário, indem er, ohne es zu wissen, einen Aufguß aus den gleichen Kräutern getrunken hatte wie das vorige Mal, allein in einem Häuschen in Bom Despacho erwachte, wo gleichfalls keine Menschenseele und in der spärlichen Nachbarschaft nicht zu erfahren war, wem es gehörte. Von ihrem Geruch durchtränkt, erwachte er mit einem Brief in der Hand, den er nie jemandem zeigte.

Dorf-zum-Heiligen-Ignatius, Sertão, den 29. Februar 1896

Jäh sank die Nacht herab und trockene Kälte breitete sich über die Gegend von Gentio do Ouro und Xique-Xique, ein paar Meilen von den Uferhängen des São Francisco entfernt, wo das Dorf sich im Bergland versteckt. Es versteckt sich, weil es eine Siedlung von Gesetzlosen ist, ein Nest von Banditen, entflohenen Cangaceiros und Jagunços, wo niemand nackt und ohne Waffe in der Faust schläft und wo einer nur mit Erlaubnis hereinkommt. Jetzt, da die Wildnis ihre bedrohliche Vegetation mit dem Mantel der Nachtkälte bedeckt und sogar der Staub der drei Gäßchen sich gesetzt hat, sieht man nur den gelblichen Lichtschein einiger Laternen, der durch die kleinen Gevierte der Rohr- und Lehmwandhütten sickert. Oben in der Mittelstraße brennt ein Feuer unter dem Vordach eines baufälligen Hauses, dessen Mauerwerk und Dach freilich noch brauchbar sind, und das alle Andrades Ruine nennen, niemand weiß, warum. Die Geschichte des Dorfs-zum-Heiligen-Ignatius ist unbekannt, wie auch der größte Teil der Geschichte dieser Gegend und der in ihr wohnenden Leute unbekannt ist.
Filomeno Cabrito steckte die beiden Dolche so in den Gürtel, daß ihre Griffe schräg nach vorne schauten, wie er es mochte, und blickte sich in dem Verschlag, in dem er kauernd gemahlenes Trockenfleisch mit Maniokbrei gegessen hatte, um, ob er auch

alles ordentlich hinterlassen hatte. Er griff nach seinem Vorderlader und dem Futtersack und machte sich in Richtung Ruine auf den Weg. Er wollte nicht den blinden Faustino verpassen, der aus Vila Nova da Rainha gekommen war und dem der Ruf vorauseilte, ein großer Geschichtenerzähler zu sein. Er ging rasch, vielleicht kam er zu spät, denn der Blinde hatte angekündigt, die wahre Geschichte, die er erzählen werde, sei lang, und er müsse sie folglich gleich bei einbrechender Abenddämmerung beginnen und wollte nur deshalb nicht schon bei Tag anfangen, damit ihm kein Schwanz wuchs. Und in der Tat, als Filomeno Cabrito die zerfressenen Stufen zum Vorbau des alten Hauses hochging, sprach der Alte, die Hände über dem Feuerchen wärmend und in einen schwarzen Umhang gehüllt, bereits zu einer Gruppe von etwa zwanzig Cabras, einige ohne Hut, wodurch sie fast so zerknirscht aussahen wie in einer Kirche. Filomeno Cabrito bat, Platz nehmen zu dürfen, zog gleichfalls den Hut und kauerte sich neben einem halb eingestürzten Pfosten nieder.

Die Geschichte des blinden Faustino war tatsächlich lang, begann sie doch bei der Erschaffung der Welt, vor der Entdeckung Brasiliens. Er erzählte, die Welt hat es schon gegeben, bevor es Brasilien gegeben hat, es gab Portugiesen, Franzosen, Galicier, Deutsche und viele andere. Er erklärte, wie die Welt von Gott geschaffen wurde, der später sehr wütend war über die Sündhaftigkeit der Menschen, die sogar Sodom und Gomorrha gemacht hatten, wie er die Weltsintflut hereinbrechen ließ, die alle Geschöpfe ertränkte, außer Sankt Noah, seine Familie und ein Pärchen von jeder Tiergattung, zu der Zeit, als die Tiere sprachen. Und danach ging die Welt weiter mit ihrer ganzen großen Geschichte – die Könige von Spanien, der General Napoleon von Frankreich, die brasilianischen Fürsten und Fürstinnen, die Kaiser, die Fürstin Isabel und die Männer, die den Kaiser fortjagten, um das Gesetz des Teufels einzuführen.

Aber, so erklärte der Blinde, die Geschichte ist nicht nur die, die in den Büchern steht, besonders weil viele von denen, die Bücher schreiben, dicker lügen als die, die Märchen erzählen. Zur Zeit der alten Ägypter, im Land von König Salomon, wo auch das Land der Königin von Saba in der Nähe ist, über dem jüdischen Reich, da gab es eine große Bibliothek, die enthielt alles Wissen, und die hieß Bibelthek von Alsandra. Also schön, also eines

schönen Tages fängt diese große Bibelthek Feuer, und das ganze Wissen geht in Rauch auf, sogar die Namen von denen, die das meiste von diesem Wissen hatten und die Bücher geschrieben hatten, die da waren. Seit diesem Tag weiß man, daß die ganze Geschichte gefälscht ist oder halb gefälscht, und jede neue Generation beschließt das, was vor ihr geschehen ist, und so ist die Geschichte in den Büchern genauso erfunden wie die in den Zeitungen, wo Lügen zu lesen sind, daß einem die Haare zu Berge stehen. Es gibt wenig Bücher, denen man trauen darf, genauso wie es wenig Menschen gibt, denen man trauen darf, das ist ganz das gleiche.
Außerdem, fuhr der Blinde fort, läßt die Geschichte, die auf Papier steht, alles aus, was nicht aufs Papier gebracht wurde, und man bringt ja nur aufs Papier, was einen interessiert. Wer glaubt schon, daß einer, der das Wissen von der Schrift hat, Feder und Tintenfaß nimmt, um zu Papier zu bringen, was ihn nicht interessiert? Schreibt einer, der gestohlen hat, daß er gestohlen hat, der getötet hat, daß er getötet hat, bekennt der, der falsch Zeugnis abgelegt hat, daß er ein Lügner war? Bestimmt nicht. Schreibt einer gut vom Feind? Nein. Also ist bei all der Geschichte, die auf Papier steht, das Interesse von jemand dahinter.
Und noch etwas, sagte der Blinde: Was für den einen schwarz wie Kohle ist, das ist für den anderen weiß wie Jasmin. Was für den einen Nahrung ist oder Edelmetall, das ist für den anderen Gift oder Blech. Was für den einen ein großes Ereignis ist, das ist für den anderen eine Schande, die man besser leugnet. Was für den einen wichtig ist, das ist für den anderen gar nicht vorhanden. Also versteckt sich der größte Teil der Geschichte im Bewußtsein der Menschen, und darum wird niemand den größten Teil der Geschichte erfahren, gar nicht zu reden von Dingen wie Alsandra, die das Gedächtnis töten.
Aber diese Geschichte, die ich erzählen will, sagte der Blinde, die ist wahr, so wahr wie Gott im Himmel wohnt. Und dann erzählte er. Es war einmal ein großer Baron des Kaiserreichs, der lebte in Bahia, wo er Herr von all den Fischen war, die dort gefischt wurden, und kein einziger Fisch durfte ohne seine Genehmigung gefischt werden. Dieser Baron besaß viele Reichtümer und bedeutende Ländereien, eine große Anzahl Sklaven und alles, was er im Leben begehrte. Das hatte viele Gründe, auch

den, daß dieser Baron Held im Unabhängigkeitskrieg gewesen war, dafür war er ja zum Baron ernannt worden, denn nach dem Krieg wurden alle Helden reich belohnt, die erhielten Ländereien und Geschenke vom König und Kaiser Dom Pedro.
Aber dieser Baron war sehr grausam. Sein Heldentum im Krieg war, daß er unbeobachtet einen Sklaven mit Namen Inocente umbrachte, und dann hat er sich mit dem Blut von diesem Sklaven eingeschmiert und sich selbst verbunden, um so zu tun, als wäre er in der Schlacht verwundet worden. Kann man sich so etwas Gräßliches vorstellen, aber genau das hat er getan. Schön, er beschmierte sich mit dem Blut von diesem Sklaven und gab sich als Verwundeter aus. Eine Zeitlang versteckte er sich und dann tauchte er wieder auf und wurde als großer Kriegsheld gefeiert, erhielt noch mehr Geld als er schon vorher hatte, und wurde zum Baron ernannt. Doch da war noch etwas anzumerken, nämlich, als der Sklave Inocente ausblutete, war ein anderer Sklave mit Namen Feliciano dabei, und der erlebte alles mit. Erlebte alles mit, aber als armer Sklave von einem schurkischen Herrn konnte er nichts tun und hielt den Mund. Aber der Baron ließ den Sklaven kommen, und als er kam, befahl er, daß sie ihm die Zunge rausschnitten, damit er niemandem erzählen konnte, was geschehen war. Sie haben ihm die Zunge an der Wurzel abgeschnitten und danach war er nie mehr bei Verstand, nein.
Schön und gut, darüber wird der Baron immer reicher und reicher, das gesamte Zuckerrohr von Bahia gehört ihm und alle Fische und ich weiß nicht was sonst noch alles, aber seine große Schlechtigkeit geht weiter. Also kommt es, daß er am Vorabend vom Sankt-Antonius-Fest eine Sklavin holen läßt, diese Sklavin ist eine afrikanische Prinzessin von großer Schönheit, und er entjungfert diese Sklavin, nachdem er sie geschlagen hat, wie noch nie jemand in seinen großen Sklavenhütten verprügelt worden ist. Aber er hat nie erfahren, daß diese Sklavin, die sich Adaê nannte, in derselben Nacht schwanger wurde mit einem Kind von ihm. Er erfuhr es weder da noch später, denn er ließ einen freigelassenen Neger rufen, dem er traute, und diesem Neger befahl er, die Sklavin mitzunehmen, er sollte sie aufziehen oder umbringen, weit weg, in einer anderen Gegend.
Der Baron wurde für seine Schurkerei bestraft. Bald nach dem

Tag, an dem er die Sklavin mißbraucht hatte, erschien eine große Bruderschaft in einem Mehlhaus, das auf einer Fazenda stand, angeführt von einem schwarzen Hexenmeister namens Dandão und einem fast zwei Klafter großen Neger namens Bodeão. Diese beiden Neger von der mächtigen Bruderschaft vom Mehlhaus hatten einen Korb mit vielen Geheimnissen über das Schicksal des Volkes, viele Schutzmittel und viele Vorschriften für Gebete und Zauberwerke. Und mit Hilfe von diesen Gebeten und mit diesen Zauberwerken und auch mit andern Sachen gelang es ihnen, dem Baron einen bestimmten Trank einzuflößen, und der starb ganz allmählich und das war einer der schlimmsten Tode, die man je in Bahia erlebt hat, Pestseuchen eingeschlossen.

Während das geschieht, wird die Sklavin eine große Fischerin unter dem Schutz des freigelassenen Negers, der sie vom Baron bekommen hat. Dieser Neger hat mit allerlei Listen und Kniffen die Weißen hinters Licht geführt, hat sich überall heil aus der Schlinge gezogen, hat Geld zusammengescharrt und wurde so langsam, so allmählich richtig wohlhabend, er hatte sein Haus, hatte seine Schnürstiefel, hatte seinen Sonntagsanzug, hatte Essen auf dem Tisch, er war ein wohlhabender Neger. Dann wurde die Tochter von der Fischerin Adaê geboren, die war ja auch Tochter von dem schlimmen Baron, und der alte Neger gewann sie lieb und zog sie als Enkelin auf, steckte sie in eine Internatsschule, gab ihr alles, was er geben konnte. Die Enkelin wurde ein hübsches Mädchen, eine Mulattin mit grünen Augen, hochgewachsen und schöner, so erzählen sie, als ein Blumengarten und klüger als die Bienen. Aber eines Tages, da geschah es, als sie von einem Fischzug zurückkam, daß acht Weiße sie und ihre Mutter überfielen und sie mißbrauchen wollten. Die Mutter wehrte sich mit einem Fischerknüppel, den hatte sie aus Afrika geerbt und der hieß Oriçanga, und da brachten die Weißen sie mit Messerstichen um und machten sich davon. Die Kleine wurde nie mehr wie früher, sie mußte immer an das Verbrechen denken, und dieses Verbrechen war kein Verbrechen, weil das Gesetz den Totschlag eines Negers nicht bestrafte, und sie fand sich nicht damit ab, daß es keine Gerechtigkeit und keine Freiheit gab. Selbst nachdem die Bruderschaft dafür gesorgt hatte, daß die acht Weißen von einer großen Meereswoge verschlungen wurden und nie

wieder ein Härchen von ihnen gesehen wurde, selbst nach dieser Rache fand sie sich nicht damit ab.
Es ist nicht bekannt, wie sie von der Bruderschaft erfuhr, auch nicht von dem Korb, auch nicht von Dandão und Bodeão. Tatsache ist aber, daß sie davon erfuhr, und als sie davon erfuhr, da tat sie sich mit ihnen zusammen. Der alte Neger war sehr bekümmert – ach, meine Tochter, warum mußt du so etwas tun, läßt deinen alten Großvater im Stich, gibst alle Behaglichkeit auf, und willst dich dieser Rebellion anschließen? –, aber sie wollte nicht hören – darum geh ich fort, niemand kann mir das ausreden, ich muß meinem Schicksal folgen –, bis der Alte ihr endlich zustimmte und ihr sogar das Geld gab, das er all die Jahre beiseite gelegt hatte.
Was geschah mit diesem Mädchen? Sie zog in die Welt hinaus und bekämpfte die Ungerechtigkeit zusammen mit einer Miliz, die sie die Miliz des Volkes nannten. Sie befreite den Neger Bodeão, der in einer mächtigen Festung gefangensaß, die wurde verteidigt von mehr als tausend Soldaten mit Flinten, Bajonetten und Kanonen. Mit ihm zusammen an der Spitze trat sie gegen die Einheiten des Heeres an in vielen Schlachten, die erste fand auf einer großen Insel namens Itaparica statt, aber nicht das Itaparica hier, sondern ein anderes weit weg, eine große Insel, von Salzwasser umgeben, und in dieser Schlacht, da besiegte sie die Militärs, und danach befahl sie, daß die beiden Kommandanten mitten unter dem Inselvolk nackt tanzen sollten. Kein Mensch hat je erfahren, wo sie sich aufhielt, und auch nicht, was sie als nächstes tun würde, man weiß aber, daß sie das ganze Land durchstreifte und viele Revolutionen anzettelte, von denen nie gesprochen wird. Da gab es nicht wenige Barone und Landbesitzer, die das gleiche Schicksal wie der erste erlebten, und es waren nicht wenige Negersklaven, die befreit wurden. Viele, viele waren das, in der ganzen Gegend dort.
Aber bald merkte sie, daß der Kampf allzu ungleich war und ungleich bleiben würde, wenn es ihr nicht gelang, aller Welt, allem Volk, das unter der Tyrannei des Mächtigen leidet, zu zeigen, daß alle kämpfen müssen, jeder auf seine Weise, um Freiheit und Gerechtigkeit herbeizubringen. Und so ging sie dazu über, außer zu kämpfen, auch noch zu lehren, und da gründete sie viele Schulen fürs Volk mitten im Urwald, in verschiedenen Gegen-

den und stellte Lehrer an und manchmal erschien sie selbst, um Unterricht zu geben, dabei fing sie jede Schulstunde mit folgendem Satz an: »Jetzt werde ich euch lehren, Stolz zu haben.« Die Schwarzen lehrte sie den Stolz, schwarz zu sein mit allem, was zum Schwarzsein gehört, vom Haar bis zur Sprache. Die Indios lehrte sie das gleiche. Das Volk das gleiche, und auch daß in Wirklichkeit Brasilien dem Volk gehörte.
Das machte sie immer verhaßter, und immer, wenn sie eine Schule von ihr entdeckten, haben sie die Lehrer aufgehängt, die Schüler an den Block gefesselt, den Ort verflucht und all das zerstört, was sie aufgebaut hatte. Sie lebte dauernd versteckt vor dem Heer, das ist die schlimmste und mächtigste Polizei von allen. Aber das Volk liebte sie, und wo sie hinkam, überall fand sich ein Unterschlupf für sie, und niemand verriet den Fremden, wo sie sich versteckte, viele hielten sie in all ihrer reinen Schönheit für eine Heilige.
Ob eine Heilige, das weiß man nicht, man weiß aber, daß sie nur eine große Liebe gehabt hat, nämlich für einen Offizier aus dem Heer, der nie gegen das Volk kämpfen wollte, und als er sie traf, da fühlte er, daß ihre Seelen verschwistert waren und ihre Herzen in Harmonie vereint und er schlug ihr vor, sie sollte seine angetraute Ehefrau werden. Sie, die ihn leidenschaftlich liebte, vergoß ganze Tränenströme vor Traurigkeit. Nicht etwa, weil sie viel älter war als er, auch nicht, weil sie ein Mischling war, es hatte einen wirklichen Grund, warum sie nicht einwilligen konnte, wegen ihrer hohen Sendung konnte sie es nicht. Sie sagte zu dem Offizier:
»Ich gehe nicht mit dir, mein Herz ist in tausend Scherben zersprungen, ein Stachel durchbohrt meine Brust mit unermeßlicher Qual, ein Pferdehuf zertrampelt mir das Hirn, Tränen habe ich in jedem Auge, genug, um einen Eimer zum Überlaufen zu bringen. Ich kann nicht mitgehen, und immerfort werde ich weinen, weil ich meine Seele dem Volk geschenkt habe und sie nicht meinem Mann schenken kann.«
Von diesem Tag an, heißt es, ist ihr Lachen, das wegen seiner Fröhlichkeit bekannt gewesen war, nur mehr selten gehört worden. Aber deshalb hat sie ihr Ideal nicht aufgegeben, wenn auch manch einer glaubte, sie wär wahnsinnig geworden. Es kam die Sklavenbefreiung, und sie predigte, die befreit überhaupt keine

Sklaven, das Volk kann nichts Gutes von oben erwarten, und wenn sie den Sklaven diese Freiheit geschenkt haben, dann weil es im Interesse der Oberen liegt, und dem Volk kann das nichts Gutes verheißen. Es kam die Republik, und sie predigte, das käme aufs Gleiche heraus, weder König noch Präsident dächten ans Volk, das müßte sich sogar auf ein schlimmeres Leben gefaßt machen. Was tatsächlich auch eintrat, und nachher sah man das deutlich; die Dürre wurde schlimmer, das Land wurde den Armen weggenommen, die Sklaverei war ärger als je vorher, wer am Ort die Macht hatte, hatte mehr zu sagen als der Kaiser von Rom, das Volk ließ den Kopf hängen, die nichts hatten, wurden immer ärmer, und die alles hatten, immer reicher, drum hieß es, die Republik hat das Gesetz des Teufels gebracht.
Nun zog Maria da Fé – das war der Name der großen Kriegerin – mit ihren Milizsoldaten in den Sertão, denn sie hatte gehört, im Sertão hausten viele rebellische Leute, die bereit waren für den Kampf gegen die Tyrannei. Und hier im Sertão weiß man, daß sie immer wieder auftauchte, mal hier, mal dort, manchmal im Kampf gegen Ungerechtigkeit, wann immer sie konnte, manchmal, um die Bruderschaft des Mehlhauses und den Stolz zu verkünden. Häufig versuchte sie, die Aufständischen, die in der Caatinga lebten, zusammenzubringen, damit sie gemeinsam kämpften, aber das wurde immer schwieriger, denn sie wurde von der ganzen Polizei gejagt, von den Mächtigen, von den Gutsherren und von all denen, die sich durch ihre Aktionen bedroht fühlten. Aber sie hat das Kämpfen nicht aufgegeben, und hier, genau an diesem Ort, wo wir jetzt sind, in dem Haus, das dem Cescêncio Andrade gehört hat, einem Urwaldhauptmann, Befehlshaber von Jagunços und Gutsbesitzer, stecken ihre Kugeleinschüsse noch in den Mauern, von damals, als sie den Aufstand der Kleinpächter gegen ihn unterstützt und gesiegt hat, obwohl, nachdem sie abgezogen war, da ist eine starke Truppe angerückt, die hat alle Kleinpächter umgebracht, und sie mußten ihre eigenen Gräber ausheben, und den Tapfersten haben sie die Köpfe abgeschlagen, um sie dem Volk vorzuzeigen. Darum heißt der Ort hier Andrades Ruine, darum hat auch niemand mehr hier was angepflanzt oder Vieh gehalten, und heute ist es ein verhexter Ort geworden, wo Tag und Nacht die Seelen der Guten gegen die Seelen der Bösen kämpfen.

Niemand weiß, wo Maria da Fé heute umgeht oder was sie jetzt treibt. Man weiß aber, daß sie, wie das »Glauben« in ihrem Namen sagt, fest daran glaubt, daß sie eines Tages siegen wird, vielleicht nicht sie selbst, dann aber durch einen, der ihre Ideen und ihre Tapferkeit erbt und sie glaubt, das werden viele sein. Weil sie bald nach der Unabhängigkeit geboren wurde, muß sie schon alt sein, denn bisher hat ihr niemand den Kopf abhacken können. Und vielleicht ist sie gar nicht so alt, denn das Volk weiß, daß sie nur jedes vierte Jahr Geburtstag feiert, weil sie doch an einem 29. Februar geboren wurde.

»Vielleicht ist sie sogar hier«, sagte der Alte, stülpte die Lippen vor und ließ den Kopf langsam kreisen, als versuchte er mit seinen milchigen Augen zu sehen. »Denn heute ist der 29. Februar, drum habe ich auch diese Geschichte ausgesucht, um sie euch zu erzählen.«

Filomeno Cabrito schauderte es, er sah, daß die anderen Männer sich etwa ebenso fühlten wie er, und schon regten sie sich und begannen untereinander zu sprechen, wie um eine lastende Stimmung abzuschütteln. Einige sagten, die Geschichte hätte ihnen noch mehr gefallen, wenn sie ein Ende hätte, aber der Blinde erwiderte, keine Geschichte hätte ein Ende, nur sie glaubten, Geschichten hätten ein Ende. Andere fragten, ob der Blinde dieser großen Bruderschaft angehörte, und er antwortete, nein, aber er sagte auch, wenn er ihr angehörte, würde er ihnen das nicht sagen, also war die Frage überflüssig. Filomeno interessierte sich für die Fragen und Antworten und für die nachfolgende Diskussion, er stellte sich vor, daß er, wenn er dabliebe, viele, sehr viele Dinge lernen würde, auch über diese Maria da Fé, von der er bisher nur Ungenaues gehört hatte. Aber er stand auf, ging zu dem Blinden, legte ihm eine Münze in die Hand, packte seinen Futtersack, setzte den Hut auf den Kopf, wünschte den anderen eine gute Nacht und schlich zu seinem Verschlag zurück, ohne nach links oder rechts zu blicken, weil er keine Seele sehen wollte, er wollte nicht einmal sehen, wie Maria da Fé plötzlich in der Caatinga Gestalt annahm, er wollte nur noch traumlos schlafen. Er konnte auch nicht bleiben, es war spät geworden, er mußte früh aufstehen, er hatte noch eine lange Strecke vor sich und kannte den Weg nicht genau, er war schon lange unterwegs, seitdem er den Sertão von Piauí auf gewundenen

Pfaden verlassen hatte, bis er hier gelandet war. Aber er hoffte, mit Ausdauer und bei gutem Marschtempo, mit dem Glauben an Christus und die Heiligste Mutter Gottes in wenigen Tagen zu seinem Pilgerziel zu gelangen, wo er vielleicht bleiben wollte, zu dem berühmten Dorf von Canudos, wo ein Mann regierte, den sie den Conselheiro, den »Ratgeber« nannten.

Rio de Janeiro, den 16. Dezember 1871

»Nie! Nie! Nie!« Henriqueta stampfte vor dem Schlafzimmerspiegel auf und brach in nervöses Weinen aus. »Dadeca, ich will das *décolleté*, niemals werde ich mich in diesem scheußlichen altjungferlichen *jabot* malen lassen, nein, nein, nein!«
»Madame, Madamchen, weint nicht, Madamchen, Ihr verschmiert Euren Puder, wo es solche Mühe gekostet hat, daß er so hauchdünn aufgetragen ist ...« sagte die Negerin Dadeca. »Er ist überhaupt nicht häßlich, hübsch ist er und paßt genau für eine große Senhora!«
»Für eine große Senhora? Für eine alte Schachtel paßt er, jawohl, mit diesem Ding sieht es ja fast so aus, als hätte ich ein Doppelkinn! Und wie oft habe ich dir schon gesagt, du sollst mich nicht Madamchen nennen, Madame ist ein französisches Wort, Madamchen ist barbarisch, Negergeschwätz, geht dir denn gar nichts in den Kopf? Ach mein Gott, warum habe ich nur meinen Mann um seine Meinung gefragt? Damit er mir dieses Museumsstück aufzwingt! Wie kann ich das Porträt dann meinen Freundinnen zeigen oder sonst wem? Aber ich werde mich nicht lächerlich machen, niemand wird mich dazu zwingen, o nein! Los, Dadeca, rühr dich, geh zum Kleiderschrank – zu dem da rechts, rechts! – und bring mir das Kleid mit dem *décolleté moiré*, genau das, hilf mir, diese fürchterlichen Fetzen auszuziehen!«
Was für ein Leben, was für ein Leben, nie hatte man Ruhe! Es hieß, im Norden sei es heiß, aber eine Hitze wie die in Rio de Janeiro, Herr im Himmel! Gleich nach ihrer Ankunft fand sie ihn großartig, den Herrensitz, den Bonifácio Odulfo am Caminho Novo de Botafogo gekauft hatte, mit seinem weiten Grundstück, den Pferdeställen, dem Garten, dem Park und dem Teich mit Schiffchen und Nereiden- und Tritonenfiguren. Doch

jetzt fand sie das nicht mehr, sie war sogar ein klein wenig neidisch auf Titizas Haus in Cosme Velho, das in ihren Augen etwas Höheres, Aristokratisches hatte. Noch zorniger war sie jetzt auf die Hitze, auf alles in der Welt und auf Dadeca, die beim Aufhaken ihres Korsetts schrecklich trödelte.

»Muß denn aber auch alles für dich so ungeheuer außerordentlich schwierig sein? Dabei wird doch behauptet, die Negerrasse hätte Intelligenz. Wenn Affen Intelligenz haben, werden Neger auch Intelligenz haben. Affenintelligenz!«

Was man doch mitmacht, Herr im Himmel! Man stelle sich vor, eine Negerin wie diese hätte die Verantwortung einer Dame zu tragen. Drum sind die Negerstämme auch nie über Kannibalenhorden hinausgelangt und werden in aller Welt verachtet. Natürlich wollte sie keine Negerin sein, schon der Gedanke war ihr unerträglich, doch manchmal beneidete sie das Leben der einfachen Leute. Alle Leute meinen, wer Geld hat, hat keine Probleme, wie sehr sie irren, wie gründlich sie irren! Wer keine Probleme hat, das sind die einfachen Leute, die von nichts etwas wissen, nichts brauchen, keine geistige Unruhe verspüren, keinen Ehrgeiz haben, keine Verantwortung, die ihre Herrschaft bestehlen, so wenig wie möglich tun, das Leben leicht nehmen, das reinste Zuckerschlecken, wie man sagt. Ach, wenn sie etwas vom Leben einer großen Dame wüßten! Aber es war ja sinnlos, zu denken, sie könnten begreifen, sie begriffen nichts, sie würden bloß weiterhin neidisch sein, was für ein ordinäres Volk, diese kleinen Leute, dieses brasilianische Volk! Und jetzt, wieviel Mühe, wieviel Leiden, wieviel Bangen, nur um zu erreichen, daß Jean-Louis Gaillard sie porträtierte. Erstens mußte sie einen Plan ersinnen, um Bonifácio Odulfo zu überreden, der den vom Franzosen geforderten Preis überhöht fand – was für eine Einstellung, Herr im Himmel, als hätte Kunst einen Preis, als wäre Jean-Louis Gaillard nicht weltberühmt, ein Porträtist, wie er nur einmal jedes Jahrhundert zur Welt kommt! Welchen Tribut hatte sie gezahlt, Herr im Himmel! Hatte sie gezahlt und zahlte sie noch immer, denn als sie ihm vorschlug, das Auspeitschen gegen seine Zustimmung zum Porträt aufzurechnen, hatte sie nicht geahnt, wie sie dadurch zur Sklavin würde, offensichtlich für den Rest ihres Lebens. Wenn er anfangs nur sehr befangen um mehr gebeten hatte, tat er es jetzt mit der größten Schamlosigkeit, es war die Hölle, die reinste Hölle, und wie leid sie es war! Was für eine Hitze! Und dann kamen die Zweifel, ob der Maler bereit wäre, ihr Porträt zu malen. Ja, auch das noch, auch das mußte sie noch bewältigen! Alle Frauen wollten von ihm gemalt werden, aber auch jede, Herr im Himmel! Was für eine Anstrengung, wie hatte sie die Fäden ziehen müssen und was für eine Engelsgeduld gegenüber dem dümmlichen Geschwätz der Gräfin von Penha, nur weil sie eine Freundin von Jean-Louis Gaillard war und diesen bei sich wohnen hatte. Aber welche Hindernisse gibt es denn, die eine Teresa Henriqueta nicht überwinden würde, und schließlich hatte der Maler die erste Sitzung anberaumt, für die sie sich so mühsam vorbereitete mit der Unterstützung dieses Mondkalbs von einer stumpfsinnigen Negerin. Wie schwierig ist doch alles in diesem Land, Herr im Himmel! Was für eine Hitze! Was für eine Hitze!

Als sie das Kleid anhatte, betrachtete sie sich im Spiegel, fand sich hübsch, fühlte sich etwas wohler. Vielleicht glänzten ihre Schultern ein bißchen, vielleicht auch der Busen, ob nicht ein Hauch Puder das Problem lösen konnte? Die verwünschte Hitze war daran schuld, daß die Leute glänzten, als wären sie gewachst worden. Kokett lächelte sie in den Spiegel, wiegte den Körper hin und her, blickte sich von der Seite an, fand sich wieder sehr hübsch, und zwar wirklich hübsch, schön, warum nicht? Sie mochte ihr Kleid, es machte sie so, so ... so aufreizend, so kokett und neckisch! Und es betonte die Frau in ihr, nicht das Mädchen, nein, eine echte Frau, deren Zauber und deren Tiefe nicht zu leugnen waren. Sie streckte die Brust etwas vor. Wie wär's mit einem Schönheitsfleckchen hier, so ein Tupferchen, nur ein winziges, maliziöses Etwas?

»Wie findest du einen Tupfer hier?« fragte sie Dadeca, mit dem kleinen Finger auf ihre linke Brust zeigend.

Dadeca stand mit offenem Mund da, die Augen auf den Ausschnitt gerichtet, sie hatte die Frage nicht gehört.

»Was stehst du da wie ein Kamel? Hast du nicht gehört, was ich dich gefragt habe? Findest du nicht, daß ein Tupferchen hier ...«

Sie merkte, daß Dadeca von dem Kleid schockiert war und sie hob die Hände. Was für eine Einstellung, Herr im Himmel! War sie auf ewig verdammt, in solcher Rückständigkeit zu leben, eine

Verbannte im eigenen Land, in dem sie zu ihrem Unglück geboren worden war? Was war denn mit dem Kleid, Herr im Himmel? Was war daran nicht richtig, es war doch noch bescheiden, im Vergleich zu dem, was sie in Europa gesehen hatte, zu dem, was sie in Zeitschriften und Modekatalogen sah, was war denn da nicht richtig?
»Ein Tupferchen, Madame?«
Henriqueta lachte. Armes dummes Geschöpf, wie sollte die Ärmste ahnen, was in einem höheren Wesen vorging? Man mußte Geduld mit ihr haben, so übel war sie auch wieder nicht, zumindest war sie vertrauenswürdig. Sie faltete die Hände im Schoß, blickte sie mit zur Seite geneigtem Kopf an und lachte hell heraus. Dadeca lachte schließlich auch.
»Jessesmaria, Madame, dieses Kleid ...«
»Was ist mit dem Kleid, Dadeca?«
»Das Dekotelee, ist das Dekotelee nicht zu tief? Der Herr Doktor Bonifácio Odulfo, wird er ...«
»Wie bitte? Das Dekotelee? Ach, Dadeca, wärst du nicht geboren, man müßte dich erfinden! Du meinst also, mein Dekotelee ist zu tief? Aber ganz und gar nicht, vielleicht ist es für hier zu tief, für eine Stadt und ein rückständiges Ambiente wie das hier.«
»Aber Madame, Ihr lebt doch hier.«
»Da hast du auch wieder recht, Dadeca, dann und wann kommt dir, Gott weiß wie, ein intelligenter Gedanke. Aber nur weil eine Frau wie ich hier lebt, braucht sie noch lange nicht ...«
»Eine Frau? Heilige Mutter Gottes, Madame! Eine Frau?«
»Eine Frau, eine Frau, ja, was ist falsch an diesem Wort? Eine Frau, eine Frau, *une femme*, *a woman*, eine Frau! Eines Tages werden sich die Frauen aus einem Schicksal befreien, wo es unschicklich ist, von sich selbst als Frau zu sprechen. Ein Mann kann sagen, daß er ein Mann ist, und darf eine Frau nicht sagen, daß sie eine Frau ist? Nein, nein, der weibliche Geist wird eines Tages zeigen, was er wert ist, da bin ich sicher. Ja, ich bin eine Frau, Dadeca, und wie ich dir schon gesagt habe, wird eine Frau wie ich, nur weil ich hier lebe – *là-bas*, wie man sagt –, nicht davon ablassen, gegen diese lächerlichen und veralteten Einschränkungen anzugehen – ohne Übertreibung natürlich, aber mit der Kühnheit einer Frau, die das richtige Maß kennt. Die moderne Frau ist keineswegs das, was du denkst, sie ist keine

ringsum eingemauerte Blume. Die moderne Frau hat ihre eigenen Gedanken, und was mich angeht, wird sie selbst über das Ausmaß ihres *décolletage* entscheiden und zu ihrer natürlichen *coquetterie* stehen. Die Frau ist ein maliziöses Wesen, ein Wesen der mittelbaren Annäherungen, ein Wesen, das sich nicht gefügig den dürren Regeln des Verstandes unterwirft.«

Sie seufzte. Wie kam sie dazu, eine so gebildete, wohlgesetzte Unterhaltung mit Dadeca zu führen? Sie empfand ein wenig Mitleid mit sich selbst. Seit Jahrhunderten glänzten Frauen wie sie an Höfen und in den Salons von Europa, und sie, Herr im Himmel, vergeudete ihre *bons mots* und ihre ganze Kultur an ein rohes Stück Kohle. Was für eine Hitze!

»Aber du hast recht, Dadeca, diesmal opfere ich das Schönheitsfleckchen. Und wenn dir der Ausschnitt zu gewagt vorkommt, komme ich den Hinterwäldlern dieser Kleinstadt eben entgegen und lege die Boa um! Wie findest du das? Bring mir die Boa, Dadeca, die weiße, was meinst du? Ach, ich fühle mich wie in Paris! Oder glaubst du, die rosafarbene steht mir besser? Nein, nein, zu übertrieben, ich lege die weiße um. Ach, ich weiß nicht. Kannst du was dazu sagen, Dadeca?«

»Sie ist sehr hübsch, Madame, wirklich sehr hübsch.«

»Warum frage ich dich eigentlich? Du kannst nur immer sagen, es ist hübsch, oder du reißt die Augen auf wie eine erschrockene Äffin, und nur wegen meinem Ausschnitt.«

»Ja, Madame.«

»Ich werd dir sagen, was ich tue, Dadeca. Ich ziehe die blaue *pèlerine* an, die helle. Aber natürlich, wieso bin ich nicht früher darauf gekommen? Die *pèlerine* ist fabelhaft, sie verhüllt und verhüllt auch nicht, man läßt hier einfach einen Knopf offen ... Nein, diese zwei. Nun? Also? Fabelhaft, einfach fabelhaft! Dadeca, seh ich großartig aus! Seh ich nicht großartig aus?«

»Ganz großartig, Madame, wirklich ganz, ganz großartig!«

»Danke, Dadeca, hast recht. Jetzt muß ich nur noch diese Kämme austauschen, sie sind schauerlich, sehen aus wie die Zähne von einem wilden Tier, das mir den Kopf abreißen will. Zu groß, bring mir die kleinen spanischen. Sie sind zwar nicht so gut, wie sie aussehen, rutschen ein wenig, aber sie passen gut zu diesem Kleid, ich glaube, wegen der eingelegten Edelsteine. Los, mach schon! Bin ich zu spät dran? Wieviel Uhr ist es?«

»Es hat zwei geschlagen, Madame.«
»Zwei? Bist du sicher? Los, schau nach.«
»Aber Madame, es ist noch viel Zeit. Hat der Maler nicht gesagt, daß er erst um drei kommt, hat er nicht um drei ausgemacht? Habt Ihr nicht gesagt, ich soll Euch daran erinnern, daß er um drei kommt?«
»Dadeca, was für eine aufreibende Angewohnheit von dir, immer willst du mit mir über das sprechen, was ich anordne! Habe ich dir nicht gesagt, du sollst auf die Uhr sehen? Dann geh und rechte nicht! Und reich mir die *mitaines*, bevor du gehst. Ja, diese Handschuhe, ja, wirst du das denn nie lernen, Herr im Himmel?«
Tatsächlich hatte der Maler die erste Sitzung auf drei Uhr angesetzt. Aber Dadeca wußte nicht und konnte auch nicht wissen, daß der Tag mehr Aufregungen verhieß als eine schlichte Porträtsitzung, gleich, wer der Maler war. Es war der Tag, ja endlich der Tag, an dem sie Tico in die Arme sinken würde, der Tag, an dem – und sie fühlte einen Kitzel unter dem Nabel – er – ja, das war das Wort, das himmlische Wort – sie besitzen würde! Was für eine Hitze!
Wenn es zwei Uhr war, müßte er jetzt ungefähr kommen. Was für eine unbeschreibliche Empfindung, nach einem Feldzug während dessen sie es schon mehrmals fast aufgegeben hatte, ihm ihre Leidenschaft klarzumachen, und alle ihr in den Sinn gekommenen Kniffe und Köder eingesetzt hatte, ja, einige Kunstgriffe, von denen sie jetzt zugeben mußte, daß sie der helle Wahnsinn gewesen waren, war es endlich geschehen! Und auf so unvermutete, so poetische, so hübsche Weise, so ganz in Übereinstimmung mit einer Romanze, die mit einer Blumenbotschaft begonnen hatte! Das heißt, sie hatte zwar nicht für ihn, aber zumindest für sie begonnen. Entweder er übersah oder er begriff die Jasmin-Botschaft nicht, wie er auch Dutzende von versteckten kleinen Andeutungen nicht begriff, die sie noch während der Reise nach Rio gemacht hatte. Ob er nur so tat, als hätte er all das nicht bemerkt? Schön, das spielte jetzt keine Rolle, denn es war geschehen, geschehen, geschehen!
Es war im Gewächshaus geschehen, zwischen Orchideen, Venushaar und exotischen Blumen, dort war es so feucht, daß die Glasscheiben der Wände und des Dachs beschlagen waren.

Schön, es war fast geschehen. Nein, nicht fast, es war wirklich geschehen! Wie sagt noch Ovid in der kleinen französischen Ausgabe von *L'Art d'Aimer*? Wie sagt er noch? Er sagt so ungefähr, ein Liebhaber, der einen Kuß erringt und nicht mehr, verdient nicht einmal diesen Kuß. Was ist der Unterschied zwischen einem Kuß, einem begierigen Kuß auf die Lippen, der den ganzen Körper zum Erzittern und zum Vergehen bringt, und den intimsten Handlungen der Liebe? Keiner. Welchen Unterschied machte es aus, ob man einen Körperteil berührt und nicht einen anderen? Keinen. So war es geschehen: nur ein gieriger, hastiger Kuß im Gewächshaus, ein so durstiger saugender Kuß, daß seine Lippen, als die Schritte des Gärtners näherkamen und sie voneinander ablassen mußten, noch fest auf ihrem Mund hafteten und sich mit einem leisen, wahrhaft berauschenden Geräusch lösten, etwas Unaussprechbares, wie sie es nie zuvor empfunden hatte. Und wie war sein Schenkel in diesem Augenblick vollkommener Ekstase an ihren gepreßt, wie hatte sie ihre Brust fest gegen seinen Arm gedrückt – ob er es gemerkt hatte? Natürlich, wie dumm von ihr, daran zu zweifeln.
Warum hatte er bei Tisch ziemlich laut, so als lege er Wert darauf, daß sie es auch höre, gesagt, heute werde er früher aus dem Ministerium zurückkehren? Eben darum, weil er ihr zu verstehen geben wollte, sie solle eine Gelegenheit zu einer Begegnung schaffen, endlich die Begegnung, endlich der große Augenblick ihrer empfindsamen, glühend weiblichen Seele. Sie wußte schon, wie sie es anstellen würde, genauso wie Charlotte, die schlaue Charlotte aus dem Roman. Wie die Dinge in dieser Welt sich zufällig fügen, sieht nicht alles aus wie geplant? Erst diese zufällige Entsprechung mit der Blumenbotschaft. Sodann die Entsprechung mit dem Auftritt zwischen Charlotte und M. Dubois in der Bibliothek. Darauf aus, M. Dubois zu verführen, aber durch seine Unerfahrenheit aus dem Konzept gebracht, hatte Charlotte keine Bedenken: mit Hilfe ihrer gerissenen antillischen Zofe, der Mulattin Kiki, gelang es ihr, sich durch verwirrend raffinierte Tricks, mit dem schüchtern stammelnden Dubois in der Bibliothek ihres Mannes einzuschließen, und als sie sah, daß er nie die Initiative ergreifen würde, fiel sie in seinen Armen in Ohnmacht, und zwar dergestalt, daß sie unter ihm auf den *sommier* sank. »*Ah, chérie, tu es si fort, je suis vaincue*«,

hauchte Charlotte, zog den Kopf des jungen Mannes auf ihren keuchenden Busen und schob ihm die hastige Hand unter die Hemdbrust.

Nein, sie brauchte nicht ohnmächtig zu werden. Tico mochte ungeschickt sein, aber dämlich wie dieser Dubois war er nicht. Jedenfalls stand ein *sommier* in der Bibliothek, und die Bibliothek war genau der Ort, wo sich Tico, wenn er früh nach Hause kam, gewöhnlich aufhielt. Vielleicht würden die zufälligen Übereinstimmungen nicht weitergehen, aber wenn das Schicksal es wollte, würde sie auch in Ohnmacht fallen.

»Tico, Tico«, murmelte sie kaum hörbar. »Ich bin bezwungen, ich bin die deine!«

»Betet Ihr, Madame?« fragte Dadeca, die, nachdem sie die Uhrzeit gesagt hatte, hinter Henriqueta getreten war. »Fühlt Ihr etwas, Madame?«

Henriqueta kam zu sich, fast hätte sie sich verraten, Herr im Himmel. Aber sie ließ sich ihre Verlegenheit nicht anmerken und fragte nur, warum die Negerin noch nicht gesagt hätte, wie spät es sei, sie stehe da wie ein Gespenst und habe ihr sogar einen Schrecken eingejagt.

»Aber ich habe es doch gesagt, Madame. Ich habe es zwei Mal gesagt, dann habe ich gedacht, Madame, Ihr wolltet nichts mehr hören, Madame, Ihr seid heute so nervös ...«

»Was soll das heißen? Was für Vertraulichkeiten sind das? Ich komme dir also nervös vor? Ach wirklich? Warum sagst du das?«

»Ah, ich weiß nicht, Madame, Ihr seid so unruhig, Ihr kommt mir so ärgerlich vor, aber fröhlich seid Ihr doch ...«

»Das muß die Hitze sein. Aber darüber streite ich nicht mit dir. Sei nicht so vorlaut! Wieviel Uhr ist es denn jetzt?«

»Viertel nach zwei.«

»Sehr gut, ich bin fertig. Die *pèlerine* werde ich anlegen, wenn Monsieur Jean-Louis Gaillard kommt, alles übrige ist parat, alles fertig, du kannst gehen. Worauf wartest du noch, du kannst gehen!«

Sie schloß die Türe hinter Dadeca, lief zum Balkon, lehnte sich hinaus, sah Patrício Macários ausgespannte Kutsche vor der ersten Stallung stehen. Er war also schon da, da gab's keine Zeit zu verlieren, bald würde der Maler erscheinen, vielleicht würde sich eine solche günstige Gelegenheit nie wieder ergeben. Noch einmal machte sie sich vor dem Spiegel zurecht und tupfte sich einen Tropfen französischen Parfums hinter jedes Ohrläppchen und zwischen die Brüste, trat geräuschlos hinaus und stieg die Treppe hinunter. Unterwegs kam sie sich zu hastig, zu begierig vor. Sie war nervös, gewiß, aber das durfte jetzt nicht sein. Sie blieb stehen, atmete tief, betrachtete ihr Gesicht im großen palisandergerahmten Spiegel. Nur ruhig, ganz ruhig. Sie probte ein Lächeln, wischte sich ein nicht vorhandenes Fleckchen aus dem Mundwinkel und wollte schon weitergehen, als sie die Kristallflasche zwischen den Kelchen auf dem kleinen Büfett sah, fast purpurfarben von dem darin enthaltenen Portwein. Nichts besser gegen Nervosität als ein Gläschen Portwein, das sagten alle, sie selber hatte schon mal eins getrunken, als ihr Herz flatterte, und es hatte ihr sehr gemundet. Nein, kein Gläschen, einen Fingerhut voll, ein ganzes Glas mochte zuviel sein. Aber warum eigentlich kein Gläschen? Das Schlimmste, was geschehen konnte, waren etwas feuchte Augen, doch das war ja keineswegs so übel, es verlieh ihnen eher einen besonderen Glanz. Sie trank einen vollen Kelch und fühlte sich sofort leicht im Kopf, empfand eine ruhige Zuversicht und die Gewißheit, daß alles gut ausgehen würde. Sie betrat den Flur, der zur Bibliothek führte, sah sich im Hutständerspiegel an, drückte beide Kämme ins Haar und, darauf eingestellt, eine überraschte Miene aufzusetzen, öffnete sie die Tür und trat ein.

Patrício Macário, mit dem Rücken zur Tür, war dabei, Bücher aus dem Regal zu ziehen und sie auf sein *bureau* zu stapeln, da hörte er sie und drehte sich um.

»Ach, du bist schon hier?« fragte Henriqueta, die Augen aufreißend. »Ich habe dich nicht kommen sehen.«

»Gehst du auf ein Fest?« fragte er und musterte sie von oben bis unten.

»Fest? Wieso ... Ach, etwa wegen des Kleides? Nein, kein Fest, heute kommt nur der Porträtist Jean-Louis Gaillard zur ersten Sitzung für das Bild, das er von mir machen wird. Du willst doch nicht, daß ich mich der Nachwelt im Hauskleid präsentiere? Gefällt es dir? Ich war mir im Zweifel, ob ich dieses Kleid tragen sollte. Wie findest du es?«

»Sehr schön, wirklich sehr hübsch. Übrigens steht dir dieses Kleid vorzüglich.«

Sie fühlte sich erröten, wurde verlegen, griff nach einem der auf dem *bureau* gestapelten Bücher. Sollte sie jetzt sagen, was ihr im Augenblick durch den Kopf schoß? Sollte sie es sagen? Brächte sie den Mut dazu auf? Charlotte würde es sagen!
»Wenn es dir nicht gefiele, ich würde mich sofort umziehen«, sagte sie, von neuem rot werdend, während sie tat, als betrachte sie aufmerksam etwas auf dem Einband.
Sie hob die Augen mit Festigkeit, sah ihm ernst ins Gesicht. Sie stand dicht am *sommier*, hatte beim Eintreten den Türriegel vorgeschoben und jetzt war der Augenblick gekommen. Sie schritt auf ihn zu, ihr Herz pochte wild, ihr Mund war trocken, ihre Hände zitterten ein wenig, doch ihre Entschlußkraft verwunderte sie selbst.
»Du machst mich verrückt, weißt du?« sagte sie dicht vor ihm. »Nach diesem Kuß habe ich keine ruhige Minute mehr gehabt. Warum hast du das getan, warum hast du mir allen Frieden geraubt? Ich weiß, daß es Wahnsinn ist, aber als du heute bei Tisch sagtest, du würdest früh nach Hause kommen, da habe ich all meine Kräfte zusammengenommen, um nicht hierher zu kommen, aber ich konnte einfach nicht anders! Ach, warum hast du mir das angetan? Du machst mich ganz verrückt!«
Sie senkte das Gesicht, wartete darauf, daß er sie am Kinn faßte, wie er es das letzte Mal getan hatte. Doch statt dessen ging er um den *sommier* herum, in die andere Hälfte des Raums.
»Henriqueta ...« begann er, einigermaßen verwirrt. »Da ist etwas, was ich dir sagen wollte. Dieser Kuß ... Dieser Kuß ...«
»Du brauchst nichts zu sagen, ich weiß, was du sagen wolltest. Dieser Kuß war reine Unvernunft, himmlische Unvernunft, aber Unvernunft. Ja gerade, weil er mir nicht aus dem Kopf will, und ich sage es frei heraus, wenn du mich wieder küssen würdest, ich weiß nicht, ob ich widerstehen könnte. Ich weiß, daß ich nicht so sprechen dürfte, daß ich dir leichtsinnig vorkomme und schamlos, aber das ist die Wahrheit. Wie soll ich nach diesem Kuß die Wahrheit meiner Leidenschaft verbergen?«
»Henriqueta ...«
»Du bist so schön, so stark und so sanft. Herr im Himmel, was sage ich, ich bin von Sinnen, warum hast du mich verführt? Tico ...«
»Warte einen Augenblick. Henriqueta, nur einen Augenblick.

Was ich dir sagen wollte... Was ich dir sagen möchte, ist sehr schwierig. Du sollst nicht denken, daß ich dich leichtfertig geküßt habe. Das heißt, doch, denn schließlich bist du die Frau meines Bruders, und ich hatte nicht das Recht, mich so zu benehmen. Was ich dir aber sagen will, ist, daß ich so etwas nicht mit jeder beliebigen Frau tun würde, es ist nichts, wofür du dich schämen mußt, denn ich habe immer Hochachtung und Respekt für dich empfunden und empfinde sie nach wie vor.«

»Ich ...«

»Warte einen Augenblick, das ist schon an sich schwierig genug, mach es nicht noch schwieriger. Ich bin nicht aus Stein, und eine Frau wie du, mit deiner Schönheit und deinem Charme, findet man nicht alle Tage.«

»Ich ...«

»Bitte, nur noch wenige Minuten, bitte. Was ich sagen will, ist... Siehst du diese Bücher? Sie gehören mir, es sind die wenigen, die ich besitze, das meiste sind Sachen aus meiner Jugend, die ich bei meinem Bruder gelassen habe. Ich hole diese Bücher aus dem Regal, weil ich sie mitnehmen werde. Ich ziehe aus.«

»Du ziehst aus? Aber wieso denn? Wieso ziehst du aus? Eine neue Versetzung? Gerade jetzt, wo... Das verstehe ich nicht!«

»Nein, ich bin nicht versetzt worden. Ich bleibe in Rio. Aber ich bleibe nicht hier, ich glaube, ich darf nicht in diesem Haus bleiben.«

»Warum denn nicht, aus was für einem Grund? Jetzt, wo wir uns gefunden haben, wo das Schicksal ...«

»Genau deshalb. Wir dürfen nicht unter einem Dach leben.«

»Wir dürfen nicht unter einem Dach leben? Wo steht geschrieben, daß Liebende nicht unter einem Dach leben dürfen?«

»Sprich nicht so, Henriqueta, du bist sehr erregt. Sprich nicht so, wir sind keine Liebenden. Jener Kuß war ein zufälliges Ereignis, ein schwerer Irrtum, den wir, wenn wir ihn nicht wiedergutmachen können, auch nicht wiederholen dürfen.«

»Ja, ich verstehe, du hast mich zum Narren gehalten.«

»Ich habe dich nicht zum Narren gehalten, ich habe einem inneren Drang nachgegeben. Und du mußt zugeben, daß du mich herausgefordert hast, du hast mich schon immer herausgefordert. Schließlich gibt es immer einen Augenblick der Schwäche, und ...«

»Nicht einen Augenblick, ein ganzes Leben der Schwäche! Ich habe dich herausgefordert, ja, ich habe dich herausgefordert, und warum nicht? Weil ich eine Frau bin? Und weil ich eine Frau bin, bin ich deswegen verpflichtet, alles passiv hinzunehmen, was die Männer mir aufzwingen, und darf nicht selber kämpfen, um zu erobern, was ich begehre? Ich schäme mich nicht für das, was ich getan hab, sondern für wen ich es getan habe, nämlich für dich, der du bestens in die Tradition deiner Familie paßt, einer Familie von verlogenen Schwächlingen. Kannst du etwa den Kuß ungeschehen machen, den du mir gegeben hast? Welcher Unterschied besteht zwischen dem, was geschehen ist, und dem, was hätte geschehen können? Ist es nur das erbärmliche und dumme Vergnügen der Männer, zu erobern, um hinterher abzuweisen?«

»Aber ich weise dich nicht ab, versuch doch zu verstehen!«

»Ich versuche gar nichts zu verstehen! Du hast recht, du weist mich nicht ab, wer hier abweist, das bin ich, denn wenn ich bisher in dir Seelengröße und Edelmut vermutet habe, die Fähigkeit, zu erkennen, daß die Liebe nicht von Konventionen abhängt, sondern von der reinen, schlichten Verwandtschaft zweier Seelen und Körper, weiß ich jetzt, daß du nichts bist, als ein verwöhnter kleiner Soldat, vielleicht sogar ebenso dubios wie dein ältester Bruder und ebenso schlapp wie dein anderer.«

»Gib acht, was du da sagst, Henriqueta, du bist außer dir, es gibt keinen Grund ...«

»Natürlich gibt es keinen Grund. Aber merk dir eines, heute bin ich es zwar, die sich mit Schmach bedeckt, weil ich an die Existenz von Menschen glaube, die besser sind als das Gros der Heuchler, und als so einer hast du dich heute entpuppt, aber morgen werden sie die mit Schmach bedecken, die sich so aufführen wie du, rohe, fragwürdige Moralisten ohne Moral, denn die Frauen sind die Kraft des Fortschritts und nicht die Männer, die den Säbel schwingen und schon Angst vor einem Schatten kriegen!«

Sie wollte fortfahren, fühlte aber, daß sie weinen würde, und wollte ihre Tränen nicht zeigen. Mit einer fast militärischen Kehrtwendung drehte sie ihm den Rücken zu, schlug die Tür zu und rannte, am liebsten hätte sie geschrien, die Treppe hinauf. Im Schlafzimmer warf sie sich aufs Bett und hieb auf Decken und Kopfkissen ein.

»Nie werde ich ihm das verzeihen, nie, nie, nie! Nie!«

Sie erhob sich, ihr Kleid war zerdrückt, ihr Haar hatte sich auf einer Seite gelöst, sie blickte sich ganz im Spiegel an, empfand ungeheures Mitleid mit sich selbst, ein Erbarmen, das ihr die Brust zuschnürte und den Wunsch in ihr hochsteigen ließ, sich aufzulösen, und stehend brach sie in Tränen aus. Einige Zeit darauf, nachdem sie ihr Kleid mit einem anderen, etwas tiefer ausgeschnittenen vertauscht hatte, klingelte sie nach Dadeca.

»Hilf mir mal, Dadeca, ich muß mich fertig machen. Ich bin das andere Kleid plötzlich leid geworden, ich will es nie mehr sehen.«

»Ja, Madame. Es ist fast drei, Madame, der Herr Maler wird gleich kommen.«

»Er kann warten. Die Herren warten auf die Damen. Außerdem wird er sehr gut bezahlt. Lös mir das Haar, ich will es nicht aufgesteckt.«

»Das Haar lösen, Madame? Ihr wollt das Haar offen tragen? Ihr wollt mit offenem Haar für das Bild sitzen?«

»Hast du gehört, was ich gesagt habe? Herr im Himmel, laß mich Geduld haben mit dieser Albernheit und Beschränktheit! Ich habe klar und deutlich gesprochen, Dadeca. Lös mir das Haar!«

»Ja, Madame.«

Hübscher konnte sie nicht sein, duftendes Himmelblau, umflort von einer zarten Parfümwolke, das Haar fiel in anmutigen Locken herab, ein helles, freimütiges Lächeln, als sie den Salon betrat, um den Maler zu begrüßen, der, am Fenster sitzend, und den Garten betrachtend, auf sie wartete. *»M'sieu Jean-Louis Gaillard?«* sagte sie und sprach genau wie die Schauspielerinnen, die sie auf Pariser Bühnen gesehen hatte.

Der Franzose stand auf, und nachdem er sie gemustert hatte, als sähe er eine Fatamorgana, beugte er sich zum Kuß über ihre Hand.

»Je suis ravi, Madame.«

Er hatte wirklich ihre Hand geküßt und nicht nur einen grotesken Schmatz in die Luft von sich gegeben, wie die brasilianischen

Männer. Während sie zerstreut von weiblicher Unpünktlichkeit sprach, schätzte sie Monsieur Gaillard interessiert ab. Viel jünger, als sie gedacht hatte, und gut sah er aus, trotz seiner Blässe und einer etwas zu stark bewölkten Stirn. Hüsche Lippen, ziemlich üppig für einen Europäer, empfindsame kastanienbraune Augen, kräftige Hände, er mußte wohl auch feste Arme und Beine haben.

»*Est-ce qu'on pourra commencer aujourd'hui*?« fragte sie, biß sich auf die Unterlippe und hielt seinem Blick stand.

17 Rio de Janeiro, den 14. November 1889

»Ich bin beunruhigt«, hieß es an einer Stelle in Monsignore Clemente Andrés Brief, den Bonifácio Odulfo mit gerunzelter Braue las. »Beunruhigt, ob das der zutreffende Ausdruck ist? Nein, mein gütiger, mein lieber Bruder, ich bin, ich darf es sagen, in Panik. Ich weiß, und zwar sehr wohl, es ist das Alter, das mich drückt und das mein Mißtrauen gegenüber den Menschen vertieft, bei soviel Elend, dessen ich, ein ganzes Priesterleben lang, Zeuge werden mußte. Ich weiß auch sehr genau, daß ich mich, aufgezehrt von Unpäßlichkeiten, vom Winter des Lebens (ins Grab, ja, bringt mich die Wundrose fast, und schon kenne ich, heute, nicht einen Tag, nicht eine Stunde wirklichen Wohlbefindens), wenn ich die Welt anblicke, einer gewissen Bitterkeit nicht erwehren kann. Doch kein Mensch, mit gesundem Menschenverstand, wird sich dem Pessimismus verschließen können, der die Menschen guten Willens, angesichts des desolaten Spektakels, beherrscht, das so eklatant – man verzeihe mir, wegen seiner Ausdruckskraft, den Gallizismus in diesem besonderen Fall.

Wie siehst Du die Lage dort, am Hof? Mach mir ein bißchen Mut, sende mir ein beruhigendes Wort. Nach Bahia kommen die Nachrichten mit Verspätung, oder sie kommen gar nicht, man hört, alle Augenblicke, nur von niederschmetternden Gerüchten, Unruhe schreckt, wie ein höllisches Gespenst, alle Gemüter. Wovon alle Welt spricht, ist die Republik, als bildete der Sturz eines legitimen Herrschers einen Grundstein, eine Nation darauf zu bauen. In Wirklichkeit handelte es sich, mit Ausnahme des ein oder anderen irregeleiteten, wohlmeinenden Mannes, lediglich um eine Horde von streunenden, unruhestiftenden Studenten, von Zeitungsschmierern und halbseidenen Freiluftrednern, die diesen ganzen anarchistischen, verleumderischen und zerstörerischen Radau aufführen. Aber (wehe uns, die wir uns mit einem unwissenden, zurückgebliebenen Volk herumplagen müssen und als Gefährtin nur die Verzweiflung haben) wir leben in einem Land, wo kleine Gruppen von Aufrührern immer imstande waren, unter Ausnutzung der friedlichen Veranlagung des Volkes (etliche werden sagen: des lammfrommen; und dieser

Auffassung stimme ich zu), mit der Nation nach Gutdünken umzuspringen. Mir ist bewußt, glücklicherweise, daß das Kaiserreich auf festen Füßen steht, und daß seine Majestät ein wachsames Auge auf die Vorgänge richtet. Gott erleuchte ihn und stärke seine Hand, denn in einer Stunde wie dieser ist Handeln ohne Strenge unstatthaft.

Aber ich zittere, hochgeschätzter Bruder, denn die Anzeichen, die in die Augen springen, sind, in der Tat, höchst bestürzend. Schon kann man, hauptsächlich nachts, nicht mehr unbesorgt auf die Straße gehen. Schon kann man kaum mehr öffentliche Lokale aufsuchen, angesichts einer immer bedrückenderen Horde von Negern und Braunhäutigen, diesen Nichtstuern und Schnorrern, Leuten der schlimmsten Sorte, deren Sprache und Aussehen bewirken, daß man, in einem fort durch den *Cour des Miracles* zu schreiten meint. Die Abschaffung der Sklaven hat sich, wie ich befürchtete, als ein Riesenübel herausgestellt, die Neger waren nicht, und sind es ja heute noch nicht, für die Freiheit vorbereitet. Dumpf, roh, analphabetisch, unsauber, lasterhaft sogar, üben sie jetzt, ungestraft, ihren schädlichen, verderblichen Einfluß auf Sitten und Rasse aus. Die Behauptung, sie seien Streuner und Landstreicher, weil es keine Arbeit gebe, trifft nicht zu. Es gibt Arbeit, wie es immer welche gegeben hat, für den, der welche sucht, und für den, der, ob aus Trägheit oder Charakterschwäche, keine will, gibt es nie welche. Doch, so unglaublich es klingen mag, Maßnahmen, wirksam zur Eindämmung dieses Herumstrolchens werden nicht ergriffen. Wenn sie erwachen, die Regierenden, wird es zu spät sein, um diese soziale und moralische Plage auszumerzen, die alles niederzureißen droht, was, im Laufe von Jahrhunderten der Hingabe und der Drangsal, mühsam zu errichten versucht wurde.

Wir erleben eine Krise der Autorität, eine Krise der Führung, eine Krise der Werte, eine tödliche Krise von allerschwerstem Ausmaß, und wir werden uns ihrer nicht bewußt, wir tun nichts, um ihrer Herr zu werden. Das religiöse Empfinden bröckelt ab, die barbarischen Praktiken des Fetischismus setzen sich durch, gegen den schwächlichen, unwirksamen Widerstand der Polizeiorgane und des Heeres, denen ohne Frage, die feierliche Verantwortung obläge, die geistige Integrität der Bevölkerung zu verteidigen. Ehrlichkeit ist seltenste Ausnahme;

Gemeinheit ist die Regel. Mißachtung wird zur Umgangsform, die Habgier der Kaufleute erhöht die Teuerung bis zu einem unerträglichen Grad, Literatur und Kultur sind in erschreckendem Maße im Niedergang begriffen, und nun zeigt das Gespenst der Anarchie und der zügellosen Unordnung sein Gesicht am Horizont.
All das ruft in mir, naturgemäß, große Verzagheit hervor. Und das ist der Hauptgrund für meinen Brief. Ich weiß, Du wirst höchst erstaunt sein, Tatsache ist jedoch, daß ich mich von meinen Tätigkeiten zurückzuziehen gedenke. Die Enttäuschung, die Last meiner 59 Jahre der Plackerei und vergeblicher Strapazen zwingen mich, die Kampfarena zu verlassen. Ich gedenke, meine Tage in Rom zu beenden, in geistlicher Zurückgezogenheit und Frömmigkeit, für die ich, Gott sei gedankt, wahrhaft berufen bin.
Alle notwendigen Vorkehrungen sind bereits getroffen. Ich behalte die Ehrenpräsidentschaft der Frommen Werke; die Bande, die mich an das Waisenhaus und das Erziehungsinstitut fesseln, lasse ich nicht ganz abreißen, was, für mich, auch ganz undenkbar wäre, stellen sie doch die Frucht meiner bescheidenen Bemühungen dar. Ich habe von Seiten des Herrn Erzbischofs Unterstützung gefunden, der mir, wie immer, sehr gewogen ist. Ich werde mich am 22. mit der *Príncipe Guilherme* nach Rio de Janeiro einschiffen, wo ich einen kurzen Aufenthalt einlegen werde, um einige Einzelheiten mit dir zu regeln. Ich hoffe, Dir mit der Bitte um Unterkunft, für einige Tage, nicht zur Last zu fallen. Am 8. Dezember werde ich mit der *Maria Eugênia* nach Europa weiterreisen. Ich nehme, einzig und allein, meine persönlichen Siebensachen mit, einige Bücher, und als Gesellschafter nur meinen getreuen Sekretär, den jungen Seminaristen Luciano Borba do Couto Salles Menezes, dessen Studiengang ich in Rom zu betreuen gedenke, als Entgelt für die mir geleisteten treuen Dienste, da es sich bei ihm um einen jungen Mann aus erster Familie handelt, von erlesener Erziehung und nicht geringer Kultur. Wir werden Dir keine Umstände machen, Du magst beruhigt sein.
Empfiehl mich Dona Teresa Henriqueta, Deiner frommen Gattin, und meinen geliebten Neffen, die wiederzusehen ich mich schon freue. Auch hoffe ich auf die Gelegenheit, mich von unse-

rem jüngsten Bruder, Oberst Patrício Macário, zu verabschieden, obwohl ich weiß, daß Ihr Euch sehr entfremdet habt, was ich, aufrichtig, bedaure, wenn ich auch weiß, daß Du darin fraglos recht hast, denn unser Tico gehörte nie zu den Verständigsten der Familie, auch scheint die militärische Laufbahn, die, anfangs so verheißungsvoll für ihn schien, ihn nicht restlos befriedigt zu haben, weiß ich doch, aus zuverlässiger Quelle, daß es in Offizierskreisen als »klar wie Kloßbrühe« – verzeih den Jargon! – gilt, daß er nie den Generalsrang erreichen wird. Ich hoffe, ein paar Worte an ihn richten zu können, die ihm als Ansporn und geistlicher Zuspruch dienen mögen, denn ich bin sicher, daß sein Hauptproblem das Fehlen jeglichen religiösen Gefühls ist, ein Zustand, der dich, dank der Himmlischen Vorsehung, nicht plagt, wie das die vom Schöpfer über Dein Haupt ausgegossenen Wohltaten bestätigen.«

Der Brief ging so weiter, denn wie immer sparte Monsignore seine verwickelten finanziellen Probleme bis zum Schluß auf. Bonifácio Odulfo hingegen unterbrach die Lektüre, nicht so sehr aus Angst vor neuen Ausgaben, sondern weil er ein unerwartetes Gefühl ihn überfiel. Er faltete die Briefbogen auf dem Bauch zusammen, streckte die Beine unter dem Tisch aus und beschwor mit gedankenverlorenem Blick das Bild seiner Familie. Es stimmte, Monsignore war 1830 geboren, war demnach 59 Jahre alt. Fast ein Sechzigjähriger, wie die Zeit vergeht! Noch jüngst, in Salvador, war er nichts als ein verspielter Seminarist gewesen – und nun schrieb ihm ein alter Mann, ein alter Mann von sechzig Jahren, mit jener schwerfälligen und eigensinnigen Interpunktionsweise, die sich als korrekt aufspielte, betrachtete er sich doch als Meister der Prosa, worin er nicht Unrecht hatte. Ein dichter, befrachteter Stil, jedoch elegant und klassisch. Auch tragfähige Ideen, wiewohl reichlich starr. Jedenfalls wäre seine Zukunft in der Kirche eine glänzende geworden, hätte er nicht sein Leben der Erziehung und Rettung der auf Abwege geratenen Jugendlichen gewidmet, eine Zukunft, die sich mit einem Male in Vergangenheit verkehrt hatte.

Auch Bonifácio Odulfo war mit seinen 55 Jahren auf dem Buckel kein junger Mann mehr. 55 Jahre! Auch wenn er noch gut erhalten war, 55 Jahre, waren 55 Jahre, über ein halbes Jahrhundert. Jawohl, mein Lieber, über ein halbes Jahrhundert! Seine Gesundheit war abgesehen von dem trockenen Gehüstel, das ihm seit einiger Zeit hartnäckig zusetzte, ausgezeichnet, sein Befinden wie immer, seine Energie ungeschmälert, sein Aussehen ließ nichts zu wünschen übrig, nur ein paar weiße Härchen hatten sich in seine Koteletten und seine Brusthaare eingeschlichen. Zu leugnen war indes nicht, daß er mit aller Sicherheit bereits weit über die Hälfte seines Daseins hinter sich hatte. Eines schönen Tages würde seine Stunde schlagen – und der Gedanke an den Tod ließ ihn aufstehen und durchs Zimmer wandern. Der Tod, etwas, was nur den anderen widerfuhr, plötzlich steht er unvermutet in einer Ecke und wartet auf die Begegnung, der keiner entkommt. Wie würde sein Tod sein? Nervös ließ er die Fingergelenke knacken und beschloß, an anderes zu denken. Warum zum Teufel dachte er ans Sterben?

Ja, die liebe Familie. Nach einem gewissen Alter sieht der Mensch die Dinge auf völlig andere Art, manchmal auf eine Art, die der Sichtweise seiner Jugend diametral entgegengesetzt ist. Belustigt stellte er sich vor, wie es wäre, wenn er jetzt einen jungen Mann kennenlernte, der etwa so wäre wie er damals als Dreißigjähriger – die Gesellschaft eines solchen eingebildeten, überheblichen Gelbschnabels, der einfach, törichtes Geschwätz *ore rotundo* deklamierte, als wäre er die Stimme der Natur, würde er kaum ertragen können. Er war ein anderer Mensch, alle waren sie jetzt andere Menschen. Und die liebe Familie, auch die Familie ist etwas, was man in reiferen Jahren anders sieht. Was im Frühling bedrückt, beschützt im Winter. Er wollte den Gedanken aufschreiben, für ein Buch, das ihm vorschwebte, für das er dann und wann eine Zeile skizzierte, *Thoughts on Thoughts* hatte er es getauft, und das aus Beobachtungen über Maximen, Sprichwörter, Aussprüche, Redensarten und *mots d'esprit* bestehen sollte. Doch auf halbem Weg zum Tisch blieb er stehen: dieses Buch würde er nie zu Ende schreiben, und wenn, würde er es nicht veröffentlichen. Seit geraumer Zeit hatte er die Nutzlosigkeit eingesehen, seine so reiche und vielfältige Erfahrung mitzuteilen, die er als Weg zur Weisheit betrachtete, eine Weisheit, die er in zunehmendem Maße als untrennbaren Teil seiner Persönlichkeit erkannte. Unmöglich, eine derartige Reise mit jemanden zu teilen, unmöglich,alle Schritte zu rekonstruieren, um so weniger, als er sich in aller Aufrichtigkeit als eine Art Genie sah. Mehr noch, als *leader*, als Mann, der imstande war, die Geschicke der Nation unmittelbar zu beeinflussen. Wie oft schon in einsamen, nachdenklichen Augenblikken hatte er die Wirklichkeit mit solcher Klarheit vor Augen gesehen, daß er geblendet war, wie oft schon hatte er die Wahrheit in all ihrer leuchtenden Durchsichtigkeit erfahren? Doch wie dergleichen mitteilen, wie jemandem etwas sichtbar machen, was so sehr von der einfühlsamen, klugen Beobachtung im Lauf eines unleugbar beflügelten Lebens abhing? Wie jemandem von der Zivilisation sprechen, der nie in Europa gewesen war und glaubte, aus den von Büchern gebotenen blassen Bildern etwas zu wissen? Unmöglich, es war fast zum Verzweifeln. Schließlich war er selber eine Art Fremdling im eigenen Land. Dabei war er kein Europäer, in gewisser Weise besaß er im geistigen Sinn keine Staatsangehörigkeit. War das die Bestimmung von Männern der *élite*? Welche Einsamkeit doch das Genie, die Sensibilität, die Erkenntnis verursachen, es macht wahrhaft schwermütig.

Und nun rührte Clemente Andrés Brief so vieles in ihm auf ... Ja, warum diese Entfremdung in der Familie, warum diese Ferne, wenn sie nur noch so wenige waren und jetzt im Alter sich eher näherkommen sollten? Er war nie mehr nach Bahia zurückgekehrt außer bei zwei Anlässen, die nicht zu vermeiden gewesen waren. In Wahrheit widerte ihn, genau wie Henriqueta, Bahia an, ein zurückgebliebener Ort voller engstirniger, beschränkter Leute, eine schmutzige, unbehagliche Stadt, öde Gespräche und eine allgemeine Rassenvermischung, die einen Menschen von guter Herkunft nur abstoßen konnte. Dr. Noêmio betreute seine Geschäfte dort sehr gut, und Vasco Miguels ältester Sohn – kaum zu glauben, daß der Schwager schon vor sechs Jahren gestorben war, und zwar so apathisch, wie er gelebt hatte, sechs Jahre war das her! – bewies, daß er nicht nach dem Vater geschlagen war, und hatte sich als begabter Großhandelskaufmann entpuppt, so verschieden von der kraftlosen Schwerfälligkeit des gleichwohl schmerzlich betrauerten Schwagers. Und nun? Vasco Miguel tot, die Neffen in Bahia, der Monsignore auf dem Wege nach Rom, und dann der Bruch mit Patrício Macário, ein Bruch, der wie lange schon dauerte? Mehr als fünfzehn Jahre sicherlich, fast zwanzig Jahre. Fast zwanzig Jahre, in denen man sich praktisch nur bei Vasco Miguels Beerdigung gesehen hatte, und auch dort hatten sie nicht miteinander gesprochen.

Natürlich hatte er recht, Patrício Macários Verhalten verdiente weder Vergebung noch Rechtfertigung. Er erinnerte sich noch lebhaft an den Tag, an dem Henriqueta, ohne ihr Schluchzen beherrschen zu können, ihm hochnervös und aufgewühlt erzählt hatte, Tico habe sie belästigt. Sein eigener Bruder, in seinem eigenen Hause! Fast hätte er den Kopf verloren, doch Henriqueta, stets eine ungewöhnliche Frau, hatte ihm die Dinge in aller Sachlichkeit vor Augen geführt. Zum Glück reagierte er nicht unbesonnen und brauchte ihn nicht zu verunglimpfen, denn schließlich war ja nichts Konkretes passiert. Patrício Macário hatte ihre Zurückweisung richtig eingeschätzt, zumindest hatte er die Würde besessen, die Initiative zu ergreifen und das Haus zu verlassen. Jetzt gebot es die Stunde, ihn zu vergessen, ihn sein Leben leben zu lassen, jedem, der fragte, zu erklären, daß seine militärischen Pflichten ihn zwängen, fern von der Familie zu leben. Nach einer schlaflosen Nacht, in der nur Henriquetas Stärke verhinderte, daß er einen nervösen Zusammenbruch erlitt oder vielleicht sogar einem Gehirnschlag erlag, hatte Bonifácio Odulfo die Tatsache in aller Ruhe hingenommen. Nur als der Bruder ihn am nächsten Tag aufsuchte, um sich von ihm zu verabschieden, weigerte er sich natürlich, ihn zu empfangen, und schickte statt dessen Octaviano vor, der ihm ein einfaches und würdiges Billett aushändigte, in dem er ihre gegenseitigen Beziehungen auf gentlemanhafte Weise für abgebrochen erklärte. Wie Henriqueta betonte – welch außergewöhnliche Frau! –, war das eine Geste der Überlegenheit, die vielleicht eines Tages Patrício Macário zu denken geben würde.
Doch jetzt, nach so vielen Jahren, war sein Groll verflogen, geblieben war nur mehr ein gelblicher Schatten, ein Flecken, dem die Zeit seine Bedeutung genommen hatte. Armer Tico, stets ein Wirrkopf, ein kindischer Hitzkopf, ein halsstarriger Rebell, der, wie der Monsignore in seinem Brief bemerkt hatte, nicht einmal in der Militärlaufbahn, in der er sich anfangs sehr gut zu bewähren schien, Glück gehabt hatte. Nach der Teilnahme am paraguayischen Feldzug, in dem er sich dem Vernehmen nach sehr hervorgetan hatte und mehrmals mit geradezu schwindelerregender Schnelligkeit befördert worden war, geriet seine Karriere ins Stocken, er wurde von einem bürokratischen Posten auf den anderen versetzt und war, recht besehen, zu einem obskuren Offi-

zier abgesunken. Der Arme, ihm fehlten Studium und Ausbildung, ihm fehlten viele Befähigungen, welche die Natur den Brüdern so freigiebig beschert und ihm geizig vorenthalten hatte. Wieder blickte er auf des Monsignores Brief und bekam feuchte Augen. Schließlich spricht die Stimme des Blutes unüberhörbar, das Volk hat recht. Welchen Sinn hatte es, Patrício Macários Verbannung länger aufrecht zu erhalten? Hatte das Leben den Unglückseligen nicht schon genug bestraft? Die Leute sagten, er sei ein Eigenbrötler geworden, ein in sich zurückgezogener Mensch und lebe wie ein Einsiedlermönch in einem Häuschen in Matacavalos, fast ohne Freunde, obgleich er sich mit Republikanern herumtrieb.
Auch das noch. Umgang mit Republikanern, die sich als eine Art intellektueller Avantgarde aufspielten, eine Anmaßung, die beim Lesen ihrer Pamphlete und Käseblättchen, die Rio de Janeiro verpesteten, überdeutlich wurde, aber sie waren nichts als – wie hatte der Monsignore noch so treffend gesagt – ach ja, als Unruhestifter. Da mußte eigentlich die Polizei eingreifen, niemand anders als die Polizei, denn hatte der Polizeichef nicht grundsätzlich alle Kundgebungen, auch die persönlicher Art, zugunsten von republikanischem Gedankengut verboten? Wenn auch die Gerüchte immer wilder brodelten, so bleiben es doch bloße Gerüchte, und die Ruhe des Vicomte von Ouro Preto, mit dem er vor nicht allzulanger Zeit geplaudert hatte, bewies, daß die Lage stabil war. Und das konnte sie auch nur sein, denn welchen Sinn sollte die Änderung der Regierungsform, welches Ziel sollte ein so radikaler Schritt haben? England, ein leuchtendes Beispiel sozialer, administrativer, kultureller, moralischer, religiöser und ökonomischer Vollkommenheit, war eine Monarchie. Frankreich hingegen mit seiner sogenannten Dritten Republik schlitterte von einer Krise in die andere. Die Vereinigten Staaten von Amerika waren eine Republik, doch wozu dem Beispiel eines primitiven und traditionslosen Landes folgen, dessen Bruch mit England es nur von der Hauptlinie der Vorwärtsentwicklung der Menschheit entfernt hatte? Die Leichtfertigkeit des brasilianischen Volkes, seine kindliche Begeisterungsfähigkeit für Moden, sein Drang zu immer weiteren Neuigkeiten machten wohl den bedenklichsten Charakterzug eines profil- und richtungslosen Volkes aus. Und da ließ sich Patrício Macário in das unbeson-

nene Abenteuer ein, in diese sinnlose Zeitvergeudung, in diese Donquichotterie, die noch komisch sein könnte, wäre sie andererseits nicht so ärgerlich.

Nein, nein, etwas mußte getan werden, um die Familie von neuem zusammenzuschweißen. Er mochte nicht der Älteste sein, doch er war unbestreitbar der Erbe des Vaters, mithin das Familienoberhaupt. Das brachte höhere Pflichten mit sich als die Gebote persönlichen Nutzens und angestauten Grolls, mochte der noch so berechtigt sein. Wahr, sehr wahr. Der Brief des Monsignore war wie eine Art von Warnung eingetroffen, ein machtvolles Erinnerungswort an vernachlässigte Pflicht. Glücklicherweise geschieht alles zur rechten Zeit. Vorher war er nicht darauf eingestellt gewesen, auch waren die Umstände nicht die angemessensten gewesen. Doch jetzt war der Augenblick gekommen, eine Lektion in Größe, Urteilsvermögen und Verantwortungsbewußtsein zu erteilen.

Er war stolz auf die natürliche und eben deshalb auch erbauliche Art und Weise, mit der er zu der so naheliegenden und besonnenen Schlußfolgerung gelangt war. Das war die Weisheit, die Ausgeglichenheit, die ihn von den übrigen Menschen unterschied – diese fabelhafte Fähigkeit, sich ständig zu erneuern, sich unerwarteten Situationen anzupassen, aufzuspüren, was das Richtige war zur richtigen Zeit. Nun galt es nur noch Henriquetas Widerstand zu begegnen. Sie hatte Ticos Namen nie mehr in den Mund genommen, es war, als wäre er für sie gestorben. Aber er kannte ihr Herz, es war großzügig, ungestüm, impulsiv, und genauso rasch wie sie sich in einer kurzlebigen Wut verlor, verzieh sie in einer Aufwallung von Liebe, die ebenso frei war von Berechnung wie die Zuneigung eines Kindes. Nicht umsonst gab es in der vornehmen Gesellschaft von Rio de Janeiro keine einzige Dame, die so geschätzt wurde wie sie, sei es, weil sie unermüdlich als Mäzenin wirkte und Dutzende von jungen Künstlern unterstützte, die sie förmlich anbeteten, sei es wegen der Salons, in denen sie den Vorsitz führte und wo guter Geschmack, Raffinement und adelige Schlichtheit den Ton angaben. Er war sicher, sie würde sich mit der Idee einverstanden erklären, die in seinem Geist Gestalt gewonnen hatte: eine Familienversammlung, ein Treffen, bei dem häßliche Kanten glattgefeilt, wo der verlorengegangene gute Wille wiederhergestellt und

die lockergewordenen Bande von neuem geknüpft werden würden. Daß der Monsignore kam, war eine kostbare Gelegenheit. Er würde ihr zeigen, wie gut dies Clemente André tun würde, der in solche Ferne überzusiedeln gedachte, um vielleicht nie mehr mit ihnen zusammenzusein, zumindest nicht in Brasilien. Und wie gut es täte, ihrer aller Sinn für die Sippe, die dynastische Linie, den Familienstolz zu stärken, den einzutrichtern er seinen Kindern, Luiz-Phelippe und Isabel Regina, die in Wahrheit ihre Verwandten sehr wenig kannten, sich zur Ehrenpflicht gemacht hatte. Ja, das war ein wichtiges, höchst wichtiges Argument. Er war entschlossen. Festlich würde er die Familie vereinen, er würde Tico verzeihen, und seinem Bruder, dem Prälaten, einen würdigen Abschied geben. Das war die Pflicht des Oberhaupts einer Familie, die, sofern sie es nicht schon war, unfehlbar eine der bedeutendsten Brasiliens werden würde.
Er setzte sich wieder hin, mit einem befriedigten Lächeln. Zerstreut blätterte er noch einige Augenblicke im Brief des Bruders und rief sich bunte Kinderbilder in Erinnerung – Amleto, wie er an sonnigen Sonntagen den Vorsitz beim Mittagessen führte, Teolina, glücklich trotz ihrer ewigen Leidensmiene, Carlota Borroméia, bleich und spröde, doch lachend, wenn sie von ihren Klavierstunden erzählte, der Garten draußen in allen Schattierungen schimmernd, der Wind blähte die Vorhänge, die Freunde plauderten über Dinge, die zu jener Zeit äußerst anspruchsvoll und blitzgescheit klangen und weit über den Horizont dessen hinausgingen, der nicht über reichlich Bildung und Erfahrung verfügte, die dampfenden Terrinen durchsegelten die Korridore wie luftige Schiffchen auf den Händen der Negerinnen, nie wieder erlebte Gerüche und Geschmackskitzel, nie wieder erfahrene Verzauberungen. Er verzog die Lippen so stark nach unten, daß seine Wangen bebten, er glaubte, die Tränen nicht zurückhalten zu können, doch glücklicherweise war er allein, Herr seiner Besitzungen, und konnte tun und lassen, was er wollte, er konnte sogar einen Ferientag ausrufen für die Hunderte von Angestellten, die dort draußen arbeiteten, fern von den Empfindungen, welche die Seele jenes einsamen, abgesonderten Mannes bestürmten, einsam wie ein General, der vom Feldherrnhügel aus die Schlacht beobachtet, mit flammendem Geist, während die Soldaten, bloße Spielzeuge im großartigen Panorama der Ge-

schichte, kämpften, ohne an dem tiefsten Leiden teilzuhaben, dem Leiden eines Mannes nämlich, der befiehlt und die Implikationen großer Ereignisse kennt, welche die Geschichte der Völker entscheiden. In seinem rechten Auge glänzte unverschämterweise eine hartnäckige Träne, die er fast ganz mit den Lidrändern aufsaugte, und er fuhr sich mit dem Handrücken über das Gesicht, um die feuchte Spur fortzuwischen, die sie dann doch noch auf seiner Wange hinterlassen hatte. Nein, er würde nicht weinen, Weinen führte zu nichts, es bedeutete nichts außer einem Augenblick der Schwäche, und diese Augenblicke lohnen nur, wenn sie jene, die sie zu bestehen haben, zur Tat antreiben.
Fast eine Minute lang blieb er, während sein Lächeln sich allmählich in einen verbohrten Gesichtsausdruck verwandelte, mit an der Schreibtischkante verkrampften Händen stehen. Und als ob eine jähe Kraft ihn überwältigte, ging er von nachdenklicher Betrachtung zur Tat über. Er riß die erste Seite eines Notizblocks ab, tauchte die Feder ins Tintenfaß, und nachdem er mehrere Blätter zerknüllt hatte, setzte er, in einer anfangs allzu weitschweifigen Sprache, die er aber sogleich durch kräftige Federstriche, die das Papier durchbohrten, verbesserte, ein Telegramm an Clemente André auf, indem er ihn ermahnte, so bald wie möglich zu kommen, um von einer vereinten, ihn sehnlichst erwartenden Familie festlich empfangen zu werden. Er streckte die Arme vor, um das beschriebene Blatt besser lesen zu können, und war mit seiner Arbeit zufrieden, fügte zwei Kommata ein, damit der Bruder ihn nicht wegen Unachtsamkeit in bezug auf adverbiale Ergänzungen tadele, und preßte den Bügel des Löschers mit beiden Händen über den gesamten Wortlaut. Das Werk war fertig, endgültig, makellos, wie jedes Stück von seiner Handschrift. Mit gerecktem Zeigefinger, behutsam, um sich keinem unvorhersehbaren Unglück auszusetzen, drückte er auf den elektrischen Klingelknopf, den er kürzlich widerstrebend hatte anbringen lassen, denn im Gegensatz zu Henriqueta hegte er den Verdacht, in Dingen, die losgingen, ohne daß jemand sie aufgezogen hatte, könnte irgendetwas Explosives stecken. Da der Raum durch eine labyrinthische Barriere von Türen, Winkeln und elephantengroßen Möbeln verschanzt war, konnte er die Glocke nicht hören, die im Vorraum, in dem Octaviano arbeitete, läuten mußte. Moderne Dinge, höchst ärgerliche Dinge,

dachte er, während er den Finger, als fiele es ihm schwer, damit aufzuhören, auf den schwarzglänzenden Knopf drückte.
Jetzt, wo ihm das alles aufgegangen war, sah er auch in Octaviano den Inbegriff schon recht fortgeschrittener Altersschwäche, wie er so gebückt dastand, als könnte er nicht mehr geradeaus blicken, erschöpft und enttäuscht wie einer, der trotz der Möglichkeiten, die ihm die Arbeit bietet, es nicht verstanden hatte, sich im Leben durchzusetzen, fast ein geschrumpfter Greis. Octaviano erschien in der Tür und zupfte seinen Rock zurecht.
»Jawohl, Senhor. Ist etwas Ernstes? Die Glocke ...«
»Die Glocke ist da, um Sie zu rufen, Octaviano, kein Grund zur Verwunderung darüber, daß sie benutzt wird.«
»Jawohl, Senhor, gewiß doch. Aber da sie so schrill geläutet hat, dachte ich ...«
»Denken Sie weniger, Octaviano, handeln Sie mehr.«
»Jawohl, Senhor.«
»Hier, ein Telegramm, das ich soeben aufgesetzt habe und das sofort aufgegeben werden muß.«
»Jawohl, Senhor. Als Eiltelegramm?«
»Ja, als Eiltelegramm. Lesen Sie es, um festzustellen, ob Sie alles verstehen, was da steht.«
»Aber selbstverständlich, Herr Dr. Bonifácio Odulfo. Selbstverständlich, es ist alles klar, völlig klar.«
»Sind Sie sicher? Es wäre nicht das erste Mal, daß ich Ihnen ein makelloses Original aushändige, um hinterher eine fehlerhafte Abschrift vor mir zu sehen.«
»Jawohl, Senhor, aber es ist alles ganz in Ordnung, durchaus klar, sehr klar. Möchten Sie, daß ich es laut lese?«
»Tun Sie das.«
Er blickte an die Decke, während Octaviano, die Brillengläser mit zitternden Händen zurechtrückend, die zwölf Zeilen des Telegramms wie ein Rezitator vorlas.
»Einen Augenblick. Wo ›völlig‹ steht, setzen Sie ›sattsam‹.«
»Sattsam. Jawohl, Senhor.«
»Lesen Sie von neuem. Nein, nein, lassen Sie doch ›völlig‹ stehen. Ich befürchte, daß der Telegraphist statt ›sattsam‹ ›sittsam‹ versteht, man darf die Unwissenheit der brasilianischen Beamten nie unterschätzen.«

»Jawohl, Senhor. ›Völlig‹.«
»Gut, lesen Sie jetzt von neuem.«
Diesmal begleitete er die Lesung mit Kopfbewegungen. Sehr gut abgefaßt, wirklich, sehr gut abgefaßt.
»In Ordnung, Octaviano. Sehr gut. Sie können das Telegramm aufgeben. Ah ja, einen Augenblick. Haben Sie den Schlüssel für den Telephonraum?«
»Jawohl, Senhor. Brauchen Sie ihn?«
»Natürlich nicht. Was sollte ich mit ihm anfangen? Ich will, daß Sie für mich ein Telephongespräch führen. Funktioniert das Telephon heute?«
»Ich habe es noch nicht überprüft, Herr Dr. Bonifácio Odulfo. Vielleicht geht es nicht. Diese Apparate sind sehr empfindlich, sie gehen dauernd kaputt, und heute üben die Probleme vielleicht einen gewissen Einfluß auf sie aus.«
»Probleme? Was für Probleme denn?«
»Das steht in den Zeitungen, Herr Doktor. In der ganzen Stadt wird davon gesprochen.«
»Sie wissen sehr genau, daß ich keine brasilianischen Zeitungen lese, und schon gar nicht diesen anarchisch-republikanischen Quatsch, der anscheinend das einzige ist, was in diesem Land veröffentlicht wird. Und noch viel weniger Zeit habe ich, solchen Gerüchten Gehör zu schenken. Aber was gibt es denn Neues?«
»Die Nachricht, daß Marschall Deodoro da Fonseca und mehrere republikanische Rädelsführer morgen festgenommen werden. Es herrscht ein Klima großer Umtriebe, man spricht vom Sturz der Regierung und von nichts anderem.«
»Unsinn. Wenn sie festgenommen werden, um so besser für das Land. Passieren wird nichts, ich bin an diese Art Gerüchtemacherei gewöhnt. Nur heißt das anders. Es heißt Nichts-Besseres-zu-tun-haben. Sehen Sie zu, daß Sie eine Verbindung zur Heeresabteilung herstellen, wo mein Bruder, Oberst Patrício Macário, arbeitet. Ich weiß nicht, welche Abteilung es ist, ich habe mich nie dafür interessiert. Versuchen Sie das schleunigst festzustellen, und melden Sie mir sofort das Ergebnis.«
»Sehr wohl, Senhor.«
Octaviano verließ den Raum, und Bonifácio Odulfo stand auf, trat zum Fenster und blickte auf den Largo da Glória hinunter.

Großartige Idee, das Telephon zu benutzen. Auf diese Weise würde er einen Brief vermeiden, der ihn bloßstellen konnte, und sich *viva voce* an seinen Bruder wenden, und zwar in dem herablassenden Tonfall, den er sich ausgedacht hatte. Was für eine herrliche Erfindung, das Telephon, Geld und Ansehen sind doch zu etwas nütze. Dumm nur, daß das Telephonieren so lange dauerte, er war dann immer so unruhig, daß er die notwendige Aufmerksamkeit für die Angelegenheiten, deren Unterlagen auf seinem Schreibtisch warteten, nicht mehr aufbrachte. Trotzdem setzte er sich, zog den Stapel Papiere näher an sich heran und begann sie zu prüfen, doch nach fast einer halben Stunde merkte er, daß er, würde er gefragt, was er soeben gelesen habe, nicht würde antworten können, er hatte überhaupt nicht aufgepaßt. Teufel noch mal, ob der Dummkopf von Octaviano diese Verbindung je zustande brachte? Wieder drückte er auf die Klingel, Octaviano trat atemlos herein, das Haar wirr, der Rock verrutscht, als habe er ihn hastig übergezogen.

»Jawohl, Senhor! Wenn es wegen der Telephonverbindung ist, Herr Bonifácio Odulfo, sie ist so gut wie hergestellt!«

»Inzwischen ist fast eine Stunde vergangen, Octaviano, ich kann nicht den ganzen Tag warten.«

»Ich weiß, Herr Dr. Bonifácio Odulfo, es ist nämlich ein kleiner Brand in der Installation von der Telephongesellschaft ausgebrochen und die Verbindungen dauern daher etwas länger, aber der Telephonist ...«

»Der was?«

»Der Telephonist, der Bedienstete, der für diesen Verbindungsdienst zuständig ist. Also, der Telephonist hat mir versichert, daß die Verbindung in wenigen Minuten hergestellt sein wird.«

»Der Telephonist ... Bald wird diese Barbarei in den Wörterbüchern stehen. Telephonist, ehrlich gestanden ... Ist in Ordnung, Octaviano, aber wenn Ihr Herr Telephonist – was für ein Wort, Herr des Himmels! – die Verbindung nicht innerhalb einer Viertelstunde herstellt, lassen Sie mich das wissen, es ist mir eilig damit, denn sonst schicke ich einen Boten los.«

»Sehr wohl, Senhor, aber das wird nicht notwendig sein. Ich bin sicher, daß alles von Erfolg gekrönt sein wird, Herr Doktor. Darf ich mich zurückziehen?«

»Gehen Sie, gehen Sie schon, sputen Sie sich.«
»Sehr wohl, Senhor.«
Octaviano ging ebenso rasch, wie er gekommen war, und kaum hatte er die Zimmertür hinter sich geschlossen, kehrte er zurück.
»Die Verbindung, Herr Doktor.«
Bonifácio Odulfo stand auf, straffte sich, ordnete seine Kleidung, räusperte sich, setzte eine bedächtige Miene auf und begleitete Octaviano in den Telephonraum, aus dem die anderen Angestellten, denen er einen ärgerlichen Blick zuwarf, mit einer Andacht verschwanden, als hätten sie soeben einem Wunder beigewohnt. Er betrat den kleinen Raum, räusperte sich abermals, nahm aus Octavianos Händen die Hörermuschel seines nagelneuen deutschen Fernsprechapparates entgegen und ließ sich vorwärtsgebeugt auf dem Stuhl nieder, der ihm vor die Konsole gerückt worden war.
»Sie können gehen«, sagte er. »Das ist ein Privatgespräch.«
»Sehr wohl, Senhor.«
Doch die Unterhaltung wurde schwierig. Patrício Macários Stimme, die wie das Quäken einer ausgeleierten Spieldose klang, verwandelte alle Vokale in ein geschlossenes *e* und war kaum zu verstehen, sie kam in Wellen, die anstiegen und dann in unerreichbare Weiten zu verebben schienen. Dennoch konnte er zwischen Schreien, die so laut waren, daß sie durch die Ritzen des Kabinetts drangen, wenigstens verstehen, daß Patrício Macário versprach, ihn baldmöglichst aufzusuchen, sowie daß einige wichtige Ereignisse, die jeden Augenblick hereinbrechen konnten, sich klarer abzeichneten. Vorläufig könnte er nicht mehr sagen, nicht nur weil gewisse Dinge nicht durchs Telephon gesagt werden sollten, sondern auch, weil die Zeit dafür zu kurz sei. Bonifácio Odulfo wollte wissen, um was für ernste Ereignisse es sich handle.
»Stimmt es, was die Gerüchte behaupten?«
»Wie bitte?«
»Ist es wahr, was die Gerüchte behaupten?«
»Wie bitte?«
»Sind es Ereignisse, die mit der Regierung zu tun haben?«
»Ja, ja. Frage mich jetzt nicht, später erkläre ich dir alles!«
»Glaubst du nicht, daß es Gerüchte, lediglich Gerüchte sind?«

»Was?«
»Gerüchte, Gerüchte!«
»Ich verstehe nicht! Später spreche ich mit dir, denn ...«
Das Telephon verstummte und gab nur noch eine Folge von düsterem Gezisch, Geprassel und Pfeifen von sich, möglicherweise ein Zeichen, daß der ganze Plunder explodieren oder in Flammen aufgehen würde. Bonifácio Odulfo öffnete die Tür, rief Octaviano und sagte ihm, er möge den Apparat ausschalten und dabei die Sicherheitsvorschriften genau beachten, damit das Telephon sich ja nicht allzu stark erhitze und womöglich das Gebäude in Brand stecke, wie es offenbar in der Telephonzentrale geschehen sei. Befriedigt darüber, daß die Verbindung zustande gekommen war, trotz kleiner Schwierigkeiten, die bei Verwendung wenig gewohnter, wiewohl durch die moderne Technik vervollkommneter Instrumente ganz natürlich waren, verließ er den Raum. Patrício Macário würde also kommen, und alles würde nach seinem Wunsch vonstatten gehen, einen Telephonanruf konnte niemand unbeachtet lassen.

Cocorobó, Sertão den 1. März 1897

Wie jede gute Mauleselin strauchelt die Mula Periquita nicht, sie scheut nicht, sie beschleunigt nicht, noch verlangsamt sie den Schritt beliebig, sie schielt nicht seitwärts, sie verhakt ihre Hufe nicht im Gestrüpp, sie trottet fest durch das trockene Gestrüpp der steinigen Caatinga, ohne daß man ihr den Marschweg weisen muß, der ihr vertraut ist. Warum stockte sie dann am Rand des Plateaus, das sie doch seit ihrer Geburt kennt? Und warum hat sie dann, als sie den Marsch widerwillig fortsetzte, fast gescheut, die Nüstern aufgerissen, den Kopf geschüttelt und die Vorderhufe gehoben, als wolle sie sich bäumen.
»Ruhig, Periquita!« sagte Filomeno Cabrito, der an ihre Kopfseite eilte und ins Halfter griff. »Nur ruhig, Menschenskind!« Was zum Teufel ist bloß in die Mula gefahren, sonst war sie immer so zuverlässig, immer eine gute Arbeiterin, und jetzt stellt sie sich plötzlich so an und erschreckt die anderen damit und verhindert, daß sie rascher vorankommen? Sie hatten von Uauá

mit diesem kleinen Mauleseltrupp ein paar gute Meilen zurückgelegt, mit einer Ladung Pulver, mit Patronen und Waffen für das Dorf Canudos, sie hatten noch einen langen Marsch vor sich und mußten wegen der Soldaten, die hier überall herumschwirrten, ziemliche Umwege machen, wie konnte das Tier da plötzlich so widerborstig sein? Filomeno ließ das Halfter nicht mehr los, er musterte die Mauleselin und gab ihr einen Klaps auf die Flanke. Sie schien ruhiger zu werden, schnaubte aber noch immer und schüttelte dann und wann den Kopf. Er spähte in ihre Ohren, um nachzusehen, ob da irgendein Käfer hineingekrochen war, fand aber nichts. Mittag war vorüber, vielleicht befanden sich die Soldaten bereits in Rosário, dicht bei Canudos, zum Angriff bereit. Ob das Eselstier sie in der Luft wittern konnte, diese verdammten Drecksschweine von der Regierung? Mit einem leisen Pfiff rief er den kleinen Caruá herbei, der die beiden hinteren Mauleselinnen führte und ein Weilchen brauchte, bis er aufgerückt war.

»Ob diese Mula was wittert?« fragte Filomeno. »So komisch hab ich sie noch nie gesehen.«

»Die sind alle so, die anderen vier sind auch so. Ich glaub, die wittern was, ja, da ist was. Ich weiß nicht, was es ist, aber die sind nicht einfach so, da muß was sein. Aber jetzt ist sie wieder ruhiger, schau, sie schnaubt nicht mehr.«

»Aber wenn sie was gewittert hat, dann kann es nicht einfach so verschwunden sein, so als wenn's weggeflogen wär.«

»Na, aber wir müssen weiter, ist doch so, oder?«

»Ja, machen wir, daß wir loskommen. He, Mula Periquita! Looos!«

Caruá rannte zurück, bekreuzigte sich bei einem Rundblick über die Caatinga, und ihm war, als hätte auch er etwas gewittert. Vielleicht nicht mal was Schlimmes, konnte auch was Gutes sein, ein Schutz, der von oben kam, für ihre gefährliche Mission. Wer mit Gott und Unserer Lieben Frau geht, der hat vor nichts Angst, dachte er und bekreuzigte sich abermals.

Obwohl er entschlossen war, nicht mehr von Periquitas Seite zu weichen, vergaß Filomeno doch den Vorfall, einfach deshalb, weil die Mauleselin jetzt unverzagt voranschritt, ihr Kopf hob und senkte sich gleichmütig, während sie durch die Caatinga trottete, als habe sie es eilig. Gute Eselin, gutes Marschtempo, und Filomeno atmete tief. Nach dem kleinen Regenguß, der vor kurzem heruntergegangen war, duftete die Erde und der Sertão war eine große lebendige Schönheit und erfüllte ihn mit der Fröhlichkeit eines jungen losgelassenen Ziegenbocks, und vor lauter Zufriedenheit hüpfte er vorwärts. Er war glücklich, sehr glücklich, er hatte das Leben gefunden, das er sich wünschte, nicht nur das Leben, sondern auch die Hoffnung. Nichts war mehr wie in der Ödnis von Conceiçao do Canindé, er wurde nicht mehr geschunden, schlimmer als die schwarzen Sklaven, es gab keinen Hunger mehr, nicht mehr das Gefühl, daß es auf der Welt keinen Platz für ihn gab. Jetzt hatte er seinen Platz, und er nahm ihn stolz ein, hier neben der Mauleselin Periquita, beim Waffentransport für den heiligen Kampf, in dem sie wieder mal diesen Tyrannen beweisen würden, die sie unterjochen und demütigen und mit den gottlosen und wer weiß woher geholten Gesetzen unterwerfen wollten, daß es nichts gab, was den Glauben und die Liebe besiegen konnte. Nichts würden die da besiegen, nie würden die siegen, nie würden die ihm das stolze Glück rauben, daß er jetzt so lebte, wie er immer leben wollte, mitten in seinem Land, und sich mit seinen Worten verständigte, sein Essen essen konnte, seine Antworten wußte und niemand war für ihn ein Fremder, alles so, wie es auf der Welt sein soll, alles auf der Welt genau so, wie es sein soll. Noch war es nicht so, aber so würde es werden, und der Tag an dem das kommen würde, der war nicht mehr fern, sondern nah, sehr nah sogar. Filomeno lächelte und spürte nicht, daß die Mauleselin, obgleich sie nicht scheute, von neuem unruhig wurde. Aber Caruá rannte zu ihm und fragte, ob er nichts bemerkt habe. Nein, er hatte weder etwas gehört noch gesehen, er war mit seinen Gedanken beschäftigt, er dachte an die Schönheiten des Lebens und an die Güte Gottes. Aber bei unserem Erlöser, Meister Filomeno, sehen Sie denn nicht, daß es hier im Gestrüpp von Leuten wimmelt? Filomeno hielt die Mauleselin an und spähte über die Caatinga. Tatsächlich, was für eine heimtückische Stille, das war keine gute Stille. Er begann die Pflanzen in der Nähe zu mustern, um zu sehen, ob er Anzeichen für Menschen entdeckte, fand aber nicht die Zeit, sich zu bücken, um eine Kriechdistel zu untersuchen, die zertrampelt aussah und seine Aufmerksamkeit erregt hatte, weil er ein Geräusch vernahm, einen Blitz im Kopf zucken

spürte und erst viel später mit einem heftigen Schmerz erwachte, an Füßen und Händen gefesselt, auf dem Erdboden liegend, vor ihm ein Uniformierter, der ihm Fußtritte in die Rippen versetzte.
»He du! Wach auf, lausiger Lumpenkerl! Wach auf du Pestbeule, wo ist dein Banditenmut? Wach auf du Stück Dreck!«
Filomeno wollte sich umdrehen, um den Mann anzusehen, konnte sich aber nicht rühren, man hatte ihn auf die Seite gelegt und die Hand- und Fußfesseln am Rücken verschnürt.
»Brauchst dich nicht umdrehen beim Reden, bleib wie du bist!« schrie der Mann und trat ihm erneut in die Rippen.
»Was war denn, was denn?«
»Du fragst überhaupt gar nicht, du Hundesohn!«
Wieder gab er ihm einen Fußtritt, diesmal viel stärker als zuvor, und Filomeno bekam einen Hustenanfall.
»Wer von euch beiden ist der Anführer von dieser Schmuggelbande?« fragte ein anderer Mann, den Filomeno nicht sehen konnte.
»Das muß der da sein«, antwortete der Mann, der ihm in die Rippen trat. »Der ist der ältere.«
»Ja, ich bin der Anführer, der Anführer bin ich!« schrie Filomeno, als er merkte, daß sie über Caruá sprachen. »Er weiß nicht mal, was ich mithab, den Jungen hab ich nur für die Maulesel angestellt.«
»Ja, das muß der Anführer sein«, sagte der zweite Mann. »Dann bring den hier um, fürs Verhör brauchen wir nur einen, wie sind sowieso spät dran.«
»Umlegen wollen Sie den Jungen da? Aber der Kleine hat doch gar nichts getan, ich trage doch die Verantwortung!«
»Halt's Maul!« sagte der erste Mann mit einem weiteren Fußtritt, diesmal Filomeno genau in den Magen, und da er sich unter dem Schmerz nicht krümmen konnte, verlor er einige Augenblicke lang das Bewußtsein. Aber er kam rechtzeitig wieder zu sich und konnte in nächster Nähe gedämpfte Stimmen hören, und gleich darauf drei Schüsse, der erste begleitet von einem erstickten Stöhnen, die zwei anderen gefolgt vom Geflatter der vom Lärm aufgescheuchten Vögel.
»Sollen wir ihn begraben?« fragte eine schrille Stimme.
»Und die Geier hungern lassen?« erwiderte der Mann, der den

Befehl zum Erschießen gegeben hatte. »Wenn sie einen von uns abschießen, dann begraben sie ihn auch nicht, bei mir geht es Auge um Auge.«
»Jawohl, Senhor. Kann ich mir sein Koppel nehmen? Das ist ein schönes Stück, wär doch eine Schande, wenn das hierbleiben würde, Herr Leutnant.«
»Nimm dir's, nimm dir's nur.«
Sie kamen auf Filomeno zu, diesmal von allen Seiten. Es mußten zehn oder zwölf sein, sicherlich ein in der Gegend verirrtes Pikett, oder aber ein Zeichen, daß das Heer näher stationiert war als vermutet, ob sie Canudos schon angegriffen hatten? Er konnte nichts sagen, nur hören, wie sie über sein Los stritten. Der erste Mann fragte den zweiten, ob man ihn nicht an Ort und Stelle verhören sollte, mit ein paar Säbelhieben dürfte es nicht schwerfallen, ihn zum Sprechen zu bringen. Aber der zweite sagte nein, sie wüßten ja bereits alles, was sie für den Augenblick wissen wollten. Das waren die Waffen für die Fanatiker, und sie hatten sie beschlagnahmt und würden sie nach Angico bringen. Das übrige – wie sie besorgt worden waren, wer sie besorgt hatte – würden sie später herauskriegen, das war jetzt nicht von Bedeutung. Es könnte dunkel werden, bevor sie Angico erreichten, nachts zu marschieren, müde und durch ein unbekanntes Gebiet, war nicht zu empfehlen. Er befahl, man sollte Filomenos Beine losbinden und ihm aufhelfen, doch er konnte sich nicht auf den Füßen halten und mußte von zwei Gemeinen gestützt werden.
»Weißt du den Weg nach Angico?« fragte ihn der junge Infanterieoffizier, dessen Gesicht mit Kinnbart und gewichstem Schnurrbart er trotz seiner Benommenheit deutlich erkennen konnte.
»Ja.«
»Jawohl, Senhor!« herrschte ihn der Offizier an.
»Sie auch?«
Der Offizier tat einen Schritt vor, hob den rechten Arm und schlug Filomeno mit aller Kraft ins Gesicht.
»Unverschämtheiten verbitte ich mir!« schrie er. »Gesindel! Verbohrter Fanatiker! Wir werden euch verkommenen Haufen lehren, wie man mit einem Offizier der Republikanischen Armee umgeht! Entweder wir lehren es euch, oder wir rotten euch aus, Leute wie ihr sind die Schande der Nation!«

Plötzlich wurde er ruhig, trat auf Filomeno zu und sagte dicht vor seinem Gesicht:

»Hör zu. Du wirst uns nach Angico führen, zum alten Gutshof. Wir haben zwei Soldaten, die sind Eselstreiber und werden die Maulesel hier nach deinen Anweisungen treiben. Ein dritter wird sich an deine Fersen heften, um dir das Hirn in die Luft zu pusten, sobald du die geringsten Anstalten machst, uns zu verraten. Wenn wir in einen Hinterhalt geraten oder in die Irre geleitet werden, bist du der erste, der ins Gras beißt, das garantiere ich dir. Ich weiß, daß wir etwa südostwärts marschieren müssen, ich habe einen Apparat bei mir, der mir sagt in welche Richtung wir gehen. Drum versuch nicht, mich reinzulegen, denn das wird dir nicht gelingen.«

Zunächst schwankend, dann aber fester auftretend, ging Filomeno an die Spitze des Mauleseltrupps, blickte aus den Augenwinkeln nach Periquita, die sich gegen das von einem schwarzen Soldaten gehaltene Halfter sträubte, der auf sie einhieb, ohne sie kleinzukriegen.

»Ruhig«, sagte er zu ihr, weil er nicht wollte, daß sie geschlagen wurde, und sie hielt still.

»Los jetzt«, sagte der als Begleiter eingesetzte Soldat und zog die Pistole.

»Herr Leutnant, finden Sie nicht, daß es riskant ist, daß so einer wie der da uns führt?« fragte jemand.

»Er wird nicht so blöd sein und mich täuschen wollen. Hinter ihm geht Picanço mit der Pistole an seinem Kopf, und ich halte die Augen auf den Kompaß, ich weiß, es geht nach Südosten, ich weiß nur nicht den genauen Weg. Diese Leute denken nicht, die leben nur aus dem Instinkt, die stehen auf der Grenze zwischen Mensch und Tier. Keine Sorge.«

Also nach Angico. In diesem Fall mußte Filomeno vor der Mauleselin gehen, denn sie trabte in Richtung Dorf. Aber sollte er diese Leute wirklich nach Angico führen, damit sie dort ihre Kameraden trafen und ihn gemeinsam zu Tode folterten? Auf jeden Fall wartete der sichere Tod auf ihn, drum lieber einen anständigen Tod, der zu etwas nütze ist, statt einen sinnlosen Tod, der nur dem Feind dient. Und der Apparat von dem Leutnant? Zum Teufel damit, wenn der Apparat was taugen würde, dann bräuchten sie ja keinen Führer. Er blickte auf Periquita, die unbeirrt in Richtung Dorf trabte, er war stolz auf sie, er tat weiter so, als führte er an, alles lag in Gottes Hand.

Dennoch, jetzt wo die Kolonne still war und nur das leise Geräusch der durchs Blattwerk raschelnden Schritte von Mensch und Tier zu hören war, wimmelte das Gebüsch immer noch von Menschen, da war er ganz sicher. Er war kein Fährtensucher, aber er konnte erkennen, wenn Menschen dagewesen waren, konnte starke Gerüche riechen, den Geruch eines erstickten Lagerfeuers, den von ausgeschüttetem Kaffeesatz. Und sicherlich waren es keine Leute von denen, denn die hatten beim Gehen keine Pflanzen zerknickt, das waren Leute, die wußten, wie man sich hier bewegte, und die die Richtung kannten. Leute von Conselheiro, seine Leute? Erst war es nur etwas, was er glauben wollte, aber dann sagte er sich, er wär da ganz sicher, und er wurde fröhlich, ohne die Gangart oder den Gesichtsausdruck zu ändern, jetzt war alles nur eine Frage der Zeit. Ja, auch der Zeit zum Sterben, denn der Soldat Picanço, der sich den Strick, mit dem Filomeno gefesselt war, um den Gürtel gewunden hatte, nahm die Pistole nicht von seinem Kopf weg, wechselte nur hin und wieder die Hand. Filomeno fragte sich, ob er in den Himmel kommen würde nach einem so gewalttätigen Tod ohne Beichte, Kommunion und letzte Ölung. Vielleicht nein, vielleicht aber auch ja, weil in einem Fall wie diesem Gott sicherlich sieht, daß das gegen den Willen des Sterbenden geschah. Jedenfalls begann er still zu beten, um zum Schluß seine Seele mit der Bitte um Vergebung seiner Sünden Gott demütig zu empfehlen.

Vielleicht betete er noch, abermals in die eigenen Gedanken vertieft, als der Kommandant die Kolonne anhalten ließ. Er wollte sich über ihr Marschtempo Klarheit verschaffen, wollte wissen, wie lange es noch bis Angico war, ob sie vor Einbruch der Nacht ankommen würden oder nicht. Filomeno antwortete, in dieser Gegend käme die Nacht gewöhnlich sehr plötzlich, besonders wenn es regnete, und das wäre wahrscheinlich, so daß man besser damit rechnete, daß man erst bei Dunkelheit ankam, sie müßten wohl einen Nachtmarsch machen. Dem Kommandanten gefiel die Auskunft gar nicht, und er drohte ihn auspeitschen und sofort erschießen zu lassen. Er griff nach seinem Apparat, hob eine Art Deckel, und während er in dem

Waldstück, in dem sie sich befanden, mehrmals den Standort wechselte, las er mit konzentrierter Miene etliche Positionen ab. Er rief einen Gemeinen, befahl ihm, aus einem Feldbeutel eine Landkarte zu holen, die er dann faltete, um sie leichter studieren zu können. Er machte ein paar Notizen, berechnete Entfernungen und rief einen anderen Offizier, um ihm zu zeigen, was er tat. Nach langer Beratung nickte er kräftig bei einer Bemerkung, die der andere machte, und gab das Zeichen, den Marsch fortzusetzen. Filomeno fand das Ritual äußerst komisch, ließ sich aber nichts anmerken, als er mit einem Lippenschnalzen Periquita zum Weitergehen brachte.

Ja, die Nacht fällt plötzlich über die Caatinga herein, so plötzlich, daß es oft den Anschein hat, als blinzle der Wanderer, und wenn er die Augen wieder aufschlägt, sieht er, daß die Nacht bereits die Stelle des Tages eingenommen hat. So geschah es allen Männern des Trupps, ausgenommen Filomeno, der jedes Zeichen der Nacht kannte und wußte, daß sie mit immer gleichem Schritt nahte, ohne Eile noch Säumen. Der Kommandant ließ zwei Laternen anzünden, eine vorne und die andere am Ende, die Kolonne bog jetzt in den Trilha do Velho, den Pfad-des-Alten ein, und plötzlich krachte eine dichte Reihe von Detonationen im Busch los, die Lichter gingen aus, und Picanço brach röchelnd zusammen, unter Geschrei, Gerenne, und dem Schnauben der Mauleselinnen. Filomeno hatte außer den Blitzen, die dem Knallen vorausgingen, nichts sehen können, aber er merkte sofort, daß der Soldat, mit dem zusammen er zu Boden gestürzt war, tot war, und er versuchte, den Strick zu lösen, der sie aneinander band, jedoch ohne Erfolg. Die Schießerei aber hörte so unerwartet auf, wie sie begonnen hatte, nur Stimmengewirr war noch zu hören, ein paar Schreie, einige unverständliche Befehlsrufe, Wörter, die wie Flüche klangen. Dann hörte auch das auf, obgleich in der gesamten Umgebung noch hastige Bewegung wahrzunehmen war. Auch Lichter, nicht die Laternen, die wohl durch die Schüsse aus dem Hinterhalt zerstört worden waren, sondern einige Petroleumlämpchen. Wer mochte das sein? Ein Trupp von Chico Ema, der die Caatinga durchkämmte, um die Dreckskerle aufzuspüren und abzumurksen? Oder vielleicht Leute unter diesem Teufel Macambira, wenn es darum ging Soldaten aufzulauern, da war der schlauer als ein Jagdhund beim

Aufstöbern von wilden Meerschweinchen. Wer auch immer, es waren Freunde.
»Hierher!« schrie Filomeno in Richtung auf eines der Lämpchen. »Hierher!«
Zwei Männer, die er nie zuvor gesehen hatte, kamen näher. Der ältere, ein Kerl von etwa fünfzig Jahren, beugte sich mit einem Messer in der Hand über ihn und bat den anderen, das Lämpchen näher heranzuhalten, um Filomenos Gesicht erkennen zu können. Sein cangaceiroähnlicher Hut hing ihm am Kinnriemen im Nacken und ließ ein Haupt mit weißem Kraushaar sehen.
»Verwundet, eh?« fragte er, und erst jetzt bemerkte Filomeno, daß das Blut des Soldaten Picanço ihm Gesicht und Lederwams bespritzt hatte.
»Nein, es ist sein Blut. Ich bin an ihn gefesselt.«
»Komm, hilf ihm mal, Lourenço.«
Lourenço packte das Messer des Älteren, schnitt den Strick durch und half Filomeno aufstehen.
»Die Mauleselinnen!« sagte Filomeno, der an seine Fracht dachte, sobald er auf den Füßen stand. »Sind die Mauleselinnen ausgerissen?«
»Ruhig Blut, nur eine ist ausgerissen, aber die ist auch schon gefunden, dort beim Bromelienbusch. Sie waren das, die den Transport mit dem kleinen Trupp angeführt haben, als sie ...«
»Ja, so war's. Aber verzeihen Sie mir bitte, ich bin Ihnen sehr dankbar für diese Rettung, aber wenn Sie mir meine Unwissenheit verzeihen wollen, gehören Sie vielleicht zu den Leuten vom Guten Conselheiro, ja?«
»Nein. Nur in gewisser Weise. Wir gehören nicht zu seinen Leuten, stehen aber auf seiner Seite.«
»Gegen die Republik?«
»Nein, gegen die Tyrannei und die Ungerechtigkeit in erster Linie.«
Filomeno fand die Antwort des Mannes merkwürdig, so etwas hatte er noch nie gehört. Waren sie Cangaceiros? Mehr oder weniger, sagte der Mann, mehr oder weniger. Filomeno wollte eine weitere Frage stellen, aber der Mann winkte ihm, als entschuldigte er sich, weil er wegtrat und auf die andern zuging. Jetzt konnte er sehen, daß nicht alle Soldaten bei dem Hinterhalt gefallen waren. Die allermeisten zwar, aber etwa drei waren am

Leben geblieben, außer den zwei Ranghöheren, die jetzt von den aus dem Nichts aufgetauchten sonderbaren Kämpfern umstellt waren. Der Kopf wurde ihm heiß, er rannte hinüber, und prallte fast auf den Mann mit dem Wollkopf, der das Fesseln der Offiziere überwachte.

»Hängen Sie die jetzt auf?« fragte er, als er die Stricke sah.

»Nein«, antwortete der Mann. »Zumindest nicht gleich.«

»Aber aufschlitzen werden Sie die?«

»Nein, nein, erstmal lassen wir sie, wie sie sind, entscheiden werden wir all das später.«

»Der da, der hat Caruá umbringen lassen, den Jungen, der bei mir war, der war ein Kind, so vierzehn Jahre alt. Ich weiß nicht mal, ob er ihn nicht sogar selbst umgebracht hat, ich war gefesselt, auf dem Gesicht hab ich nämlich gelegen. Hundesohn! Du Teufel!«

»Ruhig Blut, wir haben ihn ja, er kann keinen Jungen mehr umbringen, er wird niemanden mehr umbringen, ruhig Blut.«

»Ich wollte ihm nur eine ordentliche Ohrfeige verpassen, er hat mir auch eine gegeben, als die anderen mich festhielten, nachdem sie mich geschnappt hatten. Die haben mir auch Fußtritte verpaßt, ich weiß nicht genau, ob das dieser war oder der andere.«

»Ah, Sie wollen sie ein bißchen durchprügeln?«

»Ja, ein bißchen, mehr nicht, nur damit wir quitt sind, grad so.«

»Lourenço?«

»Was ist?«

»Dieser Kamerad hier hat triftige Gründe, die zwei Dreckskerle in Uniform dort ein bißchen durchzuprügeln. Bereite die zwei Dreckskerle für eine Tracht Prügel vor. Aber Sie nehmen nur die Hand zu Hilfe, mein Freund.«

»So behandelt man keine Kriegsgefangenen!« schrie der Kommandant des Piketts.

»Jetzt soll es Krieg sein, wo du hier gefesselt bist. Wenn einer von uns gefesselt ist, dann ist es kein Krieg, dann ist es eine Strafexpedition. Halt's Maul Dreckskerl, sonst laß ich dich am kleinen Zeh aufknüpfen und mit einem blühenden Mandacaru-Kaktus verprügeln. Also nur mit der Hand, mein Freund?«

»Jawohl, Senhor«, sagte Filomeno. »Kann ich jetzt ran?«

»Einen Augenblick noch«, erwiderte der mit dem Kraushaar und

drehte sich zu dem Offizier um. »Sie, Herr Leutnant, bekommen jetzt ein paar Ohrfeigen im Namen des Volkes, das umzubringen Sie ausgezogen sind. So, mein Freund, jetzt können Sie Ihre Rechnung begleichen.«
»Könnten Sie bitte das Lämpchen hier hochhalten, ich will ihn genau an derselben Stelle treffen, wo er mich getroffen hat.«
»Heb das Lämpchen hoch, Lourenço.«
»Danke.«
»Gern geschehen.«
Das Licht spiegelte sich in dem schweißnassen Gesicht des Leutnants, der eine mutige und verächtliche Miene aufzusetzen versuchte, es aber nicht konnte, weil ihm unaufhörlich die Lippen zitterten. Filomeno hob die Hand, doch vorher wollte er ihn noch beleidigen, ihm etwas Kränkendes an den Kopf werfen, auch dafür Rache nehmen. Aber er brachte nichts Passendes heraus, er fand, ihre Sprachen seien einfach zu verschieden, obwohl er die Beschimpfungen des Offiziers verstanden hatte, nur der Offizier würde die seinen nicht verstehen. Er hob den Arm höher, schlug mit flacher Hand zu und legte sein ganzes Körpergewicht in den Hieb. Der Offizier stöhnte, richtete den von dem Schlag seitwärts geneigten Kopf auf, versuchte, herausfordernd zu blicken, konnte aber seine Muskeln nicht beherrschen und ließ den Kopf wieder hängen. Filomeno wollte ihm gerade einen neuen Schlag versetzen, drehte ihm dann aber schließlich den Rücken zu und ging fort. Unterwegs sah er dem anderen Offizier ins Gesicht, dachte daran, auch ihm eine zu verpassen, ließ es aber beim Ausspucken bewenden.
»Schon fertig?« fragte der Mann mit dem Krauskopf.
»Ja, schon fertig.«
»Ging aber rasch.«
»Ja, als es soweit war, hat's mich geekelt, ich mag keinen gefesselten Mann schlagen, das macht keinen Spaß.«
»Das kenne ich, mir geht's genauso.«
»Aber Sie werden sie wirklich nicht aufschlitzen? Stimmt das? Zu was soll den so ein Mistzeug noch taugen?«
»Wir wissen's noch nicht. Wir haben hier so einen Brauch. Bevor wir irgend etwas unternehmen, beraten wir erst.«
»Was soll das heißen, beraten? Was gibt's da viel zu beraten?«
Der Mann lächelte ihm zu, bat ihn, nicht so hitzig zu sein, denn

bald würde er die Antworten auf all seine Fragen bekommen. Er legte Filomeno die Hand auf die Schulter und deutete auf einen Pfad, der vor ihnen lag. Er wüßte von den Waffen für das Dorf, er sollte sich aber keine Sorgen machen, er könnte seine Mission am frühen Morgen beenden, noch würden die Truppen in Angico zusammengezogen und formiert, sie würden das Dorf nicht vor dem 3. oder 4. angreifen. Vorläufig könnten sie in dem bewaffneten Lager in der Nähe ausruhen, der Kamerad hätte doch ganz schön was einstecken müssen, oder nicht? Er hätte Ruhe nötig, sollte etwas essen, und außerdem, wollte er nicht die Antworten auf all seine Fragen wissen? Filomeno überlegte, ob er ablehnen sollte, wollte Fragen stellen, weitere Auskunft darüber fordern, wer sie waren, aber schließlich hatten sie ihn gerettet, zusammen mit seiner Ladung, außerdem tat ihm wirklich alles weh, und er war müde und hungrig.

»Also dann los«, sagte er. »Sie haben recht.«

»Können Sie gehen?«

»Kann ich, keine Sorge.«

Sie hatten jedoch nicht lange zu marschieren, denn bald darauf gelangten sie zum Lager, versteckt in einer Art Grotte, die Filomeno, obgleich er oft durch diese Gegend hier gestreift war, nicht kannte. Neben zwei riesigen Felsen, die aneinander gelehnt eine dreieckige Wölbung bildeten, waren drei geräumige Zelte aufgeschlagen worden, von einer Machart, die Filomeno auch noch nicht gesehen hatte. In der Mitte ein Feuerchen, darüber hing ein Wasserkessel an einem hölzernen Dreifuß. An zwei oder drei Stellen brennende Feldlampen, die denen der Soldaten glichen. Viele Männer liefen herum, einige Frauen, die Atmosphäre war friedlich wie nach der Rückkehr von einer Jagd. Neben einem der Zelte stieg Bratgeruch auf und drang Filomeno in die Nase, der sich fragend nach den anderen umdrehte. Der Mann mit weißem Haar lächelte, deutete mit dem Kinn zum Essen hinüber, und gemeinsam gingen sie auf eine steinerne Feuerstelle zu, vor der ein fetter Schwarzer in den Kochtöpfen rührte.

»Es gibt Pökelfleisch und Bohnen, Landschildkröte und Maniok, sogar Reste von Gürteltiereintopf gibt es«, sagte der Schwarze mit einer Fröhlichkeit, die fast übertrieben wirkte. »Und Bananenpaste gibt es!«

Filomeno hockte sich hin, um mit den anderen zu essen, und wurde leicht benebelt, als die ersten heißen Bissen in seinen Magen rutschten. Drüben auf der anderen Seite konnte er sehen, wie die Soldaten mit ihren Vorgesetzten an einen zottig gewachsenen Schweinspflaumenbaum gefesselt wurden. Vier oder fünf mit Flinten und Buschmessern Bewaffnete stellten sich in der Nähe als Wachposten auf, sonst hätte der Ort ein Bauernhof sein können, ein stilles, behagliches Plätzchen, wo nur noch scharrendes Federvieh fehlte, dann hätte Filomeno den Eindruck gewonnen, ganz weit weg vom Sertão geschleppt worden zu sein. Kein Geräusch, nur klappernde Blechteller, das Kauen der hockenden Männer, das Zirpen der Zikaden, dann und wann ein im Feuer knisternder Holzscheit. Filomeno hätte sich gern noch einmal mit den Männern unterhalten, um Fragen zu stellen, beschloß aber, abzuwarten, etwas würde sicherlich geschehen.
Geraume Zeit später, als er ein Stück Blockzucker lutschte, wurde er aufgefordert, mit den anderen in die Felsenhöhle zu gehen, die, von innen gesehen, viel größer war als auf den ersten Blick vermutet. Sie bildete eine Art Salon mit hoher Decke, beleuchtet von Laternen, die an den Steinwänden hingen. Auf dem Fußboden, so reingefegt, daß er wie zementiert wirkte, zwei lange Bänke aus je einem langen Brett auf vier niedrigen Böcken, dazu einige rohlederbezogene Hocker, zwei oder drei Matten, eine in einen Winkel gerückte, mit einem Flickenteppich bedeckte Truhe. Die Flammen der Laternen, deren Rauch aufstieg und verschwand, als befinde sich oben, inmitten der Einbuchtungen oben und außer Sichtweite, ein Kamin, erleuchteten das Ganze sehr deutlich, mit Ausnahme des vom Eingang entferntesten Winkels, der so dunkel war, daß er hinter einer Art Schirm, etwas, das fest und undurchsichtig schwarz war, verborgen zu sein schien. Neugierig blickte Filomeno in diese Ecke, weil das Licht davor Halt zu machen schien, hatte aber nicht die Zeit, weiter über die Sache nachzudenken, war es doch offensichtlich, daß etwas Feierliches geschehen würde, vielleicht die Entscheidung über das Schicksal der Gefangenen. Um so mehr, als die sechs Soldaten, zwei Vorgesetzte und vier Gemeine, wie zum Rösten aufgereihte Fische aneinander gebunden, auf einer der Bänke saßen, wobei dem Offizier unaufhörlich die Knie zitterten, obwohl er an den Knöcheln gefesselt war.

Nachdem alle Neuankömmlinge sich hingesetzt hatten, einige auf der den Gefangenen gegenüberstehenden Bank, andere auf den Hockern und auf dem Erdboden, stand Filomenos Freund auf und sprach zu ihnen, ohne den Tonfall seiner Stimme merklich zu verändern, als mache er nur eine beiläufige Mitteilung.
»Sie sind als Mitglieder einer den Leuten dieser Gegend feindlichen Expedition gefangengenommen worden, einer Expedition, die hierher kam, um zu zerstören und zu töten. Das Richtigste wäre, Sie gleichfalls auf der Stelle zu töten, denn das ist die Logik dieser Dinge. Indessen, töten um zu töten, selbst wenn Anlaß zu Rache vorliegt, gehört nicht zu unserem Vorgehen. Sie« – dabei deutete er auf den Kommandanten – »sind bereits verantwortlich für den Mord an einem Kind und als solcher schuldig, genauso übrigens wie alle Ihre Komplizen.«
»Ich protestiere!« sagte der Offizier und versuchte vergebens aufzustehen. »Dies ist ein Akt des Banditentums gegen die Institutionen der Republik, gegen die Einheit der Nation, gegen die Staatsgewalt! Nur damit die Dinge klar sind, und nicht, weil ich dem Urteilsspruch fanatisierter, unwissender und analphabetischer Bauernlümmel die geringste Bedeutung beimesse, halte ich es für notwendig, daß ich mich hier vorstelle. Ich bin Leutnant ...«
»Maul gehalten! Hier interessiert sich niemand dafür, was Sie denken, denn alles, was Sie denken oder denken, daß Sie denken, ist das, was man Ihnen in den Mund und in den Kopf gestopft hat, und das kennen wir. Auch wer oder was Sie sind, interessiert uns nicht, denn das hat nur Wert für Sie, für uns haben Sie keinen Namen, Sie haben die gleiche Identität wie die anderen in Ihrer Kompanie. Gleichermaßen haben auch wir für Sie keine Identität, wir haben keine Gesichter, wir haben nur ein einziges Gesicht. Auch interessiert hier nicht, was Sie über den Urteilsspruch sagen oder sagen wollen, den wir über Ihre Handlungsweise fällen, denn Sie interessiert doch nur ein Urteil, das nach Ihren Vorstellungen gefällt wird. Ihre Staatsgewalt ist für mich ein Scheißdreck, ihre Institutionen sind für mich Mist. Ihr nennt Geld Haushaltsposten und Barbeträge, ihr nennt Diebstahl Enteignung, willkürliche Ernennung Wahl, Mord Hinrichtung, ihr kostümiert euch und gebraucht Wörter, die ihr hübsch findet, und zieht daraus den Schluß, daß eure Handlungen gesetzmäßig

sind. Sie mögen gesetzmäßig für euch sein, aber nicht für uns, die wir noch nie im geringsten gehört worden sind und hinnehmen müssen, was ihr für uns beschließt, und sogar, was ihr für uns denkt. Wenn einer, der einen Menschen zu Hunger und Elend verdammt, ein Papier in der Hand hält, ist es dann weniger unmoralisch, ist es dann recht in irgendeiner Weise? Ihr kommt und sagt uns Wahrheiten. Was ist das für eine Wahrheit, die uns demütigt, uns klein macht, uns in nichts verwandelt, wie kann das eine Wahrheit für uns sein? Für mich seid ihr die Verkörperung von Lüge und Tod. Aber dennoch ist es unser Brauch, daß ihr zu eurer Verteidigung sprechen dürft. Aber sprecht zu eurer Verteidigung und nicht, um uns anzugreifen, denn dann lass' ich Ihnen wieder das Maul stopfen, wir haben hier keinen Bedarf an den Clownerien eurer Justiz, die allerlei Pantomimen aufführt, um Aktionen zu bemänteln, von denen wir schon im voraus wissen, daß sie die Armen bestrafen und die Reichen belohnen. Drum bedeutet die Tatsache, daß wir euch sprechen lassen, wenn ihr denn wollt, nicht, daß wir glaubten, ihr würdet dadurch aufhören, die schurkischen Volksverräter zu sein. Aber ihr sagt vielleicht etwas, was uns interessiert. Also sprecht, wenn einer von euch will.«
Der Offizier machte von neuem Anstalten aufzustehen, doch wieder hinderten ihn die Stricke daran.
»Erlauben Sie nicht, daß ich aufstehe, um zu sprechen?«
»Nein, sprechen Sie im Sitzen.«
»Gut, ich weiß, daß es nutzlos ist, zu sprechen, und wäre es nicht wegen meiner Untergebenen hier, für die ich verantwortlich bin, ich würde nichts sagen. Mit Ausnahme von Ihnen, von dem ich nicht weiß, wer Sie sind, glaube ich nicht, daß irgendeiner hier meine Worte begreifen wird. Wir sind hier in offizieller Mission, mit dem Ziel, einen Aufstand gegen die Unantastbarkeit der Republik zu unterdrücken. Die Republik ist eine Errungenschaft des brasilianischen Volkes, und sie kann nicht zulassen, daß sie straflos herausgefordert wird. Sie schulden nicht der Krone von Bragança Treue, wie Sie das ungehorsamer- und aufrührerischerweise bekennen, dabei das Gesetz verletzen und sich den Behörden widersetzen. Sie schulden ...«
»Niemandem das geringste, alle schulden uns!« ergänzte eine Frauenstimme, die aus der dunklen Ecke des Felsensalons hervortönte.

Filomeno zuckte zusammen, richtete sich auf seinem Hocker auf, blickte zu der Stelle, von wo die Worte gekommen waren, sah aber nichts außer der dichten Schwärze wie zuvor. Doch während die Frau weitersprach und ihre klare Stimme den Raum füllte, erhellte sich sein Gesicht in Staunen, denn als bräche weißes Licht aus Boden und Wänden hervor, begann an der bisher von Finsternis verborgenen Stelle eine Gestalt sichtbar zu werden, eine hochgewachsene Frau mit schulterlangem schwarzem Haar, einen Stock in der Rechten und mit großen Augen, die zunächst vom gleichen Nebel umhüllt waren wie das Gesicht, dann aber in einem tiefen Grün aufleuchteten, in dem das Licht tanzte. Das klar geschnittene Gesicht wirkte alterslos. Sie war nicht jung, sie war nicht alt, man sah jedoch, daß sie vieles erlebt hatte. Filomeno glaubte einem Wunder beizuwohnen, einer Heiligenerscheinung, er wollte auf die Knie sinken, doch der Mann neben ihm hielt ihn an der Schulter fest.

»Laß sein«, sagte er. »Es ist Dona Maria da Fé.«

»Wer ist es? Dona Maria da Fé? Sie selber?«

»Sie selber. Sie war die ganze Zeit da.«

»Um des Gekreuzigten Jesus willen!« rief Filomeno aus, die Augen aufreißend, während die Frau sich an einen hohen Hocker lehnte, einen Fuß auf dem Boden, den anderen auf einer der Querstreben.

»Das brasilianische Volk schuldet niemandem etwas, Leutnant«, sagte sie. »Man schuldet dem Volk, hat ihm immer geschuldet und will ihm immer weiter schulden. Sie plappern die Lügen nach, die Sie hören, weil es die Mächtigen nicht interessiert, die Wahrheit zu erfahren, nur das, was ihnen genehm ist. Sie sagen, wir sind Monarchisten und der Krone von Bragança treu ergeben. Und ich sage Ihnen, daß die Krone den Untertanen treu ergeben sein sollte, und nicht die Untertanen der Krone, so wie die Republik den Bürgern treu ergeben sein sollte, und nicht sich selbst. Wie soll ein in tiefster Unwissenheit gehaltenes Volk verstehen können, daß nicht die Republik für alles Böse, das ihm geschieht, verantwortlich ist? Wenn alles schlimmer wird, wenn das Elend wächst, wenn die Unterdrückung immer unerträglicher wird, wenn Hunger und Mangel an Land alltägliches Schicksal sind, während Sie die Nation in der Hauptstadt erretten, indem Sie Gesetze erlassen, um die zu begünstigen, die immer begünstigt worden sind? Wenn das Volk der Monarchie nichts schuldet, dann schuldet es noch weniger der Republik. Was gibt uns die Republik? Sie gibt uns noch mehr Armut. Was schickt uns die Republik? Sie schickt ihr Heer, um uns zu töten. Würden wir uns nicht erheben, was würde sie uns schicken? Sie würde uns Hunger schicken und Plünderung, um uns zu töten. Heute flammt mehr Haß gegen uns auf als je zuvor gegen irgendeinen Feind von außen. Und seid ihr das Volk, die Besitzer des Landes? Nein. Das sind wir. Trotzdem wendet sich die Gewalt des Landes gegen uns, gegen uns wendet sich der Haß, wie sich gegen die Sklaven der Haß und die Gewalt des Landes gewandt hatte.«

»Die Regierung ist irgendwelchem Gesindel, das darauf aus ist, die Grundfeste der Autorität zu verletzen, keine Erklärung schuldig!«

»Autorität? Wer hat euch Autorität gegeben? Woher bezieht ihr eure Autorität? Was hat sich seit der Republik geändert, welcher Fortschritt ist erreicht, welcher Horizont hat sich dem Volk eröffnet? Was könnt ihr außer töten, mit Füßen treten, demütigen und Freiheit und Gerechtigkeit vorenthalten? Wer hat uns jemals etwas gefragt? Wer hat wissen wollen, was wir gelitten, was wir erträumt haben, was wir uns von der Welt wünschten, was wir geben konnten und wollten? Niemand hat uns je etwas gefragt, sogar die Gabe der Sprache wollt ihr uns nehmen, durch Unwissenheit und durch die Tyrannei einer Sprache, die ihr verwendet und die die einzige ist, die ihr für richtig haltet, obwohl sie nur dazu dient, Lügen mit dem Mantel der Wahrheit zu tarnen und unseren Geist zu verdecken.«

»Wenn Sie die Unwissenheit Ihres Volkes eingestehen, dann erkennen Sie an, daß die, die nicht unwissend sind, die Pflicht haben, die übrigen zu führen.«

»Und ihr haltet euch nicht für unwissend? Können Sie den Stoff weben, den Sie tragen? Können Sie das Leder gerben, bearbeiten und zusammennähen, das Sie als Stiefel tragen? Können Sie das Rind aufziehen, schlachten und zubereiten, das Sie ernährt? Können Sie das Eisen schmieden, aus dem Ihr Gewehr gemacht ist? Ihre Unwissenheit ist größer als unsere. Ihr wißt nicht, was gut für uns ist, ihr wißt nicht einmal, was gut für euch ist. Ihr wißt nichts von uns. Vielleicht wird der Tag kommen, an dem einer von uns euch fremder vorkommen wird als irgendeiner der Fremden, deren Vasallen ihr seid. Das brasilianische Volk sind wir, wir sind ihr, ihr seid nichts ohne uns. Ihr könnt uns nichts lehren, weil ihr nicht lehren wollt, denn jedes Lehren erfordert, daß der, der lehrt, auch lernt, und ihr wollt nicht lernen, ihr wollt nur bestimmen, ihr wollt in feste Formen gießen, ihr wollt nur herrschen.«

»Das ist völlig sinnlos, all das ist nur ein Haufen von Ungereimtheiten, und ...«

»Das ist das einzige, was sinnvoll ist, nämlich uns so zu sehen, wie wir uns sehen müssen, und nicht, wie ihr wollt, daß wir uns sehen. Und euch sehen, wie wir euch sehen müssen, und nicht, wie ihr wollt, daß wir euch sehen. Eure Geschichte war immer eine Geschichte vom Krieg gegen das Volk eurer eigenen Nation, und selbst hier werdet ihr von einem befehligt, der seinen Ruhm daher hat, daß er Brasilianer erschießen ließ und ein Mörder ist. Und jetzt kommt ihr und redet von eurer Republik? Warum redet ihr uns nicht von Essen, von Land, von Freiheit? Warum, während ihr scheinheilig die Neger befreit, weil ihr sie nicht mehr braucht, schafft ihr neue Sklaven, helft ihr dabei, eure Nation in das Land eines gedemütigten Volkes ohne Stimme zu verwandeln? Eure Republik ist ein neuer Schwindel, einer von den vielen Schwindeln, die ihr uns vorgegaukelt habt und noch vorgaukeln werdet, denn ich gebe mich keinen Selbsttäuschungen darüber hin, wer diesen Bürgerkrieg von Canudos schließlich gewinnen wird.«

»Bürgerkrieg? Was für ein Bürgerkrieg?«

»Ein Bürgerkrieg! Aber dieser Bürgerkrieg wird nicht hier enden, mit der Niederlage in dieser Schlacht, dieser Bürgerkrieg wird alle Zeit weitergehen, er wird viele Gesichter annehmen und euch immer in Schrecken versetzen, bis wir nicht länger in einem Land leben, in dem es statt Regierenden Besitzende gibt, statt Volk Sklaven, statt Stolz Scham. Die Macht des Volkes besteht und wird weiterbestehen. Auch das Volk hat seine Helden, die ihr nicht kennt, die wahren Helden, weil es Helden des Lebens sind, aber eure Helden sind des Todes. Hier in diesem Sertão werden viele dieser Helden sterben, aber das Volk wird nicht sterben, weil es unmöglich ist, daß das Volk stirbt, und weil es unmöglich ist, daß das Volk auf ewig zum Schweigen gebracht

wird. Ihr seid Verräter eures Volkes, und folglich müßt ihr sterben. Und ihr werdet sterben, denn diese Expedition wird noch nicht das Volk von Canudos venichten. Der Haß, den ihr gegen das Volk hegt, wird sich in seiner ganzen Grausamkeit offenbaren müssen, und ihr könnt mir glauben, das Märtyrertum dieses Volkes wird vielleicht vergessen, vielleicht nicht begriffen und unter den Lügen begraben, die ihr zu eurem eigenen Nutzen erfindet, aber dieses Märtyrertum wird eines Tages zeigen, daß es nicht vergeblich gewesen ist. Ihr werdet einen um den anderen umbringen müssen, Haus für Haus zerstören, keinen Stein auf dem anderen lassen. Und dennoch werdet ihr den Krieg nicht gewinnen. Nur das brasilianische Volk wird den Krieg gewinnen. Hoch lebe das brasilianische Volk! Ein Hoch auf uns!«
Sie hob den Stab in die Höhe, die Männer erhoben sich, und Filomeno sah sich unwillkürlich mit ihnen den Gruß wiederholen, den sie vorgemacht hatte. Genausowenig begriff er den seltsamen Stolz, den er beim Anhören ihrer Worte empfunden hatte, als hätten sie sein ganzes Leben in ihm geschlummert und erst jetzt Form angenommen. Er sah die Soldaten an, fand sie plötzlich anders, ganz anders als beim ersten Anblick. Doch statt sie weiter anzustarren, schaute er auf Maria da Fé, die nun so nahe bei ihm stand, daß er sie hätte berühren können, während sie mit ihren Männern redete und nicht etwa Befehle erteilte, sondern wie jemand sprach, der eine Meinung äußerte; sie sagte, man sollte die Soldaten losschnüren und sie ohne Waffen in ihr Feldlager zurückkehren lassen. Statt sie einfach zu töten, sollte man sie lieber der Niederlage ihrer Expedition überantworten, nachdem sie gesehen und gehört hatten, was es hier zu sehen und zu hören gab.
»Wenn wir sie töten«, sagte sie mit einem Lächeln, »werden sie wissen, daß es uns gibt, aber diese Kenntnis wird nicht über sie hinausreichen. Wenn wir sie nicht töten, werden sie zumindest nie ganz sicher sein, ob es mich gibt oder nicht, denn lieber würden sie glauben, daß es mich nicht gibt.«
Filomeno verstand nicht, was sie sagte, lachte aber mit; an dem Gesagten mußte wirklich etwas komisch sein.
»Ist es nicht so, Kamerad?« sagte sie freundlich und schlug ihm auf die Schulter. »Jetzt wollen wir ausruhen. Vor Mitternacht werden wir die da in die Wälder loslassen, morgen führst du dann deine Maultiere ins Dorf. Gute Nacht, Kamerad.«

Vor dem Einschlafen war es Filomeno Cabrito, als träumte er, er kniff sich in den Arm und blieb noch eine Weile wach. Und es war ihm auch dann wie in einem Traum, als er am kommenden Morgen neben seinen Maultieren aufwachte, in dem völlig verlassenen Feldlager, als wäre nie je ein Mensch hier gewesen. Und doch waren Leute dagewesen, erinnerte er sich und kratzte sich am Kopf, während er auf dem Saumpfad nach Canudos neben der Mauleselin Periquita einherstapfte – zumindest würde er nie die Vision von Maria da Fé vergessen und den freundschaftlichen Blick des weißhaarigen Mannes, der ihn, bevor er sich zurückzog, zum Abschied umarmt und gesagt hatte, er heiße Zé Popó.

18 Rio de Janeiro, den 24. Oktober 1897

Trotz der brummigen Miene, mit der er die Grüße der Nachbarn erwiderte, die auf ihrem Rückweg von der Messe an seinem Tor vorübergingen, hing General Patrício Macário keinen sonderlich ernsthaften Gedanken nach. Wieder einmal grübelte er über den Drang nach, der ihn sein ganzes Leben begleitet hatte, doch nie mit solcher Häufigkeit wie in den letzten Jahren, in aller Öffentlichkeit plötzlich etwas Närrisches zu tun, wie zum Beispiel sich die Haare zu zerzausen und, wenn eine der sonntäglich herausgeputzten Damen ihm einen guten Tag wünschte, ihr die Zunge so lang wie er konnte herauszustrecken, die Augen zu verdrehen und mit den Händen zu wedeln, während seine Daumen in den Ohren steckten. Er fand die Idee urkomisch, ja unwiderstehlich. Ob er eines Tages einem solchen Drang nachgeben würde, ob er wirklich dabei war, verrückt zu werden und nicht nur an gelegentliche, harmlose Faxen dachte? Da waren auch die Träume – in gewisser Hinsicht verwandt mit diesen Augenblicken der Albernheit –, in denen er bei feierlichen Anlässen oder beim Befehligen von Truppeneinheiten vollkommen nackt auftrat. Anfangs waren diese Träume angenehm, doch je mehr sie sich in die Länge zogen, desto stärker verkehrten sie sich in Albträume, aus denen er erleichtert erwachte. Ja, vielleicht wurde er wirklich verrückt – und dann?

Er zog die locker sitzende Hose hoch, die er trug, wenn er im Garten oder im Hinterhof werkelte, wandte dem Tor den Rükken zu und beschloß, sich um die Pflanzen vor dem Haus später zu kümmern, sobald der Betrieb auf der Straße vorüber war und er nicht mehr fremde Leute grüßen mußte und sich dabei dem Rand des Wahnsinns noch näher fühlte als gewöhnlich. Übrigens war das nur seine eigene Halsstarrigkeit, denn er wußte ja, daß das immer so war, und bestand trotzdem darauf, seinen Tagesablauf nicht zu verändern: um fünf aufstehen, sich waschen, sich ankleiden, im Hinterhof nach den Hühnern sehen und über eine Stunde mit ihnen verbringen, die anderen Tiere mustern, durch die Seitentür ins Haus gehen, zeitungslesend frühstücken, eine Pfeife anzünden, rauchen und noch eine halbe Stunde lang lesen, und dann mit der Arbeit im Vorgarten beginnen. Das

war sein Problem: sonntags konnte er dort nicht beginnen, sondern mußte dort enden. Gereizt murrte er, wie abscheulich, wegen anderer Leute soll man Feste und vernünftige Gewohnheiten ändern.
Zu allem Überfluß würde Adalícia im Hinterhof auftauchen und eine Unterhaltung anfangen wollen, selbst wenn er nicht antwortete oder sie sogar anschnauzte, sie sollte doch den Mund halten. Komisch, daß man verlangt hatte, er sollte heiraten, wo doch Adalícia, abgesehen vom Bett, alle Obliegenheiten einer Ehefrau erfüllte, angefangen bei ihrer scheußlichen Haushaltsführung bis hin zu ihrem ewigen Geschwätz, das nicht einzudämmen war und das ihn so verfolgte, daß er sich in seinem Kabinett einschloß, denn wenn sie niemanden hatte, der mit ihr redete, unterhielt sie sich mit ihrer gesamten Umgebung, selbst mit Kochtöpfen und Tieren. Was sie übrigens in diesem Augenblick im hintersten Winkel des Hinterhofs tat. Angeregt redete sie auf die Maulbeerbäume ein, während sie die Weißwäsche zum Trocknen auf die Wäscheleine hängte. Nein, dergleichen wollte er sich nicht zumuten, und so machte er kehrt, um ins Haus zu gehen, und machte dabei so leise, wie er konnte, damit sie sein Verschwinden nicht bemerkte.
Beim Aufwachen hatte er sich wohlgefühlt, sehr wohl sogar, eine ziemlich unerwartete Situation für jemanden, der sich niedergeschlagen und gereizt schlafen gelegt hatte, wie es ihm übrigens die ganze Woche ergangen war. Oder wie es ihm, wenn er es genau überlegte, neuerdings die meiste Zeit erging. Mürrischer Altersstarrsinn, so hieß es wahrscheinlich allgemein. Das mochte sein, es konnte aber auch diese Verrücktheit sein. Aber all das hinderte nicht, daß er selbst die tieferen Wurzeln seines Kummers kannte. Natürlich hatte die Enttäuschung über seine Laufbahn, dadurch vertieft, daß es keine Enttäuschung über seine Berufswahl war, seinen Gemütszustand beeinflußt. Zusehen zu müssen, daß Leute wie Vieira die höchsten Positionen erklommen und alle Arten von Auszeichnungen erhielten, Zeuge werden zu müssen von Feigheit, Doppelzüngigkeit, Käuflichkeit und Bestechlichkeit, die straflos ausgingen oder sogar belohnt wurden, den Schwierigkeiten der Guten und den vielen Siegen der Bösen beiwohnen zu müssen – all das machte ihn traurig, zornig, ohnmächtig, nachtragend. Und vielleicht war es

noch zu früh, wie einige ganz wenige Freunde, die ihm geblieben waren, sagten, um genau abzuschätzen, was an Gutem die Republik dem Land eingebracht hatte. Ja, vielleicht war es zu früh, aber für ihn nahmen die Dinge zunehmend die Form an, die Maria da Fé gesehen und gezeigt hatte. Wie damals in ihrer Gesellschaft vor so vielen Jahren konnte er noch immer nicht alle Teile eines Bildes zusammenfügen, das trotzdem fraglos vorhanden war. Ja, wie konnte er Fortschritt und Wissenschaft, wie Technikern und Fachleuten Glauben schenken, die der Theorie nach das Land lenkten, wenn die Maßstäbe und Ziele stets von den Interessen einiger weniger festgelegt wurden? Wie lange sollte das so weitergehen? Bis sie die Macht verloren – und würden sie diese eines Tages verlieren? Wie sollte das möglich sein? Aber es war möglich, er wußte, daß es das Volk gab, er wußte um die Schufterei und das Leid der Mehrheit, und nun wußte er auch, wie alles von oben entschieden wurde, ohne daß man die Mehrheit je berücksichtigte. Das Heer diente nach wie vor überall als Werkzeug der Unterdrückung, unter dem Vorwand, die Einheit des Landes aufrechtzuerhalten, während es in Wahrheit dazu gebraucht wurde, die Macht der politischen Cliquen zu gewährleisten, die in ihren Spielen von Gegnerschaft und Ausgleich nichts waren als verschiedene Aushängeschilder ein und derselben Sache.

Und nun, nach einem Anfall beispielloser Hysterie gegen die sogenannten monarchistischen Fanatiker des Sertão, war das Ende des Feldzugs von Canudos gekommen, das zerstört worden war, wie die Römer Karthago zerstört hatten, Haus für Haus, Stein um Stein, Leben um Leben. Warum, warum mußte das geschehen, wie nutzlos und widersinnig! Monarchisten! Ja, vielleicht aus Unwissenheit konnten sie sich Monarchisten nennen. Doch in Wahrheit waren sie arme Brasilianer, in Elend und in ein Leben der Fron gezwängt, Brasilianer, zu Fremden gestempelt für die, welche in den Städten lauthals ihre Ausrottung forderten und sie haßten und fürchteten, wie man den Teufel haßte und fürchtet. Und nun, Tod. Und es würde mehr Tod kommen, dessen war er sicher, weil die Macht weiter unterdrücken würde, und die Unterdrückten würden sich unweigerlich erheben. Er schauderte. Das waren ihre Worte gewesen, damals, am Kap-von-Unserer-Lieben-Frau. Wo mochte sie jetzt sein, ob sie noch lebte? Sie selbst hatte gesagt, eines Tages würde auch er an ihrer Existenz zweifeln. Aber er zweifelte nicht, er wußte um sie, er fühlte häufig ihre Gegenwart, mitunter sogar im Zorn, denn wenn er sie liebte, empfand er gleichzeitig auch Groll gegen sie, weil sie ihn zur Einsamkeit verurteilt hatte, einer Einsamkeit, an die er sich erst jüngst völlig gewöhnt hatte, obwohl seine Umwelt das Gegenteil vermutete. Wie lächerlich würde er sich machen, wenn er erklärte, daß er nichts wissen wollte von einer dauernden Verbindung mit irgendeiner Frau, weil ihn keine Frau mehr reizte, seit er sie kannte und er sich mit dieser einen als verheiratet betrachtete! Noch waren Geschichten über sie im Umlauf, und manchmal kam ihm eine davon zu Ohren, und dann hörte er sie an und heuchelte belustigtes Interesse oder die gleiche Skepsis wie die anderen. Schließlich waren es Legenden, Geschichten eines Volkes, das nichts Besseres zu tun hat und in der Phantasie lebt.

Warum, wußte er nicht, aber er meinte, daß sie in Canudos gewesen war. Vielleicht weil darüber gesprochen wurde, daß sie durch den Sertão gezogen war, vielleicht weil irgend etwas ihm das sagte, irgend etwas Sonderbares in der Spannung, mit der er die Nachrichten über den Feldzug las und hörte, eine Spannung, deren Ursache nicht nur die sich abzeichnende Tragödie sein konnte. Unsinn, Erfindungen eines alten Mannes, der die Sechzig erreichte. Sie war gestorben, ja, sicherlich war sie tot; sie war nur in einem anderen Sinn nicht tot. In diesem Sinn war sie wirklich unsterblich, wie sie, so schön mit ihrem gelösten Haar und ihrer silbernen Stimme, zu ihm gesprochen hatte. Sie würde nicht sterben, nie würde sie sterben, denn der Geist ihres Kampfes würde mit dem Volk weiterleben, trotz aller Schwierigkeiten, dessen war sie sicher, so sicher wie ihrer gegenseitigen Liebe.

Und da war auch die Bruderschaft. Gab es die Bruderschaft wirklich? Sie selbst hatte etwas unbestimmt von der Bruderschaft gesprochen, es war wie etwas, was vorhanden und nicht vorhanden war. Ob alles im Leben so war, ob alles vorhanden und nicht vorhanden war? Der, der zur Bruderschaft gehört, muß es als erster wissen – auch das hatte sie gesagt. Sehr oft hatte er geglaubt, es zu wissen, doch er hatte auch geglaubt, das sei Teil jener Verrücktheit, der er nicht nachgeben durfte. Wie konnte er sicher sein? Er sehnte sich nach ihr, das war die einzige Wahrheit, er sehnte sich, als wäre alles gestern geschehen. Zum Teufel, wieder kehrte die alte Schwermut ein, diese wunderbare Bruderschaft mußte es geben, damit er sich nicht so allein fühlte mit so vielen Dingen in seinem Kopf. Das war das schlimmste, sich allein zu fühlen mit so vielen Dingen im Kopf, Dingen, die er sagen mußte, zeigen mußte, beweisen mußte, aber ohne zu wissen, wie, ohne zu sehen, wie. Dieses verdammt nutzlose, dieses absurde Leben. Was konnte er tun? Verschwörungen anzetteln, Reden halten, schreiben? All das hatte er schon getan, und nichts von alledem hatte das Geringste verändert, eher zu seiner wachsenden Mutlosigkeit beigetragen. Selbst die idealistischsten und reinsten Menschen – und sie gab es selten, höchst selten – sahen nicht über einen bestimmten Punkt hinaus, überschritten nicht bestimmte enge Grenzen, deren sie sich nicht einmal bewußt waren. Alles nutzlos, alles ein unaufhörliches Scheitern, alles unüberwindliche Einsamkeit.

Und doch schrieb er. Niemand wußte es, aber er schrieb. Die Traurigkeit, nach der kurzen Pause im Garten zurückgekehrt, wollte nicht weichen, aber sie war jetzt untermischt mit einer tröstlichen Freude, wie sie einer verspürt, der ein altes Spielzeug findet, an dem er wieder Gefallen hat, und so ging er in sein Arbeitszimmer und zog aus der Schublade die beiden dicken Stapel Kanzleipapier hervor, die bereits die Hälfte seiner Lebensaufzeichnungen enthielten. Er hatte vor so langer Zeit zu schreiben begonnen, daß die ersten Blätter gelblich und zerfleddert waren, in dem durch das kleine Fenster seines Arbeitszimmers einfallenden Licht waren die verblichenen Tintenstriche fast unleserlich geworden. Er ging zur anderen Seite, öffnete das größere Fenster, wog den ersten Stapel in der Hand, wie verwundert, all das geschrieben zu haben. Aber er hatte es geschrieben und er würde nicht ablassen, die Arbeit zu beenden, obgleich er nicht sicher war, ob er sie zu Lebzeiten veröffentlichen würde. Eines aber war sicher: wenn er es täte, würde man ihm nach dem Leben trachten, ihn festnehmen oder ihn entmündigen, oder alle drei Dinge zusammen. Denn im Verlauf eines anfangs schwierigen und zögerlichen, doch zunehmend leichteren Prozesses konnte er Stil und Sprache derart läutern, daß sich in dem Erzählten zu seinem Stolz nicht eine einzige Beschönigung fand. Ein Dieb hieß darin Dieb, ein Idiot hieß Idiot, ein Feigling hieß Feigling.

Dem Kapitel über den Feldzug von Paraguay, das so sehr abwich von dem offiziellen Lügengespinst und den Berichten der durchweg lobhudlerischen Geschichtsschreiber, würde mit Sicherheit Wort für Wort widersprochen werden. Und das Schlimmste war, daß der Lügner am Ende er sein würde.
Doch das nahm ihm nicht die Freude am Schreiben und nicht die unbestimmte Vorfreude, das alles veröffentlicht zu sehen. Er fürchtete nur, daß man dem Buch, selbst wenn er die Drucklegung finanzierte, die Verbreitung verwehren würde. Der Gedanke, das Ganze unter einem Pseudonym in einen Roman umzuändern, wollte noch nicht ganz aus seinem Kopf, obwohl die zwei oder drei Versuche, die er mittlerweile unternommen hatte, ihn praktisch davon überzeugt hatten, daß ihm das nicht gelingen würde. Überdies wünschte er nicht, daß irgend etwas von dem Erzählten als bloße Erfindung angesehen würde, als Erzeugnis der Einbildungskraft eines unbekannten und unbedeutenden Schriftstellers. Schön, doch an diese Dinge zu denken lohnte nicht, wichtig war schreiben. Bereit, alles zu vergessen, selbst den Garten, griff er nach den letzten Blättern und begann, den Bleistift in der Hand, sie mit großem Vergnügen durchzusehen und dann und wann einen Satz laut zu lesen.
Er hörte nicht, wie das Torglöckchen wiederholt schellte und Stimmengewirr von Kindern und Frauen den Garten erfüllte. Erst als General und Marschall, seine beiden Hündchen, wütend zu bellen und zu winseln begannen, während ihnen Adalícia mit schrillen Worten drohte, sie festzubinden, bemerkte er, daß jemand gekommen war. Nicht jemand, sondern gleich eine ganze Menge Leute, wer zum Teufel mochte das sein? Er wollte erst den Schlüssel in der Tür umdrehen und so tun, als schliefe er, bis man es aufgeben würde, doch kaum hatte er die Blätter auf die Schreibtischplatte gelegt und wollte gerade die Schublade öffnen, um sie zu verwahren, da flog die Tür auf, und herein trat eine junge Frau in Blumenhut und farbigem Kleid, mit spitzengesäumtem Sonnenschirm, und warf sich mit ausgebreiteten Armen ihm entgegen.
»Onkel! Wie ich Euch vermißt habe! Ach, wie habe ich Euch vermißt! Laßt Euch ansehen! Ihr seht ja aus wie ein junger Bursche, Ihr werdet immer jünger! Und was macht Ihr? Ihr schließt Euch hier ein wie ein Mönch in seiner Klause, wo gibt's denn

sowas? Es genügt wohl nicht, daß Ihr Euch die ganze Woche in Eurer Höhle hier versteckt, Ihr müßt Euch auch noch am Sonntag verkriechen, wenn alle Welt sich amüsiert? Nein, mein Herr, aufgestanden, wir wollen uns unterhalten, wie lange haben wir uns nicht mehr unterhalten? Tragt Ihr eine neue Brille? Hm ... Sie steht Euch sehr gut, sie ist jetzt Mode! Und? Wie geht es? Was könnt Ihr mir erzählen?«

»Wie kann ich etwas erzählen«, erwiderte Patrício Macário; Ungehaltenheit heuchelnd, »wenn du mehr redest als deine Mutter und Adalícia zusammen genommen?«

»Dafür redet Ihr nie!«

»Auf diese Weise rede ich keinen Unsinn. Wo hast du diesen Hut her? Er sieht eher wie ein botanischer Garten aus.«

»Gefällt er Euch nicht? Ich finde ihn wunderschön, er paßt so gut zu mir, findet Ihr nicht? José Eulálio mag ihn.«

»José Eulálio stammt aus São Paulo, sein Geschmack kann nur seltsam sein.«

»Ach, sagt das nicht, Onkel, er hat mich doch geheiratet!«

»Habe ich nicht gesagt, daß sein Geschmack seltsam ist?«

Liebevoll blickte er die Nichte an. Sie redete zuviel, ja, und hatte nichts Besseres zu tun, als ihn im ungeeignetsten Augenblick zu stören, aber sie war bei weitem der beste Mensch in der Familie. Zumindest von seinem Standpunkt aus, denn seit dem Tag, an dem Bonifácio Odulfo ohne ersichtlichen Grund eine Wiederannäherung gesucht hatte, hatte Isabel Regina eine Zuneigung zu ihm gefaßt und war seither seine erklärte Freundin, in dieser unbeschwerten Weise, die ihm zwar manchmal lästig wurde, ihn aber nie erboste. Nein, gewiß nicht erboste, sie gefiel ihm sogar, auch wenn er den Grund nicht begriff. Wohlgefällig betrachtete er ihr unter dem Hutrand hervorquellendes Ringelhaar, stellte abermals fest, daß ihre Nase ein ganz klein wenig platt war, und obwohl ihre Haut rosaweiß war und auf ihren Wangen schon beim geringsten Anlaß zwei kräftig rote Kreise erschienen, war sie ihm ähnlich. Er nahm ihre Hände zwischen die seinen und lächelte.

»Und du, meine Liebe, wie geht es dir? Läuft alles gut? Gefällt es dir in São Paulo?«

»Mir geht es blendend! Von São Paulo weiß ich so gut wie nichts, nicht einmal José Eulálio hält sich gerne dort auf, er geht nur wegen der Fazendas hin. Er selber sagt, São Paulo ist eine Vorstadt und wird immer eine Art Vorstadt bleiben. Aber ich fahre gerne auf die Güter, so oft ich kann. Neuerdings konnte ich wegen der Kinder nicht oft hin. Ach, ich habe die Jungen mitgebracht, damit Ihr sie sehen könnt! Sie kommen so gerne hierher!«

»Sie sind da? Sag doch dem älteren ... Wie heißt er noch?«

»Bonifácio Odulfo Neto, Onkel. Das ist aber schlimm, dabei ist es leicht zu merken, derselbe Name wie der Papa!«

»Der Ärmste, wie konntest du dem Kleinen nur einen solchen Namen geben? Deshalb vergesse ich ihn auch immer wieder.«

»Um ehrlich zu sein, ich wollte ihm eigentlich einen anderen Namen geben, denselben Namen wie der von Großpapa.«

»Amleto Henrique? Du mußt ja verrückt sein, der ist noch schlimmer! Dann würde der Kleine womöglich noch nach dem Alten schlagen.«

»Nein, nicht Amleto, nur Henrique, denn das wäre zugleich eine Huldigung für Mama.«

»Das wäre ja noch schlimmer gewesen, dann wäre er womöglich nach beiden geschlagen.«

»Ganz schön bösartig heute!«

»Sag dem Bonifácio Odulfo, er soll von meinem Hühnerstall wegbleiben. Letztes Mal, als er reinging, hat er unter meinen Hühnern eine Verwüstung angerichtet, von der sie sich bis heute nicht erholt haben. Ich habe den Eindruck, er hält Hühner für Pferde und möchte auf ihnen reiten.«

»Warum auch nicht, mal sehen, vielleicht reitet er heute mal richtig auf einem, dann kriegen wir Hühnerfrikassee zum Mittagessen.«

»Kommt gar nicht in Frage, meine Hühner sind nicht zum Essen da!«

»Wo gibt's denn sowas? Jedes Huhn ist zum Essen da!«

»Meine nicht. Viele Leute züchten doch Tiere, die nicht zum Essen da sind! Also. Ich züchte eben Hühner, die nicht zum Essen sind! Hühner für Liebhaber.«

»Also sowas. Onkel Tico, das heißt also ...«

»Hör mal, du nimmst dir ganz schön was raus, wenn du mich Onkel Tico nennst, etwas mehr Respekt bitte ich mir aus. Ich bin der General Patrício Macário, verstanden? Bin zwar erst bei der

Pensionierung in den Generalsstand aufgerückt, aber ich bin General, und wenn man meine Orden auf eine Waage legte, mit dir auf der anderen Waagschale, so würde die Schale mit den Orden sinken. Mehr Respekt, junge Frau!«

»Jawohl, mein Herr, Onkel General Tico, tico-tico-tico-tico!«

»Schluß jetzt, Kleine, du kitzelst mich ja! Kannst du nicht eine Sekunde stillhalten, was für ein wilder Trubel!«

»Ach, Onkelchen, ich werde traurig, wenn ich Euch hier so sehe, nur in der Gesellschaft von Adalícia und den Hühnern...«

»Und von Marschall und General, vergiß das nicht. Und von den anderen Tieren, den Vögeln, den Pflanzen... Was Adalícia angeht, so hast du recht, sie ist eine Art Vor-Fegefeuer für mich, vielleicht um zu verhüten, daß ich geradewegs zur Hölle fahre. Aber was die Hühner betrifft, nein, die Hühner leisten mir wunderbar Gesellschaft, besser als viele Vereine und Akademien. Du verstehst nichts von Hühnern, darüber kannst du kein Urteil abgeben.«

»Ihr redet aber doch nicht mit den Hühnern.«

»Genau das tue ich!«

»Aber das ist doch keine Unterhaltung wie zwischen Euch und weiblicher Gesellschaft, einer Ehefrau...«

»Nein, nein, sie ist viel besser. Hühner verfügen über einen weit größeren Wortschatz als die Damen, die Dona Henriquetas Salons bevölkern. Auch maßvollere Gewohnheiten. Weiß du, einmal, nachdem ich euch ab und zu wieder besucht habe, und als deine Mutter glaubte, ich müßte mir nicht nur eine musikalische Bildung zulegen, sondern auch eine Ehefrau unter ihren Freundinnen finden, fand eine Soirée statt, bei der die Tochter des Barons von Wasweißich, eine schauerliche Witwe mit klaffenderen Lücken zwischen den Zähnen als ein Lattenzaun...«

»Lenkt nicht ab, Onkel, Ihr lenkt immer ab, wenn ich das Thema anschneide.«

»Natürlich lenke ich ab, es ist höchste Zeit, daß du diesen irrwitzigen Gedanken aufgibst, ich sollte heiraten. Heiraten in diesem Alter, wozu? Um meinen Frieden zu verlieren und mir jemand ins Haus zu holen, der mir vorschreibt, wie ich meine Pantoffeln tragen, wie und wann ich essen soll, wie ich reden soll, die mich ins Theater schleppt und Freundinnen im Haus empfängt? Nie im Leben! Gib's auf, wechsle du den Gesprächsstoff, ich höre dich lieber über Damenmoden reden, das finde ich interessanter. Kriegt man dort, wo du deinen Hut gekauft hast, auch Gießkannen?«

»Tante Titiza ist überhaupt keine schauerliche Witwe. Übrigens mag sie Euch, das hat mir Mama schon mehrmals gesagt. Tante Titiza ist noch sehr hübsch, Ihr könnt nicht behaupten, daß sie nicht hübsch ist.«

»Hübsch? Eine alte Schwatzbase von über fünfzig?«

»Von wegen über fünfzig, ich glaube, sie ist nicht mal sechsundvierzig.«

»Genauso wie deine Mutter noch keine fünfunddreißig ist. Übrigens, ist sie inzwischen schon dreißig?«

»Wieder lenkt Ihr ab.«

»Ich lenke überhaupt nicht ab. Ich werde sogar sehr deutlich sein. Ich werde mich nicht dieser Verschwörung ausliefern, die du und deine Mutter und Tante Titiza und wer weiß noch angezettelt haben, um mich zu verheiraten. Ich heirate nie und nimmer, und am allerwenigsten eine Titiza, Totoza oder Tutuza.«

»Ihr irrt Euch, es gibt überhaupt keine Verschwörung. Das Ganze ist meine Idee, wer sich Gedanken darüber macht, das bin ich. Und wenn es nicht Tante Titiza sein darf, warum dann nicht ...«

»Genug! Kein Gedanke, genug!«

»Aber wie abwegig ist das, ein so guterhaltener Mann wie Ihr, der sich hier einigelt ... Das also tut Ihr hier? Ihr schreibt ein Buch, Onkel? Erinnerungen ...«

»Hände weg, keine Schnüffeleien bitte! Ja, genau das tue ich, und genau davon willst du mich abbringen, damit ich mich von einer alten Kratzbürste im Haus drangsalieren lasse.«

»Das braucht noch lange keine alte Kratzbürste zu sein.«

»Jede Frau ist eine Kratzbürste!«

»Darf ich lesen?«

»Wie bitte? Nein, gib her! Los, gib's her, das ist eine gefährliche Lektüre.«

»Aber soll das nicht veröffentlicht werden?«

»Ich weiß noch nicht, los, gib's her.«

»Ach, nur ein Momentchen, das kommt mir interessant vor...«
»Viel interessanter als du glaubst. So interessant, daß ich nicht weiß, ob ich das irgend jemand lesen lassen will.«
»Hört mal, Onkel, wenn Ihr nicht wünscht, daß das jemand liest, würdet Ihr es nicht aufschreiben.«
»Sei bloß nicht so intelligent, Frauen dürfen nicht intelligent sein, sonst werden sie zu gefährlich.«
»... die Vorstellung von einer Militäraristokratie, ein an sich schon gefährlicher Begriff, nimmt eine noch bedrohlichere Gestalt an, wenn sie im Licht der angestrebten Stabilität der Institutionen gesehen wird. Dafür gibt es zahllose Gründe, insbesondere den: Die Distanz zwischen der Aristokratie und einer priviligierten Kaste ist sehr kurz, viel kürzer, als einige wohlmeinende Geister denken. Die Vorstellung einer Aristokratie schließt zwangsläufig die Vorstellung von der Existenz ›besserer Menschen‹ ein und bestimmt dann auch, gleichfalls zwangsläufig, was ›besser‹ ist, so daß schließlich alles, was diesen Maßstäben nicht entspricht, nicht besser ist. Aber werden diese Maßstäbe nicht gerade diejenigen sein, welche die Interesssen und die Werte der Mitglieder dieser Aristokratie verkörpern? Onkel, Ihr schreibt gut! Ich muß das noch mal lesen, damit ich es richtig begreife, aber gut schreibt Ihr!«
»Unsinn, als du das laut gelesen hast, hab ich gemerkt, wie schlecht das geschrieben ist.«
»Ach was, schlecht geschrieben! Das ist ganz, ganz toll geschrieben, jawohl! Und was kommt dann?«
»Doch, es ist schlecht geschrieben! Ich schreibe mit großer Mühe, sieh nur die vielen Verbesserungen.«
»Finde ich nicht, ich sehe so gut wie keine Verbesserungen. Aber sagt, was kommt dann?«
»Was dann kommt, wie meinst du das?«
»Was dann kommt, was dann kommt! Ihr sagt, die Militärs...«
»Ach, mein liebes Mädchen, ich weiß nicht, was dann kommt, es würde auch keine Rolle spielen, wenn ich es wüßte. Das sind Dinge, die dich nicht interessieren können, es sind spröde Dinge, Altersgrillen.«
»Das finde ich nicht, nein, ich fand das interessant. Ihr analysiert die Rolle der Militärs in der Regierung, nicht wahr?«

»Ja, in der Tat, mehr oder weniger, das ist es. Du bist wirklich intelligent, nach mir bist du bestimmt nicht geschlagen.«

»Also, was kommt dann?«

»Willst du es wirklich wissen?«

»Wenn nicht, würde ich Euch nicht fragen.«

»Weil nämlich ... Also gut, was ich denke, was ich befürchte, ist etwas, woran ich früher einmal geglaubt habe, woran ich aber nicht mehr glauben kann. Und zwar eine Regierung von Technikern, Spezialisten, Weisen, kurz: der sogenannten Besten. Wie gesagt, früher habe ich geglaubt, daß das die beste Regierung wäre, so wie Platon sie sich in seinem *Staat* vorgestellt hat, denn diejenigen, die er Philosophen nannte, waren nichts anderes als das, was wir heute Wissenschaftler nennen, die Unterscheidung der Wissenschaften sollte erst viel später kommen.«

»Wie schön Ihr sprecht! Und all das werdet Ihr schreiben?«

»Ja, ja. Das heißt, für bestimmte Dinge fehlt mir die Bildung, es gibt einzelne Bereiche, auf die ich eingehen möchte, in denen ich mich aber nicht zu Hause fühle, ich ahne, daß ich bessere Informationen haben müßte, eine breitere Grundlage. Jedenfalls vielen Dank.«

»Vielen Dank wofür?«

»Dafür, daß du deinem alten Onkel so viele angenehme Dinge auf so anmutige Weise vorgegaukelt hast. Fest steht, daß du der erste Mensch bist, der diese Seiten zu Gesicht bekommt, und ich bereue es nicht, ich bin glücklich darüber. Vielleicht bist du auch der letzte Mensch, der sie sieht, und das beglückt mich gleichermaßen.«

»Ach, Unsinn! Ich habe Euch nichts vorgegaukelt, Ihr schreibt ein interessantes Buch, es kann ja nur interessant sein, wenn ich an Eure Erfahrungen und Eure Fähigkeiten denke. Ihr solltet es Euren Freunden zeigen. Warum zeigt Ihr es nicht Papa?«

»Um Gottes willen, dein Vater wäre empört. Nein, kommt nicht in Frage. Du mußt mir etwas versprechen. Versprichst du's?«

»Was ist es?«

»Versprichst du's?«

»Ich versprech's.«

»Du darfst mit niemandem, mit gar niemandem über das Buch sprechen, diesen Gefallen mußt du deinem Onkel tun. Versprichst du es?«

»Aber warum? Ich sehe keinen Grund dafür.«
»Versprich es! Tu mir den Gefallen. Los, versprich es!«
»Ich verspreche es feierlich ... Einen Augenblick! Ich verspreche es nur, wenn Ihr mir auch etwas versprecht.«
»Nein, meine Dame, das gilt nicht, das tut man nicht. Besonders nicht, wenn es etwas mit deinen Ideen über meine Verheiratung zu tun hat. Es ist mir ernst!«
»Nein, es hat damit nichts zu tun, es ist ganz einfach. Versprecht Ihr es?«
»Schön, schieß los. Ich behalt mir aber das Recht vor ...«
»Versprechen ist Versprechen. Versprecht Ihr es?«
»Einverstanden, ich versprech's.«
»Schön, dann versprech ich zuerst. Ich verspreche feierlich, niemandem, nicht mal im Traum, zu erzählen, daß mein geliebter Onkel Tico ein Buch schreibt, Memoiren oder was es sonst ist.«
»Ah, sehr gut, sehr gut, vielen Dank.«
»Vorausgesetzt! Vorausgesetzt, daß Onkel Tico heute bei Papa mit uns zu Mittag ißt!«
»O nein! Alles, nur das nicht! Nein, niemals! Ich habe nicht vor, wegen irgend etwas heute auszugehen, bitte um irgend etwas anderes, nur das nicht.«
»Ihr habt es versprochen!«
»Ich habe gesagt, ich werde mir das Recht vorbehalten, bestimmte Versprechen zu verweigern.«
»Davon habt Ihr nichts gesagt!«
»Ich habe es nicht gesagt, weil du mich nicht hast ausreden lassen, ich wollte es sagen. Nein, bitte um etwas anderes, irgend etwas anderes.«
»Papa geht es gesundheitlich nicht sehr gut, Euch zu sehen würde ihm guttun ...«
»Laß die Lügen, er ist ein Abklatsch vom alten Amleto, und bei dem verschlimmerte sich jeder Zustand, an dem er angeblich litt, sobald ich auftauchte.«
»Wie ungerecht, das stimmt nicht. Papa mag Euch so gerne, er jammert unablässig darüber, daß ihr euch nie seht.«
»Da lügt er. Er hat in mir immer den Schandfleck der Familie gesehen. Womit er vielleicht recht hat, aber ...«
»Seid nicht so verbohrt! Ich weiß nicht, warum es für den Herrn

General Patrício Macário ein so großes Opfer sein soll, im Hause seines Bruders zu Mittag zu essen, um seine Verwandten wiederzusehen und sich daran zu erinnern, daß er eine Familie hat, um seinen von dieser Arbeit brummenden Kopf etwas abzukühlen.«

»Meinst du, die Erinnerung an meine Familie kühlt mir den Kopf? Ganz zu schweigen von einem Wiedersehen mit ihr!«

»Onkel Clemente André hat aus Rom geschrieben, er ist sehr krank.«

»Wirklich? Der Monsignore krank? Was hat er?«

»Ich weiß nicht, aber daß es ernst ist, weiß ich.«

»Tut mir sehr leid, der Monsignore ...«

»Also dann, Onkelchen, wir werden alle da sein, auch José Eulálio, alle werden da sein, wie oft hat die Familie Gelegenheit, so zusammenzukommen?«

»Du hättest als Mann zur Welt kommen müssen, du wärst ein großartiger Anwalt geworden.«

»Zum Glück bin ich kein Mann geworden, denn dann hätte ich Euch nicht nach Herzenslust küssen können, so, so und so! Also, abgemacht? Los, ziehen wir etwas anderes an, ist das denn ein Anzug für einen General, Herr im Himmel! Los, zieht Euch um, es wird schon neun Uhr sein oder später, ich habe den Jungen versprochen, wir würden auf dem Teich rudern gehen. Habt Ihr eine Angel? José Eulálio hat Fische im Teich aussetzen lassen und behauptet steif und fest, jetzt könnten wir sie angeln, wird das nicht lustig? Ach, Onkel, wärt Ihr in diesem Aufzug in den Schlachten aufgetreten, wir hätten den Krieg von Paraguay verloren, warum steht Ihr so herum, los, zieht Euch um!«

»Wünscht die Senhora etwa, daß ich Galauniform anlege?«

»Ja, könnt Ihr das denn? Ist sie gebügelt? Wunderbare Idee, Galauniform, voll mit diesen goldenen Dingern, alle Orden, Federbüsche, Schärpe, Degen, Sterne, alles! Werdet Ihr wirklich die Uniform anlegen?«

»Natürlich nicht, ich bin nicht von Sinnen wie du.«

»Schade! Die Jungen wären so stolz, sie sagen immer, ihr Großonkel ist einer der größten Helden Brasiliens!«

»Schlimm genug, daß ich das nicht bin.«

»Natürlich seid Ihr das! Und da Ihr nicht stattlich in Galauniform erscheinen wollt, tretet Ihr wenigstens als vollendeter

Dandy auf, heute ist ein Tag für neue Kleider. Bitte zieht Euch um, Onkelchen, es ist schon spät!«

»Du vergißt, daß auch ich Bahianer bin«, schulmeisterte Bonifácio Odulfo, während er auf seinem Spaziergang durch die Bibliothek einen kurzen Halt einlegte und den Zeigefinger hob. »Ja, du vergißt, daß auch ich Bahianer bin! Und als Bahianer kenne ich das ebensogut wie du, wenn nicht besser, wenn nicht besser!«
Patrício Macário versank im Sessel. Nein, er wollte nicht mehr diskutieren, er wollte überhaupt nicht mehr diskutieren, er würde ihn reden lassen, soviel er mochte, und anderen Gedanken nachgehen. Normalerweise war das einfach, aber Bonifácio Odulfo hatte die Angewohnheit, seinen Gesprächspartner nach jedem Satz, der ihm wirkungsvoll erschien, mit dem Blick zu durchbohren und nichts mehr zu sagen, bis er beim anderen irgendeine Regung wahrnahm. Wäre nicht diese aufreizende Angewohnheit gewesen, man hätte ihn völlig übersehen können, während er, ruhiger geworden, für den Bruder, den Schwager und den Sohn zu einem Vortrag über Brasilien ansetzte. Patrício Macário hatte in der Annahme, damit Anklang zu finden, einige Minuten zuvor von Canudos gesprochen, und der Bruder war wütend aufgesprungen. Wie konnte denn ein Militär, dessen Waffenbrüder von diesen Fanatikern, diesen Analphabeten, diesen wahrhaft primitiven Tieren, Feinden der Republik, hingeschlachtet worden waren, wie konnte ein Militär, ein General, das Blutbad an diesen Hinterwaldbanditen beklagen? Und das Blutbad an den Soldaten?
»Das beklage auch ich natürlich«, hatte Patrício Macário geantwortet. »Ich beklage es hauptsächlich, weil das Heer wieder einmal dazu gebracht wurde, die eigenen Landsleute zu bekämpfen. Wir gewöhnen uns allmählich daran, jedem nur denkbaren Zwist in dieser Form zu begegnen.«
»Nicht jedem Zwist! Die konstitutionellen Freiheiten sind gewährleistet, das weiß jeder.«
»Was für konstitutionelle Freiheiten denn? Was für konstitutionelle Freiheiten übt ein armer Teufel im Landesinnern denn aus, wo er in völliger Unwissenheit und größtem Elend lebt, ohne Zugang zur Gerechtigkeit, ohne Zugang zu irgend etwas?«
»Rede nicht so melodramatisch daher, mein lieber Bruder, stell

die Dinge nicht schlimmer dar, als sie sind. Wir leben in einem Land des Überflusses, in dem das Volk eben deshalb ein träges Leben führt, es hat keine Initiative, und lebt von dem, was es im Buschwald findet und in anderer Leute Pflanzungen, das ist das Problem. Frag einmal hier José Eulálio nach dem Unterschied zwischen unserem Arbeiter und dem ausländischen Siedler, das ist eine Frage der Herkunft, des nationalen Temperaments, das ist kein Thema für Wehklagen von Sozialreformern. Und übrigens sprichst du so, als handelte es sich nicht um Feinde des Regimes.«

»Von Feinden des Regimes kann keine Rede sein, hat dieses Regime Feinde?«

»Hat es keine Feinde? Willst du etwa behaupten, das Regime hätte keine Feinde? Das ist die unglaublichste Behauptung, die ich in den letzten Jahren je gehört habe!«

»Die Feinde des Regimes sind diejenigen, die, obwohl sie wirtschaftlich bevorzugt sind, sich gelegentlich benachteiligt fühlen und dann dieses eigennützige, lächerliche Gezänk in Szene setzen, das das Volk, die Allgemeinheit wahrlich nicht interessiert. Welche Vorteile hat die Republik dem Volk gebracht?«

»In diesem Fall, welche Vorteile hat die Monarchie gebracht?«

»Keine. Es geht nicht um Monarchie oder Republik, es geht um die Einsicht, daß wir nicht ewig die Stimme der Besitzlosen, der Unterdrückten und Rechtlosen, die die große Mehrheit sind, durch Militäraktionen zum Schweigen bringen können. Es geht darum, ein Regime zu errichten, das, statt die Privilegien seiner Nutznießer zu verfestigen, zu begreifen versucht, daß das Land nur groß sein kann, wenn das Volk nicht verarmt, versklavt, unwissend und hungrig gehalten wird. Das scheint mir von elementarer Bedeutung. Kennst du die Verzweiflung, das Elend, die Hoffnungslosigkeit der Leute da im Sertão? Und? Was tut die Republik für sie? Sie schickt Soldaten, um sie umzubringen, sie vom Antlitz der Erde zu fegen, löst man so die Probleme?«

»In diesem besonderen Fall, ja! Ja! So stärkt man das Regime!«

»So schwächt man das Regime!«

»So stärkt man das Regime! Genau so! Wollen wir etwa zulas-

sen, daß Bastarde, Mischlinge ohne Intelligenz, ohne Charakterfestigkeit, ohne jede positive Eigenschaft außer ihrer instinktiven Liebe zum Leben, sich in die Geschäfte der Republik einmischen? Wo kämen wir da hin?«
»Zumindest was ihr eigenes Leben betrifft, müßten sie das Recht zum Eingreifen haben.«
»Und wovon leitet sich dieses Recht her? Welches Verständnis haben sie für dieses Recht? Welches Glück brächte ihnen das Verständnis für dieses übrigens höchst fragwürdige Recht?«
»Du redest, als wäre dir dieses Volk fremd, als gehörte es nicht zur selben Gattung wie wir.«
»Und du kannst dieses Volk auf eine Stufe mit dir selbst stellen?«
»Sie sind Menschenwesen wie wir und sind Brasilianer.«
»Manch einer würde die Bezeichnung ›Menschenwesen‹ ablehnen, aber geschenkt, wie man so sagt. Du behauptest also, daß diese Leute wirklich unser Volk sind und unser Volk als Ganzes vertreten? Dann stell dir einen Bauerntölpel als Abgeordneten vor, einen Hinterwäldler als Botschafter, einen Provinztrampel als Senator, was für eine prächtige Rolle würden sie spielen, und was für eine prächtige Rolle wir! Man muß den Dingen ins Auge sehen! In dieser Welt werden nun einmal einige zum Führen geboren, die Mehrheit aber zum Gehorchen, das ist die Wirklichkeit!«
»Aber führen, das kann auch bedeuten ehrlich regieren und nicht unterdrücken.«
»Was nennst du Unterdrückung? Was soll man sonst mit diesem Volk tun? Ihm Toiletten spendieren? Sie werden ihre Notdurft weiterhin in den Büschen verrichten! Ihm Geld geben? Sie würden alles für Schnaps und billige Vergnügungen vergeuden! Man muß doch die Wirklichkeit sehen. Man muß den Umtrieben rasender Fortschrittsgläubiger wie dir einen Riegel vorschieben, damit das Land nicht in Anarchie und Mißwirtschaft versinkt! Die wenigen Errungenschaften, die wir erkämpft haben, dürfen wir uns nicht nehmen lassen! Ihr werdet uns nichts davon wegnehmen! Es wird euch nicht gelingen, dieses Land ...«
Ein Hustenanfall unterbrach sein Wüten, und die beiden jüngeren Männer standen auf, um ihm zu Hilfe zu eilen. Er wies das angebotene Glas Wasser zurück, lehnte sich an eine Säule, at-

mete tief durch und trocknete die vom Hustenreiz feucht gewordenen Augen. Patrício Macário, von seiner erregten Heftigkeit beeindruckt, schloß daraus, daß sie aus verschiedenen Welten sprachen, weiterzustreiten lohnte nicht. Er würde vor dem Mittagessen gern einen Rundgang durch die Gärten machen und wollte schon aus seinem Sessel aufstehen, als ihm der Bruder mit nervösem Lächeln ein Zeichen gab, er möge warten, als verspräche er stillschweigend, sich zu beruhigen. Er bat um Entschuldigung, gab zu bedenken, daß das Thema ihn stets errege, und nicht ohne Grund, habe er es doch eingehend studiert und mache es sich daher mitunter nicht klar, daß die anderen selbstverständlich nicht auf der Höhe seines Verständnisses angelangt seien.
»Du vergißt, daß auch ich Bahianer bin«, sagte er dann, zunächst in lediglich lehrhaftem Ton, ereiferte sich aber gleich wieder, wenn auch weniger heftig als bisher. »Ja, du vergißt, daß auch ich Bahianer bin! Und als Bahianer kenne ich die Verhältnisse dort genausogut wie du, wenn nicht besser. Wenn nicht besser!«
Tief in seinem Sessel versunken, versuchte Patrício Macário dem bohrenden Blick auszuweichen, den sein Bruder wieder auf ihn richtete, in Erwartung einer Reaktion auf das, was er gesagt hatte, doch Ausweichmanöver nutzten jetzt nichts, denn schon hatte er sich vor seinem Sessel aufgepflanzt und wartete mit verschränkten Armen auf eine Erwiderung.
»Wenn nicht besser!« wiederholte er.
»Ist in Ordnung«, sagte Patrício Macário gelangweilt. »Sicher besser.«
»Du sprichst zwar in ironischem Ton, aber es ist wahr. Ich besitze Fazendas, ich kenne das Landesinnere, ich habe mit Landwirtschaft und Viehzucht zu tun. Folglich weiß ich, wovon ich rede.«
»Gewiß doch.«
»Ich muß mich sehr wundern, daß ein so feuriger Republikaner wie du, wenn ich nicht irre, ein Republikaner der ersten Stunde, der wegen seiner Aktivitäten sogar einige Male bestraft wurde, der sich deswegen Feinde schaffte, der aus ebendiesem Grund nicht die Karriere gemacht hat, die er hätte machen können, daß ein Republikaner wie du jetzt seine eigenen Ideen mißbilligt.«
»Ich mißbillige meine Ideen nicht, ich bin nur von der Republik enttäuscht, das ist alles. Ich habe keine Wendung zum Besseren

wahrgenommen. Sogar die alten Amtsinhaber der Monarchie sitzen immer noch auf ihren Posten und behalten ihren Einfluß und ihr Ansehen von einst. Die Wahlen werden im voraus abgesprochen, die öffentliche Verwaltung unterliegt Privatinteressen, es wird gestohlen, wie nie zuvor auf der Welt gestohlen wurde, das Volk wird jeden Tag ärmer ...«

»Mein lieber Bruder, du bist ein Utopist, das bist du. Was willst du denn, sollte die Republik die natürliche Ordnung der Dinge auf den Kopf stellen? Die Männer, die Einfluß ausüben, stehen an ihrem Platz, weil sie dazu befähigt sind. Willst du denn, daß der Pöbel in der Republik das Sagen hat? Daß die Wahlen nicht die sozialen und politischen Kräfte spiegeln, die für das Land und für jedes Gebiet wirklich bedeutsam sind? Sie werden vorher abgesprochen, weil das Wahlvolk als solches nicht die nötige Einsicht besitzt, um die oft sehr feinen, gesellschaftlichen Notwendigkeiten zu erkennen, folglich ist es notwendig, daß die regierende *élite* die Verantwortung für den Aufbau der Macht übernimmt. Du kennst keine starke Nation ohne eine starke Regierung, keine starke Nation, in der das gemeine Volk, die Nichtsnutze, eine aktive Stimme haben.«

»Von was für einem Volk, zum Teufel, sprichst du? Für dich ist die ganze Welt gemeines Volk, mit Ausnahme von vier oder fünf mickrigen Gestalten, die du für standesgemäß hältst wie dich. Was für ein gemeines Volk? Jedermann? Denn du sprichst von jedermann, von jedem Brasilianer, mit der gleichen Verachtung. Ich will euch damit nicht eure schönen Vorrechte absprechen, behaltet sie, ich sehe aber nicht, daß dafür das Volk versklavt werden und in Elend, Unwissenheit und Krankheit gehalten werden muß. Siehst du nicht, daß es kein anständiges, kein starkes Land geben kann, wie du sagst, dessen Volk aus Sklaven, Bettlern, Kranken und Hungerleidern besteht?«

»Armut gibt es überall!«

»Das ist zunächst einmal keine Rechtfertigung. Zweitens stimmt es nicht, zumindest nicht so wie hier. Wir haben als eines der letzten Länder der Welt die Sklaverei abgeschafft, und zwar nur auf dem Papier, wie du besser weißt als ich. Ihr könnt doch dieses Land nicht einfach als euer Eigentum ansehen! Und selbst wenn ihr das insgeheim tut, warum behandelt ihr es dann so, wie kein Gutsbesitzer seinen Gutsbesitz behandeln würde? Warum gebt ihr ihm nicht auch etwas und wollt immer nur nehmen? Warum verachtet ihr es derart, warum diese Scham über ein Land und alles, was es angeht, warum betrachtet ihr euch als verbannte Europäer und ertragt nicht einmal die Sprache, die ihr sprecht? Plünderer, Piraten, Beutemacher, ihr seht diese Erde an wie etwas, was nichts mit euch zu tun hat, geben wollt ihr ihr nichts, nur nehmen!«

»Das ist nicht wahr!«

»Doch, es ist wahr! Nicht die Bauerntölpel von Canudos sollten als Fremde angesehen werden. Ihr seid es, ihr seid die Fremden, Leute, die sich nie damit abgefunden haben, hier geboren zu sein und zu leben, das seid ihr! Ihr dreht alles und jedes um! Die Republik, ein Ideal von Fortschritt, Wohlstand und Gerechtigkeit, habt ihr sofort benutzt, um euch noch mehr Geld zu verschaffen, noch mehr Macht, um euch auf jede vorstellbare, mögliche Weise zu bereichern, ihr seid Diebe eures eigenen Landes, Verräter eures eigenen Volkes, Schurken ...«

»Herr im Himmel, was schreien diese Männer! Meine Herren, aber meine Herren, ist ein neuer Krieg ausgebrochen?«

Henriqueta, einen Obstkorb im Arm und ein vermeintlich jugendliches Mäulchen ziehend, erschien in der Tür der Bibliothek und blieb mit übertriebenem Entsetzen stehen, als sie Patrício Macário dabei überraschte, wie er bleich, mit hervorquellenden Augen und ausgestrecktem Arm auf seinen Bruder zuging.

»Ihr wollt doch keine Boxkampf aufführen, oder?« fragte sie, nervös lächelnd. »Das ist nicht fair, Tico, du bist in weit besserer körperlicher Verfassung und hast ein Leben lang deine Muskeln gebraucht, während dein Bruder den Kopf gebraucht hat. Bonifácio Odulfo, hast du etwa wieder gehustet? Geht's dir gut? Soll ich dir etwas bringen lassen, eine Herzstärkung?«

»Nein, nein, vielen Dank. Ich bin nur das Temperament meines Bruders nicht mehr gewöhnt. Ich glaube, wir haben uns über Gebühr erregt, welche Torheit, sich wegen nichts und wieder nichts so zu alterieren!«

»Du kannst es nicht lassen, mich herauszufordern!«

»Hast recht, aber es geht mir nicht ums Herausfordern, ich finde das Gespräch mit einem Mann deines Berufes interessant.«

»Aber das ist doch kein Gespräch, das ist eine Predigt. Eine

Predigt, die höchst ... Schon gut, wir wollen nicht grob sein, verzeih, Henriqueta.«

»Ach was, keine Ursache, ich bin sowas von meiner Familie gewöhnt. Aber wenn ich fragen darf, was war der Grund für soviel Heftigkeit, soviel Empörung?«

»Nichts, nichts. Der General und ich haben über das Volk diskutiert und sind in Meinungsverschiedenheiten geraten, doch all das ist vergessen, oder nicht, Tico?«

»Über was diskutiert?«

»Über das Volk, das brasilianische Volk im allgemeinen.«

»Herr im Himmel, und deswegen wärt ihr um ein Haar handgreiflich geworden? Wegen des Volkes? Es heißt, die Frauen seien rätselhaft, ich für meinen Teil behaupte, daß ich die Männer niemals begreifen werde. Aber was für ein Volk? Etwa das gemeine Volk, Angestellte, Hausmädchen, Ladenverkäufer, Arbeiter, Landarbeiter? Genügt es denn nicht, daß wir sie aushalten müssen, müssen wir ihrethalben auch noch streiten?«

»Ist gut, Henriqueta, wir werden das Thema wechseln.«

»Also schön, wechseln wir unverzüglich das Thema! Thema und Umgebung, denn ich habe eine Überraschung. Rate, wer heute zum Mittagessen kommt!«

»Keine Ahnung.«

»Es ist auch eine Überraschung. Madame Renard! Meine liebe Freundin, Madame Renard! Ist das nicht fabelhaft?«

»Fabelhaft? Ja, fabelhaft. Wo ist sie jetzt?«

»Im Musikzimmer, mit Titiza und Isabel Regina.«

»Und wird sie spielen? Jetzt gleich?«

»Ach, mein Gott, ist das nicht wunderbar? Ja, sie wird spielen! Rate mal, was!«

»Ich weiß nicht, irgend etwas Modernes?«

«Hochmodernes, Chopin! Chopin! Zu meiner allergrößten Schande muß ich gestehen, daß ich den großen Alexandre Chopin nur aus zweiter Hand kannte, ich hatte über ihn gelesen, ohne je seine Musik gehört zu haben, die jedermann göttlich findet.«

»Heißt er nicht Frédéric Chopin. Ich dachte ...«

»Frédéric, ja, ich verwechsle immer Alexandre mit Frédéric, weiß nicht warum.«

»Alexander der Große, Friedrich der Große ...«

»Ach, wie scharfsinnig! Aber natürlich! Wir wollen eine *polonaise* hören, das hat sie mir gesagt, eine der berühmten *polonaises*, von denen alle Welt redet, die aber niemand spielt! Dann also los, ja?«

»Los, los. Wie weit wir doch gekommen sind, Musik vor dem Mittagessen! Und dazu Chopin!«

»Und Madame Renard! Kommt, gehn wir, ein königliches Vergnügen erwartet uns! Als sie unser Klavier sah – hab ich dir nicht gesagt, ein deutscher Flügel ist nur mit Gold aufzuwiegen? – juckte es ihr gleich in den Fingern, das hat sie mir selber gesagt. Kommt, gehn wir? Es ist fast zehn Uhr, bald werden wir zu Mittag essen müssen, und diese Stücke sind nicht gerade kurz. Also gehn wir, mein hochgeschätzter Schwager und General!«

»Ja, obwohl ich in aller Aufrichtigkeit bekennen muß, daß ich den Namen Chopin nie gehört habe. Ist er Franzose?«

»Gewiß doch, alles Lohnenswerte ist französisch. Gehen wir?«

Sie wartete die Antwort gar nicht ab, reichte ihrem Mann den Arm und führte die Gesellschaft die Treppe hinauf zum Musiksalon. Patrício Macário seufzte. Jedenfalls war es besser, als weiterhin die wütenden Schmähungen des Bruders mitanhören zu müssen. Er kannte den Musiksalon, er kannte einen kleinen Winkel im Erker, von dem aus man Garten und Teich betrachten konnte, und wenigstens würde während der Musik niemand reden. Früher hätte er den Ärger nicht so leicht abschütteln können, jetzt aber stellte er nicht ohne Melancholie fest, daß die Denkungsart seines Bruders ihm gleichgültig, zutiefst gleichgültig war. Es ärgerte ihn, wenn er sich aggressiv oder autoritär gab, aber dieser Ärger hielt nur solange an, wie er unmittelbar herausgefordert wurde.

Vielleicht war es besser so, dachte er verdrossen und stieg langsam die Treppe hinauf. Er hatte eine unbestimmte Vorstellung davon, wer diese Madame Renard war, eine französische Konzertpianistin, die für eine Saison nach Rio angereist war und sich zum Bleiben entschlossen hatte, sicherlich weil in Frankreich niemand nach ihr krähte, sie aber hier wie nie zuvor auf Händen getragen wurde. Er fand sie auch nicht unsympathisch, als Henriqueta die beiden einander vorstellte. Obgleich Henriqueta sie auf französisch ansprach, hatte sie auf portugiesisch geantwortet und ihm warmherzig die Hand gedrückt. Sie hörte befriedigt, daß er ein General war und überdies ein Kriegsheld, beabsichtigte sie doch ausgerechnet, ein Stück zu spielen, das das Heldentum des polnischen Volkes würdigte. Gleich zu Anfang würde er geradezu die Beschreibung einer Truppenbewegung heraushören können. Folglich würde sie ihr Spiel ihm widmen, als Huldigung für ihn. Sie mochte die Brasilianer so gerne, ein so schlichtes, ein so gutes Volk ...

Patrício Macário dankte, und wenn ihn die Huldigung anfangs etwas irritierte, weil sie bedeutete, daß er der Musik Aufmerksamkeit schenken mußte, sagte er sich gleich darauf, daß dies kaum wichtig war. Er würde in seinem Erker sitzen, den er sich ausgesucht hatte, er würde größtes Interesse heucheln und zum Schluß eine rühmende Anmerkung beisteuern. Er wollte sich gerade setzen, als er Isabel Regina auf sich zueilen sah.

»Onkel, wir haben zwei Fische gefangen! Ihr habt versprochen, mit uns zu angeln und seid nicht erschienen!«

»Ich wünschte, ich hätte eine Rute hier, aber eine aus Quittenholz, um dir zu zeigen, was du dafür verdienst, daß du mir das hier eingebrockt hast.«

»Aber hört doch Onkel, heute ist so ein fröhlicher Tag Und Madame Renard ist eine große Pianistin, es wird fabelhaft werden!«

»Ja, fabelhaft. So hat man mir bedeutet. Aber das mindeste was du für mich tun kannst, als Wiedergutmachung, ist für deinen Onkel eine hochwichtige Mission zu erfüllen.«

»Zu Befehl, Herr General ...!«

»Also Marsch. Lauf rein und bring mir unauffällig ein Flakon Cachaça und ein Schnapsgläschen, bring mir's aber, ohne daß es jemand sieht.«

»Cachaça?«

»Mach nicht so ein Gesicht, ich weiß, daß es in der Küche Schnaps gibt. Also los, bevor die Musik anfängt!«

Sie spielte nicht schlecht, Madame Renard. Sie spielte sogar sehr gut, und während er bemerkte, daß es einer jener Tage war, an denen Alkohol gleich zu Kopf steigt, wandte Patrício Macário den Blick von der Landschaft ab, um den energischen Bewegungen der Pianistin zu folgen. Sehr hübsch, wirklich. Nicht nur die Cachaça machte ihn trunken, auch die reine, frische Luft, die durch das Erkerfenster eindrang, und ganz besonders die Musik, die ihm ein Gefühl der Fülle und Freiheit gab, einer Art stiller Freude und Zuversicht in etwas, von dem er nicht wußte, was es war. Ja, Freiheit, natürlich, Freiheit, die zum Greifen nahe war, und die er aus Blindheit oder krankhafter Bequemlichkeit nicht ergriff. Ja, was tat er in Rio, verquält, verbittert, beengt, entwurzelt? Er lebte in Rio, weil er sich daran gewöhnt hatte, hier zu leben, nichts band ihn in Wahrheit an die Stadt, nur die Routine, der Alltag, der sich eingeschliffen hatte bei ihm. Er dachte an die Bucht-aller-Heiligen, nun glaubte er, auf der Musik reitend, über sie hinwegzufliegen, und er schwebte über die abgerundeten Umrisse der Insel Itaparica hin, während Madame Renard dem Klavier Töne wie von einem Glockenspiel entlockte. Er beschloß: er würde unverzüglich nach Itaparica abreisen, dort war alles beisammen, dort war alles Wichtige geschehen, dort lag das Wissen verborgen, nur dort konnte er frei sein. Oder zumindest konnte er dort wissen, ob er je frei sein könnte, den Wind in den Segeln und frei wie jetzt, über den weiten, grünblauen Golf fliegend, in Gesellschaft geflügelter Fische und der geheimsten Erinnerungen, die ein Herz haben kann.

Amoreiras, den 23. Januar 1898

Mensch, was für ein wundervoller Kugelfischeintopf blubbert da in dem großen Tontopf, liebe Leute! Dampfende Filets, weiß wie Engelwurz, so gut wie gar, ein Geruch, einfach atemberaubend, und drum herum an der Spitze aufgebrochene Quiabos, liebevoll ausgesucht, über eine Handspanne lang, schleimig, wie es sich gehört, und ganz entscheidend für das Gericht; reichlich Anguriengurke, etwas bittere Eierfrucht, etliche Erdbananen, zwei oder drei große Süßkartoffeln, verschiedene Scheiben Kürbis, Tomaten in mehreren Reifegraden, weiße Kartoffeln, Rosenmaniok, eine große Scheibe Jasminwurzel, Weißkohl, Grünkohl und Brotfrucht, alles vom Besten, die feinsten Zutaten zu einem großen Fischeintopf, gewürzt mit Zitronensaft, mit scharfem, rotem Pfeffer, ein bißchen Knoblauch, ein bißchen Salz, ein paar roten Zwiebelchen und Koriander mit vollen Händen, als wäre es Gras, alles gestampft in einem Mörser.

So versteht man, warum Florisvaldo Balão, Mann von der Zauberin Rita Popó, der gerade zum Mittagessen kommt, vor dem schönen großen Topf stehenbleibt, der auf der Kohlenglut schmurgelt, und begehrlich die salz- und pfefferwürzige Luft einsaugt, die feucht ist vom Dampf des Kugelfischs, bekanntermaßen der beste Seefisch, Leckerbissen für Ehrenbanketts und Verbrüderungsfeste, dessen Geschmack und Zartheit konkurrenzlosen Ruf genießen. Die Brühe prüfend, in der einige Quiabos sich bereits zu öffnen beginnen, kostet er in Gedanken den kunstvoll mit Suppensaft angerührten erstklassigen Tapiokabrei voraus und schließt entzückt die Augen. Schwieriger zu verstehen ist vielleicht, warum nach soviel Begeisterung Florisvaldo den Gesichtsausdruck wechselt und mißtrauisch nach dem Topf schielt, sich bekreuzigt und ein machtvolles Gebet murmelt. Es ist, weil abgesehen davon, daß es der beste Seefisch ist, der Kugelfisch auch giftig ist und blitzschnell einfach jeden tötet, der ihn ißt und nicht wußte, wie man ihn zubereitet. Glücklicherweise gibt es welche, die ihn fachgerecht zubereiten können. Da genügt es zum Beispiel, die Haut zu entfernen. Nein, nein, die Haut zu entfernen genügt nicht, die Haut enthält kein Gift, es gibt sogar Leute, die die Haut mitessen. Das Problem ist der Nabel. Der Kugelfisch hat diesen knotigen, kleinen Nabel, und da steckt das Gift drin, und um jede Gefahr zu vermeiden, braucht man nur da, wo der Nabel ist, einen Keil in das weiche Fischfleisch zu treiben. Also das Gift kann aber auch möglicherweise im Kopf sitzen, so daß es vielleicht das Sicherste ist, den Kopf wegzuwerfen. Natürlich ist es auch sehr gut möglich, daß diejenigen recht haben, die behaupten, das Gift steckt im ganzen Fisch, aber wenn man ihn lange in einem offenen Topf kocht, dann verdampft es und verschwindet. Nein, nein, das Problem ist ganz anders, es ist der Mond, denn es wäre heller Wahnsinn, einen Kugelfisch bei Vollmond zu verspeisen, oder im letzten Viertel vom abnehmenden Mond, oder wer weiß, bei zunehmendem Mond, vielleicht auch bei Neumond. Ach was, nicht der Mond, das Geheimnis ist der Monat, in dem man den Kugelfisch ißt, denn man darf ihn nicht in den Monaten ohne *r* essen oder in denen mit dem Buchstaben *r*, oder in der Karwoche, oder in der gesamten Fastenzeit, oder in den zwei Wochen vor und den zwei Wochen nach Weihnachten.

Kugelfischeintopf zu essen ist folglich eine bedeutsame Erfahrung, und es gibt Menschen, die ihn sogar regelmäßig Jahr um Jahr essen, mit nur einem oder zwei Todesfällen in der Familie, wobei kein Fall bekannt ist, bei dem jemand vom Genuß des Kugelfischs gestorben wäre, ohne daß er die Gewohnheit des Kugelfischessens gehabt hätte, weil nur der Kugelfisch ißt, der daran gewöhnt ist, denn wer nicht daran gewöhnt ist, der kann sterben, wenn er ihn ißt. Florisvaldo und Rita Popó sind ans Essen von Kugelfisch gewöhnt, alle, die an dem Mittagessen teilnehmen werden, sind gewöhnt, Kugelfisch zu essen, darum hat er sich auch bekreuzigt und sein Gebet gesprochen, um dieses Mal noch nicht zu sterben. Dann ging er ins Eßzimmer, wo schon einige Gäste versammelt waren von den zehn oder zwölf, die sich mit ihm und Rita zusammenfinden würden, wie es fast jeden Sonntag geschah. Er lächelte, als er hineinging, wußte er doch schon, welches Thema heute dran war, wenn Kugelfisch aufgetragen wurde, war es nämlich immer dasselbe, das heißt, Todesfälle von Leuten, die Kugelfisch gegessen hatten. Wie etwa die Geschichte, die Edésia Tata gerade zu Ende erzählte, von den fünf Freunden, die Kugelfiff gegessen hatten, inf Bett gingen und niemehr aufgewacht find, aufer einem, der if aufgewacht, aber da war er fpinnert im Kopf.

»Waren das die Leutchen, die in Ponta do Trilho gestorben sind?« fragte Florisvaldo.

»Nein, der Fall in Ponta do Trilho, das war eine andere Geschichte«, erklärte Ramiro Grande, berühmt dafür, daß er das Kugelfischessen aufgegeben hatte und wieder darauf zurückkam, als er von der Versuchung geheilt schien. »Im Fall von Ponta do Trilho, da wollte die älteste Tochter des Hauses nicht vom Kugelfisch essen, aber hat vom Huhn gegessen, das die Eingeweide vom Kugelfisch gefressen hatte, und die Leute, die den Fisch gegessen hatte, die sind gestorben und die, die vom Huhn gegessen hatten, die auch, und sogar wer Suppe von diesem Huhn gegessen hatte, der starb, und auch die Hunde, die die Reste gefressen hatten.«

»Wer hat den Kugelfisch heute zubereitet?«

»Das war Désia.«

»Ich nicht, ich hab nur drei fubereitet, die übrigen Fá Rita.«

»Kugelfisch aus vier Händen?«

»Was ist da dabei? Bleibt sich doch gleich.«
»Ein Vier-Hände-Kugelfisch? Ich hab immer gehört, ein Vier-Hände-Kugelfisch ist keine gute Sache.«
Sie redeten noch über den Kugelfisch, als Rita Popó, so fett, daß sie es bequemer fand, sich trotz ihres gewaltigen Busens seitlich durch die Tür zu zwängen, aus einem Raum außerhalb des Hauses, das sie Kämmerchen nannte, zurückkehrte, in der Küche halt machte, die Beschaffenheit des Fischs mit der hölzernen Löffelspitze prüfte, ein wenig Wasser in den Topf nachgoß, das Feuer fächelte und das Eßzimmer betrat. Sie lächelte allen Anwesenden wenig liebenswürdig zu, nahm die ehrerbietigen Begrüßungen leicht gelangweilt entgegen und sagte, sie sei müde, sie habe eine ganz arge Schufterei hinter sich. Florisvaldo rief sie zu einem vertraulichen Gespräch in eine Ecke.
»Der General, ist der General noch im Kämmerchen?«
»Ja, ist er.«
»Findest du nicht, er müßte allmählich rauskommen? Wie lange ist er denn schon da drin? Doch schon fast vierzehn Tage, oder?«
»Mag sein. Müssen zehn oder zwölf sein.«
»Du weißt also nicht, wie viele Tage er da noch drin bleiben muß? Zählst du die Tage nicht? Was für ein komisches Ritual ist das denn?«
»Rede nicht von Dingen, die du nicht verstehst, das ist kein Ritual eigentlich, das ist was andres.«
»Aber er kommt da nie mehr raus, wie? Ich kriege es mit der Angst, das ist ein General, der ist wichtig, eines Tages fangen sie an und suchen ihn, und dann erwischt es uns.«
»Die Tür ist ja nicht verriegelt, niemand zwingt ihn, da drin zu bleiben, er kann jederzeit raus. Er sitzt da drin, weil er es will, er glaubt, es ist wichtig, daß er da drin bleibt, solange es nötig ist.«
»Nötig für was?«
»Damit er was entdecken kann.«
»Was denn, was?«
»Wenn er's noch nicht entdeckt hat, wie soll ich das wissen?«
»Aber du hast ihn doch angestiftet zu all dem, du hast ihm doch zugeraten.«
»Ich hab mit ihm geredet, das ist alles, was ich getan hab. Der ist

von sich aus zu mir gekommen, das weißt du doch, niemand hat ihn gerufen. Er hat mich gekannt, und darum ist er zu mir gekommen.«

»Woher hat er dich gekannt?«

»Er hat mich schon lange gekannt, aus der Zeit von meiner verstorbenen Mutter Rufina, aus der Zeit wo Zé Popó hier in der Gegend war. Er hat sich einmal mit meiner Mutter unterhalten, das war eine ganz wichtige Sache für ihn, später ist er wiedergekommen und hat geglaubt, sie wäre noch am Leben. Er ist nach Tuntum gegangen, er ist nach Manguinho gegangen und nach Porto Santo, er hat gesucht und gesucht, bis er mich gefunden hat. Ich hab die Unterhaltung damals nicht gehört zwischen meiner Mutter und ihm, weil ich besessen war, und dazu noch von Siniki, da bin ich ganz zerschlagen, wenn der daherkommt und Zäune und Gatter und Hühnerställe umschmeißt, aber er hat mir alles erzählt.«

»Was alles, was für eine Geschichte hat er dir erzählt?«

»Ach, das kann ich dir nicht sagen. Das ist seine Geschichte, nicht meine, wer sie erzählen kann, das ist er, ich bin zum Schweigen verpflichtet.«

»Findest du das nicht alles sehr merkwürdig, wie? Dieser Mann da, ein Weißer und bestimmt wichtig, ein General, und ist da wie ein Irrer im Kämmerchen eingesperrt ...«

»Überhaupt nicht wie ein Irrer, er denkt nach und lernt in dem Kämmerchen, ganz allein. Und das will ich dir sagen, du hast damit gar nichts zu tun, überlaß das mir, misch dich nicht ein, das könnte dir nur schaden.«

»Schon gut, schon gut, ich mache mir nur Sorgen, du vergißt nämlich, am Ende, da muß immer der kleine Mann die Suppe auslöffeln. Ist der Fischtopf nicht bald fertig?«

»Wird gleich soweit sein. Edésia, Liebe, geh mir doch mit dem Tapiokabrei an die Hand, der Topf ist so schwer.«

Bald darauf setzten sich alle zu Tisch, ganz fröhlich saßen sie zusammen und prahlten, und deshalb ißt man ja in Wahrheit Kugelfisch, denn ein Mensch, der Kugelfisch ißt, ist nicht wie jeder andere. Und auch weil der Tag so schön war, die Sonne im Januarzenit glitzerte auf dem allerblausten Meer unter einem Himmel, wie es keinen anderen gibt und auch nicht geben kann, der sanfte Nordostwind kühlte die Trinkwasserkrüge in den Fenstern, die Baumschatten kamen und gingen mit dem Wind und zeichneten Mosaikmuster auf den Fußboden, die Bentevis sangen, als wollten sie zeigen, daß auch sie ein Fest hatten, kein Geschöpf auf der Welt konnte ein üppigeres Leben genießen. Florisvaldo bemerkte, was für ein schöner Tag, gleich darauf füllte er seinen hölzernen Suppennapf, bekreuzigte sich, betete, küßte das Medaillon am Hals und die Zauberamulette, begann zu essen und war voll des Lobes für die würzige Zubereitung. Ramiro bat sie, falls ihm etwas zustieße, seine Frau zu benachrichtigen, damit sie die Beerdigung vorbereiten könnte, sie war nämlich gerade eine Zeitlang in Encarnação, bei ihrer Mutter, die krank geworden war, nachdem sie Kugelfisch in Palmöl gegessen hatte. Jemand fragte, ob Edésia, die älteste Kugelfischesserin unter ihnen, jemals etwas gespürt hätte, und sie antwortete, nur einmal. Die Lippen hätten ihr gejuckt und die Fingerfpitfen und die Beine fo komiff gekribbelt. Dann war ihr ganf ffindelig, aber hübf ffindelig, beffer als Ffindel vom Wein. Hinterher diefe Lähmung, vierfehn Tage lang, aber nicht mehr, wenn ich mehr behaupten würde, daf wäre geflunkert. Rita Popó lächelte und stand auf, um einen Teller voll für den General zu holen, aber nicht Kugelfisch, den man nur dem auftischt, der darum bittet, sondern zwei Carapebafische, die sie gesondert hatte zubereiten lassen, mit Reis, hellen Bohnen und ein wenig Gemüse.

In dem Kämmerchen, gleich nachdem Rita Popó es verlassen hatte, um sich um sein Mittagessen zu kümmern, fragte sich Patrício Macário, wie viele Tage er schon hier war, und er kam zu dem Schluß, das könnte er nur durch Fragen erfahren, denn er hatte das Zeitgefühl verloren, und wäre nicht die wenn auch spärliche Helligkeit in das Gemach gedrungen, er hätte nicht einmal sagen können, ob es Tag oder Nacht war. Was für eine sonderbare Erfahrung! Und wie wenig schließlich die Zeit bedeutete, wie sie gewisserweise außerhalb der Menschen nicht vorhanden war, nur in ihnen. Er wußte und glaubte, jedermann wüßte es, daß die Zeit ihre Dauer verändern kann, und daß eine Stunde ellenlang sein oder nur Augenblicke dauern kann, doch jetzt wußte er auch etwas Tieferes, das er vielleicht niemandem erklären konnte, der nicht eine ähnliche Erfahrung gemacht hatte. Er hatte eine neue Vertrautheit mit der Zeit gewonnen, hier eingeschlossen ohne Uhr, ohne Kalender, ohne Beschäftigungen und ohne Gespräche, außer bei Rita Popós Besuchen. Vielleicht nicht eigentlich Vertrautheit, sondern Unabhängigkeit, vielleicht Gleichgültigkeit, vielleicht sogar Verachtung, die man plötzlich für etwas empfindet, dessen bislang gefürchtete Macht sich auf einmal als Schwindel entpuppt. Dinge, die, wie diese höchst eigentümliche Frau ihm gesagt hatte, sich nicht mit Hilfe von Wörtern lehren lassen.

Ja, eine höchst eigentümliche Frau, grob und völlig ungebildet, und zugleich weise, nicht nur in Dingen ihres Zauberberufes, sondern auch in anderen, die man von Menschen wie ihr nicht erwartet hätte. Wenngleich er wegen ihrer Verbindung zu Maria da Fé natürlich glaubte, es sei etwas ganz Besonderes an ihr, und sicherlich traf das zu. Er hatte erst ihre Mutter aufsuchen wollen, dann hatte er entdeckt, daß sie nicht nur die Stelle ihrer Mutter eingenommen, sondern noch größeren Ruhm als Zauberin erworben hatte. Sie war unglaublich dick geworden, seit er sie zum ersten Mal gesehen hatte, so daß er sie nicht erkannte, als er ihr in diesem Zustand begegnete. Und nun war sie eine eindrucksvolle, monumentale Gestalt, deren Auftreten Achtung einflößte, selbst dort, wo sie nicht das große Ansehen hatte, das sie unter ihren eigenen Leuten genoß.

Sie hatte ihn auf eine Weise empfangen, die ihn neugierig machte. Er war zu Pferd nach Amoreiras gekommen, nach einer anstrengenden Reise, weil die Regengüsse die Wege verschlammt hatten, und er konnte nur unter Schwierigkeiten das Haus finden, in Wahrheit eine Art Kultplatz, eingefaßt von verschiedenen Bauten und versteckt in einem von gewundenen Pfaden durchzogenen, wirren Dickicht. Als er um Auskünfte über sie bat, klangen die Antworten zurückhaltend, einige behaupteten, sie hätten nie von ihr gehört, sie wußten nicht einmal von einem in der Nähe gelegenen Kultplatz. Er mußte sich an einen pensionierten Gerichtsschreiber wenden, den er kannte und der einen Acker in der Nähe besaß, dicht am Strand, und der war, nach kurzer Verwunderung über seine Bitte um Auskunft, bereit, ihm einen seiner Lohnneger als Führer mitzugeben. Dennoch führte ihn der Neger nicht ganz bis zum Kultplatz heran, sondern nur bis zu einem Punkt, von wo aus die Stelle sichtbar wurde, empfahl sich, gab seiner Stute die Sporen und ritt heimwärts.

Patrício Macário näherte sich dem Kultplatz im Schritt, bemerkte, daß die Menschen zurückwichen, je näher er kam, und saß ab, weil er meinte, daß er sie vielleicht auf diese Weise weniger einschüchterte. Doch ihr Verhalten veränderte sich nicht, so daß er beschloß, zu Fuß auf das größere Haus zuzugehen, wohin viele liefen, als wohnte dort jemand, dem sein Besuch gemeldet werden müßte. Von getrockneten Lehmspritzern bis zum Bart hinauf beschmutzt, mußte sein Aussehen auf diese Leute nicht eben beruhigend wirken, die gewohnt waren, daß die Weißen ihre religiösen Stätten und Geräte verwüsteten. Er überlegte noch, ob er besser lächelte und wie er sich verhalten sollte, wenn er an der Haustür angelangt war, als sie auf der Veranda erschien, so als wäre seine Gegenwart für sie etwas Alltägliches, ihn mit einer Handbewegung begrüßte und sagte:

»Willkommen, General Patrício Macário. Ihr habt auf Euch warten lassen, aber endlich seid Ihr da. Willkommen. Überlaßt Euer Pferd dem Jungen neben Euch und kommt bitte herein, wir freuen uns sehr, Euch in unserem Haus zu empfangen.«

»Vielen Dank«, war alles, was er in seiner Überraschung herausbrachte. Er übergab die Zügel dem Jungen und stampfte mit beiden Füßen auf, um vor dem Eintreten den harten Lehm von den Stiefeln zu schütteln.

Er bat um Verzeihung für seinen Aufzug, erklärte, er sei aus der Stadt Itaparica gekommen, normalerweise ein kurzer Ritt bis Amoreiras, doch jetzt erschwert durch den Schlamm. Und schon begann er, ein wenig ängstlich, zu erklären, warum er Sá Rufina hatte aufsuchen wollen und jetzt bei ihr war, aber sie unterbrach ihn und sagte, das hätte keine Eile, er brauchte nichts zu überstürzen, er sollte erst einmal richtig ankommen, ein Bad nehmen, die Wäsche wechseln, kein Anlaß zur Unruhe, nachher hätten sie alle Zeit der Welt um zu reden, sie könnte sich schon denken, weswegen er gekommen war.

Daraufhin nahm er sein Bad mit kaum bezähmter Ungeduld, kleidete sich in die Sachen, die er in einer hinter dem Sattel verschnürten Reisetasche mitgebracht hatte, zog die inzwischen gesäuberten Stiefel an, trank zwei Becher Wasser und wartete auf und ab gehend auf sie. Anfangs war er enttäuscht, weil er, als er nach Maria da Fé fragte, nach der Bruderschaft, sogar nach Zé Popó, nur unbestimmte und, wie es schien, ausweichende Antworten erhielt, die ihn etwas verärgerten. Aber sie merkte das und erklärte ihm mit geduldiger, eintöniger Stimme, daß im Gegensatz zu dem, was die Leute denken, Magie nicht von außen geschieht, sondern von innen. Das ist der Grund, warum man soviel davon spricht, daß es wichtig ist zu glauben, daß die Dinge geschehen, denn schließlich ist Glauben nichts anderes als eine Art, die Welt zu sehen, damit die Dinge, von denen man wünscht, daß sie geschehen, möglich werden. Also ist Glauben Kenntnis, eine Kenntnis, die er nicht besaß, und die ihm niemand geben konnte, nur er selbst, auch wenn ihm dabei geholfen werden konnte. Sie war bereit, ihm zu helfen, falls er es wünschte, und sobald er begriff, daß die Welt auf sehr viele Arten gesehen werden kann. Er wußte sicherlich, daß Menschen, die übertrieben sicher sind und glauben, es gebe nur einen Weg und eine Wahrheit, eine Wahrheit, die ihnen vollkommen bekannt ist, gefährlich sind und jeder Art von Verbrechen zuneigen. Die Wahrheit zu wissen und sie den anderen aufzwingen zu wollen in einer Welt, in der sich alles verändert und alles sich in jede Art von Schein hüllt, ist eine schlimme Art von Wahnsinn. Daher verstehen Menschen, die derart wahnsinnig sind, nicht das Evangelium der Priester. Dort heißt es, du sollst auch die andere Backe hinhalten, wenn man dir einen Backenstreich erteilt, aber da sieht man auch, daß man die Wechsler mit Stockschlägen aus dem Tempel vertreiben soll. Was ist nun richtig? Der träge gewordene Kopf, der verhärtete Kopf, der Kopf, der sich nicht auf Wege wagt, die ihm andere Zugänge eröffnen, dieser Kopf wird einen der beiden Wege wählen, und den anderen Weg wird er dann verdammen, die dümmsten Gründe wird er erfinden, warum der andere Weg nichts taugt. Und das, weil er nicht begreift, daß man genauso die andere Backe hinhalten, wie man mit Stockschlägen drauf losgehen soll, denn, genauso ist das Leben; da wird dies gesagt und jenes gesagt, das Leben steht nicht auf Täfelchen geschrieben, und seine Regeln sind nicht so geordnet, wie diese wahnsinnigen Menschen es wünschen, das einzige, was ganz geordnet ist, ist die Lüge, denn die ist eine rundum passende Erklärung. Sie las in seinem Gesicht Enttäuschung darüber, daß er keine unmittelbaren Antworten erhalten hatte, aber er sollte bitte versuchen zu begreifen, daß sie solche Antworten nicht geben konnte, denn es gab Dinge, die von seinem eigenen Kopf abhingen.

Fast benommen hörte er ihr weiter zu, manchmal ungeduldig, manchmal gefesselt, ohne zu wissen, was er von dieser Rede halten sollte, die ihm glänzend und zugleich verblendet vorkam, vernünftig und zugleich wahnhaft. In einem Augenblick der Verzweiflung unterbrach er sie sogar, um zu erfahren, ob die Art, wie sie ihn begrüßt hatte, nicht Hochstapelei gewesen sei, nur um ihn zu beeindrucken, indem sie ihn glauben machte, sie hätte im voraus von seinem Kommen gewußt? Wie hatte sie das gewußt? Sie seufzte und sagte, dafür brauchte man keine Prophetin zu sein, denn nach der Geschichte, die sie von ihm kannte, lag es auf der Hand, daß er von seiner Vergangenheit besessen war und daher früher oder später gekommen wäre, um diese Besessenheit möglichst wegzuschmelzen.

Ach, mein Gott, sagte sie, ist das verzwickt, wenn man erst erklären muß, daß man mit der Art und Weise, wie man fragt, schon die Antwort gewählt hat! Sie bat um Vergebung für ihren Freimut und sagte, er verstünde nicht zu fragen, er verstünde nur auf eine Art zu fragen, und für diese Art wüßte er die Antworten bereits, die er erhalten würde, denn es waren immer die gleichen. Aber es gab Dinge, die sich nicht mit Worten erklären ließen, eben weil die Worte tyrannisch sind, sich nicht von der Erfahrung jedes einzelnen ablösen lassen und so die Gemüter versklaven. Sie würde ihm helfen, falls er es wünschte, wiederholte sie. Es gab keinen eindeutig richtigen Weg, das war nicht wie in der Schule, wo man Lektionen lernt, es war etwas, was stark von ihm abhing – wie schwierig, das zu erklären, mein Gott! Es war, als könnte er nur lernen, wenn er wußte, und nur wissen, wenn er lernte. Da hieß es reinen Tisch machen, er mußte mit aller Erfahrung reinen Tisch machen, müßte alles bislang Erlernte vergessen, begriff er das?

Nein, er begriff es nicht. Ja, sie wußte, daß das schwierig war, das war nichts, was sich mit diesen verteufelten, vertrackten Wörtern lehren ließ, also war die einzige Hilfe, die sie ihm anbieten konnte, daß sie ihn hier versuchen ließ zu lernen, dabei kannte sie das beste Mittel, das sie ihm gleich mitteilen würde, falls er es wollte. Ja, das wollte er. Ob er es wirklich wollte? Aber ja, er wollte es, warum denn nicht, das war wenigstens etwas Neues im Leben, eine andere Erfahrung.

»Eine andere Erfahrung, ja«, sagte sie, »aber etwas Neues, nein. Es ist etwas Altes.«

Die erste Anweisung lautete, er brauchte mit nichts übereinzustimmen, er müßte nur fortfahren. Wie fortfahren? Er wußte doch, was fortfahren heißt? Also fortfahren. Die zweite Anweisung war die, er sollte sich frei fühlen, nichts würde ihm aufgezwungen. Wenn er die Tür nicht verschlossen haben wollte, konnte er sie öffnen; wollte er nicht allein sein, konnte er rausgehen, um ein bißchen zu plaudern; wollte er nicht stillsitzen, konnte er herumlaufen, soviel er wollte. Aber er sollte sich etwas wünschen. Zum Beispiel? Was zum Beispiel konnte er sich wünschen? Was weiß ich, irgendwas! Wünscht Euch irgendwas. Er war nicht gezwungen, sich irgend etwas zu wünschen, er war zu nichts gezwungen, aber wenn er nicht etwas wünschte, wäre er doch nicht hier, oder? Aber was denn? Ja, wie soll ich das wissen?

Nun gut, dritte, vierte und fünfte und sechste Anweisung, alle ziemlich einfach, und schon war er in Klausur. An den ersten beiden Tagen zweifelte er stark daran, daß er dort bleiben würde, er glaubte, daß sein Gefühl für die Lächerlichkeit der Lage ihm nicht erlauben würde, sich einer solchen Erfahrung längere Zeit auszusetzen. Doch am dritten Tag, als er aufstand, um die Tür zu öffnen, von der er wußte, daß sie nicht abgeschlossen war, hielt er inne, bevor er den Arm ausstreckte, trat nicht hinaus und kehrte zu seinem Sitzplatz zurück. Als Rita Popó an dem Tag zum ersten Mal bei ihm erschien, beeilte er sich, seine eigene Lage zu ironisieren, doch sie schien nicht zu verstehen, was er sagen wollte. Danach bat er sie um ein Buch, eine Zeitschrift, irgend etwas zum Lesen. Sie zeigte sich sehr überrascht, fast so, als wüßte sie nicht, was diese Worte bedeuten sollten. Bücher, wieso Bücher, wenn hier niemand zu lesen verstand? Und wozu wollte er lesen, warum versuchte er nicht auf andere Weise zu lernen? Aber er bestand darauf, und sie erinnerte sich schließlich daran, daß sie ein Buch im Hause eines Verwandten von Florisvaldo Balão gesehen hatte, der in der Nähe wohnte, sie wollte dieses Buch für ihn holen lassen, weil er so großen Wert darauf legte. Kurz darauf kehrte sie mit dem Buch zurück, einer vergilbten Broschüre ohne Umschlag, in der einige Seiten lose waren und andere fehlten. Unter ihrem neugierigen Blick blätterte Patrício Macário in dem Buch und schloß aus einigen Zwischentiteln, daß es sich um eine Sammlung von Reiseberichten, Aben-

teuergeschichten und Expeditionserlebnissen handelte. Besser als nichts, er würde das lesen, jetzt bat er sie nur noch um einen kleinen Gefallen. Er würde gern etwas trinken, ob sie ihm nicht ein Gläschen Schnaps besorgen konnte?
Er trank viel mehr als beabsichtigt, und kurz vor Mittag sah er sich vor Lachen am Boden wälzen, überwältigt von einer von Gefahren, Todesfällen und Heldentaten strotzenden Geschichte, in der spanische Seefahrer maurische Piraten an der afrikanischen Küste bekriegten, Schiffbruch erlitten und sich plötzlich dem Volk der Pygmäen gegenüber sahen, einer blutrünstigen Bande mit rasiermesserscharfen Zähnen und giftgeladenen Blasrohren, trotz ihrer durchschnittlichen Größe von kaum zweieinhalb Spannen.
»Ich lerne, ich lerne!« sagte er unter Lachsalven zu Rita Popó, als sie ihm sein Essen brachte.
»Mit dem Buch? Ist das Buch gut?«
»Es ist hervorragend! Ich habe gerade eine Geschichte von den Pygmäen gelesen, das ist ein Volk, das zwei ... zwei ... zwei Spannen ... zweieinhalb Spannen ... groß ist!«
Er versuchte die Geschichte weiterzuerzählen, sein Lachen ließ es nicht zu, schließlich wurde sie angesteckt und lachte mit, griff nach einem Kürbisbecher und schenkte sich einen Schluck Schnaps ein. Patrício Macário klatschte Beifall, wollte einen Trinkspruch ausbringen, brach aber von neuem in Gelächter aus und preßte die Arme auf seinen Bauch. Sie nahm einen zweiten Schluck und warf ein, sie mochte das nicht so ungemischt – ob er nicht einen Aufguß versuchen wollte, den sie in ihrem Zimmer hatte? Natürlich wollte er das, sie sollte ihn nur holen, nichts ging ihm über ein paar anständige kleine Trankopfer vor dem Mittagessen!
Später, ohne zu wissen, wieviel Zeit vergangen war, und ob er überhaupt zu Mittag gegessen hatte, auch nicht, ob es Tag oder Nacht war, wollte er aufstehen, um den Fensterladen aufzumachen und nachzusehen, ob draußen Licht war, aber dann fand er, es sei nur eine dumme, unsinnige Gewohnheit, dieses Wissenwollen, wie weit der Tag vorgerückt war. Was machte es aus, warum mußte er aufstehen, um sich einem belanglosen Zwang zu unterziehen? Nach der Entscheidung, nicht aufzustehen, fühlte er sich glücklich. Überhaupt fühlte er sich außerordentlich wohl, im Gegensatz zu dem, was einen erwartete, wenn man

soviel Schnaps wie er getrunken hatte. Das mußte der Aufguß sein, ein Tee aus Wunderkräutern, den dieses Volk kennt, und dessen Geheimnis es für sich behält. Trotzdem wollte er aufstehen und sich das Buch holen, das in drei Schritten Entfernung lag. Als er sich aber regen wollte, konnte er es nicht. Was war das, war er gelähmt? Doch seine Panik währte nur einen Augenblick, denn gleich darauf begriff er mit großer Gelassenheit, daß er nicht gelähmt war, es war nur, als wollte eine Seite seines Willens probieren, wie es war, wenn man sich nicht regen kann. Er konnte sich regen, er wollte sich regen, aber dann konnte und wollte er sich auch nicht regen. Wie war das zu verstehen? Aber genau das geschah gerade, und nun blieb er vollkommen reglos auf dem Pritschenbett nahe dem Kopfende sitzen, den Rücken gegen die Wand gelehnt. Vielleicht sollte er sich etwas bequemer hinsetzen, vielleicht das Bein etwas länger ausstrecken, um besser zu sitzen, aber bald begriff er, daß er das nicht brauchte, denn sein Körper schien sich immer weiter vom Geist zu lösen, oder dieser von jenem, so daß es immer unwichtiger wurde, in welcher Stellung er dasaß. Hatte er das Buch gelesen in dieser geheimnisvollen Zeit, die mittlerweile verflossen war? Wahrscheinlich ja, denn obgleich er sich an keinerlei Einzelheiten erinnerte, mit Ausnahme der Erzählungen von den Pygmäen, konnte er es jetzt ansehen und lesen, ohne es zu berühren und aufzuschlagen, als entfalte es sich selbständig vor seinen Augen, nicht in Buchstaben, nicht in Bildern, nicht in irgend etwas Bestimmtem, und doch sehr deutlich. Er brauchte nur die Augen darauf auszuruhen, und schon wurde es lebendig und durchsichtig. Da er begriff, daß etwas Ungewohntes vorging, begriff Patrício Macário auch sofort, was Rita Popó hatte sagen wollen, als sie ihm empfahl, einfach fortzufahren. Und nun fuhr er einfach fort, wandte seine Aufmerksamkeit von dem Buch ab und beobachtete nun, wie die Wände jede von ihm gewünschte Farbe und Beschaffenheit annahmen, wie alles je nach Wunsch lustig oder traurig wurde, wie das Dach je nach Wunsch sich öffnete oder höher stieg. Und warum wollte er es nicht, nur um es zu sehen? Weil es ihn plötzlich nicht mehr interessierte, das Dach kraft seines Wunsches höher steigen zu sehen, ihn interessierte nur noch zu wissen, daß es sich bewegte, wenn er dies wünschte, wie auch seine ruhenden Muskeln sich bewegten, wenn er es wünschte. Wie sollte er jemandem das Gefühl beschreiben, das er nun verspürte? Sollte er es Freude, Euphorie nennen? Ja, doch etwas mehr und etwas weniger als das. Triumph, Macht? Nein, etwas Ähnliches, aber mit einem Unterschied, der die Verwendung dieser beiden Wörter unmöglich machte. Weder schlafend noch wachend, weder mit geschlossenen noch mit geöffneten Augen überantwortete er sich dem Meer von Gedanken und Formen, in dem er versank, ohne sich darum zu sorgen, wohin er ging, wie er ging, was er finden würde, falls er etwas finden würde, nur gehen.

Jetzt, kurz bevor Rita Popó die beiden Carapebafische brachte, verdichtete sich endlich die Ruhe, die er seit mindestens zwei Tagen immer stärker in sich einziehen fühlte, es war wie eine stille Sicherheit, eine verschwiegene Freude und Kraft. Er wollte nicht wissen, ob das nur ein Eindruck war, so wie er auch nicht mehr wissen wollte, ob all das, was ihm geschehen war, wirklich geschehen oder ob es Einbildung gewesen war. Und es beunruhigte ihn nicht mehr wie vorher, ob er je imstande sein würde, diese unglaubliche Zeit im Kämmerchen in eine logische Ordnung oder in ein System zu bringen. Er erinnerte sich, daß er mit vielen Leuten gesprochen, Geschichten gehört und erzählt hatte, er hatte geistige Abenteuer erlebt, die er nie vergessen würde. Er erinnerte sich auch an das eine Mal, wo er in Rita Popós Beisein schallend gelacht und sie gefragt hatte, ob er vielleicht verrückt wurde. Sie hatte ihm mit nein geantwortet, vielleicht war er früher verrückt gewesen, und wenn die Dinge ihm jetzt äußerst komisch vorkamen, so, weil er sie mit seinen vielen neuen Augen sah, die er bekam und zu gebrauchen lernte. Er stimmte zu, bestand aber darauf, daß er jedenfalls nicht mehr derselbe war. Natürlich nicht, erwiderte sie, Euer Kopf hat sich verändert.

Sie hatten sich sehr angefreundet, hatten sogar eine behagliche Vertrautheit entwickelt und brauchten manchmal gar nicht zu reden, um sich zu unterhalten, brauchten auch seine Erfahrungen nicht zu kommentieren, denn sie hatte recht gehabt, das Ganze war nicht wie das Lernen in der Schule. In Wirklichkeit würde das Lernen jetzt vielleicht erst eigentlich beginnen, sobald er wieder zurück in die Welt zog, um alles zu sehen, was er bereits kannte, als wäre es das erste Mal. Er wußte, daß er schließlich gehen würde, daß er die Tür öffnen und weggehen würde, er war bereit. Er wollte nur auf sie warten, sich noch ein wenig mit ihr unterhalten und sich dann verabschieden. Er hatte über Maria da Fé nichts herausgefunden außer einigen vagen Geschichten. Von Zé Popó erfuhr er auch nichts, und wenn er auf die Bruderschaft zu sprechen kam, wechselte Rita Popó sofort das Thema. Schön, jedenfalls hatte es sich gelohnt, das wollte er ihr sagen. Falls ihn jemand fragte, und sei es einer seiner Freunde, was er die ganze Zeit getrieben hatte, würde er, und das fand er amüsant, nicht antworten können, selbst wenn er wollte, und wohl deshalb waren alle diese Dinge geheim, denn nur durch Erfahrung waren sie übertragbar. Er hörte ihre nahen Schritte und stand auf, um sie an der Tür zu empfangen.

»Aber, Geschöpf Gottes, hast du den Verstand verloren?« sagte Florisvaldo zu Rita Popó. »Bring dem Mann wieder den Carapebafisch, sag ihm, er soll das mit diesem Kugelfisch vergessen!«

»Willst du den Kugelfisch ganz für dich haben?« antwortete sie, ohne sich in ihrer Küchenarbeit unterbrechen zu lassen. »Ist reichlich da, nur keine Angst.«

»Quatsch, ich will den Kugelfisch nicht ganz für mich haben, ich mach mir nur Gedanken, was ist, wenn der Mann stirbt nach dem Kugelfisch, dann heißt es nämlich, wir hätten ihn vergiftet.«

»Wenn er stirbt, sterben wir auch, derselbe Eintopf.«

»Ach was, es kann sein, daß einer stirbt und ein anderer nicht, jedermann weiß das.«

»Gib dir keine Mühe, Florisvaldo, ich bring ihm vom Kugelfisch.«

»Was für eine schwachsinnige Idee, warum hast du ihm gesagt, daß wir heute Kugelfisch haben?«

»Ich weiß nicht. Ich weiß nicht, ich hab's ihm gesagt, und darauf hat er geantwortet, er will die Carapebafische nicht essen, er will auch Kugelfischeintopf haben.«

»Aber hast du ihm nicht gesagt, daß er dann sterben kann, hast du ihm nicht erklärt, was ein Kugelfisch ist?«

»Hab ich, hab ich. Aber trotzdem wollte er davon, er ist nur nicht zum Mittagessen gekommen, weil es sein letzter Tag im Kämmerchen ist, und weil er da essen will. Ich werde bei ihm essen.«

»Und warum das? Gehört das dazu?«
»Mehr oder weniger. Und jetzt entschuldige mich, ich will ihm das Essen bringen, entschuldige mich.«
»Und ich sag trotzdem, daß ich dagegen bin. Wenn dieser General stirbt, dann wird es an Galgenstricken für uns nicht fehlen.«
»Laß den Unsinn, du hast von dem Kugelfisch heute schon probiert, und es ist nichts passiert.«
»Aber ich hab's noch nicht zu Ende gegessen, und erst, wenn man's auf hat, kommt die Wirkung.«
»Und du kriegst es nie auf, wenn du so weiterredest. Jetzt entschuldige mich, ich komme gleich wieder.«
Sie bedeckte den mit Fischeintopf gefüllten Napf mit einem Tuch, holte einen Teller, den sie über das Gefäß mit Tapiokabrei stülpte, stellte alles auf ein Tablett und trug es auf dem Kopf hinaus, wobei sie nur mit einer Hand leicht den Rand berührte, um es im Gleichgewicht zu halten. Als sie zum Kämmerchen gelangte, öffnete der General, in straffer Haltung als vorher, strahlend die Tür.
»Ah, ausgezeichnet! Und was für eine gute Idee, das mit dem Tablett! Es wird uns als Tisch dienen, wir können es auf diese beiden Hocker stellen. Großartig! Es riecht gut! Zum ersten Mal hier habe ich Hunger, zum ersten Mal seit langer Zeit habe ich wirklich Hunger!«
»Die anderen wollten mir nicht glauben, als ich ihnen gesagt habe, Ihr würdet Kugelfisch essen!«
»Die kennen mich nicht. Aber lassen Sie mal sehen, kann ich das Tuch abnehmen? Das hier ist es doch, oder? Großartig! Wirklich großartig, ist das immer so weiß, oder ist das die Zubereitung?«
»Nein, das Fleisch ist so weiß, es ist der beste Seefisch.«
»Schon nach dem Geruch läßt sich das sagen, da hat man schon eine Vorstellung davon.«
Sie setzten sich auf zwei Hocker, und er fragte, den Holzlöffel schwingend, ob er ihr vorlegen dürfte. Nein, nein, sie würde ihm vorlegen, er war der Besuch, er hatte Anrecht auf die besten Stücke, obwohl in dem Topf alles vom Guten und Besten war. Sie lud einen Teller randvoll, drückte mit dem Löffelrücken eine Mulde in den Tapiokabrei und goß Brühe hinein. Ah, wie gut das

riecht! Waren die wirklich wahr, diese Geschichten von Todesfällen, hervorgerufen von diesem so appetitanregend aussehenden Fisch? Ja, sie waren wahr, der Kugelfisch ist ein Fisch für Fürsten und uralte Adelsfamilien, der Fisch des Königs von Japan, dort nennt man ihn Fugufisch, und er darf nur mit königlicher Erlaubnis, als Zeichen seiner Gunst oder Wertschätzung, gegessen werden, es ist ein geheimnisvoller Fisch. Dann, meine liebe Sá Rita, erfreuen wir uns hier an einem Bankett für Könige, und dieses Vorrecht wollte man mir mit der belanglosen Behauptung verwehren, ich könnte ja nach dem Essen sterben? Und wo bleibt die Würde dessen, der andere einen Leckerbissen kosten sieht und es ihnen nur aus Feigheit nicht gleich tut? Und wo bleibt die echte Gleichgültigkeit gegenüber dem Tod? Aus Pflicht, da fällt es leicht; aus Vergnügen, das ist der Beweis. Sie haben recht, Sá Rita. Von diesem Fisch zu kosten ist ein so großes Erlebnis, daß man Bücher darüber schreiben könnte.
Er tauchte die große dreizinkige Gabel in den Topf und begann zu essen. Wie köstlich war das, er verstand vollkommen den Eßeifer des Königs von Japan! Und Sá Rita wollte nicht essen? Ach so, aber was für ein schöner Abschluß dieses phänomenalen Aufenthalts hier!
»Ich muß gestehen«, sagte er, nachdem er bemerkt hatte, daß das Fleisch keine Gräten hatte und von unerreichbarer Zartheit war, »ich gehe fort, ohne daß meine Besessenheit weggeschmolzen ist, um Ihre Worte zu gebrauchen. Erinnern Sie sich an Ihre Worte, ich sei gekommen, um eine Besessenheit wegzuschmelzen, aber ich hab sie noch nicht weggeschmolzen, sie sitzt noch sehr fest in mir. Das bedeutet natürlich nicht, daß ich es bereue, ganz im Gegenteil, ich ... Aber was für ein vorzüglicher Fisch! Großartig, wirklich großartig!«
»Noch ist es zu früh, da könnt Ihr noch nicht wissen, ob Ihr die Besessenheit weggeschmolzen habt.«
»Vielleicht, aber wie gesagt, ich gehe heute fort. Und natürlich wollte ich nicht fortgehen, ohne Ihnen für alles gedankt zu haben, Ihnen von Herzen zu danken.«
»Ihr habt für nichts zu danken, General.«
»Oh doch, ich habe für vieles zu danken, ganz bestimmt. Aber das hindert uns natürlich nicht, daß wir uns vorher diesen außergewöhnlichen Fisch zu Gemüte führen. Großartig!«

Nachdem er sich dreimal bedient hatte, bemerkte er, er hätte nie in seinem Leben so vorzüglich gegessen, dann schob er den Hokker gegen die Wand und lehnte sich mit ausgestreckten Beinen an. Er fragte Rita Popó, nach wieviel Zeit ein giftiger Kugelfisch zu wirken beginnt, und sie antwortete, sie wüßte es nicht, das hinge von vielem ab. Jedenfalls würde es ein schöner Tod sein, sagte er, ich habe mich selten so wohlgefühlt. Ob sie auch vor sich den König von Japan sah, mit in die Hüften gestemmten Fäusten, erbost, weil sie den königlichen Kugelfisch gegessen hatten? Sie sah ihn? Sehr gut, Sá Rita, wir werden den König von Japan einfach ignorieren, das heißt, sofern er den Mund hält, wenn ich auch kein Wort Japanisch verstehe. Und ich werde mir die Freiheit herausnehmen, eine kleine Änderung meiner Pläne vorzunehmen. Nach einer Mahlzeit wie dieser kann ich auf eine Mittagsruhe nicht verzichten und darf wohl nochmals mit Ihrer Gastfreundschaft rechnen. Ich werde ein Schläfchen machen und dann abreisen. Das Wetter ist doch trocken, oder? Also, dann werde ich bald wieder in Itaparica sein, wo hoffentlich Adalícia nicht zu besorgt ist, ich habe ihr nämlich gesagt, ich würde eine kurze Reise unternehmen, und ehrlich gestanden, weiß ich nicht, wie viele Tage ich hier verbracht habe. Ich spüre ein Jukken in den Lippen, kommt das vom scharfen Pfeffer? Nein, ich fühle nicht nur ein Kribbeln in den Lippen, sondern auch eine Art Betäubung, und meine Beine schlafen ein. Fühlen Sie das gleiche, Sá Rita? Glauben Sie, daß der Kugelfisch also giftig war? Könnte es sein, daß wir sterben? Sollten wir deshalb keine Angst haben? Ist das alles? Kann es sein, daß wir sterben? Stimmt das? Sterben wir?

»Sind wir tot?« fragte er, nachdem er sich in einer vollkommen still gewordenen Welt aufrichtete, in der seine Stimme der einzige Laut in der Luft war.

Rita Popó drehte sich um, und er bemerkte, daß auch sie nicht wußte, ob sie tot war oder nicht.

»Ich weiß nicht«, sagte sie. »Vielleicht ein bißchen, vielleicht ganz viel.«

»Sitzen wir oder liegen wir?«

»Ich weiß nicht. Ich glaube, ich schwebe.«

»Sie haben recht. Jetzt, wo Sie das sagen, merke ich, daß ich schwebe, wir beide treiben dahin, ja! Es wird immer sinnloser,

zu fragen, ob wir stehen oder liegen, es ist mal so, mal so, ganz klar.«
»Ja, so ist es.«
»Ob es den anderen auch so geht? Ob wir vielleicht auch gemeinsam träumen? Träumen wir gemeinsam?«
»Vielleicht träumen wir gemeinsam.«
»Sollten wir nicht nach den anderen sehen? Schließlich ...«
»Schön, in dem Fall geh ich, bleibt ruhig hier.«
»Sie wollen nicht, daß ich mitkomme? Allerdings weiß ich noch nicht, wie ich mich überhaupt bewegen soll.«
»Nein, bleibt ruhig liegen, ich gehe.«
Er sah sie aufstehen, nicht wie jemand, der sich erhebt, sondern als bewegte sie sich mit anderen als normalen Gelenken, er sah sie zur Tür gleiten und hinausgehen, ohne feststellen zu können, ob sie die Tür wirklich geöffnet hatte oder durch das Holz verschwunden war. Er wollte es ihr nachtun und fühlte sich in der Luft kreiseln wie ein windgetriebenes Blatt, sah seine Gelenke gleichfalls auf diese absonderliche Weise in Bewegung, aber er merkte, daß er ohne weiteres zur Tür gehen konnte. Er kam jedoch nicht mehr dazu, zu erfahren, ob er durch sie hindurch gehen konnte, weil sie langsam aufging und Rita Popó eintrat, begleitet von einem dunkelhäutigen hochgewachsenen Mann, dessen Züge ihn zum Erzittern brachten.
»An diesem letzten Tag«, sagte Rita Popó, ihre Stimme wie ein Dröhnen in einem leeren Topf, »erhaltet Ihr Besuch. Das hier ist Lourenço, Euer Sohn, Maria da Fés einziger Sohn.«
Patrício Macário hörte sein Herz schlagen, als wäre es ihm bis zum Kopf hochgestiegen, er hob die Hände.
»Mein Sohn?« fragte er, obgleich er wußte, daß es stimmte, sobald er ihn gesehen hatte. »Mein Sohn?«
Aber ohne daß er merkte wie, war Rita Popó schon verschwunden. Der Mann ging auf ihn zu und streckte ihm die Arme entgegen.
»Mein Sohn? Lourenço? Ich hätte nie ... Ich ...«
Er umarmte den Sohn, und sie verharrten in der Umarmung, während er still weinte, er wollte nichts fragen, er wußte schon die Antworten auf vieles, was er hätte fragen können.
»Mein Sohn ... Lourenço ... Deine Mutter ... Ach, mein Gott, mein Sohn! Wie alt bist du? Ach, das ist jetzt egal, für mich

bist du jetzt geboren, mein Sohn, mein Sohn! Mein Sohn! Mein Sohn! Mein Sohn!«

Sie setzten sich, einander an der Hand haltend, um zu reden. Wie sehr Lourenço seiner Mutter glich! Wußte er, daß er die schönste Mutter auf der Welt hatte, so schön und so vollkommen, daß sie ihm selbst eines Tages gesagt hatte, sogar Patrício Macário würde eines Tages glauben, sie wäre nichts als eine Legende. Ja, ein Sohn, sie war also von ihm schwanger geworden, er hätte nie ein solches Geschenk von ihr erwartet! Wußte Lourenço, was Glück war? Vielleicht wußte er es, obgleich er noch zu jung war, um es zu wissen, und so sagte er es ihm: Glück, das war das, was er jetzt empfand vor seinem Sohn, seinem Sohn von Maria da Fé, es war dieser tiefste Beweis ihrer Liebe zu ihm, es war das Unendliche, Wunderbare des Lebens. Glück, das war kein abstrakter Begriff, Glück war etwas Greifbares, Verkörpertes, Glück war er. Mein Sohn!

Er wußte auch die Antwort auf seine nächste Frage, aber er mußte sie laut ausgesprochen hören, mußte sich von dem in seinem Kopf rumorenden Gespenst befreien. Was war Maria da Fé widerfahren, war sie zum Beispiel nicht in Canudos gewesen? Lourenço sagte, ja, sie war in Canudos gewesen, sie hatte für den Rest ihres Lebens weitergekämpft, denn sie war gestorben, ja gestorben, obgleich niemand wußte wie, war sie doch, schon alt, aber noch stark, eines Tages verschwunden, nachdem sie allein in einem Boot aufs Meer gefahren war, vor den Klippen vom Kap-Unserer-Lieben-Frau. Um das Kap-Unserer-Lieben-Frau? Um das Kap-Unserer-Lieben-Frau, ja, und weder dort in der Nähe noch irgendwo sonst hat man Überreste gefunden, weder von ihr noch von dem Boot, nicht die kleinste Spur. Die einzigen Dinge, die ihr gehört hatten und die man gefunden hatte, waren die, die er jetzt seinem Vater übergab. Es waren drei Erinnerungsstücke. Die *araçanga* genannte Waffe, die ihrem Großvater und ihrer Mutter, der Fischerin Daê, gehört hatte, Sinnbild stolzer Arbeit, ebenso gut für die Verteidigung wie für den Angriff; ein Rochensporn in einer Stoffscheide, der ihrem berühmten Großvater Nego Leléu gehört hatte, Sinnbild dafür, daß das Volk mehr geheime Waffen besitzt, als man denkt oder sich vorstellt; und ein blaues Glasfläschchen mit Siegellackverschluß, in dem sie die Tränen verwahrt hatte, die sie nach der Trennung vergossen hatte. Das Fläschchen sollte er verwahren, um es ins Meer zu leeren, aus dem alles gekommen war, und zwar an dem Tag, an dem die Freiheit käme, die ihrer Liebe nicht vergönnt war, Freiheit, die eines Tages gelebt werden würde, durch ihre Söhne oder Enkel, durch ihre Urenkel, durch Nachkommen, die so fern waren, daß sie von ihnen beiden nichts mehr wüßten und nur ihrer beider Erbschaft in sich tragen würden, die sie sich stolz und glücklich wünschte. Diese drei Dinge wurden in der Gabelung eines Baums am Rand des großen Felsens vom Kap-Unserer-Lieben-Frau gefunden, ein Ort, zu dem sie stets zurückkehrte, wenn sie im Recôncavo war. Sie waren in ein großes Taschentuch mit dem Monogramm PM eingebunden, ein Taschentuch, das sie ihm heimlich weggenommen hatte, um es für den Rest ihres Lebens in ihrem Busenausschnitt zu verwahren, und das sie jetzt zurückgab, denn in diesem Taschentuch waren ihrer beider Gerüche vermischt, wie ihrer beider Wesen im Sohn Lourenço vermischt waren.

»Ich kann doch jetzt sterben, nicht wahr, mein Sohn?« sagte Patrício Macário. »Das kann ich doch? Nicht weil ich sterben möchte, sondern weil ich endlich so glücklich bin, daß ich mir vom Leben nichts mehr, gar nichts mehr erwünsche.«

Lourenço erwiderte, nein, natürlich nicht, er müßte an das Leben denken, nie ans Sterben, schon deshalb, weil der, der wirklich lebt, niemals wirklich stirbt, nichts wirklich Lebendes stirbt. Der Tod ist das Reich derer, die nur sich selbst dienen, über deren Köpfen der Schatten des Schmetterlings Curuquerê schwebt, die schlechten Priester, die schlechten Kommandanten, die schlechten Brüder, die schlechten Mitmenschen, diejenigen, die den Geist und den Glauben an Gott, ans Leben und an die Hoffnung geraubt haben.

»Was machst du, mein Sohn?« fragte Patrício Macário, entzückt, im Sohn seine eigene Haltung und seine Gesichtszüge als junger Mann zu sehen, durchdrungen vom Licht und von der Glut der Mutter, die in jeder seiner Bewegungen sichtbar wurden.

»Ich mache Revolution, mein Vater«, antwortete Lourenço. »Seit der Zeit meiner Mutter, schon seit der Zeit vor meiner Mutter, suchen wir ein Bewußtsein von dem, was wir sind. Früher wußten wir nicht einmal, daß wir etwas suchten, wir haben uns nur aufgelehnt. Aber im Verlauf der Zeit haben wir durch praktisches Handeln und durch Denken Weisheit angesammelt, und heute wissen wir, daß wir dieses Bewußtsein suchen und dieses Bewußtsein allmählich finden. Wir haben nicht genügend Waffen, um die Unterdrückung besiegen zu können, und werden sie nie haben, dennoch müssen wir immer kämpfen, sobald unser Überleben und unsere Ehre verteidigt werden müssen. Aber unsere Waffe muß der Kopf sein, der Kopf eines jeden von uns, der sich nicht beherrschen lassen darf und sich behaupten muß. Unser Ziel ist nicht unbedingt die Gleichheit, es ist eher die Gerechtigkeit, die Freiheit, der Stolz, die Würde, das gute Zusammenleben. Das ist ein Kampf, der sich durch die Jahrhunderte hinziehen wird, denn die Feinde sind sehr stark. Die Peitsche schlägt weiter, die Armut wächst, nichts hat sich geändert. Die Freilassung der Sklaven hat nicht die Sklaverei abgeschafft, sondern neue Sklaven geschaffen. Die Republik hat die Unterdrükkung nicht abgeschafft, sie hat neue Unterdrücker geschaffen. Das Volk weiß nichts von sich, es hat kein Bewußtsein, und alles, was es macht, wird nicht gesehen, und es wird ihm nur Selbstverachtung beigebracht, Verachtung für seine Sprache, für sein Aussehen, für sein Essen, für seine Kleidung, für das, was es ist. Aber wir machen diese Revolution in kleinen und großen Schlachten, die einen blutig, die anderen lautlos, wieder andere geheim, das ist es, was ich mache, mein Vater.«

Der Vater befragte ihn auch über die Bruderschaft. Lourenço antwortete, es gebe die Bruderschaft des Brasilianischen Volkes und die Bruderschaft des Menschen, das sei gar keine Frage, daß sie vorhanden sei. Geschahen und geschehen denn nicht so wunderbare Dinge, und nicht nur ihnen, sondern auch anderen, selbst den Armseligsten? Jeden Augenblick, wenn man es richtig bedenkt, offenbart sich, daß nichts zufällig ist, und trotzdem leugnet dies der gesunde Menschenverstand, der eine Form ist, das Bewußtsein zu binden und die Freiheit zu fesseln, und lieber weiterhin an alte, abgedroschene Wahrheiten glaubt. Gibt es keine Hoffnung? Es gibt Hoffnung, es hat immer Hoffnung gegeben, es gibt Hoffnung. Folglich gibt es die Bruderschaft, denn gäbe es sie nicht, könnte es keine Hoffnung geben. Seine Mutter hatte immer erklärt, daß man es wüßte, wenn man der Bruderschaft angehört. Und so war es! Wie konnte der Vater nicht wissen, daß er ihr angehörte, ihr immer angehört hatte, und jetzt mehr denn je? Er brauchte nur mit seinen neuen Augen zu sehen, mit seinem neuen Kopf zu denken und sich vor allem daran zu erinnern, daß der Mensch Geist besitzt, und daß der edelste und stärkste Wille dieses menschlichen Geistes nicht nur dem Überleben gilt, sondern dem siegreichen Beharren, denn das Scheitern der Welt, die er ererbt hat, wird nicht Gott zufallen, sondern dem Geist des Menschen, und dieses Scheitern ist die einzige Form, in der sich ein Geist entwürdigt, es ist die einzige Form des Todes. Dieser Geist widerspricht dem Tod, folglich gibt es die Bruderschaft, denn dieser Geist braucht das Gute wie der Fisch das Wasser. Und alle Augenblicke gibt es Opfer für diese Bruderschaft, es gibt Tausende und Abertausende von Kämpfen und unbekannten Heldentaten, von denen nur die Bruderschaft weiß und von denen Erinnerungsstücke bewahrt werden seit der Zeit der Verschwörer des Mehlhauses, seit der Zeit vor den Verschwörern, durch viele Jahre hindurch. Er erzählte von Júlio Dandãos Korb und sagte, Patrício Macário würde nun sein Wächter sein, er sollte sich nicht den Kopf darüber zerbrechen, was er mit dem Korb anstellen sollte, denn auch das würde er auf natürliche Weise erfahren, ohne daß es ihm jemand zu erklären brauchte.

Vielleicht, weil der Sohn gesagt hatte, der Geist brauchte das Gute wie der Fisch das Wasser, bemerkte Patrício Macário, der eine so starke Liebe empfand, daß er sich nur noch als Licht und Hitze spürte, er schwebte mitsamt seinem Sohn in einer durchscheinenden Flüssigkeit, und sie waren auf so offenkundige Weise voneinander verschieden und zugleich derselbe Mensch, daß es ärgerlich wäre, dies jemandem erklären zu müssen. Er blickte den Sohn an, sah ihn als Kind gehen lernen, sah seine gesamte Kindheit, nahm ihn auf den Arm, setzte sich mit ihm auf die Veranda, im Gedanken an das Wunder, wie sein kleiner Junge zum ersten Mal Wörter benutzte, zum ersten Mal eine Meinung äußerte, zum ersten Mal etwas Grundloses tat, wie es zum Menschen gehört, zum ersten Mal begriff, daß er einen Vater hatte, zum ersten Mal seine Hände im Regenwasser naß wurden, daß er zum ersten Mal mit Tieren umging, zum ersten Mal eine Frucht beroch, zum ersten Mal entdeckte, daß er nicht in die Sonne blicken konnte, zum ersten Mal einen Fisch sah, zum ersten Mal einen Grund suchte, zum ersten Mal über den Sandstrand rannte, zum ersten Mal Salz kostete, zum ersten Mal den Körper im Takt bewegte, während er Musik hörte, sich zum ersten Mal mit eigenen Träumen und Gedanken in eine Ecke verkroch, sich zum ersten Mal einem Freund anvertraute, zum ersten Mal verwundert seine Hände besah. Wie kann einer, der fühlt, vermeiden, eine Feuerspirale zu werden, nur weil er Zeuge des Lebens ist?

Er stieg auf in die Luft, der Unendlichkeit entgegen, wo er sich an einem dunklen Ort wiederfand, an dem alle Dinge Farben besaßen, wo es nicht heiß, aber auch nicht kalt war, und wo alle Entfernungen vom Denken überwunden werden konnten. Ein Denken, das alles formte, wenngleich nicht so, wie es wollte, sondern so, wie es mußte, wenngleich das, was es mußte, das war, was es wollte, wenngleich die Richtung, die es einschlagen wollte, die war, die es einschlagen mußte. Ach, Jungen und Mädchen, was für hübsche Dinge gehen hier vor, warum sieht man diese Dinge nicht? Man hat mir meine Kinderaugen zurückgegeben, und so kann ich weise sein. Man hat mir Flügel gegeben, und so kann ich zwischen den Sternen dahinsegeln und das Absolute vorausahnen und Glauben haben, nicht nur als ein Geschenk, sondern auch als Eroberung. Die Seelen, die Seelen, die Seelen! Die Seelen! Ich! Wir! Alle! Ich! Die Seelen! Wir und ich! Die Seelen! Die Seele!

Fast schon gegen Mitternacht erhob sich Patrício Macário im stockfinsteren Kämmerchen, und als erstes atmete er so lange ein, daß er glaubte, nicht mehr aufhören zu können. Was war geschehen, was geschah? Ob er ein bißchen gestorben war, wie Rita Popó gesagt hatte? Ob er gestorben und wieder zurückgekehrt war? War er tot? Er betastete sich, schüttelte den Kopf, rieb sich die Augen, hörte jemand in seiner Nähe sich regen.

»Sá Rita?«

Er riß ein Streichholz an der Schuhsohle an, fand ein Petroleumlämpchen, zündete den Docht an, bewegte sich auf das Geräusch zu und beleuchtete das Gesicht von Rita Popó, die sanft lächelte.

»Haben wir...«, begann er zu fragen, doch sie machte ein Zeichen, als wollte sie sagen, sie sollten nicht sprechen. »Die anderen...«

Wieder ein Zeichen, und er verstummte. Draußen lastete nicht mehr die steinerne Stille, nun war die Nacht vom Gesang der Zikaden und Kröten wie vom dumpfen Schreien der Eulen durchdrungen. Er ging zur Tür, öffnete sie, blickte zu Rita Popós Haus hinüber, sah, daß auch dort Lichter aufflammten. Also auch sie ... Er schritt ins Freie, blieb stehen, während dort die Tür aufging und zwei Menschen heraustraten, ein Mann und eine Frau, die nicht weit vom Haus stehenblieben. Sie blickten zu ihm herüber, und er begriff, daß auch sie nicht über das Geschehene sprechen würden, es war nichts, worüber man sprechen konnte, genau besehen war es nichts, worüber er gerne sprechen würde. Er kehrte ins Kämmerchen zurück, suchte Zeichen, daß sein Sohn ihn besucht hatte, fand aber keine. Und die Gegenstände, die er ihm gegeben hatte, wo waren die geblieben? Auch sie waren verschwunden. Er lächelte. Er war jedenfalls glücklich, und jetzt mißtraute er der Gewohnheit, die er langsam ablegte, haargenau zwischen dem Trügerischen und dem Wirklichen zu unterscheiden, nun schien ihm dies ein allzu einfältiges Verhalten.

Noch in derselben Stunde wollte er fortgehen. Die Nacht war klar, die Ebbe hatte den Weg am Strand entlang freigegeben, der in der Ferne zu sehen war, wie er das Mondlicht zurückwarf, er fühlte sich in bester Verfassung, es würde ein sehr angenehmer Heimritt werden, dessen war er sicher. Lange umarmte er Rita Popó, sagte, er würde wiederkommen, und sie antwortete, ja, er sollte wiederkommen, er sollte wiederkommen, sooft er wollte, jedesmal würde er herzlich willkommen sein. Er blickte umher, sammelte ein paar Sachen ein, griff nach seinem Rock auf der Pritsche und sah erst jetzt, daß ein zerdrücktes Taschentuch mit den Initialen P.M. gefaltet in der Außentasche steckte. Er riß das Tuch heraus, hielt es an die Nase, beroch es mit geschlossenen Augen, preßte es gegen das Herz und schob es unter sein Hemd, dicht auf die Haut. Rita Popó neben ihm schien nichts gesehen zu haben, und er selbst machte auch keine Bemerkung über das, was er getan hatte. Wieder umarmte er sie, ließ das Kämmerchen hinter sich und ging zum kleinen Eselstall, wo sein Pferd stand, sattelte es, saß auf und ritt auf den Strand zu, nachdem er seinen Hut an den Sattelknauf gebunden hatte, um sich den Wind um die Ohren wehen zu lassen.

Am Strand schlug er die Richtung nach Itaparica ein, im Schritt, doch bald ließ er die Zügel locker, und das Pferd fiel auf den leicht mit Wasser bedeckten Sandbänken in einen fröhlichen Galopp. Keine Gegend konnte schöner sein als diese, eine in die Nacht eingelassene, weißschimmernde Unendlichkeit, der Wind versprühte Wassertropfen in den Weltraum, die sich mit den Sternen zu vermengen schienen und wie diese funkelten und alles Sichtbare in Farben tauchten. Von neuem preßte er das Taschentuch an die Brust – konnte es ein vollkommeneres Glück geben als das seine? Natürlich wußte er noch nicht, daß er in wenigen Minuten zu Hause ankommen und Adalícia mit seinem Lärm wecken würde, und daß sie, nachdem sie seine gesunde Rückkehr fahrig gesegnet hatte, ihm einen Korb zeigen würde, eine kleine Truhe von sonderbarem Aussehen, die jemand in seiner Abwesenheit dort hatte stehen lassen, ohne daß sie es gesehen hatte, und ohne daß sie diese hatte öffnen können. Auf der Truhe würde er auch ein Stoffbündel sehen, sie wußte nicht, woher es kam, und beim Aufschnüren würde er eine kerbenreiche Keule aus Hartholz bemerken, eine Stoffscheide mit einem Rochensporn und ein blaues, tränengefülltes Fläschchen.

19 Thermalbad Itaparica, den 7. Januar 1977

Wird Stalin José seine Rede halten? Wird er ausführen, was er versprochen hat – die Tribüne besteigen, das Hemd über der Brust aufreißen wie Napoleon während seiner hundert Tage – wollten sie doch einem Arbeiter und Landsmann ins Herz schießen! – und in einer Stegreifansprache die Korruption der herrschenden Klassen anprangern, die Blutsaugerei der multinationalen Konzerne, den nordamerikanischen Imperialismus und die Gewalttätigkeit der Diktatur, die das brasilianische Volk niedertrampelt? Wird er von neuem die anwesenden und vertretenen öffentlichen Institutionen anklagen, und wird er wiederum vom nationalen Sicherheitsgesetz erfaßt und in den Knast gesteckt, um Ohrfeigen, Tritte in die Eier, Stockschläge auf die Fußsohlen und »Telefonanrufe« mit gewölbter Hand auf beide Ohren einzustecken, während er kopfunter in der »Papageienschaukel« hing? Genügt es nicht, daß er von dergleichen Leibesübungen bereits lahm und schwerhörig geworden ist, abgesehen davon, daß er – so wird gemunkelt – eine Gummiunterhose tragen muß, weil er nach den Elektroschocks den Urin nicht mehr halten kann? Genügt es nicht, daß im Jahr 38, oder vielleicht 39, Getúlio Vargas seinen Vater, den alten Erzkommunisten Schauermann Teodomiro, durch einen Geheimagenten namens Luiz der Hammer erdrosseln ließ, der prahlte, mehr als zehn Kommunisten mit bloßen Händen erwürgt zu haben? Und daß seine Nichte, Tochter seiner Schwester, die verhaftet wurde, weil sie in einem Kombi mit einem Subversiven geflirtet hatte, von sechs Männern vergewaltigt und danach tot auf den Strand geworfen wurde, daß ihre Todesursache aber offiziell als »Tod durch Ertrinken« bescheinigt wurde? Eine verrückte Familie, das kam vom Alten her, und er selbst war noch verrückter als der Alte. Wozu muß er in Zeiten wie diesen noch immer die Leute herausfordern? Wohin soll das führen? Das System ist fest verankert, die Streitkräfte sind fest zusammengeschweißt, und sie warnen die Nation vor aufrührerischem Extremismus und vor den Minderheiten, die das Chaos herbeiführen wollen, das das Einsikkern exotischer Ideologien begünstigt, die so ganz im Widerspruch zu den Traditionen der Ordnung und Friedfertigkeit des

brasilianischen Volkes stehen, wir leben doch mitten in einer Demokratie, wozu also das alles? Aber Stalin José ist wirklich ziemlich plemplem und behauptet steif und fest, daß er sprechen wird, er sagt, lieber stirbt er, als daß er den Mund hält. Ob er wirklich sprechen wird?
Diese und andere Fragen werden überall in der ganzen Stadt wiederholt, in den Dominozirkeln auf dem Quitanda-Platz, an den Fischständen des Marktes, in den bescheidensten Behausungen und den wohlhabendsten Häusern, wie dem von Ioiô Lavínio, wo nur schottischer Whisky getrunken wird, da doch sein ältester Sohn, Lavinoel, der Bundespolizei angehört und über Möglichkeiten verfügt, geschmuggelten Whisky zu besorgen. Dort wird also ziemlich viel *White Horse* mit Eis aus Kokoswasser und Guaraná-Limonade getrunken, dazu als *Hors d'oeuvre* Lambretamuscheln und Prato-Käse mit Worcestersoße, während man bereits um halb zehn Uhr morgens auf den Beginn der Vorbereitungen für das Gericht aus Judenfischköpfen wartet, mit dem Ioiô Lavínio die Tradition aufrechterhält, den Siebenten Januar nicht ohne Feier zu verbringen. Ein Familienbrauch mithin, denn Ioiô stammt von dem legendären Patriarchen João Popó ab, durch Labatut Popó, also die legitime Familienlinie. Heutzutage gibt es Männer wie João Popó nicht mehr, ein Mann mit großgeschriebenem M, auch erlauben die heutigen Umstände nicht, den Jahrestag zu begehen, wie er es tat. Die Ältesten haben immer erzählt, er hätte während der ganzen Woche des Siebenten Januar den Armen der Stadt Mahlzeiten aus eigener Tasche spendiert und außerdem mehrere Rinder zur Verteilung an die Bevölkerung schlachten lassen. Er war ein strenger Mann von maßvollen Sitten, der sich mit niemand auf Vertraulichkeiten einließ, ein Mann, wie es in der Tat heute keinen mehr gibt.
Obgleich auch Ioiô Lavínio ein Patriot von tief verwurzelten Überzeugungen und allseitig anerkannter Zivilcourage ist. Ein Revolutionär der ersten Stunde gleich im Jahr 1964, leitete er selbst die Verhaftung der Stadtverordneten Lóydson Barreto, Juracy Bonfim, Radclife Luz und Ruy Castro Alves da Conceiçao, nicht weil sie seine persönlichen Feinde gewesen wären und diese Kanaille von Bürgermeister, Oldismair das Neves, einen Hanswurst ohne die moralische Autorität und das Kaliber, Bür-

germeister einer Stadt wie Itaparica zu sein, gezwungen hatten, ihm eine Wuchergebühr für die Konzession des Kreisstadtmarktes abzuverlangen, sondern weil es sich um Kommunisten und Gesinnungsgenossen handelte, was aufs gleiche hinausläuft. Alle vier notorische Kommunisten, abgefeimte Gauner, wo in Rußland hätte denn ein aufgeblasener Mulatte wie Ruy Castro Alves Freiheiten, wie er sie hierzulande genießt? Allerdings ist jeder Kommunist ein Frustrierter, getrieben von Mißgunst, Neid und Minderwertigkeitsgefühl, das er um jeden Preis wettmachen möchte, selbst wenn dies den Ruin von rechtschaffenen und moralisch einwandfreien Männern nach sich zieht. So ließ er denn die vier festnehmen, telegrafierte dem Sohn bei der Bundespolizei und schlug vor, man solle sie zumindest in Einzelzellen stekken, und sobald das Verhör der Militärpolizei gegen sie eröffnet würde, sollte man sie aufs strengste verhören und dazu besser die amerikanischen Apparate verwenden, denn die amerikanischen Apparate waren jedem einheimischen überlegen und konnten den Verhörten schwerlich töten oder verkrüppeln. Ioiô Lavínio hatte das Recht ganz auf seiner Seite, wollte aber nicht, daß diese armseligen Schufte dabei starben, das vertrug sich nicht mit seinem christlichen Gemüt.

Als die ruhmreiche Revolution von 64 ausbrach, stellte er sich auf der Insel an die Spitze der Goldkollekte für Brasilien; er selbst stiftete seinen goldenen Graduiertenring, die Eheringe, eine Krawattennadel, ein Halsband und ein Uhrenarmband. Er erwirkte beim Polizeioffizier ein Verbot gegen das Tragen von Badeanzügen auf der Straße, gleich ob durch Einheimische oder Sommergäste, ein öffentliches Ärgernis. Er setzte von neuem die Durchsuchung des Gepäcks von Individuen durch, die wie *hippies* aussahen und auf der Insel an Land gingen, um dadurch das Einschmuggeln von Drogen oder pornographischen Schriften zu verhindern. Er erreichte, daß das Stück *Leutnant Botas – Held oder Söldner?*, das vom Theaterensemble Maria Felipa aufgeführt werden sollte, mit der Begründung verboten wurde, es mißachte patriotisches Gedankengut und verunglimpfe eine berühmte Gestalt unserer Geschichte durch eine Verzerrung, die nachweislich auf bolschewistischer Machenschaft beruhte. Er gründete in Zusammenarbeit mit einem ihm befreundeten Offizier des Heeres, Major Eduardo da Vinci Mota, den Jugendclub

31. März, dazu bestimmt, im Kinde die Liebe zu Brasilien und zu den grundlegenden Werten unserer christlichen, friedliebenden und harmonischen Gesellschaft zu wecken, daneben die Ausübung gesunder Sportarten in bereits geplanten Einrichtungen zu fördern, die durch umständebedingte Faktoren leider nie zu Ende geführt, vielmehr gar nicht in Angriff genommen wurden, obwohl dem Absatz der Anteilscheine ein voller Erfolg beschieden war, insbesondere dank der Verkaufsbegabung des Majors, der von allen Geschäftsleuten des Hinterlandes, die er aufsuchte, entgegenkommend aufgenommen wurde, häufig erwarben sie sogar mehr als einen Anteilschein.
Getreu seiner Vergangenheit bewahrte er seine Einstellung gegen Getúlio sogar nach dem Coup von 37, obwohl er zugeben mußte, dies sei eine notwendige Maßnahme gewesen, um in einem an den Rand des Abgrunds geratenen Land Ordnung zu schaffen. Aber die Verkündung der Arbeitsgesetze hatte ihn derart verstört, daß er an Auswandern dachte und den Plan nur deshalb nicht ausführte, weil die Familie ihm schließlich davon abriet. Und obschon er kein faschistisch angehauchter Integralist war wie viele seiner Freunde, konnte er dennoch seine Empörung über den Verrat gegen die Integralistische Aktion der Nationalisten nicht unterdrücken, die man niederzuschlagen versuchte und damit auf einen Gesellschaftsklub zurückschraubte. Zum staatlichen Steuerinspektor ernannt, stieg er dank seiner unverbrüchlichen Parteinahme für Júracy Magalhães und später für die UDN rasch im öffentlichen Dienst auf, in dem er sich dank seines Eifers und dank seiner freundlichen Umgangsformen bewährte, die gerade von denen gewürdigt wurden, die durch seine Steuerprüfungen betroffen waren und ihn stets mit freigiebigen Geschenken überschütteten, wie etwa mit dem Haus, das ihm der Verstorbene Komtur Inácio Pantaleão Pimenta geschenkt hatte, Eigentümer einer Kette von Textilwaren- und Lebensmittelgeschäften, und mit anderen, vielen anderen, die, ohne daß er von seinen unverzichtbaren Grundsätzen hätte abrücken müssen, ihm ein ruhiges und behagliches Leben verschafften. Schon dadurch, daß er sich noch sehr jung zur Ruhe setzte, indem er sich ein Gesetz zunutze machte, welches abgesehen davon, daß er sich damit beträchtlich oberhalb seiner letzten Gehaltsgruppe pensionieren lassen konnte, in Anbetracht seiner

hingebungsvollen Ausübung verschiedener Ämter in Kommissionen und vergüteten Funktionen zwei Drittel seiner Dienstzeit doppelt zählte. Noch fehlten eigentlich zwei Jahre, doch dieser Mangel wurde durch das Attest eines ihm befreundeten, hochangesehenen Arztes, dessen Wort niemand in Zweifel zu ziehen gewagt hätte, aus der Welt geschafft.
Zurück auf der Insel, widmete er sich einige Zeit der Politik, ließ sich aber bald darauf nicht mehr unmittelbar mit ihr ein. In erster Linie widerstrebte seiner Natur – er war ein freimütiger, Verstellung, Lüge, Halbheiten, Hinterhältigkeiten und Tiefschlägen abholder Mensch – die Schmutzigkeit der Politik, ihre dubiosen Geschäfte, heimlichen Absprachen, Verrätereien, die Unterschlagung öffentlicher Gelder – war er doch ein Mensch von so strengen Grundsätzen in diesen Dingen, daß, als einer seiner Söhne, damals acht Jahre alt, eine Banknote von zwei Milreis auf der Straße fand, er darauf bestand, daß der Junge den Besitzer in der ganzen Stadt suchte, bis er ihm sein Geld zurückerstatten konnte. Zweitens gab es da den schmerzlichen Bruch der alten Freundschaft mit Prof. Dr. Gilson Duarte, der nicht eingegangen war auf ein Kärtchen, das Lavinoel betraf, der die Jura-Aufnahmeprüfung absolvieren sollte, aber etwas schwach in Latein, Gesellschaftslehre und Portugiesisch war, obgleich er gewisse Kenntnisse der französischen Sprache besaß und die ersten zehn Zeilen der in der Prüfung vorkommenden Übersetzung auswendig wußte. Lavinoels unvermeidlicher Durchfall bei der Prüfung und Dr. Gilsons Versuch, diesen zu erklären, waren ein rüder Schlag für eine alte Freundschaft, hatte doch der Professor und glänzende Redner in der Staatsversammlung stets mit der Stimme rechnen können, über die Ioiô Lavínio verfügte, und das war in Anbetracht der Tatsache, wie viele Leute von ihm abhingen, nicht wenig. Dr. Gilson hätte ihm einen solchen belanglosen Gefallen nicht abschlagen dürfen, wo doch sein eigener Sohn, der als glänzender Student der Fakultät galt, dank Stellung und Ansehen des Vaters offensichtlich protegiert wurde. Als Folge davon mußte Lavinoel sich, diesmal in Niterói, einer kleinen Zertifikatsklitsche, einer zweiten Aufnahmeprüfung unterziehen, was also wegen einer bloßen Lappalie Unkosten und Unannehmlichkeiten mit sich brachte. Doch wer zuletzt lacht, lacht am besten, und Lavinoel ist jetzt bei der Bundespolizei bestens

aufgehoben. Dank seiner Beflissenheit ist er heute ein geachteter, gutgestellter Mann, Besitzer eines schönen Hauses in Pituba, einer neuen Motoryacht von 25 Fuß Länge, eines Wagens des neuesten Modells und drei wunderbarer Kinder, Marcus Vinicius, Vanessa und Priscilla Allessandra.

Übrigens gelang es Ioiô Lavínio, alle vier Kinder bestens auszubilden und unterzubringen. Lavínia Graça, die älteste nach Lavinoel, war keine Koryphäe beim Lernen, beendete dennoch den Kurs der Akademie der Schönen Künste, kurz bevor sie Vater und Mutter einen Kummer bereitete, der beide um ein Haar ins Grab gebracht hätte. Sie verlor die Jungfernschaft durch Ronaldo Jataí, einen der vielen Nichtstuer auf der Insel, Angehöriger einer Familie, die früher einiges Vermögen besessen hatte, heute aber von der Vermietung des großväterlichen Anwesens lebte, das als Pension mindestens dreißig Familien beherbergte. Schlimmer noch, sie wurde schwanger. Ohne die Freundschaft und das Vertrauen des der Familie seit langem freundschaftlich verbundenen Dr. Plínio Lobo wäre die Lage untragbar geworden. Glücklicherweise besaß Dr. Plínio eine Klinik, die mit der staatlichen Krankenversicherung ein Abkommen hatte, und führte die Abtreibung durch, wobei er Himmel und Hölle in Bewegung setzte, um die Unkosten des Eingriffs und des Krankenhausaufenthalts zu sparen, da Lavínia Graça kein Mitglied dieser Versicherung war. Aber der gütige Gott, der alles sieht, versah sie schließlich mit einer rückdatierten Beitragskarte und frisierten Unterlagen, was nicht ganz leicht war, da Dr. Plínios Vertrauensmann krank und ein Ersatzmann mit ausreichender Erfahrung nur schwer aufzutreiben war. Doch schließlich fügte sich alles nach Wunsch, und Ioiô Lavínios Dankbarkeit verschlug ihm fast das Wort, als er bei Dr. Plínio saß und den Genesungsbefund der Tochter unterschrieb, der, obwohl sie eigentlich nur anderthalb Tage dort gewesen war, die Durchführung eines schwerwiegenden Eingriffs und den Krankenhausaufenthalt von 40 Tagen verzeichnete, zuzüglich etlicher Arzneimittel und sonstiger Unkosten, ein Vermögen für die Versicherung, doch in diesen Dingen darf man nicht aufs Geld sehen, und nichts war angebrachter, als Dr. Plínio das eingegangene Risiko und seinen Liebesdienst zu vergüten. Um so mehr, als er ihm außerdem einen Kollegen in Rio de Janeiro empfahl, der das

Jungfernhäutchen wiederherstellen sollte, ein im gleichen Jahr mit vorzüglichem Ergebnis durchgeführter Eingriff, so daß Lavínia Graça von ihrem Trauma rasch genas und Dr. Domingos Mendonça heiratete, der ursprünglich als Diplomingenieur der Hochschule für Elektromechanik abgegangen war, sich jedoch als Immobilienmakler betätigte und während des Booms der staatlichen Beförderungsmaßnahmen ein Vermögen verdiente, vor allem indem er Wohnsiedlungen im sozialen Wohnungsbau verkaufte und an Maklergebühren eine Summe einstrich, die den Aussagen seines stolzen Schwiegervaters zufolge für den Bau von zusätzlichen zwanzig dieser Baukomplexe ausgereicht hätte. Lavínia Graça erscheint heute alle naselang in den Gesellschaftsspalten und hat auf Initiative des Lions Club eine eigene Ausstellung ihrer Collagen unter dem Titel *Wider-Bemaltheiten* zuwege gebracht, die sogar bei der Presse auf rühmenden Widerhall stieß. Dr. Domingos, der seine zwei Töchter Monika und Erika in der Schweiz zu erziehen beabsichtigt, ist ein ausgezeichneter Schwiegersohn, obgleich Lavínia Graça infolge ihres künstlerischen Temperaments sich bereits mehrmals von ihm trennen wollte. Indessen hat die Psychoanalyse beiden geholfen, und nun fahren sie in ehelicher Gemeinschaft alljährlich in die Ferien und erleben offensichtlich ein noch nie erfahrenes Glück.
Lavindonor, der nach Lavínia Graça auf die Welt gekommene Sohn, war derjenige, der die meisten Sorgen bereitete, weil er zwei Mädchen aus dem Volk zu nahe trat, Menschen nun wirklich sehr bescheidener Herkunft, und bei einer dieser Gelegenheiten anscheinend in Gesellschaft zweier Freunde die eine von beiden vergewaltigte. Das ist das, was das Negermädchen erzählt, und solchen Schlampen kann man doch unmöglich glauben, die mit rausgestrecktem Hintern spazierengehen, die unglaublichsten Sachen anstellen, die jungen Männer geradezu herausfordern und sich selbst in die Tinte bringen. Ohne Lavinoels Ansehen beim Sicherheitssekretariat wären der Familie jedenfalls große Schwierigkeiten erwachsen, und zwar so sehr, daß Lavinoel trotz seines Ansehens sich zu der Erklärung gezwungen sah, Lavindonors Verhaftung liege nicht im Interesse der Sicherheitsorgane, aus Gründen, die er nicht preisgeben konnte. Nachdem die polizeiliche Untersuchung zu den Akten gelegt war, stolperte der junge Mann noch etliche Male im Leben. Er

überfuhr ein sechsjähriges Kind durch allzu forsches Autofahren, glücklicherweise starb der Junge nicht, hinkte fortan nur auf einem Bein und erblindete auf einem Auge, was durch den Nachtwächterposten im Supermarkt wettgemacht wurde, den Ioiô dem Vater des unfallgeschädigten Kindes als Entgelt für dessen Verzicht auf eine Anzeige verschaffte. Eine Zeitlang ließ er sich mit einer Bande von krakeelenden Haschbrüdern ein und wurde einmal infolge seiner Teilnahme an einem Überfall auf eine Tankstelle festgenommen, doch glücklicherweise erwies sich das Ganze später als Scherz nach einem Saufgelage. Endlich bewarb er sich, angeregt durch die Polizisten, die nach seiner Verhaftung seine Freunde wurden und erfuhren, daß er Lavinoels Bruder war, um die Einstellung zum Geheimpolizisten, fiel aber durch in Ermangelung einer einflußreichen Empfehlung, doch auch so konnte er sich an Banditenjagden in Gesellschaft seiner neuen Kumpane beteiligen und wurde des Totschlags an einem Playboy bezichtigt, einem in Rauschgiftschmuggel verwickelten Herrensöhnchen, der in einem Dickicht bei Lauro de Freitas gefesselt und erschossen aufgefunden wurde, was später als Notwehr seitens Lavindonors nachgewiesen werden konnte. Glücklicherweise hilft Gott dem, der auf ihn baut, und als Lavindonor bereits als verlorener Fall galt, wurde er durch die Liebe in Form eines jungen Mädchens aus erster Sergipaner Familie gerettet, nicht sehr ansehnlich zwar, aber sehr begütert und häuslich, einzige Tochter eines Großgrundbesitzers aus Itabaiana. Dieses junge Mädchen wurde ein wahrer Segen im Leben Lavindonors, der heute dem Schwiegervater in seinen Geschäften zur Hand geht und sein Leben in Gesellschaft der Gattin und der Söhne, Robson, Rickson, Rockson und Rodney, dem häuslichen Herd weiht. In seinen Mußestunden beschäftigt er sich in Gemeinschaft zweier Obersten des Heeres mit dem Verkauf von Altersrenten, Pensionen und Sparerträgen der Spar- und Sterbekasse der Grande Família Civil-Militar do Brasil, einer Organisation, die einer Gruppe von syrisch-libanesischen Geschäftsleuten in São Paulo gehört, aber unter der Präsidentschaft eines Generals aus dem Nordosten steht, der durch hervorragende Amtsführung hervorgetreten ist.

Schließlich hat Lavinette, das Nesthäkchen, sehr früh geheiratet, zwei Töchter bekommen, Tatiana und Andréa, und hatte es

trotzdem fertiggebracht, in Sozialwissenschaft zu pı
Ihr Mann, ein Bankangestellter, war sehr eifersüchtig
lich beschränkter junger Mann, der weder ihre Arbeit
Kommilitonen, noch ihr Verhalten guthieß, so daß die T
unvermeidlich wurde und Lavinette heute in offener Ehe
nem Komponisten namens Jorge Mayflower aus Ituber
der sich im Augenblick zwecks Einspielung seiner ersten S
Platte in Rio de Janeiro aufhält und seine Tochter Alga Mar
in Gesellschaft von Mutter und Großeltern zurückgelas
hat.

Nichts Erfreulicheres mithin, als die Familien so gut wie gar
vereint zu sehen im Kreis naher Freunde, das Haus voll, mit de
Aussicht auf ein vorzügliches Fischgericht, wonach jeder, der
will, zum Umzug gehen kann. Trotz des Unmuts über die möglicherweise bevorstehende Rede von Stalin José – der dem Vernehmen nach ein Verwandter aus einer Bastardlinie der Familie sein soll, was er jedoch nicht anerkannte – würde er sich den Umzug nicht entgehen lassen, ebensowenig würde er in der Gruppe fehlen, die den Karren des Caboclo ziehen würde, Sinnbild des itaparicanischen Kampfes um die Unabhängigkeit. Er durfte nicht fernbleiben, das war Tradition, obwohl er selber sich nicht zu Wort melden würde wie früher, wegen seines Ärgers mit der Politik.

Wozu aber an solche Dinge denken, wenn man ein Glas Scotch in der Hand hält, dessen Echtheit beim Schütteln der Flasche am Blasenkranz zu erkennen ist, dazu erstklassige *appetizer*, das Leben muß gelebt werden, denn nur, was man lebt, ist was wert im Leben. Drinnen, in blauen Bermuda-Shorts und mit Kommodorenmütze, führte Dr. Domingos die neue Stereoanlage vor, die er von seinem Ausflug nach *Disney World* mitgebracht hatte. Übrigens hatte er zwei Geräte mitgebracht, eines für sich, das andere für Lavinoel, der beide sicher durch den Zoll geschleust hatte, zusammen mit allerlei Ware für die Boutique, die Lavínia Graça als Hobby zu Hause betrieb. Ioiô Lavínio beschloß hineinzugehen, nicht nur, um sich die Anlage anzusehen, sondern auch um sie zu bitten, sie sollten etwas Sanfteres auflegen, etwas Klassisches, wie er es schätzte, *Auf den Wellen*, vielleicht ein *Nocturne* von Chopin. Er ging zu seinem Bücherschrank aus hellem Holz mit spitz zulaufenden Beinen, auf der Suche nach

seinen Schallplatten. Verflixt, jemand hatte schon wieder den Bücherschrank aufgeräumt, und jedesmal danach fand man nichts. Er suchte zwischen den gebundenen Sammelbänden der *Enzyklopädie von Haus und Büro*, der Sammlung *Licht und Wissen*, der Sammlung medial aufgeschriebener Werke der berühmtesten Medien, den Werken von Humberto de Campos, den Ausgewählten Reden von Ruy Barbosa, den reichlich zerfledderten Büchern von Vargas Villa, den Bänden aus der Heeresbibliothek und den Fotoalben. Er fand nicht, was er suchte, und wollte schon verzweifelt losschreien, als er beschloß, das Gittertürchen zu öffnen, und auf die Platten stieß, und hinter der LP *Karneval der Guten Alten Zeit* fand er die *Klassiker für Klavier Nr. 2*. Ah, der *Feuertanz*, natürlich! Hochbeglückt ließ er das Türchen einfach offenstehen, lief ins Eßzimmer, wo zwischen einem Gewirr aus Kartons und Schnüren die Stereoanlage das Haus mit den Klängen von *Bésame mucho* füllte, eine in Miami entstandene Kassette mit Ray Conniff.

»Tu das da weg und leg mir die auf«, sagte Ioiô. »Das ist wenigstens Musik! Kennst du den *Feuertanz*?«

»Ach komm, Schwiegerpapa, alle Welt schwärmt doch für Ray Conniff, seine Interpretation gibt dieser Musik neues Leben. Kennst du sie noch, sie stammt aus deiner Zeit ... *Bésame, bésame mucho! Como si fuera esta noche la última vez! Bésame ...*«

»Ich geb zu, sie ist hübsch. Aber du kannst das nicht mit klassischer Musik vergleichen. Klassische Musik ist die wahre Musik. Nicht für alle Gelegenheiten, einverstanden, aber sie ist die wahre Musik.«

»Na gut, Schwiegerpapa, ich wollte sowieso grad den Plattenspieler ausprobieren. Der Plattenspieler ist ein echter *Garrard*, Diamantnadel, stroboskopischer Synchronizer ... guckmal, wenn du auf diese kleinen Wellen auf dem Plattenteller achtest, kannst du die Drehgeschwindigkeit regulieren, einfach sagenhaft, der letzte Schrei der Technologie. Siehst du den Tonkopf, wie er sich gleichzeitig in zwei Richtungen bewegt, damit er den Rillen der Platten folgen kann? Tschi, deine Platte ist vielleicht staubig! Ich hab ein elektrostatisches Spray mitgebracht, das macht das im Nu. Spray und Spezialreinigungsbürste, aber die ist vielleicht schmutzig!«

Schließlich legte er die Platte auf den Teller, doch zunächst kam kein Ton. Hektisch drückte er auf zwei Knöpfe, sagte, er hätte vergessen, die richtige Taste des Verstärkers für den *input* des Plattenspielers umzuschalten, drückte auf einen dritten, und der Raum wurde von den Achtelnoten des *Feuertanzes* überflutet. Ioiô Lavínio war überwältigt: Was für ein Klang! Er rannte nach draußen, rief mehr Leute zum Zuhören, setzte sich vor die Boxen und schloß die Augen.

»Meine Güte, ein großartiger Klang! Ist schon was anderes, was ganz anderes! Die Amerikaner verstehen was von der Sache.«

»Die Amerikaner sind die Japaner. Die Amerikaner hinken auf bestimmten Gebieten bereits hinter den Japanern her.«

»Schön, aber Amerika ist noch immer Amerika. Du kannst keinen Vergleich anstellen zwischen einem Land wie den Vereinigten Staaten und einem Land, das sie im Krieg besiegt haben.«

»Dazu war aber die Atombombe nötig.«

»War nicht nötig, der Krieg war bereits gewonnen. Die Atombombe hat eher einem moralischen Zweck gedient. Die Atombombe hatte eine vorwiegend moralische Wirkung. Japan steht heute so gut da, weil die Staaten ihm mit Hilfe des großen Generals MacArthur wieder auf die Beine geholfen haben, eines der großen Menschheitsgenies dieses Jahrhunderts.«

»Einverstanden, ein großer General, wirklich groß. Hat nicht Gregory Peck ihn gespielt? Es war Gregory Peck, ich bin fast sicher.«

»Die Japaner sind in der Tat ein arbeitsames Volk, so anders als wir in ihrer Mentalität, für sie ist die Arbeit alles. Gib einem Brasilianer ein Stückchen Land, gib einem Japaner genau das gleiche, und du wirst sehen: im Verlauf eines Jahres ist der Japaner reich und der Brasilianer hat sein Grundstück verkauft, um Schnaps zu trinken und Kinder zu machen, das ist die Wirklichkeit. Es ist eine Frage der Erziehung, der Mentalität. Wie hat noch General de Gaulle gesagt, Brasilien ist kein ernstzunehmendes Land. Schuld an allem tragen nicht die Amerikaner, wie die Linke andauernd behauptet, um sowjetische Propaganda zu machen, sondern wir, das kommt von unserer Unverfrorenheit, vom Mangel an Ernst, vom Mangel an Beharrlichkeit, schlichtweg vom Mangel an Gemeinsinn, vom Mangel an Charakter. Gäbe es die Amerikaner nicht, wehe uns, wehe der Welt, das ist die reine Wahrheit. Es gibt andere große Völker wie eben die Japaner, die Deutschen ...«

»Lavinoel hier hat mir einmal gesagt, er war ein Bewunderer Hitlers!«

»Das bin ich in mancher Hinsicht wirklich! Ich bin nicht mit allem einverstanden, was er getan hat, aber doch größtenteils, in vielem hatte er recht.«

»Die Juden, laß uns deine These über die Juden hören.«

»Es handelt sich nicht um eine These, es ist eine Sache, die alle Welt weiß. Die Juden ... Hast du schon die Protokolle der Weisen von Zion gelesen? Nein? Dann lies sie! In den Buchläden sind sie schwer zu bekommen, weil die Juden jede neue Auflage samt und sonders aufkaufen, um sie zu vernichten. Aber ich besitze ein Exemplar und leihe es dir aus, damit du dich selbst überzeugen kannst. Papa hat schon Teile davon gelesen.«

»Ja, habe ich, ziemlich beeindruckend.«

»Beeindruckend ist gar kein Ausdruck, es ist niederschmetternd. Das sieht man an den Juden, die wir kennen. Sie selbst sondern sich ab, sie verstecken sich alle in der Gegend um Nazaré. Erinnerst du dich noch an deinen Kommilitonen Jaime? Jaime, dieser fette Kerl, den alle prima fanden, weiß du noch! Auf der Universität, da ging er mit einem Christenmädchen, aber als es ans Heiraten ging, hat er sich irgendeine Sarah geschnappt, es ist immer das gleiche. Sie verachten unsereinen, die Juden, werden noch die Menschheit vernichten, wirst's schon sehen.«

»Das heißt also, du bist für die Ausrottung der Juden.«

»Das bin ich! Das posaune ich natürlich nicht auf der Straße aus, sonst bin ich gleich als Antisemit und Nazi verschrien, und ich bin weder Antisemit noch Nazi, meine politische Einstellung ist allgemein bekannt, ich bin für den schwedischen Sozialismus, die vollkommenste Regierungsform auf der Erde. Wahr ist einfach, daß Hitler einen Fehler gemacht hat, und das ist die Wahrheit, nämlich er hat nur sechs Millionen umgebracht, das sage ich immer, sein Fehler war, daß er auf halbem Weg stehengeblieben ist. Erinnerst du dich noch an die Geschichte, die sie in der Schule von Jaime erzählt haben? Daß er zu Hause zwei Stückchen Seife aufbewahrt hat, beschriftet ›Opa‹ und ›Oma‹? Hahaha! kapiert? Opa und Oma, haha!«

»Bei dem Herumgelache kann ich keinen Ton Musik hören!«

»Ich erzähl dir den Witz nachher, keine Sorge. Aber der ist wirklich prima, Opa und Oma, hahaha! Hat dem kleinen Jaime den einer erzählt?«
»Natürlich! Es gibt immer einen Arsch, der sowas erzählt. Waldir hat ihm den erzählt, Waldir ist immer ein Arsch gewesen. Erinnerst du dich noch an Waldir?«
»Ruhe jetzt, ich möchte endlich die Musik hören!«
»Entschuldigung, du selbst hast das Thema angeschnitten.«
»Schön, aber da war es eine ernsthafte Unterhaltung, nicht um Witze zu reißen.«
»Ohne Witzereißen gibt es in Brasilien keine Unterhaltung, Papa, du weißt doch, wie die Brasilianer sind, oder? Die Brasilianer, das ist Frauen, Saufen, Fußball, Karneval und schmutzige Witze – die reine Wahrheit.«
»Eine traurige Wahrheit, aber wirklich. Ich werde tieftraurig, wenn ich das zugeben muß, aber es ist wahr, wirklich wahr. Du siehst ja selbst, die einzigen Gegenden in Brasilien, wo Fortschritt stattgefunden hat, sind eben die, wo fremdes Blut Einlaß gefunden hat, deutsches, italienisches, japanisches. Hier in Bahia, was haben wir hier? Neger und Europas Ausschuß, die Portugiesen und die Spanier, und danach sieht es auch aus. Der gesamte Nordosten ist so. Läßt sich die Sonne mit einem Sieb zudecken? Die Wahrheit ist hart, aber sie muß gesagt werden. Wären wir von den Holländern kolonisiert worden ...«
»Von den Engländern, von den Engländern!«
»Oder von den Engländern! Wir haben das Pech gehabt, daß wir von Portugal kolonisiert worden sind, und die haben außerdem nur Banditen rübergeschickt. Darum ist der Siebente Januar für mich auch der glücklichste Jahrestag, weil da die Vertreibung dieser Kanaillen gefeiert wird. Freilich hat es nichts genützt, der Schaden war schon angerichtet, aber zumindest haben wir unseren Spaß dabei gehabt, ich kann Portugiesen nicht ausstehen, ich mag nicht einmal mit ihnen reden, sie machen mich wütend.«
»Hör mal, Papa, das eine hat doch nichts mit dem anderen zu tun, schuld sind die Strukturen«, sagte Lavinette, die plötzlich mit leicht blutunterlaufenen und halbgeschlossenen Augen eingetreten war.
»Schon wieder kommst du mit deinem Gerede von Strukturen.

Ich möchte mal wissen, wie die Struktur die Analphabeten erklärt, Trägheit und Krankheit ...«
»Und ob es das erklärt! Es hat eben keinen Zweck, mit einem von gestern zu reden, ein Gestriger kapiert nichts, er kapiert einfach nichts.«
»Ich bin nicht von gestern! Ich bin kein alter Spießer. Wenn es einen Alten gibt, den man wirklich nicht von gestern nennen kann, dann bin ich das. Schon immer hocke ich mit den Jungen in Bars herum und verstehe mich ausgezeichnet mit ihnen, sie nehmen mich sehr freundlich auf, du hast eben Vorurteile wie viele von deiner Generation.«
»Das ist es doch gar nicht, Papa, das hab ich nicht gemeint. Aber wurde Holländisch-Guayana nicht von den Holländern kolonisiert? Wurde Indien nicht von den Engländern kolonisiert, und Nigeria, Britisch-Guayana?«
»Aber das ist ein völlig anderer Fall.«
»Überhaupt nicht anders. Du mußt das im Sinne der Strukturen begreifen. Portugal, weißt du, hatte eine andere Struktur, und diese Struktur hat bewirkt ... Komm mir nicht mit dem Gewäsch von der Unterlegenheit, das zieht nicht mehr. Du mußt das Wesen der Struktur begreifen.«
»Kennst du die Geschichte, wie Gott die Welt erschafft und Brasilien alles gibt, und sein Hilfsengel wundert sich und Gott sagt, wart ab, bis du siehst, was für ein gottverd... was für einen Haufen Mistkerle ich da als Volk hintue?« sagte Domingos, legte seiner Schwägerin den Arm um die Schulter und bemerkte, daß sie keinen Büstenhalter trug, und ihre Brüste sich unter der angeschmuddelten Bluse reckten.
»Buh, der hat doch so'n Bart, der ist doch uralt ... das eine hat doch nichts mit dem anderen zu tun, ihr seid völlig hinterm Mond«, sagte sie und ging langsam auf die Tür zu, ohne sich aus dem Arm des Schwagers zu lösen.
»Ich bin gar nicht so hinterm Mond«, flüsterte er ihr ins Ohr und verließ mit ihr den Raum, nachdem er sein Whiskyglas vom Tisch genommen hatte und dabei die Gelegenheit nutzte, mit dem Arm über ihre Brüste zu streichen, was sie zum Schein übersah. »Du, ich steh mich gut mit einer ganzen Reihe von Miezen, du kennst mich nicht, ich kann ganz gut mit jungen Leuten. Hast du keinen Joint bei? Ich möchte eine Erfahrung machen, alle

Leute sagen, daß ... stimmt es, daß man ein neues Bewußtsein erwerben kann? Ich bin nicht so, wie du meinst, weißt du, ich lese viel Gedichte, ich hab's auch mit Kunst und so, ich ...«
Ioiô Lavínio sah sie fortgehen und lächelte liebevoll. Die Familie, wie schön, daß es sie gibt! Das Vaterland ist die erweiterte Familie, dachte er, stolz, daß er zahllose Stellen aus Ruy Barbosa auswendig wußte. Die Augen feucht vor lauter Frieden mit sich selbst und vor Dankbarkeit gegenüber Gott für das Lebensglück, das er ihm geschenkt hatte, wandte er sich zum Fenster, das auf die besonnte Hochflut ging, schwer und bleiern wie ein Ozean aus Quecksilber. Noch bevor Domingos mit Lavinette auf die Veranda trat, machte er eine rasche Kehrtwendung, bei der er ein paar Tropfen Whisky aus dem Glas, das er gerade zum Mund führte, verschüttete, und lief zu der Stereoanlage, tippte auf die *repeat*-Taste, und der *Feuertanz* sprudelte als Wirbelwind aus den Boxen. Wie eine derartige Ergriffenheit mitteilen, wie sie teilen? Die Familie war versammelt, ein leuchtender Siebenter Januar, dieser Drink, diese Musik, dieses Gefühl ... Statt Feindseligkeit empfand er zum ersten Mal Mitleid mit Stalin José. Würde er seine Rede halten? Wozu beharrte er auf diesem Wahnsinn, der zu nichts führte? Warum paßte er sich nicht dem Leben an, wie es ist, in einem Land, das zwar seine Probleme hatte, aber doch so herzensgut war, so friedfertig, so verschwenderisch reich, so voller Möglichkeiten, so freigiebig?

Und mehr noch! Ein Land mit einem fröhlichen, festefreudigen Volk, das dank seiner berühmten Drehs alle Schwierigkeiten vor sich her dribbelt, ein glückliches Land! Und mehr noch! Ein Volk, das nie Kriege bestehen mußte, nie Pestseuchen, nie Vulkanausbrüche, nie Erdbeben, nie Taifune, nie Bruderkriege. Und mehr noch! Ein Volk, das harmonisch und höflich miteinander umgeht, ein hilfsbereites Volk von gütigen Herzen, in dem alle Farben und Rassen sich frei vermischen, denn es kennt keine Rassenvorurteile, hier sind Vorurteile allein wirtschaftlicher Natur. Und mehr noch! Ein Volk von außerordentlicher Musikalität, imstande, mit improvisierten Instrumenten wie Streichholzschachteln, Gläsern, Tellern und alten Blechbüchsen Musik hervorzubringen, die jeden Fremden entzückt wie jene Touristen, die auf dem Quitanda-Platz stehenbleiben, um zu sehen, wie das Volk in Naninhos Baracke einen Samba-de-roda hämmert.

»Ist das nicht so?« fragte den Stalin José der Sommerfrischler Aloísio Pontes, der dickwanstig, strahlend mit Strohhut vom Markt mit ein paar Tintenfischen als Köder zurückgekehrt und vor der Bude stehengeblieben war, überquellend vor Liebe zu Brasilien. »Von so einem Rhythmus wird doch wirklich jedermann angesteckt, wie?« – fügte er hinzu, machte ein paar Hopser und ließ seine Plastiktüte mit den Tintenfischen über dem Kopf wirbeln. »*Saravá*, heh! Ê vatapá cangerê, auf geht's, *esquidô-esquidô*! So ist's recht! Was, Schätzchen?«

Stalin José lächelte, weniger, weil er sich über die Exaltation des anderen amüsierte, als wegen *saravá* und dergleichen Wörtern, außerdem, weil das schon wieder einer dieser Leute aus Rio war, die glauben, daß man in Bahia die Mitmenschen mit »Schätzchen« anredet, und folglich hören sie »Schätzchen« und sagen sie »Schätzchen« die ganze Zeit, obwohl sie die einzigen sind, die »Schätzchen« sagen. Er dachte an die Zeit, als ihm so etwas derart auf die Nerven ging, daß er Lust zum Raufen verspürte, vor allem dann, wenn er etwas getrunken hatte. Aber nichts von alledem ging ihm mehr auf die Nerven, nur noch wenig. Sogar Dinge, die ihm eigentlich noch auf die Nerven gehen sollten, bedurften schon einer gewissen Pflege, als sei das Auf-die-Nerven-gehen ein Pflänzchen, das besonders betreut werden will. Sogar die Enttäuschung, nicht singen zu können, nie im Leben gesungen zu haben, war jetzt längst nicht mehr so stark wie früher, wenngleich diese Leutchen, die da Stegreifverse machten, und sich in den Hüften wiegten, eine Art Sehnsucht wachriefen nach etwas, das er nie getan hatte. Er ließ die Zunge über die mangelhafte Brücke gleiten, die seine Vorderzähne ersetzte, und dachte daran, daß er gerade wegen seiner Unfähigkeit zu singen drei dieser Zähne eingebüßt hatte, als gleich zu Beginn der Rettenden Revolution ein Hauptmann ihm befahl, die Nationalhymne zu singen. Er erwiderte, er könnte zwar nicht singen, erbot sich aber, die Hymne vorzusprechen, und wollte schon anfangen, aber der Hauptmann deutete dies als schamlosen Ausdruck snobistischer Subversion und versetzte ihm einen Faustschlag auf den Mund, der ihm die drei Zähne einschlug. Die anderen Zähne, schön, die hatten alle ihre besondere Geschichte, der mit der *Petrobrás*, der mit der Parlamentarismusbewegung, der von der Demonstration von 68 ... Er wußte schon nicht mehr, wo und wie er welche verloren hatte, seine Zähne waren ihm gleichgültig geworden.

»Singen Sie nicht?« fragte Aloísio Pontes. »Ein reinrassiger Bahianer wie Sie?«

Wo hatte er diesen Kerl schon getroffen? Wohl in irgendeiner anderen Sommersaison, beim morgendlichen Frühstück auf dem Markt, bei Honorinas Stand, bei Aprígios, in Walters Laden, in der Kneipe von Langhose, an irgendeiner dieser Stellen. Er war schwer zu vergessen, denn er hatte so einen unveränderlich belustigten Gesichtsausdruck, eine eher zwanghafte, allzu anhaltende Fröhlichkeit, sein Gesicht war stets von Zuckungen verzerrt, die ein weiteres Gickern ankündigten, selbst wenn das, was man zu ihm sagte, keineswegs zum Lachen war.

»Na, Schätzchen?« sagte Aloísio. »Bravo Bahia, Iaiá! Bravo Bahia, Ioiô! Ziriguidum!«

»Ich kann nicht singen«, erwiderte Stalin José auf die Frage, die Aloísio bereits vergessen hatte.

»Was für ein Mordsmulatte, wie? Ein Hintern wie sonstwas ... Was für ein Mordsmulatte! Was haben Sie noch gesagt?«

»Nichts, ich habe nur gesagt, ich kann nicht singen.«

»Ah, das kann ich auch nicht, aber ich singe trotzdem. Singen und Springen kann Kummer bezwingen!«

Tatsächlich, was für ein Mordspech, daß er nicht eine Note herausbrachte, auch nicht, wenn die Knastgenossen als Herausforderung gegen die Zuchthauswärter Kirchenlieder anstimmten. Nach wem war er geschlagen, mit dieser besonderen Art von Taubheit? Er war sich nicht sicher, denn unter João Popós unübersehbar weitläufiger und ganz verschiedenartiger Verwandtschaft gab es nach dem wenigen, was er über sie wußte, viele Leute mit musikalischem Talent. Nun ja, unter den Popós gab es von jedem etwas, sogar so einen Typen wie ihn, der schon bevor ihm die Ohren die ganze Zeit summten, weil er soviel geschlagen wurde, nie eine Melodie von der andern unterscheiden konnte, für ihn war das alles ein einziger Brei aus Geräuschen. Merkwürdig das, weil der alte Teodomiro, sein Vater, Musiker gewesen war. Das heißt, er war nicht eigentlich Musiker, weil er seinen

Beruf nie hatte ausüben können, und nicht einmal sein Sohn hatte ihn je irgendein Instrument spielen sehen, er wußte nur vom Hörensagen, daß er Musiker war. Mit der Hilfe seines Paten, des verstorbenen Komtur Miranda, hatte Teodomiro, obwohl Sohn eines armen Pächters, ein Konservatorium in Bahia besuchen können, und er hatte als der beste Schüler gegolten, der je diese Schule durchlaufen hatte, trotz seiner braunen Hautfarbe. Aber der Vater starb an Schistosomiasis, völlig aufgedunsen, die beiden Brüder litten an derselben Krankheit und waren zu schwach zum Arbeiten, die Schwestern taten ihr Bestes, aber die eine hatte als Folge einer Knochenkrankheit X-Beine und konnte kaum gehen, und die beiden anderen mußten immer wieder wegen Wechselfieber das Bett hüten, seine Neffen waren spillerig geraten und voller Würmer, und so mußte Teodomiro seine künstlerische Laufbahn aufgeben und die Familie durchbringen. Er richtete das Haus her, legte einen Gemüse- und Obstgarten an, machte einen Kramladen in der Rua dos Patos auf, wurde sogar Besitzer von drei Eseln und einer Kuh, begann mit einer Hühnerzucht und setzte es mit Hilfe des Paten durch, daß die Mutter in das Armenhospital eingeliefert wurde, um ihre Elefantiasis zu behandeln, wegen der sie nicht mehr auf den Füßen stehen konnte. Aber eines schönen Morgens schlug sein Schicksal um, denn da kam ein Mann von auswärts mit einer Grundbucheintragung des Grundstücks, auf dem Teodomiro wohnte und pflanzte, und sagte, dieser müßte unverzüglich wegziehen, er brauchte das Gelände, um eine Pferdezucht aufzumachen, und wollte niemanden auf seinem Grundstück haben. Teodomiro warf ein, seine Familie hätte immer hier gewohnt, der frühere Eigentümer hätte nur einen Anteil des Gemüse- und Obstgartenertrags beansprucht, außer drei von fünf Dutzend Eiern pro Woche, die die Hühner legten – ob er denn nicht wenigstens Haus und Gemüsegarten behalten könnte? Nein, das könnte er nicht, und am nächsten Tag ließ der Mann einen Karren anfahren, ließ sein Hab und Gut aufladen, das Haus niederreißen, die Gemüsebeete zerstören und den Hühnerstall abtragen. Der Priester ließ sie einige Tage auf dem Vorhof der Sankt-Lorenz-Kirche schlafen, mit den Bettlern, bis Teodomiro seinen beiden Schwestern eine Anstellung im Haus von Sommerfrischlern verschaffte und sich in Areia do Sete unter einem alten

Dach einnistete, das er nach und nach mit Palmstroh ausbesserte. Doch als er den Kramladen abermals aufbaute, diesmal um die Erzeugnisse Dritter zu verkaufen, beschlagnahmte die Stadtverwaltung alles, weil er weder im Handelsregister eingetragen war noch über einen Erlaubnisschein verfügte, abgesehen davon, daß er minderjährig war und daher ohne Gewerbegenehmigung. Der Eigentümer des Grundstücks in Areia do Sete gab ihm noch eine Woche, um auszuziehen, sonst würde er ihn durch die Polizei verhaften lassen, und weil er seinen Paten nicht mehr hatte, der bei seinem Tod seine politischen Gegner an die Macht gelassen hatte, beschloß er mit der ganzen vierzehnköpfigen Familie nach Bahia überzusiedeln, wo es wenigstens eine Brücke gab, unter deren Schutz man bei Regen übernachten konnte. Er brauchte jedoch Zeit, bis er die beiden immer noch in seinem Besitz befindlichen Esel verkauft hatte, denn alle Welt wußte, daß er in der Klemme war, und bot ihm eine Spottsumme, die er schließlich annahm. Doch mittlerweile war der Auszugstermin bereits überschritten, so daß die Polizei die Baracke niederriß, Wäsche und Schlafmatten in Brand steckte und ihn verhaftete. Im Polizeirevier bekam er Stockschläge auf die Hände, die Fußsohlen und den Hintern, weil er versuchte, sich zu verteidigen, und den Polizisten, der ihm den Erlös für den Esel abnahm, beschimpfte. Da das Gefängnis von Itaparica baufällig war, wurde er nach Bahia überstellt und dort in eine Gemeinschaftszelle für Schwerverbrecher gesteckt, wo er in der ersten Nacht von fünf Kerlen gepackt und von einem nach dem anderen arschgefickt wurde, ein Verfahren, das sich drei Nächte hintereinander wiederholte, bis ein Kommissar ihn rufen ließ, weil er beschlossen hatte, seine Beteiligung an einem kurz vor seiner Festnahme auf der Insel verübten schweren Diebstahl zu untersuchen. Er wurde durch Ohrfeigen zum Geständnis gedrängt und wollte schon seine Schuld bekennen, obwohl er nicht einmal wußte, was gestohlen worden war, als der wahre Dieb festgenommen wurde, und sie ließen ihn laufen, nur mit den Shorts, die er anhatte, und warnten ihn, sollte er auf der Straße angetroffen werden, würde er wegen Landstreicherei verhaftet, es sei denn, er könnte eine Anstellung nachweisen. Es gelang ihm, eine Gelegenheitsarbeit im Hafen zu ergattern, ein Arbeitsgefährte schenkte ihm ein zerrissenes Hemd, und er nächtigte unter einem Vordach in der Gegend von

Guindaste dos Padres. Schließlich verdingte er sich als Stauer, trat zur Arbeit an, vormittags, nachmittags, nachts, Sonn- und Feiertage, ohne aufzubegehren, bis zu dem Tag, an dem ein Vorarbeiter einen schwarzen Lastenträger auspeitschte, der sich weigerte, eine Lattenkiste mit Salzsäure auf dem Kopf zu tragen, weil eine der Flaschen undicht war, und als Teodomiro Einspruch erhob, wurde er gleichfalls mit der Peitsche bedroht. Er widersetzte sich der Bestrafung, verprügelte den Vorarbeiter, wurde von seinen engeren Kameraden verteidigt, schließlich freundete er sich mit einem wortkargen Arbeitskollegen mit flackerndem Blick an, der ihm alte Exemplare einer in São Paulo erscheinenden Tageszeitung namens *Freie Erde* zeigte. Er sprach mit ihm von vielen unbekannten Dingen, erzählte, es sei möglich, sich nicht nur gegen das Vorgehen des Vorarbeiters, sondern auch gegen viele andere Dinge zu wehren. Im Gegensatz zu dem, was Teodomiro dachte, war die Welt nicht so, sie war nur dort so, wo die Unterdrückten keinen Widerstand leisteten. Es gab Orte auf der Welt, wo Menschen wie sie geachtet wurden, anständig verdienten, wo ihre Rechte gewahrt wurden, das durfte er ihm glauben. Teodomiro bezweifelte stark, daß er die Wahrheit erzählte, konnte er sich doch nicht eine Welt vorstellen, in der die Dinge anders beschaffen waren, gab es denn verschiedene Welten? Doch nach und nach, während er mühsam die Zeitungen las, die sein Freund ihm zeigte, begann er zu glauben, daß nicht alles, was ihm widerfahren war und noch immer widerfuhr, so selbstverständlich war. Zu seiner großen Verwunderung hörte er von Arbeitskameraden in fernen Gegenden erzählen, die sich bereits in diesem Kampf engagierten. Er war stolz darauf, diese Kameraden zu haben, auch Arbeitsgenosse von jemandem zu sein, er wollte wissen, was sie taten. Während sie sich in ihrer elenden wellblechbedeckten Behausung auf dem Unhão-Steilhang um das Feuer scharten, hörte er, daß die Straßenbahnschaffner von Rio de Janeiro einmal die Straßenbahnen angehalten und sich den Waffen der Polizei entgegengestellt hätten, um sich nicht demütigen zu lassen. Er hörte die Geschichten von den Eisenbahnern der Sorocabana-Linie, von Arbeitsstreiks in Rio, von Streiks der *Great-Western*-Linie in Recife, davon, wie die Stauer von Recife das Löschen einer Kohleladung solange verhindert hatten, bis ihr Lohn aufgebessert wurde, vom Streik des

Gaswerks in Rio, von den Streiks der Eisenbahner in Alagoas, in Paraíba und Pernambuco, von den Streiks in Rio Grande do Sul, von den Streiks überall, von Kämpfen, Zusammenstößen, Todesfällen, Heldentaten, und ihrem Leid, dem Märtyrertum, den Lügen, Demütigungen, Folterungen und Grausamkeiten. Er erfuhr, daß es den Arbeiterbund in Campinas gab und die Brasilianische Arbeitergenossenschaft, er erfuhr, daß es italienische, deutsche, spanische, portugiesische, syrische Genossen im Land gab, alles brasilianische Arbeiter, mit Füßen getretene Kämpfer, er erfuhr, daß es die Sozialisten gab, die Anarchisten, die Maximalisten, die Revolutionäre. Mit Tränen in den Augen hörte er die ganze Geschichte vom Peitschenaufstand, wo es um eine Peitsche gegangen war wie die, deren Gebrauch durch den Vorarbeiter gegen einen schlichten Stauer er fast selbstverständlich gefunden hatte. Bei der Geschichte vom Peitschenaufstand, die so geheim war, daß sie niemals außerhalb der Wellblechhütten auf den steilen Abhängen rund um das alte Sklavendorf Unhão erzählt werden wird, bat er wie ein Kind um Wiederholungen und Erläuterungen, er wurde fiebrig und schloß nur mühsam die Augen, wenn er danach einzuschlafen versuchte. Festgebunden auf dem großen Kriegsschiff *Minas Gerais*, erhielt der Matrose Marcelino Menezes vor allen Kameraden fünfundzwanzig Peitschenhiebe, während Kesselpauken, Trommeln und Tamburine ertönten. Warum? Weil er sich beschweren wollte, weil er erzählen wollte, daß der Schlachtenruhm sich auf Hunger gründete, auf Menschen, die auf Kohlehaufen schliefen, auf Menschen, die umgekommen waren, weil sie drunten in den Laderäumen erstickten, auf geprügelte Menschen, erniedrigte und mundtot gemachte Menschen, Menschen, von denen niemand etwas wissen wollte und auch niemand etwas wußte. Und dann das große Geschwader vom Matrosen João Cândido, der auf See manövrierte, wie nur ein mit Sternen geschmückter Weißer es sonst konnte, Panzerkreuzer, entschlossen im Namen der Ausgepeitschten zuzuschlagen, richteten ihre dunklen Kanonenschlünde auf die große Stadt Rio de Janeiro, Hauptstadt der Republik, die solcherart zum ersten Mal hörte, angstvoll hörte, daß in den Bäuchen der geschmückten, schimmernden Schiffe Menschen hausten wie eine Art umgekehrter Spulwürmer, Männer, die ihr Leben gaben und kein Leben besaßen. Er schauderte, als man

ihm erzählte, daß sie João Cândido Begnadigung versprochen hatten, ihn aber festgenommen und mißhandelt, ihn in ein Irrenhaus und anschließend wieder ins Gefängnis gesteckt hatten; daß sie die auf einem Schiff namens *Satélite* gefangenen Matrosen zusammengetrieben, erschossen und ins Meer geworfen hatten; daß sie viele andere in den Gummipflanzungen des Nordens an Malaria verrecken ließen; und daß sie noch viele andere in den Stollen der Schlangeninsel eingesperrt hatten, wo sie Ätzkalk und Wasser verschüttet hatten, um sie zu ersticken. Da wurde er erst einmal Anarchist, dann Kommunist, seine zwei Söhne, die ihm geboren wurden, taufte er Lenine Antônio, verstorben, und Stalin José, er arbeitete hart, um die Schauerleute zu organisieren, wurde mehrmals verhaftet, ebenso gefoltert, um schließlich von Luiz dem Hammer erwürgt zu werden, der später bewundernd von der Zähigkeit seines Nackens sprach, hatte er ihn doch nicht allein mit den Händen erwürgen können, sondern einen von zwei Holzgriffen gefaßten Stahldraht benötigt, den er glücklicherweise stets für solche Notfälle zur Hand hatte.
»Jeder Brasilianer ist ein Musiker!« schrie Aloísio, während er die Samba-Runde tanzend zum Festpark zog.
»Ich weiß«, sagte Stalin José und stand auf, um ein Gläschen Schnaps in der Bar zu trinken. »Mein Vater war Musiker.«

Er hatte nicht vor, hier in der Bar, mit dem dritten Gläschen vor sich, auf den Vorbeimarsch der Schüler zu warten. Der Festzug der Schwachköpfe, Pharisäer, Speichellecker, Volksverführer und geheimen Verbrecher hinter dem Caboclo war eine Sache, der Schülermarsch eine andere. Insbesondere jetzt, wo er getrunken hatte, war er sicher, daß ihm nach Weinen sein würde. Nicht, daß ihn das eigentlich störte, es gab ihm sogar, halb gegen seinen Willen, ein sonderbares Gefühl der Befriedigung. Doch er würde niemanden haben, mit dem er sprechen konnte, und selbst die wenigen Freunde auf der Insel, die noch mit ihm redeten, zumeist Freunde aus der Kindheit, die schlichtesten, würden nicht begreifen, wenn er ihnen sein unbezähmbares Verlangen zu weinen zu erklären versuchte, sobald er die Schulkinder von Itaparica bei den Festtagsparaden mitmarschieren sah. Er stand mit niemandem mehr auf vertrautem Fuß, er hatte sich so sehr daran gewöhnt, daß er es schon nicht mehr bemerkte. Er beugte sich vor wegen eines spitzen Schmerzes oberhalb des Nabels und erinnerte sich, was der Arzt ihm über seinen Alkoholgenuß gesagt hatte: sicherer Tod früher oder später, möglicherweise plötzlich, mitten auf der Straße. Und das hatte nicht nur mit Krampfadern auf seinen Magenwänden zu tun, es war dieser ganze kaputte Zustand, in dem er sich seit langem dahinschleppte, nichts funktionierte mehr ordentlich in seinem Körper, der stotterte schon manchmal wie eine alte Klapperkiste, die auf der Stelle auseinanderfallen könnte. Scheiße nocheins, er mußte niemandem Rechenschaft ablegen, da war niemand, dem es zu Herzen ging, wenn ihm etwas zustieß, und diesen albernen Vorbeimarsch der Schüler wollte er nur nicht abwarten, weil der letzte Mensch vor dem er sich erlaubt hatte zu weinen, und weinen würde er auch heute, Jandira gewesen war, und er hatte keine Ahnung, wo sie war, und wenn er es wüßte, würde es ihm nichts nützen.

Er griff nach dem Buch, er hatte es mitgebracht, weil er hoffte, wenn er sich auf dem Platz sonnte, dann könnte er ein wenig darin lesen. Zerstreut blätterte er darin herum und kniff die Augen zusammen, um die kreisförmig über dem Signet der Editorial Vitória aufgestempelten Wörter entziffern zu können. In der Nacht, in der er abgeholt und mit einer Kapuze über dem Kopf an einen Ort verschleppt worden war, dessen Lage er nie herausgefunden hatte, um bedroht und verprügelt zu werden, war diese alte Broschüre nur deshalb nicht beschlagnahmt und verbrannt worden, weil sie sich nicht unter den Büchern bei ihm zu Hause befand, sondern in Itaparica vergessen worden war. Aber er brauchte sich ja gar nicht anzustrengen, um die verblichenen Buchstaben zu entziffern, es war der Stempel des Buchladens vom alten Acúrcio Bastos. Plötzlich sehnte er sich heftig nach Acúrcio Bastos und seinem versteckten kleinen Buchladen, der so oft geschlossen, zertrümmert und sogar angesteckt worden war. Aber Acúrcio, ein hagerer Mulatte mit schütterem Grauhaar, der nie lächelte, obwohl er stets guter Laune war, kam immer wieder zum Vorschein wie die Öffnung einer Blattschneiderameisenhöhle, die, kaum zugeschüttet, sich wieder auftut. Und so kehrte er hinter seinen Ladentisch zurück, die Brille auf der Nasenspitze, das Hemd an Ellenbogen und Kragen durchgescheuert, aber sorgfältig gebügelt und die eine Zigarre, die er nach dem Mittagessen rauchte, blieb die einzige, nicht so sehr, weil er es so wollte, sondern weil sein Geld nur für eine reichte; im übrigen tarnte er seine Gutmütigkeit, weiterhin auf Pump Bücher an Leute zu verkaufen, die nie zahlten, mit penibel genauen Vermerken in der Kundenkartei, als ob er tatsächlich erwartete, dieses Geld eines Tages zu bekommen.

Er strich über das Buch, fast lächelte er. Er erinnerte sich, ja, er erinnerte sich, er hatte es in der Hand gehalten an dem Tag, als sie beide nach sechs Uhr abends allein in der Buchhandlung über Literatur sprachen, und da hatte er aus einem plötzlichen Drang heraus, dem er gleich nachgab, dem Alten sein Herz ausgeschüttet. Ob er deshalb das Buch in Itaparica vergessen, es deshalb wie absichtlich zurückgelassen hatte?

»Ich weiß, wie Dom Casmurro ist«, hatte er plötzlich gesagt, und der Alte machte ein Gesicht, als verstünde er nicht. »Nein, diese Szene, die Szene, über die wir grad gesprochen haben, die Szene, wo Escobar tot ist, und Capitu auf ihn schaut. Ich weiß, wie dieser Blick ist, ich habe das gefühlt. Ich habe den Blick von meiner Frau auf einem anderen Mann gesehen, es gibt nichts Schrecklicheres als das, es gibt nichts Schlimmeres als diesen Blick, den die Frau, die man liebt, einem anderen Mann zuwirft, denn das ist so wahr, so unfreiwillig, so unleugbar, so unbestreitbar, und dennoch ist es die ungreifbarste Sache von der Welt. Weil er nur eine Sekunde dauert, der Blick, mitunter nur den Bruchteil einer Sekunde, da kann man nichts beweisen und nichts bestreiten, und, was da so sichtbar, so machtvoll da war, das huscht vorbei wie ein Blitz mitten in einer Unterhaltung, und alle möglichen Zweifel kommen auf, nur nicht bei der Frau, die so geblickt hat, und bei dem Manne, den das verletzt hat.«

Er sprach mit soviel Eindringlichkeit, daß der Alte die Hand vom Bücherbord nahm, auf dem sie die ganze Zeit geruht hatte, es sich in einem Stuhl hinter dem Tischchen bequem machte, die Brille auf die Stirn schob, und ihn musterte wie einer, der weiß, daß er etwas Wichtiges zu hören bekommt. Und so war es auch, denn Stalin José erzählte ihm, wie Jandira und er sich geliebt hatten, wie sie geglaubt hatte, er würde seinen Weg gehen, wie sie gemeinsam eine Schwierigkeit nach der anderen mutig und einsatzbereit gemeistert hatten. Bis es zu dem ersten Blick kam,

nachdem man ihm während einer Haftstrafe von siebzehn Monaten den Kiefer gespalten hatte, und er gebrochen nach Hause zurückgekehrt war, mit einem Unterkiefer, der mit Draht zusammengehalten wurde, so daß er Nahrung nur durch ein Röhrchen aufnehmen konnte, und auch so nur mühsam, und wenn er sprechen wollte, konnte er nur ein oder zwei aus unverständlichen Konsonanten bestehende Wörter hervorgrunzen. Sie umarmte ihn, stützte ihn, während er sich in den Sessel sinken ließ, und dann sah sie ihn lange an, mit einem blassen Lächeln, es war der Blick eines Menschen, der Mitleid zeigt, aber keine Liebe.
Es gab andere Blicke, viele Blicke, aber nur auf ihn, nie auf andere, und so konnte er weiterhin hoffen, daß alles zum Vorher zurückkehren würde, sobald die Dinge sich veränderten. Aber sie veränderten sich nicht, die Untergrundarbeit hielt ihn Monate, ganze Jahre hindurch von zu Hause fern, immer mußten die Verwandten sie am Leben erhalten, und so wurde er, mochte er sich auch selber noch so heftig zureden, ein Gefühl der Beschämung nicht los, daß er nichts hatte, nichts geben und nichts schenken konnte, kein Mann war wie die anderen, die etwas in Angriff nahmen, etwas entschieden, Geschäfte abzuwickeln verstanden, Geld verdienten und sich einen fröhlichen Tag machten. Warum mußte er so sein, warum war er so geworden? Hatte er etwa eine Art Religion umarmt, ein aberwitziges Priesterum? Wie dem auch war, es lohnte nicht, Mutmaßungen darüber anzustellen, denn allmählich entdeckte er, daß sie beide sich nicht mehr kannten und sie Klischeesätze parat hatte, die sie bei der Erfüllung ihrer versteinerten Eherituale herunterleierte, angefangen bei dem, was sie im Bett zu ihm sagte, bis zu dem, was sie antwortete, wenn er sie um ihre Ansicht über etwas bat, was er gemacht hatte.
Damals war es, daß der gleiche Blick kam wie der, der Dom Casmurros Brust durchbohrte; als sie am Tisch saßen und ein Glas Bier tranken, lachte sie über eine Bemerkung von Rogério Lopes, einem Freund des Ehepaars, und als blieben ihre Augen in der Bewegung des Kopfes beim Lachen an etwas hängen, ereignete sich der Blick zum anderen, ein kurzer Blick, doch von unendlicher Dauer, ein Blick, wie er ihn von ihr, solange er zurückdenken konnte, nie empfangen hatte, nicht ein flirtender Blick, sondern ein Blick, der ihre Empfänglichkeit ihm gegen-

über in Sekundenschnelle offenbarte. Er erinnerte sich, wie er einen Magenkrampf bekam und Schmerzen in der Brust, die ihn fast umbrachten, denn noch etwas anderes hatte er mit Dom Casmurro gemeinsam, etwas, was ihm nie zuvor in den Sinn gekommen war und dennoch so klar war wie Wasser: Die Züge seines Sohnes Camilo Ernesto glichen zum Verwechseln denen von Rogério Lopes, sogar ihr Gang war ähnlich. Dann, nachdem er einige Tage diesen erstickenden Schmerz gefühlt hatte, packte er heimlich seinen Koffer, schrieb auf einen Zettel, seine Bücher und einige Habseligkeiten würde er demnächst abholen, und verließ das Haus im Morgengrauen.
All das erzählte er dem alten Acúrcio, er merkte, daß er glühte, Schweiß auf der Stirn hatte und keuchte, statt zu atmen. Er blickte zu Boden und dankte dem Alten für das geduldige Zuhören, bat um Verzeihung, daß er ihm eine so alltägliche Geschichte erzählt hatte, die jemandem, der sich wie er Höherem widmete, nicht das Geringste bedeuten konnte, im übrigen hätte er längst auf dergleichen vorbereitet sein müssen, denn der politische Kampf forderte viele Opfer, und wenn man das Leid von vielen anderen Genosssen betrachtete, dann war dieses nicht einmal besonders groß. Er blickte auf in der Hoffnung, irgendeine Antwort zu hören, und sah, daß der Alte ihn mit einer Zärtlichkeit ansah, die er noch nie auf seinem Gesicht entdeckt hatte. Stalin José umarmte ihn, küßte ihn aufs Gesicht und ging fort, ohne sich umzudrehen, und das war sein letztes Zusammensein mit Acúrcio, dem guten Freund, den er nie außerhalb der Buchhandlung getroffen hatte, und dessen Andenken ihm jetzt so lebendig vor Augen stand, dank eines alten Buches, das ein alter Kommunist auf dem Quitanda-Platz auf dem Schoß hielt.
Eine Rakete zischte, stieg hoch, explodierte in drei Rauchwölkchen über dem Kirchturm. Das vierte Schnapsgläschen haltend, ging Stalin José bis zur Ecke der Rua Direita und sah in der Ferne den näherkommenden Schülerzug, ein etwa zwölfjähriges Tambourmädchen vor dem Trommlerzug in weißem Trikot, Unterröckchen und grüngelbem Papierhütchen. Zum Kehrtmachen war es zu spät, er mußte stehenbleiben und zusehen. Und warum mußte er stehenbleiben, was war der Grund? Er sah keinen Grund mehr für das Geringste, empfand seinen Geist nur noch als teilnahmslos und formlos wie geschlagenes Eiweiß, nichts

mehr von allem, was er je getan hatte, erschien ihm noch sinnvoll, so viele Dinge, so viele Anschauungen, so viele Wörter, Provokation, Agitprop, Genosse, Basisorganisation, Applaus nur durch Fingerschnippen, um keinen Lärm zu schlagen, Terrorismus, Trotzkismus, Revisionismus, albanische Linie, Personenkult, bewaffneter Kampf, nationale Bourgeoisie, Landarbeiterschaft, Lumpenproletariat, Feudalismus, Kapitalismus, Selbstkritik, Umerziehung, Maoismus, Stadtguerrilla, Säuberung, sozialistisches Paradies, Kampfparolen, im kalten Morgengrauen auf Mauern gepinselt, Erklärungen bei Vollversammlungen, Sonderaufgaben, Kleinbürgertum, Leben ist die natürliche Existenzform von Eiweißkörpern, *no pasarán*!, die bis heute bekannte Geschichte ist die Geschichte von Klassenkämpfen, Plebejer gegen Patrizier, Sklaven gegen Herren, Proletarier gegen ... und Stalin José war benommen, ob im Kopf, ob vom Wahnsinn, der sein flaumiges Hirn flockte, ob vom Wunsch, aufzufliegen, der von seinen Armen Besitz ergriff, er wußte es nicht, er spürte, wie sein Kiefer bebte, die Lippen willenlos, die Augen getrübt waren in dem Augenblick, als das kleine Tambourmädchen in seinem an zwei Stellen an der Taille notdürftig gestopften Trikot mit zur Sonne gerecktem Gesicht und stolzer Haltung an ihm vorüberschritt, die dünnen Beinchen warf und den mit Wappen und Farben der Republik geschmückten Stab durch die Luft wirbelte. Würde er weinen, würde er sich in eine Ecke verkriechen wie eine Fledermaus, die sich vor dem Licht verkriecht, würde er wieder nicht begreifen, warum er unaufhaltsam weinen mußte? Hinter dem Tambourmädchen kamen zwei Spruchbänder, das eine, von zwei schwarzen Mädchen gehalten, die nie erfahren würden, wie hübsch sie aussahen, und es auch nicht glauben würden, wenn man es ihnen sagte – DAS TAPFERE STÄDTCHEN ITAPARICA IST STOLZ AUF DIE HELDEN DIE ES BRASILIEN SCHENKTE –, und eines von zwei Jungen gehalten, der eine ließ seine Zähne blitzen, der andere blickte mit ernsten Augen zum Himmel, und alle stampften sie mit ihrem rechten Fuß bei jedem Paukenschlag auf – VOLK VON ITAPARICA, SEI STOLZ AUF DEINE BRÜDER IN NORD UND SÜD. Würde er weinen, würde er wirklich weinen müssen? Wie konnten sie, diese mißachteten Geschöpfe, so unbekümmert den Kopf heben, nicht weil sie es geprobt hatten, sondern als wüßten sie etwas, was niemand anderes wußte, außer einem alten betrunkenen Kommunisten, reuig und auch nicht reuig, außer diesem schwankenden Kerl, von dem eine Dame abrückte, als er näher kam und sich an einen Oiticicabaum lehnen wollte, außer diesem vor der Zeit gealterten Menschen, nichts, nichts, nichts, Stalin José! Weinend, ohne daran zu denken, das Gesicht zu bedecken oder sich wie früher zu verkriechen, blickte er die von grüngelbem Karton gekrönten Köpfchen an, hielt sich die Ohren zu, um nicht die Paukenschläge zu hören, welche die kurzen Schritte der Kinder aus dem Waisenhaus der Nonnen im Takt hielten, ahnte, daß ihm eine schon zischende Dynamitstange im Bauch steckte, war sich sicher, daß er sterben würde, stellte sich vor, daß auch er ein solches Hütchen auf dem Kopf hätte und seine kleinen Landsleute umarmen, sie küssen und ihnen sagen könnte, wie sehr er sie liebte! – so tief liebte er sie, daß er bei ihrem Anblick sogar an Gott glauben mochte, schenkte der ihm doch den besten Tod, den er sich wünschen konnte.

Er starb neben dem Oiticicabaum, der noch umgittert war aus der Zeit des Bürgermeisters Bico de Bule, und spuckte so viel Blut, daß die Erde rings um den Baum mehrere Tage dunkel gefärbt blieb. Man schleppte ihn noch zur Ersten Hilfe, um zu sehen, ob die Krankenhelferin etwas tun könnte, aber er war schon tot. Ohne die Herzenswärme, die angeborene Güte und das Solidaritätsgefühl des brasilianischen Volkes, das alles verzeihen konnte, hätte er vielleicht nicht einmal einen Sarg bekommen und wäre in ein Bettlaken gewickelt begraben worden, denn in dem Pensionszimmer, in dem er hauste, wurde nichts irgendwie Wertvolles gefunden, nur etliche schmierige Bücher, etwas Wäsche, einige verblichene Photographien, ein paar unlesbare Aufzeichnungen, ein Kästchen mit Nähzeug und ein zweites voller Arzneimittel und ein von einem gewissen Camilo Ernesto unterzeichneter alter Brief, der mit den Worten »Ich habe nie einen Vater gehabt« endete. Man schaffte die Bücher in die Bibliothek, die ihre Entgegennahme verweigerte und sie vermutlich als subversives Material wegwarf, man schenkte die Wäsche den Nonnen und warf das übrige weg, mit Ausnahme der Kästchen, die Leovigildo, der Besitzer der Pension, mit Hobelspänen füllte und als Nester für zwei Bruthennen in seinem Hinterhof verwendete. Aber alle waren voller Mitleid, denn schließlich hatte der Ärmste ja niemand etwas zuleide getan, und sogar Ioiô Lavínio, der sich darüber beschwerte, dieser Tod habe ihm den Feiertag verdorben, legte Wert darauf, eine bestimmte Summe für das Leichenbegängnis beizusteuern und der Beerdigung beizuwohnen. Auf dem Weg zum Friedhof hinauf wurde er zu seiner Großzügigkeit gegenüber einem Menschen, der diese nicht verdient hatte, beglückwünscht, und er sagte, das sei nicht erwähnenswert, er habe aus dem Geist der christlichen Nächstenliebe gehandelt, war doch der Verblichene, obgleich ein schlechter Brasilianer und Sohn eines ebenfalls schlechten Brasilianers, im Grunde nichts als ein irregelenkter Idealist und schließlich sogar ein entfernter Verwandter von ihm, wie übrigens, wenn man es recht bedachte, jeder auf der Insel einer war.

Entre abogados te veas ist wirklich der endgültige Fluch, ein Meisterwerk an Bündigkeit und Boshaftigkeit, dem sich nur ein Dummkopf lieber aussetzen würde als anderen, auf den ersten Blick schlimmeren, aber unendlich viel harmloseren Verwünschungen wie etwa »Geh zum Teufel« oder »Mögest du für den Rest deines Lebens Bahianer Kost schlucken«. Er hatte die Verwünschung von einem Mexikaner, den er in New York kennengelernt hatte, und der einige Zeit sein Freund gewesen war, bis er über achtzigtausend Dollar in einer von ihm selbst erfundenen Pokerrunde verloren hatte. Er hatte ihm nicht leid getan, Spiel ist Spiel, und das Schlimmste, was dem Mexikaner passieren konnte, war, daß er zwei Tage ohne Kokainschnupfen auskommen mußte, bis sein Vater ihm wieder Geld zuschmuggeln konnte. Aber er war nach dem Spiel verschwunden, und der Gewinner, Dr. Eulálio Henrique Martins Braga Ferraz, Nachfahre des legendären Bankiers Bonifácio Odulfo Nobre dos Reis Ferreira-Dutton durch die Verbindung von dessen Tochter Isabel Regina mit José Eulálio Venceslau de Almeida Braga Ferraz aus der in São Paulo so mächtigen Familie, lehnte sich nun im schwedischen Sessel seines Büros zurück und seufzte in der Gewißheit, daß der Mexikaner sich nicht darauf beschränkt hatte, ihn die Verwünschung zu lehren, sondern sie auch über ihn verhängt hatte. Würde er es denn im Leben nur noch mit Anwälten zu tun haben – einer schlimmer als der andere –, die in einer Sprache schrieben, die von windigen Wendungen wimmelte, und die mit düsteren Aussichten drohten, sofern nicht dies oder jenes getan würde? Anwälte von Handelsbanken, Anwälte von Investmentbanken, Anwälte von Finanzierungskonsortien, Anwälte von Landwirtschafts- und Viehzucht-Holdinggesellschaften, Anwälte von Versicherungskonzernen, Familienanwälte, Anwälte über Anwälte, ein Meer von Anwälten, und all dieses *data venia* und *ipso facto* und *in limine* und *sub judice*, das konnte ja jedem den Kopf verwirren. Ja, der Mexikaner hatte ihm diese Verwünschung tatsächlich angehängt, nachdem er achtzigtausend Dollar verloren und die Suite des New York-Hilton, in der die Spielrunde getagt hatte, bleich verlassen hatte. Ein hübscher Bluff, er

hatte das Spiel bar auf die Hand gewonnen, hatte den kleinen, kaffeebraunen Bruder aus dem Norden ganz schön ausgezogen. Im Gegenzug, *los abogados*.
Er blickte auf die Uhr, seufzte wieder und bereute es, Rechtsanwalt Dr. Chagas Borges zu sich gerufen zu haben, um sich die juristischen Komplikationen erläutern zu lassen, die sich aus der beabsichtigten Eheschließung seines Vetters ergeben würden, den er, da dieser schon recht betagt war, Onkel nannte, Luiz-Phelippe Ferreira-Dutton Filho, jüngster Sohn des Bruders seiner Großmutter Isabel Regina. Er hatte die Verwandtschaftsgrade über Vettern und Schwäger hinaus nie richtig begriffen, und die Verwirrung wurde durch die endlose Erklärung von Chagas Borges noch schlimmer, der über eine Stunde von den Verwandten väterlicherseits, Verwandten mütterlicherseits, von hypothetischen Verwandten, leiblichen Brüdern und anderen Monstrositäten redete, um dann endlich zu der Schlußfolgerung zu kommen, er werde die Angelegenheit eingehend studieren müssen, um eine Stellungnahme abgeben zu können, es gäbe keine verwickelteren Gebiete des bürgerlichen Rechts als Familien- und Erbrecht. Und all das, um auf eine relativ einfache Frage zu antworten: Was waren die Folgen der völlig verrückten Heirat seines Onkels Luiz-Phelippe, mittlerweile im fünfundsechzigsten Jahr, für die Erbsicherheit der Familie? Fertig, nichts weiter. Die Kinder von Luiz-Phelippe, Luiz-Phelippe Neto, Sílvia und Henriqueta – das heißt, nicht eigentlich Kinder mehr, Henriqueta, die jüngste, ging auf die Dreißig zu –, machten sich Sorgen, ja, große Sorgen, und hatten ihn gebeten, um Himmelswillen zu intervenieren. Der Alte müße sich doch daran gewöhnt haben, allein zu leben, nach zwölf Jahren als Witwer, wozu zum Teufel wollte er heiraten? Besaß er nicht alles, was er sich wünschte, tat er nicht alles, was er wollte, lebte er nicht ein Leben wie Gott in Frankreich? Wozu also heiraten? Und dann noch wen! Eine Bahianer Witwe, die sich als Aristokratin aufspielte, in Wahrheit eine mulattenhafte, ruinierte Gutsbesitzerin von zweifelhafter Herkunft, die sich dieses Ruheplätzchen ausgesucht und den Alten völlig eingeseift und ihm ganz und gar den Kopf verdreht hatte. Eulálio mußte unbedingt eingreifen, er mußte mit Luiz-Phelippe sprechen, der gab etwas auf ihn. Alle drei Kinder waren geschlossen gegen ihren Vater angetreten,

doch das nutzte nichts, und vielleicht war einzig Eulálio, das angesehenste, das verantwortungsbewußteste Mitglied der Familie imstande, den Alten wieder zur Vernunft zu bringen.
Zu allem Überfluß hatte auch Onkel Luiz-Phelippe ihn angerufen und gesagt, er käme nach São Paulo, um ihn um Hilfe bei der Lösung eines heiklen Problems zu bitten. Natürlich war es ein und dasselbe Problem, und nun sah er sich in beide Fronten dieses Familienknatsches hineingezogen, mit dem er nicht das geringste zu tun hatte. Seit langem hatte der Rio-Zweig der Familie sich aus den Geschäften zurückgezogen, mit Ausnahme des Vetters Aloísio Henrique, Sohn von Amleto Henrique, ältester Bruder von Onkel Luiz-Phelippe. Aloísio leitete, sofern er sich nicht gerade im Jockey-Club aufhielt, das Maklerbüro in Rio. Die anderen lebten entweder von ihren noch immer beträchtlichen Kapitaleinkünften oder beteiligten sich an anderen Unternehmungen, er erinnerte sich nicht mehr genau an die Namen der Vettern zweiten Grades – oder waren sie dritten Grades? Einer war Architekt. Luiz Eugênio, Sohn von Onkel Bonifácio Vicente, war schwul und lebte in Paris, Henriqueta ging unablässig Ehen ein und löste sie wieder auf, Sílvia hatte einen Amerikaner geheiratet und war nach Detroit übergesiedelt, ließ sich später scheiden und hatte nun irgendwas mit Theater zu tun in Rio – und so weiter. Folglich hatten sie kein Recht, ihn in ihre Händel zu verwickeln. Der Alte mochte seinen Besitz nach Belieben verschleudern und seine Beteiligungen am Familienkonzern obendrein, das spielte überhaupt keine Rolle, es war ein Wassertropfen, der nicht einmal als Gesprächsstoff interessierte.
Ja, aber andererseits gibt es gefühlsmäßige Verpflichtungen, Familienverpflichtungen. Es gilt den Familiensinn zu bewahren, den Sippensinn. Von neuem griff er nach der vom *British-American Institute for Genealogical Research* herausgegebenen Studie über die Ferreira-Duttons, die er Chagas Borges gezeigt hatte in der vergeblichen Hoffnung, er würde den Mund halten. Die Gringos sind eben Könner, nie brächte jemand in Brasilien etwas von diesem Rang zustande. Dabei war das nur ein Teil der von Onkel Bonifácio Vicente in Auftrag gegebenen Studie, der ihm eines der beiden Exemplare geliehen hatte. Der Rest wurde noch vervollständigt, doch Onkel Bonifácios altbekannte Ungeduld bewirkte, daß er darum bat, ein Familienalbum sollte das bereits

verfügbare Material erfassen, und hier war das Ergebnis. Eine in geschliffenem Englisch abgefaßte Familiengeschichte, Abbildungen von Ahnen und der dem Haus nahestehenden Personen, Diagramme mit Verwandtschaftsbeziehungen.
Er schlug die Seite mit dem Porträt des ersten der Ferreira-Duttons, Amleto Henrique Nobre Ferreira-Dutton, auf. Ausführliche Biographie. Der Name *Dutton* hatte ursprünglich wohl *Hutton* gelautet, die Abweichung war auf die konfuse Schreibweise der Großbuchstaben zu jener Zeit und den schlechten Erhaltungszustand der untersuchten Dokumente zurückzuführen. Unter dieser hochwahrscheinlichen Voraussetzung läßt sich die Abstammung auf George Hutton zurückführen, den späteren *Sir* George Hutton aus einer mit dem Hause Windsor über die Herzogin von Kent verwandten Familie, der aus Abenteuerlust nach Brasilien auswanderte, um eine Fazenda in den Tropen zu besitzen. Hier lernte er ein Mädchen kennen, möglicherweise Ana Teresa Rawlings Ferreira, Tochter einer englisch-katholischen Mutter, die vom Landadel abstammte, und eines brasilianischen Vaters, erstgeborener Erbe des Visconde de Casa Alta. Dieser Teil der Familiengeschichte war angesichts der damaligen Umstände am schwierigsten zu untersuchen, denn die Wahrheit ist, daß Ana Teresa von George Hutton außerehelich geschwängert wurde, was angesichts der damaligen Vorurteile als wahres Verhängnis angesehen wurde und nur dank des großen Ansehens ihrer Familie vertuscht werden konnte. Ein von den Forschern aufgefundener, schwer lesbarer, weil an mehreren Stellen verblichener Brief läßt vermuten, daß George Hutton, der nichts von der Schwangerschaft wußte, weil er zu der Zeit nach Grão-Pará unterwegs war, Ana Teresa kurz vor der Niederkunft heiratete. Sie starb bei der Geburt des kleinen Amleto, der, nach des Vaters Berufung nach England in den Dienst seiner Britischen Majestät, liebevoll von den Großeltern aufgezogen wurde. Dann die Zusammenarbeit mit dem Baron von Pirapuama, sein Talent, das die halbruinierten Geschäftsunternehmungen des Barons rettete, das Bankhaus, und so weiter, und so weiter, der Rest der Geschichte ist bekannt.
Er besah sich das Porträt des Ururgroßvaters, streng, hoher Stehkragen, steifer Hals, zusammengezogene Brauen. So weiß, daß er milchig wirkte, schütteres, glattes, beidseitig herabwal-

lendes Haar, er hätte gut und gern Engländer sein können, was er übrigens auch fast war, er hätte nur in England zur Welt zu kommen brauchen. Sichtlich nordische Gesichtszüge. Wie er wohl im täglichen Umgang war, was für eine Stimme hatte er wohl? Offensichtlich war er einer jener alten Dickköpfe, ein Abgrund von Ehrlichkeit und Nüchternheit, was seine guten Seiten hatte, ihm aber sicherlich häufig seine Geschäfte durchkreuzte, weil Leute wie er, übertrieben an ihren Grundsätzen und Skrupeln festhaltend, allzu strengen Verhaltensmustern gehorchen und lieber Geld verlieren, als ihre ethischen Maßstäbe verletzen. Ja, er war sicherlich ein schauderhafter alter Mann und doch eine fesselnde Figur, ein Mann, der nicht umsonst seine Umgebung in Bann schlug.
Bonifácio Odulfo, der Urgroßvater, Henriqueta, die Urgroßmutter. Er glich dem Vater, die gleiche strenge Lebensart, etwas mürrisch sogar. Und sie, die Sanftmut in Person, man erkannte sie sogleich als empfindsamen Menschen, sicherlich von dem einer Frau ihrer Zeit auferlegten, zurückgezogenen Leben eingeengt und bedrückt. Er lächelte der Urgroßmutter zu, fast überkam ihn so etwas wie Sehnsucht nach der Zeit der kleinen schwarzen Hausmädchen und der Herrenhäuser, eine schlichte Epoche, rein, ohne die Gewalttätigkeit von heutzutage, ohne den Druck, der heute die Menschen in unablässiger Spannung hält. Was würde Uroma sagen, wenn sie das Verhalten ihrer Nachkommen, der Frauen von heute im allgemeinen, mitansehen müßte? Von neuem lachte er. Die Ärmste, wahrscheinlich würde sie sich in Sodom und Gomorrha wähnen und lieber in ihr Grab zurückkehren. Und der General hier neben ihr? Ein hübscher Mensch mit einem seltsam sanften Gesicht für jemanden, der im Krieg gegen Paraguay dem Gegner tüchtig einheizte und als Draufgänger galt. Wem glich er am meisten? Er war wohl nach den Verwandten der Mutter geschlagen, nach einem zwischen den Ahnen der alten Teolina versteckten Araber, aus der Zeit, da die Mauren auf der Iberischen Halbinsel waren. Daher diese dunkle Haut, diese hübschen, aber harten Gesichtszüge, verschieden von dem feinen Gesichtsschnitt der anderen. Trotzdem erinnerte er ein wenig an den Monsignore. Der Monsignore ...
»Dr. Eulálio, entschuldigen Sie bitte«, sagte eine Frauenstimme in der Sprechanlage.
Er schwebte so sehr in den Wolken, daß er lange nicht begriff,

wer ihn rief. Er legte das aufgeschlagene Familienalbum auf den Tisch und beugte sich leicht gereizt über den Apparat.
»Was ist, Dona Shirley?«
»Herr Dr. Luiz-Phelippe ist soeben eingetroffen.«
»Ah, führen Sie ihn herein.«
Zum Teufel, er hatte sich noch keine Strategie für die Begegnung überlegt, das hätte er tun sollen. Aber er wußte ja auch noch nicht, wessen Partei er ergreifen sollte, er kannte die Braut des Onkels nicht, er wußte gar nichts. Er fand es aber richtig, daß die jungen Leute sich Sorgen machten, schließlich hatten sie nichts gelernt und waren ans Wohlleben gewöhnt, sie wären ganz aufgeschmissen, darum war es natürlich, daß die Aussicht auf die Eheschließung sie beunruhigte. Schön, er würde es auf sich zukommen lassen, würde je nachdem improvisieren und sehen, was er für die jungen Leute tun konnte, ohne sich allzu eindeutig festzulegen.
»Dr. Luiz-Phelippe, was für eine Freude! Wie geht es dir? Du wirst immer jünger!«
»Findest du?« antwortete Luiz-Phelippe mit strahlendem Mondgesicht. »Weißt du, daß ich das auch finde? Na, und wie geht's dir denn?«
Sie umarmten einander, der Onkel beschwerte sich, daß er ein Namensschildchen anstecken mußte, um das Gelände betreten zu können – und was für ein Gebäude übrigens, Menschenskind! Ja, in der alten Hauptniederlassung hatte man nicht mehr bleiben können, man hatte eine neue an der Avenida Paulista bauen müssen. Und was das Namensschildchen betraf, der Onkel kannte sich doch bestens in Sicherheitsproblemen aus. Hatten sie nicht trotz strengster Überwachung eine Bombe in der Fabrik von Osasco hochgehen lassen? Ja, freilich, freilich, schauerliche Sache, heutzutage kann man keinem Menschen mehr trauen. Aber er war schon lange nicht mehr in São Paulo gewesen, nicht? Und Guida, wie geht es ihr?
»Hast du gerade die Familienbilder angeschaut?« fragte er, als er das Familienalbum auf dem Tisch bemerkte.
»Ja, ja. Kennst du das? Interessant.«
»Ja, Boni hat es mir gezeigt. Was für ein Gesicht der Monsignore hatte! Findest du nicht, er sah ein bißchen wie ein Wüstling aus?«

»Ja, schon, und wie ein Schlitzohr, das stimmt.«
»Und so war er auch! Hast du nie die Geschichten über ihn gehört? Er hat all seine Betschwestern vernascht! Es heißt, hinter der Sakristei einer Kirche in Bahia hatte er ein Appartement, in dem er den frommen Frauen geistlichen Rat zukommen ließ. Und jetzt rate mal, was er da drin hatte: einen Tisch, einen Schrank und ein Bett! Haha! Schauen Sie sich sein Gesicht an! Ich bin sicher, in Bahia haben wir eine ganze Anzahl kirchlich angehauchter Vettern.«
»Bestimmt, und alles Schwarze.«
»Eher braun.«
»Schwarz. Jeder Bahianer ist ein Schwarzer. Die aus Bahia sind es ja auch, die posaunen ja ärgerlicherweise in die ganze Welt hinaus, daß jeder Brasilianer schwarzes Blut hat. Ich habe mich in Kanada schon einmal mit einem dieser Kerle darüber gestritten. Ich habe zu ihm gesagt: Mag sein, daß du das hast, als Bahianer, du ißt ja auch dies gelbliche, schleimige Zeug, hast verdorbene Zähne und ein negroides Gesicht, ich nicht! Ah, dem hab ich's gegeben! Ich hatte etwas getrunken – kennen Sie die Bar vom Toronto-Hilton, die in der Lobby, dicht am Schwimmbekken? Ich weiß noch gut, ich hatte eine ganze Flasche *Queen Anne* gebechert – allein –, und da wurde ich wirklich stocksauer, als der Kerl mit diesem Gewäsch kam.«
»Ja, das ist die gleiche Art Gewäsch wie früher: jeder Brasilianer hat Syphilis.«
»Klar, das habe ich selbst noch erlebt! Eine Amerikanerin konnte ich damals, als ich meinen Magister an der UCLA gemacht hab, nur deshalb nicht vögeln, weil genauso einer wie dieser Kerl aus Bahia in Kanada ihr das gesteckt hat, als würde er ihr eine große Neuigkeit verraten. Ich habe ihm im Moment nur keine in die Fresse gehauen, weil es in Los Angeles war und die Amerikaner jeden einbuchten, der einem anderen die Visage poliert, wäre das hier gewesen, dem Bahianer wär's vielleicht dreckkig ergangen, ich hätte ihm mal kurz alle Rippen gebrochen.«
»Waren beide aus Bahia? Der Bahianer...«
»Was weiß ich, aus Bahia, aus Ceará, aus Pernambuco, für mich ist das alles die gleiche Sippschaft, ich kann sie nicht ausstehen. Wenn einer von denen im Fernsehen redet, stelle ich den Ton ab, ich kann dieses Lé-lé-lé, Lé-lé-lé nicht aushalten, das klingt, als

wollte denen ein Tier aus dem Mund schlüpfen. Mir fällt schon das Gewäsch auf den Wecker, das heute in der Presse Mode ist – zum Glück lese ich kaum noch brasilianische Zeitungen –, und überall, daß die Nordestinos São Paulo aufgebaut haben, daß sie dieses und jenes aufgebaut haben. Einen Scheißdreck haben sie, wer São Paulo aufgebaut hat, das waren wir, Leute wie unsere Familie, unsereins hat diese Scheiße auf dem Buckel geschleppt, hat Higienópolis gegründet, hat sich den Arsch aufgerissen. Ich möchte mal eine Horde von diesen Hinterwäldlern sehen, was die hier auf die Beine gestellt hätten, als das hier ein Viehtreiberrastplatz war. Sie hätten diese Hütten gebaut, in denen sie dort hausen, zweihundert Kirchen und einen Haufen Buden, wo sie diesen ekligen, gelblichen Fraß verhökern, den sie kauen, das hätten sie aufgebaut. Warum haben sie dort nichts Anständiges aufgebaut, was? Wenn sie behaupten wollen, daß die Makkaronis geholfen hätten, das laß ich noch gelten. Die Japaner, laß ich gelten. Sogar die Araber laß ich mir gefallen, obwohl die meisten Diebe sind, genau wie die Juden, die nichts Produktives leisten und nur immer ihren ziemlich anrüchigen Handel treiben. Aber dieses Gewäsch, die Nordestinos hätten was aufgebaut, das laß ich mir nicht aufschwätzen. Sie haben Backsteine gelegt, aber das ist noch lange nicht Aufbauen, das ist der unwichtigste Teil, das bringt jeder fertig, drum tun sie das. Die Wahrheit ist doch, wir geben ihnen Arbeit, und dafür machen sie aus São Paulo eine Art Bahianermarkt, voll von schwarzem Gesocks in jedem Winkel und mit dem unerträglichen Gedudel, sogar auf den Rundfunkstationen, die früher nur anständige Musik gebracht haben.«

»Du regst dich ja mächtig auf, wenn du davon sprichst, wie?«

»Das tue ich, und wie! Diese Art Leute ohne die geringsten Fähigkeiten so aufzuwerten, diese Masche, die Rolle der Bauern in der Produktion und in der Entwicklung hochzujubeln, auf dieser Masche wird schon zu lange herumgeritten, und die Folgen sind bereits sichtbar, und zwar überall. Frag mal irgendeinen, der mit Metallarbeitern zu tun hat, frag Nino, frag Alfredo, frag Cazzarelli, der sich heute die wenigen Haare ausrauft, die er noch hat. Du solltest die Anmaßung dieser Typen sehen, man könnte glauben, ihnen gehört die Fabrik. Was wollen sie noch mehr, sie haben bereits die unglaublichsten Arbeitsgesetze der Welt, sowas ist nur in Brasilien denkbar! Du kannst keinen von

diesen Lumpen auf die Straße setzen, ohne daß er sofort vors Arbeitsgericht geht und seinem Chef so gut wie alles wegnimmt, ganz zu schweigen von der Sozialversicherung, von der alle Welt behauptet, sie müßten sie tragen, dabei müssen wir Unternehmer sie tragen, wie jeder Unternehmer ihnen mit Papier und Bleistift nachweisen kann. Wenn du die Steuerlasten kennen würdest, die Abgaben für die Arbeitslosen- und Sozialversicherung, die die Unternehmen tragen müssen, das Kinn würde dir runterfallen, du würdest es nicht glauben. Und die Bürokratie? Jeden Tag wird etwas Neues ausgeheckt, jeden Tag muß man einen neuen Anwalt engagieren, um den bürokratischen Wirrwarr zu kapieren, den sie erfinden. Warum entscheiden sie nicht gleich, ob diese Scheiße nun freie Marktwirtschaft oder Sozialismus sein soll? So wie das heute ist, kann es nicht bleiben! Wenn es Sozialismus sein soll, in Ordnung, dann haue ich ab, kommt drauf an. Aber so wie das jetzt ist, kann es nicht bleiben.«
»Aber die Lage scheint mir im Augenblick ziemlich unter Kontrolle. Die Regierung …«
»Sie ist keineswegs unter Kontrolle! Selbst die Pressezensur wird unterwandert, sie schmuggeln zwischen den Zeilen rein, was sie wollen! Da wird ein Erlaß verfügt, mit Zustimmung vom Kongreß und allem, das heißt, alles nach dem Gesetz, alles legal, ein Erlaß, der die Vorzensur für Bücher einführt, was nur die logische Folge der Pressezensur ist. Wenn man Zensur will, darf man keine Schlupflöcher lassen, sonst wird das alles zur Farce. Schön, das Gesetz ist also durch, und nur weil Jorge Amado, der – wohlgemerkt! – nie aufgehört hat, Kommunist zu sein, und trotzdem frei herumläuft und von aller Welt akzeptiert wird, und Erico Veríssimo, der inzwischen wohl senil ist und auch sitzen müßte, weil er das Gesetz herausfordert und die Autorität mißachtet, nur weil diese beiden Mistkerle, die nie was anderes getan haben als Romane schreiben, was sowieso nichts Nützliches einbringt und keinen Informationswert hat und was nur Leute lesen, die zuviel Zeit haben, diese beiden Hampelmänner treten also vors Publikum und erklären kaltlächelnd, daß sie ihre Bücher nicht der Vorzensur vorlegen, und was passiert? Nichts, alles bleibt beim alten, und das Gesetz verkommt zum toten Buchstaben. So ist hier alles, es ist alles ein Witz, diese beiden Figuren gehörten ins Kittchen, wegen solcher Widersprüche glaube ich nicht

an das Regime. Haben sie nicht die Todesstrafe eingeführt? Und haben sie nicht neulich irgendeinen Kerl verurteilt? Schön, wieviel wettest du, daß sie in letzter Minute das Urteil nicht vollstrecken und ihm im Zweifelsfall nach Ablauf von ein paar Jahren noch einen Orden umhängen? Ich wette eine Kiste *Chivas* gegen eine Flasche von deiner Marke, daß sie den Kerl nicht abmurksen werden. Wetten?«

»Du sagst, sie werden ihn nicht erschießen.«

»Richtig. Ich sage, daß sie ihn nicht erschießen, und du sagst, daß sie ihn erschießen.«

»Einverstanden, ich sage, daß sie ihn erschießen. Für mich ist diese Kiste Whisky bereits gewonnen, die Militärs legen den Kerl schon irgendwie um.«

»Du wirst ja sehen.«

»Schön, wenn sie ihn umlegen, besaufen wir uns aus der Kiste. Wenn sie ihn nicht umlegen, besaufen wir uns aus der Flasche, alles in Ordnung.«

Wieder ruhig geworden, bemerkte Dr. Eulálio, daß der Onkel eine Gelegenheit suchte, zum Thema überzuwechseln, das ihn nach São Paulo geführt hatte, denn es sah aus, als spräche er nur über andere Dinge, um nicht unhöflich zu sein. So bat er ihn, sich in einen Ledersessel der Sitzgruppe vor dem Panoramafenster zu setzen, und fragte, ob er nicht etwas trinken wollte, schließlich war es fast Mittagessenszeit – man würde doch zusammen essen, nicht wahr? Also, ein Drink? Er ging zur Bar, holte Eis aus einer Thermosflasche, wollte wissen, ob der Onkel Whisky in einem kleinen Glas wünschte, und bemerkte, in einem bunten oder einem dicken Glas schmecke Whisky wieder anders. Er schenkte beiden ein, setzte sich und hörte sich die Geschichte von Luiz-Phelippe an, die mit dem Tag begann, an dem er seine unvergeßliche Cizinha vor zwölf Jahren verloren hatte. Er erging sich über die Nächte der Einsamkeit, die Gleichgültigkeit der Kinder, die Unbeständigkeit der Freunde und die Belanglosigkeit des gesellschaftlichen Lebens, an dem er zwar weiterhin teilnahm, das ihn jedoch wegen der Heuchelei und Leere der Menschen anekelte. Dann hatte er Maria Dulce kennengelernt, eine außergewöhnliche Frau von einer Tiefe und einer Kultur, wie er sie nie bei einer anderen Frau erlebt hatte, all das in Verbindung mit einer reifen, sinnlichen Schönheit und einem außerordentlich festen Charakter – sie lehnte sogar teure Geschenke ab! –, von einer Süße, wie ihr Name es versprach, eine vollendete Frau. Und – er würde das nicht sagen, wäre es nicht zu Eulálio, einem Verwandten und so nahen, so vertrauten Freund – wie gut sie sich im Bett verstanden! Bescheidenheit beiseite, er hatte es nicht nötig zu prahlen, er würde das nicht sagen, wirklich nicht, wäre es nicht die volle Wahrheit, aber er war sexuell immer überaus aktiv gewesen und hatte nie schlapp gemacht, nicht einmal, nicht ein einziges Mal, es mochte das mieseste Weibsbild sein, eine alte Schlampe mit soviel schlaffer Haut an den Leisten, daß man die Möse nicht mehr sehen konnte, eine Schwarze von diesen wirklich pechschwarzen, eine kleine Nutte aus der Lapa, sie mochte aussehen, wie sie wollte, er war immer in Form, er hatte eben eine besondere Sensibilität für den Sex und Gott sei Dank eine eiserne Gesundheit, trotz aller Ausschweifungen. Aber selbst wenn er all das in Betracht zog, war dieses Zusammenklingen zwischen Maria Dulce und ihm etwas nie vorher Erlebtes. Hatte nicht Eulálio selber gesagt, er sehe jünger aus? Das war er auch, und übrigens, das Alter, man täusche sich nicht, war eher ein geistiger Zustand, vor allem eine psychologische Befindlichkeit!

Schön, wollte er also nun heiraten, und die Kinder, denen zu gefallen Maria Dulce sich umsonst bemüht hatte, stellten sich auf eine erschreckende Weise gegen sie, daß man kaum seinen Augen traute. Was war der Grund dafür? Maria Dulce war eine vermögende Frau, sie besaß viel Land in Bahia, sie bestand darauf, mit Gütertrennung zu heiraten, selbst wenn das Gesetz in Anbetracht seines Alters ohnehin dazu zwang. Ihre Kinder waren praktisch erwachsen, und es waren ihre, nicht seine Kinder, sie würden nichts von ihm erben. Die Lage seiner eigenen Kinder würde unverändert bleiben, er beabsichtigte nicht, ihre finanzielle Lage zu ändern. Wo also lag das Problem, wenn nicht bei ihrem Vorurteil? Schließlich war er noch am Leben, das Geld gehörte ihm und nicht ihnen, war es so oder nicht?

»Nein«, sagte Dr. Eulálio. »Wenn man soviel Geld besitzt wie du, gehört einem das Geld nie. Es mag nicht richtig sein, aber so ist das. Die Kinder haben recht, wenn sie sich Sorgen machen. Laut Sílvia denkst du sogar daran, Geld in die Modernisierung von Maria Dulces Fazendas zu stecken. Du verstehst nichts von

Landwirtschaft, wirst ein wahnsinniges Geld ausgeben und kannst dabei aufs Kreuz fallen. Und was wird dann aus den Kindern?«

»Aber kann ich mein Geld nicht anlegen, wie ich will? Und wenn ich in jedem Fall vorhätte, es irgendwie anzulegen, auch ohne sie zu heiraten?«

»Nein, das kannst du nicht, du hast gewisse Verpflichtungen. Warum ziehst du nicht mit ihr zusammen, statt gleich zu heiraten? Das ist doch das gleiche und erspart dir einen Haufen Scherereien. Du triffst eine Vereinbarung mit ihr, bietest ihr einige Garantien und setzt eine Art Kontrakt auf, ich helfe dir, wenn du willst, ich habe gute Anwälte.«

»Ich habe schon daran gedacht, aber sie will nicht. Ich habe das Thema einmal angeschnitten, und sie hat fast Schluß gemacht mit mir, sie war stinkbeleidigt.«

»Onkel, soll ich ganz aufrichtig zu dir sein? Darf ich aufrichtig zu dir sprechen?«

»Ich weiß schon, was du sagen willst, du wirst sagen, daß sie nach meinem Geld schielt. Ich hatte eine andere Einstellung von dir erwartet, du bist doch ein lebenserfahrener, moderner Mann, du dürftest doch eigentlich frei sein von diesen Vorurteilen.«

»Eben weil ich lebenserfahren und modern bin, denke ich, daß sie nach deinem Geld schielt. Nach deinem Geld, deinem Namen, deiner Stellung ... Bedenke, auf der anderen Seite, daß im Grunde jede Frau, auch wenn sie verliebt ist, in der einen oder anderen Form an diesen Dingen interessiert ist. Ich tadle sie dafür nicht, ich bin nur Realist. Aber weil ich Realist bin, übersehe ich auch nicht, daß sie aus diesem Beweggrund so handelt, man muß der Wahrheit furchtlos ins Gesicht sehen. Du mußt die Interessen der Kinder und die Gegebenheiten dieser Situation abwägen.«

»Aber wie? Eines sage ich dir: Was auch kommen mag, selbst gegen deine Meinung, ich werde Maria Dulce heiraten.«

»Natürlich sollst du Maria Dulce heiraten. Nur sollst du kein Geld in ihre Fazendas stecken.«

»Ich habe es aber schon versprochen, ich kann nicht mehr zurück.«

»Du hast es schon versprochen? Die Dame ist fix, wie?«

»So darfst du nicht sprechen!«

»Schon gut, Onkel. Du hast es versprochen, das heißt aber nicht, daß du das Versprechen mit deinem Geld erfüllen mußt. Ich werde das für dich in Ordnung bringen.«

»Du willst das in Ordnung bringen? Wie denn?«

»Ich bringe das in Ordnung, ich erkläre es dir gleich. Aber zuerst mußt du eine Bedingung annehmen, nämlich daß ein Anwalt, dem ich bedingungslos vertraue, Dr. Chagas Borges, der gerissenste Fuchs am Gerichtshof von São Paulo und Professor an der Universität von São Paulo, ein Top-Mann, von dem du sicher schon gehört hast, erst mal die ganzen Heiratsbedingungen für dich ausarbeitet. Das heißt, laß ihn einen Plan ausarbeiten, der die Interessen der Kinder sicherstellt und künftige Scherereien verhütet, und das erfordert Vorkehrungen vor der Eheschließung, da gibt es alle möglichen rechtlichen Mittel und Wege, keine Sorge.«

»Aber um die Interessen der Kinder sicherzustellen, müßte ich ja die Beteiligung an ihren Fazendas vergessen.«

»Du brauchst überhaupt nichts zu vergessen. Ich habe eine erstklassige Planungsabteilung, ich habe Leute in der Nordost-Entwicklungsbehörde, die zu meinen Gunsten den Instanzenweg abkürzen, ich habe alles in der Hand. Was wir also tun werden, ist, ein Finanzierungspaket für Tante Maria Dulce besorgen und uns das Geld dafür aus einem dieser Fonds holen – es sind so viele, daß ich die Abkürzungen vergessen habe, aber ich bezahle einen Haufen Leute dafür, daß sie die nicht vergessen. Was für eine Art Fazenda besitzt Maria Dulce?«

»Sisal. Ihre Ländereien liegen im Sisalanbaugebiet.«

»Das ist Mist. Aber es spielt keine Rolle, das kriegen wir schon hin, wir kommen mit einer Marktuntersuchung über irgend etwas, reichern das Projekt mit gewichtigem Material an, und selbst wenn es kein Sisal ist, sondern Rizinusöl, Packpapier, Füllfedern, wir finden schon etwas, das ist kein Problem, überhaupt nicht, zerbrich dir darüber nicht den Kopf, ich fädel das ein. Es kann ein verhältnismäßig kompliziertes Paket werden, wir könnten Schuldverschreibungen ausstellen, eine Finanzierung über Dritte vornehmen ... Laß mich nur machen. Vertraust du mir?«

»Ja, ja, ich vertraue dir! Aber bisher habe ich es noch nicht ganz begriffen.«

»Lieber Onkel Phelippe, das Geld ist da, es braucht nicht dein

Geld zu sein. Es ist jedenfalls da, und man muß nur wissen, wie man drankommt, und genau dafür ist diese ganze Organisation da, deren Gebäude du so bewunderst. Sie besitzt das Land, und sie muß irgend etwas darauf anbauen, und wir können das wirtschaftlich so bewerten, wie es unseren Interessen am besten dient, das ist ein Kinderspiel. Das kostet keinen von uns einen Centavo, im Gegenteil, es bringt sogar Geld ein, weil die finanzielle Durchführung nicht umsonst gemacht wird und wir uns selber darum kümmern, hier in der Bank und in den anderen Konsortien. Es gibt besondere Karenzfristen, Sonderzinssätze, es gibt alles mögliche. Die Schuldverschreibungen können zu normalen Zinssätzen wie bei jeder sonstigen Transaktion ausgegeben werden, während sie ein Projekt finanzieren, das in Wirklichkeit viel weniger Kosten macht.«

»Ich kapiere allmählich, du bist wirklich ein Genie.«

»Ach was, das ist Routinesache, alle Welt kennt das, was ich dir hier sage. Wenn das alles wäre! Um darauf zurückzukommen: Du darfst mir vertrauen. Ich schaukle diese Operation schon, und am Ende verdienen alle daran, du heiratest deine Maria Dulce, die Kinder werden nicht nervös, alles läuft wie geschmiert.«

»Trotzdem bin ich leicht beunruhigt. Du hast gesagt, Sisal ist Mist und ich könnte dabei aufs Kreuz fallen.«

»Ich habe aber auch gesagt, du sollst mir vertrauen, oder nicht?«

»Ja, das hast du.«

»Na also. Erstens habe ich Leute an der Hand, die bei diesem Projekt helfen können, das einzufädeln, meine ich. All das kann vollständig vom Voranschlag der Operation bezahlt werden, das heißt, es kostet nichts, wie nichts das Geringste kosten wird, das Geld ist da, Onkel! Die einzige Art und Weise, wie man nicht aufs Kreuz fällt, ist die, kein Geld in dieses Geschäft zu stecken, es gibt Geld zum Investieren, das nicht dein Geld ist, ohne jedes Risiko, da ist weder dein Besitz noch der von deinen Kindern bedroht. Wer heutzutage eigenes Geld in ein Projekt steckt, ist verrückt, der handelt irrational, heutzutage gibt's so was nicht mehr. Das Geld ist da, es wurde für diesen Zweck angeschafft, und es wäre Sünde, Gelegenheiten wie diese ungenutzt zu lassen.«

»Ah, das heißt, du hältst das alles für eine günstige Gelegenheit?«
»Ja, genau. Ich habe dir schon gesagt, du sollst alles mir überlassen. Sobald ich dieses ökonomisch-eheliche Paket beieinander habe, sage ich dir Bescheid und komme zu einem Gespräch nach Rio – ich bin lange nicht mehr dort gewesen, da wohnen sogar Leute, die ich sehen will, wenn du weißt, was ich meine, haha. Überlaß das alles mir. Ich brauche nur die Grundbausteine. Sobald du zurück bist, schickst du mir alle Angaben, die Maria Dulces Grundbesitz betreffen, Ortslage, Flächenumfang, Urkunden, Jahresabschlüsse, alles. Ich werde Menezes damit beauftragen, den habe ich dafür, ein alter Hase in diesen Dingen, er wird den Fall bearbeiten. Er ist gerade unterwegs, um ein Projekt in Maranhão zu betreuen, Babassúpalmöl, das ist zur Zeit ein Bombengeschäft, aber der ist in ein oder zwei Tagen zurück, und dann übergebe ich ihm alles. Es ist zu kompliziert, um dir alle Einzelheiten zu erläutern, aber du kannst ganz ruhig sein, alles steht mir glasklar vor Augen. Die Regierung gibt für solche Sachen Geld, keine Sorge. Bei diesem Geschäft fällt niemand aufs Kreuz. Aufs Kreuz fallen würdest du nur, wenn du die im Schweiß deines Angesichts erworbenen Moneten in so ein Geschäft stecken würdest, das nie gut funktionieren kann, oder du machst den großen Reibach!«
»Schön, ich verstehe das Ganze nur halb, aber ich vertraue dir, du nimmst mir einen Stein vom Herzen, ich bin dir außerordentlich dankbar!«
»Ach, hör mal, dazu ist ein Verwandter doch da. Und wie du selbst gesagt hast: wir sind immer Freunde gewesen. Das macht mir überhaupt keine Arbeit, im Gegenteil, es wird mir ein großes Vergnügen sein, dir zu deinem Glück mit Maria Dulce zu verhelfen, das soll mein Hochzeitsgeschenk sein.«
»Sprichst du mit den Kindern?«
»Tue ich, natürlich, noch heute rufe ich Sílvia oder Henriqueta an, überlaß das mir. Jetzt will ich nur noch schnell Dona Shirley rufen, damit sie einiges notiert, dann gehen wir Mittag essen, ja?«
Aber der Onkel, über die unverhoffte Lösung seines Problems in Hitze geraten, sagte, er könnte nicht, Maria Dulce sei mit ihm nach São Paulo gekommen, um ein bißchen zu bummeln, um

Einkäufe zu machen und einige Restaurants aufzusuchen – sie fand die arabische Küche und italienische Gerichte wundervoll und ging liebend gern in São Paulo essen, denn in São Paulo, das mußte gesagt werden, ißt man am besten von ganz Brasilien. Sie wartete im Hotel auf ihn, und er wollte ihr die große Nachricht sofort überbringen und mit ihr feiern, ja, feiern! Dr. Eulálio verstand, der Alte wollte in São Paulo seine Dulce besteigen, Luftveränderungen sind immer anregend. Er umarmte ihn herzlich, begleitete ihn, mit der Hand auf seiner Schulter, zur Tür, verabschiedete sich mit einer neuen Umarmung und blickte ihm nach, wie er durch das Vorzimmer ging, ein etwas dümmliches Lächeln auf seinem rundlichen Gesicht.

Er schloß die Tür und kehrte zum Schreibtisch zurück, gemächlich und mit der gelinden Genugtuung eines Menschen, der eine gute Tat getan hat. Und fraglos ein gutes Geschäft für die Bank. Auf einen Notizblock schrieb er ein paar Merkpunkte, damit Dona Shirley eine vollständige Liste aller öffentlichen Fonds und Programme zusammenstellte, aus deren Mitteln die Bank Geld für landwirtschaftliche und industrielle Vorhaben im Nordosten abzweigen konnte. Menezes sollte gleich nach seiner Rückkehr aus Maranhão zu einem Gespräch gebeten werden.

Er zog das Familienalbum zu sich heran und betrachtete lange das Porträt des Urgroßvaters. Wahrlich, Sippe war Sippe, gutes Blut war gutes Blut, das Schicksal seiner Familie konnte nur so sein, eine Bestimmung zur Größe, Zugehörigkeit zur Elite. Ob er durch so viele Generationen das Talent des Patriarchen geerbt hatte? Natürlich hatte er das geerbt, schon deshalb, weil dieses Talent vervielfacht auf Urgroßvater Bonifácio Odulfo übergegangen war, ein außergewöhnlicher Mann, ein seiner Zeit weit vorauseilender Unternehmer, eine vielseitige Intelligenz, die ihn sogar zu hochgradigen literarischen Tätigkeiten befähigte, denen er heimlich in seinen Mußestunden frönte. Merkwürdig, daß er an Schwindsucht starb, als habe die Krankheit der Dichter jener Zeit ihn schließlich in seiner Reife ereilt. Wieder schweifte er in Gedanken ab und stand erst viel später auf, um im Büro zu Mittag zu essen, denn durch die lange Unterhaltung und die Erinnerungen an die Familie – an die Großmutter Isabel Regina, an das einzige Mal, wo er seinen Urgroßonkel Patrício Macário gesehen hatte, an seinem hundertsten Geburtstag, an soviel anderes –

hatte er vergessen, daß er am Abend des nächsten Tages einen wichtigen Vortrag im Industrieverband halten sollte. Obwohl sein Mitarbeiterstab praktisch alles niedergeschrieben hatte, legte er Wert darauf, dem Vortrag einen persönlichen Tonfall zu verleihen, ein paar Botschaften einzuflechten, gewissen Personen versteckte Seitenhiebe auszuteilen. Er durfte nicht versagen, die Feierlichkeit würde über das ganze Land ausgestrahlt werden. Sein Mittagessen, Fisch vom Grill mit Zitronensauce, Salat, ein Glas deutschen Weißweins, Vollkornroggenbrot und eine halbe Papaya, wurde aufgetischt, als er noch über einen Block voller hingeworfener Wörter und eilig verbesserter Sätze gebeugt war. Er sah nicht auf, als der uniformierte Hauskellner das Mittagessen brachte, winkte ihm nur zu, er möge alles auf den runden Tisch vor den Ledersesseln stellen. Er hatte einen zweiten doppelten Whisky getrunken, und vielleicht war er deshalb erhitzt und angeregt, in gehobener Stimmung, als er zwei Minuten später aufstand, um zum gedeckten Tisch zu gehen, und dabei aufsagte, was er gerade geschrieben hatte. Die nationale Unternehmerschaft ist sich ihrer tiefen Verantwortung gegenüber der Nation und dem brasilianischen Volk bewußt! Es gibt heute in Brasilien einen neuen Unternehmer, eine neue Mentalität, ein neues Bewußtsein der sozialen Rolle des Unternehmertums, die im Brasilien von heute von umfassender Bedeutung ist! Nein, nein, zweimal »heute« und »Brasilien« – das muß geändert werden! Im wesentlichen war es aber gut, sogar sehr gut, und würde die Zuhörer beeindrucken, zumal es aufrichtige Feststellungen waren, wie alle wußten, die ihn kannten.

Thermalbad Itaparica, den 10. März 1939

Der von Dona Isabel Regina gecharterte Dampfer lief um sieben Uhr morgens von Bahia aus und sollte gegen neun Uhr in Itaparica eintreffen, aber die starke Ebbe und der steife Nordostwind verzögerten die Fahrt der *10 de Novembro* ein wenig, die wie ein Karussellpferdchen in den Wellen auf- und abstieg. Sie beunruhigte sich wegen der Verzögerung und bereute es, nicht mit dem Schiff der offiziellen Delegation gefahren zu sein, das eine halbe Stunde vorher ausgelaufen war und sicherlich bereits auf der Insel anlegte. Eulálio Henrique und Bonifácio Odulfo III hingegen, ihre beiden Enkel, die sie auf der Reise begleiteten, wollten noch lange nicht ankommen, weil sie alle Augenblicke etwas im Meer entdeckten, was sie noch nie gesehen hatten, Schwärme von Tümmlern, die Meeräschen jagten, neben dem Schiff entlang fliegende Fische, große aschgraue Vögel, die in die Tiefe tauchten nach Fischen.

»Kinder«, sagte sie und blickte auf die Uhr, »steht da nicht so nah an der Reling, warum schaut ihr euch das Meer nicht hier durch dieses Fensterchen an?«

»Aber, Großmama, das macht doch keinen Spaß. Wir beugen uns doch gar nicht rüber, wir wollen doch nur nah dran sein.«

Der Junge hatte recht, warum sollte sie sie daran hindern, sich zu vergnügen, sie lebten auf der Fazenda Itu oder im Internat in São Paulo, nun wurde ihnen diese seltene Gelegenheit geboten, und überdies war der Platz an der Reling völlig ungefährlich. Sie durfte ihre Nervosität nicht an den Kindern auslassen. Sie stellte sich zu ihnen an die Reling und zeigte ihnen die Küste, wo früher die Walfängerstation des berühmten Barons von Pirapuama gelegen hatte, der gewissermaßen ihr Verwandter war, denn einer seiner Söhne, der große Bankier Dr. Vasco Miguel, hatte Carlota Borroméia geheiratet, einzige Tochter von Urgroßvater Amleto Henrique und Schwester von Großpapa Bonifácio Odulfo und von Großonkel und General Patrício Macário, die noch sehr jung an einem Herzkollaps gestorben war – wer weiß, heute wäre sie vielleicht davongekommen.

Die Kinder richteten ihre Ferngläser auf den fernen Strand, was sie sahen, beeindruckte sie nicht sonderlich, ein paar schwärzliche Trümmer, ein auf die Seite gekippter Saveiro, zwei oder drei kleine Kanus, ein halbzerfallener Walgrätenzaun, der sich bis in undurchdringliches Dickicht schlängelte.

»Da ist ja gar nichts zu sehen«, sagte Eulálio Henrique. »Gar nichts.«

Großmama Isabel Regina, die sich an etwas erinnerte, was sie in einer Anthologie gelesen und sehr lehrreich für die Jugend gefunden hatte, daß nämlich Ruinen und scheinbar leblose Landschaften in Wahrheit stumme Zeugen der Geschichte sind, beladen mit der Last der Zeiten, bewohnt von allem, was sich in ihnen schon ereignet hat, wandte sich an ihren Enkel und hob

den Finger, als wolle sie zu einem Kurzvortrag ansetzen. Doch sie kam nicht zum Sprechen, denn als sie die Augen öffnete, die sie einen Moment geschlossen hatte, um ihre Gedanken zu sammeln, stieß sie einen Schreckensschrei aus, weil sich auf Eulálio Henriques Kopf, schlaff flatternd, als wäre es aus Gallert, ein schwarzes Tier, vielleicht eine Fledermaus, vielleicht ein Riesenschmetterling, niederzulassen schien. Erschrocken vom Schrei der Großmutter, griff der Junge mit der Hand hinter seinen Kopf, und das Tier ließ sich darauf nieder und wich nicht von der Stelle, obwohl er sie verzweifelt schüttelte, ohne jedoch losschreien zu können vor lauter Panik. Isabel Regina zögerte, hob die Handtasche, um auf das Tier einzuschlagen, hielt aber mutlos inne und ließ so einem schwarzen, breitschultrigen Matrosen Zeit, übers Deck herbeizulaufen und mit einer Art Stab das Tier zu berühren, das sofort aufflog, noch kurz vor der Gruppe schwebte und sich mit weit ausgebreiteten Schwingen auf dem Wind zum Strand tragen ließ.
»Mein Gott, was für ein fürchterliches Tier! Bist du in Ordnung, Kleiner? Es war ja nichts, gar nichts, nur der Schrecken. Hat es dich gebissen? Laß die Hand sehen, nein, es hat dich nicht gebissen, alles ist gut, es war nur der Schrecken. Mein Gott, was für ein fürchterliches Tier, ich habe noch nie so ein Tier gesehen!«
»Das ist der Curuquerê«, sagte der schwarze Matrose mit einem Gesichtsausdruck, den Isabel Regina unangenehm, fast furchterregend fand.
»Was stehen Sie da herum?« fragte sie barsch. »Bringen Sie ein Glas Wasser für den Jungen, Wasser mit Zucker drin, rasch!«
Sie umarmte den Enkel, tröstete ihn, versprach ihm ein Geschenk, viele Geschenke, er sollte aufhören zu weinen, alles war vorüber. Und während sie seinen Kopf an ihre Brust drückte, blickte sie von neuem zum mittlerweile erstaunlich nahe gerückten Strand und schauderte, weil sie von dort, sie wußte nicht wie, eine Art dumpfer Böswilligkeit herüberwehen fühlte, einen nur scheinbaren, von unsichtbaren Drohungen trächtigen Frieden. Sie erzitterte, sagte sich, sie werde allmählich übererregbar, sie war doch kein einfältiges Kind mehr. Das Zuckerwasser kam, nicht in der Hand dieses düsteren Schwarzen, sondern eines jungen Mannes, der wohl eine Art Offizier

war und überaus höflich. Er sprach mit dem Jungen, fragte, ob er noch etwas für ihn tun könne und erbot sich, die beiden durch das Schiff zu führen, Isabel Regina lehnte ab, sie kamen doch gleich an, sie wollte lieber bei den beiden bleiben. Aber da er nun einmal da war, was für ein Tier war das, das den Kleinen so erschreckt hatte? Der Matrose hatte gesagt, es sei ein Curuquerê oder so etwas Ähnliches. Aber der junge Mann antwortete, von so einem Tier habe er noch nie gehört. Das müsse ein Negerwort sein. Isabel Regina machte so etwas wie eine zustimmende Geste und beschloß, alles zu vergessen und sich auf die Landung vorzubereiten. Schon waren die Kirchtürme zu sehen, die Häuser am Boulevard, die Bäume der Praça Getúlio-Vargas, ja, man kam an, endlich, es war auch an der Zeit.

Die Messe würde um zehn stattfinden, es war erst neun Uhr zwanzig, aber sie wollte gern so rasch wie möglich an Land gehen und eine Menge Leute wiedersehen, wollte persönlich die letzten Einzelheiten des Festes überwachen und besonders Zeit für ein Zusammensein mit dem lieben Onkel Tico haben, so alt schon, der Ärmste, und doch noch hellwach und kregel für sein Alter. Hundert Jahre, wie herrlich! Ein Mensch, der so bedeutende Augenblicke der brasilianischen Geschichte miterlebt, die Zeit der Sklaverei gekannt, in Paraguay gekämpft hatte, wahrhaft ein lebendes Denkmal. Hundert Lebensjahre in der Friedlichkeit Itaparicas, in seine Studien vertieft, mit seinen Pflanzen, seinen Tieren, seinen absonderlichen Manieren, seinen gesellschaftlich niedriger stehenden Freunden, die ihm beim Volk viel Achtung verschafften, seinen sicherlich überreichen Erinnerungen. Natürlich hatte sie recht daran getan, Himmel und Erde in Bewegung zu setzen, damit der hundertste Geburtstag ihres Onkels seiner Bedeutung und dem Ansehen der Familie entsprechend begangen wurde. Wenn auch der größte Teil der in Rio und São Paulo wohnenden Verwandtschaft nicht an der Feierlichkeit teilnehmen würde – der Messe, dem kleinen Empfang und dem Mittagessen im intimen Kreis, neben den Kirmesbuden, die sie für das Volk der Stadt hatte aufschlagen, dem Feuerwerk, das sie hatte besorgen lassen, dem Musikkorps der Militärpolizei, das sie bestellt hatte, und etlichem anderen, das ihr für die Festlichkeiten angebracht schien. Aber auf dem der *10 de Novembro* vorausfahrenden Schiff waren amtliche Würdenträger, Journalisten, Honoratioren aus Bahia gekommen, so würde es auch ohne die Verwandtschaft ein voller Erfolg werden.

Das Schwierigste beim Landen war das Ausladen des Autos, auf dem sie bestanden hatte für die Beförderung des Generals von seinem Haus in der Kanalstraße bis zum Kirchlein von Sankt Lorenz. Die Entfernung war kurz, doch sicherlich hatte er Mühe mit dem Gehen, so daß ein seiner würdiges Transportmittel vonnöten war in einem Städtchen, das nur über ein paar Klapperkisten und eine Menge Maulesel und Karren verfügte. Noch etwas verärgert dachte sie an die Weigerung des Generals, die Messe in der Hauptkirche des Allerheiligsten Sakraments lesen zu lassen, einem solch wichtigem Anlaß angemessenen Gotteshaus, aber er hatte ihr in einem mit fester Handschrift abgefaßten Brief erklärt, er würde das Haus nur verlassen, wenn die Messe in der Sankt-Lorenz-Kirche abgehalten würde, fast ein Kapellchen nur, ein armseliges, verlassenes Gebäude, das die Jesuiten für die Indios erbaut hatten. Nun, es galt, die Manien des Alten zu achten, schließlich besaß das Kirchlein trotz seiner Armseligkeit seinen geschichtlichen Wert.

Sie wartete nicht, bis das Auto an Land gebracht war, mahnte nur zur Eile und lief mit den Enkeln an beiden Händen über den Pier, als wäre sie ein kleines Mädchen, beherrschte sich aber sogleich, rückte ihren Hut zurecht und marschierte den Rest des Weges nur noch im Eilschritt, ohne nach rechts oder links zu blicken, um mit niemand sprechen zu müssen und sich nicht noch mehr zu verspäten. Sie traf den alten Herrn lächelnd in seinem Korbsessel, umgeben von einer zahlreichen Gesellschaft, die ihm aufmerksam zuhörte. Sie eilte auf ihn zu, umarmte ihn, küßte ihn und zeigte ihm seine Urgroßneffen, den kleinen Bonifácio Odulfo und Eulálio Henrique. Der Alte lachte – die armen Jungen in dieser Familie, daß sie alle so schauerliche Namen erben müssen. Immer wieder versagte ihm die Stimme, oftmals mußten sie ihre Ohren dicht an seinen Mund halten, um ihn zu verstehen, im übrigen wirkte er rüstig, sogar sehr rüstig. Wie lang ist's her, lieber Onkel Tico! Es schien gestern gewesen zu sein, daß er in Rio de Janeiro wohnte und sie ihn dort oft besuchte, nicht mit den Enkeln, sondern mit ihren Söhnen. Wie die Zeit verging! Und wie herrlich, das Alter von hundert Jahren mit so klarem Verstand, solcher Fröhlichkeit, solcher Lebendigkeit zu erleben! Wieviel hatte er gesehen und gefühlt, wie viele Geschichten hatte er zu erzählen! Wo vom Erzählen die Rede war, wie war es mit seinen Erinnerungen, an denen er schrieb, sie waren vermutlich seit langem fertig, nicht wahr?

»Ach, die«, antwortete der General mit fast lausbubenhaftem Lächeln, »ich habe sie in einem Korb verwahrt.«

»Einem Korb? Ihr sprecht von einem Korb? Einer Truhe?«

»Ja, ja, Korb, Truhe, Korb, ich spreche nicht Griechisch. Ich habe alles in einen Korb gepackt.«

»Was für einen Korb denn?«

»Wozu willst du das wissen? Er ist verschlossen, er soll vor meinem Tod nicht geöffnet werden.«

»Ih, sprecht nicht so, Onkel, was für ein schrecklicher Gedanke.«

»Aber es ist wahr. Was willst du, ich bin nicht unsterblich, bin schon unanständig alt, so lange leben ist eine Übertreibung, das ist schlechter Geschmack.«

»Das finde ich nicht. Ich möchte ebenso lang leben wie Ihr.«

»Red keinen Unsinn. Nach einem bestimmten Alter gleicht das Leben ...«

Doch sie erfuhr nie, was oder wem das Leben nach hundert gleicht, denn das Fest brach innerhalb und außerhalb des Hauses los, mit Feuerwerk, einem Militärmarsch der Blaskapelle, aus- und einströmenden Menschen mit Umarmungen, Glückwünschen, Hochrufen. Beim Aufbruch zur Messe wollte der General zunächst unbedingt zu Fuß gehen, gab aber schließlich zu, der Weg sei doch zu ermüdend und zu lang, und fand sich bereit, im Automobil zu fahren, das er unter Beifallklatschen und einem Blütenregen bestieg. Unter Fanfaren und Posaunenstößen der nun vor der Kirchentür postierten Militärkapelle entstieg er lächelnd dem Wagen, grüßte die Musiker militärisch und winkte der vom Kirchplatz zum Quitanda-Platz drängenden Menge zu. Bei der Messe begleitete ein Streichquintett aus Rio de Janeiro einen Sopran und einen Bariton, sie wurde von einem Weihbischof zelebriert, dessen lange, gelehrte Predigt als eine echte Geschichtsvorlesung und als Kabinettstück sakraler Redekunst in rühmendem Tonfall begrüßt wurde, während der auf der vordersten Bank sitzende General leise schnarchend schlief und ein Lächeln über sein Gesicht zu gleiten schien.

Zurück im Haus, wünschten Dona Dalva, seine Krankenschwester und Hausdame, wie auch Isabel Regina, er sollte ausruhen, eine fettarme, leichte Mahlzeit zu sich nehmen und bis in den Nachmittag hinein schlafen, um erst wieder zum Abschiednehmen zu erscheinen und noch ein Weilchen mit den Geladenen zu plaudern. Doch er erwiderte, er sei zu nichts von alledem bereit, schon weil er die von der ausgezeichneten Predigt Dom Ludovicos gebotene Gelegenheit zu einem vorzüglichen Kirchenschlaf genutzt habe. Wieder setzte er sich in den schon am Vormittag benutzten Korbsessel, zankte sich mit den Frauen des Hauses, die ihm ein Schlückchen Cachaça verweigerten, und nahm nur zögernd ein Gläschen Rotwein an, das er schlückchenweise leerte und als sauren Saft bezeichnete. Er fragte, was es zum Mittagessen gäbe, und als man ihm die für die Gäste vorbereitete Speisenfolge aufzählte, beschwerte er sich darüber, daß man ihm nicht einmal an seinem hundertsten Geburtstag erlaubte, diese abscheulichen Breichen beiseitezulassen, die er immer zu sich nehmen mußte. Er begann für die auf dem Fußboden hockenden und ihm lauschenden Leute eine lustigen kleinen Vortrag zu halten, und zwar über eine Kurve, die er für das menschliche Leben entworfen hatte, es sei doch merkwürdig, daß tatsächlich alles kreisförmig ist und der Mensch, wenn er sehr alt wird, zur Kindheit zurückkehrt, nicht nur in der Weisheit, sondern auch was die Beschränkungen angeht, welche diese Weisheiten von seiten der Erwachsenen herausfordern, die die Weisheit für sich allein in Beschlag nehmen, da sie aber wissen, daß ihre Weisheit ebenso falsch ist wie sonst etwas, fürchten sie sich vor der mangelnden Kompromißbereitschaft der äußersten Jugend wie des äußersten Alters, und dann verbieten sie den ganz Jungen und den ganz Alten, etwas zu tun, oder auch nur zu sagen, was ihre Überzeugungen gefährden könnte.

»Was für eine Kraft des Denkens!« sagte einer aus der Zuhörerschaft unter dem ernsten Kopfnicken der anderen, doch der General verzog den Mund und erwiderte, nichts dergleichen, das sei sattsam bekannt und seit dem Bestehen der Welt oft genug wiederholt, und ein gewisses Gewicht hätte es nur deshalb, weil es von einem Hundertjährigen ausgesprochen wurde. Eine Zeitlang verweilte er schweigend, lächelte, wurde wieder ernst und verschränkte die Arme.

»Ich wollte euch ein paar Geschichten erzählen«, sagte er mit leiserer Stimme als zuvor.
Ein kleiner Junge, der ihn eindringlich musterte und zugleich den Tränen nahe schien, rannte ins Haus und rief mehr Leute, die die Geschichten des Generals anhören sollten, der General würde Geschichten erzählen, und was für Geschichten hatte er nicht zu erzählen! Aber der General, den Kopf neigend, als beäuge er etwas in seinem Innern, sagte nein, er habe sich nur mit dem Gedanken getragen, Geschichten zu erzählen, habe aber immer gewußt, daß er sie nicht erzählen würde, nie würde er Geschichten erzählen, das würden andere tun, immer würde jemand da sein, um Geschichten zu erzählen. Er wollte, fuhr er mit immer dünner werdender Stimme fort, etwas über das brasilianische Volk sagen, hatte er doch viel vom brasilianischen Volk gelernt und wußte daher etwas vom brasilianischen Volk. Er konnte aber nicht darüber sprechen, denn das war ein Leben, und ein Leben kann man nur leben, aber nicht erzählen. Er würde auch gerne ein paar Geheimnisse mitteilen, er wußte auch viele Geheimnisse. Aber er konnte keines dieser Geheimnisse erzählen, denn ihre geheime Natur bestand gar nicht darin, bei Strafe geheimgehalten zu werden. Nichts dergleichen, sie waren in gewisser Weise Geheimnisse kraft ihres eigene Wesens, Geheimnis zu sein, war ein Teil ihrer Natur, Geheimnis zu sein, hing andererseits nicht von ihnen, sondern von dem ab, der sie entdeckte. Also nutzte es nichts, sie zu offenbaren, weil sie, selbst wenn sie offenbart würden, nach wie vor Geheimnisse blieben, niemand würde die richtige Art erfahren, an sie zu glauben.
Gerne würde er auch sagen, daß er glücklich sei, aber er war es nicht, nicht für sich, sondern für sie. Für sich allein würde er glücklich sein, aber das ist natürlich nicht möglich. Er war nicht glücklich, weil er hundert Jahre alt war und das brasilianische Volk noch immer nichts von sich wußte, immer noch überhaupt nichts von sich selbst wußte! Ob sie begriffen, was das hieß, nichts von sich selber zu wissen? Nein, sie glaubten, sie verstünden, aber sie verstanden nicht und würden noch viel leiden, bevor sie verstünden, drum war er nicht glücklich. Er war nicht einmal über den Beruf glücklich, den sie für ihn gewählt hatten, der aber dann ein Teil von ihm wurde, und zwar deshalb, weil es

ihm nie gelungen war, ein brasilianischer Soldat zu sein – fast schrie er es, wobei seine schwache Stimme vor Erregung bebte –, ein wahrer brasilianischer Soldat, ein Soldat des Volkes, ein Soldat mit dem Volk, ein Soldat, der nicht dem Volk befiehlt, sondern Teil des Volkes ist, ein Soldat, der das Volk nicht tötet, sondern für das Volk stirbt, ein Soldat, der das Standbild verdient, die Träne, die Erinnerung, die Herzen, ein Soldat, der nicht haßt, sondern liebt, ein Soldat der nicht lehren, sondern lernen will, ein Soldat, der sich angesichts von Hunger und Unterdrückung schämt, ein Soldat, der sich schämt, Polizist der Regierung gegen das Volk zu sein, ein Soldat, der seine Tapferkeit nicht nutzlos vergeudet, vergeblich kämpft, vergeblich stirbt und, noch schlimmer, vergeblich tötet, indem er gegen sich selbst kämpft und sein Leben hingibt, damit sein Volk es weiterhin verliert. Aber dieser Soldat zu sein, war ihm nicht gelungen, mochte er sich noch so anstrengen, wie es vielen anderen vor oder nach ihm nicht gelungen war, gelungen war ihnen nur, viel zu leiden, meist unter einem Schweigen, das mehr schmerzte als Kriegswunden. Ob der Tag einst käme, an dem die Soldaten so weit vom Volk entfernt waren, daß sie diese Entfernung leugnen müßten, aber niemanden damit überzeugten? Der Tag, an dem sie Angst haben würden, in Uniform auf die Straße zu gehen, es sei denn, sie waren im Dienst? Nein, Angst nicht, weil sie Macht, viel mehr Macht haben, als sie haben dürften, sie würden keinerlei Angst haben. Scham? Ja, Scham, nicht eigentlich wegen der Uniform, denn es gab immer welche, die sie ehrten. Aber eine feinere Scham, eine verdeckte und verräterische Scham nämlich, die Scham darüber, daß die anderen sie nicht als gleichgestellt ansahen und behandelten. Denn wer eine Uniform anlegt, der weiß, daß er einschüchtert; wer eine Uniform anlegt, der weiß nie, ob er gut behandelt wird, weil man ihn mag, oder weil man Angst vor ihm hat und glaubt, man müßte ihm gefallen. Und er weiß, daß er Angst einflößt, weil die Uniform viel zu oft mißbraucht wurde, vielleicht sogar von ihm selbst. Diese Scham ist da, weil die Soldaten immer mehr zu Bevormundern und Tyrannen werden, eine Scham, die weiter zunehmen wird, weil Macht immer mehr Macht will, und hassenswerte Macht sich nur durch die Vermehrung der Scham erhält. Schlimmer noch: Mit all dieser Macht, die immer einen bitteren Beigeschmack hat und nur schales Glück hervorbringen wird, werden sie in Wahrheit keine Herren, sondern nur die Aufpasser ihres eigenen Volkes sein, werden verführt sein von falschen Ehren und den Brosamen vom Tisch der Reichen und Aristokraten, deren Leben sie nie werden kennenlernen können. Knechte, höhergestellte Knechte, aber Knechte. Sie würden es nur dann nicht sein, wenn ihr Dienst dem einzigen souveränen Wesen, dem Volk gälte, von dem sie kein Teil sein wollen, auch wenn sie das vorgeben.

Er ließ ungehemmt eine Träne rinnen, stieß das Taschentuch weg, das eine beflissene Hand bereithielt, und sagte mit fast unhörbarer Stimme, er verlange nicht, daß nun etwas geschähe, weil er all das sage oder gesagt habe. Er verlange nicht, daß etwas geschähe, er lege nur Zeugnis ab, ein Zeugnis, dem sie Glauben schenken könnten oder nicht, jedenfalls sei es ein Zeugnis. Er könne nicht sterben, ohne zu erzählen, daß er mit Gewißheit eines wisse, was ihm seinerseits die Gewißheit von etwas zweitem schenke – daß das Volk denkt, daß das Herz des Volkes schlägt, daß das Volk einen Kopf besitzt, der über die Köpfe der einzelnen hinausgeht, daß es nicht ausgerottet werden kann, selbst wenn sie sich noch so anstrengen, wie sie es tun und tun werden. Und das erste, worüber er Gewißheit besaß, war der Geist des Menschen.

»Ich kann nicht sterben, ohne euch vorher zu versichern«, sagte er und hob den Kopf, ohne irgendwohin zu blicken, »daß das brasilianische Volk nicht allein ist. Nicht weil es Verbündete hat, nur die Regierenden haben Verbündete, sondern weil es allen Menschen um eine gemeinsame Sache geht, auch wenn es nicht so scheint, weil eben das Böse vorhanden ist. Aber auch der Geist des Menschen ist vorhanden, nicht als Schimäre, nicht als etwas notwendig Erfundenes. Alles andere ist notwendig erfunden worden, und das einzige, was nicht notwendig erfunden wurde, obwohl es das einzige ist, was notwendig vorhanden ist, das ist der Geist des Menschen. Der Geist des Menschen ist universal und strebt nach Fülle und Gnade, und dieses Streben ist dem Bewußtsein aller Menschen gemeinsam, und drückt sich schließlich aus in dem Frieden zu existieren, ohne das Existieren wahrzunehmen, ein Sein als Wesenheit, nur als Dasein, denn der Geist des Menschen ersehnt die Vollkommenheit, die das Gute ist.«

Er neigte den Kopf auf die Seite und sprach weiter, als seufzte er nur und als modulierte die tonlose Luft allein sein Denken. Niemand konnte mehr hören, was er sagte, viele meinten sogar, er schliefe bereits und bewegte nur noch die Lippen, aber er sprach noch einiges, sagte, der Geist des Menschen werde siegen, und daher werde das Volk siegen. Er atmete tief, schien zu lächeln, winkte mit dem Zeigefinger dem kleinen Jungen, der ihm seit seinem ersten Wort an den Lippen hing und hieß ihn so nahe wie möglich herankommen.

»Ich will dir etwas sagen, was vorerst noch nutzlos ist«, flüsterte er. »Vielleicht auch für immer, weil ich wohl ein kindlicher Alter bin und nichts weiß. Pssst! Du kannst erst etwas sein, nachdem du bist! Pssst! Verstanden? Klingt dumm, ist es aber nicht! In uns liegt, alles zu sein, aber vorher müssen wir wir sein, verstanden? Wie heißt du? Alles, alles, alles, alles! Pssst! Es lebe das brasilianische Volk! Ein Hoch auf uns!«

Er reckte den Hals, verschränkte die Arme, schloß die Augen, atmete noch tiefer ein als vorher, hielt die Luft einige Sekunden in den Lungen und atmete plötzlich aus wie jemand, der Zigarettenrauch ausatmet, und rührte sich nicht mehr.

»Ist er eingeschlafen?« fragte Isabel Regina, die einen Augenblick in die Küche gegangen war, um nach dem Rechten zu sehen.

»Ich weiß nicht«, sagte der Junge. »Ich dachte, er wär schon vorher eingeschlafen, aber dann hat er mich gerufen, um mir etwas zu sagen.«

»Was hat er dir gesagt?«

»Ich hab's nicht richtig verstanden, er hat so leise gesprochen und gesagt, vielleicht ist es etwas von einem kindischen Alten, zum Schluß hat er gesagt: Es lebe das brasilianische Volk! Ein Hoch auf uns!«

»Ja, der Onkel hat so seine Schrullen, ich kenne das bei ihm«, rief Isabel Regina mit einem liebevollen Blick auf den Alten, aber als sie ihn umarmen wollte, sank sein Kopf, und er fiel ihr in den Schoß. »Onkel! Onkel Tico! Helft mir, um Gottes willen, Onkel Tico, Onkelchen!«

Weder der Leiter des Gesundheitsamts, ein berühmter Arzt, noch die beiden anderen anwesenden Ärzte und weitere, die ihre Sommerferien auf der Insel verbrachten und eilends herbeigeru-

fen wurden, konnten den alten General ins Leben zurückrufen, trotz Koraminspritze und Brustmassagen. Das Herz war stehengeblieben, das Fest war zu Ende, jetzt galt es nur noch, Totenwache zu halten und den Toten zu begraben. Isabel Regina, aschfahl, aber entschlossen und ruhig, traf alle Vorkehrungen. Die Totenwache sollte nicht in der Hauptkirche stattfinden, sondern in dem dem General so teuren alten Sankt-Lorenz-Kirchlein. Der Weihbischof würde die Totenmesse lesen, und um ihrem Wunsch nachzukommen, mußte er wohl oder übel auf der Insel übernachten. Die *10 de Novembro* ging in See und hatte einen Freund der Familie an Bord, der den Sarg bestellen sollte, sodann den stellvertetenden Kommandanten der Militärregion, der seinem Vorgesetzten das Hinscheiden berichten und für die gebührenden Ehrungen Vorsorge treffen sollte, schließlich einen Boten, der mit der *Western* Telegramme an Angehörige schicken würde, und etliche Journalisten, welche die Nachricht in den Zeitungsausgaben des folgendes Tages veröffentlichen würden. Die Stadtverwaltung verordnete Trauer für eine Woche und wies großzügig die übliche Bezahlung für das nächtliche Funktionieren des Generators zurück, der sonst um zehn Uhr abends ausgeschaltet wurde. Die gesamte Bevölkerung des Städtchens, wie in einer Kirche flüsternd, versammelte sich vor dem Haus, um sicher zu sein, daß der General wirklich tot war, und um ihn ein letztes Mal zu sehen.
Um sieben Uhr abends lag Patrício Macários Leib unter Engelwurz, Gladiolen, Chrysanthemen, Nelken, Dahlien und Maßliebchen im Kirchenschiff zur Totenwache aufgebahrt; er war von so vielen Händen hereingetragen worden, daß viele nicht einmal den Sargrand berühren konnten, die strammstehende Musikkapelle spielte Beethovens Trauermarsch, der Sergeant-Kapellmeister, pechschwarz in seiner mit Goldlitzen betreßten Uniform, weinte, eine Hand schwang den Taktstock, die andere trieb sein Orchester zu trauervollen Aufschwüngen an, die Tuba spielte mißtönend das feierliche C-Dur des Musikstücks als verzweifeltes A-Moll.
Isabel Regina war todmüde und konnte schließlich dazu überredet werden, um zehn Uhr zurück ins Haus zu gehen, ein Bad zu nehmen, etwas auszuruhen. Doch trotz des lauwarmen Bades konnte sie nicht einschlafen und unterhielt sich stattdessen mit

Dalva im Eßzimmer. Sie bat sie, in diesem Haus wohnen zu bleiben, bis man wüßte, was damit geschehen sollte. Ob Dona Dalva, natürlich gegen eine entsprechende Entlohnung, nicht für immer im Hause wohnen bliebe, damit es als eine Art Gedenkstätte an den General bewahrt werden könnte? Noch besser, warum das Haus nicht in ein Museum umwandeln, das Patrício-Macário-Museum, und darin all seinen persönlichen Besitz aufbewahren sowie ein paar andere Gegenstände, die Itaparicas Teilnahme am Krieg betrafen? War das nicht eine gute Idee? Der General hatte ein überreiches Leben hinter sich, er hatte im Laufe der Jahre allerhand zusammengetragen, hatte sogar seine Memoiren geschrieben. Die Memoiren! Ja, er schien es geahnt zu haben, hatte er ihr doch erzählt, daß er die Memoiren in einem Korb verwahrt hatte, der erst nach seinem Tode geöffnet werden dürfte. Wußte Dona Dalva, was das für ein Korb war? Sie wußte es, ja, es mußte dieses merkwürdig aussehende Ding sein, das im Arbeitszimmer stand, immer mit einem Tuch zugedeckt. Sie hatte ihn selten gesehen, weil der General sein Arbeitszimmer stets verriegelte und Saubermachen nur in seiner Anwesenheit zuließ.

»Wo ist der Schlüssel zum Arbeitszimmer?« fragte Isabel Regina und stand so plötzlich auf, daß der Stuhl umfiel.

»Er muß an seinem Schlüsselbund sein, in der Schublade seines Nachttischs.«

Sie holten den Schlüsselbund, liefen zum Arbeitszimmer, schlossen die Tür auf und fanden zu Dona Dalvas Überraschung das Aussichtsfenster weit geöffnet und die Vorhänge hinauswehen. Und an der Stelle, wo der Korb stehen sollte, fanden sie nichts, er war verschwunden.

Die Diebe Leucino Kartoffel, Nonô aus Candeal und Virgílio Makrele, waren nicht zufrieden mit dem großen Abräumen zwischen Campo Formoso und Largo da Glória, wobei sie ausnutzten, daß wegen der Geburtstagsfeier für den General viele Leute außer Hause waren, nein, sie staubten auch noch die drei Maulesel von Astério da Bica ab, mitsamt Saumsattel, Tragekörben und allem, um ihr Diebesgut so weit wie möglich fortzuschaffen, bevor wer was merkte. Sie hatten Radioapparate, silbernes

Tischgerät, Perlenbänder, goldene Halsketten, luxuriöse Kleider, alles mögliche, genug, um die sechs Körbe zu füllen, und da war immer noch genug Kram übrig, den sie selber auf dem Rükken schleppen mußten. Sie nahmen auch die kleine Truhe mit, die Nonô sich im Haus vom General gepackt hatte, und das machte Makrele etwas kribblig, denn er war dagegen gewesen, den General zu bestehlen. Aber Nonô war ein geborener Langfinger, der wurde einfach krank, wenn er Zeug, das irgendwo unbeobachtet rumlag, liegenlassen mußte. Ihm würde es ja auch das Herz zerreißen, sagt er, den großen General zu beklauen, den alle so mochten, aber das Fenster, das hätten sie nicht offen lassen sollen, Mensch, das nun wirklich nicht. Und in der Truhe, da wäre bestimmt sowieso nichts Brauchbares, war wohl mehr ein Andenken. Er hatte sogar schon versucht, sie aufzukriegen, um zu beweisen, daß da nur ein paar alte Papiere und sonstwelcher Plunder drin lagen, aber es war ihm nicht gelungen, und sie hatten ja auch keine Zeit zu verlieren, sie mußen rasch das Zeug verstauen und nichts wie ab. Sobald sie in Sicherheit waren, würde er sie öffnen, das konnte doch nicht so schwer sein.
Wo verflucht nochmal wollte Kartoffel sie denn hinbringen? Wo die Nacht so düster war, da kann einer schon Angst kriegen, wenn er sich unbewaffnet durch den Busch schlagen soll, bei all diesen Tieren, Gespenstern und was da noch ist an Gefahren, aber auch spitze Äste und Kletten und dorniges Gestrüpp und Kratzdisteln mit Blättern so groß wie ein Riesenrochen. Aber Kartoffel war ein hartnäckiger Kerl, und es war nun mal beschlossen, daß sie die Früchte ihrer Arbeit erst teilen würden, wenn sie am sicheren Ort wären. Ja, kannte er denn irgendwelche Schlupfwinkel in der Gegend? Das nicht gerade, aber er wußte, es gab genug verlassene Behausungen hier, genug Ruinen mitten im Dickicht, und auf eine würden sie früher oder später stoßen.
»Ich kenn nur den Strandweg«, brummte Makrele gereizt. »Das hier dürfte so ungefähr Amoreiras oder Manguinho sein, oder?«
»So ungefähr. Kannst beruhigt sein, früher oder später stolpern wir über so ein Ding, wo wir bleiben können, hier gab's früher ziemlich viele Gemäuer.«
»Na, ich hoffe, mir geht das allmählich ganz schön auf den Wek-

ker, noch dazu mit dieser Truhe, die mußte Nonô dem toten General ja unbedingt abknöpfen. Der Mann ist heute gestorben, die Leiche ist noch warm, plötzlich packt seine Seele die Wut über den Diebstahl und kommt und will sich an uns rächen, mir gefällt das nicht...«

»Red kein Blech, Junge, so eine Gespensterseele möchte ich erst mal sehen, um dran zu glauben, hab ich noch nie gesehen, soll erst mal kommen.«

»Mensch, sag sowas nicht, beim Segen von deiner Mutter, sag nicht sowas Grauenvolles, jeder zahlt für sein Mundwerk.«

»Na das möcht ich erst mal sehen!«

»Schluß jetzt, bei Unserer Lieben Frau!«

»Grad hast du Unsere Liebe Frau erwähnt, und schon hat sie uns geholfen! Da hinten, siehst du, am Bach, bei dem wilden Bananenstrauch? Da, seht ihr nicht das Weiße, das ist eine Mauer. Ich bin schon hier gewesen, das war mal ein Mehlhaus, damals bei den Zuckermühlen und den Walen, da ist noch ein Stück Dach, so, wir sind da! Los, fauler Esel!«

»Das ist doch nicht etwa verhext, Mann?«

»Was soll das heißen, verhext, Makrele, mach dir nicht in die Hose!«

»Wenn einer aus Fleisch und Blut ist, vor dem hab ich keine Angst, überhaupt nicht, aber vor Seelen schon. Ich kenn ein paar Fälle... Habt ihr den Xaréu gekannt, der gestorben ist, der, der in Misericórdia gewohnt hat, der Vater von dem Kleinen, wie hieß er noch, so ein Rothaariger? Also dieser Kleine...«

»Kannst dir deine Geschichten sparen, Makrele, zünd lieber die beiden Lämpchen an.«

»Hast du nicht in dem Haus in der Rua dos Patos eine große Laterne mitgehen lassen?«

»Ja, genau, hol sie raus, weißt du, wie man sie anzündet?«

»Ist doch nicht schwer.«

Mit hocherhobener Laterne den Weg beleuchtend, trat Kartoffel ein, gefolgt von den beiden anderen und den Eseln. Für eine seit ewigen Zeiten verlassene Ruine befand sich das Mehlhaus in gutem Zustand, der größte Teil der Mauern stand noch, ein Stück Dach überdeckte die Fläche, wo einst die Öfen gestanden hatten, der Boden war frei von Unkraut und Gräsern, als würde

das Haus noch benutzt. Die drei setzten sich, hängten die Laterne an eine Latte und zündeten noch zwei Blechlämpchen an.
»Hier kommen manchmal Leute her«, sagte Kartoffel und fuhr mit dem Fuß über den Erdboden. »Eine Seele trampelt mit ihrem Fuß doch kein Gras weg, und die stampft auch die Erde nicht so glatt.«
»So, jetzt gucken wir uns mal das Zeug an«, sagte Makrele. »Wollen mal die Körbe ausladen und die Sachen aufteilen. Ein Esel für jeden, zwei Körbe für jeden und den Rest teilen wir uns nach dem Wert, nicht nach der Stückzahl, einverstanden?«
Sie brauchten lange bei der Verteilung, stritten herum und wurden wütend aufeinander. Kartoffel und Makrele waren nahe daran, sich in die Haare zu kriegen, als Nonô, der die Truhe in einen Winkel geschleppt hatte, sie aber noch nicht hatte öffnen können, den Streit schlichtete und zugunsten der beiden anderen auf etwas verzichtete, worauf er eigentlich ein Anrecht hatte, als Entgelt dafür, daß die Truhe ihm gehörte. Erst mißtrauten die anderen der Sache, musterten die Truhe und schüttelten sie, um ihren Inhalt erraten zu können, aber da sie wußten, daß Nonô etwas komisch im Kopf war und die Truhe bestimmt nur aus bloßer Laune haben wollte, nicht, weil er schon wußte, was drin war, gaben sie schließlich nach.
»Warum schmeißt du das blöde Ding nicht einfach gegen die Mauer, damit es aufbricht und du siehst, was drin ist?« fragte Makrele.
»Von wegen kaputtschmeißen, die Truhe hier hat ihren Wert.«
»Was für einen Scheißwert soll so eine alte Truhe schon haben, schwer wie die Not, und sieht so merkwürdig aus, wer will schon so einen Quatsch, wo sie kein Mensch aufbringt? Wo ist denn überhaupt das Schloß?«
»Die hat kein Schloß, hab schon überall gesucht. Hat nur diese Ritzen hier und diese Henkel. Da muß ein Geheimnis dran sein, ein Geheimschloß, immer mit der Ruhe, das kriegen wir schon. Da braucht's Ruhe.«
»Du kannst dir deine Ruhe wo hinstecken, ich eß jetzt das Brathuhn, das wir uns geschnappt haben im Haus von dieser Weißen.«

»Geh schon, aber laß mir einen Happen übrig, bin gleich soweit, das Ding da krieg ich im Handumdrehen auf.«
»Der Trab eines Esels dauert nicht lange. Bleib du ruhig bei deiner Truhe, wir essen jetzt.«
Und sie hatten ihre Mahlzeit schon beendet, Kartoffel war am Einschlafen, und Makrele paffte eine gestohlene Zigarre, als Nonô einen Schrei ausstieß in seiner Ecke, wo er vor dem Korb auf dem Bauch lag und mit dem Kopf daran zu kleben schien.
»Herkomm', herkomm'! Schnell herkomm'!«
»Warum denn schnell?«
»Weil ich hier einen Schnappriegel mit dem Zahn festhalt, und wenn ich loslass', krieg ich das Ding nicht mehr aus! Das ist stark wie der Teufel, das scheint eine Feder zu haben! Menschenskind nochmal!«
»Menschenskind, was denn, du Blödmann, was zum Teufel siehst du denn? Siehst du was? Ist da ein Loch?«
»Ja, gleich über meinem rechten Auge, genau drüber, da drinnen blinkt was! Menschenskind!«
»Blinkt was?«
»Genau. Nein! Hat aufgehört zu blinken! Menschenskind! Heiligste Maria! Allerheiligste von der Immerwährenden Zuflucht! Da drin leuchtet alles! Menschenskind!«
»Mach dich bloß nicht breiter als dein Hemd, Nonô, du siehst doch überhaupt nichts, gar nichts siehst du ! Mach mal Platz, laß mich mal.«
»Kommt nicht in Frage, wenn ich loslass', schnappt dieses Scheißding zu, und kein Heiliger bringt es mehr auf, ich hab das aus reinem Dusel aufgekriegt. Menschenskind! Aber was ist das denn da, meine Fresse, Heilige Mutter Gottes!«
»Hör doch auf mit dem Geflunker, Mensch, du siehst doch überhaupt nichts ...«
»Beim Licht aus der Höhe, bei allem, was heilig ist, ich schwör's euch! Soll ich euch sagen, was ich sehe?«
»Na, los doch!«
»Ich sehe die Zukunft!«
»Die Zukunft? Was soll das heißen, die Zukunft?«
»Ich weiß nicht, ich weiß nur, das ist die Zukunft, da ist was, was zeigt, da ist die Zukunft.«
»Und was ist das?«

»Kann ich nicht sagen, es ist was.«
»Hör mal, willst du uns verarschen, gar nichts siehst du von der Zukunft, du siehst überhaupt nichts.«
»Doch, ganz bestimmt!«
»Dann sag, was für Nummern morgen im Lotto rauskommen.«
»So eine Art von Zukunft sehe ich nicht. Mehr wie wenn eine Stimme mir ins Ohr flüstert und mir erklärt, was hier drinnen ist, aber da ist gar keine Stimme, aber doch ist sie da. Menschenskind!«
»Was siehst du jetzt?« »Lauter Diebe! Diebe in rauhen Mengen, Diebe und Lügner an allen Ecken und Enden!«
»Schwer was los an Dieben, wie?«
»Mann! Phhh! Nicht zu fassen! Und alles in Schale, geschniegelt und gebügelt!«
»Wie denn, Dreiteiler, Zweiteiler, mit Weste und Schlips?«
»Weiße Leinenanzüge, Dreiteiler aus Garbadin, Seidenkarwatte, Briliantnadel, Perlmanschottenknöpfe, Korkodilschuhe, Duftwasser unter'n Achseln, wo ein Tropfen von schon ein Vermögen kostet! Bei denen in Zivil.«
»Wieso, sind da auch Diebe in Uniform dabei?«
»Jesses Maria, und wie! Menschenskind!«
»Und die gehen alle in die Häuser und klauen, was den andern gehört?«
»Ach was! Die rühren kein Geld an, die haben so Kärtchen, das Geld heißt nicht Geld bei denen.«
»Wie denn sonst?«
»Alles mögliche. Das heißt – warte mal – Zuwendung, Aufwandsentschädigung, Mehrbelastung, Disacho, Vergütung, Zahlungmittel, Abfindung, Anlegepapiere, Ereignung von Vermögenswerten, Kommission, Gebühren, Ratenzahlung, Vorschuß, Kerdit, Überweisung, Investitienhilfe, das sind so viele Namen, also wenn ich die alle aufzählen soll, da würd ich ja heute überhaupt nicht mehr fertig mit, und da gibt's noch soviel zu sehen. Nur Geld, das sagt keiner, die schämen sich alle und sagen nicht, daß sie Geld meinen.«
»Die schämen sich vor Geld?«
»Und wie! Alle Leute schicken ihr Geld raus, und die schämen sich dabei ja so, daß, wenn einer laut sagt, daß sie ihr Geld raus-

geschickt haben, dann sind sie ganz verlegen, und dann, dann lassen sie den, der das gesagt hat, festnehmen, und wenn der dann immer noch vom Geld redet, das sie da draußen versteckt haben, dann lassen sie ihn umlegen!«

»Haben die da viele Tote?«

»Mann, und wie! Die haben da eine Bombe, die macht nicht mal vor der Seele von einem Menschen halt, die verheizt auch gleich die Seele. Da steht: Nichts über-lebt eine ther-mo-nul-klerare Explosion, nicht mal eine kleine Seele, nicht mal die!«

»Haben die da die Bombe geworfen?«

»Noch nicht, aber die wollen die werfen, damit sie den Frieden garantieren. Wenn die Leute sich nicht benehmen, dann sterben die alle, dann sterben sogar die Seelen in diesem Thermosding!«

»Dann ist also noch keiner gestorben, die sterben vielleicht, aber sie sind noch nicht gestorben.«

»Doch, sind sie! Die sind dabei! Da ist ein Achtjähriger, der trägt seine zweijährige Schwester, die hat einen Schuß abgekriegt von einem Amerikaner, das wollte der gar nicht, denn andere Amerikaner, die haben vorher, und das wollten die auch nicht, ihrem Vater eine Bombe aufs Haus geschmissen, als nämlich die Amerikaner sein Land überfallen haben, um ihn zu retten, nur ist niemand übriggeblieben, aber gerettet haben sie sie. Da gibt's Leute, die sterben auf alle mögliche Arten, viele vor Hunger, ganz magere Bürschchen, dürr wie Bambusrohr, und Scharen von Aasgeiern kommen angeflattert, die wollen sie fressen. Jede Menge fette Aasgeier!«

»Die haben da nichts zu essen?«

»Doch, zu essen schon, sogar zuviel. Da sind so'ne blonden Leute, die mischen Milchpulver in ihren Straßenbelag, damit er glatter wird. Da gibt's Leute, die verbrennen Küken und ersäufen Küken, kaum zu glauben, da gibt's Leute, die schlachten Gänse nur wegen der Leber, da gibt's Leute, die bezahlen einen, nur damit er nichts anpflanzt, damit es nicht zuviel Essen gibt und die Preise nicht sinken, da gibt's Leute, die wollen andere kastrieren, damit die keine Kinder machen, die das Essen essen können, was man wegwirft, da gibt's Dinge, also an denen würde sogar der Herrgott zweifeln! Die schmeißen Ziwiebeln und Knoblauch in den Fluß, stellt euch das vor, Ziwiebeln und

Knoblauch! Und wenn sie das in den Fluß reingeschmissen haben, dann kaufen sie wieder Ziwiebeln und Knoblauch, aber im Ausland, damit die Ausländer Respekt vor ihnen haben.«

»Sind da viele Ausländer?«

»Nicht viele, aber die bestimmen alles, unglaublich. Einer mag was, dann kommt der Ausländer, und der sagt, er mag es gar nicht wirklich, er mag was anderes, aber der ist so geschickt dabei. Die Ausländer, die bestimmen, aber es sind ja gar nicht die Ausländer, es ist das Geld. Das Geld bestimmt alles.«

»Ist da viel Geld?«

»Mann, und wie! Aber das gehört alles denen!«

»Und wofür ist das ganze Geld?«

»Für alles! Du ahnst ja nicht, was die alles machen!«

»Was machen die denn?«

»Ah, die bringen Leute um, die stehlen, die rauben, die lügen, die sagen hü, und dann sagen sie hott, die stellen die Hölle auf den Kopf, und denen passiert nichts. Stellt euch das Allerschlimmste vor.«

»Bringen die auch die Familienväter um?«

»Mensch, was glaubt ihr denn! Heilige Mutter Gottes! Und glaubt ihr etwa, die Leute könnten noch auf die Straße gehen? Wenn sie das tun, kriegen sie eine geballert.«

»Und Kinder, legen die auch Kinder um?«

»Aber massenweise, Mensch! Wie die Fliegen! Mein Gott, ist das ein Elend, ist das ein Elend, au! Meine Augen!«

»Was ist denn, Nonô?«

»Au, meine Augen, ich kann das einfach nicht glauben, meine armen Augen, Heiligemuttergottes, meine Allerheiligste Jungfrau, vergib mir meine Sünden, Herr im Himmel, ach, meine armen Augen, ach, ist das ein Elend!«

»Kann man da gar nichts machen, Nonô?«

»Au, meine Augen, ich kann das nicht mehr sehen, ach, meine armen Augen! Da kommt's knüppeldick, ich kann das gar nicht mit ansehen, knüppeldick kommt's da!«

»Laß nicht locker, paß gut auf.«

»Da braucht's Mumm, mein Lieber, da braucht's vielleicht Mumm.«

»Dann hab Mumm, Junge, bleib dran! Erzähl weiter, was siehst du noch?«

Aber Nonô konnte nicht weiter in den Korb spähen, weil ein dumpfes Brüllen, als wäre ein Riesentier darunter begraben, das mächtig durch die Erde heraufdrängte, alles ringsum in Bewegung versetzte, das Brüllen eines Elephanten, eines Wals, eines Jaguars, mühsames Keuchen, das plötzlich die Welt durchdröhnte, schon war es kein Tier unter der Erde mehr, es war die Erde selbst wie in Geburtswehen, als wollte sie um sich beißen, als wollte sie sich selber umstülpen.
»Das lebt alles, Heiligemuttergottes, mein Herr Jesus Christ, alles ist lebendig!« schrie Makrele. »Ach, meine Mutter!«
Die anderen konnten, selbst wenn sie gewollt hätten, nicht antworten, weil mit einem Schrei, den er sich nie zugetraut hätte, Kartoffel die Hand von der Mauer zog, an die er sie gelehnt hatte, als er über sie einen zähen, heißen Saft rinnen fühlte, eine rote brennende Brühe, eine blutähnliche Brühe, Blut, das langsam aus den Ruinen des Mehlhauses sickerte und sich in langsamen Schüben über die Mörtelblöcke ergoß, aus allen Ritzen der Mauer quellend, eine gallertartige Kaskade, aus jeder Spalte Blut, aus jedem dunklen Zementfleck, jedem Versteck von Spinnen und Skorpionen, jedem kleinen Buckel aus Sand, jedem Steinchen. Das Mehlhaus bebte im gleichen Rhythmus wie die Erde unter ihm, das Blut begann zu quellen, wie heraufgepumpt von tiefen Seufzern, die Esel fuhren mit den Köpfen hoch und rissen die Halfter los, um zu fliehen; die drei Diebe stoben wortlos mitten durchs Gestrüpp davon und rannten, den Geruch witternd, dem Meer zu. Im Himmel von Amoreiras war nichts zu sehen außer den Sternbildern des Januar auf ihrer unerbittlichen Bahn. Hoch über diesem Himmel von Amoreiras, wo es alles gibt und nichts unglaublich ist, stürzte die Sitzstange der Seelen, von so vielen erregten Schwingen und so vielen im gleichgültigen Wind des Weltalls schwankenden Träumen ins Schaukeln gebracht, in dieser plötzlichen Turbulenz fast ab, während die Erde dort unten keuchend pochte und die kleinen Seelen sich mühten, hinabzusteigen, hinab, immer weiter, hinab, weil sie kämpfen wollten. Und warum? Man weiß es nicht, nichts weiß man, alles ist bestimmt. Alles ist bestimmt, wie die kleinen Seelen wissen, die jetzt zitterten in der unendlichen Kälte des Alls, die sie taumeln machte wie Drachen, welche die Kinder steigenlassen, nach denen sie sich sehnen. Kleine brasilianische Seelen,

so klein, daß sie Mitleid erregten, so dumm, daß sie einem leid taten, aber entschlossen, zurückzukehren und zu kämpfen. Kleine Seelen, die so wenig gelernt hatten und mehr lernen wollten, wie es in der Natur der kleinen Seelen liegt, und von neuem zitterten, als dort unten drei Diebe vor dem alten Korb davonrannten, der vom Blut begraben wurde, vom Blut, vom Blut, vom Blut, vom Mörtel, was das gleiche ist, vom Schweiß, was das gleiche ist, von den Tränen, was das gleiche ist, von der Muttermilch, was das gleiche ist. Dies geschah dort oben, wo Gott lächeln mochte oder nicht, denn drunten, tief unter den Lüften von Amoreiras, geschah alles oder konnte immer alles geschehen. Der Südost wehte, trieb die Wolken zusammen, und in dikken, rhythmischen Tropfen fiel der Regen, alle, die noch wach waren, standen auf, um ihre Fenster zu schließen und das von den Dachrinnen fließende Wasser aufzufangen. Niemand blickte nach oben, und so sah niemand inmitten des Sturms den Geist des Menschen unstet, aber voller Hoffnung schweifen, über die lichtlosen Wasser der großen Bucht.

Inhalt

1 9

Pirajá, den 8. November 1822 22

Cachoeira, den 5. März 1826 29

2 Vera Cruz auf Itaparica, den 20. Dezember 1647 40

Hütte des Caboclo Capiroba, den 26. Dezember 1647 54

3 Salvador da Bahia, den 9. Juni 1827 62

Porto Santo auf Itaparica, den 10. Juni 1821 76

Walfängerstation-zum-Guten-Jesus, den 9. Juni 1827 90

4 Zuckermühle-vom-Jaburú-Reiher, den 26. Februar 1809 103

Walfängerstation-zum-Guten-Jesus, den 11. Juni 1827 111

5 Walfängerstation-zum-Guten-Jesus, den 12. Juni 1827 146

Tuntum-Lichtung, den 14. Juni 1827 161

Gutshaus, Walfängerstation-zum-Guten-Jesus, den 15. Juni 1827 175

6 Salvador da Bahia, den 23. August 1827 178

Walfängerstation-zum-Guten-Jesus, den 24. August 1827 194

Nazaré-das-Farinhas, den 29. Juli 1827 206

7 Walfängerstation-zum-Guten-Jesus, den 7. September 1827 216

Große Sklavenhütte, Walfängerstation-zum-Guten-Jesus, den 9. September 1827 226

Salvador da Bahia, den 13. September 1827 235

8 Salvador da Bahia, den 17. März 1839 251

Dorf Baiacu, den 28. Februar 1836 275

9 São João do Manguinho, Itaparica, den 29. Oktober 1846 295

Salvador da Bahia, den 19. Dezember 1840 313

Salvador da Bahia, den 10. März 1853 318

10 São João do Manguinho, den 30. Oktober 1846 338
Dorf Baiacu, den 12. Mai 1841 346
Salvador da Bahia, den 12. März 1853 353

11 Quelle-zum-kleinen-Krug, den 23. Juni 1842 374
Walfischkap, den 3. November 1846 388
Salvador da Bahia, den 5. April 1863 395

12 Dorf Baiacu, den 25. Mai 1863 403
Friedhof der Schwarzen von Vera Cruz auf Itaparica, den 26. Mai 1863 416
Feldlager von Mantanğe, den 28. Mai 1863 431

13 Walfischkap, den 7. Januar 1865 443
Salvador da Bahia, den 23. Mai 1866 452
Tapferes Städtchen Itaparica, den 11. März 1866 461

14 Feldlager von Tuiuti, den 24. Mai 1866 478
Corrientes, Argentinien, den 30. Juni 1866 496

15 Lissabon, Portugal, den 30. November 1869 508
Tapferes Städtchen Itaparica, den 14. Mai 1870 515
Tuntum-Lichtung, den 13. Juni 1871 526

16 Salvador da Bahia, den 7. Juli 1871 544
Kap-von-Unserer-Lieben-Frau, den 30. Juni 1871 552
Dorf-zum-Heiligen-Ignatius, Sertão, den 29. Februar 1896 558
Rio de Janeiro, den 16. Dezember 1871 567

17 Rio de Janeiro, den 14. November 1889 581
Cocorobó, den 1. März 1897 596

18 Rio de Janeiro, den 24. Oktober 1897 616
Amoreiras, den 23. Januar 1898 639

19 Thermalbad Itaparica, den 7. Januar 1977 665

20 São Paulo, den 25. Mai 1972 694
Thermalbad Itaparica, den 10. März 1939 710

João Ubaldo Ribeiro
Das Lächeln der Eidechse

Roman
Aus dem brasilianischen Portugiesisch von Karin von Schweder-Schreiner
454 Seiten. Gebunden

Der Biologe João Pedroso hat sich in fast geglückter Mimikry unscheinbar gemacht, hat sich als einfacher Fischhändler auf einer idyllischen tropischen Insel niedergelassen und lebt in den Tag hinein. Sein Rückzug bewahrt ihn aber nicht davor, mit den jüngsten und folgenreichsten Möglichkeiten seiner Wissenschaft konfrontiert zu werden. Fern einer wachsamen Weltöffentlichkeit führt ein Team internationaler Wissenschaftler auf der Insel geheime Experimente durch, die zum Ziel haben, den Rohstoff Leben ein für allemal in den Griff zu bekommen. João Pedroso wird in den tödlichen Strudel des Geschehens hineingesogen.
Ihm selbst ist nicht verborgen, daß er sein Leben tatenlos verschwendet, seine Talente verschleudert – seine eigentliche Sünde, wie er im Gespräch mit dem befreundeten Pater Monteiro bekennt. Der Pater aber, in den Augen der Amtskirche mehr schwarzes Schaf als verläßlicher Hirte und hin und her gerissen zwischen Freundschaftstreue und Glaubensauftrag, hat sich darin verbissen, seinen Freund von dessen Liebschaft mit Ana Clara abzubringen, der lebenshungrigen Ehefrau eines karrierebewußten und sehr flexiblen Politikers. Das kann ihm nicht gelingen, denn João und Ana Clara ist ihre heimliche Liebe längst zur Passion geworden, jenseits der Grenzen einer appetitlichen kleinen Affäre, wie sie Ana Claras Busenfreundin ihr so aufmunternd angeraten hatte.
Als João Pedroso sich zum Handeln entschließt und die ominösen Vorgänge auf der Insel zu erkunden beginnt, wird er sehr schnell selbst zum Objekt fremder Pläne. Im Verlauf der verstörenden Ereignisse verliert er die Gewißheit darüber, was verläßliche Wirklichkeit ist. Auch Ana Clara, deren Liebschaft mit ihm so spielerisch begonnen hatte, ist am Ende nicht mehr dieselbe. Und der Pater muß sich Fragen stellen, für die ihn sein Glauben nicht ausgerüstet hat. Das Lächeln der Eidechse, von dem ihm sein Freund erzählt hatte, wird ihm zum Grauen.

João Ubaldo Ribeiro
Sargento Getúlio

Roman
Aus dem brasilianischen Portugiesisch übersetzt und mit einem Nachwort versehen von Curt Meyer-Clason
188 Seiten. Gebunden

Sargento Getúlio, ein Revolvermann mit festen Grundsätzen und eigener Ehre, stammt aus dem Inneren des brasilianischen Nordostens, dem Sertão. Von seinem Boß hat er den Auftrag, einen politischen Gegner in die Provinzhauptstadt an der Küste zu verschleppen. Noch während der strapaziösen Überführung gibt es einen politischen Umschwung, und Getúlio erhält von weither die Order, seinen Gefangenen freizulassen. Er weigert sich, solche politischen Finessen mitzumachen, und ist entschlossen, den Auftrag auszuführen, komme was wolle. Als anrückende reguläre Truppen ihm den Gefangenen gewaltsam abnehmen wollen, leistet er erbitterten Widerstand und schlägt sich mit seinem Opfer in einem immer irrwitzigeren Einzelkampf bis an die Küste durch.
Ein einziger manischer Monolog, archaisch, schnoddrig exzessiv, barock innovativ – nicht einzuordnen und als Stimme nicht unterzukriegen. Getúlio, ein Analphabet, starr in seinen Überzeugungen und eigensinnig genug, dafür mit seinem Leben einzustehen, hat ein lebhaftes Innenleben und ist willens, sich die Welt zu erklären. Und er hat die Sprachgewalt, seine rohe Lebensphilosophie auszudrükken.